Y0-BZU-392

Jens Lüdtke

Los orígenes de la lengua española en América

Los primeros cambios en las Islas Canarias, las Antillas y Castilla del Oro

LINGÜÍSTICA IBEROAMERICANA
Vol. 54

Jens Lüdtke

Los orígenes de la lengua española en América

Los primeros cambios en las Islas Canarias, las Antillas y Castilla del Oro

Iberoamericana · Vervuert · 2014

Gedruckt mit Unterstützung des Förderungs- und Beihilfefonds Wissenschaft der VG Wort.

Amor de Dios, 1 – E-28014 Madrid
Tel.: +34 91 429 35 22
Fax: +34 91 429 53 97
info@iberoamericanalibros.com
www.ibero-americana.net

Elisabethenstr. 3-9 – D-60594 Frankfurt am Main
Tel.: +49 69 597 46 17
Fax: +49 69 597 87 43
info@iberoamericanalibros.com
www.ibero-americana.net

ISBN 978-84-8489-709-5 (Iberoamericana)
ISBN 978-3-86527-760-2 (Vervuert)

Depósito Legal: M-9204-2014

Diseño de la cubierta: Carlos Zamora
Impreso en España
Este libro está impreso íntegramente en papel ecológico blanqueado sin cloro

ÍNDICE

PRÓLOGO

Esbozar una parte de la historia de la lengua española fuera de la Península Ibérica o desde una perspectiva global puede parecer una empresa prematura. A primera vista, los primeros cambios son léxicos, pero no precisamente puntuales. Aparecen en determinadas fuentes que requieren una presentación y se integran en conjuntos léxicos tales como campos semánticos o lenguajes técnicos, es decir que se acomodan en determinados ámbitos lingüísticos y éstos se incluyen en nuevos entornos que son también el objeto de las consideraciones a las cuales me refiero. Dicho de otro modo, los primeros cambios empiezan a configurarse en nuevas variedades de las cuales los coetáneos toman conciencia, debido justamente a que cambia el léxico. Ahora, si pensamos que hay que conocer todos los detalles antes de emprender una síntesis, por cierto que el momento es prematuro. Pero los que acometieron tareas semejantes nunca aguardaron a tener una información cabal, y con razón. Llegar a una visión de conjunto es una tarea de una índole distinta a la de la investigación especializada y tampoco se debe resumir ésta en una historia general de la lengua. La investigación es demasiado desigual debido a su concentración en determinados temas como para poder ser reunida sin más en una obra de síntesis y aunque se asumiera esta concentración dejaría muchas cuestiones abiertas. Por lo demás, una historia de estas características ya no es necesaria, dado que existe la *Historia de la lengua española en América* de Juan Sánchez Méndez, la primera obra que se dedica enteramente a este tema, sin olvidar la *Historia del español de América. Textos y contextos*, obra muy personal de Juan A. Frago Gracia.

Escribir una historia general –si bien de un corte cronológico limitado, si bien no sincrónico, como en el caso presente– es una tarea que debe ir más allá de enhebrar monografías y trabajos individuales, y es de esperar que el tratamiento del conjunto haga resaltar las lagunas de la investigación. No es posible abordar la historia de una lengua sin concepción previa, más aún cuando se trata de la expansión colonial de esa lengua, un aspecto importante que con frecuencia se descuida en la historia de cualquier idioma como tema global. Es por ello por lo que acometeré el estudio de la expansión ultramarina del español desde una concepción histórica que me gustaría llamar teórica si fuera más explícita de lo que es.

La larga gestación de esta concepción, que se debe a que no he podido dedicarme exclusivamente a la historia colonial de la lengua española, ha tenido la ventaja de que puedo apoyarme, en dimensiones muy variables, en la docencia de la lingüística de todas las lenguas románicas de difusión colonial y algunas otras. Se añaden a estas experiencias romanísticas las discusiones sobre la sociolingüística de las lenguas de la vieja Europa en el marco de la "Dinámica de variedades subestándar", Colegio de Doctorandos (Graduiertenkolleg) de la Universidad de Heidelberg, patrocinado por la Deutsche Forschungsgemeinschaft.

En el estado actual de mi trabajo la invitación de Luis Fernando Lara, el entonces director del Centro de Estudios Lingüísticos y Literarios (CELL) de El Colegio de México, no podía ser más oportuna. El aumento de las responsabilidades administrativas en las universidades alemanas, de las que los profesores tenemos que encargarnos y la docencia de materias de demanda creciente como la filología hispánica, fragmentan el tiempo para cualquier trabajo y sobre todo para la planificación continua de un proyecto amplio. De hecho, me ocupo en el proyecto de una historia colonial de la lengua española desde el otoño de 1986. Ofrecí un curso introductorio a la historia ultramarina del español en el semestre de invierno de 1986-1987, enseñanza que continuó en la Universidad Libre de Berlín (1987-1994) y en la Universidad de Heidelberg (desde 1994).

Entretanto he publicado una serie de artículos en alemán y en español, que se reúnen en la bibliografía, y edité tres obras colectivas sobre el tema, una de ellas con Matthias Perl (1994), además de otra más general editada con Christian Schmitt (2004). Con esto se planteó siempre el problema de la lengua que debía usarse en las publicaciones. Los lectores de lengua alemana y los lectores de lengua española tienen trasfondos muy diferentes, pero no es difícil suponer que los primeros, que se interesan por el tema, tienen con mayor frecuencia conocimientos de español que los segundos de alemán. La docencia en El Colegio de México me ha convencido de la utilidad de redactar la historia de la lengua ultramarina en español. Escribí todas mis contribuciones con vistas a incluirlas en una obra general. Me parece, pues, oportuno hacerlas entrar ahora, ampliadas y puestas al día, en esta visión de conjunto, para la que fueron concebidas. Por la enseñanza en El Colegio de México me veo confirmado en mi concepción y en la oportunidad de seguirla elaborando. Las discusiones con los profesores del CELL, la docencia y las frecuentes visitas a todas las fuentes de información a mi alcance (la biblioteca de El Colegio de México, museos, monumentos, exposiciones, sitios de interés histórico y actual) y los viajes de estudio han enriquecido mi visión de México de una manera que todavía no logro captar del todo, pero que va a incidir de manera muy fructífera en mi trabajo futuro.

Me voy a extender más en la historia general de los descubrimientos y de la colonización de lo que suelen hacerlo los historiadores de la lengua. Las informaciones históricas son necesarias cuando es tan evidente como en la historia colonial del español que el desarrollo y el contacto lingüísticos dependen de la expansión de los colonizadores.

La necesidad de comprender el devenir histórico de la lengua española orientó mis lecturas y mis viajes de estudio. Empecé por visitar las islas y los países, en la medida de lo posible, por el orden de la colonización. Lógicamente, comencé con Lanzarote. Siguió un viaje a Cuba un año después de abrirse este país al turismo internacional. Volví hacia atrás en el orden que creo deseable, visitando Gran Canaria, Tenerife y la República Dominicana, de importancia capital para la formación del español americano. En estos viajes frecuentaba los respectivos archivos, incluyendo sobre todo el Archivo General de Indias en Sevilla. No faltó tampoco un salto hacia delante. Elena M. Rojas Mayer y yo nos asociamos en un proyecto de estudio de documentos coloniales argentinos, más específicamente, tucumanos entre 1997 y 1999. En este último año siguió una escapada a Santiago de Chile y sus alrededores. De este modo conocí dos de las últimas regiones a las que llegara la colonización española, mientras que con mi estancia en El Colegio de México, que profundizaba un primer contacto con la realidad mexicana que yo había tenido en 1995, me encontraba de nuevo en el orden de las cosas. Completé mi visión del Caribe con el paso por Panamá en 2002, desde Costa Rica, región que fue una extensión del espacio geográfico de las Antillas en el siglo XVI, y en 2005 mi experiencia mexicana con mi participación al congreso de la Asociación Internacional de Hispanistas celebrado en Monterrey y un viaje por el país, así como, en 2006, con una estancia en el norte de Yucatán que se debió al traslado de la sede del Congreso de Historia de la Lengua Española de Oaxaca a Mérida, Yucatán. Es evidente que estos viajes no me explican la historia, pero sí me enseñaron los cambios por aclarar y las normas lingüísticas.

Los primeros en fomentar mi proyecto fueron los profesores del Instituto de Filología Románica de la Universidad Libre de Berlín que me acogieron en 1987, y después los profesores del Seminario de Filología Románica y de la Facultad de Filología Moderna de Heidelberg. Luego, Germán de Granda escuchó la atrevida presentación de mi proyecto en el Primer Congreso de la Asociación de Historia de la Lengua Española, celebrado en Cáceres en 1987, y Dietrich Briesemeister, el entonces director del Instituto Ibero-Americano de Berlín, me ofreció organizar un simposio en su Instituto para celebrar el Quinto Centenario. Ingresé en la Asociación de Lingüística y Filología de la América Latina (ALFAL) en 1996, cuya junta directiva me designó inmediatamente después delegado regional de los países de lengua alemana (Alemania, Austria, la Suiza germánica), cargo que desempeñé hasta 2002, y he participado en el proyecto de la Historia de la Lengua Española en América y Canarias, dirigido durante algún tiempo por Elena M. Rojas Mayer y otros.

No puedo concluir este prólogo sin agradecer su atenta lectura a Patricia Correa, a quien conocí en Tucumán y que se dejó tentar de venir a enseñar en Heidelberg, así como a la Dra. Maribel Cedeño, también lectora de español en

Heidelberg. Un reconocimiento particular merece Carlos Gabriel Perna, ya perito de mi manera de presentar mis textos en lengua española, por su incansable atención a todos los detalles de lengua y contenido.

1. EL ESPAÑOL COMO LENGUA HISTÓRICA Y LA HISTORIA DEL ESPAÑOL ULTRAMARINO

La storia di ciascuna lingua è la storia di quelli che la parlarono o la parlano, e la storia delle lingue è la storia della mente umana[1].

1.0.1. Una arqueología del saber

Los esplendores de México y del Perú ofuscan en nuestra conciencia lingüística la historia anterior y posterior. Este cambio de la percepción se realizó ya en el siglo XVI. Colón trazó paralelos entre los arahuacos antillanos y los canarios, los habitantes de aquellas islas que los españoles estaban ocupando en su día. Mientras Hernán Cortés iba conquistando México, comparó la cultura de los mayas y de los aztecas con el desarrollo muy inferior de los arahuacos en las Antillas. Bernal Díaz del Castillo contrabalanceó en su *Historia verdadera de la conquista de la Nueva España*, escrita en 1568, sobre todo el esplendor de México con las riquezas del Perú. Y no tuvieron poca relevancia las expectativas desmesuradas de los expedicionarios de La Florida, encabezados por Hernán de Soto que esperaban encontrar un El Dorado en el sur de los actuales Estados Unidos de América. Los tres sobrevivientes, entre ellos Núñez Cabeza de Vaca, aprendieron a valorar las riquezas de la *provincias* del *Reino de la Florida* cuando llegaron, desharrapados, al Pánuco mexicano.

Nosotros no somos diferentes hoy en día. Tenemos que explorar estratos de nuestro saber a los que se sobrepusieron saberes adquiridos con posterioridad. Hay que conocer las experiencias vividas por los españoles en las Islas Canarias y en las Antillas, antes de pasar a las experiencias culturales y lingüísticas de los españoles en México, en el Perú y otros lugares. Las cosas y las palabras con que los españoles se familiarizaron en Canarias, y más aún en las Antillas, y que eran adaptaciones de la lengua a la nueva realidad, se llevaron a todas partes, se conservaron en su saber, se innovaron, se modificaron y se sustituyeron. La etapa antillana precedió siempre a todas las otras fases de la expansión, incluso, por lo menos en parte, a la región del Río de la Plata. Por este motivo esta etapa temprana de la historia del español en el Nuevo Mundo es más importante que las posteriores.

---

[1] G. Leopardi 1991: II, 1387.

1.0.2. El momento histórico de la expansión[2]

En el mes de enero de 1492 Isabel de Castilla y Fernando de Aragón pusieron fin a la Reconquista de la Península Ibérica. En el mismo año de la conquista de Granada Cristóbal Colón, que estaba presente ahí, emprendió un viaje a un continente que tomó por una parte de Asia y que llamó durante toda su vida *Indias*, nombre que se mantuvo durante la época colonial, para convertir a los súbditos del Gran Khan a la fe católica o, más exactamente, para sondear la posibilidad de una conversión y comerciar con las Indias. No quería ponerse en contacto con el Gran Khan camino de Oriente, camino conocido, sino por el desconocido Occidente. Se capituló la formación de una armada y los Reyes Católicos otorgaron grandes mercedes a Colón. Le ennoblecieron, le nombraron *Almirante Mayor de la Mar Océana, Visorey e Gobernador perpetuo* de todas las islas y de la tierra firme por descubrir. La armada de tres navíos –dos carabelas y una nao capitana– se aprovisionó por orden de la reina Isabel en Palos, cerca de Huelva. Zarparon el 3 de agosto de 1492. El 12 de octubre del mismo año Cristóbal Colón tomó posesión de la primera isla americana, Guanahaní, una de las Bahamas, en nombre de los Reyes Católicos.

En este mismo año se imprimiría la primera gramática de una lengua románica, la *Gramática de la lengua castellana* de Antonio de Nebrija. Es una interesante coincidencia con el viaje de Colón, pero no hay ninguna relación entre los dos hechos.

El fin del siglo XV es una época de cambio en la historia de la lengua castellana. En aquellos años esta lengua se había difundido no sólo en las Islas Canarias y en La Española, sino que empieza la influencia castellana en Italia, es decir, en los reinos de Sicilia y de Nápoles durante el reinado de los Reyes Católicos y, en general, la castellanización incipiente de las capas altas de la sociedad de los reinos catalanohablantes –el principado de Cataluña y los reinos de Mallorca, Valencia y Cerdeña donde el catalán era lengua dominante–, así como la continuación de la castellanización en otras regiones. La expulsión de los judíos llevó la lengua castellana a muchos países del Mediterráneo, hasta el imperio otomano. Pero mientras que las comunidades judeoespañolas no pudieron mantenerse en contacto duradero con España, las regiones hispanohablantes de ambas orillas del Atlántico siguieron siendo una sola comunidad lingüística. Ya que en épocas posteriores la compleja historia del judeoespañol no experimentó una fuerte influencia de la lengua española en épocas posteriores, no vamos a incluirlo en nuestras consideraciones.

A la luz de la evidencia de estos lazos históricos, sorprende el descuido de esta época clave en las historias de la lengua española. Soy consciente de que los

---

2 En lo que sigue retomo y amplío gran parte de mis contribuciones de 1998 y 1999b.

nacionalismos de todos los países de lengua española son un obstáculo para una visión sintética, pero esto no impide a los hispanohablantes sostener, frente a las naciones no hispánicas, cierta unidad panhispánica, incluso con orgullo. Podemos eludirla en la actualidad, aunque nos deja en una situación ambigua: en la época colonial, sin embargo, esa unidad fue una realidad manifiesta.

Extrañamente, para la historiografía de la lengua española el descubrimiento de América no ha tenido lugar. En efecto, no se encadena la historia de la lengua en la metrópoli con el desarrollo de la lengua en América en las obras que se llaman *Historia de la lengua española*. Esta afirmación no deja de ser cierta incluso después de la excelente *Historia de la lengua española* editada por Rafael Cano Aguilar en 2004. La obra introduce notables innovaciones: la historia lingüística se enriquece de un estudio documental y textual, de lenguajes técnicos y del español en contacto con otras lenguas en la Península Ibérica e Hispanoamérica, pero más que "historia" es una enciclopedia de la diacronía de la lengua. Una enciclopedia histórico-lingüística es también la *Romanische Sprachgeschichte* o *Histoire linguistique de la Romania* (2003, 2006, 2008), editada por Gerhard Ernst, Martin-Dietrich Gleßgen, Christian Schmitt y Wolfgang Schweickard, en la cual se trata la historia externa del español de América y de otros continentes por países (*HSK* 23.1 2003: 972-1069), y en algunos casos por temas. Sin embargo, no faltó quien trajera la relación a la memoria. Recuerdo las palabras que Ramón Menéndez Pidal escribió en 1950:

> Debe comenzarse con los Reyes Católicos, porque el advenimiento de Fernando e Isabel no sólo cambió el gobierno de la nación, sino la vida entera de la sociedad, transformando la desbarajustada España de Enrique IV en la España que alcanza su más alto punto de interna perfección y externo desarrollo. El idioma sufre ahora en sus rumbos el giro más amplio y fuerte que en mil años de vida ha experimentado. El advenimiento de los Reyes Católicos unifica definitivamente los dos grandes dialectos afines, castellano y aragonés, que seguían caminos separados; hecho de tal importancia que necesitamos ascender al siglo XIII para hallar otro semejante en la unificación del castellano y el leonés bajo Alfonso el Sabio.

Y algunas líneas adelante:

> Y después los descubrimientos geográficos, la dispersión de los judíos españoles, las empresas de Italia, son sucesos llamados a modificar como ningún otro la vida del idioma, que antes transcurría muy casera y ahora se derrama "por cuantos son los climas y los mares"[3].

---

[3] R. Menéndez Pidal 1950: 9-10.

No puedo dejar de comentar estas líneas muy propias de su autor que manifiestan la idea que tiene de la historia de la lengua española. En primer lugar, proyecta la extensión del territorio del reino de Castilla durante la época de Enrique IV (1454-1474) en las dimensiones del país posteriores al reinado de los Reyes Católicos y, hasta cierto punto, a la Guerra de Sucesión Española. No es necesario apropiarse esta visión ideológica de una España que tiene continuidad a través de sus habitantes desde la Antigüedad. El "más alto punto de interna perfección" se remite a los Siglos de Oro y el "externo desarrollo" a la implantación de la lengua en América. Y finalmente, no puedo estar de acuerdo con una concepción que ve en la eliminación de lenguas como el leonés y el aragonés una forma de la unificación con ellas. Pero todo esto no impide que se marque con toda claridad este momento clave de la historia lingüística.

Se puede argüir que lo que fue una realidad en la colonia, no lo fue después de la Independencia y que se justifica de esta manera una historia nacional de la lengua española en los Estados hispánicos. Pero si el camino va de la lengua de Castilla "al español de veinte naciones"[4], se pone de manifiesto que estas naciones se distinguen de otras naciones por su lengua, razón sobrada para tratar la constitución de la lengua española como lengua de veinte naciones en una visión de conjunto.

Han pasado más de quinientos años desde que Colón creyó haber descubierto las Indias por el camino del Oeste, se colonizó el Nuevo Mundo y se implantó ahí la lengua española. El español es la lengua románica que tiene el mayor número de hablantes. Desde el siglo XIX, la gran mayoría vive fuera de la Península Ibérica. No obstante esta evidencia, la historiografía del español americano no ha progresado de acuerdo con las interrelaciones históricas. Esta carencia se explica en parte por el atraso del desarrollo de la lingüística histórico-comparativa en España e Hispanoamérica. Una investigación continua supone su institucionalización, ya que una existencia plagada de preocupaciones materiales no la permite.[5] En Alemania, el primer país en que se institucionalizó la filología

---

[4] Cf. G. L. Guitarte 1991.

[5] No faltan "Propuestas, exhortaciones, aceptaciones, acuerdos, buenos propósitos [...]" (J. M. Lope Blanch 1993: 106) desde los años sesenta del siglo pasado cuyos iniciadores fueron sobre todo J. M. Lope Blanch (1993a) y G. L. Guitarte (1968, 1974). El proyecto del estudio del español de América tomó formas más concretas desde el VIII Congreso de la Asociación de Lingüística y Filología de la América Latina (ALFAL) que en 1988 se celebró en San Miguel de Tucumán. M.ª B. Fontanella de Weinberg organizó el estudio coordinado del español de América desde 1989 y publicó como primer resultado de las labores del grupo de trabajo un volumen de *Documentos para la historia lingüística de Hispanoamérica. Siglos XVI a XVIII* (1993). Después del fallecimiento de M.ª B. Fontanella de Weinberg la dirección del grupo de trabajo se confió a E. M. Rojas Mayer en el Congreso de la ALFAL que se desarrolló

moderna, se crearon cátedras a partir de los años veinte del siglo XIX. Este hecho explica el enorme impulso de la filología románica en el centro de Europa. Sin embargo, insisto en que la institucionalización no es más que una condición previa para la investigación. Un aspecto de igual importancia es el concepto de lenguaje. La historiografía de la lengua sigue la teoría del lenguaje, no al revés. La acumulación del saber histórico puede ocultar este hecho con facilidad. La idea del árbol genealógico de las lenguas elaborada por August Schleicher (^{3}1873) coincide con la concepción de la lengua estándar en la hipótesis de que la lengua es homogénea. Así, los filólogos del siglo XIX creían que incluso los dialectos y subdialectos eran tan homogéneos como la lengua estándar, que erróneamente se imaginaban uniforme. Si queremos superar la idea de la historia de la lengua vigente todavía, no sólo en la lingüística hispánica, sino en la lingüística en general, tenemos que partir de otra teoría del lenguaje. Es en este sentido que se deben tomar las siguientes observaciones. No son críticas negativas ni a personas ni a obras. Se trata tan sólo de comprobar los logros y señalar una perspectiva teórica para la investigación futura.

1.1. Historias de la lengua española como modelos historiográficos

Vamos a pasar revista a algunas historias de la lengua existentes para deducir de ellas las razones que mueven a los historiadores de la lengua a no considerar el devenir del español en toda su extensión. Por cierto, podemos tomar como prototipo de una historia de la lengua española la muy meritoria obra homónima de

---

en Las Palmas de Gran Canaria (1996), incluyendo desde entonces las Islas Canarias en el proyecto, y posteriormente a J. Sánchez Méndez. E. M. Rojas Mayer publicó una presentación del grupo de trabajo (1996) y *Documentos para la historia lingüística de Hispanoamérica. Siglos XVI a XVIII* (1999) en CD-ROM.

Es cierto que nuestros conocimientos del español en América son relativamente escasos y superficiales (J. M. Lope Blanch 1993b: 137) incluso hoy en día tras casi veinte años de fructífera investigación. Sin embargo, deducir de las carencias de la investigación que no se deben emprender síntesis antes de haber descrito el español de América en las regiones individuales según una teoría y método comunes no me parece justificado, a pesar de que las objeciones de Lope Blanch son totalmente acertadas. No obstante conceder esta reserva, necesitamos una visión global para orientarnos. Para esta tarea es más útil una obra como la *Historia del español de América* (2003) de J. Sánchez Méndez que una obra colectiva, la *Historia y presente del español de América* (1992), coordinada por C. Hernández Alonso, porque asimila el estado de la investigación de manera más homogénea. Cuando comparamos las exhortaciones de Lope Blanch, y de Guitarte, con los resultados, comprobamos que el ejemplo personal es más eficaz que la exhortación y el discurso programático. El camino más prometedor es la docencia y el estímulo directo.

Rafael Lapesa, publicada por primera vez en 1942, aunque este filólogo toma la historia entonces inconclusa de Ramón Menéndez Pidal por la verdadera historia de la lengua española[6]. Menéndez Pidal contribuyó con obras muy importantes a la historiografía del español (por ejemplo, 1926), pero no dio una visión de conjunto él mismo en vida, si bien su historia habría incluido en parte el español de América[7]. Los historiadores de la lengua española no siguieron el modelo de Menéndez Pidal. Sólo muy recientemente Diego Catalán reunió todos los materiales en una historia póstuma de este autor[8].

El gran maestro de la filología española prologó la primera edición de la *Historia de la lengua española* de Lapesa y no expresó divergencia de opiniones en esta materia. La obra de Lapesa abarca en parte más, en parte menos de lo que promete el título: más de 100 páginas dedicadas a la historia del latín en la Península Ibérica y a las lenguas con las que el latín entró en contacto. Aún más espacio toma una dialectología española que se divide en las variedades del español en España, el judeoespañol y el español de América. La inclusión de la historia de la lengua latina es sin duda necesaria: las tareas entre los latinistas y los romanistas están mal divididas. Para los latinistas el objeto de su estudio es más reducido de lo que debería ser. Por eso, los romanistas tienen que crear en gran parte la base histórica de las lenguas que estudian. La incorporación de la dialectología, sin embargo, se justifica simplemente por razones prácticas. Es útil tener una obra que ofrezca una orientación extensa en la filología hispánica. Para la historia de la lengua española propiamente dicha no queda mucho más de la mitad de la obra. Sus límites son muy claros: se exponen la formación y la historia de la lengua literaria española en España. Con esto responde de manera excelente a su finalidad en España, pero no en todos los países hispánicos ni para los lectores no hispanohablantes con intereses lingüísticos más amplios.

1.1.1. La historia de la lengua literaria y de la lengua nacional

Hagamos constar primero que se representa la lengua literaria en España. Con esto escribe Lapesa, como otros historiadores de una lengua[9], una historia de la lengua nacional. Es lógico, por consiguiente, que no incluya a los Países Catalanes, al País Vasco ni a Galicia, ya que estas regiones se reivindican como nacio-

---

[6] R. Lapesa 1988.

[7] R. Menéndez Pidal 1962.

[8] R. Menéndez Pidal 2005.

[9] Cf. K. Vossler 1923: 1-62.

nalidades propias. Estas aspiraciones existían ya cuando Lapesa empezó a escribir su historia lingüística, pero en ninguna parte se refiere explícitamente a ellas. La consecuencia es que estos dominios, en los que la lengua española se encuentra en contacto con otras lenguas, siguen siendo una tierra de nadie tanto en el presente como en el pasado, puesto que la hispanización de estas regiones se excluye implícitamente de una historia de la lengua española. Por consiguiente, muchos españoles carecen de comprensión histórica hacia la constitución de las actuales situaciones de contactos de lenguas, y no se justifica adecuadamente la existencia de la lengua española en las comunidades históricas reconocidas en los términos de la Constitución española de 1978. Una lengua nacional tiene un territorio, y la presuposición implícita es que el territorio de la lengua española es España. Se deja en la incertidumbre la existencia de los otros idiomas de España y su relación con la lengua nacional de todos los españoles. Sin embargo, la perspectiva está cambiando como muestra la historia conjunta de *Las lenguas de un reino. Historia lingüística hispánica* de María Teresa Echenique Elizondo y Juan Sánchez Méndez (2005).

Transfiramos el principio de la historia lingüística nacional a los Estados hispanoamericanos. Una historia lingüística nacional se funda en las fronteras de un Estado. El período que ella comprendería debería coincidir con el tiempo que va de la Independencia nacional a la actualidad. Estos criterios, sin embargo, no conducirían a buenas historias lingüísticas nacionales. Como hemos visto en el caso de la historia de Lapesa, no se aplica el criterio territorial de manera absolutamente consecuente. En el caso de todos los países hispanoamericanos la aplicación de este criterio nos llevaría –exceptuando quizás la República Dominicana, ya que la evolución del español de América parte de La Española– a insuficientes justificaciones históricas de la tradición lingüística nacional propia. Por esta razón se deberían tratar en las historias de la lengua nacional en Hispanoamérica los antecedentes extraterritoriales. Resulta de la perogrullada de que la lengua española no tiene su origen en un país hispanoamericano que la primera aproximación a la historia de la lengua española en un país se efectuaría desde una perspectiva continental. Si comparamos, por otro lado, en lo que concierne al período en cuestión, la historiografía con la historiografía lingüística, comprobamos un escaso interés por el desarrollo lingüístico nacional después de la Independencia, pero menos aún se ha estudiado la etapa comprendida entre el descubrimiento y la Independencia, ya que la época colonial se considera en parte como época española, aunque las actitudes están cambiando. Por eso los lingüistas hispanoamericanos no tratan tampoco la lengua estándar de la época colonial como una lengua cuya tradición continúan, dejando así lagunas en la apropiación de dominios lingüísticos y de épocas en la reconstrucción de su pasado lingüístico.

1.1.2. Historia de la lengua literaria nacional e historia global

Volvamos a Lapesa. Como dijimos, no aspira a dar una historia global de la lengua española. Sin embargo, podemos preguntarnos si realmente es posible basarla en la lengua literaria nacional. Esta última tiene, por supuesto, un lugar de privilegio en una historia lingüística tradicional y es obvio que en general el dominio de una lengua coincide con la extensión de su lengua literaria. A este respecto Lapesa sigue la historia de la lengua francesa de Karl Vossler (1913, 1929) y obra consecuentemente en su concepción de la historia lingüística cuando trata más ampliamente la historia de la lengua literaria hasta su codificación en el siglo XVIII. Sin embargo, a partir del siglo XX y más aún desde el siglo XIX se hacen más patentes las lagunas de la historiografía lingüística. En el siglo XVIII se difunde la lengua española sobre todo en las regiones alóglotas de España debido a la política lingüística de los Borbones y al atractivo del español como lengua universal. No obstante, sólo una minoría culta tuvo acceso a la lengua literaria.

Hay que subrayar que mis observaciones sólo se refieren a su concepción historiográfica. La obra de Lapesa en su conjunto es ejemplar e incluye investigaciones sobre la historia del español americano así como el desarrollo de la lengua hasta el presente[10]. Pero aquí deseo integrar las investigaciones de historia lingüística en una concepción de la forma más coherente posible. A este respecto puede decirse que la historia del español de América no se relaciona, en la medida en que existe una interrelación efectiva, con una historia de la lengua que se basa en las literaturas nacionales.

En la época colonial no se producen obras literarias desde la implantación de la lengua española en las diferentes regiones, de modo que la lengua literaria en la Península no enlaza directamente con el período de orígenes en América. Las primeras obras que mencionan las historias de la literatura hispanoamericana son, al modo de ver nuestro, literatura especializada y tratan más bien de la historiografía, la geografía, la religión, la etnografía, la etnología y de muchas otras ciencias. Se debería examinar en detalle si y hasta qué punto esta literatura especializada era pura y simplemente literatura para los humanistas del siglo XVI, con las consecuencias que de ello se derivarían para la historiografía lingüística. Pero si nos atenemos a las literaturas hispanoamericanas modernas, comprobamos una solución de continuidad. Esto se evidencia también en la historia del mexicano Antonio Alatorre (1989). Por eso la literatura –o sólo ella– es una base muy problemática para una historia general de la lengua española.

---

[10] Por ejemplo R. Lapesa 1996.

Ni Lapesa ni los otros historiadores de la lengua pretenden transferir el principio de la lengua literaria nacional al español de América; yo lo hice a título de prueba para mostrar los límites de este principio. Es obvio que se expone la historia del español hasta la formación de su literatura clásica. Además, el hecho de que el español se considera de manera explícita y oficial como lengua nacional, se remonta por lo menos hasta las leyes de Carlos III. Antes, Nebrija había escrito que "siempre la lengua fue compañera del imperio"[11], pero no se interpretaba entonces en sentido nacionalista. En cambio, la real cédula del 23 de junio de 1768 llama a la lengua española "el idioma general de la Nacion"[12]. El alcance de esta ley es toda España. El arzobispo de México de aquella época, Francisco Antonio de Lorenzana, denomina al español "un mismo idioma en una nación propio"[13] en una carta pastoral del 6 de octubre de 1769, que está directamente relacionada con la real cédula anterior y que da paso a otra del 10 de mayo de 1770, esta vez destinada a las colonias americanas. Lo que pretende la pastoral suena como provocación considerando que las lenguas indígenas eran habladas por la mayoría de la población. Las dos reales cédulas no surtieron efecto a corto plazo, pero indican los objetivos de la futura política educativa, realizada a partir del siglo XIX en España y en América. Cuando hacia finales del siglo XIX empezó una investigación continua de la historia lingüística, los filólogos y historiadores de la lengua en España habían restringido su perspectiva al centro de España y a Castilla en particular. La reducción de la perspectiva que caracteriza a la Generación del 98[14] es un efecto de la pérdida de las últimas colonias y del desarrollo de los regionalismos políticos en la periferia de España.

1.1.3. La gramática histórica

Un segundo modelo historiográfico se encuentra en una relación de interdependencia con la lengua literaria: la gramática histórica. Una excelente obra reciente es *A History of the Spanish Language* de Ralph Penny (1991, ²2002), titulada, adecuadamente, en la traducción española *Gramática histórica del español* (1993, ²2001), muy a pesar de su autor. La gramática histórica es un método para ordenar los cambios individuales según las categorías de la gramática descriptiva[15]. De los elementos descritos en capítulos concretos algunos cambian consi-

---

[11] A. de Nebrija 1981: 97.

[12] F. Ferrer i Gironès 1986: 37; cf. J. Lüdtke 1989.

[13] F. de Solano (ed.) 1991: 242.

[14] C. Garatea Grau 2005.

[15] H. Paul ⁵1920: 11; la traducción de este pasaje se encuentra en el Apéndice.

derablemente en determinadas épocas, otros poco, menos o nada. La repartición descriptiva de los fenómenos no tiene nada que ver con el ritmo del cambio. Sin embargo, una combinación muy lograda de una historia de la lengua con los elementos de una gramática histórica es *El español a través de los tiempos* de Rafael Cano Aguilar (1988, ³1997).

La gramática histórica es, como descripción diacrónica –permítaseme la palabra– de un sistema lingüístico, una parte esencial de la investigación histórica de una lengua, pero no es apropiada como modelo general y exclusivo para la historia lingüística debido al menos a dos insuficiencias. La primera es una insuficiencia interna: la gramática histórica del español –que en esto no se distingue de las gramáticas históricas de las lenguas románicas en general– hace abstracción del hecho de que los sistemas lingüísticos son mixtos, ya que elimina tradicionalmente su latinización constante a lo largo de su historia, ignorando de esta manera el carácter bisistemático de cualquier lengua románica. Esta insuficiencia es contingente y se puede subsanar por la inclusión del sistema culto en la gramática histórica. La otra insuficiencia concierne al concepto de lengua y es esencial. La hipótesis implícita es que la historia de una lengua es la historia de un único sistema o bien de una "lengua funcional" como "técnica considerada en un solo punto del espacio, en un solo 'nivel de lengua' y en un solo 'estilo de lengua'"[16]. Luego, se añade a la historia "interna" una historia "externa" que trataría los condicionamientos externos de la historia de un sistema. Este modelo se relaciona con la lengua literaria en el sentido que, en general, las fuentes filológicas de la gramática histórica son textos literarios. Sin embargo, en una lengua coexisten varios sistemas que están en contacto con la lengua estándar, entre sí y con otras lenguas.

El modelo historiográfico implícito de la gramática histórica no sólo se aplica a la historia de la lengua literaria o estándar, sino de forma más o menos encubierta también a la historia del español de América, por ejemplo, en María Beatriz Fontanella de Weinberg (1987 y 1992) y los autores de las contribuciones reunidas por César Hernández (1992) sustituyen la lengua literaria y la lengua estándar de la metrópoli por las nuevas lenguas estándar –no codificadas– y más aún los dialectos del español americano y sus predecesores coloniales. El objetivo sería esbozar la evolución de los dialectos españoles secundarios o coloniales a las nuevas lenguas estándar nacionales[17]. Al examinar las pocas historias existentes, se comprueba que éstas no se proponen desarrollar una variedad o "lengua funcional" hispanoamericana como análogamente las historias de la lengua

[16] E. Coseriu 1967: 33.
[17] G. L. Guitarte 1991.

española en España, sino que tienen en cuenta, como en otros ámbitos de la lingüística hispanoamericana, únicamente las diferencias respecto al español metropolitano en una perspectiva histórica. Así, a la usual descripción del español americano podría corresponder –y de hecho corresponde– una historia igualmente diferencial.

En cambio, sí pueden dar por presupuestos los hechos comunes de la gramática histórica del español de España y es posible limitarse a los elementos no comunes en una gramática del español de América. Este método es factible, porque, de todos modos, la gramática histórica no refleja el devenir histórico o el constituirse de una lengua. Una historia diferencial de la lengua, sin embargo, no es factible en absoluto. Una lengua no se hace, no se constituye en una región con sus diferencias, sino en su conjunto. La historiografía no puede, por eso, escoger únicamente los elementos diferenciales si intenta ser mínimamente adecuada.

La historia de una lengua debe justificar la manera cómo se hace una lengua. Y una lengua se hace hablándola y escribiéndola, es decir, mientras funciona en su totalidad. Sin embargo, la lengua llevada a las Indias no se hace, sino que se transplanta como lengua ya hecha. Pero continúa cambiando, sobre todo en el léxico. Es difícil entrar en la perspectiva de los hablantes, pero con mucha frecuencia los escribanos y los cronistas toman acta de las innovaciones ya adoptadas en la comunidad lingüística. Este saber enraizado es más importante, en último análisis, que seguir las innovaciones mismas que sólo en una mínima parte se adoptan en la comunidad lingüística.

Una historia que corresponda tanto a la llamada historia "externa" como a la llamada historia "interna"[18] no cuenta con muchos modelos. Se sacrifica regularmente la historia "interna" a la historia "externa" o al revés. Esta dificultad ya se presenta cuando se escribe la historia de una lengua en un país. La dificultad se potencia en el caso de la expansión de una lengua. No conozco ningún modelo plenamente satisfactorio, si puede haber un modelo. Ésta es la razón por la que he propuesto algunas aproximaciones a un modelo de esta índole.

1.1.4. Las variedades no estándar

Corresponde a la importancia que se otorga a la literatura la ausencia de las variedades no relacionadas con la lengua literaria en las historias de la lengua. Así se

[18] Discuto esta oposición en una contribución de 2012. Cf. las contribuciones metodológicas contenidas en *HSK* 23: 1, capítulos I, IV, VII y VIII, en particular la de F. Lebsanft.

estudia la expansión del castellano hacia el sur de la Península Ibérica, mientras que la castellanización paralela de los otros romances que conduce a la formación de nuevas variedades no se menciona o, sí se menciona, sólo marginalmente[19].

El español americano conlleva otros problemas. La lengua de los países hispanoamericanos se incluye desde España en el español sin más, si del número de hablantes se trata. Si el español de América se investiga en el nivel descriptivo, se incluye en la "dialectología hispanoamericana" como disciplina[20]. Esta manera de ver coincide tanto con el estudio del inglés americano como con el punto de vista de los hispanistas hispanoamericanos[21]. La idea de que las variedades del español americano no son nada más que dialectos es inadecuada. La insuficiente diferenciación se deduce de que, como consecuencia, el leonés, por ejemplo, estaría en el mismo nivel que el español en el Valle de México. Es difícil que esta comparación refleje la intuición de los hablantes –si estuvieran en contacto–. Casi sobra subrayar que todas las variedades concebidas como "dialectos" no tienen cabida en las concepciones de una historiografía lingüística global centrada en la lengua literaria[22].

1.2. En busca de criterios de selección para la historia de la lengua: la unidad de la lengua

Puesto que la historia de una lengua nunca puede ser completa, se impone una selección para la cual necesitamos criterios. Ya que cultivamos la historia de la lengua como cualquier tipo de historia desde la actualidad[23] como personas que vivimos en el presente, cabe saber lo que tiene la mayor relevancia desde este punto de vista. Esta perspectiva no impide que debamos intentar entender el pasado en sí[24], aunque siempre estudiemos la historia como hombres de hoy[25]. Por este motivo y, más aún, por el nivel del desarrollo de la historiografía lingüística, podemos justificar el escaso interés por una historia global con la orien-

---

[19] Véanse, sin embargo, J. A. Frago Gracia 1994ª, y Mª T. Echenique Elizondo y J. Sánchez Méndez 2005.

[20] Por ejemplo M. Alvar (ed.) 1996.

[21] Cf. J. J. Montes Giraldo 1982, J. C. Zamora Munné y J. Guitart ²1988; cf. también J. M. Lipski 1996.

[22] Véase la obra de A. Alatorre 1989.

[23] E. H. Carr ²1987: 7-30; J. Tosh ²1991: 130-151.

[24] G. R. Elton 1969: 66.

[25] Esta afirmación no significa que la historia sea teleológica, sino que, mal que nos pese, no podemos evitar ser las personas que somos e interpretar desde ahí el presente y el pasado.

tación cultural fuertemente divergente en España y en los demás países hispánicos que llevó a la pérdida de los lazos recíprocos y a la formación de mitos[26]. Tras la independencia de los países hispanoamericanos continentales y, sobre todo, después de la pérdida de las últimas colonias de España en 1898 –Cuba, Puerto Rico y las Filipinas–, la historia de España se transforma en una historia de la Península y, tal vez, en una historia de Castilla, si realmente podemos dar crédito a los autores de la Generación del 98 que no son representantes de la historia, la literatura y la cultura de toda España. Los hispanoamericanos, por su parte, no miran tanto hacia los países hermanos, Brasil o los territorios americanos de lengua francesa, como hacia los Estados Unidos de América y hacia Europa. Cierto, la carencia de una historia global escrita desde América sorprende, si consideramos el patriotismo de los hispanoamericanos. Paradójicamente, este patriotismo parece impedir, entre los otros argumentos mencionados, una historia general y por países.

El interés por la historia del español americano debe separarse de los otros aspectos relacionados con la lengua. Hemos mencionado la historia, la literatura y la cultura. En el caso de las lenguas propiamente nacionales en Estados nacionales, éstos y otros puntos de vista convergen. No así en los países hispanoamericanos. Por esto, vamos a intentar seguir los caminos de la lengua y apartar de nuestra historia temas extraños a la materia. La búsqueda de una historia adecuada no va a ser fácil, porque, por un lado, incluimos aquí muchos temas que no suelen ser tratados en las contribuciones a la historia lingüística y, por otro, no son relevantes muchos aspectos de la historia de los Estados nacionales. Para dar un ejemplo: si bien las literaturas hispanoamericanas se escriben en español, las influenciaron en épocas modernas otras literaturas no españolas.

Desde los orígenes de la reflexión lingüística en la Edad Media los autores van en busca de una lengua suprarregional. Nadie expresa el deseo de un modelo lingüístico mejor que Dante. La mayor relevancia tiene aquella lengua vulgar que él llama "cardinal":

---

[26] Cf. John Tosh: "Above all, myths flourish when historical knowledge is superficial and no alternative perspective is freely available. A sound historical education consists of a certain depth of historical knowledge together with a grasp of the principles of historical criticism. The prevalence of myth demonstrates that this programme is a social necessity, not a luxury for the cultivated minority" ([2]1991: 22). Es contradictorio que la época colonial encuentre escaso interés público en los países hispanoamericanos, mientras que se buscan las raíces de la propia cultura en comunidades indígenas extinguidas que, por otra parte, no se reconocen en el presente. Contradicciones de esta índole pueden haber impedido, quizás, más que las razones indicadas más abajo, una discusión de una historia de la lengua española global y por países.

> Porque, como toda la puerta sigue al gozne –de manera que donde gira el gozne, ésta lo secunda, girando o bien hacia adentro o bien hacia afuera–, así toda la grey de las lenguas vulgares municipales gira y torna a girar, se mueve y se detiene, siguiendo aquello que parece ser, por cierto, el real y verdadero padre de familia[27].

Esta lengua hacia la que se orientan todas las modalidades habladas en Italia, que estaba aún por crearse en la época de Dante, es la lengua común o, en su forma homogeneizada, la lengua estándar, denominaciones éstas y algunas otras que más bien concuerdan con diferentes fases evolutivas de la lengua común. Añadamos que dentro de la lengua estándar le corresponde la mayor trascendencia a su codificación, pues en esta forma se arraiga en las instituciones y se enseña hoy como lengua materna y extranjera.

Hoy en día no podemos dar por supuesta la relevancia de la lengua española codificada. La contraposición del español de América al español de España dificulta una visión unitaria del español en el presente y en el pasado. Es paradójico que el monopolio de la codificación que tiene la Real Academia Española complique una perspectiva común en la descripción y en la historia de la lengua. Veamos la Resolución V, la más importante entre muchas otras que van en el mismo sentido, aprobada el 27 de abril de 1956 por el Segundo Congreso de Academias de la Lengua Española:

> El II Congreso de Academias de la Lengua Española [...] [r]esuelve que la composición de dicho texto [de una gramática revisada] se encomiende a la Real Academia Española, con la participación de aquellos técnicos que deseen prestar su concurso, designados al efecto por las Academias Correspondientes de entre sus individuos especializados en la materia, y que al redactar el mencionado texto se tomen en consideración las diversas propuestas formuladas por las ponencias presentadas a este Congreso[28].

Esta competencia de la Real Academia Española, corroborada en las numerosas resoluciones particulares de aquel congreso sobre gramática, ortografía y léxico, fue explícitamente confirmada, en cuanto al léxico, en la vigésima primera edición del *Diccionario* de la Real Academia Española (1992)[29]. Hay que

---

27 "Nam sicut totum hostium cardinem sequitur ut, quo cardo vertitur, versetur et ipsum, seu introrsum seu extrorsum flectatur, sic et universus municipalium grex vulgarium vertitur et revertitur, movetur et pausat secundum quod istud, quod quidem vere pater familias esse videtur" (Dante 1968: 29).

28 Comisión Permanente de la Asociación de Academias de la Lengua Española 1956: 410.

29 El "Preámbulo" de este diccionario empieza con las siguientes palabras: "La Real Academia Española ha querido contribuir a la celebración del V Centenario del descubrimiento de

resaltar la ambigüedad de dicha resolución, ya que la codificación presupone la identificación previa de las lenguas estándar por codificar. Estamos todavía muy lejos de descripciones de lenguas estándar e incluso de las normas en los países hispanoamericanos[30]. Pero si, sin profundizar más este aspecto de la ambigüedad, las Academias de la Lengua Española proyectan asimismo hacia el futuro una codificación común de la lengua, entonces es legítimo fundamentar esta comunidad de lengua en una obra historiográfica.

Esta necesidad se hace más urgente si nos limitamos a la época colonial. Parece evidente que el imperio español, mientras duró, tenía una sola lengua estándar. Imaginemos que nos encontramos en la situación de los españoles peninsulares de entonces. Si es que tuvieron noticias bien definidas de América, se preciaron, a partir de mediados del siglo XVI, de la expansión de la lengua española que acompañaba a las victoriosas banderas españolas. Agreguemos a las citas del magistral estudio de Guillermo L. Guitarte sobre la "dimensión imperial del español en la obra de Aldrete"[31] una nota didáctica de la *Eloquencia española en arte* (1604), de Bartolomé Jiménez Patón:

> Y porque no me imputen que soy testigo apasionado alabando cosa tan propria nuestra como no es la dignidad, y excelencia de la lengua Española: no quiero prouar mi intento con lo que otros muchos antes que yo an dicho por ser tan hijos suyos y de ánimo tan Español como el mio ni con decir que es tan general que en las Indias todas que se han ganado se enseña por arte como la Latina en tiempo que los Romanos conquistaron el mundo en las tierras que sugetaban mandando que todas las cosas de audiencia se despachasen en Latin para obligarles a todos a sauerlo y porque se conociesen los quales eran subditos: mas vna cosa podemos decir con verdad que nunca en las tierras que no subjetaron tal lengua se deprendio (1980: 235).

Se suma así a las glorias del imperio el aprendizaje del español en las Indias, tema que por primera vez fue tratado dos años más tarde por Bernardo de Aldre-

---

América publicando una nueva edición, la vigésima primera, de su *Diccionario* usual. Lo hace para cooperar al mantenimiento de la unidad lingüística de los más de trescientos millones de seres humanos que, a un lado y otro del Atlántico, hablan hoy el idioma nacido hace mil años en el solar castellano y se valen de él como instrumento expresivo y conformador de una misma visión del mundo y de la vida. Por eso ha solicitado insistentemente la Academia la cooperación de sus hermanas correspondientes y asociadas para dar mayor cabida en su *Diccionario* a las peculiaridades léxicas y semánticas vigentes en cada país. Gracias a tal colaboración ha sido posible revisar y enriquecer en la presente edición el contingente americano y filipino".

[30] Es aquí de hacer resaltar la primera codificación del léxico de un país hispanoamericano en el caso del *Diccionario del español de México* (DEM, 2011), elaborado por un equipo bajo la dirección de L. F. Lara.

[31] G. L. Guitarte 1984: 130-134.

te en su obra *Del origen y principio de la lengua castellana ò romance que oi se usa en España* (1606) y en la cual el autor no alude, empero, a las artes con las que se enseñaba la lengua española a los indios. En esta obra se expone la expansión del español fuera de España y la hispanización de todo un mundo indígena. Pero en lo que aquí nos concierne, el español de América sólo le interesa como ennoblecimiento de la lengua; dice Guitarte: "En realidad, nuestro filólogo no ve el 'español de América'; lo que le atrae y observa regocijado es la 'extensión del español' (de España)"[32]. Comparando la expansión de la lengua española con la latina opina que "sucede oi en el Romance" lo que sucedió en el latín, es decir, que no se habla "tan pura i elegante [...] en las provincias"[33]. A pesar de estar al tanto de diferencias dialectales entre Madrid, México y Lima, "la lengua es una":

> La lengua de España, i de partes tan remotas, como éstas [Orán, Melilla, La Gomera, las ciudades de México y el Perú, y las Filipinas] todas es vna; los que van destos reinos a aquellos no hallan lengua diuersa, algunos vocablos, i dialectos diferentes, como los ai en Cordoua, Seuilla, Granada, i en cada ciudad, aldea, pero la lengua vna[34].

Se podría objetar que éste es el punto de vista de un español que nunca pasó a Indias. Sin embargo, la investigación de Emma Martinell (1994) sobre la documentación colonial en tierras americanas no ofrece en sustancia otros resultados.

Por si no fuera suficiente, cito finalmente a Andrés Bello, el gramático hispanoamericano, para quien la lengua común sigue siendo "un vínculo de fraternidad" de todos los hispanohablantes:

> Juzgo importante la conservación de la lengua de nuestros padres en su posible pureza, como un medio providencial de comunicación y un vínculo de fraternidad entre las varias naciones de origen español derramadas sobre los dos continentes (1981: 129; [1]1847).

Así, ni siquiera después de la independencia de la mayoría de los Estados hispanoamericanos se cuestionó seriamente la unidad lingüística. Bello supuso la unidad lingüística y cultural desde 1823, publicando una contribución para la *Biblioteca Americana* editada en Londres[35]. La cuestión de la unidad del idioma fue sometida a prueba por la ortografía de 1844 que Isabel II hizo redactar por la Real Academia de la Lengua y que entró en competición con la ortografía de

---

32 G. L. Guitarte 1984: 141.

33 B. J. de Aldrete 1606: 56; cf. G. L. Guitarte 1984: 141.

34 B. J. de Aldrete 1614: 73, apud Guitarte 1984: 140.

35 Sobre las ideas ortográficas de Bello, véase A. Bello [2]1981a: 67-115.

Bello (1835). La ortografía académica se adoptó por todas partes, asegurando la unidad del español en una época en que la unidad ortográfica, tan importante como asunto de política social, sufría un agrietamiento. El conflicto ortográfico, sin embargo, no impidió el reconocimiento académico de Bello. La Academia le eligió miembro de honor por unanimidad después de la publicación de la *Gramática castellana destinada al uso de los americanos* (1847) que abogaba por la unidad de la lengua. Más tarde le nombró miembro correspondiente.

Al lado de esta preocupación por la unidad cabe resaltar las diferencias lingüísticas en la literatura y en el desarrollo lingüístico a raíz de la Independencia. Teniendo en cuenta este desarrollo y que en el continente americano había más hispanohablantes que en España, la Real Academia de la Lengua adoptó una propuesta colombiana impulsando en 1870 la fundación de Academias Correspondientes en los países hispanoamericanos. Esta medida de política lingüística ayudaba a asegurar el estatus del español en el mundo frente al inglés y a reducir las fuerzas centrífugas en la lengua. El reconocimiento de la unidad desde Madrid no correspondía a la voluntad política de todos los hispanoamericanos ni existía en todos los Estados un número suficiente de autores que hubieran podido ser nombrados miembros correspondientes. A pesar de ello se fundó ya en 1871 la Academia Colombiana, y en 1875 siguieron la Ecuatoriana y la Mexicana. Las fundaciones se prolongaron hasta los años veinte del siglo XX y, en el caso de la Academia Norteamericana, hasta 1973.

La historia del español debe partir de ambas condiciones previas que son al mismo tiempo lingüísticas y de política lingüística: de la unidad y del nacimiento de nuevas tradiciones nacionales. En el fondo, la unidad del español como lengua estándar fue siempre muy fuerte. Sólo cedió al reconocimiento de una mayor variedad después de la formación de los nuevos Estados independientes. Desde entonces ya no se podía dar la unidad por supuesta, sino que tuvo que ser creada bajo nuevas condiciones. Así, la constitución de la lengua estándar, su codificación y su desarrollo ulterior siguen formando el contenido de una historia de la lengua, pero al mismo tiempo la transmisión de la unidad lingüística y la constitución de la diversidad que conduce a las variedades estándar regionales del español requieren una explicación histórica. Estas variedades del español de América se deben tratar como mínimo en una historia de la lengua española.

Fue Rufino José Cuervo (1844-1911) quien introdujo el concepto de *español de América* en la lingüística hispánica en torno a 1885 al darse cuenta de la difusión de los fenómenos que había considerado como locales en sus *Apuntaciones críticas sobre el lenguaje bogotano* (1867). Así, transformó las *Apuntaciones* en *Castellano popular y castellano literario*, libro inédito durante su vida[36], y del

---

[36] R. J. Cuervo 1987a y b.

que llegó a publicar una parte titulada "El castellano en América"[37]. Pero no deja lugar a dudas de que la gramática de la lengua estándar de los hispanoamericanos y de los españoles es casi idéntica. Baste con recordar que Cuervo reeditó la *Gramática castellana* de Bello "con extensas notas" a partir de 1874[38].

Si volvemos ahora a la cuestión de la historia común del español, se impone la perspectiva de la unidad de la lengua histórica no sólo durante la época colonial, sino, sin ir más lejos, incluso hasta la época de Cuervo.

Así, el punto de vista que nos permitiría estudiar la historia del español en veinte naciones de manera coherente es la unidad de la lengua[39]. Este punto de vista no es arbitrario; se deduce del saber (aunque no necesariamente del saber reflexivo) y de la conciencia de los mismos hablantes. Con esto se reconoce el hecho de que, como hemos dicho al principio, tanto la historiografía como la historiografía lingüística se practican desde el presente y desde la relevancia para los hombres de hoy. Este punto de vista común en el mundo hispánico se defiende con unanimidad. Por lo tanto, una historia de la lengua debe partir a la vez de la unidad de la lengua española y de la formación de nuevas tradiciones lingüísticas nacionales, desarrollos que condujeron al lento reconocimiento de una diversidad lingüística mayor en los nuevos Estados formados a raíz de la Independencia. Desde aquel momento la uniformidad lingüística a nivel de la lengua estándar ya no es una evidencia, sino que se debe crear de nuevo bajo nuevas condiciones. De este modo, la formación de la lengua estándar, su codificación y su evolución siguen siendo el contenido de una historia lingüística, pero se originan nuevas tareas como consecuencia del aislamiento de las naciones hispanoamericanas respecto a España y de las nuevas relaciones que se establecen con otros Estados. Por ésta y otras razones no llegamos a una fase común cuando remontamos el curso de la historiografía de la lengua estándar codificada en España y la historiografía de las variedades hispanoamericanas. Al mismo tiempo se produce en tierras americanas una variación lingüística mayor en la lengua común que en España que cabe explicar históricamente. No es una casualidad que la sociolingüística laboviana se aplique con más frecuencia al español americano[40] que al español peninsular. Sin que con esta afirmación se acepten todas las implicaciones teóricas, es cierto que refleja una realidad lingüística.

---

[37] R. J. Cuervo 1901; G. L. Guitarte 1981 y 1984: 155-156.

[38] Cf. C. Schmitt/N. Cartagena (eds.) 2000.

[39] Cf. sobre todo E. Coseriu 1990; sobre la historia del problema de la unidad véase G. L. Guitarte 1995.

[40] Cf. C. Silva-Corvalán 1989 y H. López Morales 1989.

No quiero callar que existe asimismo una actitud contraria a la unidad de la lengua, porque las naciones hispanoamericanas no se autodefinen solamente respecto al mundo anglosajón, sino que cada nación hispanoamericana procura diferenciarse de otras naciones hispanoamericanas y no hispánicas: España de las naciones europeas, los Estados hispanoamericanos de los norteamericanos. Así se subraya la naturaleza heterogénea de los Estados hispánicos y su fragmentación interna. Pero a pesar de todo ello los hispanohablantes tienen una identidad lingüística común que dan por descontada.

1.3. Hacia una historia del español ultramarino como lengua colonial

Si someto a discusión algunos conceptos de la lingüística histórica y de la historia lingüística, lo hago con la finalidad de facilitar la comprensión de la historia de una lengua de expansión colonial. Todos los problemas abordados aquí se presentan de manera análoga en lenguas europeas de amplia difusión fuera de su país de origen. Sería una ayuda si se hicieran experiencias historiográficas por medio de la comparación de la historia del español, del portugués, del francés, del inglés y del ruso para la historia lingüística en general, experiencias que podrían conducir a un fructífero intercambio de puntos de vista científicos. El español tiene como lengua colonial una importancia destacada: era lengua colonial ya en la reconquista de los territorios ocupados por los moros en la Península Ibérica, pero también lengua colonial frente a los romances vecinos, es decir, frente al leonés en el oeste, y al navarro y al aragonés en el este. La expansión a las Islas Canarias y a América continúa esta tradición colonial en cierta manera en otras regiones. Mientras que el portugués pudo mantenerse en la Península Ibérica frente al español, los caminos de la lengua portuguesa se cruzaron con la lengua española en la expansión colonial. El francés, el inglés y el neerlandés siguieron en algunos aspectos los rumbos de la colonización española y portuguesa en América y desplazaron en parte al español, sobre todo en el Caribe. En la transmisión del saber cultural y del léxico correspondiente, por lo menos, las historias del español y del portugués preceden a las de las otras lenguas europeas occidentales con expansión colonial. Este dato no ha sido suficientemente estudiado. El ruso, en cambio, es independiente de estos desarrollos.

Mi metadiscurso actual no va más allá de las necesidades inmediatas de dar cuenta de las líneas generales del desarrollo de la lengua española en América durante la época colonial. Lo mejor sería explicitar los conceptos implícitos de los hablantes de entonces, pero por falta de un acceso directo a la intuición de los hablantes me apoyaré en los comentarios metalingüísticos y en las interpretaciones actuales del desarrollo lingüístico.

1.4. Los tres tipos de historicidad del lenguaje

Se suele distinguir tres niveles lingüísticos: el nivel universal, el nivel histórico y el nivel individual. El nivel universal es el lenguaje, el nivel histórico es la lengua o el idioma, y el nivel individual es el hablar o el discurso. El lenguaje abarca la capacidad de hablar, las propiedades biológicas, la designación de la "realidad extralingüística", incluyendo el procesamiento humano de la información y las diferencias universales entre la palabra hablada y la palabra escrita. La lengua es el nivel propio de lo histórico. Por eso, se escriben historias de las lenguas, que se caracterizan por nombres propios, sin que nadie ponga en duda su legitimidad. En el nivel individual del discurso se realizan todas las posibilidades inherentes al lenguaje –del mismo modo que las potencias de la lengua– desde la persona que habla o escribe (*yo*), desde el momento en que habla o escribe (*ahora*) y desde el lugar donde se encuentra (*aquí*). En la medida en que los hablantes y escribientes siguen tradiciones en los dos últimos niveles, lo histórico puede abarcar lo universal y lo individual.

La historicidad del lenguaje y de la historicidad de los discursos requiere explicación[41]. Se accede a la historicidad del lenguaje a través de las fuentes escritas, lo cual hace difícil la separación si bien los conceptos se distinguen. Vistos como competencia lingüística lo universal es saber elocucional y el saber en el nivel individual es saber expresivo[42]. Llamo histórico-cultural a este nivel porque se ubica en la historia de los hombres, lo cual incluye el cambio en el ámbito de la cultura. Conviene recordar que el reconocimiento de la historicidad propia de los saberes elocucional y expresivo, sobre todo este último, se encuentra en *El problema de la corrección idiomática* (escrito en 1957) de Coseriu[43]. En el saber expresivo existen "tradiciones textuales en un doble sentido", es decir, como "textos incorporados a la tradición lingüística misma", entre las que se cuentan la interpelación, los saludos, etc.[44], y los "textos supraidiomáticos", por ejemplo, los géneros literarios que son "una configuración tradicional ente-

---

[41] Coseriu, que toma en cuenta la historia de las lenguas, la historia de los discursos y la historia del hablar en general, se muestra escéptico acerca de la realizabilidad de las dos últimas: "en la *historia de las lenguas* –conviene, por ahora, limitarse a ésta, pues para la historia de los discursos no poseemos datos suficientes y para una eventual historia del hablar en general (admitiendo que fuera posible) carecemos casi por completo de datos– no cabe separar las disciplinas" (E. Coseriu 1981a: 29). Sin embargo, la realizabilidad se deduce de sus propios planteamientos. Vamos a ver algunos ejemplos más abajo.

[42] Ó. Loureda 2007: 56-61; véase más abajo 1.5.3.

[43] Esta obra inacabada se puede consultar en una traducción parcial al alemán (E. Coseriu 1988a: 327-364).

[44] E. Coseriu 1992: 186-190.

ramente independiente" de una lengua histórica[45]. Comprobamos en estos tipos de historicidad un problema de percepción: se debe a que se recurre a los textos escritos en la historia lingüística que, de hecho, las tradiciones elocucionales son accesibles a través de las tradiciones expresivas, como dijimos, pues los textos transmiten las informaciones acerca del saber elocucional histórico. Sin embargo, en la actualidad es posible estudiar el saber elocucional con igual facilidad que el saber expresivo. Las tradiciones expresivas suelen llamarse desde hace algún tiempo *tradiciones textuales* o con mayor frecuencia *tradiciones discursivas*[46].

Las personas que transmiten las lenguas y las que continúan las tradiciones discursivas particulares no son idénticas. Los fenómenos históricos de orden idiomático pueden ponerse en correlación con comunidades de diferente magnitud, como lo hace Koch, quien por lo demás niega el carácter de lo discursivo cuando dice que "la 'historicidad' de las tradiciones discursivas es algo diferente de la 'historicidad' de las lenguas históricas: los grupos constitutivos de la[s] tradiciones son los grupos profesionales o religiosos, corrientes literarias, movimientos políticos, etc.; los grupos constitutivos de las lenguas históricas son comunidades lingüísticas"[47]. Los cambios concepcionales son la obra de determinados grupos sociales y sus instituciones: escribanos, poetas, sacerdotes, historiadores, científicos y los demás grupos de especialistas.

Son también conocidas las tradiciones elocucionales, pero, por un lado, no se separan de las tradiciones discursivas y, por otro, se llaman de otro modo; se contemplan, por ejemplo, en una historia de la comunicación[48]. Existen cambios que conciernen al nivel de las posibilidades universales que traen consigo cambios mediales. Parece intuitivamente claro que el lenguaje tiene un origen, aunque no es comprobable históricamente. Pero se introdujo una diferencia cualitativa universal en el lenguaje desde que se inventó la escritura de cualquier tipo que sea –la ideografía de los egipcios, mayas y aztecas, la escritura silábica de los fenicios o la alfabética de los griegos–. La escritura modifica la comunicación acerca de las "cosas" y los "estados de cosas" (que identificamos con el universal lingüístico de la semanticidad), y la comunicación entre los seres humanos. De hecho, lo que cambia, son las relaciones que se establecen con los demás (lo que corresponde al universal lingüístico de la alteridad) que pueden estar ausentes –estar en otro lugar o vivir en otra época–. La materialidad de la escri-

---

45 E. Coseriu 2007: 138-139.

46 P. Koch 1997, W. Oesterreicher 1997, F. Lebsanft 2005, A. Schrott/H. Völker 2005a, A. Schrott/H. Völker (eds.) 2005.

47 P. Koch 2008: 55.

48 Por ejemplo R. Wilhelm 2003.

tura objetiva aquello que comunicamos y ha llegado, rebasando las posibilidades de la imprenta, con los medios de comunicación de masas, la internet y el correo electrónico a la globalización. La escritura alteró también las relaciones de estatus entre las lenguas. Desde que existe la escritura distinguimos lenguas ágrafas y lenguas que se escriben. En América, las lenguas indígenas adquirieron un estatus diferente desde que empezaron a escribirse. La evangelización presupone igualmente el paso a la escritura de las lenguas generales y de algunas otras.

En cuanto a otros aspectos de la relación entre lenguaje y realidad, existen en la historia de las lenguas épocas cuya importancia trasciende los límites de la historia de una lengua. Tal es el caso de la reforma carolingia, del Renacimiento en Italia, de los descubrimientos de España y Portugal, de la época de la Reforma en Alemania y en otros países, de las ideas de la Ilustración en Inglaterra y en Francia que se difunden por toda Europa y América. La omisión de estos aspectos universales de la historia del lenguaje se explica por la idea –implícita– de que la historia de una lengua es la historia de una lengua estándar. La historia del lenguaje a la que contribuyen las historias de la lengua estándar es un campo de investigación que aún nadie, en el fondo, ha cultivado. Esto no es de extrañar, puesto que la realización de una historia de esta índole excede las capacidades de una sola persona. Nos vamos a contentar en este lugar con señalar la necesidad de esta historia, dando en los respectivos capítulos un esbozo de algunos aspectos hispanoamericanos de ella.

En la fase expansiva de una lengua tenemos la gran ventaja de conocer con frecuencia los agentes del cambio, el momento histórico de la innovación y el lugar donde sucede. Por el contrario, en la lengua en la que hablantes anónimos producen innovaciones en momentos y lugares desconocidos no sabemos cuándo ni cómo se cumple un cambio a través de la adopción de otros sujetos también anónimos. Así, la cronología de la documentación, su inicio y su fin, si se da el caso, es absolutamente fortuita. En la expansión colonial bien documentada de la lengua española disponemos de una profusión de informaciones por lo menos en el ámbito de las novedades: conocimientos geográficos, flora y fauna así como las reacciones de la Corona en la medida en que planifica la toma de posesión, aprovechamiento y administración de los nuevos territorios.

Los españoles conocieron en la expansión todo un mundo nuevo para ellos que tenían que designar mediante sus palabras patrimoniales, ampliando sus campos de usos, mediante innovaciones léxicas o préstamos. Esta primera diferenciación léxica es universal. La "novedad indiana"[49] y su integración lingüística van más allá de un enriquecimiento del léxico de la lengua española. Los

[49] M. Ballesteros Gaibrois 1987.

españoles, navegantes, misioneros y colonizadores de otros países contribuyeron al conocimiento de nuevas "cosas" designadas inicialmente en español, pero transmitidas a otras lenguas. Todos estos tipos de cambios lingüísticos no pertenecen en rigor a la lengua española, sino que son cambios dentro del lenguaje. Vamos a intentar tomar en cuenta la contribución española al saber y al saber lingüístico universales en una historia de la lengua española en América. Hallamos, por consiguiente, una variación etnolingüística en los textos que se añade a la variación estrictamente lingüística. Hay que contar con diferentes saberes en los autores que estudiamos. Los mismos textos nos proporcionan la información sobre si y hasta qué punto un autor es especialista en la materia que trata.

El saber expresivo y su manifestación concreta, las *tradiciones discursivas*, son relativamente independientes de las tradiciones idiomáticas. Los saludos son brevísimos discursos fijos. En la comunidad lingüística española es posible saludarse con *Buenos días* o *Buen día*, por ejemplo en la Argentina, por la mañana o despedirse con *Buen día* o *Buena tarde* en México. Si *Buenas tardes* parece común a todo el dominio lingüístico español, la tarde no empieza en todas partes a la misma hora –en España empieza después del almuerzo, en el continente americano después del mediodía–, de modo que la distribución de *Buenos días* y *Buenas tardes* difiere según las regiones. Usando las mismas palabras, los hispanohablantes de diferentes regiones siguen tradiciones distintas. Podemos imaginar tipos discursivos más complejos, que generalmente se llaman tipos de textos o géneros literarios según los casos. Es usual que se realicen determinados tipos de textos de una manera concreta en las varias comunidades lingüísticas, pero estos tipos de textos con sus realizaciones no deben confundirse con las lenguas. El caso más conocido es el de los géneros literarios de la Antigüedad clásica que antes de la época del Renacimiento no se cultivaron en lenguas europeas modernas (la tragedia, la elegía, la epopeya, etc.). Las "tradiciones del hablar"[50] pertenecen a la historia lingüística en dos sentidos. En el sentido de que son tradiciones de hablar una lengua, son la misma lengua. Como tradiciones de hablar en discursos, imitando y retomando tradiciones discursivas, van más allá de la historia de una lengua y se adoptan en el hablar otras lenguas[51].

Es una cuestión de la metodología y no del objeto que los fenómenos no comprobados directamente en los textos se documenten por lo menos en el discurso sobre el lenguaje. Estos metadiscursos son la única fuente para aquellas variedades que no se han transmitido, o sólo en parte, en forma escrita. La relación entre

[50] B. Schlieben-Lange 1983; cf. W. Oesterreicher 2007.

[51] Se desarrollará este tema en 1.5.3. Cf. H. Aschenberg/R. Wilhelm 2003; J. Kabatek (ed.) 2008.

el metadiscurso y la supuesta realidad lingüística está caracterizada con frecuencia por distorsiones. Un ejemplo conocido es la afirmación de Juan de Valdés de que el español estaba difundido en toda España en la época en que escribió su *Diálogo de la lengua* (1535)[52] que comúnmente se cita como la comprobación de un hecho. Por eso necesitamos muchos testimonios sobre un dato. En el mejor de los casos, estos testimonios deberían ser independientes para excluir que el discurso metalingüístico siga una tradición propia, es decir que no reproduzca más que una idea estereotipada. Muchos metadiscursos contienen información sociolingüística si por "sociolingüístico" entendemos la caracterización de la relación entre la lengua y la comunidad en sus diferentes estratos sociales[53].

1.5. Lengua histórica y arquitectura de la lengua

Después de esta breve referencia a la historia del lenguaje y a la historia de los discursos, volveremos con más detenimiento a la concepción de la historia de la lengua española. ¿Cuál es la relación de una historia lingüística nacional respecto a otra? ¿Cómo encaja la historia de la lengua española en la Península con la historia del español en América? El planteamiento tradicional consiste en la búsqueda de la *base del español americano*. Lo que sea la base, tiene mucho que ver con las tareas que la historia lingüística pretende resolver. Estas tareas cambiaron mucho desde que Rodolfo Lenz (1893), Rufino José Cuervo (1901, 1903), Amado Alonso (1953) y sus continuadores aplicaron la idea de base lingüística del español en los contextos históricos y científicos de la época de cada uno de los investigadores. Guillermo L. Guitarte (1998), quien discute los aportes de los lingüistas mencionados, toma la "base" como una noción auxiliar, hasta tanto la historia de la lengua no nos proporcione conocimientos más exactos.

Mientras, y para enriquecer las posibles orientaciones de la investigación, partimos de una noción de *lengua* integradora de las más variadas perspectivas. De momento, doy por supuestos los aspectos elocucionales esbozados en 1.4. y la unión de éstos con las tradiciones expresivas o discursivas, que vamos a tratar en 1.5.3., para concentrarnos en la lengua[54]. Me parece más fácil mostrar la interrelación a la que he aludido con los conceptos de *lengua histórica* y *arquitectu-*

---

[52] J. de Valdés 1969: 62.

[53] Se aplica en R. Kailuweit (1999) la perspectiva metadiscursiva a los problemas del contacto lingüístico entre español y catalán en los siglos XVIII y XIX y en C. Polzin-Haumann (2006) al español peninsular del siglo XVIII.

[54] Una integración de los niveles universal, histórico y actual se puede ver en W. Oesterreicher (2007), sobre todo página 113, si bien interpreto lo histórico de otro modo (cf. 1.4.).

ra de la lengua. Recordemos que una lengua histórica abarca diferencias diatópicas, diastráticas y diafásicas, y también unidades sintópicas, sinstráticas y sinfásicas. Estos conceptos así como el de arquitectura los introduce Leiv Flydal en su artículo de 1951 desde la perspectiva de la arquitectura y estructura de la lengua; Eugenio Coseriu[55] añade el tercer concepto de la serie (diafásico, sinfásico) y lo relaciona con la lengua histórica. A este respecto una lengua histórica es lo que los propios hablantes y los hablantes de otras lenguas reconocen como tal, denominan con un nombre propio y, por lo tanto, delimitan ellos mismos de otros idiomas. Nosotros sólo podemos seguir sus indicaciones para descubrir cómo proceden en cada caso. En lo que concierne al español, no es irrelevante en absoluto si los hablantes prefieren *castellano* o *español*. Con *español* pueden expresar un cambio de perspectiva y de estatus que en *castellano* queda implícito[56]. Por este motivo voy a llamar al proceso de transformación de una lengua por influencia del español *hispanización* y no *castellanización*.

Frente a esto, la arquitectura de la lengua es la configuración de las lenguas funcionales de una lengua histórica, siendo la lengua funcional al mismo tiempo una lengua sintópica, sinstrática y sinfásica. Podemos emplear también *diasistema*[57] en lugar de *arquitectura de la lengua*[58]; este término, sin embargo, implica un desplazamiento conceptual que no vamos a puntualizar aquí; la recepción de este término transformó el significado original. La *lengua funcional* es mejor conocida como *variedad*[59]. Pero estos términos tampoco son idénticos. Mientras que la lengua funcional es sintópica, sinstrática y sinfásica, y se refiere al funcionamiento en el hablar que también sirve para su construcción, o sea, al nivel en el que se comprueban las diferencias funcionales, con el empleo de *variedad*[60] se prescinde de este funcionamiento de una lengua en el hablar, oponiendo una variedad a otra o pasando en el plano de la lengua histórica de una de sus variedades a otra(s):

lengua funcional
↓
habla o discurso

---

[55] E. Coseriu 1966, 1988; cf. W. Oesterreicher 1995.

[56] Cf. E. Coseriu 1990: 55-57; acerca de la transformación de *castellano* en *español*, véase J. L. Rivarola 1990: 93.

[57] U. Weinreich [8]1974.

[58] A. Wesch discute el concepto de la arquitectura de la lengua y lo aplica a la arquitecura del francés en Francia y del español en España (1998a).

[59] Acerca del origen de este término J. Lüdtke 1999c.

[60] Coseriu casi no usa este término en el sentido usual, sino con el de "diferencia idiomática", en el mismo sentido en que Wilhelm von Humboldt emplea *Verschiedenheit*.

Así, en nuestra interpretación una lengua funcional es sustancialmente idéntica a una variedad, pero implica otra perspectiva: la lengua funcional se realiza en el hablar o escribir, medios que suponen el uso consecutivo eventual de varias lenguas funcionales, mientras que la perspectiva de la lengua como variedad hace abstracción del habla y conceptualiza el carácter heterogéneo y la multiplicidad de las variedades de una lengua histórica que en varia medida tienen elementos comunes y elementos discrepantes[61]. No parece necesario para nuestros fines establecer el carácter absoluta o relativamente homogéneo de una lengua funcional o variedad. Subrayemos que consideramos la relación entre lengua funcional o variedad y habla o discurso desde la variedad, pero puede ser igualmente adecuado enfocar la misma relación desde el discurso. Esto dependerá de la tarea que nos propongamos. Con frecuencia trataremos de reducir la variación contenida en un texto a una variedad, pero también es preciso explicar la variación de un texto por medio de la realización de un saber lingüística heterogéneo.

La arquitectura de una lengua no se puede separar del espacio en que se hablan sus variedades. Pero si se considera una arquitectura lingüística como un conjunto de variedades en un *espacio comunicativo*[62], se observan muchas veces no sólo variedades de una única lengua histórica, sino de varias. Por el duradero contacto en que entran lenguas históricas diferentes se forman arquitecturas lingüísticas complejas. En la época del contacto entre romance y el árabe en la Península Ibérica existieron arquitecturas muy diferentes según las regiones. Aduzcamos entre las constelaciones más fáciles de identificar las situaciones diglósicas que están mejor descritas.

Si una lengua histórica se difunde en un espacio nuevo, cambia al mismo tiempo su arquitectura. No se traslada toda la lengua histórica, sino determinadas variedades o subconjuntos de variedades. La lengua en proceso de expansión y aquellas lenguas con las que entra en contacto forman nuevas arquitecturas. Su nacimiento y desarrollo pertenecen a las tareas de la historiografía lingüística que apenas se han emprendido todavía. Recuerdo que para el espacio comunicativo hispanoamericano el problema se redujo a menudo al andalucismo del español y a sus diferencias en ambas orillas del Atlántico. Comparando los espacios comunicativos en España y América durante la colonia resulta interesante que el de los emigrantes a Indias sea mucho más extenso que el de los peninsulares.

Aparte de las condiciones históricas, la historia del español ultramarino es la historia de la constitución de sus variedades. Hay que explicar cómo se formaron

---

[61] Cf. E. Coseriu 1981; G. Salvador 1988; J. Albrecht 1986: 78-80, que da otra interpretación de la lengua funcional respecto a la variedad.

[62] J. L. Rivarola 1990: 31.

las unidades sintópicas, sinstráticas y sinfásicas, es decir, los varios dialectos y las formas del español regional, los niveles de lengua o sociolectos dentro de las unidades sintópicas y los estilos de lengua. Una historia del español canario, americano, filipino y africano no se puede escribir de otra manera que como historia de la lengua común. Esta historia es dialectología histórica (1.5.1.), sociolingüística histórica y etnolingüística histórica (1.5.2.) y lingüística textual histórica (1.5.4.). Esta última es la disciplina que orienta todos los otros aspectos: los textos son la base documental para todo (1.5.3.) y se deben estudiar primero como tales. Pero es también historia de la lengua española sin más, ya que las variedades dentro de la arquitectura lingüística se constituyen con respecto a la lengua estándar.

Por eso, la historia de las variedades del español ultramarino no debe disociarse de la historia de la lengua estándar. Los españoles –en el sentido amplio que abarca tanto a los españoles recién establecidos en América como a los criollos y a los mestizos– estaban durante la colonia en contacto entre sí mismos y con la metrópoli. La constante comunicación mantuvo las divergencias del español canario y más aún del español americano dentro de límites relativamente estrechos con respecto al español peninsular, formando un lazo común entre las arquitecturas de los espacios lingüísticos regionales.

Así, una concepción de la historiografía lingüística basada en la interconexión de la historia del español en España y en América debería seguir el desarrollo de la historia del conjunto de sus variedades[63], es decir, de su arquitectura lingüística. Pero la historia de todos los dialectos en todos los niveles y en todos los estilos de lengua –llámense como se quiera– conduce también a una tarea sin límites. Una selección es de rigor y debe dejarse guiar por las variedades estándar que hoy se hablan en el dominio lingüístico español y por la discrepancia entre la unidad y la variedad de la lengua en la realidad lingüística actual.

Para la selección de las variedades es útil la propuesta hecha por Einar Haugen en 1966 y que aplicó entre las lenguas románicas sólo al francés[64]. El lingüista estadunidense considera los siguientes criterios en la historia de una lengua estándar[65]:

	forma	función
sociedad	selección	adopción
lengua	codificación	elaboración

[63] Cf. J. L. Rivarola 1990: 11-28.

[64] R. A. Lodge 1993.

[65] E. Haugen 1972: 110.

Varios desarrollos se pueden sintetizar por medio de este esquema. En el caso probablemente más frecuente existen cuatro etapas de desarrollos interdependientes en la historia de una lengua estándar: (a) la selección de una norma lingüística en una comunidad o sociedad; (b) la elaboración de los usos de una lengua; (c) la codificación de una lengua; y (d) la adopción de una lengua en una comunidad. Estos cuatro criterios permiten una historia de la lengua española comparable con la historia de otras lenguas escritas según criterios parecidos. A este tipo de historia había contribuido antes Heinz Kloss (1952), como reconoce el propio Haugen. Anthony Lodge (1993) añade como quinto punto de vista el mantenimiento de la lengua seleccionada, elaborada y codificada en una comunidad. La aplicación de estas perspectivas es prometedora. No parecen haber sido utilizadas para las lenguas con expansión colonial, aparte de algunas observaciones aisladas de Žarko Muljačić[66]. Las nociones no son estrictamente teóricas, pero conceptualizan muy bien ciertos tipos de la constitución histórica de configuraciones arquitectónicas. Hay que combinar estos puntos de vista con los tipos de dialectos (1.5.1.) y las variedades contactuales (1.5.2.).

En términos concretos, la historiografía lingüística debe recorrer el camino de la estandarización monocéntrica a las estandarizaciones policéntricas en cuanto a la lengua hablada. Sin embargo, la lengua escrita elimina, apartando la lengua literaria, la gran diversidad de las *scriptae* a lo largo de la historia en ambos lados del Atlántico.

Las opiniones acerca del buen camino, empero, discrepan mucho. No voy a repetir aquí opiniones muchas veces reiteradas[67]; me limitaré únicamente a los planteamientos, recientes por lo general, que pueden orientar la investigación hacia el futuro. Empecemos con la explicación histórica de las estandarizaciones policéntricas en América y pasemos a continuación a esbozar su origen en la arquitectura de la lengua española en una época determinada.

El programa más fecundo para el estudio del policentrismo hispanoamericano se deriva de los trabajos de Guillermo L. Guitarte (1980, 1991) y Germán de Granda (sobre todo 1994). Guitarte[68] presenta la época colonial, durante la que se enlaza la historia del español en España y América, como un período de unidad lingüística en el que se subordina el español de América al español metropolitano. Por consiguiente, el español americano tiene, al modo de ver de los españoles, un estatus inferior al de la lengua peninsular. Se prefiere "olvidar" la copresencia de la lengua estándar y de la lengua colonial en la literatura especia-

---

66 Cf. Ž. Muljačić 1984: 81; 1985: 49.

67 Y. Malkiel (1972) es el primer tratamiento más amplio.

68 Cf. G. L. Guitarte 1991: 66-72.

lizada. En cuanto a Granda, si bien acepta en grandes líneas acepta la caracterización que da Guitarte de la época de la Independencia, se propone captar la dinámica del español colonial no según criterios extralingüísticos, sino lingüísticos. El concepto de koinización que, admitiendo una sugerencia de Jeff Siegel (1985)[69], aplica al español americano, es básico para entender su intento de interpretar históricamente la estandarización policéntrica. Se supone en el caso de la koinización que una lengua, que se transforma en koiné, cambia al mismo tiempo su estructura. Es este proceso del cambio estructural el que interesa a Granda. Expone que el cambio consiste en una simplificación de la estructura y en la reducción de la complejidad cuantitativa. Es relevante para un tratamiento histórico –lo que no vamos a discutir en este contexto– que el origen de la parte dominante de los colonizadores andaluces y sureños en general están en relación con características andaluzas de esta koiné. En principio, los dialectos se nivelan hacia el dialecto o los dialectos hablados por la mayoría de los pobladores, mientras los subsistemas o los rasgos lingüísticos se simplifican simultáneamente. Granda da por probable que la fase de koinización dura, ya que toma en consideración desfases de desarrollo en las diferentes regiones, hasta un período que se termina en las Antillas en torno a 1550 y que llega a las regiones de colonización tardía como el Río de la Plata y Tucumán hasta las primeras décadas del siglo XVII. De este modo, la koiné española que empezó a formarse en las Antillas se habría difundido en el siglo XVII por toda la América hispánica. Algunas regiones como el Caribe con los territorios circuncaribeños y amplias zonas de las tierras bajas de la América del Sur continuarían sus rasgos; rasgos que en otras regiones ya no se encontrarían hoy o habrían dejado pocas huellas. Habría seguido una época de "estandarización monocéntrica"[70], iniciada a mediados del siglo XVI y que habría persistido hasta la independencia de los Estados hispanoamericanos. El modelo lingüístico de este proceso que se habría realizado en la política, la administración, la sociedad y la cultura, habría sido el castellano del norte de Castilla y más precisamente la lengua de Toledo y/o de la corte, desplazando a la koiné por lo menos parcialmente hasta mediados del siglo XVI. Puesto que se difundió la lengua estándar, se puede aplicar el conocido modelo de la historia lingüística, aunque en otro espacio, que se delimitará por la misma expansión de la lengua estándar a lo largo de su historia. Ramón Menéndez Pidal (1962) había visto en su día este desarrollo con toda claridad, pero su contribución no hizo sentir sus efectos en la historiografía general de la lengua española, ya que enton-

[69] Siegel usa *koineization*, término que considero mal formado, pues en la sufijación de las lenguas indoeuropeas nunca se conservan las desinencias de las palabras, es decir. la desinencia femenina *-é* en el caso de *koiné*.

[70] G. de Granda 1994: 47.

ces mostró poco interés por la historia de la lengua estándar en América durante la época colonial.

La estandarización policéntrica[71] carece de codificación explícita, de modo que la codificación del español de España garantiza la unidad del idioma y la permanencia de la validez de un único modelo lingüístico. El carácter implícito de la estandarización permite una fuerte variación en el registro oral y menos variación en la lengua escrita. Además, el carácter implícito se refleja en una conciencia lingüística de actitudes negativas frente a la propia lengua.

El español en proceso de estandarización desplazó su centro hacia Madrid y Castilla la Vieja a partir de finales del siglo XVI. La Real Academia Española, fundada en 1713-1714, codificó un español del tipo que Granda llama monocéntrico. Esta codificación incluye el léxico, la ortografía y la gramática. El contraste entre la codificación monocéntrica y la codificación policéntrica es notable y no ha sido vencido, porque, retomando los términos de Einar Haugen, se codificó entre las formas estándar del español únicamente la norma lingüística culta de España entre las varias que se seleccionaron en el mundo hispánico, y se elaboró asimismo esta lengua codificada para los fines expresivos que tenían las lenguas estandarizadas policéntricas en su forma hablada. Los hispanoamericanos adoptaron la lengua codificada española en lo esencial como norma culta, elaborando estilos divergentes del español de España.

Dejemos un momento la lengua estándar y volvamos a la lengua que había sido llamada koiné. Mientras que está comprobada una conexión directa entre la lengua estándar en España y en América, el origen de la koiné americana queda por aclarar. El debate se encendió en torno a la cuestión del origen andaluz del español americano que ha sido llamado koiné, ya que no es de suponer seriamente que un lingüista haya querido reducir el español americano en todas sus manifestaciones –es decir, como arquitectura lingüística– al andaluz. Aquí también se trataba como en otros casos del origen de las diferencias del español americano en relación con el español peninsular. Ésta es una discusión que no me gusta reanudar, porque se repitió demasiadas veces como discusión y sólo muy recientemente fue sustituida por el trabajo filológico. Me refiero aquí en particular a su última fase, aún no reducida en canon histórico-lingüístico.

Si en el caso del español de América se trata de una koiné en el sentido de Siegel, sea cual sea su origen, debe ser comprobado con base documental. Cabe documentar esa lengua tanto en España como en América. Sólo últimamente se emprendieron los estudios del andaluz y del español americano a gran escala, el primero que hay que citar entre ellos es el de Juan A. Frago Gracia, al que Ger-

---

71 Cf. sobre este tema la obra de F. Lebsanft/W. Mihatsch/C. Polzin-Haumann (eds.) 2012.

mán de Granda remite, y con fundadas razones para ello. Aunque desde el siglo XVII se compara el español hablado en las regiones americanas con el andaluz[72], los filólogos se apoyan en la historia de la investigación ante todo en la comparación con la lengua actual. Por eso es tan importante que ahora conozcamos mejor la historia de la fonología del andaluz[73] y que podamos indicar la posición del andaluz en la arquitectura de la lengua española en España.

En este punto, a más tardar, podrá aumentar nuestro malestar ante el empleo de *koiné* y *lengua estándar* para variedades totalmente distintas, más aún si consideramos la formación de ambas como procesos de *koinización* y *estandarización*. ¿No fueron acaso en la terminología lingüística los términos de *Gemeinsprache* por ejemplo en Hermann Paul[74] o de *langue commune* en Joseph Vendryes[75] –y las expresiones análogas en otras lenguas– sencillamente traducciones de *koiné* y no se usa hoy *lengua estándar* (o expresiones análogas) por la *Gemeinsprache* de Hermann Paul? Coseriu emplea también *lengua común* en el artículo de 1958, publicado en 1981, entre otros usos, en el sentido de *dialecto secundario* y *dialecto colonial*[76]. Vamos a retomar este tema en el próximo apartado después de haber introducido los varios tipos de unidades sintópicas o variedades del español (1.5.1.). Recordando la advertencia que acabo de expresar voy a ser breve.

Mi discusión de este tema requerirá algunas precisiones de las relaciones entre varios tipos de *dialectos*, la lengua común y la lengua estándar. Pero antes de pasar a esta discusión, echaremos una mirada a los planteamientos tradicionales para hacer resaltar que un planteamiento renovado es necesario.

1.5.1. Variedades regionales del español

> [E]l español de América es simplemente español: español legítimo y auténtico, no menos y no de otro modo que el español de España, y no representa una "desviación" ni una "evolución aberrante"con respecto a éste; no es una lengua "derivada" del español, ni una

---

[72] J. A. Frago Gracia 1994: 17-18.

[73] J. A. Frago Gracia 1993.

[74] H. Paul ⁵1920: 419; el término está ya en la primera edición de 1880.

[75] J. Vendryes 1968: 289, 296-297, 298-299; ¹1923. La relación entre Paul y Vendryes es evidente, aunque Vendryes no cita a Paul, probablemente porque da la obra de Paul por conocida. El lingüista francés se refiere a la distinción entre "lengua artificial" y "lengua natural", que ya está implícita en Dante.

[76] Una crítica de la existencia de una koiné en el período de orígenes en todos los puntos aceptable ofrece J. L. Rivarola 1998.

> lengua "hija". Todo lo general, todo lo esencial, todo lo sistemático, todo lo que tiene vigencia super-regional (y también muchísimo de lo local: casi todo) en el español de América, al menos en los planos en que hay que buscar la unidad idiomática y cabe aspirar a ella, es español sin adjetivos delimitadores[77].

En la "dialectología" hispanoamericana se discuten algunas clasificaciones, cuya característica principal es la de suponer "dialectos" antes de aclarar la cuestión teórica de lo que es un dialecto. Citaremos muy brevemente los más importantes ensayos de clasificación. Pedro Henríquez Ureña (1921), al basarse en la distribución geográfica de las lenguas indígenas que eran los sustratos del español, propuso la división en tierras bajas y tierras altas[78]. En su opinión, las tierras bajas tienen más afinidades con el andaluz, lo que no sería el caso de las tierras altas. Los criterios fonéticos no proporcionan tampoco una división dialectal nítida. Por el contrario, los rasgos se dan con muy variable frecuencia según los países y algunos son, además, rasgos más bien sociales que dialectales. Sin embargo, apoyarse en rasgos para probar que los dialectos existen es una petición de principio. La existencia de las diferencias y de la variación no prueba que se trate de dialectos.

En la explicación histórica de la variación diatópica importa mucho la cronología de la colonización. El estado actual de la distribución de los fenómenos no puede servir de guía. Al contrario, ésta es la distribución que la dialectología histórica debe explicar. Podemos imaginarnos oleadas de fenómenos que parten de la metrópoli, pero no es cierto que la historia haya seguido sólo este rumbo. Como medida precautoria tomamos cualquier elemento cuya expansión podemos seguir. Tienen mayor fuerza probatoria elementos de origen seguro. Esta restricción metódica es necesaria, pero limita seriamente el aprovechamiento de las fuentes. Una fuente poco aprovechada para determinar cronológicamente zonas con características sintópicas es el léxico, si bien las palabras caracterizadoras de una región son difíciles de averiguar. Pese a los problemas metodológicos implicados, deberíamos recurrir al léxico fundamental en el cual el léxico actual no puede servirnos de guía. Evidentemente, los indigenismos son más seguros que los elementos de origen patrimonial.

La difusión de estos elementos es inseparable de la historia de Hispanoamérica en general, ya que las palabras penetraron en el continente con los españoles que se desplazaron a lo largo de las vías de comunicación por mar y por tierra. Esta distinción tiene su importancia porque no son las mismas personas que

---

[77] E. Coseriu 1990: 62.

[78] Esta idea de P. Henríquez Ureña se desarrolla en Á. Rosenblat 1965, contribución a la que J. M. Lope Blanch 1993 dedica una detallada crítica.

mantienen el contacto por el mar y por la tierra. Dominaban en la carrera de Indias los marineros y los mercaderes en las vías marítimas, estableciendo la comunicación entre los puertos. Se sobrentiende que eran originarios de las costas de España y de Canarias. Esta comunicación justifica la presencia de elementos costeros, sobre todo andaluces, en el habla de toda Hispanoamérica, pero que dominan en las costas del continente. Por otra parte, la Corona de Castilla no permitía a los criollos el acceso a los altos cargos del Estado y de la Iglesia. El cambio continuo de funcionarios, de oficiales militares, de altos dignatarios seculares y de misioneros que mayormente estaban asentados en los centros administrativos y los lugares del interior, mantuvo las relaciones entre el centro de Castilla y las grandes capitales americanas. Estos españoles llegaron y partieron por las rutas del interior, igual que se comunicaron los criollos, y llevaron un español norteño a la llegada, pero también sus conocimientos indianos a la salida. Esta diferencia de comunicación condujo a Ramón Menéndez Pidal (1962) a la fórmula "Sevilla frente a Madrid" para hacer hincapié en los dos mayores centros de irradiación lingüística de entonces.

Hemos dejado abierta la cuestión de qué es un dialecto. Hemos dicho que una variedad es, en general y desde otra perspectiva, una lengua funcional que se realiza en cada momento del hablar. Una lengua es un *dialecto* desde el punto de vista sintópico, un *nivel de lengua* desde el punto de vista sinstrático y un *estilo de lengua* en sinfasía. Podemos llamar dialecto a una variedad por sus características sintópicas, lo que constituye una reducción, ya que se da por sentado que los caracteres sintópicos son más relevantes que los sinstráticos y los sinfásicos.

Los dialectos son en realidad lenguas completas que no lograron su elaboración como lengua estándar. Además, es más fácil identificar los dialectos que los otros tipos de variedades en la historia, porque la documentación que procede del mismo espacio muestra rasgos comunes que se atribuyen por eso mismo a afinidades dialectales o sintópicas en general. Hay menor certeza sobre el nivel de lengua o sociolecto de un texto, ya que son generalmente de autor desconocido. En lo que concierne a los primeros tiempos, podemos suponer que el nivel es relativamente alto, puesto que la alfabetización era escasa. En el dominio lingüístico español las variedades de carácter sintópico son mucho más importantes que las del tipo sinstrático y sinfásico. Muchas investigaciones sociolingüísticas muestran que las diferencias diastráticas y diafásicas estriban en un aprovechamiento diferente de las diferencias diatópicas del español.

Eugenio Coseriu[79] ha propuesto una interesante tipología de los dialectos que vamos a modificar en el siguiente apartado (1.5.2.). El punto de vista que distin-

---

[79] E. Coseriu (1981: 14).

gue los varios tipos es la relación con respecto a la lengua común. Si una comunidad lingüística no dispone de una lengua común, su o sus lenguas son, desde el punto de vista geográfico, *dialectos primarios*. Son igualmente dialectos primarios aquellas variedades que son más antiguas que la lengua común a la que se sobrepusieron. Y es uno de los dialectos primarios aquél que se constituyó en lengua común[80]. Los otros tipos de dialectos ya presuponen la existencia de una lengua común. Así, se constituyen dentro de una lengua común variedades espaciales que pueden denominarse *dialectos secundarios*. Ya que normalmente estos dialectos se forman en el proceso de la colonización, pueden llamarse igualmente *dialectos coloniales*.

En la colonización suelen participar hombres de regiones diversas. Dado que hablan la misma lengua histórica, han de definir cuáles son las tradiciones idiomáticas propias que pueden continuar y cuáles son las que deben adoptar de otros hablantes. Apoyándonos en situaciones de contacto lingüístico en la actualidad, suponemos que los hablantes seleccionan en el trato con hablantes de otras regiones aquellos elementos que son de uso y de comprensión suprarregional, pero que integran asimismo elementos de otras variedades en su lengua. El dialecto colonial generaliza elementos seleccionados de varios dialectos, transformándose de este modo en lengua común. Pero se crean también elementos nuevos por el conocimiento de una realidad nueva, lo que conduce, con la nivelación, a la diferenciación del dialecto colonial en comparación con las variedades de origen.

Un tercer tipo de dialectos tiene como condición previa la constitución de una variedad dentro de aquella lengua común a la que Coseriu llama *lengua ejemplar* y que se llama más a menudo *lengua estándar*. Dante estaba buscando en Italia esta lengua como *idioma cardinale* cuando todavía no existía. La motivación del término de lengua ejemplar es evidente: es la lengua que sirve de modelo en una comunidad lingüística. *Lengua estándar* como término se refiere más bien a la homogeneidad de esta lengua que admite, como las otras unidades sintópicas, una diferenciación espacial.

La diferenciación actual de las lenguas estándar del español americano es evidente. Según los países se desarrollaron otras variedades de la lengua estándar como normas cultas. La diferenciación terciaria del español se constituyó desde los orígenes, pero las variedades habladas de los cultos no lograron imponerse como normas hasta después de la independización de los países hispanoamericanos. El proceso de diferenciación terciaria, sin embargo, no está concluido. Antes de la Independencia, era evidente que la norma de España era la lengua

---

80 Cf. también Ž. Muljačić 1989.

ejemplar. Después, la unidad de la lengua pasa a ser una tarea que se asume de muy diversa manera. Por este motivo empieza un nuevo período de la historia de la lengua española. El español americano es lengua común española que abarca, como la lengua común de España, diferencias diatópicas, diastráticas y diafásicas. De esto resulta para la historia del español ultramarino que hay que contar, desde el principio, con una diferenciación escasa como lengua estándar y con una diferenciación relativamente pronunciada como dialecto colonial. La diferencia de ambos tipos de unidades sintópicas es social. Una de nuestras tareas es estudiar la regionalización del español fuera de España.

Hemos preferido llamar a las nuevas diferencias, cuyo posible origen hemos esbozado, diferencias diatópicas y no dialectales. Hay que distinguir, por lo tanto, lo propiamente dialectal de lo diatópico en general. Como en todas las lenguas históricas pertenecen a una lengua histórica aquellos dialectos que se subordinan a una lengua común. Así, pertenecen, o pertenecían, a la lengua común española en España el asturleonés, el navarroaragonés y los dialectos coloniales del castellano, por ejemplo, el andaluz. La relación de un dialecto respecto a una lengua común puede variar en el curso de la historia. El gallego era en la Edad Media un romance que dio origen al portugués como dialecto colonial en la expansión hacia el sur. El gallego y el portugués eran una sola lengua histórica. Debido a la expansión del castellano en Galicia se consideraba el gallego como dialecto del español, sobre todo en el siglo XVIII. Ya que hoy el gallego se ha constituido de nuevo como lengua oficial, forma una lengua histórica al lado del portugués y del español. También el asturiano y el aragonés intentan ser reconocidos como lenguas, pero no han logrado este estatus según las condiciones que prescribe la Constitución española.

Hay relaciones similares entre los *dialectos secundarios* y *terciarios* de España y de América en la época moderna temprana, pero éstos forman parte de distintas arquitecturas idiomáticas. La expansión del español en la Península Ibérica es el resultado de la Reconquista a la que sucedió la ocupación del territorio y la población de norte a sur. De esta manera se difunde en sustancia el castellano en la forma de dialectos secundarios –aunque con estas palabras representamos, por cierto, este proceso en líneas simplificadas–. Pero la otra cara de la expansión castellana es la influencia sobre los romances circunvecinos como el leonés o el aragonés, que coincide en el tiempo con la extensión hacia el sur. Debido a este proceso el castellano que se superpone a los otros romances se transforma en español. En otras palabras: el romance castellano originario es el foco de la arquitectura de la lengua española que nace del contacto con otros romances y con lenguas no románicas. Ya para el siglo XVI debemos contar con, por lo menos, dos arquitecturas idiomáticas territorialmente bien diferenciadas, en las que los dialectos castellanos tienen un lugar muy distinto: mientras que en la metrópoli coexisten dialectos derivados del castellano como el andaluz con romances en proceso de dialectalización como, por ejemplo, el leonés y también el aragonés, el español se plasmó en América, si prescindimos de un pluridialectalismo inicial, en la forma de una lengua común marcada por fuertes rasgos regionales, pero cuyo grado de variabilidad no podemos valorar sino aproximadamente a causa de las lagunas documentales.

Tras estas aclaraciones retomamos el problema de la estandarización policéntrica y de la koinización. No parece que los términos reflejen de manera adecuada las necesarias distinciones conceptuales. Con *koiné* y *lengua estándar* se distinguen variedades que, por un lado, pueden ser cosas idénticas y, por otro, el término de koiné tomado al pie de la letra no puede referirse a una sola variedad. En efecto, una visión dinámica de la arquitectura idiomática admite la formación de toda una gama de variedades lingüísticas, entre ellas varios tipos de koinés. Uno de ellos es el dialecto secundario o colonial, pero a su lado pueden originarse koinés por la transformación de un dialecto primario en lengua común y la elaboración de una lengua común –que está basada en un dialecto primario o secundario– en lengua ejemplar: es decir, los tipos de koiné que corresponden al dialecto secundario y los tipos de koiné que derivan de la difusión de una lengua ejemplar, creando así varios dialectos terciarios según las regiones. La *forma* de la lengua, una vez seleccionada, según el enfoque de Haugen, cambia con su *adopción* por otros hablantes y cambia asimismo su estatus. Este proceso ya se podría llamar koinización, si contemporáneamente se toman en cuenta tanto los cambios estructurales como la transformación del estatus de la lengua seleccionada. No importa si del cambio estructural resultan formas híbridas o no. En cuanto a la *lingua franca* es poco probable que se haya formado: la lengua hablada por los varios grupos de españoles era recíprocamente comprensible.

La primera lengua ejemplar fue la lengua literaria del siglo XIII, nacida del dialecto secundario y del dialecto que se había formado en el contacto con los mozárabes durante la Reconquista, sobre todo con el mozárabe de Toledo. La base de esta primera lengua ejemplar era la lengua común, que se elaboraba como lengua ejemplar o estándar. La lengua ejemplar o estándar es una lengua común particular dentro de una lengua común. Así, el proceso que se llama estandarización no se distingue en lo fundamental de la koinización: se trata de una koinización de alcance más amplio y de estatus superior a la lengua común dentro de la cual se ha formado[81].

---

[81] En cuanto a si hay que distinguir siempre entre lengua común y lengua ejemplar vienen muy a propósito las siguientes palabras: "mientras una lengua común no se haya establecido como tal y no ha[ya] llegado a su vez a diferenciarse, no cabe distinguir entre lengua común y lengua ejemplar, ya que los problemas relativos a su constitución y a su 'status' funcional en la comunidad son, en el fondo, los mismos" (E. Coseriu 1990: 57, n. 21).

Aparecen también otras variedades que son tipos de lengua común en contacto con otras lenguas que vamos a llamar *variedades contactuales*. Por consiguiente, el problema radica en que lo que se llama koiné se refiere a distintas entidades. Intentamos justificar las variedades más difundidas en la actualidad. Por eso, hay que contar con la formación de muy distintos tipos de variedades, entre ellas varios tipos de lengua común[82]. De todos modos, la afirmación de que en el proceso de la difusión de una koiné se simplifiquen algunos paradigmas de su estructura se aplica también a las variedades que llamo contactuales que son formas de la lengua común. *Koinización* se refiere normalmente al nacimiento de determinados rasgos que son nuevos respecto a las variedades originarias, mientras que sería mejor, como hemos dicho, que denote el proceso por el que una lengua se transforma en lengua común, independientemente de si ciertos rasgos nuevos se formen o no.

Pero hay más. La koinización se imagina como proceso que ocurre en la lengua hablada, mientras que la estandarización se hace dentro de la lengua escrita cuya finalidad es la creación de una lengua literaria que sirva como lengua ejemplar de la que se elimina la variación. Sin embargo, existen lenguas escritas desde antes de la estandarización que muchos lingüistas llaman *scriptae*[83] y que José Luis Rivarola[84] toma en cuenta en el español de América. Con todo, tenemos que contar con el problema de que no existe una *scripta* hispanoamericana que sea la contrapartida de una koiné hablada, si bien de alcance más general[85].

1.5.2. Niveles de lengua y variedades contactuales

La diferenciación del español se considera aquí en el marco de una sociolingüística histórica. Se relacionan los niveles de lengua o sociolectos con grupos sociales o etnias.

Los tipos de dialectos que se hablan en el mismo espacio corresponden a estratos sociales. No hay razones para suponer que existieran diferencias sociales entre los hablantes de dialectos primarios y los hablantes de dialectos secundarios que se hablaban en espacios distintos. Pero entre los hablantes de dialec-

---

[82] Cf. H. Paul ^{5}1920: 418-420.

[83] Cf. las contribuciones reunidas en G. Holtus/M. Metzeltin/C. Schmitt (eds.) 1995.

[84] J. L. Rivarola 1996: 588.

[85] Para formarse una idea más concreta de los planteamientos que conllevan los procesos resultantes del contacto lingüístico y la formación de un conjunto de variedades contactuales, señalo, a pesar de diferencias de enfoque, los dos artículos fundamentales de G. de Granda (1994a y 1994b).

tos secundarios y terciarios sí hay diferencias sociales. Las variedades contactuales que distinguimos a continuación sirven igualmente para diferenciar estratos sociales intermedios entre hablantes de dialectos secundarios y hablantes de dialectos terciarios.

En los territorios ultramarinos se hablaban diferentes variedades en el mismo lugar, pero se comprueba por lo menos una diferencia marcada entre un español de tipo terciario y otra forma de hablar que es un dialecto colonial o una variedad contactual. Los tipos de unidades sintópicas pueden funcionar como niveles de lengua en un espacio determinado. Es particularmente difícil investigar estas dos formas de unidades sintópicas y sinstráticas. Por lo general, los textos escritos por personas cultas corresponden a una unidad sintópica terciaria. Raras veces se encuentran rasgos de dialectos coloniales en la documentación, ya que quienes saben escribir conocen lo suficientemente bien por lo menos la norma regional. Observamos dialectos coloniales sólo como realización en personas semicultas o como *lapsus cálami* en escritos de cultos.

El estudio de un documento como realización del sistema de una lengua no puede ser la única base del análisis de la diferenciación sociocultural del español. Son imprescindibles las informaciones históricas y las informaciones sobre los contextos o entornos en los que escriben los autores[86].

Aunque la división de los tipos de dialectos en primarios, secundarios y terciarios tiene una motivación histórica, no se basa propiamente en la historia. Se trata, al fin y al cabo, de posibilidades racionales de unidades sintópicas que pueden encontrarse en el devenir concreto de las lenguas. Los dialectos primarios pueden llamarse de esta manera si para su consideración partimos de la actualidad. Sin embargo, cuando cambiamos nuestra perspectiva y consideramos estos dialectos antes de su subordinación a una lengua histórica, no es apropiado hablar de dialecto primario, sino más bien de unidad sintópica o, más sencillamente, de lengua. En una visión histórica, los dialectos secundarios o coloniales no se deben examinar sólo como secundarios en el orden racional, sino también en su historia. Vamos a ver que no hay que considerar los dialectos secundarios en relación inmediata con los dialectos primarios, ya que los hablantes de una lengua común crean unidades sintópicas que no son nada más que secundarias frente a los dialectos primarios. Puesto que normalmente entran durante su expansión en contacto con hablantes de otras lenguas o variedades, forman variedades contactuales[87]. Así, si se consideran los dialectos que Coseriu denomina

---

[86] Cf. W. Oesterreicher 1994 y sobre todo J. A. Frago Gracia 1993 y 1999; J. Lüdtke 2011b.

[87] Retomo la parte general de J. Lüdtke 1999.

primarios, secundarios y terciarios desde un punto de vista histórico y no sólo como meras posibilidades racionales, cabe suponer más variedades y de otro tipo. Partamos de los casos que Coseriu indica: una lengua se hace general como lengua común y crea dialectos secundarios o coloniales, y una lengua ejemplar llega a tener en su extensión dialectos terciarios que constituyen un segundo tipo de variedades contactuales.

Por consiguiente, si se somete la tripartición dialectal a un enfoque histórico parece obvio que las condiciones son más complejas. Prescindiendo del caso de que los hablantes de una variedad se asienten en un lugar despoblado o poco poblado, a lo largo de la expansión, como ya hemos dicho, entrarán necesariamente en contacto con hablantes de otra variedad o de otra lengua. Las variedades que entren en contacto ya no serán, después del contacto, idénticas a las variedades o lenguas antes del contacto. Por lo tanto, por medio de la situación de contacto surgen otras variedades. Éstas siempre han sido identificadas como tales en la literatura lingüística, pero los procesos ya comprobados no han sido siempre reconocidos en su sencilla generalidad. Una vez admitidos como tales pueden servir de patrón interpretativo para situaciones de contacto mal documentadas, pues la base informativa no permite en estos casos una interpretación más detallada. Es sobre todo en la historia de una lengua donde los comentarios metalingüísticos en las fuentes no proporcionan más que vagas apreciaciones de situaciones de contacto de épocas pasadas.

Las nuevas variedades son bien conocidas como fenómenos; han sido identificadas individualmente en un sinnúmero de situaciones lingüísticas pasadas y presentes. Creo, sin embargo, que todavía se subestima y se desconoce, en parte, su carácter fundamental. Tales variedades se forman cada vez que un hablante de una variedad, lengua, dialecto, etc. aprende otra. No existe una terminología consagrada para denominar las nuevas variedades intermedias. Germán de Granda[88], por ejemplo, se basa en la convergencia a la hora de describir los fenómenos de transferencia, considerados como correctos y, en particular, de interferencia, considerados como incorrectos, pero sin proponer un término, mientras que Thomas Stehl, que ha estudiado este fenómeno en francés e italiano, llama a estas variedades precisamente "variedades interferenciales"[89]. Sin embargo, he preferido acuñar –si todavía no existe– el término *variedad contactual*, ya que el fenómeno de mayor impacto es el contacto de lenguas y dialectos que produce las interferencias y no al revés. Los fenómenos que se describen como interfe-

[88] G. de Granda 1994: 314-315.

[89] T. Stehl 1994; un interesante estudio de las variedades contactuales entre español y catalán, que se basa en las interferencias, es L. Payrató 1985.

rencia[90], transferencia[91] o convergencia[92] –serie de términos que no pretende ser exhaustiva– son conceptos descriptivos que pueden servir para la clasificación de los fenómenos lingüísticos que resultan del contacto lingüístico, pero esta clasificación no se basa en la conciencia de los hablantes. La convergencia de dos lenguas o variedades como consecuencia del contacto no es un proceso intencionado como tampoco lo es la interferencia o la transferencia, "con una plétora de términos técnicos, referidos a los resultados, sobre los sistemas gramaticales de las lenguas implicadas, de situaciones de contacto lingüístico"[93]. Tampoco son relevantes, en un primer momento, la corrección idiomática o su ausencia para la conceptualización de los fenómenos de contacto lingüístico. Lo que sucede en realidad, es que el hablante mantiene o conserva rasgos de su lengua en la lengua aprendida que transmite a la próxima generación, y es consciente de la direccionalidad de su aprendizaje. Se comprueba, sin embargo, que el hablante va eliminando aquellos rasgos considerados incorrectos, de cuya incorrección se entera. La convergencia es un fenómeno secundario en estas circunstancias, aunque en determinados casos como el romanche del cantón de los Grisones en Suiza los hablantes podrían tener conciencia de ella por la facilidad con la que pasan de su lengua al alemán, hecho que puede prolongar la vida de una variedad contactual.

Las variedades que resultan del contacto se forman como "variedades de aprendizaje" y se transforman en variedades contactuales propiamente dichas cuando las generaciones siguientes las aprenden directamente como primera lengua hablada y/o escrita. Las variedades contactuales particularmente bien identificadas en el dominio lingüístico español son el español de los gallegos y de los catalanes por un lado y el catalán, gallego, etc. hispanizado por otro[94]. Se deben tomar en consideración estas variedades contactuales de manera sistemática en las investigaciones de historia lingüística, pero asimismo en las situaciones lingüísticas actuales, para las que la documentación está asegurada. Raras veces se identificó en el estudio de situaciones históricas –sobre todo en el contacto árabe-castellano y español-indígena– de modo unívoco la variedad en la que se comprobó un arabismo o un indigenismo.

Presentaremos los procesos de forma esquemática. Sólo en un segundo paso nos referiremos a situaciones lingüísticas concretas. Limitamos a dos, en aras de una mayor sencillez, las lenguas o variedades que entran en contacto, designán-

---

[90] U. Weinreich ^{8}1974.

[91] M. Clyne 1967.

[92] G. de Granda 1994.

[93] G. de Granda 1994: 315.

[94] Cf. J. Lüdtke 1988.

dolas convencionalmente con A y B. Con cada lengua o variedad que se añadiese la situación se tornaría más compleja.

En una primera fase A y B son habladas en espacios distintos y no hay contacto lingüístico:

Las dos lenguas o variedades pueden ser habladas paralelamente en el mismo espacio. Si A y B son habladas por distintas comunidades lingüísticas podemos representar las relaciones de la siguiente manera:

A
B

La tercera fase es compleja. Los hablantes de A aprenden la variedad B y los hablantes de B aprenden la variedad A en el caso de darse paralelamente los procesos de aprendizaje de la variedad respectiva. Pero también es posible que sólo los hablantes de A aprendan la variedad B o sólo los hablantes de B la variedad A. En este caso el proceso sería asimétrico. A lo largo del proceso de aprendizaje de otra lengua o de otra variedad se crea una variedad nueva. Dado que los hablantes producen, al aprender la otra lengua respectiva, interferencias o transferencias por trasladar fenómenos de su propia lengua a la otra, los hablantes de A crean, al aprender B, la variedad B' y los hablantes de B, al aprender A, la variedad A':

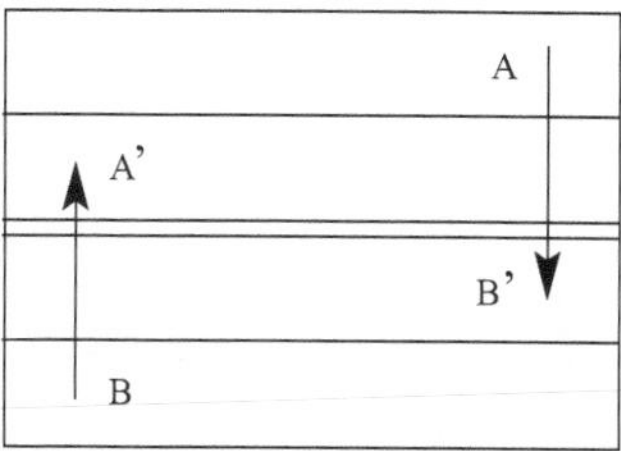

El caso más frecuente de aprendizaje de una lengua dominante y de la génesis de una variedad próxima a ella se representa en este esquema:

A
A'
B

Esta situación provoca entre los lingüistas la impresión de que los hablantes dan existencia a una sola variedad intermedia. Sin embargo, las variedades A, B y A' repercuten en la producción de una variedad B':

A
A'
B'
B

El resultado de este proceso de aprendizaje para cada hablante son las variedades de aprendizaje A' y B' como variedades secundarias, no necesariamente estables.

En una cuarta fase las variedades de aprendizaje A' y B' pueden ser aprendidas por parte de los hablantes como lenguas primarias.

Estas cuatro variedades pueden aparecer, en esta fase, o bien todas juntas o bien reducidas a una parte de ellas (por ejemplo, o bien A, B' y B o bien B, A' y A).

A las variedades que hemos designado anteriormente como secundarias las denominamos *variedad contactual*. Éstas corresponden a los dialectos terciarios de Coseriu si las variedades resultantes se han formado sobre la base de una lengua ejemplar o lengua estándar (tipo A'). *Variedades contactuales* es un término más general puesto que designa todas las variedades creadas mediante situaciones de contacto. Entre ellas pueden figurar igualmente contactos entre dialectos primarios y dialectos secundarios, y así sucesivamente.

En una quinta fase se puede suprimir la simetría por eliminación de B o de A. Esto ocurre cuando los hablantes de las generaciones siguientes pasan progresivamente a adoptar las variedades contactuales dejando así de hablar una variedad que originariamente había entrado en contacto con otra, por ejemplo:

A
A'
B'

En una sexta fase pueden desaparecer también B' o A'. Representamos este caso esquemáticamente con el ejemplo de la pérdida de B:

A
A'

A la séptima fase se llega si se pierde también A (o análogamente B):

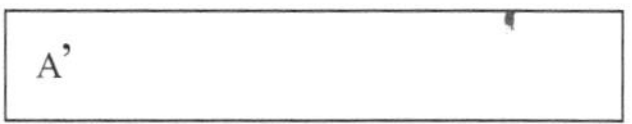

La primera fase no necesita ser comentada. Pero tiene que quedar claro que A y B se consideran homogéneas sólo con respecto a las situaciones de contacto que se han de registrar más adelante. Prescindimos, en este modelo, del hecho de que cada lengua tiene siempre una complejidad interna y consideramos exclusivamente la nueva complejidad originada mediante el contacto lingüístico. Pero al describir una situación de contacto concreta es imprescindible tratar todos los fenómenos que han producido esta situación en su singularidad histórica.

Situaciones del tipo de nuestra segunda fase se vienen describiendo como situaciones de diglosia en el caso de que las dos variedades pertenezcan a una misma lengua histórica o a lenguas emparentadas. Dependiendo del autor –recordemos sólo a Charles Ferguson (1959) y su ejemplo de variedad alta y variedades bajas del árabe–, distintas constelaciones de contacto lingüístico se consideran como típicas. Sus características respectivas han de formar parte, pues, de la "definición" de situaciones que varían respectivamente.

Podemos imaginarnos la formación de dialectos secundarios a raíz de la Reconquista a través de tales variedades contactuales. Pero simultáneamente aparecen variedades castellanizadas del leonés y el aragonés en particular, que se agregan a los distintos dialectos primarios del castellano. Por supuesto, es imposible registrar estas variedades en su modalidad hablada, pero sí como variedades contactuales en las *scriptae* y en la lengua literaria. Estas variedades son dialectos literarios y constituyen, junto con la lengua literaria, codificada por Nebrija sin referencia a autores determinados, y con las variedades de la lengua hablada, la arquitectura del español en España en torno al año 1500[95].

La arquitectura del español en América parece continuar, tras una fase de consolidación, los dialectos secundarios del sur del reino de Castilla y haber eliminado las *scriptae* norteñas –pero no la lengua literaria– desde el principio.

Las situaciones de contacto son frecuentes entre los españoles y los indígenas canarios, amerindios, filipinos y africanos. Como condición previa de la descripción de las variedades contactuales necesitamos la descripción de las situaciones de diglosia o bilingüismo en América, que son muy diferentes de las situaciones europeas. Esta parte de la historia lingüística pertenece a la sociología histórica de las lenguas, que trata de la convivencia de etnias distintas cuyo estatus social es diferente. Hay que reconstruir, pues, las situaciones lingüísticas del pasado.

---

[95] Cf. acerca de las variedades R. Lapesa 1992, J. A. Frago Gracia 1994a.

Las investigaciones de la etnohistoria, en la medida en que existen, son un gran auxilio, pero se deben interpretar desde la perspectiva de la historia lingüística del español. La etnohistoria de los nahuas y de los quechuahablantes está mejor estudiada y puede servir de orientación para el estudio de otras etnias[96]. Se documentarán las situaciones comunicativas que concretan la práctica social con particular ahínco, en cuanto las fuentes lo permitan. Con referencia al caso más importante, señalo que algunos españoles, sobre todo misioneros –que no eran siempre españoles– aprendieron las lenguas amerindias, lo cual produjo una nueva variedad de la lengua aprendida que codificaron en gramáticas y vocabularios. Se trata de variedades contactuales del tipo B' que son además una etapa de la hispanización de las etnias correspondientes. La historia lingüística de estas etnias se puede estudiar, si algunos hablantes de estas lenguas pasaron a la escritura como los aztecas de la Nueva España[97] y los quechuahablantes en el Perú[98]. Pero asimismo se habla hasta hoy el español de los indígenas, influenciado por las diferentes lenguas amerindias, como lengua materna, sin que los hablantes dominen al mismo tiempo una lengua indígena, como por ejemplo en el caso del español andino[99].

Las *scriptae* de los escribanos públicos y la lengua literaria de la literatura especializada manifiestan una variación interna de poca importancia. Sin embargo, si hay que admitir, y con razón, una estandarización monocéntrica desde la época de la consolidación lingüística, permanece también la dialéctica de un dialecto terciario y de un dialecto secundario[100] en las regiones americanas desde el inicio de su colonización. Este dialecto terciario se habrá propagado más tarde con características norteñas desde los focos de irradiación de las tierras altas de México y del Perú, superponiéndose al dialecto terciario del período de orígenes. Sirvieron de intermediario, por cierto, las variedades contactuales.

Lo específico de las situaciones de diglosia y de otras situaciones de contacto lingüístico radica en que son reducidas a dos lenguas o variedades en contacto, mientras que, aparte de las variedades en contacto, es posible, en principio, que se formen dos nuevas (A' y B'). Las dos nuevas variedades contactuales convergentes son percibidas de manera diferente. Supongamos que A es la lengua estándar de una comunidad lingüística y B un dialecto primario o lengua histórica de vigencia regional limitada, como el castellano y el asturiano al principio del contacto. Siendo la lengua estándar el objeto normal de la descripción lingüística,

---

96 Cf. por ejemplo C. Gibson 1967 y J. Lockhart 1999.

97 Cf. J. Lockhart 1991.

98 Cf. J. L. Rivarola 1990: 121-147.

99 Cf. R. Caravedo 1992.

100 Cf. J. Lüdtke 1988.

llama la atención la variedad contactual A', generalmente más o menos marcada negativamente, mientras que la diferenciación interna de una variedad, si no se sitúa en el centro del interés lingüístico, no se toma en consideración. De esta forma, M. A. K. Halliday, Angus McIntosh y Peter Strevens identifican aquella variedad que producen los hablantes cuando aprenden una lengua estándar[101]. De la misma manera que un extranjero conserva su acento al aprender un idioma extranjero transfiriendo patrones fonéticos, gramaticales o léxicos de su propio idioma al idioma extranjero, también los hablantes de un dialecto aprenden una lengua estándar y la hablan con un acento regional que conservan aun cuando ya hayan renunciado a su dialecto originario. Esta lengua estándar con acento puede convertirse en la lengua primaria de la generación siguiente. Es sobre todo esta variedad de la lengua estándar la que en la lingüística inglesa se llama con frecuencia *interlanguage*[102], término que equivale a *interlengua* en español.

Con respecto al español creado por los hablantes de quechua del Perú, Alberto Escobar introduce el término *interlecto* (1978, 1989), término que ha tenido cierta difusión en la lingüística hispánica. *Interlecto* corresponde en este contexto a lo que se denomina en el aprendizaje de lenguas secundarias, entre otras cosas, *lengua de ínterin* o *variedad de aprendizaje*. En el caso concreto del español andino el interlecto puede llegar a ser lengua primaria. El mejor texto para un estudio histórico del español andino es *El primer nueva corónica y bueno gobierno* de Felipe Guaman Poma de Ayala. Cabe subrayar aquí que lo que se abarca en teoría no es la situación de contacto lingüístico en su totalidad, ni siquiera en sus rasgos principales, sino solamente la variedad más cercana al estándar regional (A').

Generalmente, los desarrollos análogos en el dialecto o en la lengua subordinada no son tomados en cuenta. Uno de los precursores en la reflexión sobre este

---

[101] M. A. K. Halliday/A. McIntosh/P. Strevens 1964: 84-87.

[102] Similar a *interlanguage* emplea P. Trudgill el término *interdialect* (por ejemplo en Trudgill 1986). Tal variedad, creada por hablantes que partiendo de un dialecto aprenden otro, corresponde a una fase de aprendizaje que se da en un contacto de lenguas continuado. El término lo considera Trudgill solamente como "label" ("rótulo"), introducido *ad hoc* para describir las situaciones de dialectos y de contacto de dialectos del inglés. Pero puede aplicarse en segundo lugar a variedades estables, es decir, a variedades contactuales en general: "Interdialect, then, may be a short-lived temporary phenomenon, or a long-term feature" (Trudgill 1988: 562). Tales términos, creados para un determinado caso típico, no son adecuados. No permiten un grado elevado de generalización en su empleo conceptual. De esta manera la caracterización de una variedad formada mediante el contacto de una lengua estándar con otra como *interdialect* no sería apropiada. *Variedad contactual*, en cambio, tiene la ventaja de captar la lengua en cualquier aspecto que se deba a una situación de contacto. En un siguiente paso se puede comprobar si una variedad se sitúa enfrente, debajo o al lado de otra.

problema es Hermann Paul. Este neogramático diferencia conceptualmente de forma muy clara las variedades contactuales que se producen en ambas direcciones. A la lengua estándar la llama en este contexto *lengua artificial* (*künstliche Sprache*), y al dialecto *lengua natural* (*natürliche Sprache*). Tras describir la influencia ejercida sobre la lengua artificial por la natural, llega a tratar el caso opuesto:

> En segundo lugar la lengua artificial actúa sobre la natural, adoptando ésta de aquélla palabras, de vez en cuando también formas de flexión y modos de construcción. Las palabras son las que se refieren obviamente a ámbitos de ideas para los que se suele valer uno de la lengua artificial. Son transformadas, igual que en el caso del préstamo opuesto, a la forma fonética de la lengua natural o conservados en la forma fonética de la artificial. No existe ni un dialecto alemán que se haya mantenido libre de tal infección, si bien el grado varía mucho[103].

Este proceso lo pudo constatar Hermann Paul dentro del ámbito lingüístico alemán todavía en una fase más intensiva que hoy en día. Dado que la formación intensiva o la extensión de la vigencia de variedades contactuales coincidió con nuevas tendencias en la dialectología de cuño neogramático, que consistía en describir dialectos no modificados en su evolución fonética, se excluyeron intencionadamente de la investigación los dialectos influenciados por la lengua estándar (B').

Las variedades contactuales de tipo A' y las de tipo B' tienen características muy diferentes. Normalmente, los hablantes de B que aprenden A dominan con mayor perfección el léxico que la gramática de la nueva lengua. Casos extremos del aprendizaje de A son la formación de *pidgins* y de lenguas criollas que se distinguen de la lengua que toman como modelo precisamente por su gramática y que se caracterizan por su léxico de origen europeo. Si se formulan las situaciones de contacto lingüístico en términos de sustrato y de superestrato, predomina en A' la gramática del sustrato; este proceso conduce a la transferencia o interferencia. Los hablantes de un superestrato tienden a aprender relativamente mejor la gramática de B, pero conservan muchos elementos del léxico de su lengua, de

---

103 "Zweitens wirkt die künstliche Sprache auf die natürliche, indem aus ihr Wörter, hie und da auch Flexionsformen und Konstruktionsweisen entlehnt werden. Die Wörter sind natürlich solche, welche sich auf Vorstellungskreise beziehen, für die man sich vorzugsweise der künstlichen Sprache bedient. Sie werden wie bei der umgekehrten Entlehnung entweder in den Lautstand der natürlichen Sprache umgesetzt oder in der Lautform der künstlichen beibehalten. Es gibt keine einzige deutsche Mundart, die sich von einer solchen Infektion gänzlich frei gehalten hätte, auch wenn der Grad ein sehr verschiedener ist" (H. Paul [6]1960: 415).

A. Un ejemplo elocuente es la historia del rumano. Los eslavos aprendieron el latín tardío o el rumano temprano de los Balcanes, transfiriendo muchas palabras eslavas a la lengua aprendida; el resultado es una transferencia o una conservación.

En el mundo hispanoamericano los lingüistas tienen pocas oportunidades de investigar las variedades contactuales B', porque raras veces sus hablantes son lingüistas. Sólo cuando los lingüistas conviven mucho tiempo con los hablantes de esta variedad contactual y se ganan su confianza, pueden tener acceso a esa lengua. Un caso nada sospechoso es la *media lengua* del Ecuador que ha estudiado Pieter Muysken, porque el investigador parte de otras concepciones para lo que aquí llamamos variedad contactual que es la teoría de la criollización o *pidginización*, la teoría lingüística y el bilingüismo. Su descripción, sin embargo, tiene exactamente cabida en el modelo que propongo:

> En varias zonas de la Sierra ecuatoriana encontramos formas lingüísticas, con más o menos estabilidad, coherencia y permanencia, que se denominan "media lengua" (ML). Cabe destacar dos características principales de la ML:
> (a) Es una forma de quechua con un vocabulario casi exclusivamente de origen castellano y estructuras casi exclusivamente de origen quechua;
> (b) Representa una etapa de transición (que en algunos casos puede durar varias generaciones) de una comunidad quechua-hablante hacia el castellano. Sin embargo, la ML está lejos de ser la única vía de transición del quechua al castellano[104].

Los hablantes de la media lengua, llamada así desde el castellano, dan un nombre propio a su variedad contactual que es *utilla ingiru* en quechua, lo que significa "quechua chico"[105]. El lingüista neerlandés considera la media lengua como transición al castellano.

Otros ejemplos son el español de Paraguay y el de los quechuahablantes del Noroeste Argentino, estudiados por Germán de Granda (1994). Las situaciones lingüísticas del pasado se reflejan en las actuales de las que da una síntesis Yolanda Lastra (1992).

Si aún se quiere reconducir el español de América a la influencia del sustrato, lo que es una hipótesis muy poco probable, la base sería la descripción de las condiciones del contacto lingüístico y la descripción de las variedades contactuales, seguida de su historia. La comparación del español canario, que tiene un sustrato completamente diferente del español americano, y el estudio de la difusión de las lenguas indígenas en comparación con la distribución de las variedades

---

[104] P. Muysken 1979: 41.

[105] P. Muysken 1979: 44.

regionales del español americano enseñan que no hay interrelación entre español regional y lengua indígena.

Un arduo problema es un tercer tipo de contacto lingüístico. Los esclavos negros que aprendieron el español o el portugués pudieron crear su tipo particular de variedades contactuales. Ya que procuro apoyarme en la documentación y ya que las lenguas criollas se documentan en épocas relativamente tardías, tendré mucho cuidado en suponer lenguas criollas –una o varias, de base portuguesa y "relexificada" con elementos españoles–. Si podemos probar la existencia de un criollo portugués hispanizado, tendríamos asimismo una variedad terciaria del español.

En la historia de las lenguas históricas el nacimiento de variedades a raíz del contacto del dialecto o de la lengua con la lengua estándar se refleja en los comentarios de los hablantes. Cuanto mayor es el grado de estandarización de una lengua y su propagación por la Iglesia o el Estado en los diversos estratos sociales, más aguda es la conciencia de la existencia de variedades contactuales, y las personas que no dominan suficientemente bien la lengua hablada o escrita en proceso de estandarización o expansión se verán desprestigiadas. Las quejas sobre el dominio insuficiente de la lengua, que siempre es la lengua de un Estado, se prolongan a través de los siglos[106]. La variedad más cercana al dialecto (B') se convierte en objeto de reflexión de una forma más sistemática sólo desde que se enseña la lengua estándar, hoy en día ya mayormente codificada en su forma, a vastas capas de la población. En los países románicos se da esto sobre todo a partir de la segunda mitad del siglo XVIII. La política escolar de María Teresa de Austria, emperatriz de Alemania, repercute en Transilvania y en la Lombardía, la de Carlos III en España y en Hispanoamérica[107], y desde entonces aumentan las quejas. La tradición aún está en vigor en Hispanoamérica durante los siglos XIX y XX.

El modelo de variedades contactuales podría parecer demasiado aproximativo, y sí lo es con mucha frecuencia para la descripción de las condiciones lingüísticas actuales, pues es fácil imaginar que las variedades contactuales por su parte entren en contacto unas con otras a lo largo del proceso de aprendizaje de generaciones posteriores, de forma que una delimitación entre las variedades se haga ilusoria incluso por medio de la conciencia lingüística de los hablantes. Esta evolución se puede explicar mediante la distinción, arraigada en la conciencia de los hablantes, entre "lengua aprendida espontáneamente" y "lengua aprendida reflexivamente", aunque los hablantes no dispongan de términos para este

---

106 Cf. J. Milroy/L. Milroy 1991.

107 Cf. J. Lüdtke 1989.

fenómeno. He establecido esta distinción para poder describir con ella situaciones de diglosia en que un hablante usa dos lenguas o variedades. De un uso espontáneo de la lengua se distingue un uso reflexivo, presuponiendo éste siempre otra lengua o variedad superior, que conscientemente no se quiere escribir o hablar[108]. Me he referido con ello a Benedetto Croce (1956), quien aplica su distinción "spontaneo/riflesso" únicamente a la literatura italiana dialectal. Esta distinción tiene para Croce, sin embargo, un sentido muy diferente. La diferenciación entre lengua aprendida espontáneamente y lengua aprendida reflexivamente puede referirse tanto al uso oral como al uso escrito de la lengua. No coincide con la distinción entre lengua primaria y lengua secundaria, puesto que una lengua primaria aprendida oralmente de forma espontánea siempre tiene que ser aprendida reflexivamente en su forma escrita.

Para la genealogía de las variedades contactuales la diferencia oral/escrito y espontáneo/reflexivo es de suma importancia, ya que en las comunidades lingüísticas de tradición escrita los hablantes se ven confrontados con una doble dificultad al aprender por escrito una lengua o variedad que no consideran idéntica a su lengua primaria. A los hablantes les queda por superar otro elemento de igual complejidad cuando no sólo aprenden a hablar una lengua primaria espontáneamente y a escribirla reflexivamente, sino también adquieren –y esta vez de forma reflexiva– una lengua secundaria para el uso oral y escrito.

He diferenciado una quinta fase en el caso de que una variedad contactual (B') subordinada llegue a convertirse en lengua primaria o espontánea de la(s) generación(es) siguiente(s), y de que los hablantes abandonen B o ya no la hablen y sólo la conozcan residualmente. A este estado de evolución se ha llegado, en lo esencial, en Francia. Los dialectos sólo se hablan en las regiones periféricas del país. Incluso el occitano existe por lo general en forma de hablas afrancesadas. Cuando desaparece la diferencia entre B y B', esta distinción ya no tiene sentido. Pero mientras los hablantes de B' piensen que existe una variedad del tipo B en cierto modo "originaria", la diferencia tiene una base real en su representación mental.

Una dinámica análoga puede conducir a la eliminación de la lengua dominante. De esta forma el latín desaparece del uso en la Romania. Las lenguas de superestrato, antes lenguas dominantes en ciertos espacios tales como el franco en Galia, el árabe en el sur de la Península Ibérica y en Sicilia, o el eslavo antiguo en el dominio del rumano, se pierden dejando transferencias o interferencias ya no reconocidas como tales por los hablantes.

La sexta fase constituye la pérdida de la variedad dominante o de la variedad dominada, de manera que, como resultado de todo el proceso, queden como fase

[108] J. Lüdtke 1991: 239.

séptima o bien A' o bien B'. Las variedades A o B representan de igual modo posibilidades del modelo, sin embargo, su realización en la historia resulta poco imaginable. Ninguna lengua es tan sencilla que, como resultado del contacto, quede únicamente una sola variedad. Por eso, concentro la reflexión en la dinámica aquí representada como modelo de la evolución de dos variedades en contacto. Fases como las aquí representadas son descritas en la lingüística románica desde la perspectiva del sustrato y del superestrato o bien de las lenguas de sustrato y de superestrato. En la conciencia de los hablantes la lengua de sustrato o superestrato no es propiamente accesible. Las lenguas de sustrato del latín se han perdido en la conciencia lingüística de los hablantes, a excepción de la de los etimólogos. En el español de América los hablantes siguen todavía parcialmente conscientes de la continuidad de palabras de sustrato indígena aunque normalmente no las puedan identificar. En España, el árabe como lengua de adstrato sigue parcialmente presente en la conciencia lingüística, aunque en concreto los hablantes no lo puedan demostrar. Con esto, para el etimólogo, los términos *sustrato*, *superestrato* y *adstrato* remiten sin duda a situaciones de contacto de lenguas. No obstante, no son estudiadas en concreto, dado que sólo son asequibles para la investigación de forma muy rudimentaria.

En cuanto a las variedades contactuales del español tenemos, pues, tres tipos fundamentales: (a) las variedades contactuales interdialectales que son el resultado del contacto lingüístico entre españoles; (b) las variedades contactuales nacidas del contacto entre español y lenguas indígenas; y (c) las variedades contactuales entre español o portugués y lenguas africanas que son las lenguas criollas.

Las variedades están estructuradas jerárquicamente en las arquitecturas lingüísticas y dependen del estatus social de sus hablantes. Las más prestigiadas eran los tipos de español regional que corresponden a dialectos terciarios y podían ser habladas por los españoles de elevada posición social así como, en lo fundamental, por señores indios que aprendieron el español. Puede que la lengua cristalizada en un español regional, que es básicamente un dialecto secundario, haya sido hablada por los criollos. De aquí, muy probablemente, la genealogía de un español regional[109] que podemos llamar profundo. Seguían en esta supuesta jerarquía las variedades indígenas hispanizadas. De rango inferior serían las lenguas indígenas y las lenguas africanas. Es difícil indicar la posición de la lengua que hablaban los negros ladinos que podía ser una variedad contactual del español o una lengua criolla. El contacto del español con las otras lenguas realzaba su estatus y el de sus hablantes con respecto a la lengua hablada en España. Así, hay por un lado subordinación de esta lengua a la norma de España, pero por el otro se eleva su rango en América.

[109] Cf. J. L. Rivarola 1995: 46.

Los grupos étnicos –españoles a los que se suman los mestizos, los indios y los negros (esclavos, horros o libres)– tenían diversos saberes. Aunque el nivel de lengua y el estatus social, por una parte, y el saber cultural de los hablantes, por la otra[110], son cosas muy diferentes, se vinculan por el hecho de que en el mundo colonial los grupos étnicos, correspondientes a categorías sociales, representaban saberes que los caracterizaban. Cada grupo étnico tenía su propia cultura, que se transformaba paralelamente al nacimiento de variedades contactuales. Es muy probable que los grupos sociales se identifiquen más fácilmente como grupos étnicos, expresando sus respectivas culturas en un lenguaje distinto.

Una vez establecida esta posible interrelación entre etnia y lenguaje o lengua, creo que se puede suponer una diferencia similar entre los españoles. En efecto, las fuentes distinguen muy a menudo entre los "prácticos de la tierra" y los demás. Estos pioneros se distinguieron siempre de los que no lo eran. Es frecuente en los orígenes que los colonizadores establecidos desde hace algún tiempo y, por tanto, experimentados se destaquen de los "nuevamente venidos de Castilla", como dice, por ejemplo, la *Información de los Jerónimos* (1517). "Prácticos de la tierra" y "nuevamente venidos de Castilla" son rodeos por expresiones generalmente poco lisonjeras. Si *isleño* y *baquiano* (o *baqueano*) valoraban a los colonizadores antiguos positivamente, *bisoño*, *chapetón* o *gachupín*[111] sirvieron para distanciarse de los inmigrantes más recientes. Los *baquianos* representan la memoria etnolingüística de momentos más tempranos de la colonización y los conocimientos más exactos del Nuevo Mundo. Ellos eran los informantes de cronistas como Bartolomé de las Casas y Gonzalo Fernández de Oviedo. A ellos recurrieron los funcionarios como testigos para sus informaciones oficiales y los autores de relaciones enviadas al Consejo de Indias. Las fuentes no oficiales se basan en el saber etnolingüístico de estos hombres experimentados.

1.5.3. La documentación y sus entornos

En la historia de la lengua española en América, la investigación da preferencia al estudio de documentos oficiales cuyo aprovechamiento usual privilegia los hechos idiomáticos susceptibles de ser enmarcados en estudios conducentes a una gramática diacrónica. Sin embargo, no es conveniente desatender el análisis del contenido de dichos textos y el problema interpretativo consistente en su

---

[110] Cf. E. Coseriu 1981.

[111] Cf. sobre el tema desde otra perspectiva J. L. Rivarola 1995: 44-45.

opacidad para los lectores actuales: ¿cómo podemos saber lo que expresaban los textos para los coetáneos? El tema se emprende en esta obra desde los entornos y se propone contribuir a la interpretación de los textos en los que se realizó la lengua española durante la colonia, fundamentalmente en la fase expansiva y fundacional de los siglos XVI y XVII, con la intención de recrear la actividad y los saberes de sus autores y lectores.

No es posible estudiar los textos y sus estilos de lengua sin revisar brevemente la documentación en la que se basa nuestro estudio y cuya selección depende del concepto de lenguaje y de los objetivos de la investigación. Hay que tener una idea de conjunto de los textos transmitidos entre los que se hace la selección. Así, es posible analizar los textos según las personas que los producen. Tal criterio concuerda con las finalidades de la historia lingüística. Los textos deberían reflejar el origen regional y social de la persona, y una amplia gama de estilos de lengua, empleados en muy variados tipos de usos expresivos.

Entre los autores serían reveladores los textos escritos por mujeres, pero es muy difícil valorar debidamente su papel en la historia de la lengua, ya que las mujeres dejaron poquísimos documentos durante la colonia. Ciertamente había algunas escritoras, mujeres que escribieron cartas, muchas eran testigos en pleitos y a menudo se apuntaban sus palabras en las actas inquisitoriales como denunciantes o denunciadas. La mayor parte de sus testimonios son, por eso, indirectos. La lengua de los varios grupos sociales se apreciará, pues, hasta donde resulte posible, en su lugar y según las personas.

Los personajes históricos, cuya biografía es conocida, dejaron muchas veces huellas de su lengua en escritos. Sus relaciones, cartas o documentos oficiales son particularmente valiosos, si son autógrafos. Desgraciadamente, esto no se da con mucha frecuencia. Los amanuenses suelen ser anónimos. Con todo, hay una ingente masa de documentos que es aprovechable y que se conserva en el Archivo General de Indias en Sevilla, en los Archivos Generales de las naciones hispanoamericanas y en los Archivos Provinciales tanto en España, incluyendo las Islas Canarias, como en América. Los archivos custodian, además de la documentación oficial, estatal o pública y eclesiástica, crónicas, obras científicas y obras literarias.

La abundancia de la documentación de archivo es una maldición y una bendición para la investigación. El primer motivo por el cual se produjo la ingente masa de documentos es la enorme distancia geográfica. El segundo, aunque no de menor importancia, es el casuismo de la Corona que no pudo correr el riesgo de tomar decisiones generales o dictar leyes universales. Este casuismo de la colonización inició en las Capitulaciones de Santa Fe concedidas a Cristóbal Colón y se repitió cada vez que se proyectaba un descubrimiento o una conquista posteriores. Cuando por excepción se promulgaron, el texto advirtió expresamente que podía haber una reglamentación excepcional que, por supuesto, requería una autorización especial. De este modo, las situaciones que se pueden registrar o reconstruir dentro de los límites de los contextos discursivos que los exponen son estrictamente formales.

Se ha impugnado el valor documental de las obras que pertenecen a la literatura en un sentido amplio. Hay cierta justificación en eso, si se toman de estas obras ingenuamente documentaciones de fenómenos aislados de su entorno. Los textos literarios, cronísticos y enciclopédicos se deben someter a un examen crítico antes de su uso como documento lingüístico[112]. El problema radica más bien en las ediciones que hasta ahora son críticas sólo en casos contados. Sabido es que los cronistas, para dar un ejemplo significativo, se copian los unos a los otros, aunque, por regla general, los autores señalan los pasajes y las partes que copian, y precisan la fecha y el lugar de la redacción originaria. Por supuesto, las copias que no mencionan estos datos se descartan de un aprovechamiento lingüístico por el desfase histórico que representa y, si se utilizan, necesitan una justificación. A pesar de esto, las informaciones, propias o ajenas, pueden ser de gran valor, cuando documentan usos lingüísticos con comentarios metalingüísticos[113]. El metalenguaje marca entonces exactamente la distancia entre la lengua empleada en la obra y la lengua hablada, y es así un claro indicio de por lo menos dos niveles de lengua. El metadiscurso cronístico puede dar indirectamente acceso a fenómenos que no conocemos de otra manera y sirve para calibrar los resultados a los que llegamos por el aprovechamiento directo de los documentos.

Sin el uso de obras históricas, enciclopédicas o literarias un ámbito trascendente carecería de documentación. Me refiero a las variadísimas etnias, indias y negras, en su mayoría no alfabetizadas. El saber de los indígenas, de transmisión oral, se apunta y se fija en las obras de los religiosos; un documento excepcional de este proceso cultural es la *Relación de Michoacán*[114]. En un segundo momento, algunos indígenas de elevada posición social o escribanos aprendieron a escribir en su lengua, sobre todo en náhuatl o quechua, o en lengua española. Así, en las lenguas indígenas cabe distinguir la fase ágrafa de la fase posterior a la escrituralización, es decir, la introducción de un sistema gráfico. Ya al principio de los contactos lingüísticos en las Antillas, fue una gran sorpresa que las lenguas indígenas se pudieran escribir mediante las letras del alfabeto latino, pero sólo en la expansión continental las lenguas indígenas ágrafas se convirtieron en escri-

[112] Véanse las historias de la historiografía indiana de F. Weber 1911, B. Sánchez Alonso 1941, 1944, 1950, F. Esteve Barba ²1992, A. C. Wilgus 1975, R. Jara y N. Spadacini (eds.) 1989 y las historias de la literatura hispanoamericana de la época colonial.

[113] Cf. M. Metzeltin 1994: 146-150.

[114] Fray Jerónimo de Alcalá 1988.

tas. A partir de este momento se aplican los entornos y se van elaborando tradiciones discursivas nuevas según modelos propios o españoles cuando se redactan documentos oficiales. Si excluimos a estos indios y también a los negros, no lograremos explicar el proceso de la transculturación multisecular de los indios hasta su hispanización total en algunas regiones o la desaparición de los negros en regiones como la provincia de Buenos Aires, en la pampa argentina, o en México[115], ni entenderemos la composición de la sociedad colonial que es la base de sus arquitecturas lingüísticas. Tampoco conoceríamos mucho de todo lo nuevo que experimentaban los españoles ni las culturas indígenas que describían los misioneros, sobre todo los franciscanos.

Nuestro estudio de las fuentes que dejaron estos grupos parte de la teoría de los entornos[116]. Karl Bühler la introdujo en su *Sprachtheorie*, obra publicada en 1934 y traducida al español en 1950 (^{2}1961), pero a pesar de la indudable importancia de esta *Teoría del lenguaje*, su elaboración posterior es intermitente y se produjo con largos intervalos. Coseriu incluye una primera revisión crítica de los entornos en su artículo "Determinación y entorno" de 1955-1956 que sienta en parte las bases para una lingüística del texto *ante litteram*. Tras la constitución de esta disciplina a partir de los años sesenta, Coseriu mismo se encarga de reformular y ampliar el concepto de entorno[117]. En la formulación de estas observaciones he tenido a mano la sugestiva obra de la primera lingüista que los despliega y introduce en la historia lingüística, la malograda Brigitte Schlieben-Lange (1983). Corinna M. Kirstein (1997) aplica esta teoría a los tipos de textos de *El País*. Finalmente, Heidi Aschenberg (1999) la modifica con vistas a aprovecharla en la construcción de situaciones en contextos literarios, mientras que Johannes Kabatek, aunque constata el carácter críptico y de esbozo de esta teoría, la emplea en el estudio de las tradiciones discursivas jurídicas del occitano y castellano en la Edad Media[118]. Si bien retomo el tema donde Heidi Aschenberg lo dejó, con las observaciones de Isolde Opielka (2008) acerca de los entornos en la *Residencia tomada a los jueces de apelación* de Santo Domingo en 1517, al igual que Johannes Kabatek, vuelvo a introducir en el conjunto un tipo de entorno, la *región*, que no deja de justificarse por las distancias largas entre Europa y América, e incluso entre los mismos territorios americanos, así como por la constitución de la experiencia en mundos separados y mal comunicados.

Que el lector identifique bien los entornos, es una necesidad para interpretar el documento o la obra en los que se apoya la historia de la lengua. Los entornos

[115] Cf. por ejemplo G. Aguirre Beltrán ^{2}1970.

[116] Las páginas que siguen se basan en J. Lüdtke 2011.

[117] E. Coseriu ^{2}1967: 308-323; 2007: 205-232.

[118] J. Kabatek 2005: 42.

situacionales son extralingüísticos y tienen una fuerte carga referencial que sólo es accesible en el lenguaje hablado cuando hablante y oyente los comparten mediante su presencia. Estos entornos situacionales son el trasfondo de los contextos, y el oyente o lector los reconstruye a partir de dichos contextos.

Paso revista a los posibles entornos, con algunos ejemplos tomados de la historia del español de América. Antes de bosquejar los diferentes tipos, voy a ofrecer un sumario:

1) La situación: la situación inmediata, el entorno situacional práctico u ocasional y el entorno físico
2) El contexto: la situación mediata, el contexto inmediato y mediato, el contexto positivo y negativo
3) El saber lingüístico (elocucional, idiomático y expresivo); el saber acerca del mundo empírico (natural, histórico y cultural); la región: la zona, el ambiente y el ámbito
4) El universo de discurso

El orden de la interpretación es inverso respecto a la presentación dada en la lista. Junto a la presentación relativamente sistemática de los posibles entornos se impone una jerarquía distinta cuando se estudia un texto desde el saber de los hablantes. En cualquier acto verbal los hablantes se sitúan en un universo de discurso y en un saber lingüístico a la vez. El universo de discurso, la lengua y el saber acerca del mundo se realizan de manera alternativa: *un* universo de discurso, *un* mundo y *una* lengua o variedad en cada momento.

(1) El *universo de discurso*

La transmisión y complejidad de los universos de discurso tal como las conocemos sólo son posibles en el medio de la escritura. Los universos de discurso que pueden evocarse son el mundo en que vive el hablante o universo empírico, al cual pertenece la administración en el caso del documento oficial, la literatura o las obras ficcionales en general, las ciencias, por ejemplo, la cosmografía, y la Iglesia u otras expresiones de la fe. Los universos son parcialmente accesibles, en primer lugar, en la documentación oficial, aunque en parte también en la eclesiástica e inquisitorial, y en casos contados en las cartas de particulares, todo lo cual fue usado como fuente para la historiografía indiana; en segundo lugar, en la literatura en sentido amplio; en tercer lugar, en el tratamiento de las ciencias y técnicas o "artes", contenido generalmente en las obras historiográficas, pero también en tratados especializados; y, en cuarto lugar, tanto en los documentos eclesiásticos e inquisitoriales como en la historiografía eclesiástica indiana.

Estos cuatro grandes universos de discurso[119] se subdividen cada uno en universos de menor alcance, de modo que hablar y escribir dentro de un universo de discurso equivale a la realización del tipo más general de los contenidos de una tradición discursiva.

El universo real de épocas pasadas es el trasfondo de los textos, pero también el objeto de aquellos textos que tratan ese trasfondo como saber compartido por los hablantes. Lo que para unos es mundo cotidiano, para los otros son ciencias, textos científicos sobre la historia, la geografía, la biología y las culturas indígenas.

(2) El *saber*

Si queremos hacer historia de la lengua y nos apoyamos en textos, hay que saber lo que pertenece a la configuración lingüística del texto y lo que no, es decir, lo perteneciente al conocimiento del mundo o al saber cómo se habla y escribe en situaciones determinadas. El punto de partida para considerar el saber lingüístico es la competencia lingüística del hablante y escribiente[120]. El saber lingüístico consiste en:

- saber cómo se habla sobre el mundo y con los demás en cualquier lengua, o saber elocucional;
- saber cómo se habla una lengua, o saber idiomático; y
- saber cómo se habla en discursos, o saber expresivo.

Si bien los discursos y los textos siguen tradiciones, éstas pueden variar y cambiar. Muchas veces es difícil comprobar una diferencia entre variación y cambio en curso. En cuanto al *saber elocucional* y las necesidades designativas, las lenguas deben disponer de recursos para explicitar los entornos, incluso la referencia a los interlocutores que en el lenguaje hablado permanecen o pueden permanecer implícitos o se verbalizan mediante deícticos.

El *saber idiomático* cambia en las relaciones entre lengua escrita y hablada. La variedad que se escribe en el continente americano, a pesar de su variación interna, tiene la función de unir en una lengua común a los españoles, que empiezan a llamarse así con cada vez mayor frecuencia. Si bien no se documenta la koiné hablada más que en huellas, aquí tenemos la voluntad de agruparse bajo el techo de una lengua escrita común a todos. La conservación intencional de rasgos geográficos originales no tendría ningún sentido en las nuevas condiciones

---

[119] Véase E. Coseriu 2006.

[120] E. Coseriu 1988, 1992.

comunicativas; antes bien, si aparecen, son deslices lingüísticos. La naciente variación léxica se debe más al surgimiento de saberes regionales nuevos y sus necesidades designativas también regionales que a un intento de introducir este tipo de delimitaciones en el nuevo continente. La lengua escrita tiene la función de trascender el lenguaje hablado. Cuando se traslucen vestigios de las variedades sólo habladas, es difícil que éstas se introduzcan de forma intencional, debido a que una de las finalidades de la lengua escrita es justamente reducir la variación. A las variedades regionales originarias pueden superponerse rasgos aprendidos con posterioridad en el nuevo continente, las cuales convergen con la cultura adquirida en el nuevo entorno vital. Si bien el *entorno situacional práctico* es propio del lenguaje hablado, también los escribientes recurren a este entorno en sus cartas que manifiestan diferencias de este tipo según la edad, el grado de parentesco o amistad entre el autor y la persona a quien se dirige la carta. Este entorno situacional es aún más notable en el caso de una petición o súplica dirigida a una autoridad.

En América se ahonda la diferencia entre el léxico estructurado según puntos de vista idiomáticos y los léxicos técnicos y terminológicos[121] que corresponden a dos tipos de cambio lingüístico. El léxico estructurado cambia a raíz del funcionamiento cotidiano de la lengua; los léxicos técnicos y terminológicos se someten a una transformación intencional en dependencia con los cambios acerca del conocimiento de las cosas. Claro está que finalmente las terminologías invaden el domino de lo cotidiano y cambian la lengua en su conjunto. Deducimos de esta diferencia fundamental una consecuencia para el estudio histórico del léxico: los primeros cambios se comprueban en los léxicos técnicos y terminológicos; por consiguiente, su tratamiento debe preceder al del léxico estructurado.

Una vez escrita, el modelo de la lectura de la lengua repercute en la pronunciación al hablar, evidente, por ejemplo, en la conservación de las consonantes implosivas en el lenguaje hablado más o menos culto, y más generalmente en el conservadurismo de la lengua que se escribe, conservadurismo que tiene como una de sus consecuencias borrar las huellas del lenguaje hablado en lo escrito.

Los textos escritos requieren voces para la designación de su *sentido* que es mucho más complejo que los sentidos posibles imbricados en un discurso oral. Así, las propiedades discursivas y textuales conducen también al nacimiento de un léxico y una sintaxis interpretativos patentes en la documentación oficial.

La escrituralización de una lengua indígena es la condición previa para el uso correcto de los nombres propios indígenas; si bien al inicio los nombres propios

---

[121] Me refiero a la distinción entre *léxico estructurado*, por un lado, y las *términologías* y *nomenclaturas populares*, por otro, que introduce Coseriu en 1991: 98-99.

se usan en forma desmañada, se produce un cambio después de la introducción de un sistema gráfico para la lengua indígena, por ejemplo, en Francisco López de Gómara.

El *saber expresivo* es un saber acerca de cómo los hablantes de una lengua hablan "en determinadas ocasiones y qué instrumentos, de los que la lengua pone a su disposición, utilizan los alemanes [como ejemplo de los hablantes de una lengua] para construir determinados textos"[122]. Este saber se aprovecha de todos los (tipos de) entornos y comprende las tradiciones del hablar y escribir, la configuración textual y la formación de tipos textuales. En este saber destaca la tradición discursiva que corresponde al discurso del documento indiano[123].

El *saber acerca del mundo empírico* americano se expresa en los contextos verbales de las obras y los documentos escritos en las Indias, es decir, no es directamente accesible como tal. En aquellos documentos que son actas de respuestas dadas a las preguntas de un interrogatorio el saber empírico se presupone como ocurre siempre en el lenguaje hablado, mientras que un lector actual necesita las explicaciones contenidas en los contextos verbales que suple la literatura. El lector actual debe reconstruir su saber a partir de los contextos de los textos coloniales y averiguar los saberes comunes, o que se dan por obvios, a través de los objetos, los temas o asuntos expuestos en los textos. En los saberes se distinguirán los de los españoles de los de los indígenas y los de las llamadas *razas*.

La *región* es relativamente independiente de los demás. Heidi Aschenberg elimina este entorno de su tipología. Efectivamente, la región es un entorno de menor importancia en la literatura que estudia esta autora y también en espacios geográficos reducidos. Hay que tener presente que la elaboración de la lingüística del texto, y de los entornos como parte de ella, precede a la concepción de la lingüística variacional de Coseriu; su lugar aún no está armonizado en una lingüística integral en su relación con la etnolingüística en tanto enlace del lenguaje y de la cultura. Por lo tanto, mis observaciones invitan a la reflexión sobre el problema.

La región se ubica en lo sintópico, combinando aspectos de lo lingüístico y la realidad de los hablantes de un espacio determinado. La región incluye el área de los regionalismos, sólo que se diferencia mucho más allá de las delimitaciones regionales habituales:

> Llamo *región* el espacio dentro de cuyos límites un signo funciona en determinados sistemas de significación. Tal espacio está delimitado, en un sentido, por la tradi-

[122] E. Coseriu 1992: 196.

[123] J. J. Real Díaz 1970, ^{2}1991, J. Lüdtke 1999a, también llamado "discurso diplomático" indiano por M. Carrera de la Red 2006; cf. P. Koch 2008.

ción lingüística y, en otro sentido, por la experiencia acerca de las realidades significadas[124].

En el caso de las distancias entre América y España y aquéllas entre regiones americanas, este criterio cobra una enorme relevancia, puesto que se suponen menos saberes comunes entre estas regiones. En cuanto a este punto de vista, cabe distinguir entre las personas de movilidad interregional e intercontinental a gran escala –funcionarios, sacerdotes y militares– y las sedentarias, que forman la gran mayoría.

El concepto de región es importante para apreciar y describir la distancia cultural entre la metrópoli y América; se trata de un grupo de entornos que, a pesar de tener el espacio como denominador común, es relativamente heterogéneo y no cabalmente elaborado. Coseriu distingue la *zona*, el *ambiente* y el *ámbito*:

La *zona*, "que es la 'región' en la que se conoce y se emplea corrientemente un *signo*; sus límites suelen coincidir con otros límites, también lingüísticos"[125], puede ser un punto de vista interesante en la producción de textos indianos y dirigidos a indianos. Al principio de la colonización, este entorno se limita a la implantación del léxico en América y a la difusión de su empleo sintópico usual, sobre todo de los indigenismos e innovaciones españolas propios de determinadas regiones.

El *ambiente* "es una 'región' establecida social y culturalmente: la familia, la escuela, las comunidades profesionales, las castas, etcétera, en cuanto poseen modos de hablar que les son peculiares, son 'ambientes'"[126] y se sitúan pues en una perspectiva sinstrática y sinfásica. "Un 'ambiente' puede poseer signos específicos para 'objetos' de ámbito más amplio; puede poseer 'objetos' específicos; o bien, puede poseer signos específicos para 'objetos' también específicos: es decir que no puede funcionar como 'zona', como 'ámbito', o como 'zona' y 'ámbito' al mismo tiempo"[127]. El ambiente es el entorno de los léxicos especializados por excelencia. Lo que es *zona* o *ámbito* para hispanoamericanos suele ser *ambiente* para los profesionales del Consejo de Indias, una diferencia capital para el estudio del léxico colonial. Mediante la actualización permanente de sus conocimientos ambientales la Corona procura mantener el mismo nivel de información a ambos lados del Atlántico. Existen sustituciones de palabras según las

---

[124] E. Coseriu ²1967: 311.

[125] E. Coseriu ²1967: 311.

[126] E. Coseriu ²1967: 311.

[127] E. Coseriu ²1967: 312. Carlos Perna advierte que la negación *no* figura en esta edición de 1967, pero no en el artículo publicado en 1955-1956; aparece también en la *Lingüística del texto*, editada por Ó. Loureda en 2007. Opino que el sentido exige la negación.

personas en el nivel social y cultural tanto en América como en España. En América los *bisoños* o *chapetones* del lenguaje coloquial se convierten en *los nuevamente venidos de Castilla*, cuando un documento se dirige al Consejo de Castilla o de Indias, y los *españoles* se llaman con frecuencia *gallegos* en varias regiones hispanoamericanas.

La imprenta tiene otra finalidad que los documentos oficiales manuscritos. Difunde tanto las informaciones acerca del nuevo mundo en Europa como la literatura profana, eclesiástica, técnica y científica en América. Lo que no produce la movilidad regional, lo alcanza el libro impreso: se crea una *región* común entre los lectores de esas obras y *ambientes* nuevos de especialistas que se fragmentan más y más. No es inoportuno recordar la fragmentación informativa que ya en el siglo XVIII notan los académicos de la lengua en la recepción de los diccionarios enciclopédicos:

> El amor à las letras, y la cultúra y pulidéz del trato humano ha reducido casi todas las Ciéncias, ò Artes à Diccionarios, intentando que por ellos se aprendan y sepan. Mas acodomado y de menos fatíga es su estúdio; pero la opinión de los Sabios es que la edición de los Diccionarios ha perjudicado à la República literária, porque no se estudian las Ciéncias con sólidos fundamentos, sino por la ligéra superficie de la explicación de las voces, ò términos sueltos y divididos por Abecedario, en los Diccionarios[128].

En cuanto al *ámbito*, esta región se refiere a los objetos que se conocen "como elemento del horizonte vital de los hablantes o de un dominio orgánico de la experiencia o de la cultura, y sus límites no son lingüísticos; así, el espacio dentro del cual se conoce el objeto 'casa' es un 'ámbito'"[129]. Pertenecen a los ámbitos hispanoamericanos los conocimientos etnolingüísticos como los fenómenos de la naturaleza, flora y fauna así como las culturas indígenas, independientemente de su denominación mediante un signo, y otras "cosas". A pesar de la abundancia de estudios sobre los ámbitos hispanoamericanos, la importancia del conocimiento del "horizonte vital" de los españoles emigrados a Indias está todavía subestimada.

Uno de los temas relativos a la *región* que se subestima en particular es el de la *toponomástica*, entendida como disciplina que estudia la *toponimia* o conjunto de topónimos. Como sistema de significación vivo, la toponimia se localiza en el saber idiomático, en la región y en el saber acerca del mundo empírico. La toponimia es viva y creadora en la época de los descubrimientos y en la fase de la ocupación de los nuevos territorios. No hay mejor caso para su estudio que el

---

[128] *Autoridades* 1964: IV ([1]1726-1739).

[129] E. Coseriu [2]1967: 311.

repartimiento de los terrenos en Tenerife (2.9.). Por ser más reciente y *tierra nueva*, como la llaman los colonizadores mismos de Tenerife, la semántica de los topónimos ultramarinos es más transparente que la de los peninsulares, cuyos numerosos estratos diacrónicos ocultan los significados. Siendo así los hechos, los nombres de lugar muestran similitudes con los términos; otra convergencia con la terminología consiste en que los lugares pueden denominarse en un acto propio, susceptible de caer en el olvido, y volver a nombrarse posteriormente.

El sistema de significación de la toponimia funciona en los límites de una región; de este modo, la configuración toponímica sintópica de Canarias, incluso de las islas particulares, se distingue de las grandes regiones hispanoamericanas que se individualizan no sólo según las características de sus accidentes geográficos, sino también de hechos culturales y nacionales propios. En primer lugar, existen los signos que son los lexemas toponímicos primarios (*valle*, *barranco*, *malpaís*...) y secundarios (*lomo*, *sierra*...) que en determinadas zonas se organizan en campos semánticos[130] (véase 2.8.). Si bien la toponimia de una región es, en principio, común a todos los hablantes, el conocimiento toponímico resulta ser escalonado, porque el saber geográfico pertenece, hoy más que en el pasado lejano, a diferentes ambientes. Los conocimientos dependen en gran parte de los conocimientos de los hechos geográficos y de la manera en que los hablantes aprovechan el espacio: trabajando, viajando o encontrándose en él en su tiempo de ocio. El conocimiento de la toponimia en general, no sólo de la llamada toponimia menor, depende del radio de acción, o sea del ámbito, de una persona.

(3) El *contexto discursivo*

El contexto que en Coseriu abarca "toda la realidad que rodea un signo, un acto verbal o un discurso"[131], se diferencia, según una propuesta de H. Aschenberg[132], en el contexto propiamente verbal, el saber, que constituye un conjunto de entornos propio, como acabamos de ver, y los entornos relacionados con la situación inmediata que forman parte del primer grupo y se comentarán más abajo. Ya que este entorno se refiere únicamente a contextos verbales o discursivos, es conveniente limitar el término *contexto* al *contexto discursivo* para más claridad y coherencia interna, de modo que se subraya el carácter verbal de este entorno. Lo subdividimos en: (a) la situación mediata como contexto; (b) el contexto inmediato y mediato; y (c) el contexto positivo y negativo.

---

[130] M. Trapero 1995: 34-38; véanse sobre la semántica en la toponimia también M. Trapero 1999 y E. Coseriu 1999.

[131] E. Coseriu ^{2}1967: 313.

[132] H. Aschenberg 1999: 75.

(a) La *situación mediata como contexto* o el *contexto situacional mediato*

En primer lugar, el contexto verbaliza una *situación*, por ello lo llamamos también *contexto situacional mediato*. Este entorno suele expresarse en el lenguaje escrito mediante la transposición de los elementos situativos en contextos discursivos, independizando así el texto del "campo mostrativo"[133] del hablante o escribiente. Evidentemente los contextos reconstruyen la situación inmediata por medio de la expresión de un cambio de perspectiva según la cual el origen se desplaza a un punto de referencia que se encuentra fuera del *yo*, *aquí* y *ahora*[134]. O si aparecen el *yo*, el *aquí* y el *ahora*, son las manifestaciones de un narrador, creado por el texto mismo. El texto se desvincula del contexto práctico, es decir, de las propiedades biológicas, regionales, sociales y culturales de los participantes que se convierten en signos lingüísticos del contexto, pero sólo en la medida en que el autor del documento es consciente de la necesidad de expresar estas propiedades y no prefiere dejarlas implícitas. Los textos escritos son, pues, más explícitos que los discursos enunciados en una situación oral, aunque las informaciones se limiten a lo que el autor del documento transmite. Las referencias a la situación se elaboran y estructuran en las descripciones y sus redes anafóricas. Sin embargo, el hecho de que de su anclaje a la situación comunicativa con sus referencias a entornos no verbalizados, pero dados por conocidos, se derive cierta opacidad de los documentos oficiales, es un motivo más que suficiente para suscitar el interés en esta materia considerada árida.

No obstante las muchas reservas, la situación inmediata se documenta de forma indirecta o se comenta en contextos que aparecen en obras históricas, literarias y en documentos. Es posible verbalizar el mismo *origen* (bühleriano) de la situación inmediata o bien desplazarla hacia la situación mediata, descrita mediante los deícticos correspondientes o también, descontextualizando la verbalización de la situación, con la ayuda de los nombres propios[135].

La misma documentación oficial contiene numerosas declaraciones testimoniales. Preguntas y respuestas son, pues, la base práctica de varios géneros de documentos oficiales. Precede a las preguntas un interrogatorio preestablecido, pero no sabemos si las preguntas se formulaban al tomar la declaración como interrogaciones directas o indirectas. Los protocolos, redactados ante un escribano público, apuntan los testimonios generalmente de forma transformada, motivada por el cambio de la primera a la tercera persona gramatical, pero es muy proba-

---

[133] K. Bühler ²1961: 134-154.

[134] E. Coseriu 2007: 221.

[135] E. Coseriu ²1967: 311.

ble que se hayan puesto por escrito las palabras del testigo de forma literal. La literalidad, en cambio, puede ser con mucha verosimilitud la práctica de la Inquisición. Hay un motivo para esta suposición: ya que a los testigos se les inculcaba mantener el secreto y los delitos consistían muchas veces en "dichos", era importante averiguar si distintos testimonios convergían en sus declaraciones o no.

El proceso mencionado implica dos orientaciones: el tránsito de lo fónico a lo gráfico y de lo gráfico a lo fónico, cambio medial que vamos a ejemplificar a continuación. Es imposible desvincular el texto escrito de dos formas comunicativas que derivan de él, y de las situaciones en las cuales se desenvuelven, la lectura en voz alta y la puesta por escrito de las declaraciones de testigos en actas, generalmente redactadas en situaciones muy formales. La lectura es un elemento imprescindible de la notificación de un documento; en cambio, la puesta por escrito produce un documento probatorio nuevo cuya forma depende de la intervención del escribano. En la práctica de los escribanos y de los que, a falta de ellos, tenían la autorización de redactar documentos oficiales se produce con frecuencia un tipo de documento probatorio que levanta acta de las deposiciones de un testigo. Es evidente que la situación inmediata que se convierte en acta es altamente formal, ya que declaran testigos que tienen la obligación de decir la verdad bajo juramento. Ambos casos son de importancia primordial en la comunicación colonial. Hay que destacar que la actuación y la interacción no se aprovechan del texto impreso; la forma manuscrita es de rigor en asuntos administrativos. Sólo en casos contados como la divulgación de las *Leyes de Burgos* (1512-1513) la Corona recurre a la impresión. La copia manuscrita se mantiene durante siglos, de modo que es imposible separar el documento de su forma manuscrita, legitimada mediante las firmas y el sello correspondientes.

La deposición de Pedro Romero en un juicio de residencia

Un buen ejemplo es el recurso a los muy variados entornos en un juicio de residencia llamado de este modo debido a que el juez tiene la obligación de residir en el lugar donde el funcionario incriminado ejerció su cargo. El juicio de residencia es una encuesta que permite observar varios pasajes de la escrituralidad a la oralidad o en sentido inverso, como lo son la lectura de las reales cédulas, reales provisiones y de la *instrucción*, el establecimiento y la aplicación del tipo textual del interrogatorio, sea tanto del juez de residencia como del residenciado, la redacción de los memoriales de descargo, etc. Si distinguimos entre *contexto* y *situación*, podríamos llamar a este fenómeno "recontextualización", cuando se trata de una operación que efectúa el lingüista[136]. Sin embargo, la distinción que

---

[136] Según se defiende en W. Oesterreicher 2001.

estamos discutiendo se refiere ante todo al uso que hacen los coetáneos de los textos al producirlos, interpretarlos y reutilizarlos. Por supuesto, el lingüista debe reconstruir también las situaciones en las cuales funcionaron los documentos[137]. Los documentos vuelven a ponerse en varias situaciones, en el sentido que damos a este término y pasan a través de una serie de "representaciones" en las cuales intervienen fases orales. Sin embargo, el tenor del documento no puede cambiar; sólo cambia el aspecto formal, la ortografía.

En el siguiente extracto de la deposición de Pedro Romero contenida en la *Residencia tomada a los jueces de apelación* de Santo Domingo (1517) el trasfondo es el mundo histórico en el cual vivieron los coetáneos, más concretamente la administración de la naciente colonia, la lengua del acta refleja bien el esfuerzo por un modelo que elimina las variedades lingüísticas regional y socialmente marcadas, el universo del discurso es el de un documento jurídico que da forma a la vida cotidiana. Las respuestas corresponden a las preguntas establecidas en el interrogatorio del juez de residencia:

> A la p*rimer*a p*re*gunta dixo q*ue* conosçe a los d*ic*hos liçenç*iad*os e*n* la/[25] d*ic*ha p*regun*ta contenjdos d*e*sde q*ue* vjnjero*n* a esta ysla por/[26] juezes d*e* las apelaçion*e*s, puede av*er* q*ua*tro años poco
>
> ///va testado e diz por///
>
> [46v]
>
> /[1] mas o menos, *e* al liç*ençia*do Ayllon d*e*sde q*ue* esta e*n* *e*sta/[2] ysla, q*ue* pued*e* av*er* diez años poco mas o menos,
>
> (...)/ por iiij años
>
> /[3] *e* q*ue* sabe q*ue* fuero*n* juezes d*e*stas yslas d*e* apelaçion*e*s/[4] los d*ic*hos q*ua*tro años poco mas o menos *e* q*ue* los conos/[5] çe po*r* vista *e* habla *e* conv*er*saçion q*ue* con ellos *e* co*n*/[6] cada vno d*e*llos ha tenjdo >*e*< desde el d*ic*ho t*ien*po/[7] aca, *e* tanbien a conosçido algunos of*içios*[338]/[8] d*e* su avd*iençia* *e* co*n* P*edr*o d*e* Ledesma q*ue* hera su secret*ari*o.
>
> p[339]
>
> /[9] Fue p*re*guntado q*ue* hedad a este t*estig*o. Djxo q*ue* *ser*a de/[10] hedad d*e* treynta *e* q*ua*tro años o treynta *e* çinco/[11] años poco mas o menos. Fue p*regun*tado sy es debdo/[12] o pariente d*e* alguno d*e* los d*ic*hos liçenç*iad*os en algun/[13] grado. Dixo q*ue* no tjene njng*u*nd debdo nj parentesco/[14] con njnguno d*e* los d*ic*hos liçenç*iad*os. Fue p*re*guntado sy es/[15] amjgo o *e*nemjgo d*e* algun<o> d*e* los d*ic*hos liçenç*iad*os./[16] Dixo q*ue* no tiene njnguna *e*nemjstad con njn/[17] guno d*e*llos, antes los qujere bien, *e* q*ue* no tiene njn/[18] guna pa*r*çialidad con njnguno. Fue p*reguntad*o sy a/[19] sydo dadivado,

[137] Hay dos conceptos de "recontextualización": el que acabamos de utilizar y que corresponde al uso que hacen los hablantes de los textos, al producirlos, interpretarlos y reutilizarlos; y otro que consiste en una operación del lingüista que se defiende en W. Oesterreicher 2001.

> corruto o atemorizado po*r* alg*una*/[20] pe*r*sona pa*ra* q*ue* diga el contr*ario* d*e* la ve*r*dad e*n* *e*ste caso/[21] q*ue* es tomado po*r* testigo. Dixo q*ue* no. Fue p*reguntado* sy q*ue*rria/[22] o d*e*sea q*ue* los d*i*chos liçen*çiad*os vençiesen en este caso avn/[23] q*ue* no toviesen just*i*çia. Dixo q*ue* no q*ue*rria syno q*ue*/[24] vençiese el q*ue* toviese just*i*çia *e* q*ue* la ve*r*dad se sepa./[25] So cargo d*e*l d*i*cho jur*amento* fue p*reguntado* >fue p*reguntado*< sy por/[26] amor o temor d*e*l almj*rant*e o po*r* *ser* su allegado o/[27] valedor o e*n* otra q*ua*lq*ujer* man*er*a q*ue* del d*i*cho
>
> [47r]
>
> /[1] almjrante toviese esperase alg*u*nd favo*r* o ynte/[2] rese, q*ue*rria[319] q*ue* los d*i*chos liçen*çiad*os contra just*i*çia fuesen ca/[3] stigados. Dixo q*ue* no *e* q*ue* no tiene amo*r* al almj*rant*e nj/[4] a ellos mas d*e* quanto q*ue*rria[320] q*ue* se admjnjstrase just*içia*/[5] *e* q*ue* antes qujere bien a los d*i*chos liçen*çiad*os, como d*i*cho tjene.

A pesar de las diferencias entre la situación inmediata y su conversión en contexto discursivo se conservan algunos elementos de la inmediatez comunicativa común al entorno vital, las "Islas del Mar Océano", *este caso*, la residencia actual, así como los licenciados, la Audiencia, los oficiales y el almirante que es Diego Colón, porque el contexto discursivo esconde una situación inmediata a la cual nos anticipamos. En efecto, el amanuense se inscribe en el texto mediante las referencias a la situación de la puesta por escrito, situación en la cual se encuentra al igual que los demás. El elemento más recurrente es el tiempo presente de la deposición aunque aparece en una subordinada introducida mediante el pretérito indefinido *dixo*. Como el tiempo, el lugar, *esta ysla*, coincide con el lugar del acta, un uso del demostrativo que distingue con claridad la deíxis de la anáfora en *la dicha pregunta*. Fundamentalmente, el amanuense presenta la respuesta en contextos discursivos y convierte la primera persona del testigo en un grupo nominal o en una tercera persona pronominal. Generalmente, este desplazamiento hacia la tercera persona es el motivo por el cual no sabemos si el escribano, o quién sea, trata al testigo de *vos* o de *vuestra merced*. Es típico de estos documentos que la identidad de los componentes del entorno se dé por sabida.

(b) El contexto inmediato y mediato

El contexto verbal puede ser *inmediato* –constituido por los signos que se hallan inmediatamente antes o después del signo considerado– o *mediato*, hasta llegar a abarcar todo el universo, y, en tal caso, puede llamarse *contexto temático*. En una obra, cada capítulo y, hasta cierto punto, cada una de sus palabras, significan en relación con lo dicho en los capítulos anteriores y cobran nuevo sentido con cada capítulo sucesivo, hasta el último[138].

---

[138] Coseriu ²1967: 314-315.

El *contexto inmediato* se manifiesta por ejemplo en las aposiciones que aclaran los nombres propios.

Entre los contextos mediatos destaca el contexto temático. En el caso presente, el contexto temático es la respuesta a cada pregunta, la cual forma parte de una deposición; ésta se incorpora en una serie de otras deposiciones formuladas conformes a un *interrogatorio* preestablecido cuya totalidad entra en otros textos que forman una residencia. Los temas de los documentos oficiales dependen de la política informativa de la Corona expresada en las *instrucciones* y las *memorias* que posteriormente servían de base para la redacción de las relaciones geográficas y otras obras de síntesis. Por este motivo, las narraciones y las descripciones que se apoyan en estos documentos no pueden tener contextos temáticos que diverjan radicalmente de los contenidos en los documentos oficiales.

(c) El *contexto positivo* y *negativo*

> Desde otro punto de vista, el contexto verbal puede ser *positivo* o *negativo*: constituye contexto tanto aquello que efectivamente se dice, como aquello que se deja de decir. Si este dejar de decir algo es intencional, tenemos lo que –según el propósito que se atribuya al hablante– se llama *insinuación*, *alusión* o *sugerencia*[139].

La distinción entre contexto positivo y negativo es relevante en la medida en que obtenemos informaciones sobre insinuaciones, alusiones o sugerencias que, si bien pueden quedar implícitas en un texto determinado, se explicitan en otro texto. Como en los documentos se trata de ventajas que los colonizadores quieren adquirir, lo normal son los contextos negativos, pero las insinuaciones y los actos de habla indirectos son de menor importancia en la documentación colonial. Se trata más bien de ocultar las palabras tabú, la libertad sexual, es decir, el amancebamiento, y el fraude fiscal. Incluso se dice que la legislación colonial española consiste en hacer respetar leyes no cumplidas. Se deduce de esta afirmación que las relaciones callan de manera sistemática el incumplimiento de las leyes. Claro está también que no se expresa todo lo que es vida cotidiana y es, por lo tanto, evidente para los coetáneos.

---

[139] E. Coseriu ²1967: 315.

(4) La *situación*

(a) La *situación inmediata*

El "origen del campo mostrativo" de Bühler[140] se convierte en lo que Coseriu de manera más acotada llama *situación*.

> Por *situación* conviene entender [...] sólo las circunstancias y relaciones espacio-temporales que se crean automáticamente por el hecho de que alguien habla (con alguien y acerca de algo) en un punto del espacio y en un momento del tiempo; aquello por lo cual se dan el *aquí* y el *allá*, el *esto* y el *aquello*, el *ahora* y el *entonces*, y por lo que un individuo es *yo* y otros son *tú*, *él*, etc.[141].

La situación inmediata es la que crea un sujeto (*yo*) que se dirige a un otro (*tú*) mediante los situadores, que son los deícticos o localizadores, y los posesivos[142]. Esta situación es también la del escribiente que constituye su espacio y su tiempo mediante usos deícticos locativos y temporales.

Isolde Opielka cree que es posible que se haya leído la pregunta tal como estaba en el interrogatorio o mediante el uso ilocutivo de *preguntar* seguido de una oración interrogativa indirecta[143]. Sin embargo, una pregunta hecha a Pedro Romero sin verbo como "Fue p*re*guntado q*ue* hedad a este t*es*t*i*go" (46v) delata más la pregunta "¿Qué edad?" que "Os/vos pregunto ¿qué edad?".

El interrogador, el *yo* implícito de la situación, permanece anónimo; los interlocutores se reducen al *tú/Vos* de la persona interrogada. No obstante, la incumbencia de Alonso de Zuazo es indudable, ya que el interrogatorio debe desarrollarse en su presencia y bajo su autoridad. Sólo se desdobla esta persona en el juez mismo y una persona que hace las preguntas bajo la responsabilidad del escribano Martín de Calahorra, si no las hace él mismo. A continuación transformamos el contexto situacional mediato de la deposición de Pedro Romero en situación inmediata:

PREGUNTA: ¿Conocéis a los licenciados Marcelo Villalobos y Juan Ortiz de Matienzo y Lucas Vázquez de Ayllón?

PEDRO ROMERO: Conozco a los licenciados desde que vinieron a esta isla por jueces de las apelaciones puede haber diez años más o menos, y al licenciado Ayllón

---

140 K. Bühler ²1961: 108, 134-154.

141 E. Coseriu ²1967: 310.

142 E. Coseriu 1955-1956: 301-302; ²1967: 310-311.

143 I. Opielka 2008: 323-324.

desde que está en esta isla, que puede haber diez años poco más o menos. Y sé que fueron jueces de estas islas de apelaciones los cuatro años poco más o menos. Y los conzco por vista y habla y conversación que con ellos y con cada uno de ellos he tenido desde cuatro años acá, y también he conocido algunos oficiales de su Audiencia, y con Pedro de Ledesma que era su secretario.

PREGUNTA: ¿Qué edad?

PEDRO ROMERO: Seré de edad de treinta y cuatro o treinta y cinco años poco más o menos.

PREGUNTA: ¿Sois deudo o pariente de alguno de los licenciados en algún grado?

PEDRO ROMERO: No tengo ningún deudo ni parentesco con ninguno de los licenciados.

PREGUNTA: ¿Sois amigo o enemigo de alguno de los licenciados?

PEDRO ROMERO: No tengo ninguna enemistad con ninguno de ellos, antes los quiero bien, y no tengo ninguna parcialidad con ninguno.

PREGUNTA: ¿Habéis sido dadivado, corrupto o atemorizado por alguna persona para que digáis el contrario de la verdad en este caso que sois tomado como testigo?

Pedro Romero: No.

PREGUNTA: ¿Querríais y deseáis que los licenciados venzan en este caso, aunque no tengan justicia?

PEDRO ROMERO: No querría, sino que venza el que tenga justicia, y que la verdad se sepa.

PREGUNTA: Os pregunto so cargo del juramento si por amor o temor del Almirante o por ser su allegado o valedor o en otra cualquier manera que el Almirante tenga... espere algún favor o interés, ¿querríais que los licenciados contra justicia sean castigados?

PEDRO ROMERO: No, y no tengo amor al Almirante ni a ellos más de cuanto querría que se administrase justicia, y antes quiero bien a los licenciados, como dicho tengo.

En las Indias, el "discurso del orador", como el de Vasco Núñez de Balboa[144], y los requisitos de la explicitación de situaciones orales entran en contraste: el hablar con los entornos que se verbalizan se opone a un hablar con entornos implícitos en una situación inmediata. Si se verbalizan situaciones inmediatas particulares con sus entornos situacionales prácticos en los protocolos y en las relaciones de testigos oculares, estos últimos suelen representar un saber propio, pero a veces también ajeno. La importancia del testigo ocular radica en que verbaliza sus entornos extraverbales y sus saberes en textos que se van acumulando a lo largo del siglo XVI, por ejemplo en Gonzalo Fernández de Oviedo, y parte del siglo XVII. En cambio, en las relaciones se recogen informaciones generales de primera, pero también de segunda mano.

---

144 J. Lüdtke 2009.

(b) El *entorno situacional práctico* u *ocasional*

Este entorno que Coseriu llama *contexto* es un *entorno situacional* en mi clasificación:

> El *contexto práctico* u *ocasional* es la 'ocasión' del hablar: la particular coyuntura subjetiva u objetiva en la que ocurre el discurso; por ej., el hablar con un anciano o con un niño, con un amigo o con un enemigo, para pedir un favor o para exigir un derecho; el acontecer el discurso en la calle o en una reunión familiar, en una clase o en el mercado, de día o de noche, en invierno o en verano, etc.[145]

El *entorno situacional práctico* u *ocasional* es en lo esencial una extensión de los elementos de la situación inmediata en el lenguaje hablado. Por lo tanto, abarca las propiedades de los participantes tales como su sexo, su origen o estatus social, su origen regional y su cultura. En los emigrados a Indias el estatus puede cambiar tras la emigración y permitir un ascenso social.

Hay que tomar en cuenta el hecho elemental de que los sujetos puedan participar en una situación inmediata entre ellos o bien en América o bien en España. El diálogo que prepara una decisión en España se documenta a lo más en una *consulta* del Consejo de Indias, tiene forma escrita y abarca el *yo* que escribe *aquí* y *ahora*. La situación de diálogo no implica, en principio, una familiaridad y menos aún intimidad, tampoco es la continuación de una conversación mediante los recursos de la escrituralidad, en el fondo esto no se da ni siquiera en las cartas de emigrados a Indias[146], sino que mantiene su carácter oficial. En el mejor de los casos, lo reemplaza el discurso oral si un procurador logra defender los intereses de su mandante ante el Consejo de Indias o incluso el rey en persona. Por principio, esta situación de diálogo no conlleva la puesta por escrito de conversaciones, sino que es una forma genuina de escrituralidad en un entorno situacional.

Aunque el lenguaje hablado y el escrito recurren cada uno a diferentes entornos, esta afirmación no impide emplear los mismos actualizadores en el lenguaje escrito que cuando hablamos, a condición de que se explique su uso en un pasaje del texto. Así, quiénes son *yo* y *nosotros*, qué es *aquí* o *en esta villa* y el lapso de tiempo que designa un tiempo verbal se indica mediante la firma, el lugar y la fecha de la redacción del documento. Esta técnica es un modo de anclar el texto dos veces: los sistemas de los actualizadores relacionan el documento con la circunstancia de la redacción en cuanto situación de escribir, los nombres propios construyen esta situación como contexto.

---

145 E. Coseriu ^{2}1967: 316.

146 E. Otte 1988, A. Hartnagel 2007.

Cabe pues precisar la idea de inmediatez o proximidad y distancia[147] a partir de la comunicación: puede haber una relativa inmediatez comunicativa que procure salvar grandes distancias mediante el uso de un lenguaje en situación. Un ejemplo elocuente es la mencionada relación de Vasco Núñez de Balboa dirigida al rey Fernando en 1513. Es decir, es posible tanto hablar como escribir a partir de la situación inmediata; en ambos casos hay inmediatez comunicativa.

(c) El *entorno físico*

Este entorno se entiende aquí como *entorno situacional*, no como contexto: "El *contexto físico* abarca las cosas que están a la vista de quienes hablan o a las que un signo adhiere [...]. La deixis real e inmediata ocurre dentro de un contexto físico, por el cual, además, se individúan implícitamente todas las cosas que el contexto mismo contiene"[148]. Corresponde al entorno sinfísico de Karl Bühler[149] y pertenece por sus características al lenguaje hablado.

En nuestro ejemplo, el juez de residencia Alonso de Zuazo, el escribano Martín de Calahorra y el amanuense anónimo forman parte del entorno físico del interrogatorio, como también la casa de la contratación de Santo Domingo que se encuentra en la calle que hoy se llama calle de Las Damas, y la coyuntura del juicio residencia.

Sin embargo, aparece también como elemento situacional inherente a los documentos oficiales. Demos un breve ejemplo. El documento oficial sólo desarrolla un potencial legal en su forma material una vez presentado en una situación inmediata formal ante las autoridades competentes por una persona legitimada para tal efecto. Las circunstancias legales de la presentación son de tanta importancia que se hacen constar en acta en un documento aparte o, por ejemplo, en el libro del cabildo. Las decisiones de la Corona, necesariamente inadecuadas a las circunstancias de su aplicación, vuelven a situarse en los debates dentro de los cabildos. Es evidente que hay que examinar si una disposición puede aplicarse: a veces se acata u obedece, pero no se cumple[150]. No son infrecuentes los casos en los cuales un funcionario emprende la huida ante la entrega de un documento cuya disposición no quiere cumplir.

---

147 P. Koch/W. Oesterreicher 2001: 586-587.

148 E. Coseriu ²1967: 315.

149 K. Bülher ²1961: 197-200.

150 D. Figueroa 2005. A. Jiménez Núñez 1994 aclara el sentido general de esta fórmula y explica su aplicación en el entorno indiano.

1.5.4. Estilos de lengua y textos

Se objeta que las crónicas y obras parecidas documentan entre los estilos de lengua la lengua escrita culta. Es cierto que la percepción actual de los estilos se desvía hacia la lengua de los cultos y que los textos dan una imagen unilateral de la realidad lingüística. Aun así no se justifica en absoluto que se descarte esta lengua. Al contrario, su presencia, comprobada por la misma documentación, es la prueba más segura de que entonces era una realidad y de que era omnipresente. Rastrear sólo lo que se distingue de la lengua culta es un grave error de método. Dicho esto, el fragmento de la lengua de la que disponemos tampoco quita que busquemos las huellas de la oralidad en los textos. Las formas básicas de la discursividad son la narración, la descripción y la argumentación, que incluyen sus respectivas tradiciones discursivas. Ellas se pueden inclinar más hacia la oralidad o hacia la escrituralidad. En las Indias se pone por escrito, por ejemplo, la historia oral de muchos testigos oculares. Esta historia oral abarca narraciones y descripciones. ¿De dónde habrían podido tomar sus informaciones autores como fray Bartolomé de las Casas o Gonzalo Fernández de Oviedo si no de lo que les contaron los hombres experimentados, o sea, los baquianos? Uno de ellos, Bernal Díaz del Castillo, animaba sus relatos con elementos típicos de la lengua hablada: podemos imaginárnoslo contando sus historias, repetidas mil veces, logrando con el tiempo siempre mejores efectos con sus recursos estilísticos. Incluso personas no muy cultas redactaron las historias de sus hazañas para solicitar las mercedes que se debían a sus méritos como, por ejemplo, Francisco de Jerez, Diego de Trujillo, Pedro Pizarro y Alonso Borregán[151]. Y algunos autores se aproximaron a la lengua hablada mediante la reproducción de conversaciones.

En cuanto a los fenómenos orales en general, no nos interesan exclusivamente los rasgos informales. El lenguaje hablado tiene elementos discursivos altamente estructurados que forman parte de los géneros de textos orales como los saludos, las imprecaciones, los juramentos o los pregones. En el lenguaje jurídico los participantes en actos jurídicos, entre los que menciono la petición, la solicitud, el nombramiento, la confirmación y la notificación, deben pronunciar actos de habla que sin forma oral no son válidos. Resumiendo estas observaciones, se puede afirmar que el habla está presente en la documentación, aunque hay que buscar e interpretar adecuadamente sus huellas[152].

Los documentos deben ser fiables. Su fiabilidad es, sin embargo, relativamente independiente de su veracidad histórica. Basta que la autenticidad de la

---

[151] Cf. E. Stoll 1997.

[152] Cf. W. Oesterreicher 1994.

lengua esté garantizada. Si no disponemos de ediciones fidedignas, es necesario recurrir a los documentos originales. Lo que el historiador suizo Jacob Burckhardt atribuye a los clásicos de la historiografía se aplica también a los documentos en general:

> Y las fuentes, sobre todo aquellas que emanan de los grandes hombres, son inagotables; libros ya mil veces utilizados pueden y deben volver a ser leídos, pues presentan una nueva faz a cada lector y a cada siglo e incluso a cada edad de cada individuo[153].

Para que el documento sea utilizable plenamente como fuente de la historia lingüística, debe ser editado según criterios filológicos. Aunque existe una filología del texto muy desarrollada que se ha aplicado con excelentes resultados desde hace mucho tiempo a la edición de textos clásicos y sobre todo medievales, se dejaban de poner en práctica hasta una época muy reciente los criterios de la filología del texto a la edición de documentos hispanoamericanos, por no hablar de la literatura colonial. Quien más hace hincapié en la urgente necesidad de utilizar documentos originales o por lo menos fidedignos es Juan A. Frago Gracia (1987) que exhorta al uso filológico del Archivo General de Indias. Yo mismo sigo desde el inicio principios similares, distinguiendo los criterios, sin embargo, según las varias tareas de la historia de la lengua[154]. No tenemos para todas las tareas historiográficas expuestas aquí documentos adecuados, de manera que la investigación depende de los que encontremos y de la forma en que se hallen. Para la cronología del desarrollo lingüístico las fuentes fechadas de un autor identificado son esenciales, pero uno de los mayores problemas es la averiguación del origen regional y social del autor de un texto. Estas informaciones son particularmente relevantes en el período de orígenes, por cuanto era una época de cambios profundos. El aprovechamiento de estas fuentes es relativamente reciente.

Fue un gran aliento para el fomento del estudio de la historia del español de América la fundación del *Proyecto de estudio coordinado del español de América*, patrocinado por la Asociación de la Lingüística y la Filología de la América Latina (ALFAL) y dirigido por María Beatriz Fontanella de Weinberg hasta su fallecimiento. Se transfirió la dirección de este proyecto a Elena M. Rojas Mayer desde el Congreso de Las Palmas de Gran Canaria (1996), y se integró al mismo tiempo a las Islas Canarias en el proyecto. El resultado de la labor de los partici-

---

153 J. Burckhardt 1971: 64.

154 Cf. acerca de la edición de documentos hispanoamericanos J. Lüdtke 1996. Véanse también los criterios de edición que J. A. Frago Gracia considera para la historia del español en América (1999) y en España (2002).

pantes de este proyecto es la edición de los *Documentos para la historia lingüística de Hispanoamérica* (1993), realizada por María Beatriz Fontanella de Weinberg y la edición de un CD-ROM por Elena M. Rojas Mayer (1999a). Una importante contribución son los documentos del altiplano de México publicados por Concepción Company Company (1994). Desde los años noventa del siglo pasado se van publicando buenas ediciones, aunque no son demasiado numerosas[155].

No está fuera de lugar una advertencia para el buen uso de la documentación. La redacción de las obras literarias y los documentos varía según el lector tomado en cuenta por el autor, sea peninsular o americano. Esta diferencia produce también una variación lingüística, más concretamente etnolingüística por el cambio de *ambiente*. Según sea que el autor de una crónica se dirija a un público general en España o en América, o que redacte un documento para el uso del Consejo de Indias, se añaden o se dejan de proporcionar informaciones, un ejemplo elocuente de contextos discursivos positivos y negativos. La comparación de estas diferencias etnolingüísticas o *ambientales* puede ser útil. Así, es posible elucidar diferencias de uso entre España y América. Pero no hay que engañarse: el Consejo de Indias, por ejemplo, ya que los consejeros eran especialistas, sabía usar el lenguaje usual en América.

Antes de pasar a la consideración lingüística de los documentos puede ser útil formarse una idea general de los tipos de documentos más relevantes que regulan la vida de las Indias. Hay que distinguir los documentos según la forma de dominio. En el reino de Castilla las tierras se dividían en tierras de señorío y tierras de realengo. En las Indias todos los territorios estaban bajo el patronato real, con la excepción de las tierras que Cristóbal Colón, Hernán Cortés y Francisco Pizarro o sus herederos tuvieron como señores durante un tiempo muy limitado. Por este motivo toda la documentación emanaba del rey o del Consejo de Indias, mientras que la documentación castellana era tanto real como señorial.

En ningún caso el rey se trasladaba a las Indias, lo cual planteaba el problema de garantizar su presencia en territorios tan distantes. Se conseguía superar la distancia mediante el documento regio que representaba a la persona del rey. Unido al patronato real el documento se sacralizaba y recibía el respeto que se debía a su persona, actitud que se expresaba en su publicación, consistente en la lectura ante un escribano real, la obediencia precisamente que, como explicamos más arriba, no implicaba necesariamente el cumplimiento del mandato o de la orden, y en la conservación del documento. La distancia entrañaba también la delegación del poder real en sus representantes que tenían la facultad de expedir

---

[155] Se pueden mencionar A. Wesch 1993, B. Arias Álvarez 1997, I. Opielka 2008 y M. Fernández Alcaide 2009.

documentos en su lugar tanto en España como en las Indias. Los máximos representantes eran los virreyes; el primero de ellos fue Cristóbal Colón, seguido, tras un intervalo, por su hijo Diego; el virreinato fue trasformado posteriormente en un cargo administrativo no hereditario. Aunque de rango inferior al de virrey, las Audiencias indianas actuaban también en nombre del rey como cualquier institución dependiente tanto de un virrey como de una Audiencia que podía subdelegar su poder[156].

El carácter sacro del documento regio no se entiende sin conocer la transmisión de esta propiedad de la persona del rey a sus representantes y de éstas a los documentos: el vínculo es el sello real. La *Recopilación de leyes de los Reynos de Indias* incluye una ley al respecto con la cual Felipe II regula en 1559 cómo se debe recibir la entrada del sello real en una Audiencia:

> Es justo y conveniente, que quando nuestro sello Real entrare en alguna de nuestras Reales Audiencias, sea recevido con la autoridad, que si entrasse nuestra Real persona, como se haze en las de estos Reynos de Castilla[157].

Y se estipula a continuación la ceremonia desde la llegada del sello hasta su custodia a cargo del canciller. La veneración debida al rey se transfiere no sólo al sello, sino también a las personas que despachan documentos en su nombre. El proceso metonímico que este tratamiento implica es anterior a la institución de las Audiencias indianas, como indica la referencia al uso de las Cancillerías de Valladolid y Granada que no hemos citado. Parece lógico en estas condiciones que los máximos representantes del rey que usan su sello reciban el trato reservado al rey, aunque las leyes no dejan constancia de ello. De este modo, el presidente y los oidores de una Audiencia se encuentran en dos situaciones inmediatas diferentes, en el sentido que hemos dado a este término en páginas anteriores, según la personalidad jurídica con la cual participan en esta situación. En el desempeño de su cargo, son *oidores* en el momento de obedecer y cumplir una real cédula. Sin embargo, cuando en 1526, tras el fallecimiento del almirante y virrey Diego Colón, la Audiencia de Santo Domingo fue elevada a Cancillería Real en pie de igualdad con las Cancillerías Reales de Valladolid y Granada, sus oidores tenían que recibir el trato de *Vuestra Majestad*. Encuentro este doble uso en una petición que un vecino de Santo Domingo, Cristóbal de Santa Clara, dirigió el 13 octubre de 1531, a la distancia de unos pocos años desde su creación, a la Audiencia de esa ciudad. En este documento alternan *Vuestra Majestad* y *sus*

156 Cf. sobre este tema M. Gómez Gómez 2008: 15-31.

157 Carlos II 1681: I, 243.

oidores referidos a personas naturales idénticas, pero personalidades jurídicas diferentes[158].

Las leyes de Indias siguen la tradición de las *Siete Partidas* de Alfonso el Sabio. A diferencia de los asuntos castellanos, el rey intervenía más directamente en los americanos, porque, como queda dicho, todas la tierras del Nuevo Continente eran de realengo. La delegación del poder y la capacidad de tomar decisiones en su lugar produce una extensa documentación que no llega al conocimiento del monarca. Esta autonomía reguladora se manifiesta en la valoración del documento que consiste en la ausencia de la firma del rey si las cartas están firmadas por tres miembros del Consejo de Castilla y por un escribano, acompañados del sello real. Las soluciones jurídicas variaban entre el centralismo y el casuismo. Si las circunstancias permitían un reglamento general, el Consejo de Castilla, y posteriormente el Consejo de Indias, se decidía por una ley de alcance general. Muchas veces, sin embargo, el Consejo de Indias adoptaba una decisión individual por precaución, porque los consejeros no podían saber si las condiciones en otros lugares eran similares[159].

La documentación emanada del Consejo de Indias y de las autoridades subordinadas a él en América nos interesan fundamentalmente por dos motivos. El primero es su abundancia que permite comparar documentos similares sobre los mismos asuntos en todos los lugares; estos documentos presentan un grado muy variable de cultura lingüística. El segundo es el hecho de que las leyes de Indias sean un comentario sobre la vida cotidiana cuando las leemos "a contrapelo": todo lo que prohíbe una ley debe, pues, haber existido. Sólo hay que invertir la

[158] "Muy poderosos señores: Cristóbal de Santa Clara, vecino de esta ciudad, hace presentación en esta Real Audiencia de una Cédula Provisión [*sic*] Real de *Vuestra Majestad* en que manda a *sus oidores* que hayan información del tiempo que yo serví en las fundiciones y cobranza de las deudas de *Vuestra Majestad* y se la envíen según que en la dicha cédula más largo se contiene y pido y suplico a *Vuestra Majestad*, *sus oidores* la obedezcan y cumplan como en ella se contiene mandando hacer y efectuar lo en ella contenido con toda brevedad sobre lo que pido justicia" (E. Mira Caballos 2000: 51). Cristóbal de Santa Clara titula a los oidores mediante el uso de *Vuestra Majestad* porque hacen las veces del rey; en cambio, la expresión *sus oidores* manifiesta que son los destinatarios de una cédula emanada de la reina que se cita a continuación. De este modo, las tres menciones de *Vuestra Majestad*, que aparecen en la petición, corresponden a dos situaciones inmediatas diferentes. Si la primera mención se refiere también a los oidores, este desdoblamiento se realiza de forma sorprendente: designa igualmente a la reina en persona de quien emana la cédula real cuyo original Cristóbal de Santa Clara entrega al presidente y oidores de la Audiencia después de haber leído su petición.

[159] Informan acerca del derecho indiano por ejemplo R. Altamira y Crevea 1951, J. M.ª Ots Capdequí 1967, A. Dougnac Rodríguez 1994 y V. Tau Anzoátegui 1992.

perspectiva, buscando el motivo que tenía como consecuencia la intervención del Consejo de Indias.

Para comprender la transformación de las tierras ultramarinas en reinos y provincias españoles, será útil seguir las etapas de la toma de posesión institucional. El paso previo y obligatorio era la *capitulación* que *capitula* –o sea, establece por *capítulos*– la delimitación del territorio por descubrir o conquistar y el lapso de tiempo para su realización. Las primeras capitulaciones son las que en 1478 inician la conquista de Gran Canaria, seguidas de las capitulaciones de la conquista de La Palma y Tenerife, otorgadas al adelantado Alonso Fernández de Lugo. Las más renombradas son las Capitulaciones de Santa Fe que los Reyes Católicos concedieron a Cristóbal Colón, después de hacerle esperar siete u ocho años, en el mes de abril de 1492. Estas capitulaciones eran, en cuanto a los derechos de la Corona, un paso hacia atrás con respecto a las capitulaciones de la conquista de las Islas Canarias mayores, porque consentían el poder de *Almirante del Mar Océano* y de *Virrey*, además de enormes ventajas económicas. Si se realizaban, en éste como en otros casos, las condiciones establecidas, la Corona otorgaba *mercedes* como *nombramientos*, *mercedes de tierra* o *encomiendas*[160].

El objetivo fundamental de los colonizadores era *poblar*, lo que significaba "fundar un pueblo". En las tierras de señorío, el otorgamiento de *fueros* a ciudades y villas incumbía a los señores. En cambio, en las Islas Canarias realengas y en América la Corona introdujo una innovación, la elegibilidad de los alcaldes y regidores. Esta innovación se aplicó por primera vez en el fuero de Las Palmas de Gran Canaria de 1494 (3.5.3.). Esta tradición se reanudó tiempo después –porque bajo el virreinato de Cristóbal Colón la competencia en esas materias estaba sustraída a la Corona–, a más tardar con el acto de rebelión de Hernán Cortés frente a Diego Velázquez que se concretó en la fundación de la Villa Rica de la Vera Cruz en 1519. Durante el siglo XVI el término de *fuero* se sustituyó por el de *ordenanza(s)*[161].

Precedían a las decisiones indagaciones sobre los asuntos, que en un primer momento se llamaron *pesquisas* o *inquisiciones* y luego, tras la introducción de la Inquisición, *informaciones*, que son descripciones de gran envergadura de las condiciones de vida en los territorios ultramarinos. Con motivo de la *Pesquisa de Pérez Cabitos* de 1477 se van a presentar algunos detalles (3.5.1.). Fuentes tales como las informaciones son la base de las *consultas* del Consejo de Castilla

[160] Las capitulaciones del siglo XVI están reunidas en M. del Vas Mingo 1986. Deben ser completadas por las capitulaciones canarias citadas por E. Aznar Vallejo (1983, ^{2}1992) y las de Santa Fe.

[161] La documentación acerca de la historia de las ciudades hispanoamericanas se encuentra en F. de Solano (ed.) 1996 (éste es el primer volumen de la obra).

y más tarde del Consejo de Indias; se trata de dictámenes acerca de las decisiones a tomar y que se someten al rey para su aprobación. Los resultados de las consultas son como regla general las *reales provisiones* y *reales cédulas*.

Las leyes que regulaban la vida de los territorios americanos tenían la forma de una *real provisión*, una *real cédula* o una *carta real* cuando se trataba de casos particulares. El documento que expresa la decisión del propio rey es la *real provisión* cuya diferencia respecto a la *real cédula* consiste en la mayor solemnidad. Ambos se inician con una intitulación ceremoniosa y se validan con el sello regio. La menor formalidad de un documento se expresa en la sola participación de los representantes del monarca; este documento se puede llamar *carta real*[162]. Hay que hacer resaltar que esta diferencia no se deduce de una denominación contenida en el documento, sino que es una distinción tipológica basada en la variación de la intitulación y la validación a la que pertenecen las firmas y el tipo de sello. Debido a que este último no suele reproducirse en las ediciones, la verdadera motivación de la denominación de un documento de este tipo se deja en la incertidumbre.

En el siglo XVIII el rey solía dejar tomar las decisiones a sus secretarios de Estado que despachaban *reales órdenes*. En algunos casos se dictaban *ordenanzas* que regulaban un amplio sector de la vida colonial. Las *Ordenanzas para el tratamiento de los indios*, mejor conocidas como *Leyes de Burgos* (1512), son las primeras.

De menor importancia como documentos lingüísticos son las codificaciones del derecho indiano que sistematizan las reales provisiones y cédulas. Aclaran la situación jurídica, generalmente muy confusa por ignorancia de las leyes, compilando los reglamentos que estaban en vigor. Tomamos de esta documentación los usos lingüísticos vigentes en una época determinada, pero no llegamos a saber por estos documentos cuándo se origina un uso lingüístico. De las compilaciones las que más interesan son las publicadas como, por ejemplo, las *Provisiones, cédulas e instrucciones para el gobierno de la Nueva España* de Vasco de Puga (1563) a diferencia de los proyectos de codificación como las *Ordenanzas hechas para los nuevos descubrimientos* (1573) o las *Provisiones, cédulas, capítulos de ordenanzas, instrucciones y cartas* de Diego de Encinas (1596). Un verdadero código indiano es la *Recopilación de las leyes de los reinos de las Indias* en cuatro tomos, promulgada por Carlos II en 1680, que se amplifica en el siglo XVIII hasta formar el *Cedulario Índico* de 116 tomos[163].

---

[162] M. Gómez Gómez 2008: 37-38.

[163] Dan una idea general de la documentación indiana obras históricas como la de R. Konetzke 1971 o L. N. McAlister 1984. Para informaciones más detalladas hay que recurrir a historias del derecho indiano como A. Dougnac Rodríguez 1994 o R. Pérez Bustamante 1997.

Una fuente de información de la Corona, que complementa las *informaciones*, eran las *relaciones*. Entre ellas hay un tipo particular, las *relaciones geográficas* que contestaban al cuestionario de 1577. Los funcionarios públicos tenían la obligación de presentar *memorias* o *relaciones* sobre el desempeño de su cargo. La visión de los funcionarios tenía su correspondencia en el *juicio de residencia* o, sencillamente, la *residencia*, llamada así porque el juez de residencia tenía la obligación de *residir* en el lugar del funcionario residenciado. Estos juicios desarrollaban a veces amplios panoramas polifacéticos de las actuaciones de muchas personas en una región y por eso rebasaban los límites de la evaluación de la gestión de un funcionario. Los primeros juicios de residencia fuera de España se efectuaron después de la conquista de las Islas Canarias bajo los Reyes Católicos. Los tipos de textos abarcan declaraciones, relaciones o memorias y, sobre todo, pareceres de testigos basados en interrogatorios. Los juicios de residencia son a veces los testimonios más directos de algunas situaciones no documentadas de otra manera[164]. La *visita* tenía funciones de control parecidas a la residencia, que consistían en una inspección.

Las historias del español usan en su mayoría textos literarios. Entre los que critican esta práctica destaca Juan A. Frago Gracia[165]. Su argumento es en sumo grado legítimo. Basarse en la lengua literaria produce la ilusión de que las innovaciones se originan siempre en la lengua literaria. Se afirma, en particular, una continuidad inmediata de la lengua desde la época de Alfonso el Sabio hasta la literatura del Siglo de Oro. Sin embargo, Frago Gracia consigue probar en base a sus investigaciones de archivo que los fenómenos que se atribuyen a la lengua literaria se documentan desde mucho antes en textos no literarios.

Con esto no se afirma que haya que descartar textos por su carácter literario o culto. Al contrario. Hemos ido subrayando a lo largo de estas páginas que no hay que desestimar ninguna fuente que, por su contenido o por su lengua, dé acceso a la arquitectura lingüística del español colonial; sólo que ningún estilo de lengua es representativo del conjunto de los estilos documentados. Se continúan todos los estilos de lengua en la expansión colonial y todos entran en la configuración de la arquitectura lingüística. Estos supuestos difieren de los que guiaban la búsqueda de los investigadores por conseguir informaciones sobre el origen regional de los pobladores. Si bien conocemos mejor que antes la procedencia regional de los hispanoamericanos y la contribución de las regiones de la Península Ibérica al léxico del español fuera de España, nuestros conocimientos acerca de las

---

[164] Una visión de conjunto de la residencia da J. Mª Mariluz Urquijo 1952; un ejemplo de estudio lingüístico y discursivo es I. Opielka 2008.

[165] J. A. Frago Gracia 1993: 38-40.

variedades regionales que entraron en contacto y acerca de las variedades resultantes del contacto son muy escasos. Se documentan mejor las diferencias diafásicas y etnolingüísticas, o sea, las diferencias culturales. Va a ser imprescindible hacer referencia frecuente a los niveles literario o culto en general, semiculto y etnolingüístico de los textos.

Si bien disponemos de varios tipos de fuentes, nos atenemos ahora sólo a los documentos. Un documento oficial, a su vez, debe estar en forma escrita. En sentido amplio se trata de todo aquello que sirve para documentar un hecho del pasado: un objeto material (por ejemplo, arqueológico), un objeto histórico como un cuadro, un mueble o un escrito. Sin embargo, se llaman documentos *stricto sensu* únicamente a los escritos y, en el caso del documento indiano, a los que son de naturaleza jurídica. Se proyectan en el nivel lingüístico de estos documentos todas las variedades habladas de los testigos. Por consiguiente, no podemos esperar encontrar más que huellas de otras variedades en el lenguaje jurídico.

Los historiadores cuentan con una ciencia auxiliar para el estudio del documento escrito, la diplomática. A pesar de ser una ciencia auxiliar de provecho común para la historiografía y la historiografía lingüística y, por lo tanto, interdisciplinaria, se ha empleado raras veces en el análisis de los documentos coloniales. Podemos servirnos, sin embargo, desde hace tiempo de una obra introductoria a la diplomática que nos interesa: en 1970, José Joaquín Real Díaz publicó su libro *Estudio del documento indiano*, que introduce a los historiadores en la diplomática indiana. El hecho de que los lingüistas y los historiadores de la lengua hayan prestado poca atención a la diplomática, puede deberse a que los diplomatistas se orientan exclusiva o predominantemente hacia la historiografía. Los historiadores tampoco están mayormente dispuestos a reconocer la utilidad de una edición filológica de un documento, en la que todos los historiadores de la lengua hacen hincapié. Siendo una de las precursoras de la lingüística textual[166], la diplomática se desvirtúa en parte por su deriva histórica.

---

[166] Cf. A. Wesch 1998: 289. Aparte de las consideraciones que van a seguir en este capítulo, sólo recientemente se van descubriendo las relaciones entre el "discurso indiano" (en M. Carrera de la Red 2006) y las tradiciones discursivas. La investigación de esta última orientación parte de la lingüística del texto de Coseriu, que cito en la versión que fue editada, anotada y presentada por Ó. Loureda Lamas en 2007. Se elabora teóricamente en B. Schlieben-Lange 1983, P. Koch 1997, W. Oesterreicher 1997, H. Aschenberg/R. Wilhelm (eds.) 2003, entre otros, y se aplica posteriormente también a la lengua española en D. Jacob/J. Kabatek (eds.) 2001, J. Kabatek 2005, J. Kabatek (ed.) 2008 e I. Opielka 2008 (cf. 1.5.3.).

Un tratado como el de Real Díaz es fundamentalmente analítico, si hacemos abstracción del autor que produce el texto. Pero podemos asimismo entrar en la perspectiva de los autores de los documentos tal como se nos da a conocer en los manuales de escribientes. Entre ellos destaca el de Antonio de Torquemada escrito en el siglo XVI. No llegó a publicarse en su tiempo pero, por sus preceptos y por estar dirigido a los secretarios de un señor feudal, este manual es un excelente modelo y resulta más apropiado para nuestros fines que la alternativa de tomar como base la documentación del Consejo de Indias emanada del rey que por sus circunstancias tiene carácter político. La gran masa de la documentación indiana conservada en los Archivos Generales y Provinciales de los Estados hispanoamericanos tiene más afinidades con el caso que describe Antonio de Torquemada porque los escribanos estaban al servicio de los altos funcionarios de la Corona tales como virreyes, gobernadores, capitanes generales, justicias mayores, o extendían documentos como mercedes, donaciones, actos de venta o testamentos para el uso de particulares. Además, en muchos casos eran los mismos funcionarios los autores de los documentos "a falta de escribano", como se solía escribir. Entre éstos hay muchos documentos autógrafos que, sin embargo, no se tomaron en cuenta de manera sistemática, por ejemplo, a la hora de seleccionar los documentos para la edición de María Beatriz Fontanella de Weinberg (1993).

En el caso de que subsista alguna duda sobre la aplicabilidad de un tratado peninsular a las prácticas coloniales, hay que decir que la tradición diplomática era castellano-aragonesa. Esta tradición se pone en práctica en las Indias y, más tarde, en las tierras de la Corona de Aragón a raíz de la Guerra de Sucesión Española. Por eso no hay mayores diferencias entre el documento peninsular y el indiano, más allá de las diferencias de ambiente geográfico con todo lo que depende de las circunstancias correspondientes.

Aunque las ediciones que nos sirven de corpus contienen no pocos documentos eclesiásticos, excluimos en esta parte introductoria todo documento de esta procedencia. Los documentos eclesiásticos y públicos suelen tener muchas características en común, si bien los documentos públicos exigen un mayor interés lingüístico. Cualquier vecino puede ser autor si no hay especialistas, como sucede en las ciudades muy distantes de las grandes capitales, y sus destinatarios pueden ser todos los habitantes. Por ser más accesible y más conocido, su lenguaje es más representativo. El carácter público del documento jurídico se manifiesta en su lectura pública, en la obediencia y el cumplimiento de lo estipulado y en requisitos que validan un documento como, por ejemplo, la toma de posesión de un solar. El clero secular y regular es menos representativo por su nivel educativo superior al igual que sus documentos. Además, muchos documentos eclesiásticos, como las actas inquisitoriales, difícilmente pueden llamarse "públicos" en el sentido estricto de la palabra, justamente por su carácter secreto. Es importante subrayar que esta documentación generalmente no refleja un uso público del lenguaje[167].

No hemos expuesto la documentación inquisitorial. La razón es que sus documentos no son representativos de los textos que la gran mayoría de la población podía leer –en caso de saber leer– o escuchar cuando se leían, ni mucho menos producir. Pero hay aspectos que se pueden estudiar como la oralidad del lenguaje protocolizado y la vida privada.

Se puede poner en duda el valor lingüístico de la lengua oficial de los documentos. El estudio de los documentos coloniales se justifica porque son muestras del lenguaje en la época colonial en general. Los documentos oficiales se refieren a realidades cotidianas que se representan desde un punto de vista gubernativo, hacendístico, jurídico, etc. Sin embargo, no es probable que los documentos oficiales en su totalidad den acceso al lenguaje cotidiano.

Con todo, la lengua oficial pertenece al acervo lingüístico del español medio en las Indias y los pregoneros *notificaban* toda clase de reglamentos al salir de la misa. Esta promulgación de leyes, decisiones e informaciones garantiza el conocimiento de la lengua jurídica igualmente entre los analfabetos. Los propios vecinos desempeñaban la mayoría de los cargos administrativos. No hay que olvidar que el no ser muy culto no impedía que los vecinos manejaran el lenguaje administrativo y jurídico de los documentos. La profesionalización completa de la administración es un hecho tardío.

La diferencia decisiva no reside tanto en el carácter oficial o no del documento, sino en el carácter de protocolo de la lengua hablada. En este caso, la lengua se acerca probablemente más al uso lingüístico cotidiano que los textos escritos por particulares, que no apuntan la lengua de analfabetos y, sobre todo, manifiestan menos directamente la lengua hablada.

Son menos idóneos para nuestro estudio documentos como peticiones, testamentos, ventas, títulos de encomienda por no contener preguntas y respuestas. Más bien constituyen actos jurídicos que no son protocolos del lenguaje hablado. El hecho de ser protocolo puede servir de criterio tanto para excluir documentos enteros de este estudio como las partes no protocolares. Son, pues, los documentos probatorios, según la terminología de Real Díaz, los que contienen las partes protocolares que reflejan en cierta medida el lenguaje hablado. Se distingue de este estudio el de los actos de habla del lenguaje jurídico que sólo en parte coincide con el lenguaje cotidiano. Los actos mandatarios y petitivos son más estric-

---

[167] R. Eberenz y M. de la Torre expresan esta propiedad de la documentación, y de la inquisitorial en particular, mediante el título *Conversaciones estrechamente vigiladas* de su libro publicado en 2003.

tamente jurídicos, ya que el uso específico de los verbos correspondientes es diferente en el lenguaje hablado cotidiano.

La *actio* y la *conscriptio*

Concibiendo el hablar o el escribir como actividad y como producto, denominaremos a la actividad *discurso* y al producto *texto*[168]. En el caso de los documentos coloniales, el discurso o la actividad de escribir lleva la fuerte impronta del texto como producto, lo que se manifiesta en el carácter formulario del documento. Pero como vamos a ver, no se imponen tantas limitaciones al discurso como para impedir cualquier creatividad lingüística.

Volviendo al aporte de los diplomatistas al estudio documental, comprobamos que no distinguen entre discurso y texto, sino, dentro del texto o documento, entre *actio* y *conscriptio*. La falta de diferenciación entre discurso y texto es notable, porque un autor como Real Díaz subraya el aspecto procesual de la *puesta por escrito* que como actividad corresponde al discurso y como producto al texto. La *actio*, pues, es el hecho o el asunto documentado, o sea, el asunto jurídico, a la que corresponde en el nivel discursivo y textual la *conscriptio*, la puesta por escrito, que es por lo tanto un hecho exclusivamente lingüístico. Real Díaz acepta esta terminología que los tratadistas del documento han establecido y la aplica a la materialidad y al contenido del documento indiano[169]. En cuanto a la *conscriptio*, no comprueba ninguna diferencia entre el documento peninsular y el colonial. La diferencia radica más bien en la *actio* documental que refleja una realidad diferente de la peninsular. Cita como elementos distintivos "nombres geográficos nuevos, intitulaciones desconocidas hasta entonces y ajenas a lo castellano, y [...] mayor barroquismo en la expresión formulística, fundamentalmente en el documento privado"[170]. Frente a estas características, subrayemos la comunicación entre varios grupos étnicos en ciertos tipos de documentos, que es accesible a través de la *actio* y que nos sirve de fuente para la historia lingüística y sociolingüística de la lengua española en América.

En la práctica, la *actio* generalmente precede a la *conscriptio* y consiste en el hecho anterior o también, en el caso de un documento dispositivo, posterior a la *conscriptio*. La *actio* puede ser, además, lingüística o no lingüística. Es lingüística si se refiere a documentos anteriores o a discursos hablados que ella protocoliza en el documento. Las varias disciplinas que tienen como objeto el discurso y

[168] E. Coseriu 1988: 253.

[169] J. J. Real Díaz 1970: 73-123.

[170] J. J. Real Díaz 1970: 7-8.

el texto han desarrollado instrumentos para analizar las interrelaciones discursivas y textuales de un texto determinado, a las que vamos a aludir en su lugar. En el análisis lingüístico, sin embargo, tenemos que partir del documento que resulta de la *conscriptio* para llegar a la *actio*. Éste es el método que vamos a seguir aquí. En series de documentos ocurre una interesante interrelación entre *actio* y *conscriptio* que se puede estudiar como intertextualidad y como relación entre hechos documentados al mismo tiempo.

Por regla general, no se deduce de los documentos publicados si algunos de ellos son minutas o borradores. Estos escritos preparatorios son particularmente interesantes para un estudio lingüístico por la variación que contienen, las tachaduras y la escritura entre renglones[171].

Entre los aspectos materiales del documento interesan la letra y el papel. Se usa en la documentación indiana la letra bastarda o itálica que se introduce en Castilla durante el siglo XV y que se impone en el reinado de Carlos I, en el documento público, sustituyendo la cortesana y otras escrituras hispánicas[172]. Mientras que la cortesana se mantiene mucho más tiempo en España, la itálica se difunde desde épocas tempranas en las Indias, de suerte que la lectura de los documentos hispanoamericanos resulta menos fatigosa que la de los peninsulares, por lo menos hasta el siglo XVII.

El papel sellado, fuente de ingresos de la Corona, fue introducido en 1640 y es de cuatro tipos que se llaman *sello primero, segundo, tercero* y *cuarto*[173]. Sin embargo, los autores de los documentos escriben muchas veces sobre papel corriente, "a falta de papel sellado".

Pasemos a la *conscriptio*. Para su análisis, Real Díaz nos ha desbrozado el camino con su estudio formal del documento indiano. Los tipos de documentos básicos son la *real provisión* y la *real cédula*; se diferencian por el hecho de que la real provisión es más solemne. En la época borbónica se añade a estos dos tipos documentales la *real orden* que regula la comunicación entre el ministro de Indias y las autoridades indianas.

En su estudio de los documentos emanados del Consejo de Indias y del rey, Real Díaz incluye algunas series de documentos, pero no sistemáticamente. Tratándose de series típicas y frecuentes, no es preciso analizar muchas, ya que el valor informativo del análisis va disminuyendo según aumenta el número de series estudiadas. Sin embargo, las series pueden ser de dos tipos, series de documentos y series de unidades discursivas o textuales dentro de un documento. Hay

---

171 J. J. Real Díaz 1970: 130-134.

172 J. J. Real Díaz 1970: 140-142.

173 J. J. Real Díaz 1970: 147-151.

interrelación entre ambos estudios. Aunque ayuda mucho el estudio diplomático, porque justifica las fórmulas empleadas en el documento y el término usado para clasificarlo, el estudio discursivo y textual sirve para reconstruir el sentido del documento desde las unidades discursivas que lo conforman. Con esto reanudo el estudio de las funciones textuales[174], aplicándolo a la documentación colonial. Volvamos, en un primer momento, a la serie interna que establece Real Díaz para ampliarla en un ejemplo concreto y pasar a continuación a series de documentos.

La *conscriptio* de una real cédula

El ejemplo prototípico de un documento indiano que procede del Consejo de Indias es, para Real Díaz, la *real provisión*. Algunos tratadistas proponen la *real carta* en lugar de la real provisión, limitando ésta a un título de nombramiento.

La real provisión se inicia con una *cruz cursiva* (que generalmente se omite en la documentación escrita en tierras americanas) y se abre con la *intitulación*, que comprende el nombre del soberano, su tratamiento, los cargos y dominios, etc. Puede aparecer a continuación la *dirección*, expresada directa o indirectamente, que indica personas o autoridades concretas o enumera a los grupos de personas a los que se dirige la real provisión en el caso de la dirección general. Podía seguir la *salutación* ("Salud") que cierra el *protocolo inicial* y que desaparece a finales del siglo XVI. Entre el protocolo inicial y el texto aparece o puede aparecer la *notificación* ("sabed", "sepades", "bien sabéis"), con la que el autor del documento llama la atención sobre el contenido que introduce la *exposición* con las conjunciones *que* y *como*, si sigue inmediatamente la notificación.

En el caso de que se pase directamente de la intitulación a la exposición –como por ejemplo en los nombramientos, títulos, peticiones o traslados de documentos–, la exposición comienza por la conjunción *por cuanto*. Apunta nuestro historiador que "en la exposición se reflejan dos de las etapas por las que pasa la *actio* en su génesis, con independencia del tipo que sea: la *petitio* y la participación de los intervinientes"[175], y opina que esta cláusula no queda "sujeta a modelos más o menos estereotipados. Por el contrario su redacción ha de ser libre"[176]. La formulación de la exposición va a ocuparnos más detenidamente, pues parece ser un problema de lingüística discursiva y textual. En el *dispositivo*, "de redacción más libre" según Real Díaz, el rey "adopta el plural mayestático", usando verbos como *mandamos, mandamos y encargamos, ordenamos, prorrogamos y alargamos, confirmamos, aprobamos, tenemos por bien, es nuestra*

---

[174] J. Lüdtke 1984: 226-231.

[175] J. J. Real Díaz 1970: 200.

[176] J. J. Real Díaz 1970: 195.

merced[177]. Real Díaz considera los verbos citados como sinónimos, pero no lo son en un sentido más estricto. El rey se dirige con los verbos *mandar* y *ordenar* a los funcionarios reales, sus inferiores directos, mientras que *ruega* y *encarga* a los eclesiásticos y los religiosos por estar fuera de su competencia directa. Real Díaz piensa que "[s]ería prácticamente imposible intentar una sistematización de esta cláusula"[178]. Esto no parece cierto en absoluto, sino que es más bien un tema interesante para una investigación lingüística.

Esta cláusula examina sobre todo tres materias: provisiones de gobernación, de gracia y de justicia, pero a continuación Real Díaz da la lista de los otros asuntos que se documentan por real provisión[179]. Un tema particularmente interesante son las cláusulas finales cuya "redacción es variadísima y escapa a toda sistemática", incluyendo fórmulas "preceptivas, prohibitivas, derogativas, reservativas, obligatorias, denunciativas, conminatorias, penales"[180]. Mirando estas cláusulas más de cerca, descubrimos que una "cláusula preceptiva" es un requerimiento, es decir, el cumplimiento de una disposición que se expresa mediante "mando que". Se resuelve entonces otro interrogante respecto del estudio lingüístico de estas cláusulas: se estudiarán como actos de habla.

El *protocolo final* consiste en la *validación*, la *suscripción*, la *signatura* y el *sello*. Lo que se desarrolla en esta parte del documento es la validación cuando se apunta la *iussio* o la *orden* de la documentación (en el sentido activo de documentar algo por escrito) que puede expresarse con la fórmula "la fize escribir por su mandado"[181]. Validan el documento la *firma* y la *rúbrica* del rey, el *refrendo* del secretario, las *firmas* de los consejeros (que validan el contenido del documento) y el *sello* que en los documentos más solemnes es el sello real de placa[182], con la carga simbólica que implica (1.5.3.).

Verbos ilocutivos y categorías enunciativas

Pasando de un análisis diplomático y formulístico a un análisis lingüístico, comprobamos en estos documentos toda una serie de verbos que se analizaron en la

---

177 J. J. Real Díaz 1970: 202.

178 J. J. Real Díaz 1970: 202.

179 J. J. Real Díaz 1970: 203-205.

180 J. J. Real Díaz 1970: 205.

181 J. J. Real Díaz 1970: 213.

182 El modelo descrito se realiza prácticamente, con mínimas variaciones, en la totalidad de los documentos indianos. Se puede consultar, para informarse sobre la *carta*, tipo documental menos solemne, a A. M. Heredia Herrera 1977. Los elementos estructurales del documento son relativamente estables a lo largo de la época colonial. Por eso podemos prescindir de tratar otros tipos de documentos.

teoría de los actos de habla y en las orientaciones subsiguientes de la investigación como actos institucionales. Estos verbos no le han parecido clasificables a Real Díaz por su gran variedad, pero es posible reconstruir la organización de los verbos ilocutivos que constituyen la parte central, o sea, el dispositivo[183]. Los verbos ilocutivos pueden asimismo servir de base para una tipología lingüística de los documentos coloniales más fundamental que las otras tipologías que propone Real Díaz. Y esta base sería igualmente más segura, ya que de esta manera podemos establecer una tipología fundada en expresiones metalingüísticas. Reseñar las expresiones metalingüísticas relacionadas con el carácter del documento es el método que vamos a proponer aquí. Éste se va a combinar con la segmentación en unidades significativas a nivel textual, para lo que la diplomática ofrece elementos relevantes. El estudio en unidades significativas depende de la interpretación que demos al texto en su totalidad y a cada una de sus partes. Por eso no debe sorprendernos que diferentes análisis concretos no coincidan en sus resultados. Pero es cierto que los oyentes y los lectores interpretan intuitivamente el contenido de un documento en unidades. Nosotros podemos utilizar como método lo que como oyentes y lectores hacemos inconscientemente[184].

Los sentidos de una oración declarativa pueden ser muy variados. Pero si describimos las oraciones de esta manera, es decir, las tratamos como estructuras gramaticales declarativas sin llegar hasta el discurso y los textos concretos.

Las unidades significativas de un documento

A continuación vamos a interpretar un documento como secuencia de funciones textuales o unidades significativas. La diferencia terminológica proviene de las distintas perspectivas desde las que se comenta un texto. La *función textual* es una unidad significativa que se caracteriza por su contribución al *sentido* de un texto en su conjunto. La *unidad significativa* puede ser una unidad idiomática (lexema, morfema) o discursiva y textual. Para distinguir el sentido de una unidad mínima, hemos empleado el término de función textual, porque se trata de un sentido en función de un texto íntegro.

El ejemplo que he escogido parece ser a primera vista una *cédula de encomienda*. Esta denominación metalingüística del tipo de texto se toma del mismo documento donde aparece dos veces (l. 18, l. 22-23). Como la denominación no contiene ninguna variación al respecto, debe considerarse bien establecida en el saber expresivo del autor. Para ser más exacto, como vamos a ver más tarde, este

---

183 Cf. R. Kailuweit 1999.

184 Cf. J. Lüdtke 1986.

documento es la *confirmación de dos cédulas de encomienda*. El texto, conservado en el Archivo Histórico de Tucumán[185], que presento en una transcripción diplomática es el siguiente:

> Gonsalo de abreu de figueroa gobernador capitan general y justiçia mayor de estas provinçias de tucuman juries diaguitas y comechingones y lo demas que esta y ce incluye de esta parte de la cordillera por su mag$^{d.}$ por quanto boz fran^{co} de olloscos entrastes en estas probinçias a servir a su mag$^{d.}$ y en ellas le aveis servido como su leal basallo y abeis ayudado y ayudais en la conquista y pasificassion [la conquista y pasificassion][186] de los naturales de la ciudad de san migel de tucuman con buestra persona y armas y cavallos a buestra costa y minsion y teneis en la dicha ciudad buestra cassa poblada como besino de ella sirbiendo vuestra besindad y por que la buena yntension de su mag$^{d.}$ es que los que asi le sirben cean remunerados de sus servissios por tanto en alguna enmienda y remunerassion de ellos en nombre de su mag$^{d.}$ y por virtud de sus rreales provissiones y poder que para ello tengo que por su notoriedad no ban aquí ynsertos confirmo en boz fran^{co} de olloscos y nessesario es de nuevo os encomiendo los pueblos y parsialidades casiques prinsipales e yndios a ellos sugetos contenidos y declarados en esta cedula de encomienda que en boz hizo don jeronimo de cabrera governador que fue de estas povincias y en otra que teneis del dicho governador su fecha en la ciudad de santiago del estero a treinta y un dias del mes de março del año pasado de setenta y tres para que os sirbais de ellos conforme a dichas çedulas de encomienda entretanto que en el dicho rreal nombre os hago mas m$^{d.}$ y mando a las justiçias de la dicha çiudad en ello no os pongan ynpedimiento so pena de cada quinientos pesos de oro para la camara de su mag$^{d.}$ en fe de lo qual di la presente firmada de mi nombre y de mi secretario yuso escrito fecha en la dicha ciudad de santiago del estero a beinte y ocho dias del mes de mayo de mil y quinientos setenta y cuatro años – gonzalo de abreu – por mandado de su ssa luis pinelo – escrivano[187].

---

[185] El texto es una copia de sello cuarto que corresponde a los años 1670 y 1671. Agradezco a la profesora Marcela Magliani, técnico archivístico, su ayuda en el Archivo Histórico de Tucumán.

[186] Este grupo de palabras se repite en el documento.

[187] Cf. E. M. Rojas Mayer y S. Maldonado en M.ª B. Fontanella de Weinberg (ed.) 1993: 272-273.

Se inicia el documento con la intitulación (l. 1-4). Como esta parte nunca lleva comentario metalingüístico, tomamos este término diplomático para indicar su función textual. La intitulación comprende el nombre y el apellido, los cargos y los límites geográficos del ejercicio de los cargos. Tratándose de la confirmación de las cédulas de encomienda, el período gramatical que la constituye empieza con *por quanto*, de modo que tiene una estructura tripartita con las firmas que validan el documento. Dado que la validación tampoco admite una fórmula metalingüística en el texto mantenemos este término igualmente.

Se podrían explicitar las funciones textuales de las componentes del período en el orden en que aparecen en el documento, pero, procediendo de este modo, no justificaríamos adecuadamente que el período culmine con el verbo "confirmo en boz" (l. 15). Todo lo que precede a este verbo prepara el acto institucional que sólo tiene efecto cuando lleva forma explícita. El acto de volver a instituir a Francisco de Olloscos como encomendero se expresa por *confirmar* y por el alcance de las encomiendas que se detalla en los complementos directos que siguen a continuación. El verbo *mando* se refiere ya a la institución de Francisco de Olloscos como encomendero en el Tucumán y no es parte del acto institucional.

El acto institucional está íntimamente relacionado con la mención del beneficiado que se designa en forma pronominal, "boz" (l. 4), adaptándose las formas verbales y las varias formas pronominales a esta forma de tratamiento. Sigue el nombre y apellido en aposición. La mención de la persona interesada no constituye cláusula aparte, sino que está integrada en la exposición. En esto se distingue la cédula de encomienda, como hemos visto en el apartado anterior, de la real provisión. La primera parte de la exposición es la justificación de la merced introducida por la conjunción *por quanto* y toma la forma de una relación de méritos:

> entrastes en estas probinçias a servir a su mag[d.] (l. 4-5)
> y en ellas le aveis servido como su leal basallo (l. 5-6)
> y abeis ayudado y ayudais en la conquista y pasificassion de los naturales de la ciudad de san migel de tucuman con buestra persona y armas y cavallos a buestra costa y minsion (l. 6-9)
> y teneis en la dicha ciudad buestra cassa poblada como besino de ella (l. 9-10)
> sirbiendo vuestra besindad (l. 10)

Mientras que la justificación de la merced no tiene la expresión que le atribuimos ("méritos"), sí se expresa la supuesta justificación del rey por medio de "la buena yntension de su mag[d.] es que los que asi le sirben cean remunerados de sus servissios por tanto en alguna enmienda y remunerassion de ellos" (l. 11-13), y se incluye la justificación de la merced que son los *servicios* de Francisco de Olloscos. Tanto *mérito* como *servicio* se encuentran en la documentación e implican una diferencia de perspectiva. Francisco de Olloscos presta servicios al rey que sólo se remuneran si son considerados y reconocidos como méritos. Dado que la remuneración de servicios compete al rey, el gobernador Gonzalo de Abreu necesita una legitimación que emana expresamente del soberano: "y por virtud de sus rreales provissiones y poder que para ello tengo que por su notoriedad no ban aquí ynsertos" (l. 13-15). La legitimación se apoya en una general, que son "sus rreales provisiones", y una específica, el "poder que para ello tengo", aludiendo a una serie de actos legitimadores cuyo último origen es el rey y que el gobernador da por conocido, y en particular su propio poder. *Poder* es una denominación de un documento que se toma de esta referencia intertextual y que faculta al gobernador actuar según los términos del poder.

Puesto que hemos dicho que la expresión central del documento es "confirmo en boz", el acto institucional no es sólo uno, sino que son varios, ya que una confirmación presupone por lo menos un acto de habla precedente. Por esto el gobernador explicita el significado concreto de "confirmo en boz" diciendo:

> y nessesario es de nuevo *os encomiendo* los pueblos y parsialidades casiques prinsipales e yndios a ellos sugetos contenidos y declarados en *esta cedula de encomienda que en boz hizo* don jeronimo de cabrera governador que fue de estas provincias y en *otra que teneis* del dicho governador su fecha en la ciudad de Santiago del estero a treinta y un dias del mes de março del año pasado de setenta y tres para que os sirbais de ellos conforme a *dichas çedulas de encomienda* entretanto que en el dicho rreal nombre os hago mas m$^{d.}$ (l. 16-23)

La confirmación es necesaria por el cambio de gobernador. Jerónimo Luis de Cabrera tuvo este cargo de 1571 a 1574, Gonzalo de Abreu de 1574 a 1580[188]. Este cambio de cargo entraña la necesidad de confirmar una serie de actos gubernamentales del predecesor. En nuestro caso, Francisco de Olloscos presenta dos cédulas de encomienda despachadas por Jerónimo de Cabrera, una sin fecha y otra del 31 de marzo de 1573. Gonzalo de Abreu repite su legitimación ("en el dicho rreal nombre") y la confirmación ("os hago mas m$^{d.}$"). De esta manera, los actos de habla originarios eran las encomiendas (en el sentido de "acciones de encomendar"), cuya forma documental es la *cédula de encomienda*. El hiperónimo de *encomienda* es *merced*, pues es posible hacer merced de un título, de un nombramiento, etc., así que el acto completo se puede llamar *hacer merced de una encomienda*. Y en nuestro caso *se confirma la merced de una encomienda*.

La expresión "mando a las justiçias de la dicha çiudad en ello no os pongan ynpedimiento" (l. 24-25) que es, por supuesto, un mandato, pero con el añadido

---

188 C. A. Floria/C. A. García Belsunce 1992: 96.

"so pena de cada quinientos pesos de oro para la camara de su mag$^{d.}$" (l. 25-26) es una sanción que constituye la conminación de una pena y que no tiene expresión metalingüística. Sigue el protocolo final que consiste en la validación (fecha y firmas).

Tipos de textos jurídicos

Sería interesante disponer de una clasificación de los tipos de textos jurídicos en lengua española y, en lo que concierne a los documentos hispanoamericanos, de una clasificación de los documentos indianos. Sabemos que la tradición del documento indiano es castellano-leonesa, pero, ya que no disponemos ni de una clasificación exhaustiva de los documentos castellanos ni de un estudio lingüístico, este saber aclara poco. Todas las clasificaciones son difíciles, y no sólo en el caso del documento indiano, sino en general. Ateniéndonos a la documentación colonial, hay que tomar en cuenta el arriba mencionado tanteo de Real Díaz (1970) que se aproxima mucho a una clasificación lingüística, como fue señalado por A. Wesch (1998).

En los estudios clasificatorios se suele dar por supuesto que cada elemento se clasifica de forma biunívoca. Los nombres que sirven para denominar los documentos en cualquier colección refuerzan esta impresión, pero sería erróneo pensar que el problema de la denominación del documento indiano se agota en un nombre único para cada documento. No creo que sea posible establecer clases discretas de tipos textuales ni en la documentación colonial ni en la clasificación de los textos en general. Por eso nuestro tema se debe abordar como tema de lingüística general y española. El carácter altamente formal del documento jurídico lo hace apto para un estudio de esta índole.

Real Díaz divide los documentos indianos en tres clases: los documentos probatorios, los documentos petitorios y los documentos dispositivos. Los criterios utilizados para describir los documentos dispositivos son:

a) La naturaleza del documento en relación con la acción jurídica que contiene.
b) La calidad jurídica de las personas de quien [*sic*] emanan[189].

En cuanto al primer caso, el documento está relacionado con "la *actio* jurídica, el hecho o negocio documentado" y con "su propia puesta por escrito, su *conscriptio*"[190]. En el documento dispositivo la *actio* es simultánea a la *conscrip-*

[189] J. J. Real Díaz 1970: 10.
[190] J. J. Real Díaz 1970: 10.

tio o, en otras palabras, el carácter dispositivo de un documento coincide con el empleo de verbos que designan actos de habla performativos. En cuanto al segundo caso mencionado por Real Díaz, el criterio de la calidad jurídica de las personas sirve para diferenciar el documento público del documento privado:

> documento privado equivale a particular, es decir, el efectuado entre particulares y por particulares sobre un asunto privado sin intervención alguna de la autoridad pública o del representante de la misma.
>
> Por el contrario, será documento público para el jurista el realizado por funcionario público en ejercicio de su cargo, bien por sí mismo o por delegación, siempre que ésta esté autorizada, o entre particulares y sobre asunto particular pero con esa intervención de la autoridad pública ya en sí misma, ya a través de su representante legítimo[191].

El criterio de la relación entre *actio* y *conscriptio* permite clasificar los documentos de manera global. Si la *conscriptio* precede a la *actio*, se trata de un documento petitorio; en una petición se pide, en términos generales, una disposición. En el caso de que la *conscriptio* coincida con la *actio*, el documento es de carácter dispositivo. Y si la *conscriptio* sigue a la *actio*, se trata de un documento probatorio[192]. Así "el documento probatorio [...] recoge un hecho anterior y cumplido y del que es independiente". La *actio* precede a la *conscriptio*[193]. Por otro lado, se distinguen en la legislación metropolitana y criolla varios tipos de documentos dispositivos como la *carta*, la *provisión*, la *cédula*, el *auto*, la *capitulación*, la *orden*, el *decreto*, el *bando* o las *ordenanzas*, que se subdistinguen, a su vez, según la autoridad de la que emana el documento, es decir, el rey, el Consejo de Indias, la Casa de Contratación, un virrey, un gobernador, una audiencia o un cabildo[194]. No todas las denominaciones que acabo de citar aparecen en los textos.

Para nuestro historiador, aunque no lo diga con la debida claridad, los documentos probatorios están relacionados con el uso del verbo *decir*, de expresiones como *dar fe* y *ser testimonio de verdad*, los documentos petitorios con el uso de *pedir* y verbos similares como *suplicar*, *rogar* o *solicitar*, y los documentos dispositivos con *mandar*, *encargar* u *ordenar*. De ahí que sea clasificable una *información*, *relación* o *relación geográfica* como documento probatorio, una *petición* o un *memorial* como documento petitorio o una (*real*) *provisión*, una (*real*)

---

191 J. J. Real Díaz 1970: 12.

192 J. Lüdtke 1999a.

193 Cf. J. J. Real Díaz 1970: 11.

194 Cf. J. J. Real Díaz 1970, A. Dougnac Rodríguez 1994: 227-276.

cédula, una *orden*, un *mandamiento*, una *institución*, etc. como documento dispositivo. Sin embargo, esta clasificación es más jurídica que lingüística, o sea que atiende más al uso jurídico posterior a su puesta por escrito o a su origen que a la comprobación de las características lingüísticas de los documentos como tales. Que un documento sirva para probar algo, por ejemplo, corresponde a una intención esencial del documento, pero el documento no contiene esta información de manera directa. En otras palabras, la clasificación de Real Díaz no es una generalización de una descripción lingüística, sino que pasa ésta por alto para llegar al uso jurídico aludido. A mi modo de ver, se omite el problema central.

Otra posible clasificación se basa en los *intervinientes* o las personas que dan su parecer o su consentimiento a un asunto. A partir de la época de los Reyes Católicos ellos son los consejeros de los reyes que desde 1524 se establecen como Consejo de Indias. En 1600 se desgajan de este Consejo de Indias la Cámara de Indias y la Junta de Guerra de Indias. En 1705 se crean dos secretarías del despacho, que serán cinco a partir de 1714[195]. Lo que más interesa en la historia de la lengua, no obstante, son los tipos de textos que emanan de estos intervinientes: *pareceres*, *confirmaciones*, en un primer momento; *consultas*, *leyes*, *pragmáticas*, *ordenanzas*, *provisiones* (*generales* o *particulares*), *reales cédulas*, y más tarde, *reales órdenes*, tras la creación del Consejo de Indias.

El documento en el que interviene el Consejo de Indias "puede surgir por petición o súplica de la parte interesada o sin que medie petición alguna, es decir, espontáneamente, como acto de la administración, de la autoridad en el desempeño de su triple actividad judicial, legislativa o ejecutiva"[196]. Antes de tomar una decisión y de pasar a la redacción del documento, el funcionario delegado del soberano *se informa*, de ahí que el documento correspondiente se llame *información*. Es importante tomar siempre los nombres históricos. Real Díaz llama a la *información* ahistóricamente *informe*. El paso previo a la forma legislativa es la *consulta*.

Una aproximación hermenéutica al estudio de los tipos de textos

Me parece que el problema de la clasificación de los tipos de textos sólo permite una solución hermenéutica. Adoptaremos la propia perspectiva de los autores de los documentos, quienes tampoco emplean un término en exclusivo. A medida que estudiamos los documentos, vamos descubriendo más denominaciones que pueden concebirse y representarse como campos semánticos. En el caso de que

---

195 J. J. Real Díaz 1970: 82-91.

196 J. J. Real Díaz 1970: 74.

surjan nuevos puntos de vista en el análisis concreto será preciso integrarlos en el estudio tanto idiomático como discursivo y textual[197]. El método propuesto no va a proporcionarnos, por consiguiente, una única clasificación en el sentido de que cada documento se subsuma bajo un rótulo.

No pretendo dar una clasificación completa de la documentación, ni mucho menos, pero voy a esbozar el método que podría conducirnos a esta meta. Por la importancia dada al uso metalingüístico, particularmente en cuanto se refiere a los verbos ilocutivos y las designaciones de tipos de textos, está claro que éste nos parece ser el camino más prometedor. Así vemos, por ejemplo, que el documento analizado previamente no es sólo una merced, sino que es la confirmación de dos cédulas de encomienda. Sacamos esta información únicamente del uso del verbo *confirmar* y de las otras expresiones contenidas en el documento. Gracias a esta información siguen siendo válidas las cédulas de encomienda firmadas por Jerónimo Luis de Cabrera en 1573, a las que se refiere explícitamente la confirmación. Por eso esta última no puede servir de cédula de encomienda, pues no contiene ninguna referencia a los indios encomendados en concreto.

He propuesto en otro lugar la denominación de *interpretador* para este tipo de relación semántica, distinguiendo *interpretadores de cosas* u objetos –que es el caso de las denominaciones de los documentos bajo examen–, *interpretadores de estados de cosas* y *actos de habla*[198].

Con respecto a la confirmación de las cédulas de encomienda de Francisco de Olloscos comprobamos que la designación oscila entre varias de las posibilidades enumeradas. Si es el acto de habla el que se apunta por escrito, llamamos *confirmación* al documento. Esta confirmación concierne a dos cédulas que se interpretan como "cosas" particulares, un tipo formal de documento, y se refieren a un estado de cosas, la *encomienda* o *acto de encomendar* como acto institucional. La tarea ante la que nos encontramos es la reconstrucción de los varios campos semánticos, saber idiomático que orienta a los autores a la hora de elegir las denominaciones adecuadas que están escribiendo, o al que aluden con denominaciones metalingüísticas en relación intertextual. Como las denominaciones

---

[197] Creo que la lista que da E. M. Rojas Mayer de los diferentes tipos textuales (1998: 13-15) se podría estudiar bajo esta perspectiva hermenéutica. Existen ya monografías sobre determinados tipos de documentos, por ejemplo, sobre la *información* (J. Lüdtke 1991a y 1994, A. Wesch 1993), la *instrucción* (A. Wesch 1993a, 1996), la *crónica*, la *historia*, la *relación* (E. Stoll 1997: 56-76), la *relación geográfica* (M. Jiménez de la Espada ^{2}1965) o el *juicio de residencia* (I. Opielka 2008). Estas últimas pueden considerarse igualmente como documentos oficiales en sentido amplio por ser enviados al Consejo de Indias y por servir de fuentes de información oficiales. Véase también W. Mignolo 1982.

[198] J. Lüdtke 1984, 1998a, N. Delbecque 1998.

son relativamente estables durante el patronato real de las Indias, es recomendable estudiarlas en su conjunto, ya que el conocimiento de ellas constituye parte del saber expresivo de las personas legitimadas para la redacción de los documentos públicos.

Un trabajo completo presupone el aprovechamiento de un corpus documental considerable, pero a falta de un estudio de esta índole proponemos un análisis provisorio de los interpretadores de cosas, estados de cosas y actos de habla. Disponemos también de un interpretador general de un estado de cosas que es *negoçio* o *caso*. Antonio de Torquemada, de quien tomamos esta información, relaciona las diferentes maneras de tratar un negocio o caso con los actos de habla más adecuados que son igualmente interpretadores y llevan también forma sustantiva como *súplica*, *petición* o *pedimiento*, *mandado* o *mandamiento*:

> sobre un mesmo *negoçio* y un mesmo *caso*, a los prinçipes se escriue de vna manera, a los s[e]ñores de otra, a los yguales diferentemente, y asimesmo o los ynferiores, dando y aplicando a cada vno las palabras de su dinidad y mereçimiento, que a vnos se habla *suplicando*, y a otros *rogando*, y a otros *pidiendo*, y a otros *mandando*[199].

Si el documento tuviera solamente un sentido jurídico y representara una única acción jurídica, cabría esperar una sola denominación. Pero considerando que un documento puede tener varios usos y, por consiguiente, varios sentidos –porque es posible que contenga diferentes actos de habla que permitan diversos usos posteriores–, se entiende que un documento se denomine con arreglo a esta variedad de usos. Voy a mostrar que los documentos contienen las huellas de las intenciones de su autor y del destinatario y de las personas que intervienen posteriormente.

En lo que sigue, voy a basarme en los lexemas que designan el documento de forma global o parcial. Entre los primeros una serie de lexemas caracteriza los textos en función de varios aspectos materiales en términos de *carta*, *auto*, *escritura*, *escrito*, etc. Todos estos lexemas sirven para denominar el documento como objeto sin mención a su sentido o a las partes involucradas en la acción jurídica.

Los lexemas de alcance más restringido tienen que ver con el sentido, las partes y los destinatarios virtuales del documento. Las palabras correspondientes son elementos metalingüísticos que interpretan el documento según distintas perspectivas. La primera diferencia de perspectiva es la que comprobamos entre forma gramatical sujetiva y forma objetiva[200]. En el documento redactado de forma sujetiva una persona se dirige en primera persona a una segunda persona

---

199 A. de Torquemada 1970: 182; las cursivas son mías.

200 Cf. S. P. P. Scalfati 1995: 37-38.

gramatical. En este tipo el núcleo del texto es un acto de habla en el que el verbo representa un uso performativo, de modo que la forma verbal es performativa e interpretativa al mismo tiempo. En otras palabras, se produce y se interpreta un acto de habla con el uso performativo de un verbo de manera explícita. El documento jurídico es un excelente campo de aplicación de la teoría de los actos de habla que, cosa sorprendente, se ha cultivado poquísimo. Los documentos más apropiados para este estudio son los documentos dispositivos y petitorios, ya que en ellos la *actio* y la *conscriptio* de los actos de habla se producen simultáneamente. El dispositivo y la petición representan el núcleo de estos tipos de documentos. El autor desarrolla el documento en torno a este núcleo.

Los actos de habla jurídicos tienen caracteres especiales: se realizan de forma oral y escrita. Es importante distinguir el protocolo de un acto de habla, la lectura de actos performativos en voz alta y la coincidencia en la disposición del acto performativo con el acto de escribir.

En cambio, en el documento extendido de manera objetiva el autor narra en tercera persona actos de habla y hechos pasados. La puesta por escrito es posterior a la *actio*. En este caso hay que distinguir el uso performativo de un verbo de su uso descriptivo. Ya que en la narración es preciso explicitar los elementos presentes en la situación, aparecen con alta frecuencia las palabras que llamo *interpretadores* por su función hermenéutica explícita. Si el documento relata una disposición, el escribano se refiere a un acto de habla utilizando un interpretador que lleva forma verbal ("tiene declarado") o nominal ("declaración"). Estas palabras son *interpretadores de actos de habla*. Como es de esperar, este tipo de interpretadores se usa para denominar tipos textuales.

Como se deciden casos particulares en la legislación indiana y raras veces se hace referencia a principios jurídicos generales y títulos basados en el derecho común –exceptuando, sin embargo, el real patronato, el estatuto jurídico de los indios y algunas cosas más–, el casuismo del derecho castellano[201] en las Indias implica el uso frecuente de actos de habla, mientras que las leyes de alcance general son más bien escasas.

Si los interpretadores de actos de habla están siempre relacionados con la *conscriptio*, otros remiten a la *actio* que se desarrolla con anterioridad o posterioridad a la *conscriptio* ("vender" y "venta", "donar" y "donación"). A las palabras que explicitan la acción jurídica les llamo *interpretadores de estados de cosas*[202]. Es evidente que sirven para denominar documentos jurídicos.

---

[201] Cf. A. Dougnac Rodríguez 1994: 20.

[202] Cf. acerca de los interpretadores J. Lüdtke 1998a: 329-342; 1984; N. Delbecque 1998.

Un nombramiento

No es posible un estudio exhaustivo de las fuentes disponibles, ni muchísimo menos, por eso propongo un esbozo de análisis aplicando los criterios expuestos en el apartado anterior. De la ingente masa de documentos argentinos, selecciono dos ejemplos que presentan algunas de las características que acabamos de apuntar. El primero es un nombramiento de una persona como lugarteniente de gobernador que los vecinos de San Miguel de Tucumán no dejan llevar a efecto; el segundo es una de tantas donaciones de un solar a la Compañía de Jesús.

El nombramiento del que nos vamos a ocupar nos llegó en un documento conservado en los acuerdos del Cabildo y Regimiento de San Miguel de Tucumán[203], y en el que Francisco de Toledo, virrey del Perú, nombra a Nicolás Carrizo gobernador del Tucumán[204]. Pedro López Centeno presentó la "provisión" a la justicia y regimiento de San Miguel de Tucumán el día 9 de diciembre de 1570 "y pidio cumplimiento de ella". *Provisión* es una nominalización predicativa de *prover*, verbo cuyo significado de acto de habla corresponde al actual *disponer*, y, por consiguiente, un término general (*disposición*) que, como denominación de un documento, tiene un significado técnico más restringido. La expresión "pidio cumplimiento" representa dos actos de habla diferentes. Con "pidio" el Cabildo se refiere al verbo performativo utilizado por Pedro López Centeno; "cumplimiento", en cambio, es la forma nominalizada del verbo performativo que los miembros del Cabildo se niegan a pronunciar en este caso. Sin embargo, *obedecen*, otro acto performativo, la provisión, lo que se expresa mediante las siguientes palabras:

> la qual dicha provision vista por los dichos ss just[a] e rregimiento e leyda por mi el escr[o] dixeron en unanime conformes que la obedeçian e obedesçieron como *carta e provision* de su mag[t] e la ponian e pusieron sobre sus cabezas e que la cumpliran en todo como en ella se contiene[205].

Al documento se le llama a la vez *carta* y *provisión* en este contexto porque está a la vista de todo el Cabildo. A continuación el sentido, antes nombrado *obediencia*, se expresa por medio de "rrecebimiento" cuando la provisión se registra en el libro del Cabildo: "los dichos ss just[a] e rregimiento mandaron se cosa junto con este su *rrecebimiento* en este libro de cab[o]"[206].

---

203 M.ª B. Fontanella de Weinberg (ed.) 1993: 267-270; M. Lizondo Borda 1936: 49-54.

204 Se distingue El Tucumán de la época colonial de la actual provincia de Tucumán.

205 M.ª B. Fontanella de Weinberg (ed.) 1993: 267.

206 M.ª B. Fontanella de Weinberg (ed.) 1993: 267.

En otra entrada del mismo día se hace constar que se mandó "apregonar esta rreal provision"[207]. Claro que en este caso no interesa su materialidad como *carta*.

El 10 de diciembre de 1570 Pedro López Centeno "presento una provision del muy ill^{e} s niculas carrizo por cap^{t} general y just^{a} mayor destas provinçias en que por ella nombra por su teniente de g^{or} e just^{a} m^{or} desta dicha çiudad al susodicho"[208]. El escribano explica el contenido de la *provisión* mediante el verbo ilocutivo "nombra". El documento reza así:

> por la presente en n^{e} de su mag^{t} vos *elijo crio e nombro* a vos el dh^{o} P^{o} lopez çenteno por mi lugart^{e} de g^{or} e cap^{t} de la dh^{a} ciudad de san miguel de tucuman[209].

El gobernador hace resaltar su nombramiento por medio de una fórmula ternaria, mientras que el escribano la reduce a un elemento. Nicolás Carrizo enumera las atribuciones del cargo concluyendo:

> *mando* al cab^{o} y just^{a} e rregimiento de la dicha ciudad de san miguel de tucuman que juntos en su cab^{o} e ayuntamiento *rreçiban* de vos el juramento e solenidad e fianzas que en tal caso se rrequieren y hecho vos *rreciban* por mi lugart^{e} de g^{or} e cap^{t} [...][210].

Con este acto de habla el gobernador manda obedecer al Cabildo haciendo prestar el susodicho juramento a Pedro López Centeno, acompañado de otros actos que vienen al caso. Por último, Nicolás Carrizo le da poder a Pedro López Centeno:

> vos *doy todo poder cumplido* en n^{e} de su mag^{t} con sus incidençias y dependençias anexidades y conexidades segun que mas largamente el d^{ro} en tal casso se rrequiere[211].

Resumiendo los actos de habla de esta *carta de provisión* podemos decir que este documento es un *nombramiento*, un *mandato* y un *poder*. Estas cinco palabras podrían servir de denominaciones para el texto que estamos analizando.

No puede tener esta función la validación del documento expresada de forma narrativa: "vos *mande dar y di* la p^{te} firmada de mi n^{e} e rrefrendada de ernan mexia villalobos escr^{o} puc^{o} y de cab^{o} desta dicha ciudad de santiago del estero"[212].

---

207 M.ª B. Fontanella de Weinberg (ed.) 1993: 267.

208 M.ª B. Fontanella de Weinberg (ed.) 1993: 268.

209 M.ª B. Fontanella de Weinberg (ed.) 1993: 268.

210 M.ª B. Fontanella de Weinberg (ed.) 1993: 268.

211 M.ª B. Fontanella de Weinberg (ed.) 1993: 268-269.

212 M.ª B. Fontanella de Weinberg (ed.) 1993: 269.

El nombramiento, sin embargo, se obedece, pero no se cumple:

> E bista e leyda por mi el d^{ho} escr^{o} puc^{o} e de cab^{o} dixieron que la *obedesçian e obedesçieron* como a *carta e provision* de su g^{or} e just^{a} my^{or} desta provinçia e que en lo que toca al cumplimiento della que cada uno de sus merçedes diga lo que le pareçe[213].

Lo que sigue, son actos de habla que probablemente no se interpretan explícitamente en su formulación oral. El escribano, por el contrario, los llama "boto" o "boto y pareçer"[214]. En referencia al documento se usa solamente *provisión*. No obstante, al procurador Juanes de Artaza que se presenta ante el Cabildo le interesa impedir el *nombramiento* de Pedro López Centeno y por eso llama a la provisión en la *petición* del pueblo de San Miguel de Tucumán "provision y nonbramiento de teni^{e}", añadiendo: "no lo deben rreçibir y si neçesario fuere a v^{ras} mds rrequiero una y dos y tres bezes"[215].

Los documentos forman un expediente que, por entrar en el libro del Cabildo, son *acuerdos*, y como tales los clasifican Elena M. Rojas Mayer y Silvia Maldonado:

> E visto lo susodicho e *petiçion* dello por los d^{hos} ss just^{a} e rregimiento dixeron que ya tienen dados sus botos y pareçer cada uno por si e que aquello que tienen dicho en ellos es lo que buelben a dezir e que mandan se cosa esta *petiçion* con ello[216].

Se comprueba que el documento es solamente uno de los elementos del asunto jurídico en torno al cual se centra una actuación variable y compleja que origina varias denominaciones documentales.

Una donación

Una donación parece un acto tan inequívoco que de éste debería resultar una sola denominación. Verificamos al analizar un documento concreto que esto, sin embargo, no es así, ni siquiera en este caso. Nuestro ejemplo es, como ya anticipamos, la donación de un solar hecha por Juan Bautista Bernio a la Compañía de Jesús en el año 1588[217]. Es cierto que el documento comienza con la fórmula clásica "Sepan quantos esta *carta de donaçion* vieren"[218], de manera que podríamos

---

213 M.ª B. Fontanella de Weinberg (ed.) 1993: 269.

214 M.ª B. Fontanella de Weinberg (ed.) 1993: 269-270.

215 M.ª B. Fontanella de Weinberg (ed.) 1993: 270.

216 citados en: M.ª B. Fontanella de Weinberg (ed.) 1993: 270.

217 E. M. Rojas Mayer/S. Maldonado 1993: 274-277; M. Lizondo Borda 1936: 74-78.

218 E. M. Rojas Mayer/S. Maldonado 1993: 274.

suponer que *carta de donación* es el único término. El aspecto de donación se subordina a los verbos performativos "otorgo e conozco por esta carta" seguidos de las fórmulas performativas "hago graçia e donacion":

> *otorgo e conozco por esta carta* que de mi libre y espontania voluntad *hago graçia e donacion* pura perfecta e inrrevocable que el d[ro] llama fh[a] entre bivos *de un solar*[219].

Conjuntamente con la expresión *hacer donación* se usa la expresión genérica *hacer gracia*, de función referencial idéntica, fórmulas performativas ambas presentadas por verbos performativos y repetidas en la relativa "la qual dh[a] donacion hago graçiosamente del dh[o] solar" o simplemente mediante "esta carta"[220]. Por si las fórmulas anteriores no fueran suficientes, se añaden más verbos performativos: "todo ello lo *cedo rrenunçio y traspaso* de la dh[a] compañía de jesus y en su nombre al dh[o] padre fra[co] de angulo superior della"[221].

El documento es igualmente un *poder*: "le *doy poder y cumision* [al Padre Francisco de Angulo] para que tome la poseçion del"[222]; y un *requerimiento*: "*pido y rrequiero* pedro de olorique alcalde hordinario desta çiudad por el rrey n[ro] señor que vea esta *escritura*"[223]. Esta última palabra subraya, al igual que *carta*, el carácter material del documento, pero destaca además que el documento es el resultado de la acción de escribir. Omito algunos verbos performativos más que pertenecen al protocolo final.

En otro documento el alcalde ordinario Pedro de Olorique otorga la validación de la carta de donación a la que llama "escritura": "aviendo visto la dh[a] *escritura* de suso contenyda"[224]. Es evidente que el documento se denomina *escritura* porque el otorgante había visto (es decir, leído) todo lo que estaba escrito. Cuando Alonso de Tula Cerbín, escribano mayor de gobernación, testifica el "otorgamiento de esta carta"[225], se refiere a todo el negocio jurídico del que el documento es sólo una parte.

El escribano vuelve a la expresión usada anteriormente en la testificación de la toma de posesión:

> dixo su paternidad [el padre Francisco de Angulo] que usando de la dicha *escriptura* de la dicha compañia de jesus tomaba e tomo de su autoridad la posesion del dicho

---

219 E. M. Rojas Mayer/S. Maldonado 1993: 274.
220 E. M. Rojas Mayer/S. Maldonado 1993: 275.
221 E. M. Rojas Mayer/S. Maldonado 1993: 275.
222 E. M. Rojas Mayer/S. Maldonado 1993: 275.
223 E. M. Rojas Mayer/S. Maldonado 1993: 275-276.
224 E. M. Rojas Mayer/S. Maldonado 1993: 276.
225 E. M. Rojas Mayer/S. Maldonado 1993: 276.

> solar y en señal della le paseo por la mano el capitan pedro de olorique alcalde hordinario desta ciudad e se anduvo paseando por dicho solar e quito en el algunas vezes las yervas y el dicho alcalde dixo que atento a que le consta hera so lo contenido en la dicha *escriptura* e pertenecerle dicho solar[226].

Este documento se llama alternativamente *carta* o *escritura*, *carta de donación* o *donación*. Los grupos nominales completos son *carta de donación* y *escritura de donación*, y se pueden abreviar en las formas *carta* y *escritura* o *donación*. Tratándose de un documento aislado, no sabemos si los actos de habla han tenido éxito. Una *carta de donación* es una *donación* efectiva sólo si el donatario ha tomado posesión del objeto de la donación, como una *carta de provisión* es un *nombramiento* sólo si ha sido aceptada, es decir, "recibida", en la terminología de la época. Todo esto me lleva a trascender un planteamiento puramente clasificatorio para enfocar los documentos desde la lingüística textual y la pragmática.

Una clasificación establecida desde la actualidad no da cuenta de la función de los documentos en su momento histórico, sino que los reduce a entidades estáticas. En cambio, las personas cuya perspectiva es relevante porque conocen bien estos textos y su sentido son los participantes en los asuntos jurídicos tratados en ellos. Para éstos la función de los documentos varía según el uso al que los sometan.

No hay que aislar un documento de aquellos documentos con los que forma una serie. La documentación completa o, por lo menos, amplia de un asunto muestra que el documento individual es un elemento de una actuación dinámica de la que el documento individual refleja algunos aspectos. A causa de los intereses muy variados de los intervinientes es muy difícil que las perspectivas se puedan reducir a una sola. Los documentos contienen actos de habla dirigidos a diferentes personas para las que tienen diferentes sentidos. Con mucha frecuencia los actos de habla no son explícitos, sobre todo si se introducen con una forma del verbo *decir*. El redactor de un documento, que pasa de la forma performativa de la lengua hablada a la presentación narrativa, puede explicitar el sentido de un documento adecuándolo a su interpretación.

---

226 E. M. Rojas Mayer/S. Maldonado 1993: 277.

2. LOS PERÍODOS DEL ESPAÑOL EN ESPAÑA Y EN ULTRAMAR

En principio, se pueden tomar los puntos de vista introducidos en 1.2., 1.3., 1.4. y 1.5. como criterios para periodizar la historia de la lengua española fuera de España, pero su ponderación depende del ritmo de los cambios ocasionados a lo largo de su historia. Éstos se originan en las condiciones históricas generales del nacimiento de una lengua colonial (1.3.) que tiene como corolario la tensión entre la unidad y la variedad (1.2.) y la reestructuración de la arquitectura de la lengua (1.5.), así como los cambios universales que suelen describirse como "novedad indiana" (1.4.). El comienzo de esta transformación coincide con la expansión a las Islas Canarias y las Antillas, mientras que el deslinde de las demás etapas tiene su razón de ser en los avances de la colonización del continente que producen las readaptaciones de la lengua colonial en los nuevos entornos. El establecimiento de los períodos radica, pues, en la importancia provisional que otorgamos a los varios criterios considerados. En este sentido, una división plenamente fundada sólo puede ser posterior a la investigación que comprueba la aceleración y retardo de los cambios mismos.

Lo que se llama la *base del español americano*[1], un concepto problemático, tiene sus antecedentes en los presupuestos lingüísticos del antagonismo entre fuerzas centrípetas y fuerzas centrífugas que se cristalizan en torno al mono y policentrismo del español americano (2.1.). La interacción de los dialectos secundarios y terciarios hasta el siglo XV (2.2.) prepara la formación de centros de irradiación de dialectos terciarios, proceso en el cual la lengua ejemplar antigua, cuyo centro se supone en Toledo, se sustituye mediante Madrid, desde que se establece la corte en esta ciudad, en lo que concierne a la expansión a Canarias y América (2.3.). Este hecho nos lleva a la consideración de las Islas Canarias en la historia de la lengua española (2.4.) y las corrientes de la hispanización de América y sus etapas cronológicas (2.5.). Una ojeada a los demás territorios, las Filipinas, por un lado, y África, por otro (2.6.), y un ejemplo de los cambios lingüísticos y culturales, señalados mediante los avatares de *estancia* (2.7.) concluye esta parte que aspira a delimitar el ámbito de la periodización de la lengua.

---

[1] Para una crítica, véase G. L. Guitarte 1998; cf. 1.5.

2.1. Estandarización monocéntrica y desarrollos policéntricos

El criterio de la unidad y variedad del español y el hecho de que la codificación en todo el dominio lingüístico siga siendo competencia de la Real Academia de la Lengua –aunque la codificación se considera de menor relevancia en Hispanoamérica que en España– tienen como consecuencia que tengamos que basar la historia de la lengua en el desarrollo hasta su codificación y en la época posterior a su codificación. Con esto no se sostiene de ninguna manera que el español sea homogéneo. Sin embargo, más allá de las diferencias reales, la comunidad de los hispanohablantes, sobre todo los cultos, tiene el firme propósito de mantener y fomentar la unidad de la lengua en el nivel culto. El camino de este desarrollo condujo de la formación de la lengua común castellana, pasando por la estandarización monocéntrica, a la codificación de la lengua literaria. La fase de transición abarcó la época entre 1450 y 1650 en cuanto a la transformación interna de la lengua en España[2], que tiene sus paralelos en Hispanoamérica.

Los desarrollos policéntricos de la lengua escrita no se limitan al español americano, sino que se dan en todo el dominio lingüístico. Se encuentran en mayor grado que en las Indias en las variedades castellanas escritas (las *scriptae* bajomedievales) de la Península Ibérica así como en las formas del español regional escrito y hablado que se atestiguan en épocas posteriores, en especial en las regiones bilingües del presente[3], es decir, las variedades contactuales que son al mismo tiempo dialectos terciarios. En América, determinados rasgos de estas variedades estándar regionales han recibido, cuando se aceptan en la lengua escrita, el estatus de una cuasi-codificación. A juzgar por nuestros conocimientos actuales, estos desarrollos policéntricos se realizaron hasta el siglo XVII. Así, la estandarización monocéntrica y los desarrollos policéntricos se produjeron de manera paralela en España y América hasta esa época. La codificación, por lo menos la del léxico, incluía desde el principio el español americano, lo cual se manifiesta en la acogida de americanismos en el *Diccionario de Autoridades*. Por esta orientación, las historias de la lengua española publicadas hasta la fecha se basan fundamentalmente en la lengua literaria que justifica la comunidad de los hispanohablantes.

---

[2] Cf. R. Eberenz 1991.

[3] La creación de estas variedades no suele tratarse en las historias de la lengua española. Aduzco como ejemplo de estudio lingüístico de las modalidades regionales los comentarios metalingüísticos discutidos en J. A. Frago Gracia 1994a y la contribución de J. M.ª Enguita Utrilla 2004a quien dedica algunas páginas al proceso de la castellanización de Navarra y Aragón. Las otras regiones dialectófonas y bilingües siguen a cierta distancia temporal en un proceso que queda fuera de nuestro propósito.

Así, la historia lingüística monocéntrica pasa por alto los desarrollos regionales y, a la inversa, las historias lingüísticas policéntricas, generalmente regionales, descuidan la estandarización monocéntrica. Ambas concepciones, sin embargo, deben entrelazarse, ya que son evoluciones que se complementan. Para conciliar estas concepciones opuestas, necesitamos una periodización común o, por lo menos, periodizaciones relacionadas entre sí. Tomando en cuenta nuestros conocimientos actuales, esta operación será de carácter provisional, pero es una ayuda para orientarnos y un instrumento que posibilita la división del trabajo de investigación.

Una periodización de la historia del español deberá tomar en cuenta criterios históricos generales: la conclusión de la conquista de la Península Ibérica y el inicio de la expansión ultramarina, por un lado, y la Independencia de los países hispanoamericanos, por otro, porque estos hechos repercuten en el saber y el comportamiento lingüístico de los hablantes. La Independencia trae consecuencias lingüísticas, ya que se interrumpe el contacto con España y empiezan a escasear las relaciones entre los países hispanoamericanos. Al buscar un paralelo entre la expansión temprana y la historia de la literatura, se comprueba una coincidencia aproximada con la literatura preclásica, mientras que la Independencia de los países hispanoamericanos enlaza en cierto modo con el final de la Época de las Luces.

El criterio lingüístico interno abarca dos aspectos: la constitución de la lengua castellana literaria hasta el siglo XIII, que se transforma entre el siglo XV y el siglo XVII y se codifica desde el principio del siglo XVIII, y el desarrollo de la estructura del español entre los siglos XV y XVII. Al mismo tiempo se constituyen variedades habladas de la lengua estándar. Podemos suponer épocas de la historia del español en la medida en que convergen distintos criterios. Sigo advirtiendo que estas épocas se delimitan de manera tentativa, debido al estado de nuestros conocimientos.

Si bien no existe una periodización propiamente dicha de todo el español ultramarino, Guillermo L. Guitarte ha propuesto para el área más grande e importante, la América hispanohablante, un esbozo interesante y discutido con frecuencia[4]. Voy a reanudar igualmente lo planteado en este esbozo y a tratar de incluir las demás regiones. Deberían resaltarse más las relaciones con España, la vigencia del español de España como norma lingüística, así como la menor validez normativa de este español a lo largo de los siglos XIX y XX.

La necesidad de tomar en cuenta la historia de la colonización española conlleva la dificultad de cómo hay que estudiar las regiones hispanoamericanas y la

---

[4] G. L. Guitarte 1980: 119-137 = 1983: 167-182. J. Sánchez Méndez discute ésta y otras propuestas de periodización (2003: 24-34).

época entre los siglos XV y XX en atención a las diferencias sociales, económicas y culturales de las regiones colonizadas. Puesto que el inicio de la Independencia y la nueva colonización posterior a ella por otro poder producen una nueva orientación histórica y, en segundo lugar, lingüística, emprenderemos una periodización diferente según los espacios. Ésta es sólo en parte conforme con la periodización del español monocéntrico codificado y las variedades del español que se desarrollan de manera policéntrica en los diversos espacios.

2.2. El castellano hasta el siglo XV

Ya se habían formado dialectos coloniales castellanos mucho antes del descubrimiento de América. La forma interior de la lengua común cambiaba siempre con el nacimiento de nuevos dialectos coloniales. Ésta se uniformaba cada vez más en cada fase de la expansión de norte a sur, como se comprueba en las isoglosas de los atlas lingüísticos. La primera lengua común se formó en una región de Cantabria que se circunscribe a Amaya, la Bureba, Campó y la Montaña en el noroeste de Burgos, es decir, a la Castilla primitiva. Amaya era el centro de este dominio en el siglo IX[5]. Ahí se siguió escribiendo *-eiro* hasta el siglo XI cuando los hablantes de la primera fase colonizadora ya habían pasado de este sufijo a *-ero*. En esta región se conserva la *-u* final como en *otru, pedaçu*. Desde esta Castilla primitiva se propaga a todas luces el desarrollo de *f* > *h* > *ø;* un topónimo derivado de *formacea* que se documenta en esta región no tiene *Hormaza* como única forma, sino *Ormaza* en la mayoría de los casos. El topónimo *(Ecclesia) Sancti Felicis* desarrolla aquí la forma *Santelice*[6]. Se toman topónimos como pruebas documentales porque no todos los rasgos castellanos originarios se llevaron al sur, sino que se seleccionaron algunos y se eliminaron otros. Mediante la nivelación de rasgos castellanos originarios nació por intermedio de una variedad contactual un primer dialecto secundario o colonial.

El territorio reconquistado se repobló mediante la *presura* hasta la cuenca del Duero. Se tomaba posesión de la tierra por iniciativa propia o por autorización real. Existía otra colonización incontrolada que se podía sancionar más tarde por una *presura* real. Ésta no era una ocupación feudal, sino más bien democrática y se expresaba en el municipio y la vecindad. La colonización tenía prioridad sobre la conservación de estructuras sociales feudales[7]. El centro político y lingüístico

---

5 R. Menéndez Pidal ³1976: 441.

6 R. Menéndez Pidal ³1976: 482-483.

7 Cf. M. Hernández Sánchez-Barba 1981: II, 5-6.

de este segundo período repoblador y colonizador fue Burgos, capital del condado de Castilla en el siglo X bajo Fernán González († 970). La tierra ocupada de esta forma abarcaba la cuenca del Duero, incluyendo en torno a 1060 Osma, Segovia y Ávila. Esta zona se llamó Castilla la Vieja en una época posterior. El origen de los repobladores se manifiesta en los topónimos. Tres lugares en la región de Ávila llevan el nombre de *Gallegos* y un pueblo cerca de Segovia, el de *Aragoneses*. En esta zona se difunde *h-* en lugar de *f-*, [ʒ] en lugar de [ʎ] o [j] (*muger* vs. arag. *muller*), *ermano* vs. leon. *jermanos* y nav.-arag. *germanos*, lat. -*ct-* > *ch* ([tʃ] en *mucho* vs. nav.-arag. *muito*), no diptongan vocales antes de yod (*ojo, noche* vs. *uello, nueite* en otros romances peninsulares), lat. -*sci-* > cast. [ts], en lugar de [ʃ] que se escribe <x> (lat. **asciata* > *açada* vs. leon. y arag. *axada*). Las vacilaciones en los diptongos se reducen en épocas tempranas a *ue* y *ie* en Castilla, mientras que persisten en la misma época en León, La Rioja y Aragón. La reducción del diptongo *ie* a *i* como en *silla* tiene igualmente su centro en Burgos, junto con otras innovaciones[8].

La conquista de Toledo introduce la segunda época de la expansión de la lengua común castellana que dura hasta el siglo XII. Se ocupa la zona hasta el Campo de Calatrava, Alarcón y Cuenca y sobre todo Toledo (en 1085), llamada más tarde Castilla la Nueva. La repoblación de Castilla la Nueva se distingue de la repoblación de Castilla la Vieja. Los pobladores no tenían interés en los pastos de Castilla la Nueva y en una tierra fronteriza poco segura. Los reyes entregaron esta tierra a las órdenes militares. La Orden de Alcántara recibió la Extremadura occidental, la Orden de Santiago la parte central y la de Calatrava la Mancha. Los maestres de estas órdenes encomendaban los castillos y plazas fuertes a comendadores que tenían la obligación de defender los territorios contra los ataques musulmanes[9]. Se presume que el comendador mayor Nicolás de Ovando introdujo este sistema feudal de encomiendas en las primeras colonias americanas con algunas transformaciones, lo cual resulta muy poco probable como vamos a ver. Hasta esta época la lengua oficial era el latín.

Toledo, la antigua capital del reino visigodo, vuelve a ser centro político, cultural y lingüístico del reino de Castilla[10]. La lengua común hablada desarrolla desde el siglo XIII una lengua literaria relativamente unitaria cuya fonología sufrió muchos cambios entre la época de Alfonso el Sabio y el siglo XV. La lengua literaria dentro de estos límites temporales se llama por lo común *castellano* o *español antiguo*. No corresponde a la "norma toledana" como se suele decir, ya

---

[8] R. Menéndez Pidal ³1976: 485-486; cf. J. J. de Bustos Tovar 2004: 273-279.

[9] M. Hernández Sánchez-Barba 1981: II, 6.

[10] Cf. M. Criado de Val ²1969: 65-124.

que es poco probable que antes de la invención de la imprenta tipográfica las obras de Alfonso X hayan tenido una difusión tan amplia como para crear una lengua escrita con las características que se le atribuyen. Antes bien continúan las tradiciones cancillerescas regionales de las que emana la lengua de la literatura[11].

Las diferencias entre los dialectos coloniales castellanos no se pueden reducir a las diferencias de la repoblación que no es más que una entre varias condiciones. En Castilla la Nueva la población mozárabe y las diferencias sociales entre los diversos grupos de pobladores y los mozárabes se cuentan entre las condiciones evolutivas.

Sevilla se conquistó en 1248. Con la toma de Cádiz en 1265, Castilla llegó al Atlántico; en 1492 se recuperó Granada. Tras la expulsión de la población musulmana se produjo la ocupación militar, a raíz de una sublevación, pero se conservó el latifundismo árabe. La economía extensiva de ganadería ovina de los pobladores castellanos reemplaza a la economía intensiva de cultivos. Ésta, sin embargo, se mantiene como herencia mora en el antiguo reino de Granada[12].

¿De dónde provienen los colonizadores? La mayor parte de los colonizadores de Andalucía procedían de Castilla la Vieja, la región más poblada de la Corona de Castilla en el siglo XIII, lo cual no resulta sorprendente, mientras que la densidad demográfica del reino de Toledo y la Extremadura era escasa. Hay que añadir que se repartieron tierras entre los gallegos y pobladores originarios de otras regiones del norte de la Península, de manera que prácticamente todas las regiones participaron en la colonización de Andalucía.

Es de importancia que algunos de los nuevos pobladores continuaron desplazándose desde la antigua frontera hacia el sur. Éstos representaban el 25% de los pobladores de origen conocido en Carmona, el 31% en Vejer y el 28% en Jerez, incluyendo en este último lugar a los procedentes de Castilla la Nueva y la Extremadura. No es aventurado asegurar que estos hombres eran la parte más dinámica de la población y propagaron el espíritu de pionero en la reconquista de la Península, la conquista de Canarias y los territorios americanos.

Además de estos "castellanos", participaron grupos de extranjeros en la colonización. Después de la expropiación y expulsión de los moriscos de Andalucía, grupos reducidos de esta etnia podían asentarse en las ciudades ocupadas por los castellanos. Así, formaban *aljamas* de aproximadamente doscientas o trescientas personas, por ejemplo, en Sevilla y Córdoba.

De buen grado los reyes de Castilla acogieron durante la Edad Media a los

---

[11] Defiende la idea de la norma toledana, por ejemplo, R. Lapesa ^{9}1981: 240-242, mientras que la rechaza F. González Ollé 1978.

[12] M. Hernández Sánchez-Barba 1981: II, 6-7.

judíos que habían sido expulsados de otras partes de Europa, y les otorgaron privilegios para incitarles a establecerse en sus tierras. Estos privilegios eran al mismo tiempo el motivo de su impopularidad que tuvo como consecuencia los pogromos de 1391 y su expulsión cien años más tarde. En 1391, la comunidad judía de Sevilla tenía aproximadamente 450 hogares y era la mayor de Andalucía; había otras importantes en Córdoba, Jaén, Úbeda y Baeza.

El poblamiento de los puertos de la Andalucía occidental resultó difícil. Cántabros y vascos se asentaron en Cádiz. No pocos catalanes se establecieron en los puertos andaluces y salvaguardaban intereses comerciales en Sevilla. La mayor comunidad de los pobladores costeños fueron, sin embargo, los genoveses a los que se adjudicó un barrio de Sevilla en 1251. Sin estas comunidades reducidas de navegantes no habría sido posible llevar a cabo la expansión andaluza en el espacio atlántico y a América.

Existía un fuerte contraste entre las ciudades más densamente pobladas y el campo de escaso peso demográfico que apenas podía abastecer las ciudades. Las pequeñas heredades pasaban a manos de la Iglesia, de las órdenes religiosas y militares, así como de los nobles, mientras que los descendientes de los antiguos dueños se convertían en jornaleros. Las ciudades se sometían al control de regidores cuyos cargos se volvían hereditarios y que estaban emparentados o relacionados de otra manera con la nobleza terrateniente. El empobrecimiento de la población andaluza es el motivo directo de la emigración en épocas posteriores.

Las etapas pobladoras habían tenido una influencia inmediata en la estructura de la sociedad castellana a finales de la Edad Media. La estructura social de Castilla se distinguía mucho del resto de Europa. De manera similar, una lengua muy divergente surgida de la concurrencia entre los hablantes de todas las regiones de España y de Portugal se destacaba del idioma de las otras regiones. Los hablantes de la lengua que más tarde se llamaría andaluz tenían una composición regional parecida a la de los colonizadores de América. Es una hipótesis tentadora, aunque difícil de demostrar, proponer que tanto la colonización de Andalucía como la colonización de América hayan tenido resultados lingüísticos semejantes.

2.3. Toledo, Madrid, Sevilla y los focos de irradiación del español ultramarino

Dos lenguas comunes se separan en un proceso de varios siglos de la lengua común medieval que se identifica tradicionalmente con Toledo como foco de irradiación. La una va a ser, con el castellano viejo, la lengua de Madrid, la futura lengua estándar de España y el modelo lingüístico de las cortes virreinales. La otra se cristaliza en Andalucía, su prototipo es el sevillano que no es simplemente la continuación directa de la lengua común de Castilla la Vieja y Castilla la Nueva. Sevilla será el centro de la expansión demográfica y lingüística en el Atlántico[13]. La elaboración originaria del castellano antiguo experimenta una reelaboración en el castellano de Madrid. Los fenómenos lingüísticos particulares sujetos al cambio serán materia de un estudio independiente. Primeramente, vamos a esbozar las condiciones generales de la formación de dos nuevas lenguas comunes con sus diferenciaciones.

A Madrid, ciudad de poca importancia a principios del siglo XV, no cesaban de llegar inmigrantes desde el norte, desde Castilla la Vieja. La inmigración aumentó cuando Felipe II estableció la corte en esta ciudad en 1561, lo que hizo que la lengua de Castilla la Vieja volvió a dominar nuevamente entre los romances castellanos. Llegaban a Madrid españoles de la más variada procedencia regional, pero los castellanos viejos tenían el mayor peso demográfico entre ellos. Contribuía a esta preponderancia la circunstancia de que Valladolid, el lugar de nacimiento de Felipe II, había sido sede de la corte durante mucho tiempo, sobre todo bajo Carlos V. De todos modos, la inmigración desde el norte prevalecía sobre la concurrencia de la región al sur de Madrid. En esta ciudad nacieron grandes autores, que propagaron en sus obras formas lingüísticas norteñas en el sur de la Península y más allá: eran madrileños Francisco de Quevedo, Pedro Calderón de la Barca y Lope de Vega, y eran norteños Gonzalo Fernández de Oviedo, el autor de la *Historia natural y general de las Indias*, y Alonso de Ercilla y Zúñiga, quien escribió *La Araucana*, la primera epopeya de una conquista americana. Sin embargo, Madrid no releva en seguida a Toledo en la vida intelectual de España. Ambas ciudades son centros culturales durante el Siglo de Oro, pero Toledo pierde importancia hacia fines del siglo XVII. Al ser la mayoría de los grandes autores de la literatura española de aquella época castellano-viejos, la lengua del norte se difunde por segunda vez como lengua literaria, en especial desde Madrid. Cambian sobre todo la pronunciación y la sintaxis. Este cambio consiste en la imposición de rasgos castellano-viejos en la lengua de la corte de Madrid a principios del siglo XVII y en la decadencia coetánea del prestigio de Toledo. La transformación incluye la difusión en todos los estratos sociales de Castilla de una lengua común castellano-vieja, existente ya en estado latente[14]. El hecho señalado se restringe a la lengua literaria. El análisis de las *scriptae* muestra, sin embargo, que los cambios se van iniciando en todas partes y en varia medida, pero de forma más dinámica en Andalucía[15].

---

[13] R. Menéndez Pidal 1962.

[14] R. Menéndez Pidal 1962: 101-104.

[15] J. A. Frago Gracia 1993.

En Andalucía hubo otro cambio radical en la misma época. La importancia de Andalucía y de su capital Sevilla, que entonces era la mayor ciudad de España, se incrementó con la conquista del reino de Granada, la cual duplicó el territorio de Andalucía. Después del descubrimiento de América, la oleada de emigrantes a las Indias pasó por Sevilla, único puerto autorizado para el tráfico y el tránsito de pasajeros hasta 1717. En 1503 se había creado la Casa de la Contratación. Durante el Siglo de Oro, Sevilla fue un serio competidor de Toledo y Madrid en la literatura. La producción de sus imprentas aventajaba a la de Salamanca, Barcelona y hasta Toledo[16]. El sentimiento de superioridad de Sevilla se expresa en la propagación de normas lingüísticas propias que se producen en la transformación del castellano antiguo al español moderno. No obstante, la diferencia lingüística entre la norma tradicional y la norma sevillana es escasa. Se trata de diferencias dentro de una tradición firmemente constituida. La norma de Sevilla nunca sustituyó durante toda la época colonial a la norma tradicional como lengua literaria y lengua de la documentación oficial, pero sí deriva de ella la koiné que se escribía en los despachos del Nuevo Mundo. Esta koiné era siempre regional; junto a ella y por encima de ella siempre existió una lengua ejemplar. La norma ejemplar está representada en las Indias por las cortes virreinales, inicialmente en México y Lima, posteriormente en Bogotá y Buenos Aires. La variación del español peninsular continúa en América, aunque con otra arquitectura lingüística y se da tanto en la lengua hablada como en la escrita. Al hablar del español ultramarino, a veces hacemos caso omiso de la lengua ejemplar en vigor en todo el dominio lingüístico español; otras veces, sin embargo, se alude con el concepto de español ultramarino al español fuera de España, inclusive toda la variación y todas las variedades, de las que se puede prescindir sólo en algunos casos y por razones metodológicas.

Vamos a seguir el rumbo de la expansión a través de las regiones hispanoamericanas que van a constituir los focos de hispanización e irradiación lingüística: tras la colonización de las Antillas, se van formando en tres grandes vías de comunicación las tierras de tránsito y las tierras de expansión que son las costas de Panamá y, de forma paralela a las costas del norte de Sudamérica, el paso de Cuba a la Nueva España, de La Española a Panamá, de Panamá al Perú, del Perú a Chile y al Tucumán, y finalmente la expansión al Río de la Plata. Las relaciones entre los varios focos de irradiación del español se representan en los siguientes mapas:

[16] R. Menéndez Pidal 1962: 104-105; 2005: 577-579, 713-717.

NÚCLEOS DE PROYECCIÓN EN LA AMÉRICA MEDIA Y DEL NORTE

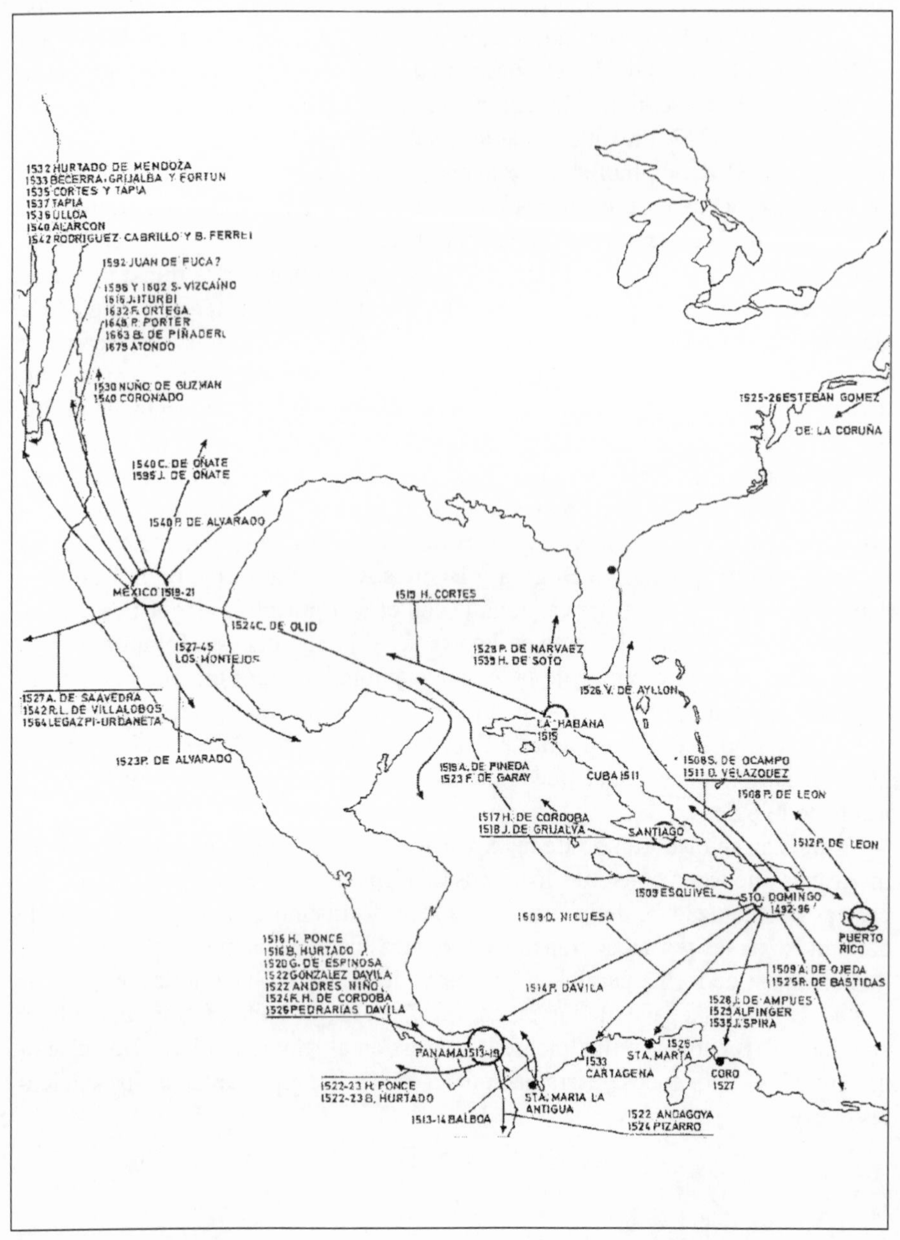

F. Morales Padrón 1988, 168.

NÚCLEOS DE PROYECCIÓN SUDAMERICANOS

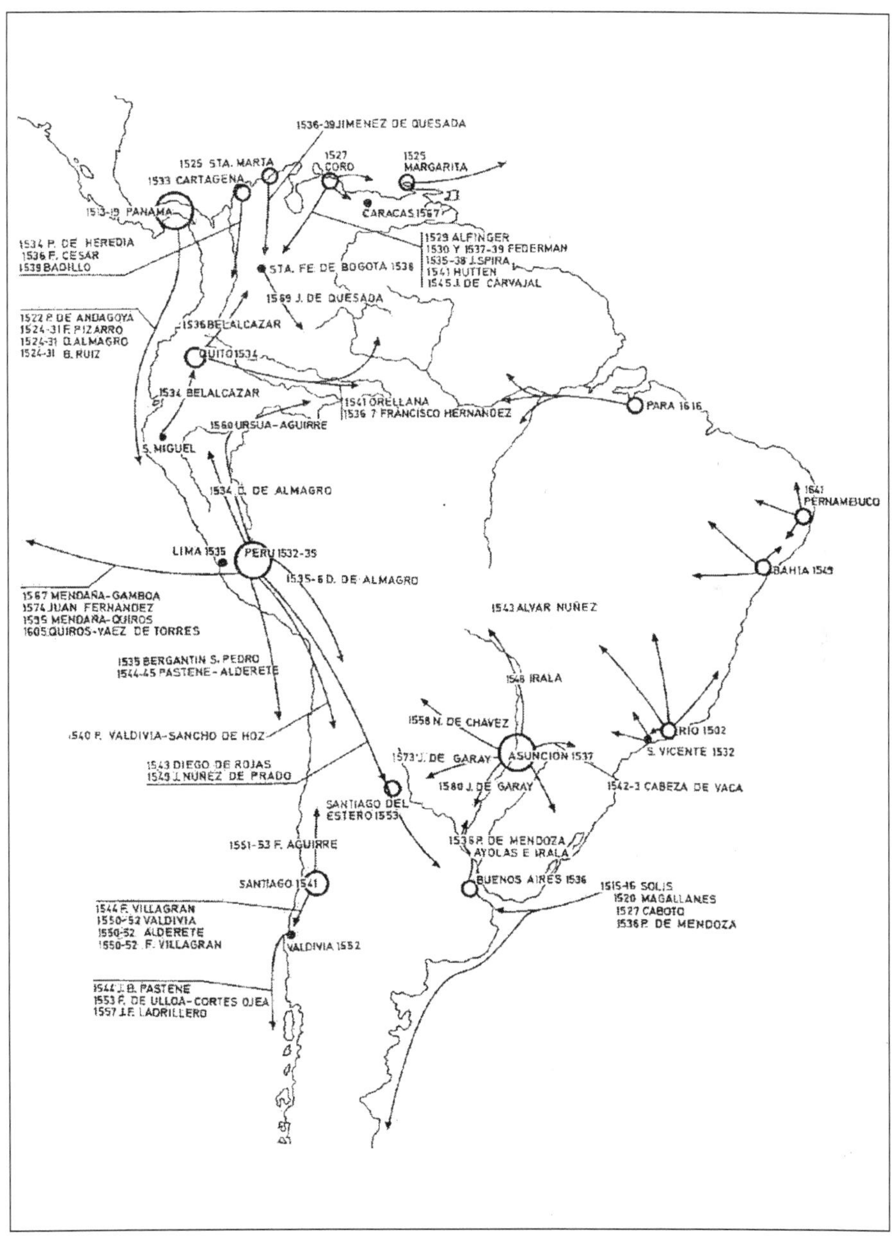

F. Morales Padrón 1988, 169.

Vamos a comentar a continuación estos focos de irradiación y las etapas de la expansión lingüística.

2.4. Las Islas Canarias

Hay que distinguir en la historia de la lengua española –como en todas las lenguas que se difunden fuera de su región de origen– dos historias interrelacionadas: una general y varias regionales. Ambos enfoques están desarrollados de manera muy desigual en la historiografía de la lengua española (1.1.). Voy a esbozar sucintamente una periodización de la lengua española en las Islas Canarias según criterios históricos y a proponer un lugar para esta historia regional en una historia de la lengua española en general.

La Islas Canarias son el primer dominio extrapeninsular de la lengua española. Su importancia reside en que el archipiélago siempre tuvo la función de servir de puente entre España y América. Después de haber formado sucesivamente variedades contactuales y dialectos coloniales a raíz de la conquista de Burgos, Toledo y Sevilla, el español se difundió desde 1402 en las Islas Canarias junto al francés. Distinguimos un primer período que abarca los años entre 1402 y 1478, y durante el cual normandos, occitanos y otros franceses conquistan las islas de Lanzarote (1402), Fuerteventura (1404) y El Hierro (hasta 1405) para el rey de Castilla y las colonizan franceses y castellanos. La Gomera se encuentra ya bajo el dominio del rey de Castilla a mediados del siglo XV. Este período concluye en 1477 con la *Pesquisa de Pérez de Cabitos* ordenada por la reina Isabel con la intención de averiguar si el rey de Portugal tenía el derecho de disputarle la conquista de las Islas Canarias. Mientras que las primeras islas conquistadas eran tierra de señorío y por eso no estaban bajo el control directo de la reina, las Islas Canarias conquistadas posteriormente resultaron tierra de realengo.

El segundo período empieza con la conquista de Gran Canaria en 1478 y 1479 y termina en 1526 con la creación de una Audiencia, tribunal de apelación que por la distancia, a diferencia de la Península, tenía también función de gobierno y hacienda. La fundación de la Audiencia de Canarias tenía su antecedente en una institución indiana, la Audiencia de Santo Domingo, fundada en 1511. Mientras que la conquista y la colonización correspondieron a los señores en el primer período, la conquista de las demás islas del archipiélago canario se convirtió desde 1478 bajo los Reyes Católicos en una cuestión de Estado. Entre 1484 y 1486 Gran Canaria pasó a manos del reino de Castilla. Siguieron las conquistas de La Palma y Tenerife.

Estos dos períodos de la historia del español canario son al mismo tiempo la primera etapa de la expansión ultramarina castellana. Disminuye la inmigración

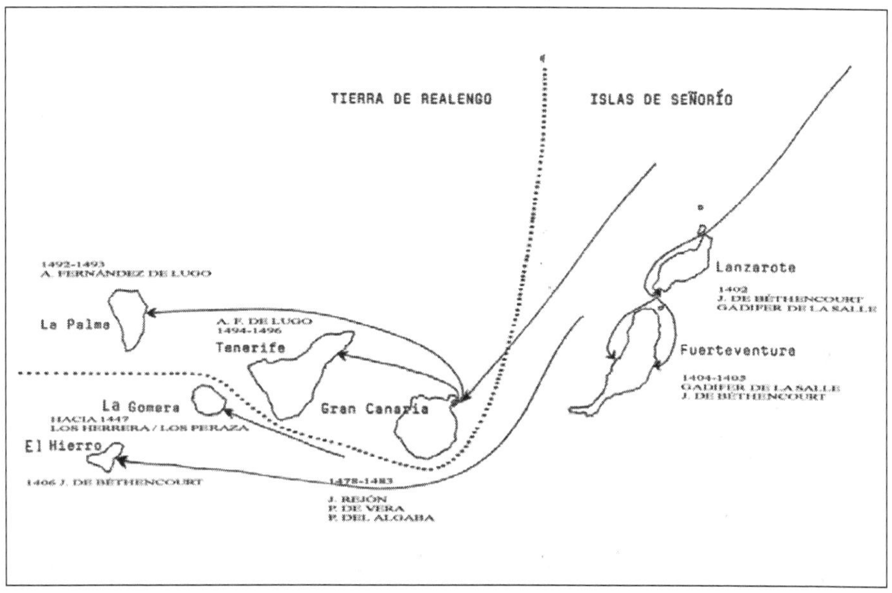

desde la Península y empieza la emigración a las Indias. Es de suponer que en este lapso de tiempo se haya iniciado la formación del español canario como dialecto colonial. Las vías de penetración de este dialecto corresponden a las fases de la conquista comprobables en los elementos lingüísticos comunes llevados desde las islas orientales hacia el resto del archipiélago. Esto se puede documentar mediante la difusión de los préstamos tomados de la(s) lengua(s) canaria(s) de las islas orientales. En este período se consolidan la colonización y el dominio castellanos.

En un tercer período, las Islas Canarias establecen relaciones duraderas con América, además de las ya existentes con la Península, Portugal, el oeste de África y el Magreb. Muchos canarios participan en el poblamiento del Caribe y son intermediarios lingüísticos entre la Península y América, más en la dirección desde Europa hacia América que en el sentido inverso. Es difícil trazar un límite temporal, ya que incluso después de la pérdida de la mayor parte de los territorios americanos las Canarias siguen estando en relación con Cuba y Puerto Rico, y América será la meta de la emigración canaria hasta la actualidad.

A pesar de los contactos continuos con América hay que suponer un cuarto período, caracterizado por las consecuencias lingüísticas de los contactos más estrechos de las Islas Canarias con la Península, por un lado, y un aislamiento relativo y la conciencia de su individualidad, por otro, cuya última manifestación es la creación de la Academia Canaria de la Lengua, sin contar la aspiración a la independencia de una minoría de canarios. La importancia del andaluz ha aumentado por su expansión a Canarias.

2.5. América[17]

La segunda etapa de la expansión ultramarina comienza con la ocupación de las Antillas, mientras las Canarias se estaban conquistando y colonizando. Un año después del descubrimiento de América por Colón, la fundación de Isabela en La Española marca el inicio del asentamiento europeo en el Nuevo Mundo. El virrey Cristóbal Colón gobierna las Antillas como desde antes lo habían hecho los señores en las Islas Canarias orientales. La época de señorío de las Indias terminó –de hecho, no de derecho– en 1500, año en el que el comendador Francisco de Bobadilla tomó preso a Cristóbal Colón y a su hermano Bartolomé en La Española. Se instituye el patronato real, o sea, el nombramiento incluso de prelados y no sólo de funcionarios reales, como consecuencia directa de la expropiación de los Colón. La decisión políticamente errónea de concederle a Colón la dignidad de virrey no se rectificó hasta 1535 en una serie de pleitos contra sus herederos. Las eventuales consecuencias políticas y lingüísticas de la fundación y conservación de un *virreinato de las Indias* son incalculables.

Al poco de llegar a la isla –la actual República Dominicana y Haití–, los españoles se apoderan de San Juan de Puerto Rico en una expedición al mando de

---

[17] Paso revista a algunas obras de conjunto. En la cronología se refleja en parte la historia del estudio histórico del español americano.

No veo ninguna justificación para repetir, como se suele hacer, las llamadas "teorías" acerca del origen del español de América. Los planteamientos tradicionales se reseñan ya en Y. Malkiel 1972. Las obras que voy a citar se distinguen profundamente de la concepción discutida en los apartados precedentes. Recomiendo como visión de conjunto de la investigación histórica del español de Canarias y de América a J. Medina López 1995. Una obra de introducción elemental al español americano desde el punto de vista actual e histórico son B. Malmberg 1974 y M.ª B. Fontanella de Weinberg 1992. C. Hernández Alonso (ed.) 1992 trata los temas diacrónicos generales y por países. En J. M. Lipski 1996 se pueden consultar las "perspectivas históricas" que preceden a los capítulos que analizan el español en cada país hispanoamericano. H. López Morales 1998 da una visión de conjunto de la historia lingüística para el lector general. J. A. Frago Gracia 1999 hace un estudio concreto y personal de textos del siglo XVI al siglo XIX, incluyendo trabajos anteriores sobre el tema. J. Sánchez Méndez 2003 es la obra más representativa de la investigación sobre la historia de la lengua española en América. J. A. Frago Gracia y M. Franco Figueroa 2003 ofrecen en parte una historia del español por temas. Para seguir las líneas generales de la investigación se pueden leer las conferencias plenarias de los Congresos Internacionales de Historia de la Lengua Española (*ACIHLE* I-VIII).

Juan Ponce de León y de Jamaica bajo las órdenes de Juan de Esquivel. A partir de 1511, Diego Velázquez toma posesión de Cuba de este a oeste. Sin embargo, los españoles se abstienen de establecerse en las Antillas Menores y en las Antillas septentrionales –actualmente las Bahamas–, ya que son "inútiles" por carecer de oro. Los habitantes de esas islas se deportan a las Antillas Mayores donde, por no resistir las enfermedades introducidas por los europeos y el trabajo en las minas, se extinguen pronto. Las islas no ocupadas por los españoles serán posteriormente la base de entrada de ingleses, holandeses, franceses y de otros europeos que, excluidos de la división del globo entre españoles y portugueses, no estaban dispuestos a respetar las bulas del papa Alejandro VI.

Las experiencias generales y lingüísticas adquiridas en las Antillas se proyectan en el continente[18]. Hasta mediados del siglo XVI, la flota de Indias arribaba a Santo Domingo. Todos los recién llegados permanecían varias semanas en la isla antes de seguir camino al lugar de destino. Desde la segunda mitad del siglo XVI La Habana asumió la función de Santo Domingo. De ese modo se explica que la influencia antillana acarreara las primeras semejanzas del español americano[19].

El castellano se convierte en español por su expansión en América y la política intervencionista de Carlos V en Europa. El cambio de la conciencia encuentra su expresión metalingüística en el uso más frecuente de denominaciones como *lengua de los españoles* y luego *lengua española*. Generalmente la expresión de una conciencia metalingüística es un indicio importante del desarrollo de nuevas variedades y de nuevas funciones de variedades a falta de documentos lingüísticos concretos. Los pobladores que, procedentes de las distintas regiones de la Península Ibérica, se reunían en América, probablemente crearon una lengua parecida al andaluz, aun cuando los andaluces no hubieran sido tan numerosos como efectivamente lo fueron.

Sólo después de que la emigración española a América disminuye en el transcurso del siglo XVII, las Antillas pierden importancia, proceso reforzado por la amenaza de invasión de Inglaterra, Francia y los Países Bajos, las nuevas potencias coloniales. Por contrapartida, la emigración planificada de los canarios va en aumento a partir de finales de la época de los Habsburgo[20].

La función de aclimatación lingüística que se otorga a las Antillas desde Rufino José Cuervo produce, como hemos dicho, las semejanzas tempranas del espa-

[18] J. L. Rivarola 2004 trata con brevedad el trasplante y las corrientes migratorias en la difusión del español en el Nuevo Mundo, seguidos del estudio de los primeros cambios léxicos y el contacto de lenguas.

[19] M.ª T. Vaquero de Ramírez 1992; I. Pérez Guerra 2003 (Caribe), R. L. Choy López 1999 (Cuba), J. R. Lodares Marrodán 2003 (Puerto Rico).

[20] Véase la introducción al español en las Antillas que ofrece I. Pérez Guerra 2003.

ñol americano, que se difunden por las vías de comunicación abiertas por los descubrimientos. La propagación del léxico antillano, ante todo de indigenismos seguros, muestra, mejor que otros fenómenos, la manera de obrar de las vías de comunicación en la difusión de la lengua española.

Mientras que el istmo de Panamá se coloniza, en una segunda etapa de la expansión, a partir de 1513, la tercera etapa parte de varias bases. La primera fue Cuba. Hernán Cortés, a quien Diego Velázquez había elegido capitán de la expedición de descubrimiento y rescate de la tierra que iba a llamar Nueva España, se rebeló contra este gobernador de Cuba y conquistó entre 1519 y 1521 el altiplano de México, dominado por los aztecas[21]. Desde la Nueva España se penetró a los territorios de Centroamérica[22]. Desde la costa del Pacífico, en particular Acapulco, Miguel López de Legazpi y Andrés de Urdaneta conquistaron las Filipinas en 1565. La impronta mexicana del español filipino se explica por su procedencia novohispana.

En el poblamiento de las costas de la América del Sur distinguimos tierras de tránsito y tierras de expansión sólo regional. En las costas de Sudamérica, sobre todo en la Capitanía de Venezuela, se fundaron pueblos que, si bien eran bases para la expansión, no lo eran más que hacia el interior del país[23].

Desde Panamá, ciudad de la costa del Pacífico en Castilla del Oro, instituida en 1519, y tierra de tránsito, los españoles avanzaron en numerosos viajes de descubrimiento hacia el sur. En 1532 Francisco Pizarro y Diego de Almagro llegaron al Perú y al Alto Perú, la actual Bolivia[24]. Diego de Almagro intentó conquistar Chile entre 1535 y 1537. En 1541 Pedro de Valdivia fundó Santiago de Chile[25].

Gonzalo Jiménez de Quesada hizo igualmente una expedición rumbo al Perú entre 1536 y 1539, pero desde Santa Marta. Ya que Pizarro se le había anticipado, se apoderó del Nuevo Reino de Granada y fundó Santa Fe de Bogotá (1538)[26].

En la penetración del Río de la Plata participaron sobre todo descubridores y colonizadores que habían venido directamente de la metrópoli y por eso carecían de experiencia americana. Sólo tuvieron éxito aquéllos que eran *prácticos de la tierra*, es decir, experimentados. En 1535 Pedro de Mendoza fundó Buenos Aires por primera vez. Tras su pronta destrucción, Juan de Garay reconstruyó la ciudad

21 J. M. Lope Blanch 1992; M.-D. Gleßgen 2003.

22 D. Schlupp 2003.

23 J. J. Montes Giraldo 2003.

24 J. L. Rivarola 1992 y 2003; J. G. Mendoza Quiroga 1992.

25 A. Matus/S. Dargham/J. L. Samaniego 1992; N. Cartagena 2002, 2003.

26 J. J. Montes Giraldo 1992 y 2003.

en otro lugar en 1580[27] en una expedición que había partido desde Asunción, la futura capital de Paraguay, fundada por Juan de Salazar en 1537[28]. Asunción fue durante mucho tiempo el foco de irradiación lingüística en la región del Río de la Plata. Montevideo se fundó para poner coto al avance de los portugueses[29].

Mientras que las vías de la expansión señaladas hasta ahora pueden motivar la formación de un español policéntrico, las cortes virreinales establecidas en México (1535) y en Lima (1544) difundieron un modelo metropolitano culto en la segunda mitad del siglo XVI cuyo centro iba a ser Madrid. Así, muy pronto se desarrolló el antagonismo entre fuerzas centrípetas y centrífugas del español americano, aunque hay que confesar que la supuesta acción de las cortes se basa más en conclusiones analógicas que en investigaciones concretas. De todos modos, los españoles no llevaron a América una lengua homogénea ni en cuanto al origen regional ni en cuanto al origen social de los hablantes. La diferencia entre dialectos secundarios canarios y americanos y una lengua culta diversificada según las regiones se remonta a las épocas más tempranas del descubrimiento y de la colonización de los territorios ultramarinos. La unidad de la lengua escrita y de la lengua común hablada, al lado de dialectos coloniales de formación temprana, se debe a la permanencia y al cambio de eclesiásticos, oficiales reales y soldados. Por su carácter sorprendentemente homogéneo no conviene que la lengua común o lengua culta o lengua estándar de Canarias y América se llame lengua colonial, sino dialectos secundarios. O si se quiere designar a ambos tipos de lengua de esta manera, hay que esclarecer de qué tipo de lengua colonial se trata.

Hay que contar con transferencias y retenciones entre estos dialectos coloniales, la lengua común y la lengua culta durante toda la historia del español. Las transferencias de la lengua común y, en particular, de la lengua culta en los dialectos coloniales casi no se documentan. En cambio, son tanto más instructivas las transferencias que a causa de fenómenos fonéticos, morfológicos y léxicos adoptados de dichos dialectos coloniales, pueden ser tomadas hoy como indicios de la existencia de dialectos coloniales. Estas transferencias, consideradas como "errores" desde la norma lingüística, son generalmente los únicos elementos en los que se manifiestan los dialectos coloniales en la documentación. Las fuentes para su descripción son, por tanto, textos escritos en un español culto que por sus características de dialecto terciario revelan rasgos populares.

La historia del español americano se divide a grandes rasgos en una época colonial y otra posterior a la Independencia. Guillermo L. Guitarte la subdivide

---

27 M.ª B. Fontanella de Weinberg 1987 y 1992a; A. Elizaincín 1992 y 1992a.

28 G. de Granda 1992; W. Dietrich 2003.

29 A. Elizaincín 2003.

en cinco épocas, tres coloniales y dos que siguen a la Independencia. La época colonial comprende un período de orígenes y de constitución del español americano, etapa en la que se consolida el español específico de la sociedad colonial americana, y un período de transición hacia la Independencia, es decir, las últimas décadas del siglo XVIII y las primeras del XIX. La época independiente comprende el siglo XIX, que es la transición de la colonia a la independencia, marcada por conflictos entre los ideales del pasado común con España y los nuevos impulsos nacidos de la Independencia, en los que se reconocen las consecuencias lingüísticas y se origina un nuevo equilibrio[30].

La bipartición de la historia del español en América tiene una justificación tanto histórica como lingüística. Durante la colonia no se negaba en todo el dominio lingüístico del español la autoridad de una lengua común que desde el siglo XVIII correspondía a la norma codificada por la Real Academia de la Lengua. De ningún modo se afirma con esto que la lengua haya sido homogénea, sino que sólo se circunscribe su campo de vigencia. La Independencia interrumpe las relaciones con España y empiezan a formarse variedades ejemplares regionales. En el coloniaje la comunicación con la metrópoli se aseguraba con regularidad por medio de funcionarios, militares y clérigos, que volvían a España al término de su cargo u oficio. La separación de España transformó fenómenos fonéticos y gramaticales regionales en fenómenos de las normas lingüísticas hispanoamericanas. Por lo demás, con la independencia de los Estados particulares se estableció un léxico distinto en el ámbito de las instituciones que se suma a las diferencias léxicas ya existentes.

Añadamos una consecuencia para la historia de la lengua, sacada de la bipartición de la historia del español de América. La época colonial se puede considerar como época española, y lo era sin duda alguna en la obra de Bernardo de Aldrete (1606). La Independencia produce un cambio de perspectiva entre los hispanoamericanos primero y los españoles después. Los hispanoamericanos van reconstruyendo el pasado colonial dentro de los límites de sus Estados nacionales, apropiándoselo en diferente medida. Aquí se plantea un problema insoluble para una historia nacional de la lengua española por países: no se puede tratar como nacional una época de la historia de la lengua en un Estado mientras duró el imperio español, ni se puede prescindir del tratamiento de la historia lingüística común durante la época colonial. El propio concepto de *época colonial* hace extensivas las relaciones de dependencia de finales de la dominación española al resto de los tres siglos de la hispanización del continente. Así, no hay más reme-

---

[30] Cf. G. L. Guitarte 1983: 168. Para más propuestas de periodizaciones se puede consultar J. Sánchez Méndez 2003: 24-34.

dio que recrear la historia desde la perspectiva de sus actores. Al principio, ésta es una historia española que con los atisbos de una nueva conciencia se transforma en historia regional, y que recibe una interpretación nacional tras la Independencia, en momentos distintos en los varios países. Esta concientización es un proceso dinámico que está lejos de haber concluido. Nuevas voces en el concierto son los indígenas en algunos países y no falta una revalorización de la América negra[31].

Pasemos a un examen más detallado de los períodos del español americano. Los especialistas coinciden en decir que la primera lengua común debe de haberse formado en las primeras décadas de la colonización antillana. Es el período de la adaptación de la lengua a la nueva realidad en América, si bien con considerables fluctuaciones. Se acostumbra llamar a los años de 1493 a 1519 *período antillano*. Guitarte prefiere *período de orígenes*, ya que la expresión *período antillano* insiste en un ámbito geográfico determinado. En efecto, *período de orígenes* es más adecuado: las similitudes lingüísticas no se limitan a las Antillas, sino que incluyen Canarias, Tierra Firme y la metrópoli, en la medida en que algunas regiones participan más en la emigración que otras. En este período el español entra en contacto con la primera lengua amerindia, el arahuaco, y se constituyen formas comunicativas que se perfeccionan en la conquista de Tierra Firme y se transfieren a las nuevas comunidades indígenas. Sin embargo, los préstamos canarios y amerindios son de poca monta. El alcance americano del espacio antillano está restringido, ante todo, a los decenios posteriores al descubrimiento hasta las repercusiones de la conquista de la Nueva España y, en parte, del Perú. Por razones de método, se podría tomar el año 1519 como término del período de orígenes en la expansión hacia la Nueva España y el año 1532 en la expansión al Perú; si bien las influencias novohispanas y andinas repercuten en la lengua en momentos posteriores, para mayor seguridad vamos a poner en las cuatro primeras décadas el primer corte sincrónico para la descripción lingüística. Aunque insisto en el límite temporal del período de orígenes y las eventuales repercusiones lingüísticas que parten de la Nueva España y el Perú, el criterio más importante es su participación o no en las innovaciones y readaptaciones novohispanas y andinas. En tanto éstas no se comprueben, la delimitación resulta bastante arbitraria.

La conquista de México primero y de Sudamérica después cambia la orientación lingüística de cada territorio hispanoamericano. La relativa homogeneidad del español americano no se explica sin la hipótesis de que ya en el período de

[31] Un testimonio al respecto es la revista *América Negra* (*AN*), publicada por la Pontificia Universidad Javeriana de Bogotá; cf. M. Perl/A. Schwegler (eds.) 1998.

orígenes se había ido formando una lengua común que empezaba a divergir del español metropolitano. El estado lingüístico originario se ha oscurecido desde el siglo XVI por el cambio de las vías de comunicación entre las colonias hispanoamericanas.

Muchísimos aspectos de la lengua temprana de las Antillas han quedado sin esclarecer. Guitarte indica dos razones de esta situación: "el no haber una referencia concreta de los hechos lingüísticos a las condiciones específicas de la historia americana de aquellos años, y el basarse los estudios realizados en obras de historiadores, no en documentación de archivos"[32]. Podemos argüir, sin embargo, que la referencia concreta de los hechos lingüísticos a las específicas condiciones de la historia americana se podrían establecer, hasta cierto punto, aprovechando las fuentes históricas y la documentación de archivos editada tanto por historiadores como por lingüistas. Creo que la documentación promete más de lo que puede cumplir por sus limitaciones internas. Una razón de mayor peso es la visión fragmentaria de las investigaciones de la historia de la lengua, motivada por el origen nacional de los investigadores y por polémicas estériles.

Restringiendo la perspectiva, se confiaba en demasía en la identificación de la procedencia regional peninsular de los fenómenos del español americano, lo cual provocó vehementes debates en torno al origen andaluz. Guitarte señala que el problema no está bien planteado: "La verdadera cuestión con que nos enfrentamos al tratar de los orígenes es la de la constitución de una lengua colonial. Ésta nunca es una simple réplica de la de la metrópoli, sino es el resultado de un proceso de selección y simplificación"[33]. Vuelvo a llamar la atención sobre la complejidad del concepto de *lengua colonial* que puede referirse a la lengua culta y a la lengua común hablada al nivel de un dialecto secundario. Pero independientemente de este punto hay un indicio seguro de una nueva forma de español. Algunas palabras tomadas de las lenguas arahuacas se han difundido en diferente medida en el continente americano para designar la nueva realidad.

Tras establecer esta etapa común se trata de averiguar cómo obran las condiciones de la diferenciación y las condiciones de la homogeneización del español en América. Ambos desarrollos coexisten en cada momento de la historia y también con la "selección y simplificación" de la fonología y la gramática. No se concibe el español de las Antillas sino como una lengua que se transforma en un proceso dinámico que trascendiendo su fluctuación se va conformando en una lengua relativamente estable. Contribuyen a la diferenciación la aclimatación de los colonizadores al nuevo medio ambiente, desde la Nueva España hasta el Río

32 G. L. Guitarte 1983: 169.

33 G. L. Guitarte 1983: 170.

de la Plata, las *lenguas generales* y las otras lenguas indígenas de larga difusión, así como el nivel cultural de los indios y españoles en las diferentes regiones. Con toda razón los actuales países hispanoamericanos remontan su historia y la de su civilización hasta la colonización. Tampoco deja de empezar con la colonización la historia de la lengua nacional. Sin embargo, se va a tener en cuenta este aspecto cuando se emprenda la historia del español en regiones y países particulares después de la Independencia con una justificación retrospectiva. En cuanto a la época que se extiende hasta la Independencia hay que realzar tanto las diferencias respecto al español peninsular como las relaciones con la lengua de la metrópoli.

Es probable que los rasgos principales del español hayan terminado de constituirse en las regiones hispanoamericanas a mediados del siglo XVII[34]. Pero, puesto que el español americano participa en el desarrollo del español peninsular, resulta difícil establecer un límite temporal. Prescindiendo de casos aislados[35] no estamos informados suficientemente bien acerca de la historia del español americano entre los siglos XVI y XVII. Se deben estudiar las relaciones entre la lengua de los colonizadores durante la implantación en la región respectiva y la de las audiencias, virreinatos y capitanías generales posteriores, con las diferentes direcciones que toma la hispanización de los indígenas; las oleadas de inmigrantes después de la conquista de México y del Perú; la evangelización de los indígenas y sus repercusiones lingüísticas; y muchos temas más. Una cantidad de datos muy superior a la de los primeros decenios aguarda su aprovechamiento: obras históricas, literatura y una abundante documentación oficial que permite seguir el desarrollo en su diferenciación regional en los detalles. Se puede poner el segundo corte sincrónico en el período que va de 1580 a 1600.

Es posible dividir los siglos XVI, XVII y XVIII en dos períodos también en cuanto a las condiciones externas del desarrollo lingüístico. El español se expande mediante cambios lingüísticos en el nuevo continente en las comunidades indígenas hasta alrededor de 1600, alcanzando ante todo los estratos altos de esas comunidades. Posteriormente comienza una reducción y delimitación del dominio lingüístico español que remite a las pérdidas futuras de territorios españoles. Las Antillas que se despueblan a partir del siglo XVI quedan expuestas a los ataques de ingleses, holandeses y franceses que se apoderan de una parte de estas islas. Los portugueses franquean el meridiano establecido en el Tratado de Tordesillas (1494).

---

[34] Cf. J. A. Frago Gracia 1990: 77-78.

[35] Por ejemplo M. Álvarez Nazario 1982 (Puerto Rico) y otras obras de este autor, E. M. Rojas Mayer 1985 (Tucumán), M.ª B. Fontanella de Weinberg 1987 (Buenos Aires), M. Á. Quesada Pacheco 1990 y 2009 (Costa Rica), J. Sánchez Méndez 1998 (Venezuela y Ecuador).

Sin embargo, existen considerables diferencias de desarrollo y desfase regionales dentro de estos períodos. Hay regiones que se van poblando más y más y otras que se van despoblando. La mayor despoblación afecta a las Antillas, ya que los primeros colonizadores se desplazan a la Nueva España, Tierra Firme y el Perú. Se originan, además, diferencias lingüísticas mediante la mayor comunicación entre las regiones costeras por vía marítima y la influencia de las cortes virreinales de México, Lima, luego Santa Fe de Bogotá (1717) y Buenos Aires (1776) como focos de irradiación de la lengua de los cultos. Pondríamos nuestro tercer corte sincrónico en la segunda mitad del siglo XVII. Se resalta una y otra vez que la lengua literaria se consolida en lo esencial en torno a 1650 y que ha cambiado en menor medida después.

La historia del español moderno como lengua estándar empieza entre finales del siglo XVII y principios del siglo XVIII. El inicio de un nuevo período de la historia de la lengua lo marcan, por lo menos en cuanto a España, el Tratado de Utrecht (1713) y la fundación de la Real Academia de la Lengua (1713-1714). La Academia codifica el léxico según criterios bastante liberales y reforma la ortografía cuyas normas tienen vigencia, con algunas modificaciones posteriores, hasta la actualidad. Junto a la periodización del español americano, la lengua estándar que se desarrolla de manera divergente a ambas orillas del Atlántico requiere una subdivisión propia del español peninsular y que se superponga a la del español americano. Ésta es una complejidad que la periodización de Guitarte no toma en cuenta. Una solución al problema es la de empezar por adoptar una perspectiva que abarca España y América, y acabar por otra que considera los varios espacios por separado. Uno de los resultados será que incluso el español de España se regionaliza hasta cierto punto.

El tercer período de la época colonial coincide aproximadamente con la breve etapa de la Ilustración en América. Numerosos desarrollos lingüísticos comienzan en esos años, por ejemplo, la enorme difusión de terminologías y del léxico especializado de la política y la economía, de las ciencias aplicadas, de la botánica y la zoología. Al contrario de la literatura barroca, el lenguaje de la conversación se convierte en el modelo de la prosa. El período que sigue a 1770, año en que se introduce la política lingüística imperial de Carlos III en América, se caracteriza por la propagación del español entre los indígenas, primero en los territorios que estaban bajo el control directo del Consejo de Indias y, tras la Independencia, de las misiones[36]. La corte virreinal de Buenos Aires se transforma en un nuevo foco de la irradiación de la norma culta desde 1776. La época de la Ilustración es, pues, apropiada para nuestro cuarto corte sincrónico.

---

36 J. Lüdtke 1989.

La Independencia conlleva la regionalización del español que Rufino José Cuervo describe de la siguiente manera:

> En los primeros años que siguieron a la independencia, hubo frecuente comunicación entre ellas [las naciones americanas], y los libros, periódicos y demás escritos de las unas hallaban lectores en las otras. Con el tiempo este interés se ha ido apagando y hoy apenas alcanza a algunos literatos, mientras que la masa de la población es indiferente a lo que pasa lejos de sus fronteras. En cada una se han formado centros de cultura a cuyos usos por fuerza se ajustan más o menos los provincianos; el periodismo de las capitales tiene sin remedio que hacer concesiones al uso local, y así como influye en las opiniones de cada nación, es también escuela de dicción y estilo; los libros nacionales son siempre los más leídos, y como las doctrinas modernas pidan para los géneros literarios más favorecidos del público un realismo y color local completamente opuesto al principio de no emplear sino términos generales dondequiera inteligibles, es éste nuevo estímulo que impulsa al regionalismo, que en el caso presente es nacionalismo literario[37].

Guitarte divide la época posterior a la Independencia en dos períodos. En el primero van aflorando nuevas normas del español americano en un proceso continental, pero de diferenciación nacional. Los contactos con España son escasos o se interrumpen. Los inmigrantes ya no proceden de España. Aumentan las influencias inglesas y francesas. Las nuevas naciones vacilan entre la transferencia de la independencia política a la lingüística, reconociendo expresamente la diferenciación nacional del español como norma (Domingo F. Sarmiento), o de la continuación de la norma del español de España (Andrés Bello). Estas discusiones ideológicas tienen, sin embargo, escasa incidencia en la realidad lingüística[38].

---

[37] R. J. Cuervo 1947: 91.

[38] Sin embargo, suscitaron la polémica Juan Valera-Cuervo de la cual encontramos un eco al final de la cita de Cuervo. Según este filólogo, Juan Valera "pretende que las naciones hispanoamericanas sean colonias literarias de España, aunque para abastecerlas sea menester tomar productos de países extranjeros, y, figurándose tener aún el imprescindible derecho a la represión violenta de los insurgentes, no puede sufrir que un americano ponga en duda el que las circunstancias actuales consientan tales ilusiones: esto le hace perder los estribos y la serenidad clásica. Hasta aquí llega el fraternal afecto" (1947: 129, n.; [1]1903). El "nacionalismo literario" de la literatura costumbrista fue particularmente vigoroso en la Argentina, que Guitarte reduce a su justa medida: "Pues bien, que la pretensión de usar 'idiomas nacionales' en América procede, aunque parezca extraño, del desarrollo de la literatura costumbrista es una tesis de Quesada; en su obra sobre el 'criollismo' muestra cómo el uso del habla dialectal constituía para muchos la manera de lograr una literatura argentina 'propia'" (1991: 151). Por lo demás, no vamos a exponer la polémica por extenso, ya que cuenta con una amplia literatura especializada.

En el segundo período, siglo XX, se imponen las normas lingüísticas hispanoamericanas. La reflexión de gramáticos, filólogos y lingüistas, ante todo Rufino José Cuervo en "El castellano en América" (1901, 1903), acompaña este proceso. Va creciendo el peso demográfico de Hispanoamérica que tiene el mayor número de hablantes desde el último cuarto del siglo XIX. El español es una de las lenguas oficiales de la Organización de las Naciones Unidas, fundada en 1945. El léxico y la fraseología se van internacionalizando y uniformando como ocurre en las demás lenguas mundiales.

2.6. Los demás territorios ultramarinos

El desarrollo del español filipino no se puede comparar con el del resto de los territorios ultramarinos. Más que en América, a partir de la ocupación española de las Filipinas (1565), el castellano siempre fue la lengua de una minoría española y, sobre todo en el siglo XIX, indígena. El número de los españoles era demasiado reducido y el archipiélago demasiado enorme como para permitir una expansión masiva en sus 7000 islas e islotes. El uso del español disminuye a raíz de la ocupación estadunidense de las Filipinas (1898) y el inglés toma su lugar[39].

Las regiones africanas de mayor importancia son la Guinea Ecuatorial y el Sahara Oriental. La bipartición de los períodos de la historia lingüística de la Guinea Ecuatorial se parece en sus líneas generales a la periodización del español americano. Colonia de España desde 1778, se independizó en 1968. Al contrario de lo que pasó en Filipinas, el español sigue siendo lengua oficial. Sabemos muy poco acerca de Río de Oro o Sahara Occidental, región de hispanización escasa, iniciada en el siglo XX, aunque hay contactos lingüísticos desde el siglo XV[40].

2.7. Las vías de comunicación en la expansión ultramarina de la lengua: el ejemplo de *estancia*[41]

Es algo evidente que la difusión de la lengua en las Islas Canarias y en América depende de las etapas de la colonización que describimos en puntos anteriores. Sin embargo, como los cambios se comprueban más claramente en el léxico que

39 C. Casado-Fresnillo/A. Quilis 2003.

40 J. Medina López 2003.

41 Versión adaptada y ampliada de J. Lüdtke 2008.

en la fonología y la gramática, voy a tratar un ejemplo léxico. Se ha estudiado más la penetración del léxico andaluz que palabras de otro origen porque más que la historia de la lengua y del léxico en sí interesaba defender la tesis del andalucismo del español americano, o bien la independencia del español en América.

Veamos si nuestro ejemplo tiene el mismo origen regional. *Estancia* se considera como americanismo desde hace más de un siglo. La cosa designada mediante esta palabra parece tan americana que incluso se cita como uno de los ejemplos típicos de las diferencias léxicas entre el español americano y el peninsular desde las *Apuntaciones críticas sobre el lenguaje bogotano* de Rufino José Cuervo. Dice el autor para ejemplificar que, según sus conocidísimas palabras, "la Española fue en América el campo de aclimatación donde empezó la lengua castellana a acomodarse a las nuevas necesidades":

> Allí se llamó *estancia* a la granja o cortijo, y *estanciero* al que en ella hacía trabajar a los indios (voz que luego ha pasado a significar el que tiene o guarda una estancia) [...]. Muchos términos y formas que entonces eran corrientes en España y después han caído en olvido, de ahí se extendieron por todas partes, y, gracias al aislamiento, subsisten hoy, ora bien recibidos, ora un poco o harto desacreditados[42].

También afirma más adelante explícitamente que *estancia* es una "creación americana"[43]. Por consiguiente, Cuervo considera *estancia* como americanismo por origen. A primera vista, es digno de crédito considerar *estancia* como tal. Se designa un tipo de explotación que parecía nuevo mediante este vocablo y se puede citar a uno de los primeros colonizadores de América, fray Bartolomé de las Casas, como garante de esa novedad en América, como ya fue señalado por Cuervo:

> [el almirante Cristóbal Colón] había hecho una *estancia*, que en Castilla llamarán creo que caserío o cortijo o heredad, donde se hacían las labranzas y dellas el pan y se criaban gallinas y hacían güertas [*sic*] y todo lo demás que era menester para tener hacienda o heredad los españoles y buena vida, excepto los ganados que se tenían en otra parte[44].

Encontramos en Gonzalo Fernández de Oviedo una descripción pormenorizada de la vida en una estancia que estaba cerca de una mina:

---

42 R. J. Cuervo ^{7}1939: XVII-XVIII; ^{1}1867.

43 R. J. Cuervo ^{7}1939: XX.

44 Las Casas 1994: III, 1160.

> Estos indios [los que trabajan en las minas] están en la ocupación del oro, sin los otros indios e gente que ordinariamente atienden a las heredades y *estancia* donde los indios se recogen a dormir y cenar y tienen su habitación y domicilio; los cuales andan en el campo labrando el pan y los otros mantenimientos con que los unos y los otros se sustentan y mantienen. Y en tales *estancias* e moradas, hay mujeres continuamente que les guisan de comer y hacen el pan y el vino (donde lo hacen de maíz o del cazabi), y otras que llevan la comida o los que andan en la labor del campo o en la mina[45].

La cosa parece clara: el *caserío*, el *cortijo*, la *heredad* o la *granja* castellana corresponden a la *estancia* antillana. En el caso concreto de la cita de Las Casas esta voz designa el o los edificios, excluyendo las *labranzas* en un lugar de La Española. Por lo tanto, *estancia* puede ser un americanismo y más precisamente un antillanismo del período de orígenes. Hay otro elemento semántico que se nos podría escapar: se dice expresamente que las estancias son propiedad de españoles e incluso construidas por ellos.

Agreguemos a la semántica antillana temprana de la palabra el uso más difundido en la actualidad que se consigna, para no citar un sinnúmero de obras, en un diccionario general de americanismos:

> Hacienda de campo; establecimiento de cultivos agrícolas y cría de ganado; también el conjunto de edificios, construcciones o habitaciones de la hacienda. Es denominación propia de Sur América, corriente también en Cuba y Puerto Rico, por pequeña hacienda de campo dedicada a cultivos menores[46].

Es notable aquí la gran diferencia entre la designación de una empresa de grandes dimensiones frente a una finca rural y que ambas voces entran en el concepto más amplio de *hacienda*, mientras que la designación del "conjunto de edificios, construcciones o habitaciones de la hacienda" o, en la Argentina, del "casco de estancia" es algo esperable. La gran diferencia entre el significado lascasiano de *estancia* y sus acepciones actuales requiere una explicación.

Con tal fin voy a estudiar la palabra desde las primeras documentaciones que puedo rastrear y abandonaremos la revisión de las fuentes cuando se perfilen los desarrollos semánticos aptos para aclarar la relación entre *estancia* y *hacienda* así como la diferencia entre la estancia grande y la pequeña. El estudio histórico de los significados de *estancia* y su diferenciación léxica implica las palabras afines que articulan el campo semántico de los lugares de la producción agrícola

[45] G. Fernández de Oviedo 1992: I, 162

[46] F. J. Santamaría 1942: s. v.

alimenticia o, según las expresiones coetáneas, de *mantenimientos* o *bastimentos* que eran las *granjerías* más importantes de aquella época, prescindiendo del oro. No estudiaremos la filiación semántica de *hato*, ya que se destina únicamente a la cría del ganado. Sin embargo, hay que decir que el *hato* coexistió con la *estancia* en La Española y otros lugares, por ejemplo, en Panamá.

En cuanto al origen de un voz, mi argumento es que nunca se debe tomar ningún vocablo por hispanoamericano sin examinar previamente todas las etapas de la expansión del español. Así, comprobamos que *estancia* se encuentra en la forma tradicional *estança* ya en los diccionarios de Antonio de Nebrija[47]. El significado global de esta nominalización predicativa se puede parafrasear por "el estar en algún lugar". Éste se documenta en Nebrija como "estança donde alguno esta", lat. *mansio*, que contiene una lexicalización locativa que admite la restricción semántica ulterior que nos interesa, es decir, el significado de *estança* que se glosa por medio del lat. *rusticatio*. El significado "el estar en el campo" será la base de las especializaciones semánticas que procuramos escudriñar. Estos significados coinciden en líneas generales con los del latín medieval que da Du Cange[48]. El recurso al latín motiva la forma culta de la palabra, *estancia*, uno de los tantos ejemplos de la sustitución de *-ança* por el sufijo latinizante *–ancia* a lo largo de la segunda mitad del siglo XV. Por si la documentación en Nebrija no fuera suficiente, encontramos *estancia* en Martín Fernández de Enciso al escribir en 1519 sobre el hábitat de los irlandeses: "Los hombres de ella [de Ibernia] más belicosos, viven fuera de los pueblos en sus *estancias*"[49]. Por cierto, Enciso ya había estado en las Indias cuando escribió esas palabras.

La primera etapa extraeuropea son las Islas Canarias que se van tomando en cuenta cada vez más y que hay que examinar también en el caso concreto de *estancia*. Desde hace pocos años tenemos la suerte de disponer de excelentes fuentes de información lexicográfica del español canario, el *Tesoro lexicográfico del español de Canarias* (TLEC) de Cristóbal Corrales Zumbado, Dolores Corbella Díaz y María Ángeles Álvarez Martínez ([2]1996), el *Diccionario diferencial del español de Canarias* (DDEC) de los mismos autores (1996) y el *Diccionario histórico-etimológico del habla canaria* (DHEHC) de Marcial Morera (2001). La palabra, sin embargo, no se encuentra en este último, debido a que el material recopilado en el TLEC se basa en otras fuentes lexicográficas. En el DDEC leemos bajo la entrada de *estancia*:

---

[47] Utilizo la concordancia lematizada de los dos diccionarios de Nebrija por María Lourdes García-Macho (1996).

[48] S. v. *stantia*: "Domicilium, statio, habitatio, hospitium".

[49] M. Fernández de Enciso 1987: 136.

Hi. desus. Reunión nocturna de vecinos en la casa de uno de ellos, para hablar y beber unos vasos de vino. *¿En casa de quién es esta noche la estancia?* SIN. **cabildo, converseado** y **tafeña**.

Esta voz herreña caída ya en desuso no tiene pues ninguna relación directa con el supuesto americanismo *estancia*.

Podríamos dar nuestra búsqueda por terminada si nos apoyáramos en las obras lexicográficas disponibles por falta de un diccionario histórico completo del español. Pero justamente por ello hay que estudiar los primeros textos que documentan la expansión de la lengua en cada región. Así, uno se topa con la palabra en la residencia del adelantado Alonso de Lugo, es decir, en las cuentas del desempeño de su cargo público que Lope de Sosa le tomó en la isla de Tenerife en 1509:

> en la conquista de la isla de Grand Canaria, donde por su real mandado tuvo una de las dos *estancias* mas prencipales e peligrosas de la dicha isla de Gran Canaria, que fué en el Agaete [en el *memorial de descargo*][50].

> si [los testigos] saben quel dicho Sr. Ad. estovo por mandado de su Alteza en la conquista de Grant Canaria e tovo una de dos *estancias* que avía, que fué el Agaete, la más prencipal e peligrosa, e hizo en élla una fortaleza, de donde cada día salía a pelear e peleava e fué muchas vezes herido[51].

La primera cita se refiere al interrogatorio hecho a un testigo que depone en favor de Alonso de Lugo. La segunda reanuda esas palabras en el *memorial de descargo* del adelantado. Testifican cuatro conquistadores, de los cuales todos llaman a la fortaleza de la pregunta *la torre del Agaete*, pero no comentan la existencia de la estancia próxima a la torre de Agaete en Gran Canaria, situada en uno de los valles subtropicales más fértiles y abundantes en agua de Canarias, construida a partir de 1480 o el año siguiente. Estamos informados sobre la actividad agrícola desarrollada en esa estancia: se cultivaba la caña de azúcar. La producción azucarera era, pues, el motivo económico para la construcción de la estancia que pronto se denominó *ingenio* en el memorial de descargo:

> sus Altezas [los Reyes Católicos] [...] le hezieron merced del dicho sitio e tierras e aguas de Agaete donde hizo *ingenio* e hedificó e plantó e despedró muchas tierras e sacó acequias, hizo caminos[52].

---

50 L. de la Rosa Olivera/E. Serra Ráfols (eds.) 1949: 44-45.

51 En el "interrogatorio", L. de la Rosa Olivera/E. Serra Ráfols (eds.) 1949: 109.

52 L. de la Rosa Olivera/E. Serra Ráfols (eds.) 1949: 45.

Esa estancia o ingenio se vuelve a mencionar como ingenio y posesión de "otros caballeros Palomares" en el *Libro de la conquista de la Ysla de Gran Canaria y de las demas yslas della*[53]. La conclusión más probable que podemos sacar de la doble denominación es que se cultivaban tanto la caña de azúcar como legumbres y frutales, y que se criaba ganado. Se excluye la referencia a un ingenio en otras atestiguaciones de *estancia* en Gran Canaria cuando se trata de estancias de indígenas canarios como en esta cita del *Ovetense*, uno de los manuscritos de la relación que narra la conquista de Gran Canaria: "el otro [el rey o guadarteme] tenía el lugar de Telde y el de Agüymes con otras *estancias* comarcanas de canarios"[54]. Aquí aparece por primera vez otro uso de la voz estudiada, uso que hay que tener presente en lo que sigue. Si consideramos a los habitantes de las estancias, comprobamos que las ocupan tanto los españoles como los canarios.

Si éstos son los significados en la crónica grancanaria, se explica mejor el desdoblamiento de lo designado por *estancia* en *ingenio* y *hacienda*, por un lado, y en "*estancia* de naturales" en Tenerife, por otro: uno de los conquistadores de la isla, Lope Fernández de la Guerra, "vendió sus *ingenios* y *haciendas* que en aquellas islas tenía". La interpretación propuesta se impone tanto más cuanto que el autor de la *Historia de Nuestra Señora de Candelaria*, al hablar de un episodio de la conquista de Tenerife, dice que era "necesario un día entre otros reconocer cierta *estancia* de naturales"[55].

En la residencia tomada a Alonso de Lugo se sustituye *estancia* en el significado que se aplica a la estancia del adelantado en el Agaete por *hacienda* en Tenerife cuando se trata del mismo tipo de explotación agrícola: "Iten si saben etc. que el Treslatadero, que es una rica *hacienda* e muy buena, se dió al dho. Hernando del Hoyo, que es do tiene hecho un *ingenio*"[56]. En las respuestas, cuatro testigos varían la denominación de la hacienda, llamándola alternativamente *ingenio*, *hacienda*, *heredamiento* y *tierras*. Las relaciones de tres de estas voces se deducen del testimonio de Francisco Serrano: "Fernando del Hoyo [...] tiene un *ingenio* en la dha *hazienda* e que son buenas *tierras*"[57]. Así, las *tierras* buenas o malas –o el *heredamiento*, bueno o malo– son una *hacienda* y, en otros casos, *tierras* para "tener un ingenio", "poner viñas", "tener tierras de pan llevar" y "tener casas". Estas características designativas motivan el paso del significado de *hacienda* de "bienes, riquezas" (*DCECH*: s. v. *hacer*) a "tierras de cultivo" y a

[53] En el llamado manuscrito *Ovetense*, F. Morales Padrón (ed.) 1978: 165.

[54] F. Morales Padrón (ed.) 1978: 160; estas palabras se repiten literalmente en el *Lacunense*, otro manuscrito de la misma conquista, 223.

[55] A. de Espinosa 1980: 112.

[56] L. de la Rosa Olivera/E. Serra Ráfols (eds.) 1949: 119.

[57] L. de la Rosa Olivera/E. Serra Ráfols (eds.) 1949: 120.

"propiedad rural de gran extensión, dedicada a la agricultura o a la ganadería" (*DEUM*) en México, para dar un ejemplo[58]. *Estancia* puede limitarse igualmente, por lo menos durante algún tiempo, a designar los lugares en los que los guanches desarrollaban sus actividades ganaderas y agrícolas. Este uso nos señala la dirección de nuestra búsqueda para explicar el significado de "pequeña hacienda": se atestiguan dos tipos de propietarios de una estancia, los hacendados y los campesinos; entre estos últimos hay que contar a los naturales (cf. 3.5.2.).

Aparece *estancia*, en la etapa siguiente de la expansión ultramarina, en La Española. Según el testimonio de fray Bartolomé de las Casas citado al principio de este capítulo, se introdujeron muy temprano la cosa y la palabra. Este uso cronístico se confirma en la documentación oficial. En 1509, Diego Colón acusó a Francisco de Solís, vecino de Santiago y entonces alcalde ordinario de esta villa, de ocasionar la muerte de dos indios. En las deposiciones de los testigos se mencionan algunas *haciendas* o *estancias*, sobre todo la de Esperanza, propiedad de Francisco de Solís: "la demora pasada le trajeron un indio al dicho Francisco de Solís que se llamaba Gasparico a la *estancia* de la Esperanza"[59], "que iban a la *estancia* [de Francisco de Solís]"[60], "los cuales dichos dos indios, Miguelico y Francisquito, este testigo trajo a la *hacienda* de Esperanza que es del dicho Francisco de Solís"[61], "trajo de allá del Marien este indio Miguelico y al dicho Francisquito a la *hacienda* de Esperanza del dicho Solís"[62]; se pueden registrar varias apariciones más de esta voz. Complementando esta información, citamos una *probanza* del mes de febrero de 1515, redactada en Santo Domingo:

> antes quel repartimiento se hiziese se publicavan ser suyos [que los indios eran de Miguel de Pasamonte] e hazía *estançia* para ellos; e aun no solamente publicarlo en palabra, pero aun haser *asiento* junto al *estançia* e en los conucos deste testigo, a quien primero estavan encomendados los indios quel dicho tesorero ovo[63].

La probanza se refiere a la estancia de Cristóbal Guillén, empresa de producción agrícola y, quizás, ganadera. En 1517, la reunión de los indios de La Española en estancias es uno de los temas principales que se tratan en la *Información de*

[58] Otras documentaciones de *hacienda* en la residencia tomada a Lugo se encuentran en L. de la Rosa Olivera/E. Serra Ráfols (eds.) 1949: 78, 89, 125, etc.

[59] E. Mira Caballos 2000: 157. La edición moderniza la ortografía. La *demora* que aparece en la primera cita remite a la temporada que debían trabajar los indios en las minas.

[60] E. Mira Caballos 2000: 158.

[61] E. Mira Caballos 2000: 160.

[62] E. Mira Caballos 2000: 161.

[63] Probanza de Astudillo, testimonio de Cristóbal Guillén, Santo Domingo; L. Arranz Márquez 1991: 448.

los Jerónimos[64]. Cabe subrayar que la institución es española, aunque se introduce para explotar la mano de obra indígena. Como *estancia* se documenta antes del descubrimiento de América en Canarias y en la forma *estança* en España, creo que se aplica una palabra del español peninsular y del español canario a las Antillas. Es decir, me parece imposible que *estancia* sea un americanismo de origen.

Hay más: en la *Información de los Jerónimos* sorprende el complemento determinativo "de los españoles" o "de los cristianos", por ejemplo, en "las *estançias* de los españoles" y en "*estançias* de *cris*tianos" frente a "y más [los indios] se mueren en sus *estançias* e asyentos"[65]. Es evidente que ambos tipos de estancias no pueden ser idénticos. Efectivamente no lo son, pues en el mismo documento el testigo Cristóbal Serrano opina que los indios "sean traydos de sus tierras e *yucayeques* a otros asyentos más çercanos a las haziendas e pueblos de los *cris*tianos"[66]. Aquí aparece un arahuaquismo que no está consignado en los diccionarios corrientes, la voz *yucayeque* que corresponde a la aldea indígena en las Antillas, y que no se conservó ni pudo conservarse: los arahuacos antillanos se extinguieron y con ellos desaparecieron sus aldeas.

Al principio de la conquista de la Nueva España, Hernán Cortés entra en contacto con los chontales que vivían en la costa del actual estado de Tabasco en la República Mexicana. En los territorios mayas, Hernán Cortés llega a conocer sus asentamientos y campos dispersos a los que llama *estancias*. Así, escribe que antes de la batalla de Cintla (o Citla), cerca de Potonchán, "pidieron algunos españoles licencia al capitán para ir por las *estancias* de alderredor a buscar de comer"[67]. Después de la batalla, Cortés "mandó que todos [los españoles] se recogesen a *unas casas de unas estancias* que allí había"[68]. El mismo tipo de asentamientos rodea la ciudad de Potonchán: "Está asentado este pueblo en la ribera del susodicho río [Grijalva] por donde entramos en un llano en el cual hay muchas *estancias y labranzas* de las que ellos usan y tienen"[69]. La relativa "que *ellos* usan y tienen" con que Cortés subraya la diferencia de las estancias de los chontales con respecto a las estancias antillanas es instructiva. Se trata de un sistema de explotación agrícola parecido a la antillana y diferente al mismo tiempo[70], pero que corresponde, en cuanto a lo que designa la palabra, a la estancia de los arahuacos antillanos.

---

64 J. Lüdtke 1991 y 1994, A. Wesch 1993.

65 A. Wesch 1993: 120, 134 y 154.

66 A. Wesch 1993: 146; cf. J. Lüdtke 1991: 278.

67 H. Cortés 1993: 129.

68 H. Cortés 1993: 130.

69 H. Cortés 1993: 132.

70 El editor Á. Delgado Gómez da "granja", "campamento" como glosas de *estancia* en su edición de las *Cartas de relación* de Hernán Cortés, la única comentada hasta la fecha. Estas

Que la interpretación de dos formas de *estancia* en el Nuevo Mundo es acertada, lo comprobamos en otro documento de la conquista del imperio de Moctezuma. En efecto, Hernán Cortés hace construir al rey azteca una estancia en el actual estado de Oaxaca. El objetivo de ésta es el de abastecer una mina de oro y cultivar cacaoteros:

> Y porque allí [en la provincia de Malinaltebeque], segúnd los españoles que allá fueron me informaron, hay mucho aparejo para facer *estancias* y para sacar oro, rogué al dicho Muteeçuma que en aquella provincia de Malinaltebeque, porque era para ello más aparejada, ficiese hacer una *estancia* para Vuestra Majestad. Y puso en ello tanta deligencia que dende en dos meses que yo se lo dije estaban sembradas sesenta hanegas de maíz y diez de frisoles y dos mill pies de cacap, que es una fruta como almendras que ellos venden molida y tiénenla en tanto que se trata por moneda en toda la tierra y con ella se compran todas las cosas nescesarias en los mercados y otras partes, y había hechas cuatro casas muy buenas en que en la una demás de los aposentamientos hicieron un estanque de agua y en él pusieron quinientos patos, que acá tienen en mucho porque se aprovechan de la pluma dellos y los pelan cada año y facen sus ropas con ella, y pusieron fasta mill y quinientas gallinas sin otros adereszos de granjerías[71].

Podemos ver en esta estancia el modelo de una plantación colonial que en cuanto a su función de abastecimiento de una mina de oro se parece a la estancia de los españoles en las Antillas, aunque la construyen los aztecas o más concretamente, quizás, los mixtecas[72].

Hemos visto arriba que en México y otros lugares *estancia* se sustituye por *hacienda*. Para seguir con el uso de *estancia* en Sudamérica, pasemos por Panamá, último reducto del mundo antillano en los primeros años de la colonización y plataforma de las olas migratorias de los españoles y del intercambio comercial con posterioridad al descubrimiento del Perú. Todavía al inicio de la ocupación de Panamá Gaspar de Espinosa menciona en su relación de 1516-1517 una *hacienda* que pide hacer al cacique Chepo: "E no le pedí otra cosa sino que me tuviese hecha una *hazienda* para que comiésemos á la vuelta, é no le comiésemos lo suyo"[73]. El término *hacienda* puede indicar que se trataría de un cultivo a

---

glosas me parecen desacertadas. Se puede consultar a H. Wilhelmy 1981: 256-258, acerca de los asentamientos históricos de los mayas.

[71] H. Cortés 1993: 221.

[72] Dejo a un lado la estancia que es la parte constitutiva de un altépetl y que, a diferencia de un *barrio*, está ubicado "a una distancia muy considerable del principal grupo de asentamientos" (J. Lockhart 1999: 82-83, n.).

[73] G. de Espinosa 1864: 479.

la manera de los españoles. Sin embargo, aparece una *estancia* indígena en la *Relación* de Pascual de Andagoya, escrita entre 1542 y 1546: "la vieron [a una bruja] en una *estancia* donde había gente de su señor"[74]. Posteriormente la región fue una importante zona de producción agrícola, la provincia de Panamá abasteció de alimentos a las flotas que iban rumbo al Perú. En la *Primera parte de la crónica del Perú* (titulada *La crónica del Perú* en la edición manejada) que se publica en 1553, Pedro Cieza de León escribe acerca de las estancias panameñas:

> Tiene [la ciudad de Panamá] asimismo muchos términos y corren otros muchos ríos, donde en algunos dellos tienen los españoles sus *estancias* y granjerías, y han plantado muchas casas [*sic*; recte: cosas] de España, como son naranjas, cidras, higueras. Sin esto, hay otras frutas de la tierra, que son piñas olorosas y plátanos, muchos y buenos, guayabas, caimitos, aguacates y otras frutas de las que suele haber de la misma tierra. [...] Los señores de las *estancias* cogen mucho maíz[75].

El sustantivo *granjerías* sigue con tanta frecuencia *estancias* que es difícil ver en esto otra cosa que una caracterización de una plantación española en las Indias. En su camino de Panamá al Perú Pedro Cieza de León atraviesa regiones de la actual Colombia en las que las plantaciones de los españoles se llaman invariablemente *estancias*:

> hay algunas *estancias* que los españoles han hecho [...][76]; por haber poca anchura para hacer sus sementeras y *estancias*, se pasó dos leguas o poco más de aquel sitio hacia el río grande [...][77]. En estas vegas tienen los españoles sus *estancias* o granjas, donde están sus criados para entender en sus haciendas[78] [...]; dábamos en algunas *estancias* de los indios y se tomaban algunas cosas[79].

Llegado al Perú, el cronista usa *estancia*, por ejemplo, en los casos siguientes:

> Hacia el oriente están las *estancias* o tierras de labor de Cotoyambe y las montañas de Yumbo y otras poblaciones muchas, y algunas que no se han por descubierto enteramente[80].

---

[74] P. de Andagoya 1986: 91.
[75] P. Cieza de León 1984: 74.
[76] P. Cieza de León 1984: 74.
[77] Provincia de Arma; P. Cieza de León 1984: 121.
[78] Ciudad de Cali; Cieza P. Cieza de León 148.
[79] Provincia de Popayán; P. Cieza de León 1984: 171.
[80] P. Cieza de León 1984: 184.

De Guallabamba a la ciudad de Quito hay cuatro leguas, en el término de las cuales hay algunas *estancias* y caserías que los españoles tienen para criar sus ganados[81].

No puede haber ninguna duda, considerando el contexto discursivo, acerca de que en el primer caso se trata de estancias indígenas y en el segundo de españolas.

Tomando en cuenta que Guaman Poma de Ayala (1980, índice) usa *chácara* para "sementera" en una abundancia de tipos, no está fuera de lugar proponer la identificación en Perú de la *estancia* indígena con la *chácara*, mientras que *estancia* sigue usándose para la hacienda de los españoles. Ésta es la distribución que se documenta en el *Descubrimiento y conquista del Perú* de Cieza de León:

Los españoles vieron en unas *chácaras* asentado el ejército de Atabalipa con tantas tiendas, que parecía una ciudad[82].

[Los naturales] fueron por tales partes y rodeos que dieron en una *estancia* que tenía [Belalcázar], estando con él pocos más de treinta hombres y muchas mujeres con cargas de su bagaje[83].

Encontramos en la obra de Reginaldo de Lizárraga, escrita entre 1594 y 1609, la repartición de *estancia* o *hacienda*, por un lado, y de *chacra* o *chácara*, por otro, que podíamos esperar. No me parece oportuno aducir más citas de *estancia* y *hacienda*, sólo documento *chácara* como palabra quechua en este autor:

La comarca de la ciudad [de La Plata] es buena y abundante por los valles que tiene en contorno, donde se da el maíz, y en los altos el trigo. Las *chácaras* son de mucha tierra, y por ella se han enriquecido no pocos. Conocí en esta ciudad, agora cuatro años, un vecino que vendió una *chácara* suya con tres o cuatro piedras de molino en 52 000 reales de a ocho; para ser un *chacarero* rico no es necesario más que el año sea un poco estéril, y que en su *chácara* haya llovido[84].

Sin embargo, lo que nos interesa, es decir, la equivalencia de la *estancia* peruana con la *chácara*, aparece en la nominación de unas "estancias o chácaras" próximas a la Ciudad de los Reyes: "Ocho leguas andadas entramos en el valle de Carvaillo [valle del río Chillón], donde hay muy buenas *estancias* o *chácaras* de maíz e trigo"[85]. Vuelve a aparecer la diferenciación de dos tipos de estancia que ya encontramos en Canarias y en las Antillas.

---

[81] P. Cieza de León 1984: 186; cf. J. L. Rivarola 1993: 86-87.

[82] P. Cieza de León 1986: 148.

[83] P. Cieza de León 1986: 291.

[84] R. de Lizárraga 1987: 212.

[85] R. de Lizárraga 1987: 86.

Descubrimos una distribución parecida en el argentino Ruy Díaz de Guzmán, sólo que este autor opone la *hacienda* de los españoles a la *chácara* de los indígenas:

[Los guaicurúes] han despoblado mas de 80 *chacras* y *haciendas* muy buenas de los vecinos [de Asunción de Paraguay][86].

Tiénenla los indios [llamados orejones] toda ocupada [una isla del río Paraguay] de sementeras y *chacras*[87].

Puedo interrumpir en este lugar el repaso de algunos textos significativos indicados para documentar la diferenciación semántica en el caso que nos ocupa. Las superposiciones de formas de cultivo del campo y la ganadería y de las voces que las designan continúan hasta hoy en día, pero sobre la base de la estructura fundamental que hemos identificado en estas observaciones. En principio, cada significado estudiado puede producir una filiación semántica diferente.

La quinta o finca y el o los campos, la plantación y sus edificios se pueden denominar tanto a partir de los campos –que también se llaman de manera muy variada–, como a partir de los edificios, o de ambas cosas a la vez. *Estancia* realza más bien la o las casas y designa el conjunto tomando como base los edificios. Una *chácara*, única voz sobreviviente de las que diferenciaban la hacienda indígena de la española, es ante todo una "sementera" que incluye una pequeña casa de campo. Y la *hacienda* considera la empresa agrícola como fuente de riqueza o de bienestar. Se entiende que hoy las denominaciones del lugar de producción agrícola y ganadera no pueden ser tan poco numerosas como en el pasado. Basta con echar un vistazo a la abundancia de los significados de las voces que hemos estudiado y de las voces afines.

2.8. Escribir una historia de la lengua

No suele prestarse atención al discurso de la historiografía lingüística, si bien es uno de los problemas mayores. Es una excepción que un historiador de la lengua, Rafael Cano Aguilar, manifieste su opinión acerca de este tema al proponerse "narrar la historia de nuestro idioma"[88]; el autor se topa con un problema casi insoluble. Otro lingüista, Hans-Martin Gauger, vuelve a corroborarlo: "La histo-

---

[86] R. Díaz de Guzmán 1998: 44.

[87] R. Díaz de Guzmán 1998: 47.

[88] R. Cano Aguilar (coord.) 2004: 31.

ria de una lengua, en efecto, pertenece al género de la narración, es la parte narrativa de nuestra disciplina"[89]. Se dice que la historia lingüística, porque la Historia narra, también debería hacerlo[90]. Lo cierto es que no se narra la historia de una lengua: se pueden narrar sucesos y acciones ocurridos en el eje del tiempo, pero ¿cómo encontrar éstos en una historia de la lengua considerada además entidad abstracta u organismo? Aprehendemos los actos lingüísticos concretos exclusivamente en el hablar y escribir, pero generalmente los hablantes son anónimos y tampoco observamos a los escribientes en el acto de escribir; de modo que hay que decir de forma limitativa que la narración como parte de una historia de la lengua es una técnica historiográfica condicionada por la misma historia lingüística y por el estado de la documentación, y no se puede generalizar para ninguna época de la historia de una lengua. Además, la narración refleja de cierta manera lo que extraemos de los relatos de los conquistadores, cuyo ejemplo más elocuente es la *Historia verdadera de la conquista de la Nueva España* de Bernal Díaz del Castillo, o de las obras de historiadores profesionales. Basta con darse cuenta de la escasez de pasajes narrativos en la historia lingüística al comprobar la casi ausencia del pretérito indefinido, o del presente histórico, en la narración de un acto lingüístico. Lo usual es el imperfecto como presente del pasado o el presente: se trata de tiempos descriptivos. Sólo el marco histórico se presenta realmente en forma narrativa y puede servir para hacer patente el devenir histórico de la narración de las acciones de los protagonistas que con frecuencia son conocidos. Sin embargo, son pocos los hechos que permiten este tipo de presentación, porque una vez aclarada la cronología de un fenómeno, no tenemos más remedio que exponerlo, describirlo, analizarlo o, si no es seguro, pasar a la argumentación en torno a sus fundamentos.

Es una excepción si se puede determinar el inicio de un fenómeno y la cronología de su difusión en las regiones metropolitanas. La colonización, al contrario, tiene la ventaja de documentar hechos y sucesos por su novedad, de modo que se comprueban con exactitud innovaciones y cambios que desde aquel momento pueden formar una tradición en la región colonizada. La expansión colonial del español permite, como la expansión de ninguna otra lengua, el estudio de los primeros contactos fuera de su región de origen: se documentan los nuevos entornos, presentados en la literatura como "nueva realidad", en las Islas Canarias, en las Antillas y en las distintas regiones del continente americano, porque disponemos de una ingente masa de crónicas y de documentos oficiales y algunos privados.

---

[89] H.-M. Gauger 2009: 534.

[90] B. Schlieben-Lange 1989: 11-12.

No es una tentación gratuita utilizar la documentación como guía e introducción a la historia de la lengua en sus varias etapas de expansión a Canarias y las Indias. Las fuentes de nuestros conocimientos y la narración del descubrimiento, la conquista, los primeros contactos entre españoles e indígenas y la evangelización con la transculturación subsiguiente son capaces de revelar los puntos de partida de desarrollos posteriores. Nos interesa menos la verdad de la historia de los sucesos –si es posible comprobarla– que la verdad de la historia lingüística. Puede haber desacuerdo, por ejemplo, sobre quién tradujo en un determinado momento las palabras de un señor maya o azteca, si Jerónimo de Aguilar o la Malinche, pero no puede haber duda de que hubo contacto lingüístico ni de que este contacto lingüístico se produjo por medio de un intérprete, lo cual significa que el contacto no se basó en un saber enciclopédico y lingüístico sin antecedentes como le sucediera a Cristóbal Colón en las Antillas, sino en una información segura.

Para poder historiar el español ultramarino, hay que alternar visiones generales con la presentación de fuentes concretas. Los documentos señalan estadios del desarrollo lingüístico y dan una idea de la situación. Este procedimiento es oportuno porque la carencia de suficientes trabajos preparatorios y la abundancia de los materiales, al mismo tiempo, hacen imposible un simple resumen. Sobre todo cuando expongo el inicio de la implantación del español en una región, me apoyo en fuentes narrativas y descriptivas, ya que muchas veces los desarrollos futuros parten en línea directa de estos contactos lingüísticos. Los primeros documentos hacen accesibles, mejor que los posteriores, el contacto de lenguas con las resultantes políticas, sociales y culturales a largo plazo, la creación y diferenciación léxicas así como los préstamos, cambios éstos que hemos resumido mediante el concepto de entorno. La llamada historia externa no incide siempre en la fonología y la gramática de una lengua. Pero puesto que el ámbito de la historia lingüística no se limita a ésta, sino que abarca la historia de la arquitectura de la lengua, interesa todo lo que incide en esta perspectiva. No es cierto, pues, que la historia externa no influya en la interna, del tipo que sea: el estudio de los entornos lo manifiesta con toda la claridad. En lo que sigue, voy a procurar atenerme a los criterios introducidos en este capítulo y el precedente. Si bien establezco los primeros cambios a partir de las "condiciones de diferenciación de la lengua", un punto de vista analítico que puede ser más accesible al lector, en realidad se trata de los entornos de los coetáneos que se reconstruyen aquí hasta donde sea posible considerando la documentación disponible y sea oportuno en cuanto a su importancia. El cambio fonológico y gramatical no se produce en estas condiciones, razón por la que no se analizará en este volumen. Tras un diseño de los entornos en los cuales se desarrolla la lengua estaremos más libres de rastrear las huellas de la arquitectura lingüística en el ámbito de la fonología y la gramática.

Una última observación: podemos procurar no incurrir en una presentación diacrónica, pero la reconstrucción histórica requiere inevitablemente el seguimiento discursivo de varias líneas evolutivas que se van a retomar en los lugares oportunos. La claridad expositiva de una presentación diacrónica, en cambio, se interrumpe forzosamente en la aplicación de un método que da mayor peso a los fenómenos lingüísticos escalonados en el espacio y el tiempo.

3. LAS CONDICIONES DE LA DIFERENCIACIÓN DEL ESPAÑOL CANARIO

> [...] han pasado y pasan para con algunos las islas de Canaria por región de la América, y por indianos sus habitantes[1].

3.0.1. El inicio de la expansión ultramarina

Las Islas Canarias son comparables con la América hispánica en muchos aspectos, pero en pequeña escala. Las llamadas teorías que se han desarrollado con referencia al español americano se pueden examinar en el español canario, ya que se formó casi en el mismo período y se parece mucho al español hablado en algunas regiones hispanoamericanas, no obstante que las lenguas con las que el castellano entró en contacto en las Islas Canarias, lenguas que suelen llamarse *sustrato*, no tienen nada en común con las lenguas que podían influir en buena medida el español en América. Aunque se debe principalmente a la emigración canaria a las Indias, la marcada semejanza resulta sorprendente, teniendo en cuenta que en realidad la colonización canaria no se puede comparar con ninguna fase de la colonización de América, ni siquiera de las Antillas. Por eso hay que tratar con cuidado las conclusiones que se sacan de la relación directa entre la procedencia regional y social de los pobladores y la lengua actual, la única que está relativamente bien documentada, aunque con diferencias según las regiones. Habrá que tomar en cuenta más conexiones que surjan de una historia de la colonización hasta la actualidad, basada en documentos.

La expansión del español en las Islas Canarias se enmarca en el contexto de la expansión ultramarina de los orígenes que es el punto de partida de la difusión ulterior. Su importancia reside en que el archipiélago siempre sirvió de intermediario entre España y América. Tras una fase señorial en las Islas Canarias orientales, el español se difundió desde aproximadamente 1480 en las islas occidentales que como islas de realengo eran partícipes de la movilidad regional de los pobladores. Se deben incluir en el espacio discontinuo de los orígenes del español americano los territorios más allá de las Antillas y Castilla del Oro, es decir, Panamá, las Islas Canarias de realengo y una parte de la Península. Es difícil delimitar entre estos espacios las regiones peninsulares como regiones de procedencia de

---

[1] J. de Viera y Clavijo [2]1982: I, 16-17; [1]1772.

los pobladores, ya que en último análisis todas las regiones contribuyeron al poblamiento de las Islas Canarias, las Antillas y Castilla del Oro, aunque dominara el sur –en particular, Andalucía–, cosa que podemos dar como hecho seguro. Sin embargo, nada más que una parte de los habitantes de las regiones de España emigraba y siempre se encontraban en los territorios nuevamente poblados hombres oriundos de distintas regiones de España y Portugal, y, en ocasiones, de regiones del Mediterráneo de lengua románica así como moriscos en Canarias y esclavos negros en Canarias, las Antillas y Castilla del Oro. Por este motivo, insisto en que las condiciones de uso de las mismas lenguas que entraban en contacto nunca eran idénticas en la metrópoli y en las tierras de expansión. Debemos tomar en cuenta, por un lado, las condiciones que motivan la innovación y diferenciación lingüísticas, y, por otro, que hasta cierto punto la lengua se vuelve a nivelar. Esto se realiza en comunidades lingüísticas pasajeras mientras existan.

Nadie duda que la expansión ultramarina de Castilla abre una nueva época en la historia, pero no es cierto que el período de orígenes deslindado con criterios extralingüísticos sea un período de la historia interna de la lengua española: está por verificar que el desajuste fonológico y gramatical coincide con un período cualquiera de la historia externa. Una revisión provisional de las actas inquisitoriales de la Colección Bute[2] da como resultado que el uso de las sibilantes, indicio significativo, empezó a consolidarse en la dirección del uso actual a mediados del siglo XVI. El léxico, en cambio, se adaptó a las nuevas condiciones y se diferenció desde el inicio de los asentamientos. Es lícito, pues, considerar la diferenciación léxica del español en general, en las Islas Canarias y en el Caribe entre el siglo XV y las dos primeras décadas del siglo XVI, y descartar en un primer momento una posible diferenciación fonológica y gramatical documentable con características propias que va a ocuparnos en un segundo momento, a la hora de tratar de eventuales procesos de nivelación. El impacto del español de Canarias no se limita a un espacio geográfico determinado, sino que se circunscribe por la misma proyección canaria en Hispanoamérica. Así, la difusión de lo canario varía según la propagación de cada elemento, por ejemplo, *estancia*, *caldera* o *malpaís*. Si el léxico canario primitivo no se ha conservado hasta la actualidad en tierras americanas, éste sirvió por lo menos de catalizador.

La expansión del español a Canarias y al Caribe se desarrolló en parte de manera similar. Este hecho, sin embargo, no se refleja en las investigaciones. Por este motivo vamos a reseñar paralelamente las condiciones que posiblemente contribuyeron a la diferenciación lingüística en ambos archipiélagos.

---

[2] Esta colección que se conserva en el archivo del Museo Canario de Las Palmas no ha sido tanto aprovechada para la investigación lingüística como merecen sus fondos documentales ricos y variados.

3.0.2. Las fuentes

La documentación de la cual disponemos para el estudio de la expansión del español a Canarias hasta el siglo XVI es relativamente abundante, aunque hay que ponderarla en una perspectiva ultramarina general[3]. Los universos de discurso (1.5.3.) documentados son el universo empírico, que abordamos en los documentos oficiales, y las expresiones de la fe que coinciden con el mundo empírico en lo que manifiestan de la vida privada de los denunciantes e inculpados en las actas inquisitoriales. En cambio, la fase de la elaboración científica es con mucho posterior a la época que nos proponemos considerar como así también la literatura, que en cuanto que pueden interesarnos se refieren ambas a la historia y la etnografía. Sin embargo, nos apoyamos en las fuentes narrativas, literarias o no, y las etnográficas tardías, siempre que no podamos acceder a informaciones apuntadas en momentos más cercanos a los sucesos como en el caso del silbo gomero (3.3.) y de algunos datos léxicos, geográficos e históricos. Los primeros documentos útiles para un aprovechamiento filológico son fuentes narrativas en varias lenguas entre las cuales destaca *Le Canarien* (3.4.) que se considera como crónica. En rigor, las relaciones, entre ellas las llamadas crónicas, son documentos oficiales que, precisamente por su carácter oficial, se conservaron y se transmitieron. El primer conjunto de textos jurídicos se relaciona con la *Pesquisa de Esteban Pérez de Cabitos* (1477) que prepara la conquista del resto de las Islas Canarias (3.5.1.). Las relaciones de la conquista de Gran Canaria, generalmente consideradas también como crónicas, son o bien copias de un original perdido, o bien un extracto, o bien "recreaciones modernas y posteriores"[4], y pueden servir para un interesante estudio del cambio léxico y etnográfico que todavía no se ha efectuado (3.5.2.).

Desgraciadamente la primera colección de privilegios, provisiones y reales cédulas, el *Libro Rojo de Gran Canaria*, son en su mayoría copias de 1581 y 1582, de modo que no son utilizables para un estudio fonético-fonológico del español de finales del siglo XV y de la primera mitad del siguiente. No obstante, pueden valer para el estudio lingüístico del derecho municipal y de los cargos administrativos (3.5.3.). Si bien pocos documentos se han publicado en ediciones fidedignas[5], los *Libros de datas* de Tenerife[6] y los *Acuerdos del Cabildo de*

---

[3] D. J. Wölfel (1965: 9-128) emprendió la primera reseña y crítica de la documentación canaria temprana desde la perspectiva de su utilidad para estudiar la antigua lengua canaria. Cf. E. Aznar Vallejo ²1992: 605-618, J. Medina López/D. Corbella Díaz (eds.) 1996.

[4] F. Morales Padrón (ed.) 1978: 54.

[5] J. A. Samper Padilla (coord.), *et al.* 1996. Remito a esta contribución para una reseña más completa.

[6] E. Serra/L. de la Rosa Olivera 1953, E. Serra Ráfols (ed.) 1978, F. Moreno Fuentes (ed.) 1988.

Tenerife editados hasta la fecha[7] facilitan el acceso de los historiadores a este importante material lingüístico, para el cual no tenemos paralelo ni en las Antillas ni en Panamá.

Las actas inquisitoriales de la Colección Bute, conservada en el archivo del Museo Canario, tienen un valor especial, ya que la inquisición ordinaria o episcopal se introduce en 1504 y la apostólica o del Santo Oficio en 1524, seguida de su reorganización en 1568. La Inquisición de Las Palmas actuó en todas las islas, pero, ante todo en Gran Canaria debido a la ubicación de su sede. Respecto a la vinculación del documento inquisitorial con la situación inmediata y, por lo tanto, con el acto de habla, observamos que los documentos son de tipo probatorio. A pesar de esta limitación, esta documentación, si bien no es pública, es valiosa porque los testigos citan literalmente las palabras consideradas más heréticas de los inculpados, probablemente de modo independiente, y merecería un estudio léxico aparte que puede partir de los supuestos delitos que son proposiciones, supersticiones y solicitaciones, pero sobre todo las formas de la heterodoxia de la época que son el judaísmo, el mahometismo y el protestantismo, todas manifestaciones de la herejía y la disidencia castigadas por la Inquisición, que son mayoritaria, si no exclusivamente delitos de inmigrantes y extranjeros que pasan por las islas como, por ejemplo, los marineros y los comerciantes[8]. De forma indirecta, estas fuentes nos informan sobre la integración social de los heterodoxos, ante todo los judaizantes y moriscos, hacia finales del siglo XVI.

Ante la disyuntiva de intentar emprender un estudio histórico basado en los materiales disponibles o renunciar a tal estudio hasta el momento en que dispongamos de fuentes ricas, variadas y, sobre todo, transcritas para una explotación lingüística, me decanto por la primera opción respecto del análisis de los dominios del léxico, incluyendo la formación de palabras, la onomástica y la toponomástica, la sintaxis y hasta cierto punto la morfología; y por la segunda, si se trata de la fonología, la fonética y los significantes de la morfología[9]. En efecto, mis sondeos de documentos publicados en ediciones destinadas a historiadores comparados con los originales no me obligaron a cambiar mis conclusiones tras

[7] E. Serra Ráfols 1949, E. Serra Ráfols/L. de la Rosa Olivera 1952, 1965, 1970, L. de la Rosa Olivera/M. Marrero Rodríguez 1986.

[8] Para un estudio histórico-lingüístico extenso remito al modelo que proponen R. Eberenz y M. de la Torre 2003.

[9] J. A. Frago Gracia, tan riguroso en exigir el uso del manuscrito, admite en referencia al aprovechamiento de las *Fontes Rerum Canariarum*: "Bien es verdad que este importantísimo corpus, aun sirviendo impreso para la atestiguación léxica y gramatical, inexcusablemente habrá de consultarse en manuscrito para el análisis fonético" (1996: 232).

recurrir a los originales conservados en los archivos canarios. Lo digo a pesar de ser un defensor de ediciones fidedignas para el uso de lingüistas[10]. Así y todo, estamos a salvo de inconvenientes al basarnos en ediciones rigurosas debido a que cada criterio conducente a la eliminación de determinados rasgos en la transcripción tales como la modernización de la separación de las palabras, de la interpunción, de la variación de las mayúsculas y las minúsculas, así como una compaginación más amena imposibilitan el estudio de estas características de un texto histórico[11].

El equipo canario que forma parte del proyecto denominado *Estudio histórico del español de América y Canarias*, coordinado por José Antonio Samper Padilla e integrado por María Teresa Cáceres Lorenzo, Rosa María González Monllor, Dorinel Munteanu, Dolores Corbella Díaz y Javier Medina López, publicó en 1996 un buen examen de las distintas fuentes en las cuales se puede estudiar el español de Canarias.

En los capítulos que siguen aprovecharemos en su mayor parte las fuentes transmitidas siguiendo en su presentación el orden cronológico de su redacción[12].

3.1. Los antiguos canarios

Para los canarios, los guanches fueron y son, al mismo tiempo, los "otros" y nosotros (F. Estévez González 1987: 15).

> Or sus, amis, puisque le vent commande
> De démarrer, sus d'un bras vigoureux
> Poussons la nef vers les champs bienheureux,
> Au port heureux des îles bienheurées
> Que l'Océan de ses eaux azurées,

---

[10] J. Lüdtke 1996.

[11] Comprobé esta dificultad en un estudio reciente que hice sobre la unión y la separación de preposición + artículo determinado en dos textos antillanos tempranos (J. Lüdtke 2011a). Juan de Valdés afirma de manera explícita el carácter casual de las combinaciones de los artículos (definidos) con determinadas preposiciones (1969: 65). La modernización elimina la correspondencia con el sistema casual del latín que los escribientes medievales y renacentistas de la Península Ibérica consideraban relevantes, al igual que los autores de otras regiones de lengua románica.

[12] No he aprovechado de forma sistemática el Corpus diacrónico del español (CORDE) de la Real Academia Española, ya que, según mis pruebas al azar, dicho corpus no incluye todos los textos que considero relevantes para mi estudio. Además, debo recurrir a los textos completos en un estudio de los entornos.

Loin de l'Europe et loin de ses combats,
Pour nous, amis, emmure de ses bras.
Là nous vivrons sans travail et sans peine...
(Pierre Ronsard, *Les Îles fortunées*, 1553)[13]

Las Islas Canarias se conocen desde la Antigüedad. Los griegos las llamaban Hespérides, los romanos *Fortunatae Insulae*. Estas *islas afortunadas* tienen un lugar fijo en la mitología grecorromana. Eran los Campos Elíseos en los que los buenos vivían en abundancia después de la muerte. Ésta es una premonición de las proyecciones de frustraciones y mitos europeos en el nuevo continente: el paraíso terrenal, El Dorado, las amazonas, sin hablar de desatinos más recientes. Quizás la realidad de las islas no correspondiera a la imagen de felicidad y paz que se hacían los hombres de la edad antigua. Pedro el Ceremonioso, rey de la confederación catalano-aragonesa, las llama *illes Perdudes* en su *Crònica*, escrita en el siglo XIV[14], por llevar tal vez el nombre de *Perdita*, una de las islas del mito de San Brandán o San Borondón[15]. Posteriormente este nombre se aplicó a las islas de Cabo Verde. Calificar a las Islas Canarias como "afortunadas" se ha convertido en topos, que, según las islas y las épocas de su historia, corresponde o no a la realidad.

Poco se sabe de los habitantes primitivos de las islas, los antiguos canarios[16], de su origen y de la época de su ocupación de las islas. La antropología biológica ha relacionado los canarios con el hombre de Cro-Magnon, así como con el hombre mediterráneo. Para los antropólogos culturales, los canarios no son representantes de una cultura unitaria, sino que se caracterizan por su diversidad cultural. Se han comprobado semejanzas con las culturas del norte y noroeste de África, sobre todo con culturas beréberes. En cambio, la documentación histórica de las relaciones entre elementos culturales en un lapso de tiempo de milenios y un espacio inmenso resulta sumamente difícil, ya que estas culturas se encuentran hoy en día en regiones de retiro[17].

---

[13] "Vamos, amigos, ya que el viento manda soltar las amarras, vamos, lancemos el barco a fuerza de un brazo vigoroso hacia los campos bienaventurados, al puerto feliz de las islas afortunadas que el Océano, con sus aguas azuladas, encierra en sus brazos para nosotros, amigos, lejos de Europa y lejos de sus combates. Viviremos allá sin trabajo y sin aflicción...".

[14] Jaume I, *et al.* 1971: 1091.

[15] Cf. F. Fernández-Armesto 1993: 157.

[16] No uso el término *guanche* que durante la época de los primeros contactos se refiere únicamente a los aborígenes tinerfeños. Llamar a la lengua canaria *guanche* puede ser un espejismo que aparenta una unidad lingüística que todavía queda por probar. Véase más abajo en 3.4. sobre "El francés, ¿lengua dominante?".

[17] F. Estévez González 1987 recomienda estudiar el problema de los antiguos canarios desde la historia de las ciencias correspondientes y empezar por informarse sobre la antropo-

Más relevantes que estas cuestiones para la historia de la lengua española son el peso demográfico, la estructura social y el estado de desarrollo cultural de los canarios, pues estas condiciones influenciaron el proceso de la conquista, la colonización y la asimilación lingüística. Es muy probable que a principios del siglo XV hayan vivido en Lanzarote, Fuerteventura y El Hierro nada más que algunos centenares de personas. Estas islas más pequeñas habían sufrido una pérdida demográfica mayor a raíz de las numerosas cazas a los isleños para esclavizarles. En *Le Canarien* se mencionan "aproximadamente 300 personas"[18]; esta cifra está en contradicción con los 200 guerreros sobrevivientes en Lanzarote[19]. Abreu Galindo, quien escribe en torno al año 1600, da la cifra de 4000 hombres de guerra para Fuerteventura[20], pero este cronista es el único en indicar un número tan considerable. La Gomera tenía, según Zurara, 700 hombres de pelea y La Palma 500. La comparación con las cifras a principios del siglo XV que proporciona *Le Canarien* hace suponer un fuerte descenso de la población en La Palma: "La isla está muy poblada de gente, ya que no ha sido pisada como las otras islas"[21]. Quizás haya sido Tenerife con sus 15 000 habitantes (Espinosa) o 6000 hombres de pelea (Zurara) la isla más poblada. Seguía Gran Canaria con 5000 (Zurara), 14 000 (Abreu Galindo) o 18 000 hombres de guerra[22], mientras que *Le Canarien* habla de 6000 hombres de guerra y pone en duda la indicación de los grancanarios de que tuvieran 10 000 hombres de guerra[23]. Bartolomé de las

logía de los canarios; cf. acerca de los canarios en general H. Biedermann 1984 y A. Tejera Gaspar/R. González Antón 1987, con extensas bibliografías, y J. J. Jiménez González 1999 sobre Gran Canaria en particular. Hay que hacer resaltar la síntesis de la cultura de los guanches de L. Diego Cuscoy 1968. H. Biedermann 1984 opina que es probable un poblamiento de las Islas Canarias desde el sudoeste de la Península Ibérica a fines del Mesolítico o a principios del Neolítico. La revista *Almogaren*, editada por el Institutum Canarium, informa con regularidad sobre los canarios y su cultura.

[18] Gadifer de La Salle 1976: 65; cf. B. Pico/E. Aznar Vallejo/D. Corbella Díaz (eds.) 2003: 142.

[19] "deux cens hommes de deffance" (E. Serra/A. Cioranescu [eds.] 1964: 79).

[20] J. de Abreu Galindo ²1977: 60.

[21] "Le païs est moult fort peuplé de gens, quar il n'a mie esté ainsi foulé que les aultres païs ont esté" (Gadifer de La Salle 1976: 62); cf. B. Pico/E. Aznar Vallejo/D. Corbella Díaz (eds.) 2003: 133.

[22] D. J. Wölfel 1979.

[23] E. Serra/A. Cioranescu (eds.) 1964: 121; cf. B. Pico/E. Aznar Vallejo/D. Corbella Díaz (eds.) 2003: 137. Estas cifras, que no son comparables y equivalentes, sólo pueden proporcionar una idea aproximada; se basan en E. Serra/A. Cioranescu (eds.) 1964, Gadifer de La Salle 1976, G. E. de Zurara 1978: I, 296, 301, J. de Abreu Galindo ²1977, A. de Espinosa 1980, D. J. Wölfel 1979; y se comentan en A. Tejera Gaspar/R. González Antón 1987. F. Morales Padrón (ed.) 1978: 62, tasa en 30 000 el número de los habitantes de sólo Gran Canaria. Continúo la

Casas estimaba que el número total de habitantes era en el siglo XV 100 000 personas[24]. Es probable que esta cifra sea menos exagerada de lo que, creyendo conocer a Las Casas, estamos inclinados a suponer. Si seguimos a Eduardo Aznar Vallejo, entonces sobrevivieron la conquista aproximadamente 4000 canarios en las islas, sin contar a los canarios esclavizados fuera de Canarias.

Los documentos dejan en las sombras la estratificación social de Lanzarote, Fuerteventura, El Hierro y La Palma. En La Gomera existían dos capas sociales: los nobles y la gente baja. Una estratificación parecida –y mejor descrita– tenía Gran Canaria, pero diferenciando dos niveles de nobleza. En Tenerife, Espinosa distingue "hidalgos, escuderos y villanos", que aparecen en la obra de Torriani como "Villani, Nobili, et Nobilissimi"[25].

En Gran Canaria gobernaban probablemente dos jefes de tribu, en La Gomera cuatro, en Tenerife nueve y en La Palma doce. Los españoles les llamaban, como antes los franceses, *reyes* o, con las denominaciones canarias, *guadnarteme/guadarteme/guanarteme* en Gran Canaria y *mencey* en Tenerife. Los canarios tenían el grado de desarrollo de la Edad de Piedra. La cultura de Gran Canaria estaba más desarrollada que la de las demás islas.

La primera condición de diferenciación lingüística son los mismos canarios, su o sus lenguas, su cultura y su sociedad. Los habitantes de las Islas Canarias, cuyo origen se desconoce, sin estratificación social conocida en las islas orientales además, hablaban probablemente lenguas afines, si es que las fuentes se interpretan correctamente. Intérpretes diferentes en cada isla aseguraban la comunicación entre los europeos y los canarios, comunicación precaria que, unida al carácter belicoso de los naturales, dificultó la conquista de las islas.

---

cita de la *Crónica* de Zurara por ser una de las fuentes de información más tempranas: "Mas ha hi outra jlha que se chama da Gomeira a qual se trabalhou de conquistar mice maciote com alguũs castellaaãs que tomou em sua cõpanhya. E nõ poderom acabar sua conquista como quer que antre aquelles canareos aja alguũs christãas. e esta sera pouoraçom de vij^c^. homẽes. Na outra jlha da palma moram .v^c^. homẽes. E na seista jlha que he de Tanarife ou do jnferno e chamãlhe assy do jnferno / por que tem em cima huu algar por que saae sempre fogo. moram seis mil homẽes de pelleia. aa septima jlha chamam a gram canarea e que auera cinquo mil homẽes de pelleia/" (G. E. de Zurara 1978: I, 296).

[24] Las Casas 1994: I, 457.

[25] "Había entre ellos [los habitantes de Tenerife] hidalgos escuderos y villanos, y cada cual era tenido según la calidad de su persona. Los hidalgos se llamaban Achimencey, los escuderos Cichiciquitzo, y los villanos Achicaxna" (A. de Espinosa 1980: 42); cf. D. J. Wölfel 1979: 164.

3.2. La antigua lengua canaria[26] y los primeros contactos lingüísticos

Se intentan resolver muchos enigmas canarios, en particular la procedencia de los habitantes originarios, con investigaciones lingüísticas. Si los canarios hablaban una o varias lenguas, difundidas además entre pueblos asentados en las costas del Atlántico, en el oeste y sur de la Península Ibérica, en la cuenca del Mediterráneo o, en especial, en el noroeste de África, éstas no podían ser otras que lenguas preindoeuropeas, por cuanto el material lingüístico disponible no se explica de manera convincente al recurrir a las lenguas indoeuropeas. Aquí radica uno de los mayores problemas: estas lenguas son casi todas desconocidas. No sabemos qué lenguas hablaban, por ejemplo, los hombres de las culturas megalíticas, los tartesios o los íberos[27]. Se conservan algunas palabras de lenguas preindoeuropeas en las lenguas europeas actuales, sobre todo en regiones poco accesibles como las montañosas, pero las huellas de estas lenguas son insuficientes para una comparación con los elementos canarios. Sólo sobreviven los beréberes arabizados en su mayoría y que hablan lenguas muy diferentes en regiones apartadas del Magreb. La comparación con esas lenguas es aleatoria por la enorme dispersión y diversidad cultural y lingüística de los beréberes y porque el material lingüístico canario es igual de aleatorio en su conservación y autenticidad. De la lengua de los canarios han llegado a la posteridad unos centenares de sustantivos, algunos numerales, numerosos antropónimos y topónimos, así como algunas oraciones en documentos coetáneos y crónicas. Las palabras canarias se apuntaban como significantes según las tradiciones escriturarias del italiano, del portugués y del castellano, sin que los autores conocieran la lengua, de manera que en ningún caso se puede suponer una puesta por escrito fiel de la fonología del canario. Tampoco se sabe si los límites de las palabras transmitidas corresponden realmente a los de la lengua aborigen. Además, el aprovechamiento del material lingüístico se dificulta por el hecho de que las crónicas, que contienen las informaciones más abundantes, se escribieron cien años y más después de los sucesos narrados o se copiaron con muchos errores, y por el hecho de que no se conoce ningún texto extenso[28] del canario. Es trivial, pero cierto, que los investigadores muchas veces carecían de conocimientos paleográficos.

---

[26] Repito que evito la denominación *lengua guanche* en un contexto histórico, en el que cabe distinguir la lengua de los guanches (de Tenerife), canarios (de Gran Canaria), gomeros, majoreros (de Fuerteventura), etc. Cf. 3.4.

[27] Cf. J. A. Correa Rodríguez 2004.

[28] La mejor reseña de las fuentes del canario la da D. J. Wölfel 1965: 9-128; I, §§ 1-322. Tras la publicación de la obra de Wölfel se hicieron accesibles otras fuentes que, sin embargo, no le quitan valor. Wölfel ha recogido e interpretado todas las informaciones a la mano en sus

No cabe duda de que hubo contactos lingüísticos entre el canario y otras lenguas a lo largo de toda la historia de las islas. Según hipótesis fundadas, el canario primitivo o primordial pudo haber entrado en contacto con otras lenguas incluso antes de la llegada de los indoeuropeos al sudoeste de Europa. Lo que sí es cierto, es que el canario conectó con las lenguas de pobladores o navegantes que llegaron a las islas antes del siglo XIV[29], ya queisponemos de documentos históricos de contactos con europeos escritos fuera de las islas en ese siglo y en el siglo XV. A principios del siglo XV se redactó en las islas la primera relación detallada, *Le Canarien*, que nos instruye sobre los contactos entre canarios y europeos, así como sobre el contacto entre los propios europeos, es decir, entre franceses y castellanos. El valor de las pruebas documentales va desde la mera posibilidad de que haya habido contacto en el caso de los grabados rupestres y la probabilidad en lo concerniente al material lingüístico reunido y transmitido durante los dos primeros siglos después de la conquista francesa y castellana, hasta el carácter fidedigno de los documentos conservados en archivos europeos e insulares así como *Le Canarien*. Por eso espero que se me perdone el que no tenga convicciones fuertes en un terreno que en muchos aspectos parece arena movediza. Por este motivo me limitaré a la interpretación de los pasajes tomados de autores que tuvieron conocimiento del contacto vivo.

Monumenta linguae Canariae (1965, 1996), obra que cito por sus partes y párrafos para que el lector pueda encontrar con facilidad la referencia tanto en la edición alemana como en la española. Hay que hacer resaltar entre sus fuentes las siguientes, que cito en la mayoría de los casos en una edición más reciente: N. da Recco [2]1929, E. Serra/A. Cioranescu (eds.) 1960 y 1964 (= *Le Canarien*), Gadifer de La Salle 1976 (un capítulo de *Le Canarien* que contiene una descripción de las Islas Canarias), la suntuosa edición de *Le Canarien* por B. Pico/E. Aznar Vallejo/D. Corbella Díaz (eds.) 2003, G. E. de Zurara 1978 y 1981, G. Chil y Naranjo 1880, que corresponde a la *Pesquisa de Pérez de Cabitos*, reeditada por E. Aznar Vallejo en 1990, E. Serra Ràfols (ed.) 1978, G. Frutuoso 1964, A. de Espinosa 1980, D. J. Wölfel 1979, J. de Abreu Galindo [2]1977, F. Morales Padrón (ed.) 1978. Una nueva recolección del material lingüístico, lamentablemente no crítica, da F. Navarro Artiles (1981) en su diccionario del canario titulado *Teberite*. J. Bethencourt Alfonso aboga en *Historia del pueblo guanche* (1991) por la unidad lingüística de Canarias. Cf. acerca de este autor C. Díaz Alayón 1993. Wölfel no ha tenido acceso a todas las fuentes del canario. Así, numerosas palabras se documentan, entre otros escritos, en E. Zyhlarz 1950, G. Rohlfs 1954, M. Steffen 1956 y en los mapas del *ALEICan*, aprovechados en A. Llorente Maldonado 1981, 1984 y 1987, en encuestas cuyo grado de formalidad es bastante variable. Rohlfs hace hincapié en la unidad del sustrato, mientras que Zyhlarz postula la existencia de varios sustratos. A pesar de todos los esfuerzos no se ha logrado comprobar si las palabras consideradas como canarias realmente lo son. En varios casos, hubo que revisar las hipótesis al respecto después de un mejor conocimiento de las lenguas de la Península Ibérica.

29 H.-J. Ulbrich 1989a.

CONTACTOS LINGÜÍSTICOS PREHISPÁNICOS

Es muy probable que los canarios no hayan conocido ninguna forma de escritura en la época de la conquista o que la hayan desaprendido si habían tenido una en la época prehispánica, pero existen huellas de contactos lingüísticos anteriores a la llegada de los europeos en petroglifos e inscripciones de varios tipos. Esto último me parece probable, pero presupone que hubo diferentes grupos de pobladores. Es difícil creer que las Islas Canarias se hayan poblado de una vez o por una misma población llegada en varias oleadas durante milenios. La idea de diversas etnias asimiladas en el sentido de los autóctonos o de los intrusos es más plausible y concuerda con lo que sabemos de otras regiones de retirada.

Las inscripciones se encuentran en casi todas las islas y están escritas en cuatro tipos de caracteres diferentes, pero muchos investigadores no las atribuyen a los antiguos canarios, sino a navegantes desconocidos venidos desde fuera del archipiélago. Tampoco se atribuyen a los canarios los petroglifos o *letreros* cuyo origen se desconoce[30]. La interpretación histórica de los grabados rupestres canarios es fundamental para imaginarse los contactos lingüísticos anteriores a la conquista francesa y castellana y su incidencia en la configuración de la o las lenguas canarias. Si realmente los grabados rupestres se deben a navegantes desconocidos, hay que tomar en cuenta la alternativa de que fuera posible la *vuelta* desde Canarias a su país de origen o la permanencia en las islas. La probabilidad de la primera alternativa depende del desarrollo de nuestros conocimientos de la navegación de alta mar durante el Neolítico y la Edad de Bronce que debe haber existido en aquellas épocas según corroboran las noticias de autores antiguos acerca de las Islas Afortunadas; y la de la segunda se confirma por la misma presencia de petroglifos y del material epigráfico en Canarias. De hecho, ¿cómo se explica la creación de estos documentos arqueológicos cuya producción requiere mucho tiempo si no son el resultado de una estancia prolongada o de un asentamiento en las islas? El gran número de los petroglifos hace improbable que deban atribuirse a visitantes. Los petroglifos de Lanzarote, por ejemplo, alcanzan la cifra de 244 y se siguen descubriendo más[31].

La hipótesis de un asentamiento estable de navegantes foráneos explicaría bastante bien el carácter compuesto de las lenguas canarias, la divergencia lingüística de las islas y la dificultad de comparar el canario con una sola lengua. Así, yo no excluiría que los grabados fueran manifestaciones de diversos asentamientos. La convergencia o divergencia de esos vestigios arqueológicos en las

---

[30] Cf. acerca de los petroglifos H. Biedermann 1982-1983, que contiene informaciones bibliográficas adicionales.

[31] H.-J. Ulbrich 1990.

islas podrían revelar posibles contactos lingüísticamente convergentes o divergentes con el mundo exterior. A grupos de pobladores sucesivos se pueden deber las diferencias sociales de las comunidades insulares sobre las que informan los cronistas y que son difíciles de demostrar por la diferenciación interna de una colectividad de ganaderos y agricultores. Hemos visto que en Gran Canaria y Tenerife se distinguían tres clases sociales (3.1.). Sin embargo, las fuentes guardan un silencio absoluto acerca de la correlación entre lengua y clase social.

La comparación debe basarse en la antropología biológica, en la cultura, en los petroglifos y el material lingüístico canario y cualquier elemento similar en las zonas costeras del Atlántico europeo, del Mediterráneo y del Magreb. Las corrientes marítimas y la falta de población negra no hacen plausible otra procedencia de influencias en Canarias. Aquí nos atenemos sólo a fuentes lingüísticas y de carácter simbólico como lo son los grabados rupestres. En vista de su gran número y de su diversidad, se debería reunir un corpus petroglífico de Canarias y comparar cada hallazgo con elementos del área circunscrita que acabo de mencionar. Un primer estrato de grabados que consiste en círculos, espirales y otras formas puede remontarse a las culturas megalíticas del cuarto milenio a. C. Hay similitudes de un tipo de caracteres lanzaroteños con caracteres preibéricos e ibéricos. No obstante, no se emprende una comparación de los letreros canarios con los *Monumenta Linguarum Hispanicarum* a pesar de la evidencia. Los autores de los grabados de tipo ibérico pueden ser de procedencia étnica o cultural muy variada, desde un pueblo asentado en el Algarve actual y tartesios, hasta íberos; todo parece posible. El número de grabados hace improbable una mera visita de navegantes[32]. Los letreros no se encuentran únicamente a corta distancia de las costas. En Lanzarote, por ejemplo, los lugares de los grabados se hallan en las regiones más densamente pobladas en tiempos prehispánicos, es decir, en Zonzamas, El Jable y en el norte de la isla[33].

Las lenguas canarias

El parentesco de la(s) *lengua(s) canaria(s)* es una cuestión abierta. El indudable estrato beréber o los estratos beréberes no se pueden atribuir con exclusividad a

[32] La escritura ibérica dista mucho de ser unitaria, pero saltan a la vista las similitudes entre los signos lanzaroteños que reúne H.-J. Ulbrich (1989: 26-27) y el cuadro sinóptico de las escrituras hispánicas agrupado por J. de Hoz (1998: 209). Entre los *Monumenta Linguarum Hispanicarum*, editados por Jürgen Untermann, interesa el tercer volumen en particular que incluye las inscripciones ibéricas de España (J. Untermann 1990).

[33] Cf. H.-J. Ulbrich 1989: 40.

ninguna época; sin embargo, hay investigadores que no toman seriamente en cuenta ninguna otra procedencia de los canarios ni de su lengua que ésta[34]. Es posible que las lenguas canarias sean el resultado de una berberización de otra lengua, mientras que no se supone que las lenguas de pobladores posteriores se hayan superpuesto a lenguas beréberes, a excepción del castellano. Por este motivo se puede interpretar a lo sumo una parte de los elementos canarios, aproximadamente un tercio del material conservado, recurriendo a lenguas beréberes. Puesto que falta la base para una comparación gramatical detallada, el material poco nos instruye sobre si las lenguas canarias tenían una estructura gramatical beréber o de otra lengua. Es también relativamente seguro que desde el siglo IX hubo contactos con árabes que posiblemente llevaban tripulaciones beréberes. Sin embargo, en cuanto a una influencia epigráfica beréber, prácticamente no hay paralelos. Se puede citar el ejemplo de una investigación relativamente reciente entre los motivos geométricos lineares de Lanzarote y los de Marruecos y el Sahara, pero este estilo no se documenta en la Península Ibérica y el oeste del Mediterráneo desde el Paleolítico hasta la Edad de Bronce[35]. Existen inscripciones llamadas "líbico-beréberes" que se interpretan también o mejor como inscripciones ibéricas.

Es decir que aparte del parentesco de las lenguas de las Islas Canarias entre ellas, el grado de parentesco con otras lenguas extrainsulares está en incertidumbre. Wölfel ha comparado el canario con numerosas lenguas, sobre todo con las del continente africano vecino para descubrir con qué lengua o lenguas beréberes podría estar emparentado el canario. Este autor resaltó que la comparación con el beréber, lengua hablada en la tierra firme frontera de las Islas Canarias y en amplias regiones del norte de África, era afortunada y fructífera[36]. Hoy resulta cierto, como ya decían los cronistas, que el canario está emparentado con esa lengua. En todas las islas se encuentran palabras, sobre todo topónimos, y estructuras léxicas que tienen analogías con el beréber. Estas analogías, sin embargo, no permiten llegar a la conclusión de que el canario sea simplemente una lengua beréber, ya que, como dijimos, sólo una parte del léxico transmitido muestra cierta afinidad con esa lengua semítica. Por esta razón, el tipo de parentesco lingüístico queda sin aclarar y es obvio que, como ya vimos, el canario entró en contacto con otras lenguas, si partimos del hecho de que los canarios no son los

---

[34] Cf. A. Tejera Gaspar/R. González Antón 1987: 32-33. M. Trapero (1995: 146) privilegia igualmente la explicación de la lengua canaria por el beréber.

[35] Cf. H.-J. Ulbrich 1989: 37-39. Véanse el estudio de los grabados rupestres de Lanzarote de este autor (1990) y las tres fases inmigratorias hipotéticas anteriores a la conquista que distingue (H.-J. Ulbrich 1989a: 83-86).

[36] D. J. Wölfel 1965: 4 [introducción, 1996].

autores de los petroglifos o si los produjeron varios grupos de pobladores[37]. Una aclaración de la cuestión del parentesco se dificulta además por la falta de estudios sobre las lenguas beréberes, sobre todo estudios de geografía lingüística.

Los primeros contactos entre los canarios y los europeos

Pese a lo dicho con anterioridad, no consideraré el canario en sí, sino sólo en relación con el francés y el castellano. La presencia del portugués aún no se manifiesta de manera directa en el siglo XV[38]. No voy a dar una contribución más a la solución de los muchos enigmas de la lingüística canaria; en este contexto importa únicamente lo que es relevante para la historiografía lingüística hispánica. Se pone de relieve la comunicación entre europeos y canarios y el inicio de la hispanización de estos últimos. Intentaré, pues, dar una interpretación de las lenguas en contacto al inicio de la colonización de Canarias. Este estudio suele enfocarse desde los guanchismos, lusismos, arabismos, etc., pero el análisis de la situación de contacto debería preceder al estudio de la adopción de préstamos.

Si no se conocen muy bien los autores de los petroglifos e inscripciones, las informaciones sobre contactos entre canarios y europeos a partir del siglo XIV (y, quizás, de finales del siglo XIII, si suponemos que la expedición de 1291 pasó por Canarias) se basan en fuentes históricas. Éstas se refieren indirectamente a contactos lingüísticos que ni se describen ni permiten inferencias fundadas. Interesa menos la explotación de Lanzarote por el genovés Lancelotto Malocello a principios del siglo XIV, preanuncio de la factoría antillana de los Colón, genoveses también, que la labor misionera de mallorquines y catalanes[39]. Terminada la

[37] Cf. acerca de las relaciones de parentesco del canario sobre todo D. J. Wölfel 1965, 1996 y, además, H. Biedermann 1984: 100-114; D. Castro Alfín 1983: 85-90. Aparte de Wölfel, H. Stumfohl (1972 y 1982-1983) discute posibles relaciones con lenguas preindoeuropeas. E. Zyhlarz 1950 aboga por una afinidad con las lenguas líbicas y beréberes. W. Giese 1949 explica la morfología del sustantivo por analogías con lenguas beréberes. Según este autor, otras palabras pueden ser de origen árabe, mientras que gran parte del léxico podría estar relacionado con una lengua prebeeréber (o con varias). G. Marcy 1962 explica los nombres de las Islas Canarias con el beréber, pero de modo muy hipotético y poco convincente. Cito como ejemplo de posturas de orientación prebereéber, que han merecido no pocas críticas, a J. Álvarez Delgado 1941.

[38] Cf. acerca de los primeros lusismos incorporados al español canario en el siglo XVI M.ª T. Cáceres Lorenzo 1998.

[39] Cf. los cronistas J. de Abreu Galindo ²1977: 39-44; L. Torriani 1978: 117-119; el historiador J. de Viera y Clavijo: ²1982: I, 262-272; los documentos publicados por J. Zunzunegui 1941.

reconquista de la parte de la Península Ibérica que les correspondía, Portugal y la Corona de Aragón consolidaron sus territorios y prepararon su expansión, Portugal en el Atlántico, los catalanes en el Mediterráneo, mientras que la reconquista de Castilla se detuvo durante siglo y medio tras la conquista de la Andalucía occidental. Los portugueses armaron su primera gran expedición en 1341. Las expediciones mallorquinas de 1342-1345 son efecto directo de la empresa portuguesa. La conquista proyectada por Luis de la Cerda y apoyada tanto por el papa Clemente VI como por Pedro IV de Aragón fracasó por la oposición de Génova que logró hacer valer sus derechos más antiguos; pero esta política expansionista de la Corona de Aragón preparaba la cristianización y colonización por parte de los mallorquines que culminó en la fundación del primer obispado en Gran Canaria, otorgado por el papa Clemente VI en 1351. Doce grancanarios bautizados, llevados como rehenes o esclavos en la expedición mallorquina de 1343, pudieron servir de mediadores entre los misioneros mallorquines y sus compatriotas. El primer viaje de los misioneros se realizó en 1352. En este año o uno de los siguientes se juntaron algunos colonos mallorquines. Las *entradas* de los castellanos acabaron con el obispado de Telde en Gran Canaria en 1393 a más tardar y tuvieron como consecuencia que los naturales grancanarios mataran a los pobladores y misioneros mallorquines[40]. En la correría de 1393, quizás la más desastrosa para los canarios en esos años, los castellanos capturaron a hombres y mujeres, entre ellos muy probablemente a *Pietre* el Canario, mencionado en *Le Canarien*. Llevaron de Lanzarote a 170 personas, incluyendo a los reyes de la isla y probablemente a Isabel y Alfonso, los intérpretes de los conquistadores franceses[41], como vamos a ver. Nueve años eran más que suficientes para aprender bien el castellano u otras lenguas europeas.

Los autores europeos coinciden en afirmar, en un primer momento, que las lenguas canarias eran diversas y que los unos entendían poco a los otros. Esta cuestión es importante, en cuanto que la diversidad lingüística podía dificultar la conquista y colonización de las islas y podía requerir nuevos intérpretes para cada isla. El primer testimonio acerca de la diversidad de las lenguas de Canarias se halla en una relación latina de la expedición portuguesa de 1341, atribuida a Giovanni Boccaccio, pero cuyo autor es probablemente el genovés Niccoloso da Recco[42]. En Gran Canaria los habitantes querían hacer intercambios con los navegantes:

---

40 J. Zunzunegui 1941; A. Rumeu de Armas 1986: 170-195; H.-J. Ulbrich 1989: 102-118.

41 H.-J. Ulbrich 1989: 123-124.

42 D. J. Wölfel 1965: 39-40; I, § 78.

> ahora, cuando los bateles se acercaron a la costa, los hombres no se atrevieron a saltar en modo alguno, ya que no entendían su lengua en absoluto. Su idioma es, por cierto, como dicen, bastante pulido y fluido, como el italiano[43].

Puesto que los europeos no bajaron a tierra, algunos isleños fueron a los barcos nadando. Los tripulantes capturaron a cuatro hombres jóvenes. Hay que suponer que pusieran a éstos en contacto con habitantes de otras islas a las que arribaron, pues leemos acerca de la lengua de esas islas:

> Y dicen además que éstas [islas] son tan diversas entre sí en cuanto a las lenguas que de ningún modo los unos entienden a los otros y que, aparte de eso, no tienen barcos ni otros recursos con los que pueden pasar de la una isla a las otras, si no fuera nadando[44].

En los dos barcos se hallaban florentinos, genoveses, catalanes, castellanos y otros "españoles" que incluían, sin duda alguna, a portugueses, ya que los barcos habían sido armados por el rey de Portugal y habían zarpado desde Lisboa. Cuando la relación dice en el texto original: "Ellos [es decir, los cuatro hombres capturados en Gran Canaria] no entienden nada de ningún idioma *enteramente*, aunque se les haya hablado en varias lenguas diversas"[45], podemos imaginarnos que entre las "varias lenguas diversas" haya habido algunas románicas, pero, quizás, también no románicas, habladas en las costas del Mediterráneo. Se afirma regularmente en la tradición de los autores que tratan este pasaje que no existía comprensión interinsular. Es todo lo contrario lo que dice el texto. No hay que deducir de este pasaje la incomprensibilidad mutua de las lenguas canarias, sino que había comprensión mutua, aunque *no completa* o tal vez escasa ("nihil *penitus* ex idiomate aliquo intelligunt", "no entienden nada de ningún idioma *enteramente*"). Por eso los canarios que entran en contacto con los europeos y entre ellos se comunican con gestos. Estamos al principio del contacto entre europeos

---

43 "sane cum ex navibus naviculae quaedam magis littori propinquassent, non intelligentes aliquo modo illorum linguam, minime descendere ausi sunt. Est quidem, ut referunt, idioma eorum satis politum, et more italico expeditum" (N. da Recco 1827: 55); cf. D. J. Wölfel 1965: 132; R. Caddeo (ed.) 1929: 143.

44 "Et ultra hoc eas [insulas] dicunt idiomatibus adeo inter se esse diversas, ut invicem nullo modo intelligantur, ac insuper nullis navigium, aut aliud instrumentum esse per quod possint de una insula ad alias pertransire, nisi natatu facerent" (N. da Recco 1827: [sin página en mi fuente D. J. Wölfel 1965: 132]).

45 "Hi [quatuor homines, Insula autem ex qua sublati sunt Canaria dicitur] nihil *penitus* ex idiomate aliquo intelligunt, cum ex variis et pluribus eis locutum sit" (N. da Recco 1827: 58); cf. D. J. Wölfel 1965: 132; II, § 2; R. Caddeo (ed.) 1929: 147.

y canarios. Esto significa que hasta entonces no se habían hecho correrías en las islas. Es evidente que los europeos aún no habían traído canarios que hubieran podido servir de intérpretes.

La situación cambia completamente con la conquista francesa de las islas orientales que se relata en *Le Canarien*, crónica francesa escrita por los capellanes Pierre Boutier y Jean Le Verrier (o Leverrier) entre 1402 y 1404 bajo la dirección de Gadifer de La Salle, el verdadero primer conquistador y colonizador de Lanzarote. Jean de Béthencourt, generalmente considerado conquistador y colonizador de esa isla, estuvo en Castilla o en la corte del antipapa Benedicto XIII, en Aviñón, durante la mayor parte de ese tiempo[46]. Encontramos en la relación de los capellanes un testimonio patente de que Béthencourt y Gadifer no sólo querían llegar a las Islas Canarias en general, sino que se habían fijado Lanzarote como meta, pues hablan de "dos canarios, el uno llamado Alfonso y una mujer llamada Isabel que los dichos caballeros tenían como intérpretes en la isla de Lanzarote"[47]. Hay que tomar al pie de la letra la información de que Alfonso e Isabel habían sido traídos como intérpretes a Lanzarote. Sus nombres señalan que habían sido bautizados en Castilla y que habían aprendido el castellano[48]. Se puede dudar de si los franceses "habían llevado" ("avoient amenez") a los intérpretes desde Andalucía o desde Francia. La firme voluntad de ir a Lanzarote habla en pro de un proyecto ideado en Normandía, provincia de Francia, de la que era originario Jean de Béthencourt. Eso lo confirma el hecho de que Alfonso tenía un tío en Lanzarote, Affche, con quien se metió en una conjuración contra los franceses. En lo que concierne a este sobrino de Affche se dice:

> su sobrino llamado Alfonso que Béthencourt había traído para ser intérprete, como se ha dicho más arriba, y que vivía continuamente con nosotros y conocía nuestra comunidad y nuestra pobreza y aspiraba a todo trance a nuestra destrucción[49].

Está claro que Alfonso había sido traído por Béthencourt solo. Puesto que este pasaje atestigua la gran familiaridad de Alfonso con los franceses, es muy posi-

---

[46] Cf. J. Zunzunegui 1941: 397-400.

[47] "deux Canares, un nommé Alfonce et une femme nommée Ysabel, lesquelz les dis chevaliers avoient pour estre leurs truchemens en l'isle de Lancelot"(E. Serra/A. Cioranescu [eds.] 1964: 43); cf. B. Pico/E. Aznar Vallejo/D. Corbella Díaz (eds.) 2003: 34.

[48] La hipótesis de que Béthencourt haya comprado ambos intérpretes en Castilla no es segura.

[49] "son nepveu nommé Alfonce, lequel Bettencourt avoit amené pour estre truchement, comme dessus est dit; lequel demouroit continuelment avecques nous et savoit nostre comune et nostre povreté et tiroit du tout à nostre destruction" (E. Serra/A. Cioranescu [eds.] 1964: 59); cf. B. Pico/E. Aznar Vallejo/D. Corbella Díaz (eds.) 2003: 59.

ble que haya servido a Béthencourt como informante ya en Normandía. Así también se explica mejor el que los primeros contactos con habitantes de Lanzarote, blanco de frecuentes cazas de esclavos, se hayan desarrollado de manera pacífica, por la mediación de Alfonso (y de Isabel)[50]. Así no es de descartar que los intérpretes hayan dominado posiblemente la lengua de Lanzarote, el castellano y el normando o francés.

Muy pronto, a finales de octubre de 1402[51], Alfonso se escapó. Después nada se sabe de él y su paradero, a no ser que este Alfonso sea idéntico a un hombre mencionado mucho más tarde: "Alfonso Canario que se había vuelto cristiano", "Alfonso el intérprete"[52]. A los franceses sólo les queda Isabel para la comunicación con los indígenas. Así, cuando el francés Bertin de Berneval y sus compañeros rebeldes quisieron llevar a Isabel, junto con otros habitantes de Lanzarote, a Castilla, los capellanes dicen: "Bertin, ya que lleváis a esa pobre gente, dejadnos a Isabel la Canaria, pues no somos capaces de hablar con los habitantes que viven en esta isla"[53]. Acto seguido, los partidarios de Bertin la arrojan por la borda para que se ahogara. Sin embargo, los capellanes consiguen sacarla del agua.

Pietre, otro esclavo canario, vendido a juzgar por el nombre en Italia (¿en Génova?), era probablemente de Gran Canaria y no era, según parece, de ninguna utilidad en Lanzarote. Cuando estuvo en Fuerteventura, tampoco entendía la lengua o no se sentía solidario con los indígenas majoreros, puesto que participó en la caza de esclavos en esa isla[54]. En cambio, debe de haber sido el intérprete entre los habitantes de Gran Canaria y los europeos en el puerto ubicado entre Telde y "Argouimes" (Agüimes), pues Gadifer le manda después al *guanarteme* de Telde:

---

[50] Según esta hipótesis, sería posible que Alfonso e Isabel hubieran vivido antes en Castilla y hubieran pasado después a Francia. En cuanto a las andanzas de Alfonso, Cioranescu opina: "no cabe duda de que había ya un tráfico entre Normandía y las Islas" (1982: 161). Pero es menos probable que haya existido una relación directa, que no se documenta en otras fuentes, que un contacto indirecto mediado por Castilla.

[51] E. Serra/A. Cioranescu (eds.) 1964: 43; cf. B. Pico/E. Aznar Vallejo/D. Corbella Díaz (eds.) 2003: 37.

[52] "Alfonce Canarien qui c'estoit fait crestien", "Alfonce le truchement" (E. Serra/A. Cioranescu [eds.] 1960: 289); cf. B. Pico/E. Aznar Vallejo/D. Corbella Díaz (eds.) 2003: 387.

[53] "Bertin, puisque vous enmenez ces pouvres gens, laissiez nous Isabel la Canare, car nous ne saurions parler aux habitans qui demourent en ceste isle" (E. Serra/A. Cioranescu [eds.] 1964: 53); cf. B. Pico/E. Aznar Vallejo/D. Corbella Díaz (eds.) 2003: 46.

[54] E. Serra/A. Cioranescu (eds.) 1964: 71; cf. B. Pico/E. Aznar Vallejo/D. Corbella Díaz (eds.) 2003: 69.

> Y Gadifer mandó a Pedro el Canario a hablar con el rey que estaba a cinco leguas de aquel lugar. Y porque no volvió a la hora exacta que debía volver, los españoles que eran los dueños de la barca no querían esperar[55].

Un año después Gadifer regresa a Gran Canaria, esta vez frente a Arguineguín. Al cabo de once días llega Pietre el Canario para hablar con Gadifer, pero le prepara una emboscada. Es obvio que Pietre era natural de esa isla y que quería quedarse en ella.

Mientras que un intérprete establecía el contacto lingüístico con los grancanarios, no existía una buena comunicación con los herreños o bimbapes. Se dice con ocasión del viaje de reconocimiento que hizo Gadifer en el verano de 1403: "Si Gadifer hubiese tenido un buen intérprete, habrían ido a verse con él y habrían cumplido una parte de su voluntad"[56]. Es posible que "buen trujimán" ("bon truchement") signifique que la canaria Isabel, la única intérprete que quedaba tras la huida de Pietre, podía prestar ciertos servicios de interpretación, pero no buenos. Si entendemos bien la palabra "buen" ("bon"), entonces la lengua de El Hierro estaba por lo menos emparentada con la de Lanzarote.

La confianza en la inteligibilidad mutua de las lenguas de las diversas Islas Canarias no puede haber sido considerable, ya que Gadifer quiere adquirir en Sevilla un intérprete para cada isla en particular: "Y ha mandado gente a Sevilla para conseguir un intérprete de aquella isla [El Hierro] y de todas las otras para estar preparado en el futuro"[57]. Gadifer y los capellanes expresaron claramente que existía la posibilidad de intercomprensión, aunque no suficiente, en una fórmula varias veces repetida:

a) las islas de Canaria habitadas por gente infiel de diversas religiones y diversas lenguas;
b) [Béthencourt] se fue al rey de Castilla y le prestó homenaje de todas las Islas Canarias o de la mayor parte de ellas, de las que eran más de su agrado, que son siete, habitadas por gente infiel de diversas religiones y diversas lenguas;

[55] "Et transmist Gadifer Pietre le Canare parler au roy à v lieuez de là; et pour ce qu'il ne retourna mie à la droicte heure qu'il devoit retourner, les Espaignolz qui estoient maistres de la barge ne vouldrent attendre" (E. Serra/A. Cioranescu [eds.] 1964: 73); cf. B. Pico/E. Aznar Vallejo/D. Corbella Díaz (eds.) 2003: 73.

[56] "se Gadifer eust eu bon truchement, ilz fussent venuz devers lui et eussent fait une partie de sa voulenté" (E. Serra/A. Cioranescu [eds.] 1964: 77); cf. B. Pico/E. Aznar Vallejo/D. Corbella Díaz (eds.) 2003: 77.

[57] "Si a transmis à Sivile pour avoir truchement d'icelle isle [de Fer] et de toutes les autres, contre les saisons qui viennent" (E. Serra/A. Cioranescu [eds.] 1964: 77); cf. B. Pico/E. Aznar Vallejo/D. Corbella Díaz (eds.) 2003: 77.

c) conquistaríamos todas las islas de acá y muchas otras que están aquí, que no se han mencionado y que son muy buenas y bien pobladas por gente infiel de diversas religiones y diversas lenguas;
d) [Gadifer] conquistará todas las islas de acá, que están pobladas por gente infiel de diversas religiones y diversas lenguas[58].

No podemos interpretar estas afirmaciones acerca de la diversidad lingüística como falta de afinidad lingüística entre las lenguas de las islas, sino como tan sólo falta de comunicación o buena comunicación lingüística. No hay que olvidar que los canarios no estaban acostumbrados a contactos recíprocos recientes y que esta circunstancia tal vez pudiera dificultar la comunicación. Gadifer no había tenido contacto con los guanches y, por consiguiente, no habría podido obtener en caso de contacto informaciones acerca de las relaciones lingüísticas entre Tenerife, la isla quizás más exenta de las cazas de esclavos, y Gran Canaria, porque Pietre había huido a Gran Canaria. Las informaciones lingüísticas tempranas serían particularmente importantes, pues había conquistadores "canarios" que servían de intérpretes en Tenerife.

El texto de *Le Canarien* de Jean v de Béthencourt menciona a intérpretes para los años 1405 y 1406[59], pero no está claro si éstos no son inventados, por lo menos en parte. Así, un intérprete de La Gomera habría sido hermano del rey de El Hierro y comprado por el rey don Enrique.

La fórmula estereotipada de la diversidad lingüística de las Islas Canarias muestra que los capellanes y Gadifer no se interesaban por el canario. Se cita únicamente una expresión del rey de Lanzarote en su lengua: "*Fore tronquenay*, es decir, traidor malvado"[60], pero sólo en el manuscrito de Jean v de Béthen-

[58] a) "les isles de Canarie, habitées de gens mescreans de diverses loys et de divers langages" (en el prefacio del 19 de abril de 1404); cf. B. Pico/E. Aznar Vallejo/D. Corbella Díaz (eds.) 2003: 5; b) "[Bettencourt] s'en ala devers le Roy de Castille et lui fist hommage de toutes les isles Canariennes ou de la plus grant partie d'elles, desquelles qu'il lui pleust mieulx, lesquelles sont sept, habitées de gens mescreans de diverses loys et de divers langages" (E. Serra/A. Cioranescu [eds.] 1964: 33); cf. B. Pico/E. Aznar Vallejo/D. Corbella Díaz (eds.) 2003: 22; c) "nous conquerrions toutes les isles de pardessa et maintes autres qui y sont, desquelles il n'est nulle mencion et qui sont moult bonnes et bien peuplées de gens mescreans de diverses loys et de divers langages" (E. Serra/A. Cioranescu [eds.] 1964: 63-65); cf. B. Pico/E. Aznar Vallejo/D. Corbella Díaz (eds.) 2003: 61; d) "[Gadifer] conquestera toutes les isles de par dessa, qui sont puplées de gens mescreans de diverses loys et de divers langages" (E. Serra/A. Cioranescu [eds.] 1964: 81); cf. B. Pico/E. Aznar Vallejo/D. Corbella Díaz (eds.) 2003: 81.

[59] 1960: 275, 287, 325.

[60] "*Fore tronquenay*, c'est à dire, traistre mauvés" (E. Serra/A. Cioranescu [eds.] 1960: 121); cf. B. Pico/E. Aznar Vallejo/D. Corbella Díaz (eds.) 2003: 236.

court. Estamos apenas informados del nombre indígena de Lanzarote: "la Isla de Lanzarote que se llama en su lengua *Tyterogaka*"[61] y de los antropónimos *Anago*[62], *Afche*, *Affche*[63] y *Mahy, Mahi*[64], mientras que el rey ("roy") es anónimo. En Gran Canaria Gadifer tiene conocimiento de las poblaciones de *Telde, Argomes* y *Arguinigui* así como del nombre del hijo del rey (parece que Gadifer no sabía que había dos reyes en Gran Canaria; sea como fuera, sólo menciona a uno de ellos), llamado *Artamy*[65], pero *Artamy* puede corresponder simplemente al segundo elemento del apelativo *guadarteme*, o sea, "rey". En cuanto a las demás islas, no hace nada más que una cita de los nombres: "La Isla del Infierno que se llama *Tenerefix*", "La Isla de *Erbane* que se llama Fuerteventura"[66] y "La *Gomera*"[67].

Estos escasos datos acerca del canario están en curioso contraste con la intención varias veces reiterada de la cristianización de los indígenas. Por otro lado, *Le Canarien* es un tratado de propaganda que debía hacer plausible la posibilidad de conquistar las islas. Los comentarios sobre la lengua de los antiguos canarios no hubieran contribuido mucho a fomentar esa intención. Por eso quizás sea sintomático que el manuscrito de Béthencourt señale más posibilidades de explotar las islas que el de Gadifer.

No se plantea el problema de la comunicación entre franceses y canarios. En Lanzarote dos isleños hablan con Bertin y éste les contesta. No se dice nada más[68]. Pero al poco rato se indica que la comunicación no se efectúa de manera directa: "y ya que él [Bertin] estaba meditando mala traición, les hizo decir [a los canarios]"[69]. Y a la inversa, los canarios tienen que hacerse interpretar sus pala-

---

[61] "l'isle Lancelot, qui s'appelle en leur langage *Tyterogaka*" (Gadifer de la Salle 1976: 65); cf. B. Pico/E. Aznar Vallejo/D. Corbella Díaz (eds.) 2003: 146.

[62] E. Serra/A. Cioranescu (eds.) 1964: 43; cf. B. Pico/E. Aznar Vallejo/D. Corbella Díaz (eds.) 2003: 34.

[63] E. Serra/A. Cioranescu (eds.) 1964: 57, 59, 61; cf. B. Pico/E. Aznar Vallejo/D. Corbella Díaz (eds.) 2003: 50, 53, 57.

[64] E. Serra/A. Cioranescu (eds.) 1964: 61; cf. B. Pico/E. Aznar Vallejo/D. Corbella Díaz (eds.) 2003: 54.

[65] Gadifer de la Salle 1976: 63-64; cf. B. Pico/E. Aznar Vallejo/D. Corbella Díaz (eds.) 2003: 126.

[66] "L'isle d'Enfer, qui se dit *Tenerefix*" (Gadifer de la Salle 1976: 62); cf. B. Pico/E. Aznar Vallejo/D. Corbella Díaz (eds.) 2003: 134; "L'isle d'*Erbane*, qui ce dit Forte Aventure" (Gadifer de la Salle 1976: 64); cf. B. Pico/E. Aznar Vallejo/D. Corbella Díaz (eds.) 2003: 138.

[67] Gadifer de la Salle 1976: 62; cf. B. Pico/E. Aznar Vallejo/D. Corbella Díaz (eds.) 2003: 133.

[68] E. Serra/A. Cioranescu (eds.) 1964: 41; cf. B. Pico/E. Aznar Vallejo/D. Corbella Díaz (eds.) 2003: 33.

[69] "et lui [Bertin] aiant la male traison en pensée leur fist dire [aux Canares]" (E. Serra/A. Cioranescu [eds.] 1964: 43); cf. B. Pico/E. Aznar Vallejo/D. Corbella Díaz (eds.) 2003: 34.

bras: "los paganos infieles nos han hecho decir"[70]. Debe quedar en suspenso la cuestión de si el francés era la lengua originaria en el primer caso y la lengua de llegada en el segundo. No hay que excluir que el castellano o el occitano, o ambas lenguas, sirvieran de intermediarias. El occitano se documenta en los nombres de Guillermo de Alemania y de Guillermo de Andernach, villa alemana situada sobre el Rin: *Guillem d'Allemaigne*[71] y *Guillem d'Anderrac*[72]. Éstos pertenecen probablemente al grupo de los gascones de Gadifer que a causa de la afinidad más estrecha entre el occitano y el castellano, si lo comparamos con el francés, habrían tenido menos problemas para entenderse con los marineros castellanos[73].

¿Cómo se desarrolla el contacto lingüístico después del asentamiento de los franceses? Acerca de esta situación tenemos el valioso testimonio de Alvise da Ca' da Mosto (o Cadamosto). Si este navegante veneciano coincide en atestiguar la diversidad de las lenguas de Lanzarote, Fuerteventura, El Hierro y La Gomera entre 1455 y 1457, pero al mismo tiempo una posibilidad de comunicación, aunque limitada, podemos suponer un mejor conocimiento de la situación lingüística de las Islas Canarias en el transcurso de medio siglo, como hemos señalado en el caso de la expresión "bon truchement" en *Le Canarien*. Ca' da Mosto dice con respecto a la lengua de las cuatro islas mencionadas: "Los habitantes de estas cuatro islas sujetas a cristianos son canarios y difieren en la lengua y se entienden poco entre ellos"[74]. La escasa inteligibilidad recíproca no se puede referir a otra cosa que al canario de cuatro de las islas dominadas por los castellanos. Ya que las islas habían sido colonizadas por europeos, desde varias décadas antes del viaje de Ca' da Mosto, no se puede cuestionar la afirmación de que "se entienden poco entre ellos" ("poco s'intende l'uno con l'altro"), es decir, una posibilidad de comunicación, aunque reducida[75].

Una de las informaciones que da Ca' da Mosto sobre las islas todavía no conquistadas en aquel entonces es particularmente importante. Ésta sigue a la descripción de los habitantes y de la cultura de Tenerife:

---

[70] "les paians mescreans nous ont fait dire" (E. Serra/A. Cioranescu [eds.] 1964: 57); cf. B. Pico/E. Aznar Vallejo/D. Corbella Díaz (eds.) 2003: 50.

[71] E. Serra/A. Cioranescu (eds.) 1964: 51; cf. B. Pico/E. Aznar Vallejo/D. Corbella Díaz (eds.) 2003: 42.

[72] E. Serra/A. Cioranescu (eds.) 1964: 61; cf. B. Pico/E. Aznar Vallejo/D. Corbella Díaz (eds.) 2003: 57.

[73] Esta argumentación es improcedente si *Guillem* reproduce cast. *Guillén*. Pero no hay ninguna alusión a que los dos alemanes se hayan reunido con los franceses sólo en España. Habla en contra de ello su gran familiaridad con Gadifer.

[74] "Gli habitanti di queste quattro isole soggette a' Cristiani sono canarj, e sono differenti di linguaggio, e poco s'intende l'un con l'altro" (R. Caddeo [ed.] 1929: 176).

[75] Cf. D. J. Wölfel 1965: 134-135; II, § 8.

> y si se me preguntara cómo se saben estas cosas, contesto que los habitantes de las cuatro islas de cristianos acostumbran ir a asaltar de noche con algunas fustas suyas estas islas para capturar algunos de estos canarios idólatras y a veces toman hombres y mujeres y les mandan a España para venderles como esclavos: y sucede que algunas veces resultan cautivos algunos de las fustas a los que los dichos canarios no hacen morir, sino que les hacen matar cabras y desollarlas y trabajar de carniceros, lo que tienen por vilísimo oficio, y para despreciarles. Y les hacen trabajar hasta que se puedan rescatar[76].

Los documentos apoyan lo que relata Ca' da Mosto y explican, mejor que éste, cómo los castellanos consiguen el conocimiento de la lengua de Tenerife: en la toma de posesión de Tenerife por Diego de Herrera en 1464 se hace mención a dos intérpretes (*trugamanes*) y a "otros muchos que sabian la lengua de la dicha Isla de theneriffes". Esta expresión se repite en el documento, pero no sabemos cómo los intérpretes y los otros adquirieron sus conocimientos lingüísticos[77]. Es probable que los intérpretes hayan sido castellanos cautivos en Tenerife y rescatados después.

No tenemos datos, tampoco en *Le Canarien*, acerca de si o cómo los indígenas de Gran Canaria, Tenerife y La Palma se comunicaban en su lengua con los indígenas de las cuatro islas conquistadas y pobladas antes. Pero hay indicios en los documentos que permiten inferir cómo se comunicaban los grancanarios y los guanches. Con referencia al año 1494, doña Margarita Guanarteme acredita en una *información* de 1526 que su padre don Fernando Guanarteme, rey de Gáldar en Gran Canaria, podía negociar con el rey Venitomo (o Benitomo) de Taoro y su hijo Ventor (o Bentor) en la lengua de los guanches[78]. Si eso es cierto, debe haber habido un parentesco relativamente estrecho entre las lenguas de Gran Canaria y Tenerife. No es probable que don Fernando Guanarteme haya tenido antes de sus negociaciones con varios reyes de Tenerife la oportunidad de aprender su lengua, pero sí que las lenguas de Gran Canaria y Tenerife estuvieran estrechamente emparentadas[79]. No en último término el portugués Gaspar Fruc-

---

[76] "E se mi fusse detto come si sa queste cose, rispondo che gli abitanti delle quattro isole de' Cristiani hanno per costume con alcune loro fuste andar ad assaltar queste isole di notte per pigliar di questi Canarj idolatri; e alle volte ne prendono maschi e femmine, e li mandano in Ispagna a vendere per ischiavi: e intraviene che alle fiate rimangono presi alcuni delle fuste, i quali i detti Canarj non fanno morire, ma fannoli ammazzar capre e scorticarle, e far carne, che tengano per vilissimo officio, e per dispregiarli; e li fanno far fino a tanto che si possano riscuotere" (R. Caddeo [ed.] 1929: 179).

[77] Cf. A. Rumeu de Armas 1975, el facsímil del documento reproducido entre las páginas 74 y 75.

[78] D. J. Wölfel 1965: 79-80; II, §§ 182-183.

[79] Cf. D. J. Wölfel 1965: 136-137; II, § 17.

tuoso transmite entre 1580 y 1591 la opinión del "canario" Antón Delgado, radicado en Tenerife, quien habría entendido la lengua de Gran Canaria, Tenerife y La Gomera, y comprobado analogías con la lengua de los moros de tierra firme[80]. Los grancanarios tuvieron a todo trance la posibilidad de comparar su lengua con las de La Gomera y Tenerife, pues tomaron parte en la represión de una rebelión de los gomeros y conquistaron La Palma y Tenerife con los castellanos[81]. Podemos citar incluso a un castellano como testigo del parentesco de las lenguas de Gran Canaria y Tenerife: Guillén Castellano oriundo de la Montaña, región de Cantabria. Fray Juan de Abreu Galindo informa en su *Historia de la conquista de las siete Islas de Canaria* sobre "Juan Mayor y Guillén Castellano, hombres diestros en las entradas de estas islas, y que sabían la lengua canaria"[82]. El autor no dice dónde ni de quién Guillén Castellano había aprendido el canario, pero podemos inferir el lugar y la maestra. Guillén Castellano y Juan Mayor pueden haber aprendido esta lengua en Lanzarote con María Tazirga, pariente del guanarteme de Gáldar. Esta canaria había estado cautiva en Lanzarote. Hablaba muy bien el castellano y "conocía muy bien a Juan Mayor y Guillén Castellanos [*sic*], en cuyas casas había estado"[83]. Juan Mayor prestó servicios como intérprete en la conquista de Gran Canaria. Guillén Castellano participó además en la conquista de Tenerife. Fue uno de los primeros regidores de La Laguna y a causa de este cargo su vida pública está muy bien documentada en los *Acuerdos del Cabildo de Tenerife*. Así, una entrada del año 1502 dice: "E luego paresçió ende presente Ximón e Fernando Tacoronte e Gaspar e Francisco de Tacoronte, guanches, por lengua de Guillén"[84]. Como he dicho en varias ocasiones, *guanches* se llamaban en aquel entonces, según las fuentes históricas, únicamente los habitantes de Tenerife y este etnónimo se usaba como apellido, de modo que no puede haber ninguna duda acerca de su origen. En el contexto del *libro de acuerdos* del cabildo insular no existe ningún otro Guillén al lado de Guillén Castellano. Por este motivo podemos tener por cierto que este conquistador de Gran Canaria y Tenerife servía de intérprete. Ya habían pasado ocho años desde 1494, el inicio de la conquista de Tenerife, pero supongo que Guillén Castellano no estaría en una edad en la que fuera fácil aprender una lengua extranjera. Más

[80] Está en contradicción con esto la afirmación del inglés Thomas Nichols, a mediados del siglo XVI, que había vivido varios años en Tenerife y que decía acerca de la lengua de los guanches: "They spake another language cleane contrarie to the Canariens, and so consequently everie iland spake a severall language" (A. Cioranescu/T. Nichols 1963: 117).

[81] D. J. Wölfel 1965: 138-139; II, § 17b.

[82] J. de Abreu Galindo [2]1977: 121.

[83] J. de Abreu Galindo [2]1977: 123.

[84] E. Serra Ráfols 1949: 51 (288).

bien la actividad de Fernando Guanarteme como intérprete apoya la hipótesis de un parentesco lingüístico[85]. Ya que no es usual nombrar a un regidor por su nombre de pila, se podría pensar que se trata del canario Luis Guillén a quien menciona como conquistador de Tenerife Antonio de Viana, un poeta épico caracterizado por su meticulosidad, en las *Antigüedades de las Islas Afortunadas de Gran Canaria* (Sevilla, 1604)[86]. Otro canario citado en la misma obra, que se conoce por la *Residencia tomada a Alonso de Lugo* (1509), se llama Pedro de la Lengua precisamente por su función de intérprete[87].

Todas las demás informaciones sobre la lengua de las islas y sus afinidades se basan en fuentes históricas posteriores y tardías. Por eso será suficiente una referencia a fray Juan de Abreu Galindo y Leonardo Torriani que aún disponían de una fuente común que se perdió. Los dos autores piensan que los canarios vinieron de África:

> y que esto sea verdad, que hayan venido de Africa los primeros pobladores de estas islas, lo da a entender la proximidad que hay de la tierra firme de Africa con estas islas; pues entre ella y la primera isla, que es Fuerteventura, solamente hay diez y ocho leguas, poco menos. También me da a entender hayan venido de Africa, ver los muchos vocablos en que se encuentran los naturales destas islas con las tres naciones que había en aquellas partes africanas, que son berberiscos y azanegues y alárabes[88].

Hay ejemplos de la conformidad de palabras africanas con las canarias:

> Y dello se puede colegir qué nación haya venido a cada isla, conforme a la consonancia de los vocablos. Atenta la cual, parece que a Lanzarote, Fuerteventura y Canaria arribó la nación de los alárabes, entre los africanos estimada en más; porque en estas tres islas llamaban los naturales a la leche *aho*, al puerco, *ylfe*; a la cebada, *tomosen*; y ese mismo nombre tienen los alár[a]bes y berberiscos[89].

---

[85] Es curioso que Wölfel (1965: 139; II, § 17b) tome a Guillén Castellano por canario antiguo, sin dar ninguna justificación.

[86] A. de Viana 1986: II, 286.

[87] Los editores le llaman "indígena canario" (1949: VIII). Pedro de la Lengua dice "que conoce al dicho Ad. [= Adelantado Alonso de Lugo] quince años, poco más o menos" (1949: 50) y que "a la conquista desta dicha isla de Tenerife vinieron con el dicho Ad. parientes sobrinos suyos y criados" (1949: 61). Como este testigo fue interrogado en 1511, el conocimiento del Adelantado y de Pedro de la Lengua se remontan a 1496 aproximadamente.

[88] J. de Abreu Galindo ^{2}1977: 31.

[89] J. de Abreu Galindo ^{2}1977: 32-33; cf. 54; compárese L. Torriani 1940: 76, 90, 104, 122, 164, 198.

Fray Alonso de Espinosa que escribe en torno a la misma época y que todavía podía consultar a los guanches, refiere diferentes opiniones acerca del origen de los canarios, subrayando a continuación:

> la mía [opinión] es que ellos son africanos y de allá traen su descendencia, así por la vecindad de las tierras, como por lo mucho que frisan en costumbres y lengua, tanto que el contar es el mismo de unos que otros. Allégase a esto también que los manjares son los mismos, como es el gofio, leche, manteca, etc.[90].

Si la lengua canaria de diferentes islas estaba emparentada con las lenguas beréberes del continente africano, es forzoso deducir el parentesco de las lenguas de las islas entre ellas:

> acostumbraban a veces pasar a Tenerife y a Fuerteventura para robar. Debido a esta navegación tuvieron semejanza con los demás isleños, así en la lengua como en algunas costumbres, como se ha dicho de los majoreros que éstos imitaron en administrar justicia[91].

Es, pues, muy probable que las lenguas de las siete islas estuvieran emparentadas, pero con diferencias más o menos marcadas. Los documentos lingüísticos a nuestro alcance no son suficientes para decidir sobre si hay que llamarlos más bien dialectos de una lengua o lenguas diversas. Sin embargo, se identificaba un rasgo común. A un observador fehaciente como fray Juan de Abreu Galindo le llamaba la atención la pronunciación de <t>: "Y en su lenguaje comienzan muchos nombres de cosas con *t*, los cuales pronunciaban con la media lengua"[92]. De todos modos, no había contacto entre las islas en la época de la conquista y por eso no se explica esta convergencia lingüística.

La existencia de topónimos similares en islas diferentes sugiere también el parentesco de las lenguas. *Gando* en Gran Canaria corresponde a *Agando* en La Gomera y a *Aragando* en El Hierro. Encontramos un topónimo *Jinámar* o *Ginámar* en Gran Canaria, *Jinama* en El Hierro y *Giniginámar* en Fuerteventura; *Mafur* en Gran Canaria, *Afur* en Tenerife; *Tacoronte* en Tenerife y *Tacorón*, *Tocorón*, *Tecorone* en El Hierro; *Tamaduste* en El Hierro, *Tamadiste* en La Gomera,

---

[90] A. de Espinosa 1980: 33; cf. D. J. Wölfel 1965: 139-144; II, §§ 18-33.

[91] "solleuano alle volte passare à Tenerife, et à Forteventura à rubare, dalla qual nauigatione eglino hebbero similitudine con gli altri isolani, così in linguaggio come in costumi, come si disse de i venturini che questi imitarono in far guistitia" (L. Torriani 1940: 122).

[92] J. de Abreu Galindo ^{2}1977: 34. Cf. L. Galand 1989 quien discute el problema de <th-> o <t-> inicial como elemento femenino y la función del mismo elemento en posición final.

Tamadite en Tenerife. Se podría continuar la lista[93]. Debido a que los topónimos pertenecen a los elementos más estables de una lengua, su coincidencia se explica difícilmente por migraciones entre las islas, a no ser que los castellanos hayan identificado un topónimo de una isla conquistada posteriormente con un topónimo conocido antes en otra isla.

La situación lingüística de las Islas Canarias tuvo como consecuencia que la conquista y población no fueran facilitadas en la medida en que se vieron favorecidas por la relativa unidad lingüística de las Antillas, de la clase dominante de México o del Perú. Por otro lado, es posible que el canario fuera un medio suficiente para la comunicación entre canarios, si éstos se reasentaban en otra isla después de la conquista o eran deportados. Debido a estos desplazamientos de la población es difícil indicar exactamente la difusión primitiva de los elementos lingüísticos del canario. Una palabra canaria puede ser transmitida como tal en la documentación de los siglos XV y XVI o como préstamo castellano. Si hoy se atestigua un determinado préstamo canario en una isla particular, esto no significa en todo caso que este elemento léxico tenga su origen en esa isla.

3.3. El lenguaje silbado de La Gomera y de El Hierro

En La Gomera y El Hierro se ha conservado una transposición del lenguaje hablado en silbidos, técnica que se remonta al antiguo canario. Se supone que el lenguaje silbado de la Gomera se documenta por primera vez en *Le Canarien*. Pero si se lee el pasaje atentamente, se comprende que los franceses apenas podían observar cómo los gomeros silbaban. Eso era realmente difícil: en el verano de 1403, el barco en el que navegaban se acercó de noche a la costa de La Gomera. Siguiendo la huella de un fuego, los europeos hallaron a un hombre y a una mujer que capturaron. A la mañana siguiente, quisieron tomar agua, pero los gomeros ahuyentaron a los intrusos. No es probable que en esos combates se haya usado el lenguaje silbado, y si ése hubiera sido el caso, ningún europeo tuvo, seguramente, la oportunidad de observar cómo silbaban los gomeros. *Le Canarien* no relata otros contactos con los gomeros. El pasaje sobre el lenguaje silbado se encuentra en los dos manuscritos transmitidos en la descripción sumaria de las Islas Canarias:

> Y la tierra está habitada de mucha gente que habla la lengua más extraña de todas las tierras de acá, y habla con los labios inferiores, como si no tuvieran lengua. Y se

[93] Cf. M. Trapero 1995: 127.

> dice por acá que por algún delito un gran señor les hizo llevar allá y les hizo cortar las lenguas, y según su manera de hablar, se lo podría creer[94].

A juzgar por estas palabras, los gomeros no *silbaban* como hoy, sino que *hablaban*. Los labios inferiores deben de haber desempeñado un papel especial en esa manera de hablar que podía hacer creer que la lengua no intervenía en la articulación. La supuesta falta de la lengua en la articulación produjo después la leyenda etiológica del rey que como castigo les cortaba la lengua a sus súbditos y les abandonaba a las inclemencias del mar. Esa historia los franceses la escucharon en las Islas Canarias ("Y se dice por acá..."). Sólo la nota que se añade como comentario ("y según su manera de hablar, se lo podría creer") señala una experiencia inmediata, pero se trata otra vez de un *hablar* y no de un *silbar*. Por lo demás, la historia de los hombres expuestos al mar con las lenguas cortadas la difunden igualmente, pero de forma independiente a *Le Canarien*, cronistas canarios del siglo XVI. Además, si consideramos que los franceses permanecieron algún tiempo en El Hierro donde el lenguaje silbado existe también hasta la actualidad, sin que lo mencionen, se hace aún más improbable que en vista de esta descripción los franceses hayan observado a los antiguos canarios en el acto de silbar su lengua. Debe quedar pendiente si, eventualmente, informaciones indirectas y fabulosas se hayan superpuesto a un conocimiento directo de la manera de hablar de los gomeros. Pero no es de suponer que un francés o un castellano no supiera distinguir el silbar del hablar. Por eso, no hay que valorar esta afirmación ni siquiera como descripción aproximada del silbo gomero antiguo como sucede de manera poco crítica en algunas descripciones del lenguaje silbado actual[95]. El problema no tiene solución.

Los cronistas no dejan de mencionar la comunicación por silbos en Tenerife, pero tal vez éstos tuvieran ahí la función de señales. Los guanches se comunicaban con esas señales y con silbos para reunirse:

> Y, cuando tenían guerra, con ahumadas se entendían, y con silbos que daban de lo más alto; y el que los oía silbaba al otro, y así de mano en mano en breve tiempo se convocaban y juntaban todos[96].

---

94 "Et est le païs habité de grant peuple qui parole plus estrange langage de tous les aultres païs de par dessa, et parlent des baulievrez, auxi que c'ilz fussent sans langue. Et dist on par dessa que un grant prince pour auscun meffait les fist la mectre et leur fist tailler les langues, et selon la maniere de leur parler on le pourroit croire" (Gadifer de la Salle 1976: 62); cf. B. Pico/E. Aznar Vallejo/D. Corbella Díaz (eds.) 2003: 133-134.

95 Por ejemplo, M. Quedenfeldt 1887: 737; J. Lajard 1891: 484; posteriormente se presupone implícitamente que los franceses aludieran al lenguaje silbado; cf., por ejemplo, H. Biedermann 1984: 108-109, y expresamente E. Serra Ráfols en *Le Canarien* 1960: 245.

96 J. de Abreu Galindo ^{2}1977: 296; A. de Espinosa 1980: 42, da una información similar, pero de forma más sucinta.

En la conquista castellana de Tenerife, en un caso que relata Abreu Galindo[97] los guanches pelearon silbando y daban señales al ganado –cabras, ovejas y perros– que estaba acostumbrado a obedecer a silbos. Espinosa narra en un episodio de la conquista cómo los castellanos robaron ganado en La Orotava. El hermano del rey de Taoro esperaba a los castellanos reteniendo el ganado en un despeñadero del monte: "Y desde allí dieron voces y silbaron al ganado que los nuestros llevaban". El ganado, obedeciendo a los silbos, causó la derrota de los castellanos: "el cuerpo del batallón estaba deshecho y desbaratado, porque el ganado, por huir (habiendo oído los silbidos) lo había roto"[98]. Y, por último, los guanches atraían la atención silbando (o cantando) ya que, por costumbre, no estaba permitido entrar en una casa sin invitación previa:

> Era costumbre entre los naturales de la tierra que, si alguno iba a visitar a otro o a negociar, no entraba dentro de la casa, sino sentábase en una piedra que tenían a la puerta y silbaba o cantaba hasta que de dentro lo oían[99].

Es posible que los silbos estuvieran articulados en Tenerife, aunque, quizás, no en todas las situaciones. Por cierto, es curioso que las fuentes históricas atestigüen tan bien el silbo en Tenerife, pero no en las demás islas. El lenguaje silbado ha sido comprobado hasta la fecha nada más en La Gomera y El Hierro[100]. En resumen, el silbo o el lenguaje silbado debe haber llamado la atención a los castellanos por estar en contraste con sus hábitos comunicativos. Tras cambiar de lengua, es probable que los gomeros hayan retenido de su lengua primitiva la comunicación mediante silbidos.

A fines del siglo XIX la mayoría de los gomeros aún sabía el lenguaje silbado. Desde entonces ha ido disminuyendo su uso considerablemente, pero los estudios científicos foráneos y canarios, sobre todo *El silbo gomero* de Ramón Trujillo (1978), libro reeditado en una versión muy ampliada en 2006, contribuyeron a revitalizar el lenguaje silbado e introducirlo en las escuelas gomeras como materia enseñada por maestros silbadores. Ese lenguaje presenta diferencias regionales: hay varios "dialectos silbados" que se llaman *estilos* y se distinguen en las técnicas del silbo que consisten en usar el meñique doblado o el índice puesto en la boca, los dos meñiques o los dos índices y sin dedos. La lengua sirve para cambiar la cámara de resonancia. Hay dificultades de comunicación entre los dialectos silbados, ya que

---

[97] J. de Abreu Galindo ²1977: 318.

[98] A. de Espinosa 1980: 98.

[99] J. de Abreu Galindo ²1977: 327.

[100] Se conoce, además, el lenguaje silbado en un valle de Turquía y entre los indígenas mazatecos, en el cual las distinciones del lenguaje silbado se basan en rasgos tonales; cf. R. Trujillo 2006: 62.

con frecuencia los signos silbados se basan en un acuerdo o en una convención. El uso del silbo dependía del estrato social, pues generalmente lo empleaban pastores y agricultores. Servía para la transmisión de noticias sencillas, limitadas en su repertorio, entre los profundos barrancos de la isla para no tomarse la molestia de largos rodeos: el anuncio de una visita, una venta, una información sobre forasteros, una fiesta, una misa y otras cosas por el estilo; en otras palabras se recurría a los entornos situacional y físico (1.5.3.). Los silbadores se afanan por reproducir el sistema fonológico del español, pero sólo consiguen realizar las distinciones muy reducidas del silbo, dado que éste carece de las propiedades expresivas de la voz y de otras características articulatorias. Por ser un sistema sustitutivo universal y extremadamente sencillo, el silbo reduce la gran variedad de los sistemas fonológicos de las lenguas naturales a poquísimas distinciones, siempre idénticas.

Se puede describir la fonética y la fonología del lenguaje silbado. Las transposiciones de los fonemas de las lenguas naturales admiten una enorme variación fonética; sin embargo, el oyente interpreta el sistema fonológico reducido del silbo mediante el sistema fonológico del español, o de la lengua respectiva que se pretenda silbar. Por la distancia considerable entre la capacidad del silbador de producir aproximaciones a una lengua hablada y lo que el oyente percibe efectivamente, no es suficiente saber lo que el experto aspira a expresar. Los silbos se articulan realmente y no son nada más que señales convencionales. La expresión silbada se basa en un resonador único, formado mediante una parte de la cavidad bucal anterior situada entre el paladar duro, el dorso de la lengua y los labios constreñidos. El uso de los dedos no es imprescindible ni influye en la naturaleza acústica de los fonemas silbados.

La descripción fonológica proporciona una mejor comprensión del funcionamiento del lenguaje silbado. Los silbos pueden sí variar infinitamente, pero el oyente percibe poquísimas diferencias fonéticas. Con ellos se transponen los fonemas del español gomero a fonemas silbados. Las vocales /i/ y /e/ se convierten en un fonema silbado *agudo* que se transcribe vomo /I/, las vocales /a/, /o/ y /u/ en un fonema silbado *grave* representado mediante /A/. La realización admite mucha variación fonética que depende del entorno consonántico y que el oyente no percibe como distintiva. Al lado de estos dos fonemas vocálicos se silban cuatro fonemas consonánticos. Éstos resultan de la combinación de los rasgos *grave/agudo* e *interrupto/continuo*. Todas las demás diferencias son de índole fonética. Corresponden a la consonante grave y continua o /B/ los fonemas /β, ɣ, m, f, h/ del español hablado, al grave interrupto /P/ los fonemas hablados /p, k/, al agudo continuo /Y/ los fonemas /y, ʎ, r, rr, ð, n, ɲ/ y al agudo interrupto /T/ los fonemas /t, tʃ, s/[101]. En resumen:

[101] R. Trujillo 2006: 290.

Vocales		Consonantes			
aguda	grave	grave interrupta	aguda interrupta	grave continua	aguda continua
I (i e)	A (a o u)	P (p k)	T (tʃ s)	B (β ɣ m f h)	T (y ʎ r rr ð n ɲ)

Es evidente que la reducción del número de fonemas produce tantos homófonos que la interpretación de los significados de las palabras se hace aleatoria. Lo más notable en el lenguaje silbado es que cada significante lingüístico silbado corresponde a numerosísimos sustitutos de palabras de una lengua hablada. Por eso las noticias silbadas son sólo comprensibles si la comunidad de los silbadores restringe convencionalmente su inventario de signos[102].

3.4. El inicio de la conquista y de la colonización: *Le Canarien* (1402-1404)

En las Islas Canarias, Castilla pone a prueba las técnicas de conquista de tierras extraeuropeas a través de las etapas de colonización, dominio y evangelización que surtirían efecto luego en América[103].

Puesto que los habitantes de las Islas Canarias eran infieles para los cristianos, cada príncipe tenía el derecho, según las normas jurídicas de la época, de someterles. Emprendieron intentos de ocupación Alfonso IV de Portugal (1341), el infante Luis de la Cerda (1344), Pedro IV el Ceremonioso de Aragón (1352) y muchos otros. Estos numerosos pretendientes al señorío de las islas hacían necesaria una intervención papal. Castilla usó sus influencias en la Santa Sede para

[102] Cf. acerca del lenguaje silbado, entre los trabajos más viejos, M. Quedenfeldt 1887, J. Lajard 1891, R. Ricard 1932, J. Bethencourt Alfonso 1972, sobre aspectos generales también H. Nowak 1972, sobre la fonética y la fonología del lenguaje silbado A. Classe 1957/1959, sobre la descripción articulatoria del silbo gomero A. Class [*sic*] 1963, sobre los lenguajes silbados en general R.-G. Busnel/A. Classe 1976 y sobre su fonología R. Trujillo 1978 y 2006. En J. J. Batista y M. Morera 2007 se recogen los artículos mencionados y algunos más en su versión original y acompañados de su traducción al español. Para entender el funcionamiento del silbo sustitutivo, se deben estudiar las expresiones usuales concretas en una situación cotidiana, no un corpus de ejemplos aislados tomados de la lengua española para dar cuenta del sistema fonológico que se sustituye.

[103] Cf. acerca de la historia de Canarias en general D. Castro Alfín 1983; sobre la historia del período entre 1478 y 1526 E. Aznar Vallejo 1983: 41-44; acerca de la conquista de Tenerife A. Rumeu de Armas 1975; y hasta el siglo XV en particular F. J. Clavijo Hernández (coord.) 1985. Este capítulo es una reelaboración de J. Lüdtke 2003.

hacerse confirmar la supremacía sobre las Islas Canarias que el papa Eugenio IV les había concedido, contra los intereses de los portugueses, con la bula *Dudum cum ad nos* (1436) ratificada en 1479 en el Tratado de Alcáçovas firmado entre Castilla y Portugal.

Otros fueron, sin embargo, los que ejercieron el poderío efectivo al principio. El primero es Jean de Béthencourt (c. 1360-1425), noble normando oriundo de Grainville-la-Teinturière en la región de Caux (Pays de Caux), quien se había arruinado en la guerra de los Cien Años y probaba fortuna fuera de Francia. Había arribado a esta isla en 1402 con Gadifer de La Salle (c. 1355-1422), el verdadero primer conquistador de Lanzarote. Enrique III de Castilla, no obstante, reconoció a Jean de Béthencourt como señor de las Islas Canarias. La relación de esta primera conquista duradera de una parte del archipiélago es *Le Canarien*.

El primer documento de la expansión ultramarina: *Le Canarien*

Desde hace mucho tiempo *Le Canarien* ha llamado la atención de los historiadores canarios que veían en esta obra con toda la razón una fuente importante de su historia. Además de ser único en su género como historia de la conquista de las islas, *Le Canarien* tiene una trascendencia singular: así como surge un nuevo mundo día a día en las entradas del diario de a bordo de Cristóbal Colón, los autores de *Le Canarien*, casi cien años antes, van convirtiendo su vago saber previo acerca del espacio atlántico, que comienza a conocerse mejor, en saber seguro a través de la propia evidencia y relaciones de testigos oculares. No disponemos de relaciones comparables sobre la conquista de las demás islas, ni siquiera de la conquista de Gran Canaria.

El saber lingüístico se mezcla en las informaciones contenidas en *Le Canarien*. Si bien son escasas, son valiosas y hay que aprovecharlas, puesto que esta obra es prácticamente la única fuente de la conquista y población tempranas de Canarias. El valor documental de este texto aumenta si parangonamos su contenido con los datos que podemos sacar de textos escritos posteriormente, redactados sin conocer esta obra. Para establecer este paralelo cabe exponer brevemente los resultados de la crítica textual de *Le Canarien*. Además, debemos precisar el género de este texto, que como otras obras similares, suele llamarse crónica sin examen previo, antes de interpretar las informaciones acerca de la situación lingüística así como para justificar la interpretación de los pasajes sobre la lengua canaria que hemos citado (3.2.).

Los dos manuscritos

Le Canarien se conoce por dos manuscritos muy diferentes. El más antiguo es un manuscrito caligráfico escrito sobre pergamino sin indicación de título ni de autor que se data en el primer cuarto del siglo XV. Es probable que haya sido escrito para Juan Sin Miedo, duque de Borgoña, pues estaba, según consta, en posesión de los duques de Borgoña en 1420, y se conserva hoy en el Museo Británico. El segundo manuscrito puede fecharse entre 1488 y 1491, y considerarse como una falsificación literaria hecha por el noble normando Jean V de Béthencourt utilizando el manuscrito original o una copia para ensalzar las hazañas de su antecesor Jean IV de Béthencourt, junto con Gadifer de La Salle uno de los primeros conquistadores de las Islas Canarias. Este manuscrito es de propiedad privada. Su edición por Pierre Bergeron (París, 1629-1630) determinó la visión de la conquista de Canarias en lo sucesivo, y en parte hasta la actualidad.

Es posible reconstruir la relación entre ambos manuscritos de la siguiente manera: el texto se empieza a escribir en 1402 (sin embargo, el principio se fecha en un momento posterior) y es el resultado de la colaboración de Pierre Boutier, capellán de Gadifer de La Salle, religioso de Saint-Jouin-de-Marnes, y de Jean Le Verrier, capellán de Jean de Béthencourt que se nombran como los autores en el prefacio. Ambos escriben hasta el 19 de abril de 1404 principal o exclusivamente por encargo de Gadifer, ya que los capellanes se refieren a instrucciones de Gadifer en este sentido, la cronología de los sucesos no apoya tampoco una interpretación diferente. Jean de Béthencourt y Gadifer zarparon el primero de mayo de 1402 de La Rochela. Después de escalas en Vivero y La Coruña arribaron a Cádiz. Gadifer, quien había desembarcado antes en el Puerto de Santa María, fue detenido por acusación de piratería y llevado ante el Consejo Real en Sevilla, pero resultó absuelto de estos cargos. Jean de Béthencourt y Gadifer llegaron a Lanzarote a principios de julio de 1402. En octubre, Béthencourt tuvo que volver a Castilla para prestar el homenaje feudal por la posesión de Canarias y prometió regresar a la isla para Navidad de ese año. No permaneció más tiempo en Lanzarote y Fuerteventura más que de julio a octubre de 1402. El 19 de abril de 1404, el día del regreso de Jean de Béthencourt a Francia, el manuscrito pasó "a otras manos"[104]. Los clérigos escribieron entonces un prólogo para indicar el límite temporal de su responsabilidad por el texto y atestiguar la veracidad tanto de su escrito como del texto futuro. Puesto que los capellanes tenían mala opinión de la credibilidad de Jean de Béthencourt, el continuador a quien se refieren no puede ser otra persona que Gadifer:

> Y nosotros, fray Pierre Boutier, religioso de Saint-Jouin de Marnes, y el señor Jean Le Verrier, capellanes y criados de los dichos caballeros, hemos empezado a

---

[104] E. Serra/A. Cioranescu (eds.) 1964: 15-17; cf. B. Pico/E. Aznar Vallejo/D. Corbella Díaz (eds.) 2003: 5. En lo que sigue me refiero con 1964 al texto de Gadifer, con 1960 al texto de Jean V de Béthencourt, ambos editados por E. Serra y A. Cioranescu.

> poner por escrito todas las cosas que les han sucedido a su principio y toda su manera de gobernar de la que podemos tener conocimiento verdadero, desde que salieron del reino de Francia hasta el 19 de abril de 1404, día que Béthencourt ha llegado a estas islas. Y desde entonces la escritura ha pasado a otras manos que la van a continuar conforme a la verdad hasta el fin de su conquista[105].

Sin embargo, prosiguen de manera ambigua, ensalzando a Béthencourt como compañero de armas, quien a pesar de su disminución física –noticia que ha dado lugar a muchas especulaciones– había tomado a su cargo la conquista y conversión de los infieles:

> Y visto que Béthencourt ha perdido, en cuanto a las armas, la fuerza y la virtud de algunos de sus miembros, se le debería considerar en gran honor, según las leyes de caballería, haber tomado a cargo ser compañero de conquista y de convertir a nuestra fe el pueblo de tan desconocidas regiones, lo que no se puede hacer sin el temor de Dios[106].

En realidad, el señor feudal no era otro que Béthencourt, siendo Gadifer su compañero, pero los capellanes consideran a Béthencourt, a la inversa, como compañero de Gadifer.

Cabe contar con dos tradiciones de manuscritos, o bien desde el 19 de abril de 1404, o bien desde fines de 1404 o principios de 1405. Gadifer habría sido responsable de uno de los manuscritos. Pese a eso, se continúa escribiendo sobre Béthencourt y Gadifer en tercera persona, aunque desde la perspectiva de Gadifer. Es natural, pues, que el capellán de Gadifer, Pierre Boutier, fuera el continuador o que ambos capellanes continuaran la relación. Todavía en 1404 o a más tardar a principios de 1405 se habría hecho una copia del manuscrito original. Es probable que el manuscrito que quedaba en posesión de Gadifer se continuara

---

105 "Et nous frere Pierre Boutier, moyne de Saint Jouyn de Marnes et Mons. Jehan le Verrier, prebstres, chappellains et serviteurs des chevaliers desus nommés, avons commancié à mectre en escript toutez les choses qui leur sont advenues à leur commancement et toute la maniere de leur gouvernement dont nous povons avoir eu vraye cognoissance des ce qu'ilz partirent du royaume de France jusques au XIX-e jour d'avril mil IIIIc et IIII que Bethencourt est arrivé es isles pardessa; et de là en avant est venue l'escripture en autres mains qui la poursuivront tout au vray jusquez à la fin de leur conqueste" (1964: 15-17); cf. B. Pico/E. Aznar Vallejo/D. Corbella Díaz (eds.) 2003: 5.

106 "Et veu que Bethencourt en fait d'armes aet perdu la force et la vertu d'aucuns de ses membrez, on li deveroit bien tenir à grant honeur en fait de chevaliere d'avoir entrepris d'estre compaignon de conquerir, tourner et convertir à nostre foy le peuple de cy estrangez contreez, qui ne se puet faire sans la cremour de Dieu" (1964: 17); cf. B. Pico/E. Aznar Vallejo/D. Corbella Díaz (eds.) 2003: 5.

hasta el otoño de 1404, en tanto que el otro es la base de la falsificación de Jean V de Béthencourt.

A juzgar por lo que sabemos del manuscrito de Gadifer, podemos suponer que él llevara el manuscrito original a Francia y que éste sirviera de base, probablemente con añadiduras de Gadifer, al manuscrito del duque de Borgoña. El manuscrito original puede haber sufrido cambios lingüísticos o sustanciales en la copia destinada al duque. Hay que contar por lo menos con la posibilidad de que Gadifer haya llevado una copia del manuscrito de los capellanes. Pierre Margry editó este texto por primera vez en 1896, y Elías Serra y Alejandro Cioranescu lo editaron en 1964[107].

Es de interés para un análisis lingüístico sobre todo el manuscrito de Gadifer. El otro manuscrito que ha sido reelaborado sin conocimiento de las Islas Canarias no nos sirve para otra cosa que la verificación y aclaración de algunos detalles[108].

El tipo textual

Nada en *Le Canarien* señala de forma directa el tipo de texto. La obra es llamada en el prólogo simplemente "escritura" ("escripture"), pero se explica el título (la portada queda sin ejecutar): la obra se llama "El canario" porque el objetivo de la empresa de Gadifer de La Salle y Jean de Béthencourt es la conversión de los canarios. Se escribe claramente que el texto es un "viaje" ("voyage") y por consiguiente una relación de este viaje con el objetivo de dar un recuerdo duradero de las hazañas de ambos caballeros. El modelo literario son las "historias antiguas" ("ansiens hystoires")[109]. Los clérigos se incorporan a la tradición de las

---

[107] A esta edición de 1964 había precedido una "Introducción" de A. Cioranescu (1959) y la edición del texto de Jean V de Béthencourt. Desgraciadamente, la edición de 1960 contiene los comentarios filológicos y no la autoritativa de 1964. Cioranescu volvió a publicar su "Introducción" en una edición simplificada, corregida y puesta al día, titulada *Juan de Béthencourt* (1982). Más cuidadoso que la edición de Cioranescu es el texto que P. Rickard ha publicado en su *Chrestomathie de la langue française au quinzième siècle* con el título "Le Canarien (chronique de la conquête française des îles Canaries)" que cito como Gadifer de La Salle 1976. Este texto reproduce la descripción de seis Islas Canarias que concluye el manuscrito original. Rickard indica a Gadifer de La Salle como autor. Ya que la edición de Serra Ráfols y Cioranescu contiene numerosos errores que no señalo porque no he comparado ese texto con el manuscrito del Museo Británico, conviene seguir utilizando la edición de Margry (1896) o, mejor aún, la edición diplomática y en facsímile de B. Pico/E. Aznar Vallejo/D. Corbella Díaz (eds.) 2003.

[108] Resulta incomprensible que la falsificación de Jean V de Béthencourt se utilice con más frecuencia que el manuscrito de Gadifer que es a todas luces más fidedigno.

[109] 1964: 17; cf. B. Pico/E. Aznar Vallejo/D. Corbella Díaz (eds.) 2003: 5.

relaciones de viajes y guerras de conquista que se emprenden para convertir a infieles.

Esta primera relación escrita en las Islas Canarias se podría llamar crónica como lo hacen los editores de *Le Canarien*, si no abarcara más que la simple relación de un viaje y de una conquista. Sin embargo, no sólo se trata de una mera presentación cronológica de un serie de sucesos. Encontramos además lo siguiente: una instrucción religiosa (llamada también "libro" al final) para el rey de Lanzarote y su gente[110]; una reflexión de Gadifer sobre las expectativas de guerras de conquista contra los sarracenos desde las Islas Canarias[111]; una reflexión sobre la exploración de las Islas Canarias y del oeste de África[112]; un extracto del "Libro del Conosçimiento de todos los reinos et tierras et señoríos que son por el mundo, et de las señales et armas que han cada tierra et señorío por sy et de los reyes que los proueen" de 1350, cuyo autor sería un franciscano natural de Sevilla[113]; el proyecto de un viaje de reconocimiento de las costas occidentales de África[114]; una lamentación sobre el cisma[115]; se continúa la relación[116] seguida de la descripción de las Islas Canarias como resultado de los dos viajes de reconocimiento de Gadifer[117].

En otras palabras, *Le Canarien* es la relación de un viaje, escrita en Canarias en períodos de relativa inactividad y tal vez ampliada en Francia. En el tipo de texto que es la doctrina de la gracia se insertan los tipos de texto comentario, esbozo de proyecto y descripción. La relación de viaje que por momentos se convierte en la descripción de la situación en que viven es particularmente instructiva para la historia lingüística. El texto es heterogéneo; algunas partes del contenido coinciden varias veces al punto de producir la impresión de un texto escrito por varios autores y ajustado posteriormente. No es posible, pues, reco-

---

[110] Caps. 44-49; 1964: 87-95; cf. B. Pico/E. Aznar Vallejo/D. Corbella Díaz (eds.) 2003: 86-101.

[111] Caps. 50; 1964: 95-99; cf. B. Pico/E. Aznar Vallejo/D. Corbella Díaz (eds.) 2003: 101-105.

[112] Caps. 51-52; 1964: 99-101; cf. B. Pico/E. Aznar Vallejo/D. Corbella Díaz (eds.) 2003: 105-106.

[113] Caps. 53-54; 1964: 103-105; cf. B. Pico/E. Aznar Vallejo/D. Corbella Díaz (eds.) 2003: 106-113.

[114] Caps. 55; 1964: 107-109; cf. B. Pico/E. Aznar Vallejo/D. Corbella Díaz (eds.) 2003: 113-114.

[115] Caps. 56-59; 1964: 109-115; cf. B. Pico/E. Aznar Vallejo/D. Corbella Díaz (eds.) 2003: 117-122.

[116] Caps. 60-64; 1964: 117-125; cf. B. Pico/E. Aznar Vallejo/D. Corbella Díaz (eds.) 2003: 122-126.

[117] Caps. 64-70; 1964: 125-141; cf. B. Pico/E. Aznar Vallejo/D. Corbella Díaz (eds.) 2003: 126-145.

nocer un tipo de texto homogéneo. Pero hasta cierto punto el marco de *Le Canarien* corresponde a lo que se llamará *relación* en la documentación indiana. La perspectiva de la relación se entrelaza con la idea de cruzada, la planificación de la conquista de otras islas y el ataque a los sarracenos desde África. Podemos atribuir la perspectiva de la relación más bien a los capellanes, pero las otras perspectivas corresponden claramente a los intereses de Gadifer.

Los motivos de la empresa

Hay que averiguar los motivos y las condiciones previas de este primer viaje de conquista emprendido con la intención de colonizar la tierra conquistada. Los clérigos se limitan a informar sobre la conversión. Para Jean de Béthencourt, en cambio, puede haber sido decisivo salvarse de dificultades económicas y sustraerse a pleitos[118]. Gadifer de La Salle, aunque sigue siendo mencionado en la generación siguiente como modelo de caballero[119], no llegó a más que senescal, de modo que podemos suponer en él como motivo la ascensión económica y social, mismo motivo que inducirá a los españoles a emigrar a América.

¿Por qué se dirigieron precisamente a las Islas Canarias? Sólo podemos hacer conjeturas al respecto. Robert (o Robin) de Braquemont, pariente de Jean de Béthencourt, tenía relaciones con la corte castellana y la papal de Aviñón, lo cual le posibilitó la investidura de Canarias. Pero esto no explica más que la elección del área de influencia castellana. Se iba entonces a las Islas Canarias para coger esclavos y adquirir orchilla y otros productos como pieles, grasas y sangre de drago, colorante purpúreo muy apreciado en aquella época[120]. Es evidente que la caza de esclavos no era el objetivo de Béthencourt, ya que Gadifer y él buscaban, como colonizadores, la paz con los habitantes de Lanzarote y les protegían de

---

118 Cf. A. Cioranescu 1982: 135-153.

119 Cf. A. Cioranescu 1982: 201-202.

120 Estas mercancías resultan de la relación de Niccoloso da Recco: "primo quidem IIII homines ex incolis illarum insularum duxere: pelles praeterea plurimas hircorum, atque caprarum, sepum, oleum[,] piscis et phocarum exuvias, ligna rubra tingentia, fere ut verzinum, fac esse dicant experti talium illa non esse verzinum. Insuper et arborum cortices aequo modo in rubrum tingentes, sic et terram rubram, et huiusmodi" (N. da Recco 1827: 54) En español: "Bien es verdad que llevaron al principio cuatro hombres entre los habitantes de aquellas islas; además, la mayor parte de las pieles de machos cabríos y de cabras, sebo, aceite, pescado, pieles de focas, maderas tintóreas rojas, así como *verzinum* [it. *verzino*, una madera tintórea que produce un colorante rojo], si bien los expertos dicen que los colorantes de éstos no son *verzinum*. Además, cortezas de árboles que sirven igualmente de colorantes rojos, así como tierra roja, y más cosas parecidas".

ataques[121]. El motivo no puede ser otro que la explotación económica de las islas. Entre los productos, la orchilla, especie de liquen que sirve para producir un colorante encarnado, parece haber sido el más interesante. Esta planta era necesaria en una región como la Alta Normandía que producía lana y lino, sobre todo en Grainville-la-Teinturière, llamada así –tanto en aquel entonces como hoy– por sus tintorerías[122]. Por eso no es casualidad que el manuscrito llevado a Normandía insista mucho en el provecho económico de los viajes a Canarias. Concretamente dice que la orchilla es de particular valor: "orchilla que vale mucho dinero y que sirve para teñir"; "un grano que vale mucho, que se llama orchilla, ésta sirve para teñir paños u otra cosa y es el mejor grano de aquel grano que se pueda encontrar en ningún país, por su condición"[123].

Contactos entre lenguas europeas: castellano y francés

He citado las informaciones sobre la lengua canaria y los intérpretes. Ahora vamos a volver sobre el problema de las relaciones entre las lenguas europeas en los primeros contactos.

El francés, ¿lengua dominante?

A pesar del escaso interés etnográfico de los franceses que nos impide sacar conclusiones acerca de la comunicación con los canarios, *Le Canarien* nos sugiere que ni el canario ni el francés dominaban en Lanzarote. Puede que el francés se haya mantenido durante aproximadamente cien años como escribe Pedro Mártir de Anglería en la tercera década de su obra *De orbe novo*, que narra los sucesos en el Nuevo Mundo hasta 1515: "También he sabido poco ha en esas mismas islas, del francés B[é]thencourt, primer cultivador de las Afortunadas [...], hay un partido betancoriano que conserva todavía la lengua y las costumbres francesas"[124]. El

---

[121] Gadifer de La Salle 1976: 65.

[122] Cf. A. Cioranescu 1982: 157-163. Por lo demás, F. Fernández-Armesto (1987: 181) piensa que los franceses podrían haber buscado el "Río de Oro". No hay el más mínimo indicio para esta conjetura que presupone que las Islas Canarias fueran menos conocidas de lo que en realidad eran.

[123] "oursolle, qui vault biaucoup d'argent, qui sert à tainture" (1960: 135); "une grayne qui vault biaucoup, que on appelle orsolle, elle sert à teindre draps ou autre chose et est la milleure graine d'icelle graine que l'on sache trouver en nul pais, pour la condicion d'icelle" (1960: 249).

[124] P. M. de Anglería 1989: 216; el texto original dice: "Didici etiam nup*er* esse in insulis ipsis á Betanchoro Gallo primo fortunataru*m* cultore [...], Beta*n*chórana*m* factionem quae adhuc *et* linguam *et* mores Gallicos seruet" (P. M. de Anglería 1966: 129).

francés, sin embargo, no parece haber sido la lengua que los canarios o los castellanos y extranjeros aprendieran en las islas orientales, puesto que aparte de unos pocos apellidos y topónimos nada se transmitió en Canarias que se remonte al francés. No hay más que dos topónimos cuyo origen francés se documenta en *Le Canarien*: "Después empezaron un castillo que se llama *Rubicón*"[125]. En el momento crucial de la guerra civil contra Pompeyo, Julio César atravesó en el año 49 a. C. el río Rubicón. Así, este nombre puede aludir a la intención de conquistar la isla de Fuerteventura situada frente al castillo de Rubicón y al alcance de la vista. Pero eso no lo sabemos a ciencia cierta. En los mapas modernos se ubica Rubicón, antes situado en la Punta del Papagayo y sede de un obispado, en el extremo sudoeste de Lanzarote[126]. El motivo sería que las piedras de Rubicón habrían servido de material de construcción de la nueva localidad. El otro topónimo es *Riche Roque* en Fuerteventura: "y Béthencourt ha empezado una fortaleza en una gran ladera de una montaña, sobre una fuente viva, a una legua del mar, que se llama *Riche Roque*"[127]. Este topónimo se conserva como nombre de una fuente, *Fuente Roche*[128]. Se plantea la cuestión de por qué los franceses dejaron huellas lingüísticas tan escasas.

Es obvio que *Le Canarien* no puede instruirnos sobre préstamos franceses en el castellano del siglo XV. Por eso hay que buscar otras huellas de un posible contacto entre francés y castellano. Un galicismo hipotético es la palabra *jable* con su variante *sable*, bien documentado en la toponimia de Lanzarote, Fuerteventura y El Hierro, pero también en las demás, con excepción de La Gomera. El testimonio de la toponimia prueba que *sable* o *jable* era un apelativo común de

---

[125] "Après commencerent un chastel qui s'apelle *Rubicom*" (1964: 49); cf. B. Pico/E. Aznar Vallejo/D. Corbella Díaz (eds.) 2003: 14. El topónimo puede originarse en una reminiscencia literaria de Gadifer quien llevaba consigo "plusieurs livrez rommans et autres" ("varios libros en romance y otros") (1964: 190-202). Según M. Trapero y E. Llamas Pombo se había dado el nombre de la iglesia de *San Marcial de Rubicón* "en memoria de El Rubicón que está la [*sic*] lado de la Rochella [*sic*]" (1998: 107).

[126] Se redescubrió y excavó ese lugar apenas en 1960.

[127] "et a commencié Bettencourt une forteresce en un grant pendant d'une montaigne, sur une fontaine vive, à une lieue pres de la mer, qui s'apelle *Riche Roque*" (1964: 119); cf. B. Pico/E. Aznar Vallejo/D. Corbella Díaz (eds.) 2003: 126.

[128] Cf. E. Serra/A. Cioranescu (eds.) 1964: 214-222, sobre todo 221. El nombre de la fortaleza es *Richiroche* en fray Juan de Abreu Galindo (^{2}1977: 69). Abreu puede haber tenido conocimiento de este topónimo a través del sumario del manuscrito de Jean V de Béthencourt, tal vez en una traduccción española (cf. E. Serra/A. Cioranescu (eds.) 1964: 159). Puesto que -*roche* en *Richiroche* armoniza con *Fuente Roche*, de tradición oral, *Richiroche* puede ser una forma castellana oral antigua. La forma de *Roche* en lugar del francés u occitano afrancesado *Roque* se fecha así por lo menos en el siglo XVI.

todas o casi todas las Islas Canarias[129]. La consonante inicial se explica sólo si la hacemos remontar a los primeros contactos. La /s/ del fr. *sable* se podía adaptar según las variantes de la sibilante sorda como [s] predorsodental o como [s] apicoalveolar. La segunda sería más probable para explicar la forma *jable*: la [s] apicoalveolar de la palabra canaria *sable* debe haber pasado a la fricativa prepalatal [ʃ], sufriendo los cambios regulares de este sonido. En cuanto a la reconstrucción del significado, habría que partir de los topónimos en Lanzarote y Fuerteventura que se refieren a dunas, a "arenas eólicas", es decir, "arena blanca amarillosa y movediza" que encontramos en las costas europeas del Atlántico. Este apelativo se ha conservado en los topónimos. Del significado originario deriva el significado "arena volcánica", "de color oscuro o negro y de granos más gruesos"[130]. Si fuera galicismo, la palabra se habría difundido en las dos formas *sable* y *xable* > *jable* en las etapas de la conquista de las demás Islas Canarias desde Lanzarote hasta Fuerteventura, lo cual explicaría la gran extensión de la palabra y del topónimo. La restricción ulterior de su uso ya no se puede justificar sin tomar en cuenta el campo semántico "tierra". Sin embargo, ambas formas se documentan perfectamente en la España continental. *Jable* deriva de manera convincente del gallego *xabre*: "1. Tipo de terra moi areosa ou con barro que pode utilizarse como material de construcción [...]. 2. Área"[131]. Sumando al gal. *xabre* la forma *sable* ("Arenal formado por las aguas del mar o de un río en sus orillas") documentada según el *DRAE* en Asturias y Santander, obtenemos prácticamente las mismas variantes en regiones vecinas tanto en el norte de España como en Canarias.

En 1998, Maximiano Trapero y Elena Llamas Pombo propusieron la interpretación de la palabra *guanche* como galicismo. Es obvio que en el caso de ser cierto la palabra se tomara del francés en la época de los primeros contactos lingüísticos. Esta nueva etimología va acompañada, lógicamente, del rechazo de *guanche* como guanchismo. Aunque puedo compartir los reparos a una etimología guanche o beréber, hay que examinar brevemente los argumentos en favor del origen francés. Como siempre en estas cosas hay que distinguir rigurosamente la documentación, que se estudia siguiendo criterios filológicos, de la reconstrucción interna. Éste es un método probabilístico que no supera este estatus si no encontramos una documentación probatoria. Se registra abundantemente el verbo *guenchir* del francés antiguo y las formas *guenchir* y *ganchir* del francés medio con el significado "moverse hacia un lado", "alejarse respecto a un curso

129 D. Corbella Díaz 1993: 345; M. Trapero 1999: 249-251.

130 M. Trapero 1999: 250.

131 *DRAG*: s. v. *xabre*.

o trayectoria previos", "huir dando media vuelta", "evitar algo con un cambio de la postura corporal" y otros usos[132]. De *guenchir/ganchir* deriva el nombre de acción *ganche*, de género femenino, formando también la locución *faire ganche* que significa "huir", con varias acepciones, por ejemplo, "huir haciendo eses o en zig-zag"[133]. Sin duda alguna está abundantemente documentada la destreza de los indígenas canarios para arrojar y esquivar piedras[134], pero no se documenta, sino que se reconstruye el cambio semántico de *la ganche* "giro", "acción de apartarse", al apelativo *le ganche* "el que se gira", "el ágil" y el cambio del apelativo al etnónimo. El cambio metonímico implicado de acción a agente y relacionado con la función del sujeto es frecuente en cualquier lengua y se encuentra también en la lengua española[135]. Mientras que el proceso metonímico que explica el cambio del nombre de acción al apelativo es muy probable, el cambio del apelativo *ganche* a un etnónimo, sea en francés o en español, lo es mucho menos. Lo que queda por justificar es el paso de *ganche* a *guanche* en francés o en español, ya que los pasajes citados atestiguan sin variar una primera sílaba que fonológicamente equivale a /gɛ̃-/ o /gã-/. La falta de este eslabón fonológico del francés hace la reconstrucción más bien improbable. Sin embargo, existía una forma portuguesa *gaãchos* que designaba a los naturales de Lanzarote y La Gomera, pero anterior a la conquista, ya que el documento está fechado el 7 de julio de 1376. Este documento, conservado en un archivo particular al que pertenecía y que se destruyó posteriormente, tiene algunos inconvenientes, pues sólo se conoce por una publicación del historiador portugués Fortunato de Almeida, y no se considera como fiable "sobre la base de varios anacronismos en relación con la historia de Canarias"[136]. Una prueba documental ya no es posible, porque habiendo sido destruido el archivo no se puede comprobar la autenticidad del documento. Por otra parte, los autores de *Le Canarien* usan invariablemente *canare* para designar a los habitantes indígenas de las Islas Canarias y tampoco diferencian entre los naturales de una isla en particular.

Examinemos ahora la documentación toponímica. Es cierto que la presencia actual del nombre *guanche* en la toponimia de todas las islas es un argumento fuerte en favor del uso genérico de *guanche*, aunque no de su origen europeo. Si *guanche* fuera un término genérico para designar a todos los canarios desde el principio, se habrían ido eliminando los otros etnónimos a medida que se fueron conquistando las islas. Como Tenerife fue la última isla conquistada con la parti-

---

132 M. Trapero/E. Llamas Pombo 1998: 161-169.

133 M. Trapero/E. Llamas Pombo 1998: 165.

134 M. Trapero/E. Llamas Pombo 1998: 175-185.

135 J. Lüdtke 1978.

136 M. Trapero/E. Llamas Pombo 1998: 149.

cipación de *canarios*, o sea, naturales de Gran Canaria, *guanche* podría haber quedado para denominar a los naturales de Tenerife. Sin embargo, no encontramos ningún testimonio documental de este proceso supuesto. Al contrario, la documentación de *guanche* "natural de Tenerife" es abrumadora en los documentos de repartimiento que en el caso de Tenerife se llaman *datas*. La primera documentación se registra en 1498[137] y aparece constantemente como gentilicio de los naturales de Tenerife en los *Acuerdos del Cabildo de Tenerife* donde se distinguen los europeos y varios grupos de autóctonos pero sin proponer una denominación para los habitantes de las islas en su conjunto: "todos los vecinos e moradores estantes e abitantes, asy castellanos como portugueses, canarios, gomeros e *guanches*"[138]. No obstante, los autores del *DHECan* aducen tres ejemplos de *guanche canario*, tomados de la *Reformación del repartimiento de Tenerife de 1506*, como prueba de que *guanche* significaba "antiguo habitante aborigen de las islas Canarias". El ejemplo más interesante es éste:

> Preguntado por el quarto artículo dixo que sabe que traía el dicho governador de Canaria un *guanche* canario y que este *guanche* se ayuntó con otro *guanche* de la isla de Tenerife y que sabe que anbos andauan de casa en casa de los vezinos de la isla diziendo a los *guanches* que eran libres (s. v. *guanche*; cursivas del texto).

El texto distingue claramente entre *canario* "grancanario" y *guanche* "tinerfeño", sólo que uno de los conquistadores grancanarios indígenas se había convertido en habitante de Tenerife, es decir, en *guanche*, tras haber sido favorecido en el repartimiento, y que, como hombre libre, iba alborotando a sus nuevos paisanos tinerfeños. Se trataba de diferenciar a los pobladores grancanarios castellanos de los pobladores grancanarios indígenas. En el mismo entorno histórico, un testigo, Alonso de Alcaraz, depone en la residencia de Alonso de Lugo que "save e vió que en el Realejo de abaxo vió […] que dió el dho Ad. [Adelantado Alonso de Lugo] tierras a ciertos *canarios*"[139], en un entorno cultural que distingue cuidadosamente indígenas guanches y canarios. El problema de la libertad de los guanches se trata en el mismo expediente, ya que se menciona a "Lope Sanches de Valençuela […] que avía venido a hacer cierta pesquisa sobre los *guanches* que dezían ser horros desta isla"[140] y se resuelve en un documento regio de 1511 que dice que los guanches son "libres e orros"[141], con lo cual se confirma el problema jurídico planteado por los *guanches canarios*: no hubiera tenido sentido

[137] M. Trapero/E. Llamas Pombo 1998: 114.

[138] E. Serra Ráfols (ed.) 1949: I, 41.

[139] L. de la Rosa Olivera/E. Serra Ráfols (eds.) 1949: 120.

[140] L. de la Rosa Olivera/E. Serra Ráfols (eds.) 1949: 7.

declarar libres a todos los indígenas canarios, incluso a los aborígenes de Gran Canaria y a los conquistados con anterioridad.

Ahora bien, la hipótesis del etnónimo genérico contrasta con el uso del masculino y del femenino singular frente al plural en la toponimia canaria. Trapero y Llamas Pombo dan "el valor 'lugar de la gente guancha'" al singular femenino *La Guancha* y "un valor colectivo" al masculino singular *El Guanche*[142]. El valor probatorio de la toponimia está acompañado del rechazo de la hipótesis del reparto de guanches por todas las islas. El primer problema que habría que resolver es la presencia del topónimo en la propia isla de Tenerife. Llama la atención el que, de cuatro nombres de lugares, tres topónimos estén en singular, dos sean femeninos y uno masculino, y uno esté en plural[143], y el que tres de ellos se encuentren en los antiguos *bandos de guerra* y uno, *La Guancha*, lugar del municipio de Candelaria, en los antiguos *bandos de paces*. El carácter de rareza de los guanches en el norte de Tenerife a raíz de la venta de esclavos originarios sobre todo de los bandos de guerra puede ser el motivo por el que se denomina una casa o un caserío con las palabras *guanche* y *guancha*, y precisamente en singular, mientras que los antiguos bandos de paces, ocupados sin solución de continuidad por los naturales, carecen prácticamente de este tipo de toponimia. Tampoco creo que los restos indígenas estén en contradicción con la hipótesis de un asentamiento aislado de un natural de Tenerife en las otras islas, haya sido previamente esclavo o no. Los naturales de Tenerife se vendieron incluso en los puertos del Mediterráneo[144]. Bien conocida es la solidaridad que practicaban los guanches entre sí. El hecho de que se aferraran a su modo de vida tradicional permite explicar la existencia de *guanche* en la toponimia menor y entre los nombres de antiguos caseríos y cuevas habitadas.

En suma, a mi modo de ver, la cuestión del origen guanche queda abierta, aunque enriquecida de muchos otros puntos de vista que hay que tomar en cuenta. No puedo hacer caso omiso a los abrumadores testimonios documentales e históricos antiguos que restringen *guanche* a la denominación de los naturales de Tenerife. Para explicar el uso generalizado actual de *guanche*, me parece más convincente otro desarrollo semántico. Puesto que *canario* designaba al habitante aborigen, esta voz pudo pasar a designar al habitante de origen peninsular, al igual que las denominaciones de los indígenas americanos como en el caso de *mexicano*. A partir de entonces faltó una denominación unívoca para el aborigen que *guanche* pudo suplir tras la extinción de la población originaria. Las docu-

---

141 L. de la Rosa Olivera/E. Serra Ráfols (eds.) 1949: 133.

142 M. Trapero/E. Llamas Pombo 1998: 145.

143 M. Trapero/E. Llamas Pombo 1998: 141.

144 Cf. V. Cortés 1955.

mentaciones continuas de *guanche* "antiguo canario" empiezan en el siglo XVIII.

Una consideración aparte merecen los "franceses". La composición de este grupo no era homogénea en cuanto a sus lenguas. Provenían del Poitou, del Pays d'Aunis, del Bigorre y sobre todo de Normandía. Es probable que formaran parte del grupo de los "franceses" también dos alemanes, Guillermo de Andernach y Guillermo de Alemania. No sabemos qué lengua hablaban los "franceses" entre ellos ni tampoco si los intérpretes canarios hablaban castellano con los normandos, los naturales del Poitou y los gascones –así se llaman los occitanos, como de costumbre, en el texto–. Para la conversión de los lanzaroteños los franceses no podían prescindir de los servicios de Isabel. Si no fuera así, los capellanes no habrían tenido que intervenir con Bertin en una acción tan enérgica para conservarla.

En consecuencia, hay que contar con varias lenguas románicas que se hablaban en Lanzarote entre 1402 y 1404. Los franceses estaban en la isla desde hacía poco, cuando Bertin tuvo que hablar con la tripulación de la "nave Morelle" ("nef Morelle") cuyo "maestre" ("maistre") era "Francisco Calvo" ("Francisque Calve"): "Y habló o hizo hablar a uno de los compañeros de la nave que se llama Jimeno"[145]. Si suponemos que *Simaine* podría ser la forma afrancesada de *Ximénez* o *Ximeno*, que Francisco Calvo hablara castellano y Bertin francés (o normando), la expresión "o hizo hablar" sugiere la probable intervención de un intérprete. Éste es, por lo demás, el único indicio de dificultades de comunicación entre hablantes de lenguas románicas diversas. Quizás haya existido esa dificultad sólo al principio, pues nada se dice de problemas de comunicación entre franceses y castellanos. Puede que el maestre fuera un genovés, de nombre *Francesco* Calvo, en forma toscana, cuya lengua los franceses entendían con mayor dificultad que el castellano de los andaluces.

Si los autores no plantean el problema de la comunicación entre franceses y castellanos, tal vez no haya sido de importancia: se reproduce un diálogo entre marineros del barco "Tranchemar"[146] al mando de "maestre Fernando Ordóñez" ("maistre Ferrant d'Ordoingnes")[147] en discurso directo. De manera parecida, el texto se refiere en diferentes pasajes a conversaciones con castellanos. A más tardar en el viaje de tres meses de duración, entre principios de julio de 1403 y principios de octubre de 1403, que Gadifer y sus cuatro compañeros franceses emprendieron a Fuerteventura, Gran Canaria, Tenerife, La Gomera, El Hierro y La Palma, éstos tenían que hablar castellano con los marineros andaluces.

Todos los indicios parecen indicar que el castellano dominó en Canarias

---

145 "Et parla ou fist parler à un des compaignons de la nef qui s'appelle Simaine" (1964: 37); cf. B. Pico/E. Aznar Vallejo/D. Corbella Díaz (eds.) 2003: 42.

146 1964: 45; cf. B. Pico/E. Aznar Vallejo/D. Corbella Díaz (eds.) 2003: 38.

147 1964: 37; cf. B. Pico/E. Aznar Vallejo/D. Corbella Díaz (eds.) 2003: 26.

desde el principio y que el francés fue poco relevante para la comunicación fuera de la comunidad de los colonos franceses. Aparte del papel dominante del castellano en las situaciones de contacto lingüístico también lo señalan los no pocos préstamos castellanos en el francés de *Le Canarien*.

Castellanismos

Cuando la gente de Gadifer dirige la palabra a los marineros del barco Tranchemar diciendo: "Señores, ¿qué buscáis?"[148], todavía podemos estar en la duda de si se usa fr. *querir*, "buscar, desear", como cast. *querer*. Pero leemos ya en el principio de *Le Canarien* al cabo de pocas líneas: "en ciertas islas que están de aquella *banda*, que se llaman las Islas Canarias"[149]. Esta palabra románica mediterránea y también andaluza que significa "lado, costado de la nave, costa" se emplea varias veces con este significado: "Y vinieron, costeando todas las islas por la otra *banda*", "se extiende de la otra *banda*" (es decir, las Islas Canarias enfrontadas a la costa occidental de África), "todos los reinos de cristianos, de paganos y de sarracenos que están de este lado de esa *banda*"[150]. Es interesante que esta palabra falte en el manuscrito de Jean v de Béthencourt. Se halla sí *cousté* en este uso, pero en la descripción sumaria de las islas que retoma en parte pasajes anteriores: "Y confina su tierra [es decir, Tenerife] por un *lado* a diez leguas cerca de la Gomera hacia el mediodía y por el otro *lado* hacia el norte a siete leguas de Gran Canaria"[151].

Aún más fuerza probatoria tiene una palabra que designa una configuración del terreno típica que se introduce con la ocasión de una caza de esclavos en Fuerteventura: "[Gadifer] bien se doubtoit que en un *fort pays* qui estoit là devant en la plaine avoit des gens. Si ordonna de ce pou de gens qu'il avoit, comprendre tout ce *mauvait pays*"[152]; "fort pays" reanuda este grupo nominal a renglón seguido. Se caracteriza El Hierro de manera parecida: "Et est le *pays tresmauvais* une lieue tout entour par devers la mer"[153]. La Palma se llama "tresforte"[154]. *Fort*

---

[148] "Beaux seigneurs, que querez vous?" (1964: 45); cf. B. Pico/E. Aznar Vallejo/D. Corbella Díaz (eds.) 2003: 38.

[149] "en certaines isles qui sont sur celle *bande*, qui se dient les isles de Canarie" (1964: 15); cf. B. Pico/E. Aznar Vallejo/D. Corbella Díaz (eds.) 2003: 5.

[150] "Et s'en vindrent, coustoiant de l'autre *bande* toutes les isles" (1964: 79); cf. B. Pico/E. Aznar Vallejo/D. Corbella Díaz (eds.) 2003: 78; "s'estent de l'autre *bande*", "tous les royaumez de chrestiens, de paiens et de sarrazins qui sont de ceste *bande* par dessa" (1964: 101); cf. B. Pico/E. Aznar Vallejo/D. Corbella Díaz (eds.) 2003: 106.

[151] "Et marche leur païs [es decir, Tenerife] d'un *cousté* a six lieuez pres de la Goumiere devers le midy, de l'autre *cousté* devers le nort a sept lieuez de la Grant Canare" (Gadifer de La Salle 1976: 63); cf. B. Pico/E. Aznar Vallejo/D. Corbella Díaz (eds.) 2003: 134.

pays –la interpretación "terreno que se defiende con facilidad" es menos probable en este contexto– se entiende como traducción del cast. *malpaís* al francés. Este calco semántico del francés es la primera documentación indirecta de *malpaís*. *Malpaís* es una palabra canaria indispensable. Sin embargo, todavía hacia fines del siglo XVI fray Juan de Abreu Galindo la explica para forasteros: "entre los *malpaíses* que allí hay [cerca de Las Palmas], que son unas peñas quemadas y riscos"[155]; "la piedra quemada, que dicen *malpaís*"[156]. Es posible que el significado "terreno de lava" no sea el primer significado: no hay tal configuración del terreno en el valle del Río de Palmas en Fuerteventura que había sido descrito como "fort pays" y "mauvais pays"[157].

Los marineros deben haber servido de intermediarios en la transmisión de *banda* y *malpaís*. Esto es seguro en el caso de fr. *bonnance*, cast. *bonança*: "et furent trois jours en *bonnance*"[158], y de fr. *papefil*, cast. *papahigo*: "et singlerent celle journée ovecquez le *papefil* tant seulement"[159]. Otras palabras son *hyguyeres* por *higuera infernal* o "ricino"[160], *sang de dragon* por *sangre de drago* –fr. *dragon*, fr. mod. *dragonnier*, puede ser una reinterpretación de *drago*, palabra castellana para este árbol[161]–, fr. *marvesins*, cast. *maravedís*, *maravedíes*, moneda menor de diferentes valores[162], fr. *cafiz* (plural)[163], cast. *cafices*, *cahices*, medida de capacidad para áridos, de distinta cabida según las regiones. La palabra que designa al jefe de tribu, *roy*[164], parece provenir del castellano, ya que

---

152 1964: 71: "[Gadifer] sospechaba que hubiera gente en un *terreno rocoso* que estaba delante de ellos en la llanura. Y mandó a los pocos hombres que tenía cercar todo ese *malpaís*"; cf. B. Pico/E. Aznar Vallejo/D. Corbella Díaz (eds.) 2003: 69.

153 1964: 77: "Y es el *país muy malo* una legua en derredor hacia el mar"; cf. B. Pico/E. Aznar Vallejo/D. Corbella Díaz (eds.) 2003: 77.

154 1964: 77; Gadifer de La Salle 1976: 62; cf. B. Pico/E. Aznar Vallejo/D. Corbella Díaz (eds.) 2003: 77.

155 J. de Abreu Galindo [2]1977: 186.

156 J. de Abreu Galindo [2]1977: 265.

157 Cf. E. Serra/A. Cioranescu (eds.) 1960: 142. M. Trapero 1999: s. v. *malpaís*; según el TLEC, s. v. *malpaís*, y M. Morera 2001, la voz está ampliamente documentada en todas las Islas Canarias y se proyecta a las zonas volcánicas de América, sobre todo en México.

158 1964: 25: "y estuvieron tres días en bonanza"; cf. B. Pico/E. Aznar Vallejo/D. Corbella Díaz (eds.) 2003: 14.

159 1964: 121: "y navegaron aquel día sólo con el papahigo"; cf. B. Pico/E. Aznar Vallejo/D. Corbella Díaz (eds.) 2003: 126.

160 1976: 65; cf. E. Serra/A. Cioranescu (eds.) 1964: 138-141. La identificación de esta palabra con la *tabaiba dulce* o "Euphorbia canariensis" en D. J. Wölfel 1965: 572, no me convence.

161 1964: 73; cf. B. Pico/E. Aznar Vallejo/D. Corbella Díaz (eds.) 2003: 73. *Sang de dragon* es un préstamo del castellano, según el FEW: s. v. *draco*, desde el siglo XIII. *Drago* se docu-

antes los franceses no tenían la oportunidad de referirse a jefes de tribu. La sustitución de *Espaignolz*[165] por *Castillains*[166] se explica por el contacto prolongado con los castellanos. Puesto que los franceses llamaban a los reinos de la Península Ibérica "Portingal, Espaigne et Arragon"[167], es de esperar que llamen al castellano *Espagnol*. Al manuscrito de Le Verrier se puede remontar *tarhais* (plural), fitónimo que documenta Jean V de Béthencourt: "de grans bocages de bois qui s'apellent *tarhais*, qui portent gome de sel bel et blanc"[168]. *Taray* es la forma antigua del *tamarix canariensis*. En Canarias se conserva *tarajal*.

El término fr. *nave*, usado ya en francés antiguo, puede ser tomado nuevamente de otra lengua, a través del castellano, con un significado específico. Se les acusa a los franceses recién llegados a Andalucía de haber hundido tres *naves*[169]. Doce compañeros revoltosos de Gadifer se alejan en un "batel" en dirección a la "terre de Mores, quar les *navefs* povoient bien adoncques estre mie voie de là et d'Espaigne"[170], es decir que podían ser recogidos por *naves* que iban bordeando por las costas occidentales de África. Gadifer y su gente no saben que Béthencourt ha prestado homenaje al rey de Castilla y que desde entonces

menta en torno a 1500 en los *Acuerdos del Cabildo de Tenerife* (E. Serra Ráfols 1949: I, 27, 35). La primera representación gráfica de un drago que conozco se encuentra en un grabado de Martin Schongauer, de 1496, que representa una huida a Egipto y que retoma Alberto Durero. Se explica la transmisión de la imagen de este árbol exótico por el contacto con esclavos canarios en un puerto de la costa de España.

162 1964: 33; cf. B. Pico/E. Aznar Vallejo/D. Corbella Díaz (eds.) 2003: 25.

163 1964: 119; cf. B. Pico/E. Aznar Vallejo/D. Corbella Díaz (eds.) 2003: 125.

164 1964: 25; cf. B. Pico/E. Aznar Vallejo/D. Corbella Díaz (eds.) 2003: 14. La palabra no se registra en este uso en el FEW ni en el diccionario del francés antiguo de A. Tobler/E. Lommatzsch.

165 Por ejemplo 1964: 41; cf. B. Pico/E. Aznar Vallejo/D. Corbella Díaz (eds.) 2003: 33.

166 1964: 71, 123; cf. B. Pico/E. Aznar Vallejo/D. Corbella Díaz (eds.) 2003: 69, 129.

167 1964: 97; cf. B. Pico/E. Aznar Vallejo/D. Corbella Díaz (eds.) 2003: 101.

168 1960: 249: "grandes florestas de árboles que se llaman *tarayes* y que llevan goma de sal hermosa y blanca." Con toda la razón D. J. Wölfel (1965: 579) considera esta palabra como castellana y no canaria. No está en lo cierto E. Serra Ráfols que considera can. *tarajal* "tamariz" como formación colectiva derivada de una base del canario antiguo (1964: 212). Según el DCECH: s. v. *taray*, se trata de un arabismo, documentado por primera vez en Nebrija. Por consiguiente, la palabra debe antefecharse de cien años. *Tarajal* se documenta como fitónimo –no como colectivo– en J. de Abreu Galindo con referencia a Fuerteventura: "hay algunos árboles, como son *tarajales*, acebuches y palmas" (^{2}1977: 59) y también en el topónimo majorero *Valtarahal* que aparece en el mismo autor: "un valle que llamaron *Valtarahal*, por los muchos *tarajes* que en él hay" (^{2}1977: 67).

169 Jean V de Béthencourt escribe "navires" (1960: 25), lo que quiere decir que para él *nave* no era una voz muy difundida si la conocía.

tiene el monopolio del comercio con Canarias. Ignorando esta circunstancia, se sorprenden "que les *nafves* d'Espaigne et d'ailleurs qui on acoustumé de frequanter en cestes marches ne viennent outrement"[171]. La distancia entre el Cabo Bojador y el Río de Oro se calcula en tres jornadas según el autor anónimo del "Libro del Conosçimiento": "ce n'est singleure que pour III jours pour barge ou pour *nave*, car galeez qui vont tousiours terre à terre prenent plus lonc chemin"[172]. Estas citas excluyen que *nave* signifique simplemente "barco". La *nave* es un tipo de barco que se distingue de la *nef*, embarcación que usaban los conquistadores franceses, de *barge* "barca", *galiote* "galiota", *galee* "galera" y del archilexema *navire* "barco". Debe tratarse del barco de gran tonelaje que empleaban los genoveses sobre todo en el comercio con tierras más distantes como Andalucía, Flandes, Inglaterra, así como con el este del Mediterráneo[173]. Los franceses habían podido conocer este tipo de barco antes de su viaje; en este caso la palabra francesa se habría tomado directamente del genovés o italiano, sin pasar por el castellano.

Los nombres de las Islas Canarias

Los franceses pudieron enterarse de los nombres de las Islas Canarias por los andaluces, los marineros andaluces en particular, y por una fuente escrita, el "Libro del Conosçimiento"[174]. Los escritores de *Le Canarien* consideran que el autor de esta obra, un franciscano, está bien informado[175], pero no le siguen a pesar de eso cuando cuenta nombres diversos para la misma isla como si fueran

---

170 1964: 55: "tierra de moros, pues las *naves* podían estar a mitad del camino de allá y de España"; cf. B. Pico/E. Aznar Vallejo/D. Corbella Díaz (eds.) 2003: 49. Jean V de Béthencourt tiene "Mores" en vez de "naves", lo que hace el pasaje incomprensible (1960: 91).

171 1964: 65: "que las *naves* de España y de otras partes que solían frecuentar estas regiones ya no van"; cf. B. Pico/E. Aznar Vallejo/D. Corbella Díaz (eds.) 2003: 58. Este pasaje falta en Jean V de Béthencourt.

172 1964: 107: "Es una navegación de no más de tres días en barca o en *nave*, ya que las galeras que siempre van bordeando la tierra toman un camino más largo"; cf. B. Pico/E. Aznar Vallejo/D. Corbella Díaz (eds.) 2003: 113. Así también en Jean V de Béthencourt, pero en orden inverso: "pour naves et pour bargez" (1960: 207).

173 Cf. J. Heers 1971: 205-210.

174 B. Bonnet y Reverón 1944: 218. Sólo si los autores de *Le Canarien* no conocen –o no conocen bien– el nombre transmitido por vía oral recurren a los nombres del franciscano, por ejemplo, en "cap de *Bugeder*" (1964: 95) –cf. B. Pico/E. Aznar Vallejo/D. Corbella Díaz (eds.) 2003: 105– por *Cabo (de) Bojador*. Hoy en día, este nombre corresponde a *Cabo Yubi* (*Juby*). El actualmente llamado Cabo Bojador está situado al sur del Cabo Yubi (cf. F. Fernández-Armesto 1987: 192).

175 1964: 101; cf. B. Pico/E. Aznar Vallejo/D. Corbella Díaz (eds.) 2003: 106.

islas diversas[176]. Por este motivo y porque los nombres que encontramos en la obra del franciscano no coinciden regularmente con los de los autores de *Le Canarien* no vamos a referirnos a esa obra. Si los franceses se apoyaban en una fuente escrita para los nombres de las islas, lo más probable es el uso de un portulano, porque remiten a un mapa con motivo de la descripción de La Palma: "La isla de Palmas, la más adelantada por la parte del océano, es más grande de lo que figura en el mapa"[177].

Los nombres de las islas que aparecen en *Le Canarien* se usan con leves variaciones hasta la actualidad: "isles de *Canarie*", "isles de *Canare*" o "isles *Canariennes*"[178], "isle *Lancelot*" o Lanzarote, quizás llamada así por "Lancelot Maloisel", cosa no segura[179], "L'isle de *Gracieuse*" o Graciosa[180], "l'isle de *Loupes*" o Isla de Lobos[181], "isle d'*Erbanne*" o Erbania y "*Forte Aventure*" o Fuerteventura con preferencia de *Erbanne*[182], "[l]a *Grant Canare*" o Gran Canaria[183], "[l]'isle d'*Enfer*" o "*Tenerefix*" que corresponden a la isla del Infierno y Tenerife[184], "[l]a *Gomere*", "*Gomiere*" o La Gomera[185], "[l]'isle de *Palmes*" o la isla de La Palma[186] y "l'isle de *Fer*" o El Hierro[187].

En un documento de 1418 relativo a la donación de las islas al conde de Niebla, que los señores de las Islas Canarias aportan como prueba en la *Pesquisa de Pérez de Cabitos* (1477; cf. 3.5.1.), se mencionan los mismos nombres que dan los capellanes franceses:

---

176 1964: 103; cf. B. Pico/E. Aznar Vallejo/D. Corbella Díaz (eds.) 2003: 109.

177 "L'isle de Palmes, qui est la plus avant du cousté de la mer occiene, est plus grande qu'elle ne ce monstre en la carte" (1976: 62); cf. B. Pico/E. Aznar Vallejo/D. Corbella Díaz (eds.) 2003: 133.

178 1964: 15, 33; cf. B. Pico/E. Aznar Vallejo/D. Corbella Díaz (eds.) 2003: 5, 22. La variación entre *Islas de Canaria* e *Islas Canarias* se mantuvo durante mucho tiempo en la lengua española.

179 1964: 25, 61; cf. B. Pico/E. Aznar Vallejo/D. Corbella Díaz (eds.) 2003: 14, 133.

180 1964: 25; cf. B. Pico/E. Aznar Vallejo/D. Corbella Díaz (eds.) 2003: 14.

181 1964: 27; cf. B. Pico/E. Aznar Vallejo/D. Corbella Díaz (eds.) 2003: 17. La isla lleva el nombre de los *lobos marinos* o focas que viven ahí. Un problema es la oclusiva <p> en "Loupes" o "Louppes". No está claro si esta forma se explica por cat. *llops marins* –los mallorquines de aquella época eran célebres por sus portulanos– o simplemente por el fr. *loups marins* (1964: 31). Podía ser también un préstamo del castellano.

182 1976: 64; cf. B. Pico/E. Aznar Vallejo/D. Corbella Díaz (eds.) 2003: 138.

183 1976: 63; cf. B. Pico/E. Aznar Vallejo/D. Corbella Díaz (eds.) 2003: 134.

184 1976: 62; cf. B. Pico/E. Aznar Vallejo/D. Corbella Díaz (eds.) 2003: 134.

185 1976: 62; cf. B. Pico/E. Aznar Vallejo/D. Corbella Díaz (eds.) 2003: 133.

186 1976: 62; cf. B. Pico/E. Aznar Vallejo/D. Corbella Díaz (eds.) 2003: 133. El plural corresponde seguramente a la forma originaria. En la *Información de Pérez Cabitos* leemos "la isla de *las Palmas*" (R. Torres Campos 1901: 127); cf. E. Aznar Vallejo (ed.) 1990: 190.

187 1964: 77; B. Pico/E. Aznar Vallejo/D. Corbella Díaz (eds.) 2003: 77.

vos do en pura e en justa es [*sic*] perfecta donaçión fecha entre biuos e non reuocabe [*sic*] por virtud del dicho poder para agora e para syempre jamás como mejor e más complida en qualquier manera e por qualquier vya e deve ser dado e otorgado, asy de derecho como de fecho, a vos el dicho Señor Conde [de Niebla] todas las *yslas de Canaria* que son *el Roque* e *Santa Clara* e *Alegrança* e *La Graçiosa* e *Lançarote* e *ysla de Lobos* e *Fuerteventura* e *La Gran Canaria* e *El Infierno* e *La Gomera* e la *Ysla del Fierro* e la *ysla de Palmas* e todas las otras yslas asy ganadas como por ganar que son so este nombre llamadas *yslas de Canaria*[188].

Los nombres de *Lanzarote* y *Alegranza* pueden remontarse a principios del siglo XIV. *Fuerteventura*, *Canaria* –más tarde llamada *Gran Canaria*–, *Infierno* –cuyo nombre está motivado por el volcán activo en aquella época y que se ha vuelto a sustituir por el nombre canario *Tenerife*–, *Palma*, *Gomera* y *Fer* –posteriormente *Hierro*– eran los nombres que los portugueses habían dado a las islas en un viaje de 1341, en el que participaron italianos y españoles[189].

Los nombres de las islas están, en cuanto son o parecen románicos, bien adaptados al francés. Al llegar a Lanzarote los franceses encuentran "un certain vilaige nommé *la Grant Aldée*"[190]. Vemos en este topónimo una huella de contactos castellanos con Lanzarote anteriores a la conquista francesa. Este lugar, el actual *Teguise*, nombre de una princesa, hija de los últimos reyes de Lanzarote[191], se llama todavía en la *Información de Esteban Pérez de Cabitos* de 1477 "*la grand Aldea*"[192]. Un puerto de la costa oriental, la capital actual de la isla, se designa por el arabismo castellano *arrecife*: "en un village prés de *l'Aracif*", "un autre port nomme *l'Aracif*"[193]. En la costa occidental de Fuerteventura los franceses llegan a "une rivere nommée *le Rieu de Palmes*"[194]. Si *rieu* se usa en vez de *rivere* ("río") que se encuentra igualmente en el texto y considerando que más tarde "ruissiau de Palmes"[195] se refiere al mismo curso de agua, podemos conjeturar una adaptación del hidrónimo *Río de Palmas* al francés. En Fuerteventura Gadi-

---

188 E. Aznar Vallejo (ed.) 1990: 77; cf. p. 251.

189 Cf. J. Álvarez Delgado 1954; M. Trapero 1995: 124.

190 1964: 43: "cierto pueblo llamado *La Gran Aldea*"; cf. B. Pico/E. Aznar Vallejo/D. Corbella Díaz (eds.) 2003: 34.

191 H.-J. Ulbrich 1990: 54-55.

192 R. Torres Campos 1901: 160. Cf. E. Serra/A. Cioranescu (eds.) 1960: 58, n. 9.

193 1964: 59: "en un pueblo cerca de *Arrecife*"; cf. B. Pico/E. Aznar Vallejo/D. Corbella Díaz (eds.) 2003: 53; 1964: 83: "otro puerto llamado *Arrecife*"; cf. B. Pico/E. Aznar Vallejo/D. Corbella Díaz (eds.) 2003: 85.

194 1964: 27: "un río llamado el *Río de Palmas*"; cf. B. Pico/E. Aznar Vallejo/D. Corbella Díaz (eds.) 2003: 17.

195 1964: 69; cf. B. Pico/E. Aznar Vallejo/D. Corbella Díaz (eds.) 2003: 66.

fer había construido una torre (es decir, un fuerte), *Baltarhais/Baltarhayz*, es decir, "valle de tarayes" o, en Canarias, "valle de tarajales"[196]. Fray Juan de Abreu Galindo tiene conocimiento de esta torre que designa como "castillo de *Valtarahal*"[197] que no continúa en la toponimia de Fuerteventura aunque *tarajal* y sobre todo formas diminutivas de la palabra aparecen en la toponimia de la isla. Por último cabe mencionar el topónimo "*port des Iardins*"[198] que se ha perdido igualmente.

Valoración de las informaciones lingüísticas

Además de los dos únicos nombres unívocamente franceses o mantenidos a través del francés ya señalados, *Rubicón* y *Riche Roque*, se conservan apellidos como *Betancor*, en varias formas, o *Perdomo*. Aparte de estos nombres es difícil encontrar huellas lingüísticas del francés que consistan en más que el empleo usual de significados existentes para nuevos objetos. Al contrario, a los autores de *Le Canarien* les faltan las palabras para nombrar lo nuevo. Las florestas de Tenerife se componen de dragos "y de muchos otros árboles de diversas maneras y de diversas condiciones"[199]. Tales modos de expresión generales aparecen en varios pasajes. Cristóbal Colón no se va a expresar de otra manera en sus andanzas por las Antillas. Ya que los franceses denominan lo nuevo mediante préstamos, deducimos de ello que a sus experiencias directas se añaden muchas indirectas. Precedieron a los franceses mallorquines, portugueses, genoveses y sobre todo andaluces, de los que aprendieron lo fundamental. Los castellanos y la lengua castellana intervienen en la transmisión de las experiencias que habían adquirido diversas naciones europeas del Mediterráneo occidental en Canarias y en parte en las costas occidentales de África. Y los autores de *Le Canarien* saben que los "españoles" y los "aragoneses" les habían precedido[200]. Los castellanos

---

196 1960: 263. En el manuscrito de Gadifer se arrancó en este lugar un folio, de tal manera que sólo se conserva la mitad del nombre de la torre ("Vauta…", 1964: 123); cf. B. Pico/E. Aznar Vallejo/D. Corbella Díaz (eds.) 2003: 129.

197 J. de Abreu Galindo ^{2}1977: 69. Véase la cita a propósito de fr. *tarhais* (^{2}1977: 67).

198 1964: 123: "puerto de los jardines"; o "Puerto de los Huertos"; cf. B. Pico/E. Aznar Vallejo/D. Corbella Díaz (eds.) 2003: 129.

199 "et de moult d'aultres arbres de diverses manieres et de diverses condicions" (Gadifer de La Salle 1976: 63); cf. B. Pico/E. Aznar Vallejo/D. Corbella Díaz (eds.) 2003: 134.

200 "Et souloit estre moult peuplee de gens, mais les Espaigneulx et les Arragonnoyz et aultrez coursaire [*sic*] de mer les ont par maintez foiz pris et menez en servages, tant qu'ilz sont demourez pou de gens. Car quant nous y arrivasmez, ilz n'estient que environ trois cens personnes, que nous avons pris a grant paine et a grant travail, et par la grace de Dieu baptisiez" (Gadifer de La Salle 1976: 65); cf. B. Pico/E. Aznar Vallejo/D. Corbella Díaz (eds.) 2003: 142.

seguían una tradición que era tan vieja como sus experiencias de conquista, colonización, navegación y comercio en la Península Ibérica y el Atlántico.

3.5. La conquista y colonización de las Islas Canarias

La conquista y el poblamiento se dividen en dos etapas: una etapa señorial desde 1402 hasta 1477, y otra que corresponde a la conquista de Gran Canaria, La Palma y Tenerife, organizada por los Reyes Católicos. El período de orígenes del español canario abarca las dos etapas de la historia política. La segunda etapa coincide aproximadamente con el período formativo del español americano. Predominaban en las islas de señorío los castellanos, muchos de los cuales fueron a asentarse después en las Islas Canarias mayores, Gran Canaria y Tenerife.

La cristianización de los paganos era el objetivo declarado de la colonización de los franceses según la relación de los capellanes. Puede que ellos hayan contribuido poco o nada al afrancesamiento de los indígenas, pero es cierto que les instruían en la fe cristiana. Gadifer de La Salle les había encargado redactar un catecismo en lengua francesa, lo que prueba que los lanzaroteños se evangelizaban con Isabel la Canaria como intermediaria, ya que los capellanes no sabían la lengua de sus catecúmenos. La traición de Bertin de Berneval dio aliento a la resistencia, dañó la labor de los misioneros y, con la guerra de Affche –el tío del intérprete Alfonso– quien se había conjurado contra los franceses, contribuyó a recrudecer la resistencia. Sin embargo, los franceses acosaron a los lanzaroteños de tal manera que éstos prefirieron la protección de los europeos y no la guerra con ellos. Casi todos los indígenas sobrevivientes, apiñados en el Castillo de Rubicón, se bautizaron[201].

La cristianización conllevaba la hispanización. Si había otros misioneros además de los dos capellanes franceses, debían de haber sido castellanos. En 1404 el antipapa Benedicto XIII instituyó el obispado de Rubicón y consagró primer obispo a Alfonso de Barrameda, que no desempeñaba su cargo en la isla. El primero en hacerlo fue Mendo Viedma, nombrado obispo en 1415 o poco más tarde. El obispado de Rubicón era sufragáneo del arzobispado de Sevilla[202].

---

201 "et avions plus de IIII^{XX} prisonniers au chastel de Rubicon et en y avoit en grant foison de mors; et tenoions nous ennemis en tel point qu'ilz ne savoient plus que faire et se venoient de iour en iour rendre en nostre mercy, puis le[s] uns puis les autres, tant qu'ilz sont pou demouré en vie qui ne soient baptisiez, especialment de gens qui nous puissent grever. Et somme au dessus de nostre fait du tout quant à l'isle de Lancelot, en laquelle avoit plus de deux cens hommes de deffance quant nous y arrivasmez" (1964: 79); cf. B. Pico/E. Aznar Vallejo/D. Corbella Díaz (eds.) 2003: 78.

202 Cf. D. J. Wölfel 1931: 130-136.

Según la costumbre de la época, los lanzaroteños tomaban los apellidos de sus padrinos de bautismo. Jean de Béthencourt y más tarde su sobrino Mathiot dejaron su apellido que se difundió desde entonces en las islas y en tierras americanas en una gran variedad de formas.

La asimilación de los canarios de las islas de señorío parece haber sido rápida. Este proceso se documenta a través de la mención de los habitantes de las Islas Canarias orientales. En un privilegio del 8 de junio de 1422, Enrique de Guzmán, II conde de Niebla, habla de "[l]os mis *vasallos* e *naturales* e *vecinos* de la mi ysla de Lançarote", de "todos los *vecinos* e *naturales* de la dicha ysla de Lançarote", y otra vez expresamente de "las gentes, en especial *los nuevamente convertidos*"[203]. Los "naturales" son seguramente los habitantes originarios de Lanzarote. Resulta de una real provisión del 2 de marzo de 1450, firmada por Juan II de Castilla, una diferencia entre los habitantes de Lanzarote por un lado y los de Fuerteventura, La Gomera y El Hierro por otro: "mando a todos los *vecinos* e *moradores* de la dicha ysla [de Lanzarote] e a cada uno dellos e a otros qualesquier mis *subditos* e *naturales* e a los *vecinos* e *moradores* de las yslas de Fuerteventura e de la Gomera e las otras yslas de Canaria…"[204], no distinguiendo ya entre *vecinos* o *moradores* y *naturales* en el caso de Lanzarote. Y finalmente los mismos habitantes escriben en una petición de 1476, o tal vez 1477, dirigida al rey de Castilla, que "somos gentes pocas"[205]. Si los canarios de otras islas iban a Lanzarote como sucedía con frecuencia, pudieron aprender el español en un ambiente lingüístico que estaba en un estado avanzado de asimilación lingüística.

Así, la primera aclimatación del español ultramarino tuvo lugar en las Islas Canarias orientales. Casi nada sabemos de su impacto sobre el desarrollo ulterior del español; pero podemos atribuir los préstamos canarios difundidos en todas o casi todas las Islas Canarias a la primera fase de desarrollo del español en las Islas: *gánigo*, *gofio*, *tabaiba*, *taginaste*, *mocán*, *tamarco*, *tabona* (cf. 3.8.). Forman parte de esta primera aclimatación el marinerismo general, *banda*, y una palabra imprescindible en Canarias que parece ser de origen castellano, *malpaís*, voces que se documentan indirectamente en *Le Canarien*[206], y que acabamos de comentar como castellanismos del francés en Canarias.

---

[203] G. Chil y Naranjo 1880: 608, 609.

[204] G. Chil y Naranjo 1880: 617-618.

[205] G. Chil y Naranjo 1880: 626.

[206] Cf. J. Lüdtke 1991b: 35-36.

3.5.1. La conquista y colonización hasta la *Pesquisa de Pérez de Cabitos* (1477)[207]

Jean de Béthencourt continuó la conquista después de su regreso de Castilla en 1404. La ocupación de El Hierro tuvo lugar tras la conquista de Fuerteventura. Podemos suponer que participaran en las nuevas expediciones sobre todo castellanos, pues varias declaraciones de la *Pesquisa de Pérez Cabitos* de 1477 coinciden en testimoniarlo. Pero "[q]uedaron también algunos flamencos y franceses y vizcaínos"[208]. Durante casi dos siglos, la población no aumentó mucho. En la segunda mitad del siglo XVI, Abreu Galindo nos informa que "[s]erán los vecinos desta isla del Hierro como 230, y en ellos más de mil personas"[209]. Torriani no se aparta mucho de esta cifra; sus datos acerca de La Gomera son parecidos[210].

La *Pesquisa de Pérez de Cabitos* es poco conocida fuera del círculo reducido de los especialistas de la historia temprana de la expansión ultramarina de Castilla. El suceso histórico, que marca el comienzo de una nueva época en la historia de la lengua, es poco llamativo: es la aclaración del derecho de conquistar aquellas Islas Canarias que todavía no estaban en posesión de la reina Isabel de Castilla, seguida por la conquista efectiva de Gran Canaria desde 1478. En esta ocasión la reina estableció varias tradiciones de grandes consecuencias en años posteriores, cuando se aplicaron a las Antillas y al continente americano. En la conquista y colonización de Canarias, Castilla usa procedimientos, a veces de manera tentativa, de los que nos enteramos generalmente sólo cuando producen algún efecto en la conquista y colonización de América. Sin embargo, cabe estudiar las tradiciones desde su principio y no en sus manifestaciones posteriores únicamente. Una vez descubierto un fenómeno deberíamos invertir la perspectiva y remontarnos a su supuesto origen. En nuestro caso, el descubrimiento del Nuevo Mundo y la conquista de México son menos importantes frente a la lengua que generalmente se crea –guardando, por supuesto, las proporciones–. En cuanto a la *historia interna* de la lengua, los tipos fundamentales de dialectos coloniales se formaron antes en la Península Ibérica y en Canarias, y, en lo que concierne a la *historia externa*, las experiencias y el saber necesarios para el descubrimiento y para producir muchos de los cambios institucionales relevantes precedieron a la colonización de las Indias. En este sentido vamos a tratar algunos elementos básicos de la historia externa del español reflejada en un docu-

---

207 Este capítulo se apoya sobre todo en J. Lüdtke 2000.

208 J. de Abreu Galindo ²1977: 93-94.

209 J. de Abreu Galindo ²1977: 85.

210 L. Torriani 1979: 186, 188.

mento oficial acerca del derecho de conquistar el archipiélago canario, la *Pesquisa de Pérez de Cabitos*[211].

La primera cosa que hay que explicar es la razón por la que el derecho de conquistar las Canarias se había convertido en un problema jurídico. Volvamos al año 1402. Desalentados por los peligros, en el viaje a las Islas Canarias participaron nada más que 63 de los 260 hombres que habían zarpado con Jean de Béthencourt y Gadifer de La Salle en La Rochela[212].

Después de la vuelta de Jean de Béthencourt en 1404 como señor de Canarias y del regreso de Gadifer a Francia, Béthencourt continuó la conquista de Fuerteventura y se asentó en El Hierro. Podemos suponer que en estas expediciones hayan participado castellanos, ya que coinciden en afirmarlo varios testimonios de la *Pesquisa de Pérez de Cabitos*. Lo que importa es saber cómo las Islas Canarias mayores pasaron del régimen de señorío a ser tierras de realengo.

Al abandonar las Islas Canarias, Jean de Béthencourt transfirió sus derechos a su sobrino Mathiot (o Maciot) de Béthencourt. Mathiot vendió el derecho de la posesión de Lanzarote, Fuerteventura y El Hierro a Enrique de Guzmán, II conde de Niebla. En 1420 Juan II de Castilla otorgó el derecho de conquistar Gran Canaria, Tenerife y La Gomera a Alfonso Casaus o de las Casas. Su sucesor Guillén de las Casas, quien adquirió en 1430 los derechos del conde de Niebla, reunió en su persona y en sus herederos el señorío, en parte sólo nominal, de todas las Islas Canarias. Hacia 1447 los Herrera y los Peraza integran a La Gomera en esas tierras de señorío.

Lanzarote fue el primer centro de la expansión posterior en las Islas Canarias en cuanto que las islas ya conquistadas participaron en la conquista de las demás. Ahí se encontraban la sede del obispo, San Marcial de Rubicón, y la residencia de los colonizadores, donde los conquistadores se abastecieron, cuando durante la conquista de Gran Canaria no se podían aprovisionar en los puertos andaluces. Puesto que Lanzarote era la isla más poblada de europeos, fue también centro de irradiación lingüística. A pesar de eso, cabe relativizar la importancia lingüística de la isla con la información de que en ella tal vez vivieran hacia 1477 no más de 200 personas[213]. La adaptación del castellano a las nuevas condiciones que generalmente se atribuye a La Española debe haber tenido lugar en Lanzarote, aunque de esto encontramos poquísimas huellas en los documentos como hemos visto en la consideración de los préstamos castellanos en el francés de *Le Cana-*

---

211 R. Torres Campos publicó este documento por primera vez en 1901. E. Aznar Vallejo volvió a editarlo en 1990. Ninguna de las dos ediciones se realizó según criterios lingüísticos.

212 Cf. E. Serra/A. Cioranescu (eds.) 1964: 23; cf. B. Pico/E. Aznar Vallejo/D. Corbella Díaz (eds.) 2003: 9.

213 E. Aznar Vallejo (ed.) 1990: 31-32.

rien. Las innovaciones léxicas comunes a todas las islas, como por ejemplo *malpaís*, deben tener su origen en el castellano de Lanzarote. Cuando todas las islas tienen préstamos canarios comunes y formas idénticas en el siglo XVI como *gofio* o *tamarco*, es obvio que esas formas se difundieron desde Lanzarote y, quizás, Fuerteventura y las demás islas de señorío (3.5.). La hipótesis contraria presupone una unidad lingüística que, independientemente de cómo la interpretemos, encontramos también en las fuentes.

El cambio del señorío al régimen de realengo se inició indirectamente en 1461 cuando Diego García de Herrera intentó conquistar Gran Canaria, ya que en ese tiempo era señor de todas las Islas Canarias con la excepción de Lanzarote. Mathiot de Béthencourt había vendido los ingresos de esa isla al príncipe portugués Enrique el Navegante. Diego de Herrera tomó posesión de Gran Canaria en presencia de los *guanartemes* de Telde y Gáldar. Tres años más tarde hizo un ensayo parecido en Tenerife en presencia de nueve *menceyes*. Los castellanos quebrantaron el acuerdo con Gran Canaria en 1474. Como reacción, los habitantes de Gran Canaria arrasaron la Torre de Gando, base operativa de los Herrera. A pesar de eso, algunos *guaires* –es decir nobles– de Gran Canaria rindieron homenaje en lugar de sus guanartemes a Diego García de Herrera en Lanzarote, acto probablemente simbólico en lo que concierne a los canarios, mientras que los habitantes castellanos se rebelaron contra sus señores y contra los portugueses que habían ocupado la isla. Bajo la presión de la amenaza portuguesa se formó una identidad castellana en la isla. Sin embargo, no es posible acertar si esa identidad tenía una base sólo política y nacional o también lingüística. Cuando los lanzaroteños testifican en la *Pesquisa de Pérez de Cabitos* sobre los "portugueses", se pueden tomar las informaciones como indicios políticos y lingüísticos al mismo tiempo, ya que castellanos y portugueses estaban alternativamente en guerra y en contacto pacífico.

En esta situación política inestable, Isabel, reina de Castilla desde 1474, comisionó en el mes de noviembre de 1476 a un juez, Esteban Pérez de Cabitos, para indagar los recientes sucesos de Lanzarote y la cuestión de a quién correspondía el derecho de la posesión de las Islas Canarias independientes. Pérez de Cabitos llevó a cabo el interrogatorio de los testigos en 1477 no en Canarias, como era su deber, sino en Sevilla. Se presentan los resultados en la llamada *Pesquisa de Pérez de Cabitos*.

Hay un nexo causal inmediato entre la aclaración de la situación jurídica en la *Pesquisa* y la conclusión del Tratado de Alcáçovas en 1479 entre Castilla y Portugal. En ese tratado se estipuló una excepción en cuanto a la jurisdicción eclesiástica de las tierras situadas entre el Cabo de Nun y la India que el papa Nicolás V había otorgado a Portugal en la bula *Romanus Pontifex* en 1454. Todavía en 1456, la bula *Inter caetera* del papa Calixto III había incluido explícitamente las islas del Atlántico.

Cabe valorar la *Pesquisa* no sólo por falta de otras fuentes de la historia e historia lingüística de Canarias en el siglo XV, sino también a causa de la importancia por lo común subestimada que le corresponde en la historia de la expansión ultramarina de Castilla. Al aclarar la situación jurídica en la contienda con Portugal acerca de la influencia en el Atlántico, la reina Isabel preparó el marco de la orientación futura del desarrollo de la conquista sin poder presentir en aquel momento los efectos de su inteligente decisión. Tras esta decisión se comprobó que Castilla tenía el derecho de conquistar las demás Islas Canarias. Ésta era la base de la ocupación castellana de islas atlánticas que aún no estaban en posesión de Portugal como resulta de un documento que se refiere a "todas las islas de Canaria, ganadas e por ganar"[214]. Cuando Colón trae a la memoria de los Reyes Católicos en el prólogo de su diario de a bordo que le habían nombrado "Almirante Mayor de la mar Occéana y Visorey e Governador perpetuo de todas las islas y tierra firme que [...] descubriese y ganase, y de aquí adelante se descubriesen y ganasen en la mar Occéano [*sic*]"[215] según los términos de las *Capitulaciones de Santa Fe*, estas palabras eran reproducción de fórmulas a las que esta reina escrupulosa en cuestiones jurídicas había atribuido gran importancia. La decisión de Cristóbal Colón de hacer escala en La Gomera, la isla canaria que, aparte de El Hierro, era la isla situada más hacia el oeste, era, si bien en relación con un conocimiento aproximado de los alisios, una consecuencia directa de esta situación jurídica. La Palma se conquistaría poco después.

El objetivo de la indagación no era solamente la aclaración de los derechos de Castilla con respecto a Portugal. Al rebelarse contra los portugueses, los lanzaroteños se sublevaron al mismo tiempo contra sus señores, expresión de un espíritu comunero impensable en Castilla con un grupo tan reducido y que era una premonición de las libertades que se tomaría después el "hombre americano" (4.1.4.). Los lanzaroteños se rebelaron en nombre de los Reyes Católicos, como atestiguan las testificaciones de Juan Ruiz, Fernán (Ferrand) Guerra, Juan Bernal y Juan Mayor, cuyas formulaciones estaban concertadas por los testigos o copiadas por el escribano. Fernán Guerra relata la resistencia contra los portugueses en su testimonio con las siguientes palabras:

> veyendo que non auía quien se doliese de la dicha ysla e vesinos della estar enagenada como dicho es e deseando ser realengos de la Corona Real de Castilla, se acorda-

[214] F. Pérez-Embid (1948: 217) cita este documento de 1480/81. La formulación presupone que las conquistas ultramarinas se consideraban asuntos públicos. En el documento citado, La Palma y Tenerife todavía no estaban conquistadas. Se pensaba, por cierto, al escoger la fórmula "ganadas y por ganar", en las islas conocidas. Pero es igualmente cierto que se ha tomado deliberadamente esta formulación genérica.

[215] C. Colón 1984: 16.

> ron e juntaron todos e echaron fuera de la dicha ysla al dicho capitán [cuyo nombre no se menciona] e ofiçiales e otros portogueses que con él estauan ende se tornaron e dieron la obediençia a la Corona Real de Castilla[216].

Sin embargo, ya que Enrique IV de Castilla y León había transferido poco antes de su muerte (1474) los derechos de Lanzarote a Diego de Herrera e Inés Peraza, que con eso habían obtenido los derechos señoriales de todas las Islas Canarias, los vecinos de Lanzarote sintieron la necesidad de protestar, en nombre de los reyes, contra el señorío. Dice Fernán Guerra:

> cree este testigo e le paresçe que la dicha ysla de Lançarote pertenesçe a la Corona Real de Castilla, e que de las otras yslas que cree este testigo que la conquista e señorío de las yslas que oy día son por conquistar que antes pertenesçe a la Corona Real de Castilla que non a otra persona alguna. E que entiende este testigo que es cargo de conçiençia a los Señores Reyes dexarlas señorear a señores que las non conquistan nin pueden conquistar e que en Su Altesa las debía conquistar porque los ynfieles fuesen tornados de nuestra santa fe católica[217].

Lanzarote no se liberó, sin embargo, de su señor. Sobre la base de la *Pesquisa*, los Reyes Católicos se reservaron el derecho de seguir la conquista de Gran Canaria, Tenerife y La Palma estipulada con Diego de Herrera e Inés Peraza. El inicio de la conquista de Gran Canaria durante el año siguiente no fue la única consecuencia. Es mucho más significativo que desde entonces se hiciera ilegal la iniciativa de particulares sin autorización previa de la Corona. Ésta es la razón por la que Colón no obtuvo el permiso de emprender su viaje por su propia iniciativa ni pudo aceptar el apoyo de un financiador particular como el duque de Medina Sidonia. Desde aquel tiempo, la Corona de Castilla evitó recompensar descubrimientos y conquistas con señoríos fuera de España. La reina Isabel tardó mucho tiempo en otorgarle a Colón sus enormes privilegios y nunca anuló la decisión de Francisco de Bobadilla en 1500 de privar a Colón de su poder de virrey.

En el porvenir esta concesión resultó ser sólo un episodio en la historia colonial: nadie distingue un período de señorío y un período de realengo en la historia de las Indias. Hay otras pocas excepciones. El emperador Carlos V, por ejemplo, concedió el título de marqués del Valle a Hernán Cortés por la conquista de México. Pero nadie obtuvo honor semejante después de este conquistador.

El hecho de que la resistencia contra Diego de Herrera no tuviera éxito indujo a los habitantes de Lanzarote a tomar parte en la conquista de las demás Islas

---

[216] E. Aznar Vallejo (ed.) 1990: 209.

[217] E. Aznar Vallejo (ed.) 1990: 212.

Canarias; la despoblación se compensó con la importación de esclavos desde el continente africano. Los habitantes de La Gomera dejaron la isla por motivos similares[218]. De esta manera transfirieron sus experiencias lingüísticas a las islas occidentales, produciendo las afinidades lingüísticas antiguas entre las islas de señorío y de realengo. Además, contribuyó al intercambio lingüístico el hecho de que jóvenes naturales de Gran Canaria y Tenerife, que debían garantizar el cumplimiento de acuerdos, vivían en Lanzarote.

La *Pesquisa de Pérez de Cabitos* no sólo merece un estudio histórico, sino también lingüístico. Remontando la política de información de la Corona hasta la época más temprana de la expansión ultramarina, no hay testimonio directo anterior a este documento. La reina Isabel dio nueva vida a la *pesquisa*. La variación del nombre señala que estamos al inicio de la tradición de un nuevo tipo de texto, pues el texto se llama alternativamente "pesquisa e ynquisiçion" según la *instrucción* de la reina[219] o sólo *pesquisa*, el nombre más común con el que se refiere al documento. Por consiguiente, Esteban Pérez de Cabitos se llama "pesquisidor"[220]. Pero el mandatario de Diego de Herrera e Inés Peraza, Alfonso Pérez de Orozco, retoma la expresión "pesquisa e ynquisiçion" con "pesquisa e ynformaçion" en su documentación[221]. En cuanto a la relación entre la nominalización predicativa *inquisición* y su base *inquirir*, la forma y el significado del derivado están completamente motivados, es decir, *inquisición* es un derivado sin restricción léxica. Más allá de su significado como nominalización predicativa, *inquisición* y más aun *pesquisa* designan aquel tipo de texto que es el resultado de la actividad de inquirir en cuanto que se exprese en un documento. Una *pesquisa* podía realizarse también de forma oral. Puesto que en este caso no deja huella documental, estamos informados, cuando más, por crónicas u otros documentos indirectos. Es relevante para la descripción del significado léxico de *inquisición* e *información* que el contenido de *información* es ante todo una actividad, el acto de *inquirir*, pero posteriormente esta palabra designa también un tipo de texto que consigna esta actividad en un documento. La relación entre esta *Pesquisa* y las *informaciones* posteriores era prácticamente desconocida entre los especialistas; por eso, la primera *información* importante del Nuevo Mundo, la *Información de los Jerónimos* acerca del tratamiento de los indios llevada a cabo en Santo Domingo en 1517, se llamó equivocadamente *interrogatorio*[222].

---

218 E. Aznar Vallejo (ed.) 1990: 18.

219 E. Aznar Vallejo (ed.) 1990: 49, 181.

220 Cf., por ejemplo, E. Aznar Vallejo (ed.) 1990: 71.

221 E. Aznar Vallejo (ed.) 1990: 182.

222 Por L. Hanke 1949; cf. J. Lüdtke 1991a: 272; A. Wesch 1993.

Si una *pesquisa* o *información* se efectuaba por vía escrita, el juez confiaba la redacción a un escribano público. El rey o la reina encargaba a un juez o a una persona que autorizaba de manera directa o indirecta. El juez establecía un *interrogatorio* que consistía en *artículos* o *preguntas*. Éstas se leían a los testigos y se contestaban. Un amanuense protocolizaba las testificaciones. Ya que generalmente los amanuenses son anónimos, no sabemos nada acerca de su precedencia regional y social, datos imprescindibles para un análisis lingüístico variacional.

Las preguntas de la *Pesquisa de Pérez de Cabitos* se refieren a Lanzarote y a su conquista, al derecho de la conquista de las Islas Canarias y la conquista efectiva, los títulos de propiedad, la jurisdicción, los ingresos, el secuestro por el rey de Portugal, la conquista de Lanzarote bajo Enrique el Navegante y la transmisión de los títulos de posesión de las islas[223]. Luego siguió el interrogatorio del mismo testigo en base a un *contrainterrogatorio* que el mandatario de Diego de Herrera e Inés Peraza había presentado al juez. De acuerdo con las *preguntas* del *interrogatorio* este *contrainterrogatorio* consistió en *repreguntas* que reflejaban los intereses de los señores[224].

Podemos leer las respuestas a las preguntas del juez y a las repreguntas como manifestaciones de la historia oral de las islas. Conforme a las categorías de aquel tiempo los testigos distinguían entre "las islas que son de cristianos" y "las islas que son de infieles". Por estar relacionadas con los intereses de los testigos, estas respuestas proporcionan un mejor acceso a la comprensión de aquella época que meros documentos jurídicos que no reflejan más que secciones de la realidad predeterminadas por los intereses de la Corona.

Ahora bien, ¿por qué se manifiesta un intento de sustitución de *pesquisa* e *inquisición* por *información* en torno a 1477? *Informar*, anteriormente también escrito *enformar*, se documenta por primera vez en Juan de Mena en 1444 y el derivado *enformación* ya se encuentra en 1394. El verbo es una adaptación del lat. med. *informare*, "dar forma", "formar en el ánimo", "describir"[225]. La base del derivado es el grupo preposicional *in formam* traspuesto o convertido al verbo *informare*. A la cuestión de por qué razón la denominación de una acción y de un tipo de texto jurídico que se origina en esta acción haya cambiado en ese tiempo, hay que tomar en cuenta que la Inquisición, institución catalano-aragonesa establecida por Jaime I a instancia de Raimundo de Peñafort y creada con anterioridad por el papa Gregorio IX, se introdujo en Castilla y León entre 1478 y 1483 por iniciativa de Fernando de Aragón. Por esa razón se hizo necesario distinguir entre una indagación realizada por orden de un obispo o de un inquisidor y una indagación

---

223 E. Aznar Vallejo (ed.) 1990: 181-182.

224 E. Aznar Vallejo (ed.) 1990: 57, 58, 182-185.

225 J. Corominas 1973: s. v. *forma*; DCECH: s. v. *forma*.

secular en un caso civil o criminal. Es razonable suponer que la especialización de *inquisición* en este nuevo significado haya llevado a la adopción de *información* para una indagación jurídica secular. Sin embargo, hay que buscar la prueba documental en una historia detallada de las palabras *inquisición* e *información*. No conviene modernizar la palabra, sustituyéndola por *informe*, documentado en el *Diccionario de Autoridades*, que tenía los significados "hecho de informar, ù dar noticia de una cosa" y "[e]n lo forense significa[ba] la oración que hace el Abogado, en hecho y derecho de la causa que defiende", antes de los usos modernos.

Encontramos otra forma judicial en la *Pesquisa de Pérez de Cabitos*, el *requerimiento*. El *requerimiento* que generalmente se conoce en la historia del español americano fue un escrito ideado en el Consejo de Castilla por Juan de Palacios Rubios para la protección de los indios; era leído y traducido a los indios para inducirles a someterse al poder del papa y, en su lugar, al rey de Castilla, y a convertirse a la fe cristiana[226]. Sin embargo, un *requerimiento* era de manera más general una amonestación para hacer o dejar de hacer algo. En la *Pesquisa* de 1477 el mandatario Alonso Pérez de Orozco requiere formalmente a Esteban Pérez de Cabitos en nombre de Diego de Herrera e Inés Peraza que admita un *contrainterrogatorio*. El acto formal de este *requerimiento* reza así:

> Por ende, agora que *lo se vos pido e requiero una e dos e tres veses e quantas más con derecho puedo e deuo* que non resçibays más testigos e vos abstengades de faser la dicha pesquisa fasta que primeramente yo e la dicha mi muger o nuestro procurador sea presente llamado e aperçebido para ver jurar e conosçer los testigos que en la dicha rasón quisyerdes resçebir mandándome dar primeramente copia de los artículos e preguntas por do los exsaminays e mandays preguntar para que yo pueda poner mi *contra ynterrogatorio* e *repreguntas* por do los dichos testigos sean repreguntados e ynterrogados e mi resçeptor para que sea presente a la dicha exsaminaçión como el derecho en tal caso lo dispone e fagades lacerar e romper qualesquier deposyçiones de testigos que clandestinamente en mi absençia syn guardar la dicha forma e horden aveys tomado pues que aquellos de derecho non se deuieron tomar en la forma que se tomaron e por ello fueron e son ningunos e non fisieron nin fasen fe cerca de lo qual ynploro vuestro noble ofiçio e pido cumplimiento de derecho quedándome a saluo para en su logar e tienpo que yo pueda desir e allegar e verificar ante vos lo que asy concierne el derecho del señorío e posesyón de la dicha mi ysla e sy asy fisierdes faredes derecho[227].

Se había preanunciado este acto de habla por "un escripto de requerimiento"[228]. Así, este acto de habla era más exactamente un acto de habla leído. El documen-

---

226 Cf. S. Benso 1989.

227 E. Aznar Vallejo (ed.) 1990: 58; cursivas mías.

228 E. Aznar Vallejo (ed.) 1990: 55.

to se refiere a éste con "requerimiento" cuando Pérez de Cabitos alude al documento[229]. De este contexto se deduce claramente el paso del significado de nominalización predicativa, y más exactamente de acto de habla, a la denominación de un tipo textual: la base del nombre de este tipo de texto es el sintagma nominal *escrito de requerimiento*. El mero uso de *requerimiento* es una elipsis. Encontraremos este procedimiento lingüístico en otras oportunidades.

Los conquistadores de Gran Canaria tenían un conocimiento indirecto de la *Pesquisa de Pérez de Cabitos*. Lo deducimos del *Libro de la conquista de la ysla de Gran Canaria y de las demas yslas della* (copiado en 1639) en el que se llama, por supuesto, "ynformaçión", ya que la Inquisición se había introducido en Canarias en 1504. Los habitantes conocían la conclusión de "que era ymposible que señor particular los [los canarios] sujetase sino era fuersa y poder del rrey"[230]. Esto demuestra que los coetáneos conocían o pudieron conocer el contenido de un documento oficial importante que cambió su vida. Ésta es la razón por la que los documentos oficiales son buenas fuentes de la historia de la lengua. El autor anónimo de la relación de la conquista de Gran Canaria sabía igualmente que Diego de Herrera había vendido las islas de Gran Canaria, Tenerife y La Palma a los Reyes Católicos. La única cosa que desconocía era el precio que los Reyes Católicos tenían que abonar.

3.5.2. La conquista y colonización de Gran Canaria, La Palma y Tenerife y su integración en la Corona de Castilla

La conquista de Gran Canaria se narra en una relación anónima, redactada mucho tiempo después de los sucesos, que conocemos por cuatro copias tardías y cuyo original se ha perdido. El original se copió en diferentes épocas. Es probable que la primera etapa de la redacción terminara entre 1551 y 1554. Otra etapa es la continuación de Diego Deza quien puede haber escrito en torno a 1621 y ser el autor de la copia. La copia del primer continuador, quizás este Diego Deza, se retomó después de 1659. A pesar de su transmisión reconstruida, que deja muchos interrogantes, esta relación es un importante documento para la historia general y lingüística de Canarias por ser la relación más temprana de la conquista de Gran Canaria. Su interés aumenta por la ausencia de crónicas de las otras Islas Canarias, si prescindimos de *Le Canarien*. Las copias manifiestan, incluso, diferencias lingüísticas que reflejan varias sincronías y diferentes saberes de por sí muy significativos.

---

[229] E. Aznar Vallejo (ed.) 1990: 59.

[230] F. Morales Padrón (ed.) 1978: 121.

La reina Isabel llevó inmediatamente a efecto su derecho a la conquista. Nombró comisario para la conquista de Gran Canaria a Diego de Merlo, de Sevilla, y cronista a Alonso de Palencia. La conquista militar sólo es relevante aquí por el hecho de que determina la comunicación entre castellanos y canarios, y repercute en el desarrollo demográfico futuro[231]. El primer capitán, Juan Rejón, criado de Isabel, y el alférez Alonso Jáimez de Sotomayor eran oriundos del reino de León, pero entre los demás conquistadores de Gran Canaria se hallaban Juan de Frías, obispo de Rubicón, y el deán Juan Bermúdez, también de Rubicón. Tras la muerte de Juan Rejón se les encargó la continuación de la conquista al caballero Pedro de Vera, natural de Jerez de la Frontera, y después de él al caballero Pedro del Algaba, natural de Sevilla. Por lo tanto, los capitanes eran originarios de la región en la que se reclutaba la hueste: Sevilla, Niebla, Jerez y Cádiz. Sin embargo, también participaron en la conquista de Gran Canaria castellanos de Lanzarote, Fuerteventura y La Gomera, algunos indigenas canarios ya cristianizados[232], y no faltaron algunos vizcaínos[233]. El estudio de la composición regional y social de los primeros pobladores no puede basarse en los repartimientos de Pedro de Vera, porque muchos pasaron a la conquista de La Palma y Tenerife[234].

Los intérpretes fueron de importancia en la conquista de Gran Canaria. Los castellanos tomaron a canarios que esclavizaban, pero también fueron capturados y hechos prisioneros por los canarios en las incursiones. Una segunda ocasión de aprendizaje lingüístico era el intercambio de rehenes que debía garantizar el cumplimiento de tratados de paz entre castellanos y canarios. Como los rehenes eran jóvenes en la mayoría de los casos, es probable que hayan aprendido la lengua del otro en poco tiempo. Así no es sorprendente que ya en 1461

---

[231] P. Cullén del Castillo ha editado en el *Libro Rojo* (1947) los documentos sobre los orígenes de la colonización castellana de Gran Canaria, publicados posteriormente en un texto revisado por M. Lobo Cabrera en 1995. Se trata de la relación de un conquistador conservada en cuatro copias tardías que divergen a causa de los distintos copistas; cf. D. J. Wölfel 1965, 1996; F. Morales Padrón (ed.) 1978. Esta relación, así como otras fuentes documentales de la época, parece haber sido utilizada por los antiguos cronistas canarios, sobre todo por fray Juan de Abreu Galindo (1977) que escribió su obra antes de 1605 y, previamente, por el italiano L. Torriani (1940) que había estado en las islas probablemente entre 1582 y 1597, pero con certeza entre 1584 y 1596. Algunas formulaciones de los cronistas retoman textualmente pasajes de los documentos originales, de manera que en lo esencial podemos considerar el lenguaje como auténtico. J. Viera y Clavijo publicó en 1776 la primera historia extensa de las Islas Canarias que se destaca, además, por el excelente aprovechamiento de las fuentes documentales.

[232] J. de Abreu Galindo [2]1977: 232.

[233] J. de Abreu Galindo [2]1977: 207, 224, 231.

[234] F. Morales Padrón (ed.) 1978: 163-164.

Diego de Silva, hidalgo portugués al servicio del señor Diego de Herrera, pudiera conversar con el *guadarteme* de Gáldar a través de sus intérpretes[235]. Los cronistas testimonian muchos casos de conocimiento de la lengua castellana o canaria. Este bilingüismo incipiente se refuerza, aparte del intercambio de rehenes, por el matrimonio entre canarias y castellanos.

El interés económico en la conquista de Gran Canaria se manifiesta en el establecimiento de dos ingenios de azúcar, mientras la isla se iba conquistando. La caña de azúcar, su tratamiento y la terminología de su cultivo llegaron a Gran Canaria desde Madera (3.10.1.). En cuanto al desarrollo de la agricultura y la ganadería en las Islas Canarias y en América, y al léxico agropecuario, nos encontramos en el comienzo de una nueva época. Alonso Fernández de Lugo, conquistador de La Palma y Tenerife, plantó en 1481 uno de los dos cañaverales en el valle grancanario de Agaete. Se comprueba en un testimonio de la residencia de Alonso de Lugo en 1509 que este conquistador había tenido una *estancia* en ese lugar. Esta estancia se llama *ingenio* en la relación anónima de la conquista de Gran Canaria. En general se tiene *estancia* por americanismo como hemos visto (2.7.). Ya que se emplea *estancia* con anterioridad al descubrimiento de América y se sustituye muy pronto por *ingenio* es probable que *estancia* haya sido el término más antiguo para "plantación de caña de azúcar" o "plantación" en general, y que la caña de azúcar no haya pasado desde las Antillas a Canarias como se piensa, sino a la inversa. Por consiguiente, *estancia* como palabra general para "plantación" se habría restringido a designar la "plantación de cañas de azúcar". El vocablo se sustituye por el neologismo *ingenio* en la expresión *ingenio de azúcar* que, antes de tener su significado actual, denominaba primeramente un dispositivo que servía para exprimir el jugo de la caña de azúcar. *Estancia*, por el contrario, se introduce en las Indias como palabra general tanto para "plantación" como para "estancia de ganado" y se diferencia con posterioridad en *estancia*, *hacienda* y *hato*. Además, resulta de las fuentes documentales el origen portugués de *ingenio* y de la terminología azucarera. En documentos escritos en torno a 1500 en Las Palmas, estos lugares de producción se llaman varias veces *ingenio*[236] cuyo origen es la palabra portuguesa *engenho*. En cambio, *yngenio* aparece en un documento extendido en 1502 en Sevilla por los Reyes Católicos y con regularidad después. En este documento se le reconoce al portugués Lorenço Ferrandez ser "uno de los primeros que començaron a façer açucar" en Gran Canaria[237]. Si este portugués ha transmitido sus conocimientos de la producción azucarera a los pobladores de Gran Canaria, debe haber comunicado al mismo

---

235 F. Morales Padrón (ed.) 1978: 117-118

236 F. Fernández-Armesto 1982: 211.

237 F. Fernández-Armesto 1982: 212.

tiempo la terminología del cultivo de la caña de azúcar y de la producción azucarera.

La integración institucional de Gran Canaria se inicia inmediatamente después de la conquista. En 1484, se les requiere a los Reyes Católicos trasladar la sede del obispado de Rubicón a Las Palmas, llamada entonces El Real de las Palmas.

En 1487 se celebra la integración de Gran Canaria en la Corona de Castilla. El otorgamiento del fuero de Las Palmas por los Reyes Católicos (1494; cf. 3.5.3.) tuvo consecuencias de gran alcance: junto con el derecho castellano se introdujeron las instituciones correspondientes. Las islas permanecieron bajo el control del Consejo de Castilla, aun cuando se creó el Consejo de las Indias. Se conservó el cabildo cuyos límites coinciden con los de cada isla hasta la actualidad.

Después de la preparación de la ocupación pacífica de La Palma mediante el bautismo de los más destacados de los doce reyes, Alonso Fernández de Lugo concertó la conquista de la isla con los Reyes Católicos. Alonso de Lugo obtuvo el apoyo financiero de los genoveses Juanoto Berardi y Francisco Riberol. La hueste castellana, reforzada por canarios, bajo el mando militar de Alonso de Lugo, arribó en el mismo año a la isla y la conquistó en 1493 desde los cuatro *bandos de paces*. El conquistador fue nombrado gobernador, cargo que siguió desempeñando tras la conquista de Tenerife[238]. En el siglo XVI la isla pasó a estar bajo el dominio de los Bélzares (en alemán Welser, familia de financieros en Augsburgo) y perdió importancia como escala entre Europa y América.

Tras de la toma de La Palma, Alonso Fernández de Lugo emprendió sin demora la conquista de Tenerife con la ayuda de una compañía y la participación de los Reyes. La hueste se componía de vecinos de Lanzarote y Fuerteventura, de indígenas gomeros, majoreros y canarios, y de algunos portugueses. Destaca el componente canario que demuestra su rápida asimilación lingüística, pues algunos de ellos sirvieron de intérpretes en la conquista, confirmando la afinidad entre las lenguas de Gran Canaria y Tenerife, y los ya buenos conocimientos del castellano por parte de los canarios. Sobresale la figura de Pedro de la Lengua, testigo en la residencia que Lope de Sosa tomó a Alonso de Lugo, probablemente un beréber que había participado en la conquista como vecino de Gran Canaria. La base de las operaciones era Añazo, la actual Santa Cruz de Tenerife. Igual que en La Palma, la conquista partió de los *bandos de paces*, Anaga, Güímar, Abona y Adeje, que se encuentran en el este y sur de la isla. La hueste de 150 hombres de a caballo y 1500 hombres de a pie era más numerosa que cualquier ejército que conquistara el imperio de los aztecas o de los incas. A pesar de eso, los cinco *bandos de guerra* –Tegueste, Tacoronte, Taoro, Icod (o Benicod) y

---

[238] J. de Abreu Galindo ^{2}1977: 178, 282-283, 289.

Daute– les infligieron una derrota fulminante que se atribuye a la recia resistencia de los guanches y a la inexperiencia de los castellanos. Alonso de Lugo no se desanimó por el revés. Después de que una nueva capitulación fijara un nuevo plazo para la conquista y ya que los mismos socios de la compañía anterior habían puesto a disposición del adelantado los recursos necesarios una segunda vez, dos huestes arribaron en 1495 a Tenerife y conquistaron la isla en el mismo año. La resistencia guanche duró hasta el año siguiente[239].

El cambio de la coyuntura puso trabas a la colonización de Tenerife. En 1496 Colón regresó de su segundo viaje a América. Se entiende que Tenerife, ganada con enormes pérdidas, tenía menos atractivos para los posibles pobladores que la Andalucía oriental, las Islas Canarias ya colonizadas y el oro de las Antillas.

3.5.3. Los *oficios* en el fuero de Las Palmas de Gran Canaria[240]

La colonización castellana comienza con la fundación de villas y ciudades. Este acto no consiste en la construcción de edificios, sino en el otorgamiento de un fuero. Sin embargo, hay que dejar en la incertidumbre si Rubicón, el primer asentamiento, fundado en 1402 en el extremo sur de Lanzarote, tenía un fuero escrito. Ya que Jean de Béthencourt se había hecho reconocer como rey de Canarias, resulta poco probable que haya existido un fuero otorgado por el rey de Castilla.

No hubo ninguna diferencia sustancial entre Castilla y sus dominios ultramarinos ni en el derecho municipal ni en el léxico foral. La ciudad constituyó un enlace político entre todos los territorios hispánicos tanto antes como, incluso, después de la Independencia. Tras la dominación española, la organización de los nuevos estados siguió caminos diferentes, también en España. Las ciudades, sin embargo, siguieron siendo los núcleos del desarrollo; su administración partía de estructuras ya vigentes durante la época de la Ilustración. Eran ciudades-Estado que organizaban el espacio geográfico a su alrededor.

---

[239] La mejor fuente documental de la conquista de Tenerife es la residencia que Lope de Sosa tomó a Alonso de Lugo (L. de la Rosa Olivera/M. Marrero Rodríguez [eds.] 1949) que abarca la primera década de la vida de la isla bajo el dominio castellano. Fray Alonso de Espinosa trata de la conquista incidentalmente en su *Historia de Nuestra Señora de Candelaria* (Sevilla, 1594; 1980). Una visión poética y conciliadora del choque de culturas presenta Antonio de Viana en *Antigüedades de las islas Afortunadas y conquista de Tenerife* (Sevilla, 1604; 1968); este poeta da interesantes descripciones etnográficas de los guanches y su cultura que remiten a una fuente común como las demás obras que informan sobre la cultura guanche y la conquista.

[240] El presente capítulo es una reelaboración de J. Lüdtke 2000. El método seguido se explica más adelante en 4.1.9.

En la posesión de la tierra hemos distinguido entre la *tierra de realengo* y la *tierra de señorío*, formas de propiedad que corresponden, al mismo tiempo, a fases de la colonización tanto del archipiélago canario como del Nuevo Mundo. Las Islas Canarias conquistadas hasta 1477 –Lanzarote, Fuerteventura, El Hierro y La Gomera– estaban en poder de señores que nombraban a los titulares de los cargos. Debido a que Isabel de Castilla declaró la conquista de Gran Canaria, La Palma y Tenerife asunto de Estado como resultado de la *Pesquisa de Cabitos*, las islas conquistadas desde 1478 se convirtieron jurídicamente en tierra de realengo. Los Reyes Católicos ordenaron la cuestión del fuero que introdujeron en Las Palmas de Gran Canaria en 1494 y Fernando el Católico lo transfirió a las Indias en el momento de la capitulación de las primeras gobernaciones en Tierra Firme en 1508 (4.2.1.). Con esto se continuaba la reglamentación jurídica de Juan II en 1421[241].

El derecho municipal es un tema bien conocido tanto en la historia española en general como en la historia del derecho en la Península y en sus posesiones ultramarinas en particular. Constantino Bayle dedicó en 1952 una voluminosa monografía a los cabildos hispanoamericanos, y las historias del imperio español tratan este tema con regularidad. Igualmente Manuel Álvarez Nazario ha dado a conocer el léxico hispanoamericano de este ámbito en el caso de Puerto Rico y el resto del Caribe, si bien de manera sumaria y sin delinear su configuración interna[242]. En este lugar, en cambio, vamos a hacer hincapié en el primer documento oficial, el fuero de Las Palmas de Gran Canaria, que implica el traslado de la administración municipal y su terminología fuera de la Península. No se ha encontrado ningún documento temprano semejante en las Indias, motivo suficiente para dedicar algunas observaciones a esta cuestión tan importante para la historia de la colonia y la historia de la lengua. En un primer momento, se analizará la estructuración interna del léxico jurídico en el derecho municipal más antiguo de Ultramar. Escogeremos la parte más destacada, la denominación de los miembros de un cabildo. Este dominio se adapta según las necesidades divergentes de las regiones y es la primera muestra del casuismo de la legislación indiana que tratamos aquí. Esto quiere decir que el procedimiento jurídico es idéntico en España, las Islas Canarias y las Indias, pero los resultados son diferentes en su aplicación. La legislación entra en una fase de experimentación en Canarias para ponerse luego en práctica en base a las experiencias previas en las Antillas y las demás regiones americanas.

La terminología municipal pertenece a la tradición jurídica, pero este lenguaje técnico se incorpora también al lenguaje común, puesto que en un primer

---

241 C. Bayle 1952: 11.

242 Cf. M. Álvarez Nazario 1982: 252-254.

momento los titulares de los cargos no eran *letrados* o juristas ni funcionarios administrativos o de gobierno profesionales. Como no hubo separación de poderes durante el Antiguo Régimen y las mismas personas asumieron los cometidos gobernativos y administrativos, la administración de justicia y las funciones militares, lo cual implicaba según el caso atribuciones yuxtapuestas y concurrentes, el saber técnico correspondiente no era un saber de especialistas, y era accesible a todos los *vecinos* debido al ejercicio público de estas funciones. Hay que contar también con que los pregoneros hayan familiarizado a todo el mundo con el lenguaje jurídico a través de las notificaciones del cabildo. Apenas podemos sospechar hasta dónde llegaba la competencia técnica del hombre común, ya que en la documentación oficial, sobre todo en las *informaciones*, los testimonios retoman las preguntas de los interrogatorios preestablecidos que los testigos rebasan en muy pocos casos (cf. la deposición de Pedro Romero en 1.5.3.).

Vamos a describir el léxico de los cargos municipales como un campo onomasiológico. Para delimitar y reconstruir este campo a grandes rasgos, se requieren textos adecuados. Los documentos redactados durante la conquista de Gran Canaria y sobre todo el fuero de Las Palmas pertenecen a este tipo de textos que, como disposiciones legislativas, contienen numerosas aclaraciones definitorias.

El fuero ha llegado a la posteridad en una copia incompleta de 1581 que forma el inicio del *Libro Rojo de Gran Canaria*. El nombre del libro se debe al color de la encuadernación dieciochesca e incluye todas las leyes y ordenanzas concernientes a Gran Canaria. Las tres páginas que faltan se agregan al final en una copia del 20 de noviembre de 1789. Por este motivo, no disponemos de un texto auténtico en cuanto a su forma gráfica. Sin embargo, las diferencias entre el original y la copia no afectan, en principio, al léxico pertinente para nuestra tarea[243]. Hay que advertir que en la parte más reciente aparecen más casos de seseo que en la parte más antigua (por ejemplo *consejo* en lugar de *concejo*).

Nos basamos, pues, en este texto del fuero para analizar los significados discursivos y determinar los usos de las palabras y la estructuración del campo onomasiológico. El método aplicado en este segundo paso es semasiológico y requiere el uso de diccionarios. Nuestro problema es, no obstante, que la mayoría de los diccionarios no toman en cuenta las fuentes canarias e hispanoamericanas. Por eso, sólo con muchas reservas podemos fiarnos de los diccionarios en el proceso hermenéutico del análisis del léxico. Necesitamos además la documentación de usos discursivos para la aclaración referencial y semántica –que establezcamos con o sin ayuda de diccionarios–. Vamos a apoyarnos principalmente en estos usos discursivos. Las relaciones entre los lexemas son particularmente

---

243 P. Cullén del Castillo (ed.) ²1995: 45-46.

pertinentes e incluyen las relaciones entre hipónimos e hiperónimos que sirven para delinear subconjuntos lexemáticos.

En contra del uso de los historiadores, intentamos diferenciar más entre el o los estados de lengua que pretendemos describir y el metalenguaje historiográfico. Puesto que se relacionan dos textos, un texto o varios como fuente y un metatexto lingüístico, que es el que el lector tiene en las manos, tenemos que considerar la realización de los discursos, un discurso jurídico en el fuero y un discurso lingüístico, que analiza justamente una parte de las fuentes de forma hermenéutica. El léxico de los cargos municipales es común tanto a la fuente como al metatexto y se puede usar en éste no sólo a nivel metalingüístico, sino también a nivel designativo, es decir, como propio, y pertenecer por tanto al lenguaje primario. Esta observación sirve para distinguir claramente entre el uso de los lexemas en diferentes épocas de la evolución de la lengua española. Ya muy pocos años transcurridos entre las documentaciones pueden tornar anacrónico el metatexto historiográfico, si no consideramos la distancia cronológica que existe entre las fuentes.

Empecemos con las personas elegibles para cargos municipales. A falta de un funcionario real, un *vecino* podía asumir su función y extender también documentos. A diferencia de lo que pasa hoy en día, muchas personas podían acceder a estas funciones, pero sólo en la ciudad, de ahí que el otorgamiento de un fuero haya sido la condición más importante para la colonización española. Se adquiría el estatus de *vecino* según condiciones legales cambiantes en el transcurso de los años; entre éstas figuraban, durante la colonia en América e igualmente en Canarias, los bienes raíces y la propiedad de una casa, al principio también la construcción de una casa dentro de un plazo fijado previamente así como el domicilio fijo en un lugar[244]. Un *vecino* se distingue de un *estante*, el cual reside en un lugar durante algún tiempo pero no tiene plenos derechos, y de un *habitante* o *habitador* que simplemente vive en un lugar.

El fuero de Las Palmas de Gran Canaria, cuyo primer nombre era El Real de las Palmas, se preparaba en una serie de disposiciones. Ya en 1480 los Reyes Católicos introdujeron un gobierno municipal regular mediante una disposición que mandaba desde Toledo al "governador, capitán e alcayde" Pedro de Vera lo siguiente:

> Por ende nos vos mandamos que repartades todos los exidos y dehesas y heredamientos de la dicha ysla entre los cavalleros e escuderos e marineros, e otras personas que en la dicha ysla están y estuvieren y en ella quisieren bivir e morar, dando a cada uno aquello que vieredes que según su merescimiento e estado ovieren de menester e

---

[244] R. Konetzke 1965: 49, 97, 102, 140, 142; L. N. McAlister 1984: 7-8.

> así mismo para que podades entre las tales personas de nuevo nombrar elegir officios de regimiento e jurados e otros officios que vieredes son necessarios en la dicha ysla para que sean cadañeros o por vida o perpetuos o de la manera que a vos bien visto fuere, no embargante que qualesquier personas tengan los dichos officios por autoridades de qualesquier personas e dellos ayan sido proveydos[245].

El poder especial de Pedro de Vera era a todas luces considerable. En este texto se mencionan las categorías futuras de habitantes castellanos, los *vecinos*, *moradores*, *estantes* y *pobladores* cuyo estatus se explica a veces en las provisiones reales. Siete años más tarde Gran Canaria se declara tierra de realengo ("nuestro señorío") en Salamanca y se integra a la Corona de Castilla, excluyéndose al mismo tiempo el otorgamiento de otros feudos en la isla:

> después que la ovimos [la isla de Gran Canaria] para nuestro señorío por la gracia de Dios, por nuestro mandado la dicha ysla fue poblada de gentes de nuestros reynos, e la encorporamos e avemos por encorporada en nuestro patrimonio e corona real, e por quanto por los vezinos e moradores de la dicha ysla nos fue supplicado e pedido por merced que le diéssemos nuestra carta en que le segurassemos e les prometiéssemos que agora ni en tiempo alguno ni por alguna manera la dicha ysla no será enagenada ni apartada de nuestra corona real, nos por fazer bien e merced a los dichos vezinos e moradores e pobladores de la dicha ysla [...], por la presente seguramos e prometemos e damos nuestra fee e palabra real [...] que agora ni en tiempo alguno, nos ni los reyes que después de nos vinieren e subcedieren en estos nuestros reynos, no enagenaremos ni enagenaran ni apartaremos, ni apartaran la dicha ysla[246].

A través de esta disposición tanto Gran Canaria como el resto de las Canarias occidentales pasaban a pertenecer a Castilla. Es decir, desde aquel momento, las islas son parte integrante de la Corona, no colonias, y a ellas se imponían consecuentemente las instituciones vigentes en Castilla.

Los Reyes Católicos conceden en 1494 el fuero de Las Palmas, que es, según Pedro Cullén del Castillo, la ley más importante de las islas. Hasta el siglo XVIII Gran Canaria no tuvo otro ayuntamiento que el de Las Palmas. Tampoco se fundaron otras ciudades que las que este fuero proveía. Más aún, este privilegio real se aplicó también a las otras Islas Canarias y sirvió de precedente a muchas ordenanzas en las Indias[247].

Necesitamos de indicaciones textuales para averiguar la articulación interna del campo léxico. Podemos determinar *oficio* como archilexema del campo. Generalmente, esta palabra se refiere a las funciones que se representan mediante las expre-

---

245 P. Cullén del Castillo (ed.) ²1995: 109-110.

246 P. Cullén del Castillo (ed.) ²1995: 113-114.

247 P. Cullén del Castillo (ed.) ²1995: 42-44.

siones "regir é governar las cosas del bien é procomún dellas"[248] y, de forma más específica para determinados cargos, "conocer de los pleitos civiles y criminales"[249] y "dar fe". A veces, binomios de sinónimos tales como "governación é regimiento"[250] explicitan los *oficios*. En lugar del archilexema *oficio* se usa también *cargo* en los casos en que las atribuciones de un titular se formulan de manera explícita:

> Y el *personero* tenga **cargo** de procurar las cosas de provecho del consejo, e contradecir las que fueren en su daño, é requerir que se guarden las buenas ordenanzas, é procurar todo lo que cumple a los propios del consejo de manera que por su negligencia no se pierda el derecho de consejo con tanto que el tal *procurador* no tenga voto.
>
> el *mayordomo* [...] terná **cargo** de tomar las fianzas a los arrendadores, é cobrar los maravedís que le devieren é hazer todas las diligencias que fueren menester para la cobranza dellos, é que el *mayordomo* dará cuenta en fin del año dentro en treinta días, la qual cuenta se tome en el cabildo presente la justicia é regidores[251].

Lo que establece el fuero acerca de la época del año en que el mayordomo tiene la obligación de rendir cuenta de su gestión muestra que las funciones del cargo pueden quedar implícitas.

Por regla general, *oficio* designa el cargo que desempeña una persona, como en el ejemplo siguiente: "e nombren tres *alcaldes* é seis *regidores* é un *procurador* é un *alguacil* é un *mayordomo* é ponga cada uno dichos **oficios** en un papelejo"[252]. Estos *oficios* se llaman igualmente *cargos* e incluyen determinadas atribuciones. Esto quiere decir que en el fuero de Las Palmas *oficio* es un archilexema más abarcador que en lo sucesivo. En primer lugar, el significado de este término se especifica mediante explicaciones referentes a cargos cuyos titulares se designan con denominaciones de personas como *regidor*, *personero* y *procurador*. En segundo lugar, es posible usar nominalizaciones predicativas para nombrar los titulares de los *oficios*. Este procedimiento aparece en "los **oficios** de *regimiento* e *juraderías*"[253] donde el archilexema o hiperónimo *oficio* interpreta los oficios particulares *regimiento* y *juraderías* que siguen inmediatamente después.

A diferencia de otros *oficios*, la ley representa éstos como *oficios públicos*. *Oficio público* tiene en este caso el mismo significado que *cargo* o *empleo* asu-

248 P. Cullén del Castillo (ed.) ^{2}1995: 119.
249 P. Cullén del Castillo (ed.) ^{2}1995: 122.
250 P. Cullén del Castillo (ed.) ^{2}1995: 119.
251 P. Cullén del Castillo (ed.) ^{2}1995: 124. Destacado mío en esta cita y las siguientes.
252 P. Cullén del Castillo (ed.) ^{2}1995: 121.
253 P. Cullén del Castillo (ed.) ^{2}1995: 128.

men posteriormente. Por un lado, *oficio público* restringe el significado general de *oficio*, por otro, la adición "de menestrales jornaleros" lo distingue de los *oficios* que aparecen en el gobierno, la administración y la jurisdicción. Esta determinación ulterior se agrega en el fuero de Las Palmas tras la mención de algunos artesanos como "menestrales": "Otrosí ordenamos e mandamos que se hagan ordenanças para todos los otros **officios** de *menestrales jornaleros*"[254]. Mientras que la expresión "oficios de menestrales jornaleros" pertenece, por lo menos en su función de determinación nominal, al lenguaje general, *oficios mecánicos* debe tener el valor de su equivalente técnico[255]. Sin embargo, no es posible dar una caracterización diafásica de ambas expresiones sólo en base a la cita presente.

Cada titular de un *oficio* se designa mediante *oficial*. Esta palabra funciona, por lo tanto, como hiperónimo. Los *oficiales* más importantes se introducen en la primera disposición:

> Primeramente ordenamos é mandamos que en la dicha villa hayan seis *regidores* y un *personero* y un *mayordomo*, y un *escrivano de consejo*, y tres *alcaldes ordinarios* y un *alguacil*, los quales sean elegidos como de yuso se contiene, salvo que primero sean puestos los dichos **oficiales** a lo menos seis electores[256].

Como hemos dicho, los *oficiales* que son artesanos se llaman en el fuero también *menestrales*. Peter Boyd-Bowman no registra ningún testimonio de *menestral* con el significado de "oficial mecánico"[257] en el siglo XVI. Según este autor se usaba *oficial*, en cambio, tanto para un titular de un cargo como para un artesano en las Indias.

Para los *oficios* más destacados se usan las denominaciones colectivas *cabildo*, *ayuntamiento* y *concejo*. Estas voces son, por así decir, nombres colectivos onomasiológicos, al contrario de los nombres colectivos en la formación de palabras como, por ejemplo, *regimiento* que tenía el significado secundario de "regidores". Las motivaciones de la una o de la otra palabra no son idénticas y su sentido no se limita a designar una entidad colectiva. Un *cabildo* comprende los titulares siguientes:

> Otrosí ordenamos e mandamos que los dichos *regidores* se junten en **cabildo** con la *justicia* y con el *personero* é *escrivano de consejo* tres días en la semana: lunes é miércoles e viernes, sin estar otra persona alguna con ellos, salvo los dichos *procura-*

[254] P. Cullén del Castillo (ed.) ²1995: 126.
[255] Cf. la cita en P. Boyd-Bowman 1972: s. v. *oficio*.
[256] P. Cullén del Castillo (ed.) ²1995: 120.
[257] Cf. *Autoridades*: s. v. *menestral*.

> *dores del común* que de yuso fará mención é alli vean todas las cosas del **consejo**, ansí lo que toca a los propios de la villa, como lo que toca a la guarda de las ordenanzas é términos della é todas otras cosas que conciernen a la buena governación é regimiento della, de que segund las leyes destos reynos de deve conocer en los semejantes **ayuntamientos**.
>
> Otrosí ordenamos e mandamos que el *mayordomo* de la villa ni el *letrado* della no entren en **cabildo**, sino quando fueren llamados, é luego que se acabe aquello para que fueren llamados se salgan, é en el dicho **cabildo** no tengan voto, salvo la justicia e regidores[258].

Son, pues, en primer lugar las personas las que constituyen un *cabildo*, y forman un *cabildo* los funcionarios públicos que tienen derecho a voto. En cambio, el *mayordomo* y el *letrado* tienen sólo derecho a voz. A las personas que se reúnen en un cabildo se las llama también *concejos*. Sin embargo, el vocablo *concejo* se aplica igualmente al edificio, que, de manera más específica, se designa como *casa de concejo*.

Hay que distinguir entre los miembros del cabildo, además, los que tienen derecho a *voto* y el *escribano de concejo* que tiene voz, pero no voto. Al contrario de los otros funcionarios, son los Reyes Católicos o, en términos más generales, el rey, quienes *ponen* al *escribano de concejo*:

> mandamos que el *escrivano de consejo* sea puesto por nos o por los reyes que después de nos subsedieren, e tenga el oficio cuanto nuestra merced y voluntad fuere, y sea vezino de la dicha villa e lleve todos los derechos por el arancel[259].

La presencia permanente del escribano en el cabildo deriva de sus funciones:

> que el *escrivano de consejo* escriva por nombre los que se juntan cada día de consejo, asimismo los que votaren en consejo sobre cada un negocio, e lo asiente todo en el libro del consejo, porque se sepa a quien se ha de argüir la culpa de lo que se hiziere como non deve[260].

Los tres *alcaldes* y los seis *regidores*, en cambio, tienen derecho a voto, como deducimos del pasaje citado más arriba sobre la composición del cabildo, y de éste: "en el dicho cabildo no tengan voto, salvo la justicia e regidores"[261]. Aquí se agrupan los tres *alcaldes* en la expresión colectiva *justicia*. Esta disposición

---

258 P. Cullén del Castillo (ed.) ^{2}1995: 123.
259 P. Cullén del Castillo (ed.) ^{2}1995: 122.
260 P. Cullén del Castillo (ed.) ^{2}1995: 123-124.
261 P. Cullén del Castillo (ed.) ^{2}1995: 123.

no aclara si el *alguacil* forma parte de la *justicia*, aunque esta duda tiene por su parte una buena explicación, ya que el equivalente tradicional de *alguacil* era precisamente *justicia*. Sus atribuciones eran tan evidentes que no era necesario detallarlas en este fuero, sino sólo las atribuciones de los *alcaldes ordinarios*:

> mandamos, que los dichos tres *alcaldes ordinarios* y el *alguacil* sirvan sus oficios quando no oviere governador, é los *alcaldes* conoscan de todos los pleytos civiles é criminales en el tiempo que durase su oficio, y en los pleytos civiles cada una [*sic*] dellos conosca por sí de los pleytos que antellos se demandare, y en los pleytos criminales cada uno de ellos pueda recevir la querella y tomar la primera información, e mandar prender al que hallare culpante; pero después de preso o si non podiere ser havido si se oviere de proceder en reveldía, que no pueda conocer sino todos juntos, o si el uno fuere impedido o ausente, conoscan los dos o en caso que los fuesen impedidos, o ausentes el uno, y las sentencias que diere sea, como fuere acordado por todos tres, a lo menos por los dos o por el uno en presencia de los dos, los quales no lleven otros derechos salvo los contenidos en el arancel que les será dado[262].

Ni al *personero* ni al *procurador* respectivamente, ni al *mayordomo* ni a los dos *procuradores del común* les corresponde derecho a voto, pero sí derecho, aunque limitado, a tomar la palabra. Hemos aducido arriba a las funciones del *personero* o *procurador* al hablar de *cargo*. Hay que resaltar una vez más que el texto agrega la restricción “con tanto que el tal procurador no tenga voto”. De esta expresión se deduce la equivalencia de *personero* y *procurador*. Se ha aclarado también la función del *mayordomo* en relación con el significado de *cargo*. Tanto este funcionario como el *letrado*, sobre el que el fuero no nos proporciona informaciones, tienen derecho a tomar la palabra sobre los asuntos para los que hayan sido convocados, pero no derecho a voto:

> ordenamos e mandamos que el *mayordomo* de la villa ni el *letrado* della no entren en cabildo, sino quando fueren llamados, é luego que se acabe aquello para que fueren llamados se salgan, é en el dicho cabildo no tengan voto, salvo la justicia e regidores[263].

Como una gran innovación con respecto a Castilla el fuero de Las Palmas otorga la elegibilidad de los *alcaldes ordinarios*, del *alguacil*, de los *regidores*, del *personero* y del *mayordomo*. La elección incumbe a los *electores*. Los electos, por su parte, aplican el mismo procedimiento electoral a la elección de otros *oficiales* de *oficios públicos*[264]: seis *escribanos públicos*, eventualmente un *obre-*

---

262 P. Cullén del Castillo (ed.) ^{2}1995: 122.

263 P. Cullén del Castillo (ed.) ^{2}1995: 123.

264 P. Cullén del Castillo (ed.) ^{2}1995: 122.

ro, un *veedor de la obra* así como un *escribano*. Los *vecinos pecheros* eligen a los dos *procuradores del común* en una votación abierta y nominal. El *justicia* y los *regidores* invisten al resto de los funcionarios:

> ordenamos é mandamos que haya un *portero de cabildo* é un *carcelero de la cárcel* y un *verdugo* e dos *pregoneros*, los quales sean puestos por la justicia e regidores[265].

Hago un resumen de las indicaciones acerca de los miembros del *cabildo* en el cuadro de la página siguiente.

Las etapas evolutivas del derecho municipal en Canarias tendrán un paralelo en las Antillas, pero la fase señorial y el inicio de la tradición del derecho municipal se entrelazan en el archipiélago canario. En 1493, Cristóbal Colón funda la Isabela en el norte de la actual República Dominicana como virrey, es decir, como señor feudal, y nombra a los funcionarios municipales él mismo. Al detener al virrey en 1500 Francisco de Bobadilla pone fin de hecho al señorío en las Indias. En lo sucesivo, la Corona otorgará grandes privilegios sólo en contados casos.

Las fuentes no dicen nada acerca de la cuestión del derecho municipal en La Española. Francisco de Solano, por su parte, no encuentra ningún fuero[266]. Sin embargo, tenemos un indicio de que efectivamente no ha habido ningún fuero en esta época temprana que se asemeje al fuero y al privilegio real de Gran Canaria. Lo deducimos de una disposición contenida en el propio fuero, la cual no se aplicará antes de la conquista y colonización de la tierra firme. Se trata de la planificación de la plaza mayor:

> Otrosí ordenamos é mandamos que aya casa de consejo é cárcel e casa diputada é parte en qué estén los escrivanos públicos de contínuo é auditorio para las audiencias de los alcaldes, *é todo esto esté en la plaza* é en lugar convenible[267].

Cuando se ordenó esta forma de disponer los edificios públicos en la plaza, la catedral de Las Palmas que precedía a la actual ya estaba en el mismo sitio, puesto que era, según el fuero, el lugar de elección de los miembros del cabildo. Hasta hoy en día, los edificios públicos están colocados alrededor de la Plaza Santa Ana. No es así en Santo Domingo ni en La Habana. La *traza* urbana, que ordena la disposición de los edificios públicos en torno a la plaza mayor, sólo se introduce cuando los españoles se establecen en la tierra firme.

---

265 P. Cullén del Castillo (ed.) ^{2}1995: 124.

266 Cf. F. de Solano (ed.) 1996.

267 P. Cullén del Castillo (ed.) ^{2}1995: 125.

miembro del *cabildo*	***oficial***	***oficio* o *cargo***
nombrado por el rey	*escribano del concejo*	"que el *escrivano de consejo* escriva por nombre los que se juntan cada día de consejo, asimismo los que votaren en consejo sobre cada un negocio, e lo asiente todo en el libro del consejo, porque se sepa a quien se ha de argüir la culpa de lo que se hiziere como non deve"
elegidos, con *voto*	tres *alcaldes ordinarios*	"conoscan de todos los pleytos civiles é criminales"
	alguacil	sin indicación
	seis *regidores*	disposiciones y prohibiciones implícitas, págs. 124-127 del *Libro Rojo*
con derecho a tomar la palabra	*procurador* o *personero*	"procurar las cosas de provecho del consejo, e contradecir las que fueren en su daño, é requerir que se guarden las buenas ordenanzas, é procurar todo lo que cumple a los propios del consejo"
	mayordomo	"tomar las fianzas a los arrendadores, é cobrar los maravedís que le devieren é hazer todas las diligencias que fueren menester para la cobranza dellos, é que el mayordomo dará cuenta en fin del año"
	dos *procuradores del común*	"mirando si las cosas que allí [en el cabildo] se platican e hazen son en provecho común"

La fundación más importante, en la que el fuero castellano se aplica de manera independiente en un acto de rebelión contra el gobernador de Cuba, Diego Velázquez, fue la de la Rica Villa de la Vera Cruz en 1519. Podemos presuponer que Hernán Cortés y sus hombres conocían el fuero castellano. Cortés mismo había cursado estudios de derecho en Salamanca y había sido alcalde en Santiago de Cuba justo antes de su viaje a México. Las tradiciones jurídicas que siguen Cortés y su hueste son castellanas. A diferencia del fuero de Las Palmas, éstas no prevén la elegibilidad de los cargos. Sin embargo, una instrucción real dada en 1513 a Pedrarias Dávila, el gobernador de Castilla del Oro, dispone ya la elección de los cargos municipales[268]. No es posible averiguar el fuero que los fundadores de Veracruz pudieron haber conocido. Sólo el fuero de 1513 y las ordenanzas posteriores nos ofrecen la posibilidad de investigar la tradición que los españoles aplicaron en la fundación de ciudades en el Nuevo Mundo y que alcanzaría estatuto legal mediante sanciones ulteriores.

Debido a las diferencias de las fuentes, por un lado, y la tradición jurídica que patentiza, por otro, leemos la primera relación de Hernán Cortés desde la perspectiva del fuero de Las Palmas[269]. El primer paso es la reunión en la que se toma el acuerdo de no seguir la *instrucción* de Diego Velázquez la cual consistía en "rescatar todo el oro que [Cortés] pudiese, y rescatado, volverse con todo ello a la isla Fernandina"[270], sino que "lo mejor que a todos nos parescía era que en nombre de Vuestras Reales Altezas se poblase y fundase allí un pueblo en que hobiese justicia para que en esta tierra tuviesen señorío como en sus reinos y señoríos lo tienen"[271]. Mediante la fundación de una nueva ciudad en la tierra firme, para la cual la *instrucción* de Velázquez no ofrecía ninguna base legal, se vuelve a introducir la *justicia* real que toma el lugar del poder de Velázquez y quizás, más aún, de los herederos de Cristóbal Colón, y que reestablece el señorío real inmediato. Los españoles juntados en Veracruz dirigen un requerimiento (cf. 3.5.1.) a Cortés que anula el poder de Velázquez y le confieren en nombre de los reyes el derecho de nombrar *alcaldes* y *regidores* para la villa:

> Y acordado esto, nos juntamos todos concordes de un ánimo y voluntad y fecimos un requerimiento al dicho capitán en el cual dijimos que, pues él vía cuánto al servicio de Dios Nuesto Señor y al de Vuestras Majestades convenía que esta tierra estuviese poblada, dándole las cabsas de que arriba a Vuestras Altezas se ha hecho relación, que le requerimos que luego cesase de hacer rescates de la manera que los venía a hacer, porque sería destruir la ti[e]rra en mucha manera y Vuestras Majestades serían en ello muy deservidos; y que ansimismo le pedimos y requerimos que luego nombrase para aquella villa que se había por nosotros de hacer y fundar alcaldes y regidores en nombre de Vuestras Reales Altezas[272].

---

[268] F. de Solano (ed.) 1996: 38.
[269] Cf. H. Cortés 1993: 105-158.
[270] H. Cortés 1993: 134-135.
[271] H. Cortés 1993: 135.
[272] H. Cortés 1993: 135.

Tras el plazo de una noche para decidirse Cortés fundó la Rica Villa de la Vera Cruz, nombró alcaldes y regidores en nombre de los reyes y les tomó juramento. El cabildo y ayuntamiento delegó el poder a Hernán Cortés tras examinar y anular los "poderes e instrucciones" de Diego Velázquez. No llegamos a saber si hubo una elección regular, pero de hecho los nuevos cargos de Cortés se basaron en una elección que se describe de la siguiente manera:

> le proveímos [a Fernando Cortés] en nombre de Vuestras Reales Altezas de justicia y alcalde mayor, del qual rescibimos el juramento que en tal caso se requiere. Y hecho como convenía al servicio de Vuestras Majestades, lo rescibimos en su real nombre en nuestro ayuntamiento y cabildo por justicia mayor y capitán de Vuestras Reales [Altezas][273],

y esperan una confirmación real. Bernal Díaz del Castillo afirma que, en efecto, tuvo lugar una elección:

> Y desque la parcialidad de Diego Velázquez vieron que de hecho habíamos elegido a Cortés por capitán general y justicia mayor, y nombrada la villa y alcaldes y regidores, y nombrado capitán a Pedro de Alvarado, y alguacil mayor y maestre de campo y todo lo por mí dicho, estaban tan enojados y rabiosos, que comenzaron a armar bandos e chirinolas[274].

Al elegir a Cortés como *capitán general* y con la conquista de México, este ejército infringió el privilegio real de conquista que la Corona de Castilla había retomado a consecuencia de la *Pesquisa de Pérez Cabitos* y transferido de mala gana a Colón por algún tiempo.

La formación de una tradición posterior al fuero de Las Palmas queda por aclarar. El cabildo se compondrá de miembros diferentes con el transcurso del tiempo y se crearán nuevos cargos que no podemos tratar aquí. Respecto a la cuestión de la elección o del nombramiento y de la competencia de los funcionarios hay diferentes usos durante muchos años. Las observaciones precedentes sirven únicamente para poner en claro que las diferencias léxicas en los ámbitos más elementales de la lengua empiezan a perfilarse desde el inicio de la colonización y siguen desarrollándose desde entonces.

En vista de la sustitución del vocabulario institucional en Hispanoamérica a raíz de la Independencia, hay que estar informado sobre la introducción de la administración municipal en los nuevos territorios. Ahora bien, el primer fuero

---

[273] H. Cortés 1993: 138.

[274] B. Díaz del Castillo 1982: 82.

promulgado para una villa fuera del reino de Castilla fue el de Gran Canaria, firmado en 1494 por los Reyes Católicos. La importancia de este fuero radica en la elegibilidad de los cargos de *regidor*, *alcalde ordinario* y *alguacil*[275], principio establecido en este fuero que se transmite al de La Española en 1507. El reemplazo de la terminología administrativa unitaria será otro elemento diferenciador del español peninsular y de Ultramar.

3.6. La población de las Islas Canarias a raíz de la conquista[276]

La población que habitaba las Islas Canarias después de la conquista era de origen muy variado. Había que compensar la pérdida demográfica causada por las guerras y el comercio de esclavos indígenas. Aunque las guerras de conquista fueron sangrientas, la población indígena no fue exterminada. Numerosos documentos oficiales prueban que los antiguos canarios recibieron los apellidos de sus padrinos de bautismo castellanos, se casaron con castellanos y adoptaron su modo de vivir[277]. Ellos participaron en la conquista de las Islas Canarias, incluso a veces de su propia isla, y emigraron a las Indias. Los indigenismos canarios, apelativos y topónimos, son la prueba de su supervivencia. Los préstamos no son insignificantes, considerando la enorme distancia entre las culturas canaria y castellana. Por lo menos se toman los términos de la cultura pastoril y voces que designan plantas y animales endémicos, así como antropónimos y topónimos. No podemos esperar que se transmita el léxico etnográfico de los canarios, aunque éste tampoco falta.

A pesar de todo esto, la convivencia de los canarios con los castellanos y los demás europeos no fue idílica, sino todo lo contrario, especialmente al principio. Tenemos que averiguar, en primer lugar, cuántos canarios habían sobrevivido a la conquista. Ya que disponemos de pocos datos acerca de las islas de señorío, conquistadas con anterioridad, no podemos prescindir de las descripciones de finales del siglo XVI. Según Leonardo Torriani, quien muy probablemente escribió entre 1584 y 1586 su *Descrittione et historia del Regno de l'Isole Canarie già dette Le Fortunate con il parere delle loro fortificationi* para Felipe II, tres cuartos de los habitantes de Lanzarote fueron moriscos o beréberes apenas cristianizados que habían venido de las costas de África al principio como esclavos. Este poblamiento se basa en la cercanía del continente que facilitaba el intercambio demográfico y las recíprocas cazas de esclavos. Torriani no nos informa

---

275 P. Cullén del Castillo (ed.) [1]1947: 4-11.

276 Este capítulo es una reelaboración de J. Lüdtke 1998b.

277 H. Biedermann 1984: 7-9.

sobre los demás habitantes de Lanzarote ni tampoco sobre el origen de los habitantes de Fuerteventura, pero probablemente la aportación de los moriscos y negros, capturados en las *entradas* en las costas de África o comprados en la trata, fue masiva y llegó incluso al predominio. Los antiguos habitantes de las islas orientales se fueron como conquistadores a Gran Canaria, La Palma y Tenerife por un lado, mientras éstas siguieron despoblándose con las invasiones y cazas de esclavos por otro[278].

El destino de los gomeros fue particularmente grave. Tras su participación en la conquista de Gran Canaria por mandato de la reina Isabel y una sublevación en 1488, el señor de La Gomera, Hernán Peraza, trasladó a doscientos gomeros rebeldes a Gran Canaria. En otra ocasión, los gomeros que se defendieron contra los atropellos de sus señores fueron matados cruelmente, igual suerte corrieron muchos de sus paisanos solidarios asentados en Gran Canaria; las mujeres y los niños fueron vendidos[279]. El obispo Juan de Frías, quien apeló ante los Reyes Católicos, consiguió que los gomeros esclavizados fueran declarados libres.

La conclusión que extrae Eduardo Aznar Vallejo de sus investigaciones de archivo es que entre 11 000 y 14 000 personas pudieron sobrevivir en las islas realengas durante las tres primeras décadas del siglo XVI. Realizando un cómputo aproximativo, la población de todas las islas de aquella época no habría superado el número de 20 000 habitantes. Este mismo historiador calcula el número de indígenas todavía asentados en las islas en unas 4000 personas que podemos sumar a los pobladores europeos y los esclavos africanos horros. Sin embargo, los canarios que sobrevivieron a la conquista fueron más numerosos. Prescindiendo de aquéllos que permanecieron en las islas como esclavos, una parte importante –en su mayoría mujeres y niños– se vendió en los mercados de esclavos de Sevilla, Cádiz, Génova, Valencia, Córdoba, Puerto de Santa María, Arcos, Baeza, Loja, Madera, Sanlúcar de Barrameda y muchos otros lugares[280]; y otra parte de la población indígena fue deportada. En la medida en que este traslado se efectuó entre las islas, estos antiguos canarios están incluidos en el número calculado: los gomeros en Gran Canaria, los "canarios" en Tenerife, etc. Además se deportaron antiguos canarios libres que se habían rendido fuera de las islas y se perdieron para la sustancia demográfica insular, si no volvieron una vez cristianizados, y fueron a parar a varios lugares del reino de Castilla, principalmente a Sevilla. Había antiguos canarios también en Córdoba, Priego y El Arahal. Tanto gomeros como palmeros se trasladaron y se quedaron en Andalucía. Mucho

---

278 L. Torriani 1940: 80-81.

279 J. de Abreu Galindo ^{2}1977: 219-221, 247-253.

280 Véase E. Aznar Vallejo 1983: 151-173.

habla a favor de la hipótesis de que la pérdida demográfica de las islas por la esclavización y la venta fuera de las islas fue mayor que las pérdidas sufridas por la conquista. Por otro lado, ya que los pobladores europeos eran en su mayoría varones solteros, se casaron con mujeres indígenas, lo que también aseguró la perpetuación de los autóctonos[281].

En todo caso, la población indígena conocida de Canarias fue numéricamente superior a la de las Antillas en la misma época y, lo que es más importante, muchos isleños nuevos nacieron ya allí. Este hecho se debe tener muy en cuenta en el período de orígenes del español ultramarino.

La posición social de los antiguos canarios no fue uniforme. Ninguno de ellos perteneció, sin embargo, a los realmente privilegiados, si exceptuamos el caso de un antiguo *guanarteme* o rey como don Fernando Guanarteme quien había entendido pronto que la resistencia era inútil. La mejor posición la tuvieron los canarios que habían participado en la conquista. Así fue que "canarios" y palmeros intervinieron en la conquista de Tenerife como aconteció con los palmeros de los *bandos de paces* en la conquista de La Palma y con los *guanches* de los *bandos de paces* Anaga, Güímar, Abona y Adeje. Las consecuencias de esta intervención fueron por demás variadas e iban desde la participación en bienes raíces hasta la esclavización. Algunos indicios del repartimiento de tierras a antiguos canarios se toman de los *libros de datas* de Tenerife, llamados *libros de repartimiento* en la Península y otros lugares.

Las datas de Tenerife son de importancia particular, ya que se conservan casi en su totalidad[282]. Sólo 150 personas de los 1017 favorecidos por las datas se identifican por su origen. 68 de ellas son "canarias" y 48 portugueses. Es obvio que estos grupos étnicos se han identificado deliberadamente[283]. El origen de los otros poseedores de datas, entre los que se encontraban con certeza numerosos guanches, no se puede determinar por los nombres, ya que, como dijimos, los antiguos canarios pronto cristianizados adoptaron los nombres y, en parte, los apellidos de sus padrinos de bautismo.

En efecto, hay que distinguir tres tipos de habitantes prehispánicos: los de nombre aborigen solo, los de nombre y apellido aborigen, y los de nombre y apellido castellanos. Al estudiar las datas llama la atención que nunca se confunden los *canarios*, que son siempre naturales de Gran Canaria, con los *guanches* o habitantes de Tenerife (2.1.). No sólo esto, tampoco se comprueba ninguna coincidencia de las personas que tienen un nombre *canario*, es decir, grancanario,

---

281 E. Aznar Vallejo 1983: 199-202.

282 Cf. D. J. Wölfel 1965: 50-52. Se consultarán aquí las ediciones de E. Serra Ràfols (ed.) 1978, F. Moreno Fuentes (ed.) 1988 y 1992.

283 E. Aznar Vallejo 1983: 160.

con las de nombre *guanche*, como por ejemplo en la siguiente mención de "todos los vecinos e moradores estantes e abitantes, asy castellanos como portugueses, *canarios*, *gomeros* e *guanches*" en Tenerife[284]. Aprovecho los documentos publicados por E. Serra Ráfols (1978) y por F. Moreno Fuentes (1992); se revisa su procedencia prehispánica en el diccionario *Teberite* de F. Navarro Artiles (1981) y el *Gran diccionario guanche* de F. Osorio Acevedo (2003). No atribuyo importancia a las cifras, que no se refieren siempre a las mismas personas, abarcando 45 canarios y 17 nombres guanches diferentes en el primer caso así como 29 y 17 respectivamente en el segundo, ya que las menciones de las procedencias no son completas ni hubo motivo de hacer referencia a los guanches que permanecieron en posesión de sus tierras, explicándose de este modo la escasa presencia de éstos en las datas frente a los canarios. Si cito dos formas, la primera se toma de la obra de Serra Ráfols por estar más cercana al manuscrito.

Hay guanches que se identifican únicamente mediante su nombre originario como *Guaniaca* y *Grantegina* [*sic*], grupo donde también se puede contar el *guanche* en *Guanyxemar/Guanixemar el guanche*. Algunas personas tienen un nombre castellano y un segundo nombre del cual no se sabe si sirve de apellido, tal es el caso de *Pedro Guantejina*, que es idéntico a la persona ya mencionada, *Juan Guanyacas*, *Gonçalo Guaneqa* y *Pedro Masyona*. Varias personas se denominan mediante un nombre castellano y la indicación de su procedencia de un *menceyato*: *Miguel de Agoymad*, con variantes, *Diego de Bauten* o *Ibaute*, *Hernando de Ibabte*, *Pedro de Ibaute*, *Francisco (de) Tacoronte* y *Hernando Tacoronte*, sin tomar en cuenta los reyes de Abona, Adexe/Adeje, Anaga, Dabte/Daute, Güímar, Icod, Tacoronte y Taoro. Responden a un nombre castellano solo *Bastián/Vastián el Guanche*, *Beatris Guancha*, *Catalina la Guancha*, *Gaspar guanche* y *don Pedro*. *Bueno* en *Pedro Bueno* tiene aspecto de sobrenombre; los demás se identifican mediante nombre y apellido: *Alonso de Alcázar*, *Juan Alonso*, *Diego Álvares*, *Juan de Baltasar*, *Catalina Hernández*, *Gaspar Hernandes/Hernández*, *Miguel de las Hijas*, *María de Lugo*, *Pero Martín* y *Juan de Vera*. En cuanto a su origen, se manifiesta con claridad que son naturales de Tenerife. Al hablar de Gaspar Hernández, se dice explícitamente que es vecino "de esta isla y natural de ella", de manera que no podemos tomar el estatus de vecino como indicación de origen. En otra fuente, los *Acuerdos del Cabildo de Tenerife*, encontramos referencias a los guanches sobrevivientes: "en esta isla hay doscientos hombres de pelea guanches" (1514), los cuales se cuentan en una población de más de 600 personas: "sabrá V. A. [Vuestra Alteza] que en esta su dicha isla abrá seis cientas personas o mas guanches naturales della entre

[284] E. Serra Ráfols (ed.) 1949: 41. La cita se refiere a 1501.

los quales serán bien los dozientos honbres de pelea poco más o menos" (1515)[285].

Al comparar los nombres de los canarios con los de los guanches, se nota ya desde el principio la escasez de nombres solos que son, además, todos castellanos. Una mención, "donde mataron a *Pablo el canario*", se refiere a un muerto, un hombre llamado *Rodrigo* se especifica mediante *Canario*, y otra persona del mismo nombre tiene como sobrenombre *el coxo*, aparte de un *Rodrigo* que es el yerno de *Juan Vizcaíno*, también *canario*, *Pedro de la Lengua* que manifiesta en su apodo que sirvió de intérprete en la conquista de Tenerife, y una *Mencía*. Considerando que las personas de las capas sociales más bajas de aquella época tales como los esclavos, negros o moriscos se denominan mediante su nombre solo, llama la atención el mayor número de los guanches frente a los canarios que se mencionan de esta forma. No es desacertado suponer que la consideración social de los guanches fue más baja que la de los canarios, debido al estatus de conquistadores de estos últimos. Algunos conservaron su apellido canario –si lo es–: *Juan Dana*, *Juan Doramas*, *Fernando (de) Guanarteme* y *Francisco Guanarteme*, *Pedro Manynydra/Maninidra*, *Diego (de) Mançanufro* y *Pedro de Texena*[286]. Los demás canarios señalan su integración en la sociedad castellana a través de su nombre y apellido: *Juan de Cartaya*, *Alonso de Córdova/Córdoba*, *Martín Cosme*, *Diego*, *Juan* y *Pedro Delgado*, *Antonio Días*, *Juan Fernández*, *Juana* y *María Fernandes*, *Costancia Ferrandes*, *Pedro de Fyerro*, *Guillén García*, *Alonso*, *Antonio*, *Juan* y *Pedro Gonçales*, *Juan Hernández*, *Rodrigo Hernandes*, *Francisco de Herrera*, *Diego* y *Fernando de León*, *Pedro de Lugo*, *Pedro (de) Madalena*, *Pablo Martín*, *Diego* y *Francisco Mayor*, *Sabastián Rodrigues*, *Fernán*, *Juan* y *Martín Sanches*, *Diego de Tor*, *Juan* y *Pedro Biscayno/Viscayno/Vizcaíno*[287].

Por otro lado, tanto los guanches de paces como muchos de los de guerra sufrieron la esclavización. Sin embargo, ésta fue desapareciendo a lo largo del siglo XVI gracias a la manumisión y el rescate. La solidaridad de los canarios se manifestaba precisamente en el rescate de sus parientes, a no ser que fuera imposibilitado por la venta fuera de las islas. En general, los canarios libres formaban parte de los campesinos. Se dedicaban a su ganadería tradicional, la agricultura y

---

[285] E. Serra Ráfols/Rosa Olivera (eds.) 1965: 8, 103.

[286] F. Ossorio Acevedo 1996 recoge los nombres propios prehispánicos.

[287] El estudio de la antroponimia canaria está todavía al principio. J. Medina López 1995 recoge los antropónimos tomados de los protocolos notariales del escribano Hernán Guerra relativos a los años 1508, 1509 y 1510. En base a esta lista se pueden encontrar informaciones sobre la procedencia regional, la ocupación, el nivel social, las relaciones de parentesco y el eventual arraigo de los habitantes de la ciudad de La Laguna, datos de interés para este capítulo.

la apicultura. Algunos participaron como soldados en la conquista de América y combatieron en Italia y el norte de África.

La hispanización de los "canarios" hizo bastante pronto importantes progresos. A pocos años de la conquista se consideraban ya como castellanos y querían ser tratados como tales por los demás. Más difícil fue la asimilación de los gomeros, transformados en un pueblo errante por los continuos traslados, y también la de los palmeros; para muchos de ellos la esclavización duró largos años, pero dado que una parte considerable de la documentación relativa se ha perdido, es difícil expresarse de manera exacta sobre ellos. La hispanización de los guanches se dicultó a causa de los combates que continuaron por algún tiempo después de la derrota[288].

Una diferencia importante respecto a la colonización de América está en la fusión de los antiguos canarios y de los colonizadores que quizás, y a pesar de todo, se haya realizado en un siglo o dos. La antigua lengua canaria se extinguió en las zonas más densamente pobladas de la mayoría de las islas a lo largo del siglo XVI. En Tenerife la lengua se conservó hasta finales de este siglo o poco más allá. Podemos suponer, sin embargo, que la lengua aborigen sobrevivió en algunos casos, porque en 1632 fray Juan de Abreu Galindo recogió tradiciones y costumbres canarias en su *Historia de las Siete Islas Canarias* y más tarde, en 1678, fray José de Sosa pudo reunir informaciones orales en su *Topografía de la Isla Fortunada Gran Canaria, Cabeza de Partido de toda la Provincia comprensiva de las siete Islas Canarias llamadas vulgarmente Afortunadas*[289].

Vamos a estudiar el origen regional y social de los colonizadores como se suele hacer en el caso de América. Este análisis paralelo no tiene sólo el sentido de comprobar la participación posible de cada grupo regional y social, porque el peso cuantitativo de un grupo no tiene que coincidir necesariamente con su importancia lingüística. La cuantificación porcentual de los grupos regionales usuales en la investigación del español en América hace suponer que las partes de grupos regionales y las partes de rasgos lingüísticos se correspondan aproximadamente. No es seguro que sea el caso. Como hemos visto, el supuesto peso demográfico de los habitantes prehispánicos no es proporcional en absoluto a su parte escasa en la formación de las variedades canarias actuales. Por el contrario, hay que comprobar qué castellano, es decir, qué variedad del castellano habían aprendido los grupos de pobladores no castellanos y, por consiguiente, los antiguos canarios. Por este motivo la siguiente visión de conjunto del origen regio-

---

288 E. Aznar Vallejo 1983: 199-205.

289 La obra de Abreu Galindo se publicó por primera vez en 1848 en Santa Cruz de Tenerife, la de Sosa en 1849, igualmente en Santa Cruz de Tenerife. Cf. D. J. Wölfel 1965: 141.

nal y social de la población canaria del siglo XVI no quiere ser más que la presentación de uno de los elementos relevantes en la formación del español canario. Por falta de datos tempranos, no tomamos en cuenta los contactos con América, España y Portugal, para citar sólo los contactos más importantes, aunque ellos debieron haber sido muy relevantes.

Como ya hemos comentado, aunque los franceses –normandos y occitanos– fueron los primeros pobladores europeos, aparte de algunos apellidos y topónimos no dejaron mayor rastro en el español canario. Muchos de ellos eran "castellanos", sobre todo andaluces, y también había un número incalculable de judíos, conversos y moriscos peninsulares. El segundo grupo lo constituían los portugueses, muchos de ellos judíos, oriundos tanto del litoral de Portugal como de las islas atlánticas, que se asentaron en la parte septentrional y occidental de La Palma, Tenerife y Gran Canaria. Podemos conceder menor importancia al peso demográfico de los catalanes y de los italianos, principalmente genoveses.

Entre los nuevos pobladores de Canarias, los "castellanos", los portugueses, los beréberes, los esclavos negros y los genoveses formaban los contingentes más importantes. El mayor grupo de los colonizadores originarios del reino de Castilla[290] eran los andaluces como podemos deducir de algunos indicios por falta de una estadística poblacional: numerosos andaluces eran marineros y mercaderes, y jugaron una parte decisiva en la conquista, de manera que se les repartieron tierras extensas en las datas. Esta posición privilegiada les valió la mayoría entre los regidores. Sin embargo, los andaluces se encontraban también en otros estratos de la población: eran mercaderes, practicaban profesiones liberales, eran artesanos y labradores. Los andaluces habían tenido interés por las Islas Canarias desde antes de la ocupación de las islas realengas, pero éste aumentó después de la conquista. Las relaciones especiales entre las islas y Andalucía se expresan también en la exportación de esclavos canarios a las ciudades andaluzas situadas en el Atlántico.

Hay que hacer la salvedad de que el término *andaluz* no designa sólo a cristianos viejos, sino también a moriscos y judíos. Tras la toma de Granada, los moros y judíos o bien tuvieron que convertirse al cristianismo o bien fueron expulsados. Los grupos de los judíos conversos y de los moros conversos, llamados moriscos, se comprueban en las actividades del Tribunal de la Inquisición introducido en las islas en 1505, aunque no es posible calcular la parte de los conversos en la población de origen andaluz. Es notable que los moriscos castellanos, en su

---

[290] Aparte de algunos casos aislados, los catalanes y aragoneses no participaron en la colonización de las Indias, ya que las bulas papales otorgaron el patronato real al reino de Castilla y el Tratado de Tordesillas dividió el mundo entre Castilla y Portugal.

mayoría beréberes arabizados, se confundan con los beréberes arabizados que llegaron como esclavos de la tierra firme africana situada frente a las islas.

Los extremeños eran principalmente labradores, pero no disponemos de datos exactos acerca de ellos. Los castellanos en sentido estricto eran mercaderes, en su mayoría artesanos, entre ellos algunos conversos, y además campesinos y pastores. Los vizcaínos formaban un grupo pequeño, pero influyente, de mercaderes, marineros y artesanos, mientras que los gallegos, poco numerosos, eran campesinos y artesanos. Hay que tener en cuenta esta procedencia variada a la hora de estimar el posible origen de una voz canaria (3.10.).

Se permitió la inmigración a Canarias a muchos no castellanos, ya que a los andaluces se les ofrecieron beneficios considerables en la colonización del recién conquistado reino de Granada, la actual Andalucía oriental, y en la conquista y colonización de América. El grupo más numeroso entre los extranjeros eran los portugueses que participaron en la conquista de Gran Canaria, La Palma y Tenerife, y en el subsiguiente reparto de tierras que se documenta en La Palma y más aún en Tenerife, donde se asentaron en zonas compactas del nordeste de la isla, pero estuvieron presentes también en todas las demás islas. Hay que comprobar acerca de la colonización portuguesa de Canarias en general que ésta se vio favorecida por la escasa densidad demográfica, la demanda de fuerza de trabajo, la proximidad geográfica y no en último término por la dominación española sobre Portugal entre 1580 y 1640. El mayor grupo de la población portuguesa emigró a Canarias antes de la colonización masiva de Brasil. Las islas que acogieron la inmigración portuguesa más considerable fueron Tenerife y La Palma, lo que confirma Leonardo Torriani para el fin del siglo XVI. Este autor escribe sobre la presencia portuguesa en Tenerife:

> Tiene mucho comercio, porque está más poblada que Canaria, y dos veces más que La Palma. La mayor parte de la gente son portugueses los cuales, como superan a las demás naciones de España en la industria de la agricultura, han conseguido que esta isla fuese la de mayor feracidad y riqueza[291].

La información sobre la población portuguesa de La Palma es menos clara. Dice este autor en la descripción de Santa Cruz de La Palma: "Esta ciudad está poblada por portugueses, castellanos, flamencos y algunos genoveses"[292]. Pode-

---

291 L. Torriani 1978: 171; "E di gran mercantia perch'è popolata più di Canaria, et della Palma il doppio, et la maggior parte da gente Portughesa, laquale auanzando in la industria dell'agricoltura à l'altre nationi Spagnuole l'han resa di maggior fertilità et ricchezza" (L. Torriani 1940: 158).

292 L. Torriani 1978: 241; "Questa Città è habitata da Portughesi, Castigliani, Fiamenghi, Francesi, e d'alcuni Genouesi" (L. Torriani 1940: 216).

mos deducir de la mención de los portugueses que preceden a los castellanos en la lista –en un escrito dedicado a Felipe II de España– que los portugueses eran más numerosos que los castellanos y los otros europeos en La Palma, y quizás más aún en el campo que en la ciudad[293].

Estos colonizadores eran originarios del norte de Portugal, de la región entre el Miño y la Beira Alta y Beira Litoral y del Algarve, pero ante todo de las islas portuguesas en el Atlántico, las Azores, Madera y Porto Santo. Los portugueses eran principalmente campesinos que cultivaban la caña de azúcar, la vid y cereales, y artesanos, por ejemplo carpinteros de ribera, pero también ejercieron otros oficios como la pesca y la navegación (3.10.). No ascendían a los estratos sociales más altos ni a los cargos más apreciados –probablemente porque la gran mayoría de ellos no había participado en la conquista–, pero eran asimilados a los castellanos. Un grupo de influencia social más importante, pero de residencia transitoria en las islas, eran los marineros y mercaderes que provenían del sur de Portugal, sobre todo del Algarve.

Mientras que numerosos grupos de portugueses inmigraron a La Palma y Tenerife, debido a la proximidad a las islas portuguesas del Atlántico, la corta distancia del continente africano favoreció también la importación de esclavos moros en Lanzarote y Fuerteventura, que podían esperar ser manumitidos posteriormente. Esos beréberes, sobre todo azenegues, sustituían las pérdidas demográficas causadas por la emigración a Gran Canaria, Tenerife y América, la piratería y los ataques de moros y turcos. El intercambio demográfico forzado entre África y las islas orientales era, como hemos dicho, recíproco. Los señores de estas islas procuraron impedir la inmigración de moros libres por miedo a una invasión, pero no lo lograron siempre. En comparación con los componentes de la población beréber en Lanzarote y Fuerteventura, relativamente pocos beréberes o moros se asentaron en las islas realengas[294]. Además, la manumisión facilitó su fusión con el resto de la población.

Los demás europeos formaron comunidades reducidas que, sin embargo, tenían un poder superior a su número. Los mercaderes catalanes constituían el mayor grupo entre los que emigraron de la Corona de Aragón, ya que habían financiado la conquista y recibieron tierras en recompensa, mientras que la presencia de valencianos era escasa. Las comunidades italianas, ante todo los genoveses, en menor medida los florentinos, milaneses y romanos, tenían intereses comerciales y financieros. Éstos, en primer lugar los genoveses, habían costeado las compa-

[293] J. Pérez Vidal (1991) y M. Morera Pérez (1994: 10-24) tratan la inmigración portuguesa y sus consecuencias lingüísticas con más detalles.

[294] E. Aznar Vallejo 1983: 154-155.

ñías creadas expresamente para la conquista de Gran Canaria, La Palma y Tenerife. Ellos invirtieron también en lo sucesivo y tenían una enorme influencia en la vida pública de las islas que gestionaban con los métodos capitalistas de entonces como una factoría. Los franceses que ya habían participado en la conquista de las islas orientales se integraron en la sociedad canaria y recibieron tierras en las islas realengas. Los ingleses casi no son dignos de mención, pero sí los "flamencos", o sea, los alemanes de Renania a Baja Sajonia, y los habitantes de Flandes. Éstos estaban interesados en el comercio y trajeron consigo la intervención de los Welser o Bélzares que adquirieron tierras extensas en La Palma[295].

Los negros llegaron como esclavos o bien capturados en las costas de África o bien introducidos por la trata. Las informaciones sobre su peso en la población total, muy variable según las islas, son tan poco seguras como las que atañen a los moriscos. Manuel Lobo Cabrera, que ha estudiado la esclavitud en las Canarias orientales en el siglo XVI, cuenta 1239 ventas de negros, 227 de moriscos, 220 de mulatos, 66 de indios y 66 casos sin especificar[296]. En contadas ocasiones se indica el origen de los esclavos negros: un fula (nº 71 de los cuadros de ventas), un biafra (nº 66) y un jalofe (nº 52).

Eduardo Aznar Vallejo había aprovechado con anterioridad los contratos de venta, las mandas testamentarias y otros documentos disponibles en Gran Canaria y Tenerife para averiguar algunos indicios acerca de la repartición porcentual de los grupos de esclavos. Las 80 actas grancanarias analizadas arrojan los siguientes resultados: el 51,38% de los esclavos vendidos o manumitidos eran negros, el 41,66% beréberes, el 6,94% mulatos (o "loros") y el 1,38% guanches. Los 182 casos o actas notariales expedidos entre 1505 y 1526 en Tenerife se dedican con el 63,78% a negros, el 23,12% a moriscos, el 8,75% a guanches, el 1,87% a mulatos, el 1,87% a indios y con el 0,62% a palmeros[297]. Llama la atención que la mayoría de los esclavos eran negros y que los moriscos o beréberes eran el doble en Gran Canaria –más cercana a África– que en Tenerife –más alejada del continente–, aunque no podemos sacar conclusiones contundentes de esta repartición. El número de los esclavos registrados es muy reducido para ello y tenemos que contar además con muchas fluctuaciones.

Los antiguos canarios están prácticamente ausentes de estas listas de ventas. Aunque las cifras de las ventas de esclavos no permiten sacar conclusiones directas en cuanto al componente de los negros en la población total de las Islas Canarias, es seguro que el número de esclavos negros empezó a crecer desde la segun-

---

[295] E. Aznar Vallejo 1983: 193-199.

[296] M. Lobo Cabrera 1982: cuadros de ventas.

[297] E. Aznar Vallejo 1983: 190.

da mitad del siglo XVI y que permaneció alto hasta el siglo XVIII. A pesar del peso demográfico de los negros, no se les ha prestado todavía el interés científico que les corresponde.

Es probable que la población negra haya sido particularmente numerosa entre 1550 y 1650. En esta época el cultivo de la caña de azúcar y con ello el empleo de esclavos negros como mano de obra alcanzó su punto culminante. Podemos formarnos una idea del porcentaje de los esclavos tomando como ejemplo La Laguna, la ciudad más poblada: entre sus 5 o 6000 habitantes había 1500 esclavos o más.

La unión de España y Portugal entre 1580 y 1640 facilitó la trata de esclavos, especialmente por la cercanía del archipiélago canario a las islas de Cabo Verde y las costas occidentales de África de donde partía la trata portuguesa. La historia interna de los esclavos negros en las Islas Canarias es prácticamente desconocida así como su influencia en la cultura canaria. Se atestigua una fuerte presencia de esclavos negros en La Laguna de Tenerife para el año 1683. Sin embargo, la afirmación de que había "más negros que vecinos" parece ser exagerada. En Santa Cruz de La Palma se documenta la veneración de San Benito negro de Palermo entre los negros, santo que murió en 1589. Si un cabildo de negros podía participar en las fiestas del santo, esta parte de la población tenía que ser importante o considerable entre los habitantes de Santa Cruz de La Palma. Cabildos como éste existieron también en la América hispánica. Es de suponer que Canarias cumplió un papel relevante en la adaptación, transculturación y transmisión de las culturas africanas en América. La veneración de San Benito negro en La Palma (1603) y el testimonio posterior de la veneración de este santo en el Brasil (1711) así como en la Venezuela occidental apoyan la hipótesis de esta filiación[298].

Hemos tenido en cuenta el estatus social de los habitantes de las Islas Canarias en el siglo XVI al exponer la composición regional. Al igual que en las sociedades coloniales, en el archipiélago canario también se solía efectar una nivelación relativa de las diferencias sociales, siempre en comparación con el estatus social que los pobladores europeos tenían en su país de origen. El hecho de que una persona fuera extranjera no era un impedimento para su integración en la sociedad canaria. La eficacia personal era más importante que el lugar de nacimiento o el origen social. Al lado de un estrato que llamaremos clase media por falta de un término más adecuado y que incluía a mercaderes, artesanos, campesinos libres y algunas profesiones liberales existía una capa reducida de privilegiados, formada por la baja nobleza, cuya influencia se basaba en su poder eco-

---

[298] Cf. G. de Granda 1972: 222-224, donde se cita a Pedro de Ocampo, la persona que decía que había "más negros que vecinos" en La Laguna.

nómico y su posición social, y el clero. La nobleza se consolidó especialmente después de la introducción del mayorazgo. Los no católicos se distinguían de estos grupos sociales como minorías religiosas y los esclavos como minorías étnicas y sociales. Estos últimos eran al mismo tiempo minoría y clase baja, aunque representaban una parte considerable de la sociedad canaria. Se tenía la sospecha de que los conversos no fueran cristianos o renegados y que pertenecieran, por consiguiente, a una minoría religiosa[299].

3.7. Las lenguas de las Islas Canarias a raíz de la conquista

Acabamos de ver que se suele estudiar, para extraer conclusiones acerca de la formación del español de América, la procedencia regional de los colonizadores. Sin embargo, es más relevante, en una investigación orientada hacia el desarrollo posterior, la composición étnica, social y lingüística de los pobladores en tierras nuevas.

El desarrollo de las lenguas en las Islas Canarias preanuncia la situación en las Indias. La diversidad lingüística fue enorme durante el siglo XVI: se hablaba castellano, canario, portugués, beréber y otras lenguas africanas; y es obvio que las minorías lingüísticas como los genoveses, catalanes y flamencos no se comunicaban entre ellos necesariamente en castellano. A pesar del multilingüismo real, no hay huellas de otras variedades en las islas más que las castellanas. El castellano fue la lengua común de todas las minorías lingüísticas desde el principio.

En otros territorios de la Romania, incluso en América, se han supuesto influencias de sustrato en casos de contacto lingüístico persistente. En lo que respecta a Canarias, en cambio, no se ha sostenido hasta ahora tal influencia de la antigua lengua canaria ni en el sistema fonológico ni en la gramática del español. Sólo en el léxico se comprueban numerosos préstamos. El peso de la lengua canaria y de otras lenguas en la formación del español del archipiélago se determina con más seguridad si sabemos qué lenguas se hablaron en las islas y cómo se inició el proceso de la hispanización. No obstante, no nos dedicaremos en este punto a la lengua canaria ni a su pervivencia, sino que trataremos únicamente las lenguas de los nuevos pobladores. En el capítulo siguiente, vamos a citar algunos préstamos canarios que aparecen en crónicas de finales del siglo XVI (3.8.).

Los diferentes grupos demográficos continuaron hablando sus lenguas en las primeras décadas del siglo XVI, como se desprende de las actas inquisitoriales de Las Palmas de Gran Canaria. Es difícil estimar la aportación de las diversas len-

299 E. Aznar Vallejo 1983: 181-192.

guas a la diferenciación del español canario en el período considerado, porque las fuentes más interesantes son posteriores y en muchos casos estos aportes se documentan sólo en el *Atlas lingüístico y etnográfico de las Islas Canarias*[300]. En cuanto a los posibles préstamos canarios documentados en el *ALEICan*, éstos se distinguen difícilmente de los préstamos de lenguas beréberes, debido a que nuestros conocimientos sobre estas lenguas en los siglos XV y XVI son nulos y sobre su estado actual escasos. Los préstamos canarios y beréberes contribuyen a la terminología zoológica y botánica popular y al léxico de la vida pastoril, y pertenecen al léxico fundamental de entonces, pero no al de hoy. Es difícil, por lo tanto, documentarla en la actualidad.

La asimilación lingüística de los no castellanohablantes se documenta de manera indirecta con referencias a su competencia en la lengua castellana[301]. Como queda dicho, el plurilingüismo de la sociedad canaria en los primeros siglos de la implantación de la lengua castellana fue muy marcado debido a la reducida distancia de las islas respecto a la Península y a la cercanía de las costas africanas, y se vio favorecido por el hecho de que la Casa de la Contratación en Sevilla no controlara la emigración a Canarias. Por el contrario, éstas sirvieron de base para la emigración transatlántica a los que por motivos religiosos o políticos estaban excluidos de ella (3.11.).

Aun sabiendo que la sociedad canaria fuera una sociedad plurilingüe, es sumamente difícil enumerar todas las lenguas habladas en las islas y más aun cuantificar a sus hablantes. Nuestra ignorancia o nuestros exiguos conocimientos de la composición lingüística de las comunidades isleñas radica en el hecho de que las fuentes, si se conservaron, nos informen poco sobre el origen de los pobladores y su religión, y nos dejen generalmente en la incertidumbre acerca de sus conocimientos lingüísticos[302]. La pertenencia a un grupo étnico o religioso se declara precisamente en términos de procedencia, por lo que queda como un interrogante el grado de integración social o religiosa de un habitante en su tierra de asiento. A pesar de estas limitaciones y a falta de mayores datos, nos vamos a

---

300 *ALEICan* (publicado por M. Alvar, 1975-1978).

301 Empleo *castellano* en un sentido histórico, distinguiendo en la expansión ultramarina un período castellano de un período español que tienen su contrapartida lingüística. Esta diferencia se manifiesta, al contrario de lo que sucede en la América hispana, en la integración de Canarias en la Corona de Castilla, mientras que América se gobierna por el Consejo de Indias (a partir de 1524). La misma diferencia se expresa mediante los nombres étnicos, *castellano* en Canarias y *español* en América. Tras una breve fase de vacilación en las Antillas, muy pronto se documenta el paso de la *lengua de los españoles* a la *lengua española*, aunque no como única denominación.

302 Cf. J. Medina López 1994.

apoyar en las informaciones que revelan las fuentes, tocantes al país de origen y a la religión que habían dejado de grado o por fuerza.

No es éste el lugar para hacer un resumen del desarrollo demográfico de las Islas Canarias posterior la época fundacional, por necesario que sea; me limito a aducir los datos demográficos apropiados para una interpretación lingüística[303]. Baste, para subrayar la importancia y la posición especial de Canarias en la historia demográfica de la expansión ultramarina de España, señalar la composición étnica y religiosa de los pobladores grancanarios en torno a 1525 que Luis Alberto Anaya Hernández se atreve a cuantificar. Dice este historiador que "los hablantes no castellanos podrían llegar o sobrepasar algo el 50% del total de la población grancanaria"[304]. Pero es evidente que no podemos deducir de esta cifra que la mitad de la población de Gran Canaria tuviera otra lengua materna que el castellano. En efecto, se suman en este porcentaje tanto los esclavos negros y moriscos, con un 20% de aborígenes, como los cristianos nuevos –moros y judíos– y los europeos –portugueses, genoveses, "flamencos" y franceses–. Si bien es notable el elevado número de cristianos nuevos y conversos que no tiene su contrapartida en el Nuevo Mundo, es probable que todos se puedan considerar como hablantes del castellano, aunque no necesariamente como primera lengua. Hay que advertir que grupos religiosos, grupos étnicos y grupos lingüísticos no coinciden en absoluto. Los cristianos nuevos de moros y judíos y los conversos eran castellanos, portugueses, moriscos, beréberes; una parte de los negros, como por ejemplo los fulos y jalofos, eran musulmanes[305]; y los canarios no bautizados y muchos negros eran paganos.

Las referencias a las lenguas que los distintos grupos hablaban entre sí y en el contacto con otros grupos son escasas. Surgen alusiones a las lenguas cuando hay problemas comunicativos y cuando la lengua puede ser indicio de judaísmo, de mahometismo o de heterodoxia en general. En estos casos encontramos indicaciones sobre intérpretes en las crónicas y en la documentación oficial, especialmente en las actas inquisitoriales[306]. Éstas son las fuentes que voy a utilizar en lo que sigue.

---

303 Son muy útiles a este respecto las obras de M. Lobo Cabrera 1982, E. Aznar Vallejo 1983, L. A. Anaya Hernández 1996 que, además de abarcar aspectos demográficos, recogen datos de estudios anteriores.

304 L. A. Anaya Hernández 1996: 125.

305 M. Lobo Cabrera 1982: 140.

306 Sólo se ha aprovechado una mínima parte de la documentación publicada (cf. J. Medina López 1994). Destacan las actas inquisitoriales de la Colección Bute conservadas en el archivo del Museo Canario en Las Palmas y las *Fuentes Rerum Canariarum*: una décima parte de las mismas es accesible en los dos volúmenes publicados por W. de Gray Birch 1903. Según L. A. Anaya Hernández, el Catálogo de W. de Gray Birch "contiene numerosas testifi-

El francés

Estamos mejor informados sobre los primeros contactos entre los europeos que se asentaron en Lanzarote y los antiguos majoreros por *Le Canarien*, crónica escrita por los capellanes Pierre Boutier y Jean Le Verrier entre 1402 y 1404 (véase 3.4.). Ya la primera colonia castellana persistente era plurilingüe: el castillo de Rubicón, y más tarde también sede episcopal, fundado por los franceses Gadifer de La Salle y Jean de Béthencourt en el sur de Lanzarote en lo que actualmente es la Punta del Papagayo. Ya que dos de los tres intérpretes que fueron llevados de Francia, eran originarios de Lanzarote –Alfonso, que huyó pronto, e Ysabel– hay que suponer que los franceses tuvieran la intención de arribar a aquella isla.

Bajo el mando de ambos compañeros de armas y a partir de 1404 bajo el único mando de Jean de Béthencourt, se establecieron pobladores originarios de Normandía, de Bigorre –la senescalía de Gadifer de La Salle– y de otras regiones occitánicas. Así, cuando los capellanes bautizaron a los naturales de Lanzarote, podemos imaginarnos la evangelización en francés con la mediación de la intérprete Isabel y la enseñanza de las cuatro oraciones o de alguna de ellas en la misma lengua.

Si de la presencia del francés no quedó mucho más que algunos topónimos y antropónimos, se impone la conclusión de que este idioma no llegó a ser preponderante en las primeras décadas del siglo XV. De hecho, según parece, los franceses usaban el castellano en los contactos con el exterior. Las interferencias –otro indicio de preponderancia lingüística– apuntan hacia una influencia léxica del castellano sobre el francés en la que abundan los marinerismos[307].

El genovés

El silencio de las fuentes al respecto nos indica que las lenguas europeas en contacto, todas románicas, no constituían un problema de intercomprensión. Los habitantes de las Islas Canarias estaban incluso familiarizados con el genovés, por lo menos en el ámbito de ciertas familias. Cuando Diego de Funes, vecino de La Palma, declara en 1526 contra el genovés Jácome de Monteverde, igualmente

caciones y procesos contra judeoconversos, no exentas de errores de transcripción" (1996: 35), pero al examinar durante tres visitas a la biblioteca y archivo del Museo Canario la transcripción de algunas páginas en varios volúmenes, comprobé que el texto resulta más fiable que muchas otras ediciones paleográficas, y esto a pesar de que el editor abrevie el texto y pase continuamente del inglés al español en la misma oración.

[307] J. Lüdtke 1991b: 34-37 y el final de 3.4.

vecino de La Palma, y reproduce las palabras de este genovés en castellano y latín[308], parece cierto que la lengua de la conversación privada fue el castellano. Sin embargo, una vecina de Las Palmas, Francisca de Salas, declara ante el Santo Oficio en 1527 "que puede aver diez meses, que Catalina Lopez, que se dize La Farfana", preguntó a Juana de Jacomar en casa de su madre: "quereys saber con que os qujeran byen los honbres", y, después de la respuesta afirmativa de Juana "començo a medir a palmos el ruedo de su faldilla, y dezia al tiempo que media 'fulano', nombrando el nonbre del que la avya de querer byen, 'mi amor te laxo escusa la vya, y alonga lo paso cogi como fa miçer Jhesu Christo so la cruz de lo leño'". No vamos a continuar con el conjuro de Catalina López, sino que pasaremos a considerar la deposición de Juana que recuerda perfectamente a la misma fórmula en genovés: "fulano el mj amor te laxo, escusa la vya alonga lo paso coxi como fa mjçer Iheso Christo so la cruz de lo leño". Lo extraño es que esta fórmula no sea originariamente italiana, sino que una morisca se la haya enseñado a Catalina López por la cantidad de medio real[309]. Así, un conjuro probablemente árabe se volvió a enunciar en castellano para memorizarse en genovés. Incluso el escribano del Santo Oficio estaba lo suficientemente familiarizado con este idioma como para apuntarlo en ambos testimonios.

El portugués

El portugués ofreció una aportación mayor al léxico canario; su arraigo en Canarias depende del peso demográfico de los portugueses, que domina en las islas occidentales, encontrándose el mayor número de lusismos en La Palma[310]. Es muy probable que los portugueses, aun conservando su lengua durante mucho tiempo, se hubieran integrado en la sociedad canaria[311]. Son el único grupo étnico que se conoce a través de documentos tinerfeños oficiales escritos en portugués o en un castellano aportuguesado durante la primera década del siglo XVI, los llamados *datas*[312], ya que ofrecen numerosas voces tomadas de esta lengua (3.10.). Se documenta un caso aislado del uso del portugués entre criptojudíos en la confesión de Ana González ante el Inquisidor (Las Palmas, 1524). Ella dijo que "estando sus padres acostados yendose ella acostar hizo la señal de la cruz

308 W. de Gray Birch 1903: 64.

309 W. de Gray Birch 1903: 103-104.

310 D. Corbella Díaz 1996: 115-122; cf. J. Pérez Vidal 1991, C. Díaz Alayón 2003, P. N. Leal Cruz 2003.

311 E. Aznar Vallejo 1983: 195.

312 Doy algunos ejemplos de estos documentos que se estudian en la edición de E. Serra Ràfols (ed.) 1978: 31, 65, 69, 80, etc.

para acostarse, y que la dicha Mençia Vaez su madre dixo al dicho Alvar Gonçalez 'Mira, non veds [*sic*] alla a vosa filla'"[313]. Un valioso documento del castellano aprendido por un portugués o leonés es el libro de magia transcrito en 1524 o 1525 por Pedro Marsel para el portugués Sebastián González en Las Palmas[314].

El hebreo

Los testimonios son más explícitos cuando el problema de la lengua surge dentro del contexto de la persecución religiosa. Como los criptojudíos fueron los más perseguidos, la Inquisición presta más atención a manifestaciones de la lengua hebrea (es decir, para ser más exacto, aramea), a oraciones en la misma lengua y a prácticas judías en general. La persecución bien se agrava bien disminuye según las etapas del desarrollo de la Inquisición en Canarias. Tras una postura relativamente indulgente en la fase de la Inquisición episcopal, se creó en 1505 el Tribunal de la Fe. El primer inquisidor, Bartolomé López de Tribaldos, que desempeñaba varios otros cargos eclesiásticos, sentenció a pocos denunciados. El auge de la represión inquisitorial canaria tiene lugar durante el bienio de las actividades de Martín Jiménez (1524-1526), mientras que la actuación de Luis de Padilla (1527-1563) y del Santo Oficio en épocas posteriores (1567-1605) tuvo consecuencias desastrosas para los acusados. Si nos atenemos sólo a los procesados por año, se comprueba una media de 0,36 en el período de la pre-Inquisición, 0,65 bajo Tribaldos, 1,2 bajo Jiménez, 1,2 bajo Padilla, seguidos de 3,1 procesados entre 1568 y 1605[315]. Hay que tener presente estos datos cuando se trata de valorar las testificaciones recogidas a lo largo del siglo XVI.

En 1505 se acusa de hablar "hebreo" a dos mujeres, Beatriz Sánchez e Inés Hernández[316]. Parece cierto que algunos conversos se reunieron en casa de Luis Álvarez, según consta en las declaraciones del delator Diego de San Martín en 1505, y en otra declaración del regidor y licenciado Hernando de Aguayo en 1525 ante el inquisidor Padilla. Su casa era, pues, sinagoga y allí los conversos leyeron ciertos libros para burlarse de los cristianos viejos, entre ellos uno en hebreo[317].

Quizás sea sintomático el caso de Ana González, vecina de La Palma, hija de cristianos nuevos de judíos, originarios de las Azores. Sus padres hablaban

---

313 W. de Gray Birch 1903: 78.

314 J. Lüdtke 1991c. Este estudio se basa en mi transcripción del libro de magia, aún inédita. Existe una versión editada para historiadores por U. Lamb (1963).

315 L. A. Anaya Hernández 1996: 369.

316 L. A. Anaya Hernández 1996: 1996, 229, 230.

317 L. A. Anaya Hernández 1996: 194-196.

hebreo cuando vivían en las Azores, como Ana confesó en un proceso que empezó en 1524:

> y asy mismo dixo y confeso la dicha Ana Gonçales que estando los dichos Alvar Gonçales y Mençia Vaez sus padres en los Açores les avya vysto muchas vezes fablar en Ebrayco cerrado. Y que quando fablavan en Ebrayco, lo hablavan algunas vezes en apartado y otras vezes en la cama quando estavan acostados, y que alli no les avya vysto faser otra cosa ny que a la sazon hera muchacha y no mirava en ello[291],

pero hablaban castellano en presencia de la hija. A pesar de hablar hebreo, sus padres ocultaron sus prácticas religiosas ante la hija, no enseñándole su lengua:

> aquello que fablavan de los Judios de lo que fazian y de lo que comjan en las pascuas que lo parlavan los dichos Alvar Gonçales y Mençia Vaez estando solas a parte y que algunas vezes la dicha Ana Gonçales les oya fablar que nonbravan Moysen e Ysaque, y otros nonbres y cosas que no entendia[319].

Por eso no entendía el hebreo:

> algunas vezes estando solos los dicho [*sic*] Alvar Gonçales y Mençia Vaez sus padres y otra çierta persona fablavan en su lengua que la dicha Ana Gonçales no entendía[320].

Y ella cita otro ejemplo de su ignorancia del hebreo:

> estando la dicha Ana Gonçales en el termino de la Breña en una fazienda que tiene su marido yendo algunas vezes a la villa a casa de los dichos Alvar Gonçales y Mençia vaez sus padres, hallava alli muchas vezes a maestre Diego, cirujano, que estava con los dichos sus padres dentro de una casylla que hablavan cerrado que ella no los entendía a mas de que algunas vezes les oya nonbrar nonbres de Judios, Moysen, e Ysac, y otros que no se acuerda[321].

Ana González no quiso que sus padres la casaran con un judío o tornadizo, sino que "ella se avya casado a hurto con un christiano viejo que se llama Pedro Hernandes y es Portugues"[322].

La triste experiencia de Ana González nos muestra dos cosas. Los judeoconversos asentados en Canarias no enseñaron la lengua hebrea o no pudieron

---

318 W. de Gray Birch 1903: 76.
319 W. de Gray Birch 1903: 77.
320 W. de Gray Birch 1903: 78.
321 W. de Gray Birch 1903: 78.
322 W. de Gray Birch 1903: 82.

enseñarla –si aún la hablaban– a la segunda generación, ya que posteriormente no se encuentra ningún caso de denuncia por hablar hebreo, y esto no obstante las exhortaciones formales que el inquisidor Martín Jiménez promulgó en sus edictos de 1524[323]. La segunda observación concierne al matrimonio de Ana González. Los matrimonios mixtos de conversos con cristianos viejos favorecieron su integración en la sociedad canaria. El más alto porcentaje de matrimonios mixtos en la generación de los hijos se comprueba en La Palma[324]. Añadiendo a estos datos el alto grado de exogamia, se impone la conclusión de que los judeoconversos estaban en vías de asimilarse a la sociedad cristiana durante el siglo XVI.

EL ÁRABE

En las tres primeras décadas del siglo XVI los moriscos sufrieron menos, en términos relativos, que los cristianos nuevos de judíos la persecución del Santo Oficio. Constan en la documentación inquisitorial muy pocas referencias al árabe y ninguna en las otras fuentes que he manejado. No hay ninguna referencia a una lengua o un dialecto beréber. Esta falta de documentación puede explicarse también por la mayor familiaridad de los castellanos con el árabe. De todos modos, es imposible que no se haya hablado árabe y beréber, considerando la continua importación de esclavos berberiscos y moriscos. En las testificaciones ante el Santo Oficio se alude indirectamente al árabe cuando se trata de la función de intérprete que algunos castellanos desempeñaban en la Berbería situada enfrente de las Islas Canarias a principios del siglo XVI[325]. En un testimonio, Lope Fernández se refiere a la lengua en la que en torno a 1500 un moro llamado Hamete Benhamad conversaba con él, que era "en lengua medio castellana medio Aravygo, de manera que se entendieron anbos a dos"[326]. Habla seguramente árabe el morisco Alonso de Fátima, cuyo proceso empezó en 1511 en Lanzarote y que fue "relajado al brazo seglar", es decir, quemado, en 1513[327]. Debían de hablar generalmente esa lengua las moriscas en sus conjuros y hechicerías como, por ejemplo, Teresa de Molina, originaria de Triana en Las Palmas de Gran Canaria, "que

323 W. de Gray Birch 1903: 19-20.

324 "el porcentaje de matrimonios mixtos entre los padres en Gran Canaria es del 9,5; de los hijos el 18,5; en Tenerife del 6,7 y 20,9 y en La Palma pues es de un 8% de matrimonios mixtos entre los padres, que se eleva a un 23,1 en la siguiente generación, casi el triple" (L. A. Anaya Hernández 1996: 148).

325 W. de Gray Birch 1903: 8; M. Ronquillo Rubio 1991: 69, 105.

326 W. de Gray Birch 1903: 9.

327 W. de Gray Birch 1903: 92.

dezia palabras en su lengua"[328], pero en la mayoría de los casos se citan hechiceras moriscas y moras que hablaban castellano.

LOS ESCLAVOS LADINOS

La población a la que la Inquisición prestaba menos atención era la de los esclavos, mayoritariamente negros. Es interesante que de vez en cuando se especifiquen los conocimientos lingüísticos en los contratos de compra-venta. Según Manuel Lobo Cabrera, de los 1239 negros vendidos a lo largo del siglo XVI en las Canarias orientales unos 100 eran ladinos y unos 80 bozales. Esta información la proporcionan las listas de ventas de moriscos y mulatos sólo en casos aislados. Ahora bien, si los esclavos eran ladinos, esto quiere decir que con mucha probabilidad eran bilingües, pero algunos se habían criado entre castellanos o portugueses, con lo que podían ser monolingües. En este caso su primera lengua era el castellano o el portugués. Merecen más atención los conocimientos de portugués, pues refuerzan la presencia de esta lengua en las islas, pero también pueden servir de argumento para quienes suponen la génesis de una lengua criolla de base portuguesa en épocas muy tempranas, argumento arduo que no voy a comentar en este contexto. Es muy probable que hayan hablado portugués una ladina de Cabo Verde (nº 830 en los cuadros de ventas de negros establecidos por M. Lobo Cabrera), un negro portugués (nº 1053), María, originaria de la Madera (nº 1191), sin contar los esclavos cuyas tierras de origen son Santo Tomé y Cabo Verde. Dos indios eran oriundos de Portugal y tres de Brasil. De las transcripciones de documentos que Manuel Lobo Cabrera recoge en su estudio obtenemos algunos detalles que pueden darnos una idea de la convivencia de europeos y esclavos en las islas. Muchos se criaron en casa de sus propietarios, se bautizaron, se adoctrinaron y sirvieron de intérpretes. Un propietario dispone en una manda testamentaria que su hijo adoctrine, enseñe a leer y escribir a un esclavo, niño de cinco años que nació y se crió en su casa[329].

Aprovechando más fuentes, hallaríamos más indicios de lenguas habladas en el archipiélago en la época fundacional. A la luz de las fuentes aducidas, por pocas que sean, no es exagerado afirmar que las Islas Canarias fueron un crisol de etnias y lenguas en los siglos XV y XVI. Allí se asentaron muchos de los cristianos nuevos de judíos y moros que habían sido expulsados después de la conquista de Granada. Más importante aún es el hecho de que los edictos de expulsión de moriscos promulgados por Felipe III entre 1609 y 1614 no se aplicaron a

[328] W. de Gray Birch 1903: 44.

[329] M. Lobo Cabrera 1982: 384.

Canarias. La difícil asimilación de los moriscos de la Península se llevó a efecto en el archipiélago gracias a la mayor libertad de que en general se gozaba. En cierto sentido y hasta cierto punto, pues, los canarios actuales continúan la sociedad castellana de postrimerías de la Edad Media con elementos étnicos del siglo XVI.

Una sociedad multiétnica como la canaria de los siglos XV y XVI fomenta la propagación de la lengua común. Por eso, es legítimo suponer que la lengua de las Islas Canarias es la de los pobladores castellanos. Si comprobamos fuertes contingentes de indígenas canarios y pobladores portugueses, otros europeos, moriscos, esclavos negros y algunos grupos más, su importancia demográfica no guarda correlación alguna con la composición lingüística de las variedades del español canario de hoy. Las investigaciones de Peter Boyd-Bowman, por relevantes que sean para nuestro conocimiento de la emigración española en tierras americanas, nos enseñan muy poco o nada acerca de los procesos de adquisición lingüística en las tierras a las que arribaron los españoles (4.1.4.1.). Lo poco que sabemos de la intercomunicación entre los grupos lingüísticos, nos esclarece mucho más la historia de la lengua española fuera de España que la historia demográfica como única fuente. Si estudiamos ésta, debe ser la base de la interpretación comunicativa y de la constitución de nuevas variedades lingüísticas. Está fuera de duda el predominio de los andaluces occidentales y de su modelo lingüístico, confirmado por la documentación lingüística y demográfica[330]. La lengua que aprendieron los no castellanohablantes fue una lengua común de base andaluza occidental que, sin embargo, no habría sido la misma lengua común llevada de Castilla la Vieja a Castilla la Nueva y, luego, de Castilla la Nueva a Extremadura y Andalucía. El término no usual "castellano andaluz", justificado desde la historia lingüística, puede relativizar desde el principio la hipótesis del *andalucismo* del español en Canarias y América, aunque no lo pongo en tela de juicio. El problema concreto de la formación del español canario no está resuelto con el reconocimiento del origen andaluz. Sin embargo, y a pesar de todas las incertidumbres, fue probablemente una lengua de esta índole la que aprendieron los grupos no castellanos que al principio constituyeron la mayoría de la población. Aunque ni los "castellanos" en sentido estricto ni mucho menos los andaluces fueran mayoría en el siglo XV y tampoco durante el siglo XVI, se aprendió al fin y al cabo la lengua del Estado al que pertenecieron las islas desde entonces.

Hay otra incertidumbre: no está claro si se formó un español canario en Lanzarote y Fuerteventura por la colonización de Jean de Béthencourt, como ocurriera posteriormente en el período antillano de la colonización de América, español que se habría llevado a las demás islas y el continente por la conquista y

---

330 Cf. J. A. Frago Gracia 1996.

la colonización. Si éste fuera el caso, a diferencia de la base del español americano, la lengua común castellana que corresponde a la época literaria del español preclásico habría sido la base del español canario, al que se superpondrían las fases innovadoras que lo desplazarían. Yo sólo quería aludir a esta posibilidad, si bien la reconstrucción de la fase originaria no es posible por las influencias multilaterales y la falta de documentación. Esta hipótesis se confirma por la probabilidad de que varias palabras canarias tales como *tabaiba*, *baifo*, *verol/verode*, *gofio*, difundidas en todas las islas, se remontan a esta fase. Con vistas a la fuerte diferenciación regional que las fuentes históricas atribuyen a la antigua lengua canaria, no hay que decir que estas palabras fueran autóctonas y uniformes en todo el archipiélago. Vamos a volver a encontrar este argumento en la historia del español en América: los préstamos tomados del arahuaco son los más difundidos entre los indigenismos de todo el continente.

3.8. Préstamos de la antigua lengua canaria

La lengua canaria se extinguió tras una larga fase de marginación geográfica y social de los aborígenes, según las regiones, entre mediados y finales del siglo XVI, y en zonas más aisladas durante el siglo XVII. Debido a que el contacto lingüístico no fue intenso más que durante la conquista y el período inmediatamente posterior, su influencia en la lengua española sólo puede haber tenido lugar en la fase temprana del poblamiento que abarca el siglo XV e inicio del XVI. Como quiera que haya sido, no se pueden identificar ni siquiera residuos de variedades insulares de impronta aborigen.

Interpretamos las palabras, como siempre, en una perspectiva histórica. En principio, no vamos a considerar una documentación moderna mejor que una antigua, a pesar de las críticas pertinentes esgrimidas contra el uso de los textos históricos[331], porque la forma en la que se ponen por escrito es muchas veces defectuosa. Sin embargo, para ser coherente con el método cronológico escogido dejo de lado materiales no fechados ni localizados en los siglos XV y XVI; siempre hay que contar con cambios posteriores tanto de los significantes como de los significados. Lo que es un prehispanismo se determina ante todo por un método negativo: se trata de una voz que con anterioridad no se documenta ni en español ni en portugués y que al contrario está bien documentada en las Islas Canarias. No obstante, al atribuir un origen canario a una voz castellana siempre se deben tener en cuenta las lagunas documentales que son particularmente

[331] Cf. sobre todo M. Trapero 1999.

numerosas en el caso de los préstamos de la lengua aborigen. Una vez aclarada esta cuestión etimológica, se trata ante todo de comprobar cuáles son las voces ya adoptadas en la lengua castellana y desechar aquéllas que son únicamente elementos de la lengua canaria y se citan como tales. La advertencia de Dolores Corbella Díaz viene muy a propósito:

> En los estudios sobre los elementos prehispánicos hemos de diferenciar dos líneas de análisis paralelas y en cierta medida convergentes. En primer lugar, la dedicada específicamente al conocimiento de las lenguas prehispánicas; en segundo lugar, la que ha indagado las huellas que ese sustrato aborigen ha dejado en el español hablado en Canarias, centrada fundamentalmente en la recogida del vocabulario indígena activo[332].

Me remito también a lo que he expuesto sobre las variedades en contacto (desde la tercera hasta la séptima fase en 1.5.2.)[333]. Así, de la complejidad de las lenguas en contacto resulta que cabe distinguir entre las voces citadas en los textos históricos como propias de la lengua aborigen y, por lo que se puede averiguar, las prestadas. Pero este contacto se escalona a lo largo de todo un siglo y produce diferencias léxicas en las islas. El origen de estas diferencias interinsulares puede ser doble, ya que puede remontarse a las divergencias resultantes de la convivencia de los pobladores castellanos con los indígenas tanto en el espacio de las diferentes islas como en el orden cronológico de su ocupación. Si aceptamos esta diferenciación como certera, la relativa homogeneidad fonética de las voces documentadas por testimonios orales en la actualidad está en contradicción con el origen de una voz en la isla en la que se documenta. Por lo tanto, sería ineludible explicar la uniformidad fonética y semántica de los prehispanismos al mismo tiempo que su carácter aborigen. Se deduce de la afinidad de las lenguas de las islas particulares (3.2.) que con toda probabilidad las formas idénticas en todas las islas e incluso en las más apartadas no son explicables mediante el origen autóctono en cada una de ellas, sino, por lo menos en parte, mediante la propagación hispánica y el cambio lingüístico que se produjo en las mismas. No importa, pues, que la forma esté corrompida ni que la voz represente el uso prehispánico auténtico o no si ya está arraigado en la lengua castellana. Toda la discusión acerca de los prehispanismos está sesgada por el hecho de que se procure contribuir a la filología "guanche". No se distingue siempre con claridad lo que es sólo cita de la antigua lengua canaria, lo que es préstamo en castellano y voz también

332 D. Corbella Díaz 1996: 110-111.

333 Las mayores recolecciones del léxico de la lengua prehispánica son D. J. Wölfel 1965/1996 y F. Navarro Artiles 1981.

canaria, y lo que es únicamente préstamo, como en el caso de todos los elementos documentados exclusivamente en la actualidad.

La dificultad de estudiar la aportación prehispánica al léxico canario entraña el examen de una alternativa en la valoración de la base de datos: o bien se aprovecha la documentación histórica a pesar de sus deficiencias, o bien la documentación moderna recabada en encuestas. En el segundo caso, no sabemos si los datos exclusivos de una isla son también originales. Debido a las reestructuraciones demográficas que resultan de la conquista y la política de asentamiento de los castellanos, no es posible dar la difusión exacta del léxico de origen canario. Si un préstamo canario determinado se documenta en una isla en particular, esto no prueba que esta voz sea originaria de esa isla. Como consecuencia, gustaría de tomar la precaución de citar los préstamos canarios por el orden de conquista de las islas –Lanzarote, Fuerteventura, El Hierro, La Gomera, Gran Canaria, La Palma y Tenerife– si la documentación antigua tuviera menos lagunas. Sólo si El Hierro manifiesta tales elementos, es probable que no provengan de las islas orientales ni, menos aún, de Gran Canaria o Tenerife. Los estudios de M. Trapero (1999) confirman el conservadurismo de El Hierro en el ámbito de los prehispanismos que bien pueden ser autóctonos de la isla. Por otro lado, la marginalidad de la posición de El Hierro la hace inadecuada para el estudio general, porque no influye en la lengua de regiones canarias y americanas ocupadas con posterioridad.

El léxico que se toma prestado de la lengua prehispánica es terminológico y técnico, no estructurado en el saber idiomático como decíamos al introducir los entornos (1.5.3.). La disponibilidad del tipo de fuentes sugiere que estudiemos estos léxicos especializados por universos de discurso. Los documentos oficiales son los más relevantes debido a que ofrecen un uso que podemos considerar vivo en la época del contacto lingüístico. En segundo lugar, es posible emplear los textos técnicos que tomamos como textos científicos divulgativos, ya que delatan su pertenencia a este universo del discurso en los comentarios de las voces prehispánicas, sin que sepamos con exactitud si el léxico comentado es vital. En este tipo de textos se tratan asimismo las ideas religiosas de los antiguos canarios. Por último, se toma en cuenta la literatura restringida a un ambiente de conocedores, sin que se aclare el arraigo del léxico en la comunidad lingüística.

Veamos las fuentes con más detalle. Ya que tenemos el propósito de estudiar el lugar de Canarias en la historia temprana del español fuera de la Península se impone la necesidad de considerar las fuentes históricas. Entre éstas los lingüistas analizan de forma prioritaria las fuentes historiográficas[334], en tanto que se

[334] Las obras a las que M. Trapero (1996) pasa revista para un estudio de la toponimia se aprovecha también para los préstamos prehispánicos. Se consultará la primera y la segunda parte de D. J. Wölfel 1965 o 1996 para un estudio exhaustivo de estas fuentes.

descuidan los documentos oficiales. Wölfel escribe acerca de las fuentes históricas:

> Nunca [...] se intenta describir la lengua misma o recoger materiales léxicos. Tampoco tenemos un indicio de que jamás se haya acometido una descripción lingüística. Mientras que los españoles redactaron casi en todas partes gramáticas y diccionarios de las lenguas indígenas por razones de la evangelización, no lo hicieron, hasta donde sabemos, en las Islas Canarias. En esa región dejó de existir la razón para los misioneros de aprender la lengua a causa de la rápida asimilación lingüística y cultural de los indígenas[335].

Hubo actividades misioneras relativamente breves en Gran Canaria entre 1420 y 1445, así como en La Palma y Tenerife entre 1482 y 1492, que la conquista interrumpió. La población no se acabó, pues, por un acto de extirpación. Por el contrario, los préstamos canarios son la prueba de que existió una situación de contacto entre la antigua lengua canaria y el castellano durante los siglos XV y XVI. Ésta es igualmente la opinión de Wölfel: "Los topónimos que provienen de la lengua de los indígenas abundan en las islas, lo que es una prueba de la pervivencia de la población indígena"[336].

Al contrario de lo que admite Wölfel los españoles no redactaron gramáticas y diccionarios de lenguas indígenas ni en las primeras décadas del establecimiento en las Antillas y otros lugares, ni en Canarias después de la conquista. Los primeros intereses de los españoles en los canarios, además de económicos, fueron etnográficos como ocurriera en las Antillas, lugar de donde tenemos noticia a través de las relaciones del franciscano catalán Ramon Pané (1957, 1974, 1988, 1992) sobre La Española. En las Islas Canarias estos intereses se manifiestan siempre en relación con la historia de los españoles. Además, en uno de los cronistas, en fray Alonso de Espinosa, las experiencias americanas precedieron a las canarias y repercutieron en su *Historia de Nuestra Señora de Candelaria*. Mientras que en esta obra se subordina la historia de Tenerife a la historia de la estatua de la patrona de Canarias y sus milagros, fray Juan de Abreu Galindo trata en su *Historia de la conquista de las siete Islas Canarias* de la etnografía de todas las islas, además de incluir una crónica de las conquistas, al igual que Leonardo Torriani, autor de una *Descrittione et historia del Regno de l'Isole Canarie già dette le Fortunate con il parere delle loro fortificationi*, escrita en 1590. Estos textos que se redactaron en los dos últimos decenios del siglo XVI coinci-

---

[335] D. J. Wölfel 1965: 12-13; II, § 5; mi traducción del alemán como también en las demás citas.

[336] D. J. Wölfel 1965: 14; I, § 9.

den en tantos detalles que deben tener una fuente común, como Wölfel ha demostrado de manera convincente[337]. Es manifiesto que Antonio de Viana aprovecha la misma fuente algunos años más tarde en su epopeya *Antigüedades de las Islas Afortunadas de la Gran Canaria* (Sevilla, 1604) que representa el universo del discurso literario.

Los testimonios más fidedignos, sin embargo, aparecen en la documentación oficial coetánea, de tiempo y lugar de redacción conocidos. Los ejemplos son escasos, debido a que los documentos tratan casi exclusivamente de la vida de los colonizadores[338].

En un documento del siglo XV, Enrique, conde de Niebla, menciona el nombre del ganado sin marcar, *guanire*:

> me es fecha relacion por el dicho Mosen Maciote que en las mis yslas de Lançarote e Fuertevenura e el Fierro se crian algunos ganados syn señal, que es llamado segund nonbre de la tierra *Guanire* el qual ganado diz que queda algunos años por señalar por algunos enbargos que sus dueños han en algunas cosas que son cunplideras a mi seruicio[339].

Es interesante que aparezca la difusión de la voz citada en las islas de Lanzarote, Fuerteventura y El Hierro y que se indique el comentario en presente, o sea, como voz viva. Su presencia en El Hierro no debe significar que sea igualmente originaria de esta isla, conjetura motivada por la mención de *guanil* como palabra de Fuerteventura en Abreu Galindo: "Al cuero *llamaban harhuy*, y al ganado salvaje, *guanil*"[340]. Es pancanaria en la actualidad y se documenta en los *Acuerdos del Cabildo de Tenerife* como *guanil*, pero también como *guanir*, forma intermedia en el paso andalucista de *guanire* a *guanil*: "tenemos ordenança hecha por justicia e regimiento e costunbre husada e guardada que tal gando [*sic*] alçado que se llama *guanir* ninguno lo puede matar ni marcar[341] y como "ganado *guanile*"[342]. Se nota aquí que esta voz puede significar "ganado suelto y sin marcar", pero igualmente "ganado suelto marcado"[343].

---

337 D. J. Wölfel 1965: 92-96; II, §§ 214-225.

338 Las otras fuentes son el *ALEICan* y las monografías dialectológicas de época relativamente reciente. Como el léxico de origen canario tiene una fuerte función identitaria, cabe distinguir su posible vitalidad real de las implicaciones ideológicas.

339 G. Chil y Naranjo 1880: II, 607; en un traslado de una carta de don Enrique del año de 1426.

340 J. de Abreo Galindo ^{2}1977: 61.

341 E. Serra Ráfols/L. de la Rosa Olivera (eds.) 1965: III, 103; 22 de julio de 1515.

342 E. Serra Ráfols/L. de la Rosa Olivera (eds.) 1965: III, 65; 15 de enero de 1514.

343 M. Trapero 1999: 122-123.

A causa de la gran importancia de la cría de ovejas, cabras y cerdos en las Islas Canarias, los préstamos de este ámbito son de esperar. Hay algunas voces que designan apriscos, establos sencillos y refugios: *gambuesa*, para ganado ovejuno, que excepcionalmente se encuentra en la documentación oficial de Tenerife como *gamabuesa*[344]. La primera mención de *auchón* "cueva habilitada para vivir o para servir de granero"[345] se encuentra en los *Acuerdos del Cabildo de Tenerife*: "avchón del Rey" (1498)[346]; y otra en una data tinerfeña de 1501: "hago merced a vos [...] un pedaço de ta. [tierra] en Taoro cabe el *avchon* de las vacas"[347]. En otra data de la misma isla, de 1505, se documenta *tagoro*: "más arriba della [de una palma] está una sabina donde está un *tagoro*"[348]. *Tamarco* estaba bien integrado a la lengua a través del verbo *entamarcar* y quizás más aún del participio *entamarcado*. Leemos en los *Acuerdos del Cabildo de Tenerife* de 1514: "andan *entamarcados* en sus *tamarcos*"[349]. Esta voz bien puede ser un canarismo originariamente lanzaroteño, ya que los autores de *Le Canarien* describen esta pieza de la indumentaria por primera vez con referencia a los indígenas de esta isla:

> La gente va completamente desnuda, sobre todo los hombres, que sólo llevan un cuero con todo su pelo anudado sobre los hombros; las mujeres llevan un cuero semejante del mismo modo, y otros dos cueros, uno delante y otro atrás, sujetos a la cintura, que les llegan hasta las rodillas[350].

Para las documentaciones, que no pretenden ser las primeras, de *baifo* "cabrito" (1574), *balo* (1522)[351], *faican*, o mejor *faiçan*, o *faizán* "sacerdote" en Gran

---

[344] Se lee en el primer volumen de los *Acuerdos del Cabildo de Tenerife* para 1502: "porque se hagan sus *gamabuesas* al tiempo que se concertare" (E. Serra Ráfols [eds.] 1949: 43) y posteriormente en Abreu Galindo ([2]1977: 59) como voz majorera.

[345] "Cueva habilitada para vivir en ella" según el *DHECan* y la misma definición lexicográfica ampliada con "o para servir de granero" en el M. Morera 2001.

[346] E. Serra Ráfols (ed.) 1949: 10.

[347] E. Serra Ràfols (ed.) 1978: 22.

[348] E. Serra Ràfols (ed.) 1978: 113. "Lugar llano y circular, cercado de piedras que servía de asiento, donde se celebraban las asambleas de los antiguos habitantes de las islas, presididas por el **guanarteme** o el **mencey**, y la asamblea misma" (*DHECan*; destacado en el diccionario; primera documentación 1497).

[349] E. Serra Ráfols/L. de Rosa Olivera (eds.) 1965: III, 12. En 1502 se documenta la forma *tamargo*.

[350] "les gens vont touz nuz espicielment les hõmez exepte vn / cuir a tout le poel que ilz ont noue sur lespaule les fẽ / mez ont au tel cuer ꝑ maismes mani'e τ deux autres cuers / lun deuant τ lautre darrere sains a trauers des rains / et leur vont iusques aus genois"; cf. B. Pico/E. Aznar Vallejo/D. Corbella Díaz (eds.) 2003: 142.

[351] "Arbusto de la familia de las rubiáceas que se cría en los terrenos arenosos, pedregosos y áridos cercanos al mar" (*DHECan*).

Canaria (c. 1510), *gánigo* "cazuela de barro" (1554), *gofio* "harina de millo, trigo o cebada tostados" (1495), *guanarteme* "rey", en Gran Canaria (1481), *tabaiba* "nombre genérico de varias plantas de la familia de las euforbiáceas" (1501), *teberite* "marca que se hace a las cabras en una oreja" (1522) y *time* "[r]isco, borde de un precipicio" (1553) me remito al *DHECan* de C. Corrales Zumbado y D. Corbella Díaz. *Guanche*, voz comentada en 3.4., entra también en esta categoría. Un lugar aparte ocupa *magado* "garrote endurecido al fuego, usado como arma por los indígenas" (c. 1554), que aparece en una obra considerada generalmente como crónica de la conquista de Gran Canaria, pero que para ser más exacto se debería valorar como relación de un conquistador.

Las crónicas y obras etnográficas del siglo XVI describen la cultura de los aborígenes canarios y el léxico etnolingüístico correspondiente según lo que entonces se conocía. La exposición de esa cultura pretérita mediante un léxico prehispánico no nos debe llevar a creer que las voces que emplean los cronistas se habían tomado todas prestadas en la lengua española de la época, sino, más bien, que es imprescindible separar las voces en elementos de la lengua originaria y en ya asimilados. En ningún caso los préstamos son tan numerosos como las meras menciones de palabras prehispánicas en el momento de la redacción de las obras. Generalmente los textos patentizan lo que es sólo un elemento etnolingüístico sin arraigo en la lengua hablada. Esto es particularmente obvio en las citas de frases y oraciones canarias que por ese motivo excluimos de antemano. Hay un indicio relativamente seguro de que el léxico pertenece al pasado: se presentan las palabras usando verbos en imperfecto como en *llamaban* o *decían*. Así, por ejemplo, cuando Abreu Galindo describe algunos artefactos y la cocina de los habitantes de Gran Canaria de la manera siguiente:

> Usaban de ollas y cazuelas en que hacían sus comidas, hechas de barro, que *llamaban ganigos* [*sic*, en lugar de *gánigos*], cocidas al sol. Hacían anzuelos para pescar, de cuernos de cabras. Preciaban las cabras, que *llamaban aridaman*, su principal caudal y hacienda, por el provecho que de ellas sacaban para su mantenimiento. Había ovejas, que *decían tahatan*. Criaban puercos, que les excusaban echar manteca en sus guisados; los *llamaban taquazen*. Su ordinaria comida era carne de cabra cocida con sebo o tocino y, después de cocida, le echaban. Cuando hacían fiesta, cocían la carne en sebo o manteca, y a esta fritura *llamaban tamazanona*[352].

Las palabras que significan "cabras", "ovejas" y "puercos" sólo se mencionan como palabras propias de los canarios, mientras que una voz como *gofio*, que vamos a citar en otro contexto, se emplea como préstamo. Típicamente, esta voz se introduce en presente. Así, Abreu Galindo dice de los lanzaroteños:

---

[352] J. de Abreo Galindo ²1977: 159.

> Sembraban la tierra de cebada, rompiéndola con cuernos de cabrón a mano; y, madura, la arrancaban y limpiaban y tostaban y molían en unos molinillos de piedras, luiendo las piedras alrededor con un hueso de cabra; y esta harina mezclaban con leche y manteca, y este manjar *llaman gofio*[353].

> Hacíanle [a un dios] sacrificios en las montañas, derramando leche de cabras con vasos que *llaman gánigos*, hechos de barro[354].

> Usaban, para su menester de cortar y desollar, de unas lajas de pedernales agudas que *llaman tafiagues*[355].

Con estas citas no pretendo afirmar en absoluto que *gofio*, *gánigo* y *tafiague* sean efectivamente prehispanismos lanzaroteños, aunque parezca probable. Una palabra como *gánigo* –al igual que *tamarco*, "un hábito de cueros de cabra"[356]– aquí sólo se registra como palabra canaria no prestada, lo que implica dificultades a la hora de atribuirla a una variedad, ya que existe también como préstamo.

Por lo general, no se tiene conciencia de que la repartición diatópica actual del léxico no es sólo el resultado de la adaptación regional *in situ*, sino de readaptaciones consecutivas. A tal conclusión llega precisamente Marcial Morera[357]. La repartición geográfica actual puede resultar de la conservación de un término, como se constata en El Hierro. Hay que utilizar el diccionario *Teberite* de Francisco Navarro Artiles para una crítica y una "investigación en el habla viva". Excepcionalmente se establece la equivalencia entre palabras prehispánicas que los castellanos conocieron en las diferentes etapas de la conquista. La voz *tafiague*, aducida arriba en último lugar, corresponde a la *tabona* tinerfeña comentada por Abreu Galindo en imperfecto: "A éstas [rajas de pedernal] *llamaban tabonas*"[358]; y en presente: "unos pedernales, que *dicen tabonas*"[359]. Espinosa la explica también en presente: "una *tabona*, que *es* una piedra prieta y lisa como azabache, que, herida una con otra, se hace en rajas y queda con filo como navaja, con que sangran y sajan"[360]. *Tamarco*, un préstamo tan arraigado a principios del siglo XVI como para usarse corrientemente en los *Acuerdos del Cabildo de Tenerife* y admitir el derivado *entamarcado*, en realidad se llamaba *ahico*

---

353 J. de Abreo Galindo ²1977: 58.
354 J. de Abreo Galindo ²1977: 57.
355 J. de Abreo Galindo ²1977: 58.
356 J. de Abreo Galindo ²1977: 57.
357 Cf. M. Morera 1994: 12-13.
358 J. de Abreo Galindo ²1977: 295.
359 J. de Abreo Galindo ²1977: 298.
360 A. de Espinosa 1980: 52.

en la lengua de esa isla, según Abreu Galindo[361]. Parecido al prehispanismo general *tamarco* y a la voz indígena *ahico* es el caso del equivalente tinerfeño indígena *ahoren* para el préstamo *gofio*, que comunica el mismo autor: "Comían cebada tostada y molida, que *llamaban ahoren* y a la cebada *tamo*"[362]. Tanto Abreu Galindo como Espinosa establecen la equivalencia de la voz canaria general *mocán* y la particular *yoya* o *yoja*, sólo que Espinosa describe el fruto de este arbusto endémico o árbol pequeño:

> También tenían miel de una fruta, que *llaman mocán*, que son del tamaño y hechura de garbanzos: antes que maduren son muy verdes; cuando del todo están maduros, están muy negros. Son dulces y no se come dellos más del zumo: a estos *llaman* los naturales *yoya*, a la miel dellos *chacerquem*[363] (1980: 38).

En efecto, no hay que creer incondicionalmente lo que dicen los cronistas acerca del léxico que atribuyen a una isla determinada. Esta afirmación vale particularmente para *gofio* –harina que en la actualidad se produce en base a granos tostados de cebada, trigo y maíz, según las regiones– que el poeta Antonio de Viana parece tomar por guanchismo, es decir, por una voz tinerfeña. La forma unitaria de este vocablo en todas las islas puede remontarse a su difusión posterior a las últimas conquistas, como ya supuso Wölfel[364]. Abreu Galindo atribuyó *gánigo* a la lengua de Gran Canaria y Viana a la lengua de Tenerife, pero esta palabra es común a todas las islas[365] y se difundió, por lo tanto, como palabra ya española, probablemente desde las islas orientales. Pertenecen al grupo de los canarismos comunes a todas las islas los nombres de animales y de algunas plantas endémicas. *Taginaste* o *tajinaste* es un préstamo que se documenta desde el siglo XVI como *taxinaste* en Abreu Galindo[366] con referencia a La Gomera; la palabra sirve para designar varias especies: *Echium decaisuei*, *Echium hierrense*, *Echium strictum* y *Echium wildpretii*[367]. Otros prehispanismos documentados en las crónicas del siglo XVI son: *aguamanes* "chupador de raíz de helecho empapado en leche o en manteca", *amagante* "arbusto cistáceo", *amolán* "mantequilla hecha de leche de cabras u ovejas", *beñesmén* "fiesta del verano, para conmemo-

361 J. de Abreo Galindo ²1977: 293.

362 J. de Abreo Galindo ²1977: 298.

363 A. de Espinosa 1980: 38.

364 D. J. Wölfel 1965: 518; IV, § 242.

365 D. J. Wölfel 1965: 540-541; IV, § 284.

366 J. de Abreo Galindo ²1977: 74.

367 D. y Z. Bramwell 1987: 222; una atribución a otras especies se encuentra en A. Llorente Maldonado 1984: 288.

rar la entrada en el nuevo año", *bicácaro* "planta trepadora de la familia de las campanuláceas", *cariana* "espuerta o cesta hecha de juncos o de hoja de palma", *guapil* "sombrero, gorro de piel", y *mencey* "rey", en Tenerife. El *mocán*, hoy raro, es un árbol o arbusto de la familia de las teáceas que viene registrado en la documentación oficial desde 1495, y también en las crónicas y en un pasaje de Viana que cito abajo[368].

Sean las voces prehispánicas o no, predomina el léxico etnolingüístico que está condenado mayoritariamente a la extinción como consecuencia de la asimilación lingüística y cultural de los habitantes prehispánicos. Sin embargo, perviven los préstamos *ambientales* (1.5.3.), básicamente relativos a la flora y fauna, escasamente documentados en las fuentes históricas.

Por último, consideramos un ejemplo significativo del universo discursivo de la literatura, aunque tiene también aire de crónica. Antonio de Viana, quien se esfuerza en dar exactitud histórica a su poema *Antigüedades de las Islas Afortunadas de la Gran Canaria*, introduce las supuestas voces de los guanches para sus lectores continentales, pero como fenómenos culturales de tiempos pretéritos de las cuales proporcionamos una muestra con, por ejemplo, *tagoro*:

> Y juntos en el puesto de consulta,
> Que en su llengua llamauan el *Tagoro*
> Sacavanla [la calavera] con suma reuerencia[369];

o *gofio*:

> La mayor variedad de sus manjares,
> Era que la ceuada bien tostada,
> En molinos de mano remolian,
> Tanto que del pajizo y tosco grano,
> Sacauan el menudo y sutil poluo,
> A quien llamaron *Gofio* que suplia
> Por regalado pan para el sustento;
> Con leche, miel, manteca lo amasauan,
> Y con sola agua y sal, el que era pobre[370];

y *mocán*:

> Sus frutas fueron Ongos, y Madroños,
> Bicacaros, las moras de las çarças

---

368 D. J. Wölfel 1965: 575; IV, § 394.

369 A. de Viana 1996: 17.

370 A. de Viana 1996: 14v.

Y *Mocanes*, que son quando maduros
Negros, de la hechura de garuanços[371].

Una vez introducidas en el primer canto, el autor puede emplear éstas y otras voces para dar colorido local a su epopeya:

Recogense a sus cuebas y *Tagoros*,
Tienden las mesas, juntanse en corillos,
Ponen en ellas *gofio* de ceuada,
Leche, manteca, miel y varias frutas,
Aunque siluestres, de suaue gusto,
Rubios madroños, y queresas negras,
Bicacaros melosos, y *mocanes*,
Tostados hongos, y otros tiernos crudos
Cabritos mal assados, y corderos,
Enteras cabras goteando sangre,
Gruessos carneros, y los grandes *Ganigos*,
Con las *Tamaronas* estimadas,
Quesos añejos, y otros muchos frescos,
Varios manjares, dulces a su gusto[372].

Los elementos de la cultura guanche y la castellana se mezclan para manifestar su simbiosis en el amor del capitán Gonzalo del Castillo y de la infante indígena Dácil. El lenguaje evoca una cultura con la que se identificaban ya los castellanos asentados en la isla, aunque no la habían asimilado o sólo parcialmente. Prescindiendo de estas palabras y de las documentadas en los siglos XV y, sobre todo, XVI, se recogen palabras en el *Atlas lingüístico y etnográfico de las Islas Canarias* (*ALEICan*) que se explican como canarismos sólo con muchas reservas, ya que, debido a las migraciones entre la tierra firme africana y las Islas Canarias, se puede tratar de préstamos tomados a otras lenguas, sobre todo de lenguas beréberes[373].

---

371 A. de Viana 1996: 14v.

372 A. de Viana 1996: 46-47.

373 Se relaciona con el gofio la *tacanija* que es un "polvito de harina que se desprende al moler". La *taraica* es una "especie de tenazas de madera para coger higos chumbos". Está relacionada con la molienda la *tasaca*, el "agujero donde se metía la manija para hacer girar la piedra del molino de mano" (A. Llorente Maldonado 1984: 288). En Tenerife y Gran Canaria, el *tajaraste* era una danza en corro típica y el nombre de una pandereta que la acompaña; el *goro* una "pequeña cerca de piedras cubiertas con otras, cuya finalidad es servir de refugio a los cabritos"; la *gorona* un "corralito de piedra para abrigo del pastor"; el *tagoro* unas "piedras que formando una choza sirven como refugio"; y la *tegala* un "cerco de piedra, sin techo;

En resumen, se tomaban prestados no pocos fitónimos y zoónimos, voces que designan comidas y un número particularmente importante de topónimos, a los que vamos a dedicar el siguiente capítulo (3.9.). La relativa marginalidad actual de este léxico podría inducirnos en la tentación de creer que los contactos entre los aborígenes y los colonizadores eran escasos. Sin embargo, esta deducción es improcedente en el caso presente: los antiguos canarios transmiten sobre todo los nombres de plantas y animales endémicos. Y no hay que desestimar la posibilidad de que los españoles puedan haber llevado palabras prestadas de la antigua lengua canaria en las primeras islas conquistadas –Lanzarote, Fuerteventura, El Hierro y La Gomera– al resto de las islas occidentales conquistadas con posterio-

---

corralillo" (A. Llorente Maldonado 1984: 287-288). Agrego en este lugar *jameo*, una especie de hundimiento o concavidad del terreno, que se produjo en Lanzarote por el derrumbamiento de galerías de lava. El *jairamo*, "zurrón hecho con piel de cabra" (M. Alvar 1959: 191), llamado también *cairano* en otros lugares, forma parte del equipamiento de un pastor. Esta voz es un derivado de *jaira* (y variantes), "cabra doméstica". La primera leche que da un animal después de parir se llama en La Palma, La Gomera y Tenerife *belete* (M. Alvar 1959: 135), y también *beletén*. Existen nombres de colores para determinados animales, por ejemplo, las ovejas: *cómbaca, cómboca* "(oveja) de color amarillento", *firanca* "(oveja) que tira a negro pero no lo es", *manajaisa* "(oveja) negra con la cabeza blanca", *pípana, puípana* "(oveja) blanca con la guijada canela; (animal) con una mancha alrededor del ojo"; y también nombres de colores más generales: *pipana* "(vaca o cabra) pintada" (A. Llorente Maldonado: 287-288), en El Hierro *pípales* "(animal) calzado"), *cafora* "(res) colorada con hocico negro" en La Palma (A. Llorente Maldonado 1984: 287, 316).

Se documentan los nombres de algunos animales endémicos. Una lavandera de las islas se llama *tamasma* (A. Llorente Maldonado 1984: 208), una gaviota en La Gomera *tabobo* (D. J. Wölfel 1965: 561), una especie de salamandra *perinquén* ("Tarentola boettgeri", A. Llorente Maldonado 1984: 287), con la variante *pracán* en La Gomera (C. Alvar 1975: 136), y *placa* o *plácano* en otras islas (A. Llorente Maldonado 1984: 288).

Se han transmitido no pocos fitónimos canarios antiguos. El *pírgano* (y variantes), que es la "rama de la palmera" y la "penca de la rama de la palmera", servía para cubrir techos y de forraje (A. Llorente Maldonado 1984: 288); y la *tajalaga* o *taleague* es el "escudete del estípite de la palmera" (A. Llorente Maldonado 1984: 288 y D. J. Wölfel 1965: 507). Es canaria la *pantana* que es una "Cucurbita pepo", una "cidra" y una "calabaza vinatera" (A. Llorente Maldonado 1984: 287). Así, las plantas endémicas o muy frecuentes en las islas tienen a menudo nombres canarios, sobre todo las plantas xerófitas. Forman parte de este grupo el *tagasaste/tagasate* ("Cytisus proliferus"), un arbusto que sirve de pasto; el *tasaigo* "un arbusto endémico que está presente en todas las islas en algunas variedades", por ejemplo la "Rubia tinctorum"; el *oroval/orobal*, "Physalis floruosa" y otras variedades, un arbusto; el *bejeque* o *bequeque*, el "Sempervivum glutinosum" y "Sempervivum urbicum" (A. Llorente Maldonado 1984: 287-288). Estos nombres no son los únicos cuyo origen se podría remontar a la antigua lengua canaria. Su difusión en las islas es muy diferente, lo que tiene que ver, entre otras cosas, con la difusión diferente de las plantas y con la denominación de plantas diferentes con el mismo nombre.

ridad. Así fue también como los españoles denominaron en las etapas subsiguientes del descubrimiento de tierras americanas lo nuevo o desconocido: mediante palabras que habían conocido en sus primeros contactos con los indígenas del Caribe (4.2.).

Todo lo que está relacionado con la ganadería, actividad que formaba parte de los medios de subsistencia y del modo de vida de los habitantes prehispánicos, se designa mediante nombres a veces muy específicos que, en parte, han llegado a nuestros días. Podemos suponer con un alto grado de certeza que los llamados "guanchismos" fueron más numerosos y frecuentes en el pasado. El retroceso de la ganadería, igualmente en la Península y en otros lugares, y su reemplazo por otros medios de vida hizo caer paulatinamente en el olvido el conocimiento del léxico ganadero especializado.

Desgraciadamente, la fusión de la ganadería prehispánica con la castellana no se documenta en la época inmediatamente posterior a la conquista. Este proceso se refleja en una terminología popular: los nombres de color de cabras y ovejas son castellanos y prehispánicos; castellanos por ser los propietarios españoles, y prehispánicos porque los pastores seguían siendo indígenas[374].

Las observaciones precedentes pueden ser suficientes para probar la existencia de un contacto lingüístico canario-hispánico y la persistencia de la población aborigen posterior a la conquista. Las fuentes primitivas señalan que durante la fase inicial de la colonización el contacto lingüístico fue relativamente intenso.

Concluyo la revisión de la aportación canaria al léxico español con una observación de alcance general. Su contribución al léxico americano es prácticamente nulo, aparte de la difusión de *gofio* por los emigrantes canarios, pero se mantiene vivo el interés por las culturas y lenguas ajenas y desconocidas tras la conquista de la Península. Curiosamente, el árabe no parece haber servido de catalizador como en los primeros momentos de los contactos en tierras americanas (4.1.1.); el nivel cultural de los habitantes canarios fue muy inferior a las culturas conocidas anteriormente[375].

---

374 Los nombres de color de cabras y ovejas así como los de las marcas del ganado se han conservado mejor que en otras islas en El Hierro donde los estudió M. Trapero (1999a) en base a una encuesta en el terreno. En general, se usan las marcas para las cabras, en El Hierro para cabras y ovejas. Además, los colores son más diferenciados para las ovejas que para las cabras en esta isla. El encuestador constató que los pastores daban definiciones diferentes para términos de colores idénticos que hoy en día son sustantivos, pero que pudieron ser adjetivos en el pasado. La reproducción de los colores mediante las distinciones del español estándar es sólo un expediente para explicar las diferencias semánticas de este campo terminológico.

375 En cuanto a la composición cuantitativa del léxico canario actual, se cifra el número actual de voces en "120 términos de posible adscripción prehispánica" (D. Corbella Díaz 1996: 113).

3.9. El léxico toponímico canario y la formación de la toponimia de Tenerife

Siguiendo el modelo esbozado en 1.5.3., vamos a introducir la toponimia como parte integrante de la historia del español ultramarino en cuyo favor se argumenta en estas páginas. La toponimia canaria tiene mayor relevancia que el léxico de las islas; por este motivo, cabe diferenciar aún más el estudio de la toponimia histórica, como condición de su proyección en las Indias, de la toponimia actual, analizada según los intereses de los canarios de hoy. Por ser esta obra una historia de una época del español ultramarino, no se consideran los antropónimos, que se pierden en una generación o dos, si son prehispánicos, o siguen nombres y apellidos peninsulares, como vimos en 3.6. al tratar la huella de los aborígenes en las datas de Tenerife.

Se podría objetar a la inclusión de este tema que se concede una importancia desmesurada a una parcela de la lengua relativamente marginal. Podemos oponer a este reparo el hecho de que los nombres de lugar sean una parte poco atendible de una lengua, sólo si aplicamos una visión tradicional a este dominio. En cambio, si aprehendemos la configuración del espacio geográfico como actividad esencial e imprescindible del hombre que se apropia y crea su medio ambiente, se puede ver el alcance de la toponimia que abarca una parte del léxico fundamental ya a nivel de la lengua y más aún al nivel de una lengua hablada en un espacio circunscrito. Por supuesto, y nunca podremos repetirlo lo suficiente, no hay que descuidar los aspectos prácticos de la investigación, porque es imposible investigar fenómenos no documentados. La toponimia canaria, sin embargo, es accesible en abundantes materiales conservados en los archivos del archipiélago y publicados en gran parte. Pero no puedo llevar el análisis al extremo de ofrecer un estudio estructural de la toponimia de la época fundacional de Tenerife, la mejor documentada, porque la extensión de esta obra no lo permite[376].

En líneas generales, la distinción corriente entre toponimia mayor y menor es útil para aclarar el interés que tiene un nombre propio de lugar en una comunidad lingüística. Con relación a la semántica de estos sustantivos, tal distinción, que concierne únicamente a la designación, carece de relevancia idiomática como vamos a ver, pero si nos atenemos a los topónimos que los hablantes suelen considerar importantes, podemos emplear estas expresiones. En este sentido, hemos reunido algunas informaciones acerca de la toponimia mayor de Canarias al hablar del horizonte geográfico de *Le Canarien*. Como ya comprobamos (cf. el

[376] Los materiales históricos no hacen factible la exhaustividad requerida para que el método estructural sea aplicable.

final de 3.4.), los nombres de las islas son casi todos españoles o romances. Conocemos algunos nombres indígenas de las islas –*Tyterogaka*, *Erbania*, *Gomera*, *Tenerife*–, pero sólo se transmitieron si eran nombres usuales entre los españoles. Dado que las islas no formaban un dominio unitario, se entiende que se hayan conservado los nombres que se impusieron desde una perspectiva externa.

La referencia a *Le Canarien* señala que el proceso toponímico inicial se prolongó de forma ininterrumpida a partir de entonces a lo largo de todo un siglo. Cuando el adelantado Alonso Fernández de Lugo repartió las tierras de la isla de Tenerife, la última conquistada, los españoles tenían detrás una experiencia en el conocimiento de la geografía del archipiélago y una práctica de denominarla ya plenamente formadas.

La afluencia de los portugueses, una parte de los cuales fueron oriundos del archipiélago de Madera y de las Azores, dejó su huella en los nombres de lugar de Tenerife. Los portugueses, establecidos en las islas atlánticas dos generaciones antes de la conquista de La Palma y Tenerife, crearon en aquéllas una toponimia enteramente original, porque las islas estaban desiertas. No es sorprendente, pues, que una parte del léxico toponímico haya pasado de Madera en particular, la más próxima y similar de las islas atlánticas portuguesas, a Tenerife, y que la convergencia de este léxico sea notable en ambas islas. Citaré las voces portuguesas, préstamos o meras coincidencias, en los lugares oportunos[377].

En este capítulo vamos a tratar el perfil de una *región* de Canarias, la isla de Tenerife, como conocimiento compartido de sus habitantes, tras algunas observaciones sobre el análisis etimológico de la toponomástica. Siguen un resumen de las fuentes, el estudio semántico de esta región mediante la distinción de los tipos de topónimos, sus fuentes y la formación de una toponimia regional.

Antes de justificar un análisis de los nombres de lugar como región que, por lo tanto, no puede atender únicamente al léxico toponímico de un solo origen, o bien prehispánico, o bien castellano, hay que descartar como tal de entre nuestros propósitos un análisis bien establecido y venerable por su tradición y sus logros, el *estudio etimológico*. El motivo de esta opción no es diferente de las decisiones que se toman para considerar los temas de la historia de una lengua en general, ya que no entran temas que están fuera del alcance de los hablantes coetáneos.

Para dar una muestra de cómo se pueden investigar los topónimos según esta orientación, se remite globalmente a las numerosas contribuciones que profundi-

---

377 Me sirvo de las hojas de la Carta Militar de Portugal publicada en 2003 por el Instituto Geográfico do Exército, *Regiões Autónomas*, *Açores*, *Madeira*, Série P821, que utilizo en el ejemplar conservado en el Instituto Ibero-Americano de Berlín, signatura Port-m dl 5. Le agradezco a Caterina Indolfo su amable ayuda en facilitarme el acceso a esta serie de mapas.

zan en el origen de los nombres propios particulares, y la toponomástica canaria no representa ninguna excepción desde su tratamiento por los cronistas del siglo XVI. La única manera de examinar la etimología de los topónimos canarios consiste en recurrir a los cronistas del siglo XVI, que es la época en la cual estos nombres se podían interpretar todavía en una situación de bilingüismo. Sin embargo, nada nos autoriza a tomar las informaciones al pie de la letra cuando traducen a veces los topónimos originarios, porque en ningún caso los autores mismos fueron bilingües. De esta manera, llegamos a enterarnos a veces de su significado en la lengua de origen[378], y también de que algunos nombres tienen una tradición tanto canaria como española. Esta afirmación se evidencia particularmente en el caso de un lugar de Lanzarote que se documenta en el siglo XV como *Gran Aldea*, que aparece en su forma francesa en *Le Canarien* (1402-1404) y que debe ser la forma con la cual Ysabel y Alfonce tradujeron el topónimo *Teguise* que empieza a documentarse en el siglo XVI[379]. *La Laguna* de Tenerife es, con certeza, la traducción de *Aguere*[380]. En torno a 1600, Abreu Galindo conoce no pocos nombres en las dos formas, por ejemplo los nombres de fuentes en La Palma: "Los antiguos la llamaron [la fuente] *Tebexcorade*, que quiere decir 'agua buena'"[381]; "Los naturales antiguos llamaban este término en su lengua *Tagragito*, que es 'agua caliente' [...]. Este término lo llaman los cristianos *Fuencaliente*"[382]; o un topónimo menor convertido más tarde en topónimo castellano en La Palma: "hasta *Tedote*, donde al presente llaman *la Breña*, interpretada en castellano; porque *tedote* en lengua palmera quiere decir 'monte'"[383]. El mismo cronista menciona una fuente en El Hierro: "la fuente de *Acof*, que en su lenguaje quiere decir 'río'"[384], donde <c> es una mala grafía o una variante de <ç>. Trapero comenta: "El término *Asofa* designa hoy una comarca entera de la isla de El Hierro [...] que efectivamente pudo recibir el nombre de la fuente que había en su territorio"[385]. Si existen dos topónimos paralelos, lo más probable es que el nombre castellano sea una traducción del canario antiguo, pero pueden existir casos de identificación sospechosa: "al pueblo, que antiguamente llama-

---

[378] El valor de la recolección de los topónimos prehispánicos de D. J. Wölfel consiste en su contribución a la etimología, que hay que revisar y completar con los materiales de J. Bethencourt Alonso 1991 y los corpus modernos.

[379] Por ejemplo en L. Torriani 1940: 82, 84.

[380] M. Trapero 1995: 136.

[381] J. de Abreo Galindo [2]1977: 264.

[382] J. de Abreo Galindo [2]1977: 264.

[383] J. de Abreo Galindo [2]1977: 267.

[384] J. de Abreo Galindo [2]1977: 85.

[385] M. Trapero 1999a: 200.

ban *Amoco* y al presente *Valverde*"[386]. Para Trapero esta suposición carece de fundamento, porque Valverde, la capital de El Hierro, "ni está en un valle, ni menos el lugar en que está se caracteriza precisamente por lo verde"[387].

Es sintomático de la hispanización de los nombres antiguos un topónimo como *San Bartolomé de Tirajana* que se compone de un elemento hispanocristiano y de un elemento grancanario, en la actualidad el municipio al que pertenece la megalópolis turística *Playa del Inglés*.

Sin embargo, los documentos oficiales no hacen referencia ni a la etimología ni a los significados de los topónimos. Si la descripción de un lugar hace mención de un topónimo guanche, este origen lingüístico se aclara algunas veces, pero no su significado. En este manejo de la toponimia los primeros colonizadores no se distinguen de los canarios actuales, ya que, si bien tienen conciencia de la procedencia prehispánica de los nombres de lugar, no tienen conocimiento de lo que significaban en la época de los guanches. La etimología no es relevante en una perspectiva propia de los europeos de los siglos XV y XVI, puesto que la desconocen, sino que se la considera posteriormente en esa forma embrionaria de las ciencias que son las crónicas. Si un europeo de los siglos XV y XVI no sabe nada de lo que significan los topónimos prehispánicos, tampoco es nuestra tarea hacer caso de ellos. Otra cosa sería si quisiéramos contribuir a la filología de la lengua aborigen de Canarias[388].

En la investigación de los topónimos, sea etimológica o semántica, hay que empezar por las documentaciones más antiguas. ¿En qué *fuentes* podemos basarnos para estudiar el proceso de formación de la toponimia canaria[389]? Debemos excluir de antemano un tipo de fuente al cual estamos acostumbrados, el mapa y el globo. Martin Behaim, quien creó el globo terráqueo más antiguo entre 1492 y 1494 en Nuremberg[390], registra los nombres de las Islas Canarias, como también lo hacen varios mapas de los siglos XIV y XV; no obstante, Behaim no pudo tener conocimiento del primer viaje de descubrimiento de Cristóbal Colón. Los mapas

---

386 J. de Abreo Galindo ^{2}1977: 85.

387 M. Trapero 1999a: 195.

388 Lo cual es el caso de B. Pérez Pérez 1995. En esta obra figuran también los topónimos tinerfeños recogidos en los documentos oficiales más antiguos y localizados en la geografía insular. Remito a esta elaboración a quienes intentan identificar los lugares de topónimo prehispánico que se citan a continuación.

389 Las investigaciones sobre la toponimia canaria actual se reseñan en M. Trapero 1996 y 1999: 64-68. El panorama de las recolecciones de los topónimos canarios incluye las fuentes de la toponimia histórica (1996: 209-210), aunque no se aprovechan. La documentación actual no se puede proyectar en el pasado, porque no sabemos quiénes usaron cuál topónimo, ni qué significante y qué significado tuvo entonces.

390 Este globo se conserva en el *Germanisches Nationalmuseum* de Nuremberg.

posteriores no proporcionan una riqueza mayor de detalles. Según todas las apariencias[391], tenemos que esperar hasta el final del siglo XVI para encontrar mapas que contengan informaciones toponímicas acerca del interior de las islas: poco antes de 1590 el ingeniero italiano Leonardo Torriani dibuja los contornos y las siluetas o perfiles de las islas, incluyendo algunos planos que acompañan su *Descrittione et historia del Regno de l'Isole Canarie*[392]. La representación de Tenerife ofrece algunos topónimos costeros, la ubicación de las poblaciones más importantes con sus nombres y la posición del *Pico del Teide* que domina también la *Prospettiua di Tenerife*. El motivo de agregar los planos de la ciudad de La Laguna, del puerto de Santa Cruz y de la villa de Garachico era proponer los lugares en los cuales debían construirse fortificaciones, el objetivo último de toda la obra de Torriani. Pero no la podemos utilizar por varias razones: es muy tardía, da cuenta de una fase relativamente adelantada del desarrollo de las poblaciones y la leyenda está en italiano. En esta etapa de la expansión ultramarina, el conocimiento de la realidad geográfica precedió todavía a la representación cartográfica. La preparación de los viajes de descubrimiento mediante mapas y la sustitución de la realidad geográfica por la imagen cartográfica se inicia con los viajes a las Indias, conduciendo a la inversión de la percepción del espacio geográfico. Así, los mapas mentales del hombre moderno antes y después de la familiarización con la cartografía son extraordinariamente diferentes.

Las fuentes históricas de la toponimia canaria se reparten en tres universos de discurso: la administración, las crónicas y la literatura, de los cuales sólo nos interesan los dos primeros. Las fuentes más directas que transmiten los topónimos en la forma tomada de la tradición oral son los repartimientos de tierras y aguas que se dieron en recompensa de sus servicios a las personas que habían conquistado las islas de señorío corriendo con los gastos. El repartidor de la primera isla de señorío, el de Gran Canaria, fue Pedro de Vera[393], pero no se conservaron ni los documentos originales ni las copias. Tampoco consideramos las tierras repartidas en la isla de La Palma que pronto se empeñó a los Bélzares, sino que pasamos a valorar enseguida el caso excepcional de la conservación casi integral de los repartimientos en la isla de Tenerife. Fue el conquistador mismo, el adelantado Alonso Fernández de Lugo, quien junto con sus parientes y *criados* distribuyó los terrenos consignados en *albalaes (de datas)*, que es el término más frecuente, de redacción libre, también llamados *cédulas de repartimiento* en el

[391] D. J. Wölfel en L. Torriani 1940: 21-26.

[392] Los mapas, las siluetas y los planos se reproducen en L. Torriani 1940 (texto original italiano y traducción al alemán) y 1978 (traducción española).

[393] F. Morales Padrón (ed.) 1978: 163-164.

memorial de descargo del juicio de residencia[394]. E. Serra Ráfols publicó los libros I a IV de *Las datas de Tenerife* (1978) en una transcripción fidedigna que el editor describe de la siguiente manera:

> Los nombres propios, de persona o lugar, se ha procurado siempre transcribirlos cuidadosamente, empresa ardua cuando no son ya bien conocidos. Pero el resto del texto sólo se ha mantenido en su grafía vacilante al infinito hasta el fin del cuaderno 6.º, para que sirva de muestra[395].

Por consiguiente, utilizo esta fuente en función de la fidelidad con la cual reproduce los manuscritos, aceptando la grafía de los nombres propios y del texto en los seis primeros cuadernos del primer libro; he podido convencerme de la validez de este criterio al comparar una edición salida de esta escuela paleográfica con los originales, como se dirá más abajo. El origen oral de los nombres de lugar se patentiza en el hecho de que hayan sido los propios agraciados los que solicitaron las tierras, motivo por el cual podemos tomarlos como los mejores conocedores del terreno respectivo en aquel momento y como las personas más idóneas para describir la ubicación de su futura propiedad.

F. Moreno Fuentes continúa la labor de E. Serra Ráfols en su edición del libro V de datas originales (1988) así como del libro primero de datas por testimonio de la misma editora (1992), las cuales son copias casi coetáneas de los documentos originales y con frecuencia nuevas transcripciones de los documentos editados por Serra Ráfols en 1978, de modo que se puede hacer el mismo uso de ellos como del resto de los documentos; en este caso me limité a reexaminar las ediciones de determinados documentos y a utilizar los índices. Incluso los frecuentes atropellos de Alonso de Lugo y de su clan, a los que se agrega la confusión causada por el método del reparto, ya que cada uno solicitó la tierra que se le antojaba, favorecen una excelente documentación de los topónimos tinerfeños en su época fundacional castellana. Las injusticias, los errores y la falta de cumplimiento de las condiciones bajo las cuales se concedieron los terrenos, por parte de los agraciados, requirió la *reformación* del reparto cuyos documentos publicaron E. Serra Ráfols y L. de la Rosa Olivera (1953), como también el juicio de residencia del adelantado Alonso de Lugo llevado a cabo por Lope de Sosa (1949). Este documento ofrece la ventaja de localizar las tierras distribuidas y por tanto los topónimos correspondientes en un entorno insular global[396].

---

394 L. de la Rosa Olivera/E. Serra Ráfols (eds.) 1949. Hemos utilizado este documento en 3.6. para dar cuenta de los primeros pobladores de Tenerife.

395 E. Serra Ràfols (ed.) 1978: 12.

396 Pude verificar el carácter fidedigno de la edición del juicio de residencia en los originales que fotografié en el Archivo Municipal de La Laguna; debo el aprovechamiento del

Para que el lector se haga una idea de las informaciones deducibles de un albalá, cito un documento representativo en lo relativo a los temas que se mencionan y particularmente a sus informaciones etnográficas:

> Martín Cosme, Martín de Vera, Diego Pestano, Rodrigo Cosme. Un pedazo de t[ierr]a. que está en Icode, abaxo de un monte e está de (¿este cabo? un ba)rranco en que está un pino e del otro cabo está otro barranco en que (hay una pal)ma cortada e está un monte en que están unos dragos; asimismo vos (do un ped)aço de t[ierr]a. que está del cabo del barranco donde está el pino que es donde (roto) el dicho pino a una plaza donde bailaban los guanches en su tiempo, arriba junto un (ba)rranco hasta el monte grande por el lomo abaxo hasta la mesma plaza de guanches en derecho del mismo pino, e do a vos los dichos otro pedazo [*sic*] de t[ierr]a. que está arriba del camino que va a Dabte e que está del un cabo un barranco que está cabe un monte e del otro cabo otro barranco e de la parte de arriba están unos riscos e de abaxo de los riscos está una palma, en que puede haber entre todos los tres pedazos de t[ierr]a. de obra de 12 cahíces de t[ierr]a. 28.3.1503. Digo que vos do los dichos 12 cahíces sin perjuicio con tal que sea de sequero. El Adelantado[397].

Se designan los agraciados, se describe la localización de los pedazos de tierra mediante el léxico toponímico y botánico, se indica el tamaño del terreno utilizando como medida la cosecha en *cahíces*, que corresponden a una cantidad determinada de *hanegas* que también se nombran en otros documentos; otras medidas son la *caballería*[398] y la *peonía*[399] que raras veces se mencionan en las datas. El albalá concluye con el acto de donación por parte de Alonso de Lugo. En este acto de habla, expresado regularmente mediante *digo que*, el adelantado caracteriza el terreno como *(tierra de) sequero*, que es más pobre que una *tierra de riego* y que no recibe más agua que de lluvia. Si se concede agua, este hecho se especifica siempre; daremos ejemplos más adelante en este capítulo. Es de interés etnográfico que los beneficiarios son naturales de Gran Canaria, lo cual explica la minuciosidad de la descripción, la pobreza de la tierra y la mención de "una plaza donde bailaban los guanches en su tiempo". Este último detalle puede

---

manuscrito original a Rolf Kailuweit. Finalmente, las crónicas integran los topónimos en su universo de discurso que es el del español estándar del siglo XVI, un aspecto que hay que tomar en cuenta si no queremos confundir los puntos de vista de los propietarios, de los repartidores y funcionarios reales así como de los autores que tranquilos se inclinan en su escritorio sobre el objeto de su estudio.

[397] F. Moreno Fuentes (ed.) 1992: 166.

[398] "Porción de tierra que se repartía a los caballeros que habían contribuido a la conquista y colonización de un territorio" (*DRAE*).

[399] "Porción de tierra o heredad que, despúes de hecha la conquista de un país, se solía asignar a cada soldado de a pie para que se estableciese en él" (*DRAE*).

ser la clave del motivo por el cual el *baladero* guanche se interprete como *bailadero*; quizás no sea descabellado suponer que hubo confusión de la plaza donde bailaban los guanches y del lugar donde los guanches hacían balar las ovejas como se verá más abajo.

El adelantado concluye la data citada con una cláusula de reserva. Aparte de "sin perjuicio" o "sin perjuicio de tercero", se usan las fórmulas "si no fuere dado" o "si no son/fueren dadas", implicando, o bien *pedazo*, o bien *tierra*. Para hacer la posesión efectiva, se ejecuten *actos de posesión* que se documentan ocasionalmente como en el siguiente caso:

> Alexo de Cepeda. En vecindad de 3 f[anegas]. de t[ierr]a. de r[iego]. en el Araotava, que fueron dadas a Pero Vázquez, que alinda con t[ierr]a. de Lope Gallego, por cuanto no residió al tiempo que se la dieron ni hizo bienhechoría. 12.2.1505. El Adelantado.
>
> En este día A. de C. fue do era la dicha t[ierr]a. e tomó posesión de ella arrancando yerbas, cortando matas, meneando cantos y haciendo otros *abtos de posesión*. T[estigo]s. Alonso Mata, Juan Franco[400].

De esta forma se señalaba a los demás beneficiarios posibles que una tierra estaba repartida antes de que el propietario la hubiera amojonado.

Una vez aclaradas las fuentes, podemos elaborar la toponimia tinerfeña como *región* que se funda en la época de los orígenes del asentamiento de los nuevos pobladores en los topónimos que son los más esenciales, ya que se dan por conocidos y se presuponen en el momento del repartimiento, porque la localización de los terrenos se describe en primer lugar mediante los topónimos indígenas, cuya mención en los documentos explica al mismo tiempo la modalidad de su transmisión hasta la actualidad; en segundo lugar, se usan topónimos castellanos, primarios y secundarios, que se dan también por conocidos. Las informaciones topológicas contenidas en los documentos nos ofrecen un panorama amplio, si bien no completo, en textos que reflejan conocimientos aún desiguales del terreno y una competencia descriptiva y expresiva variables. Finalmente, se describe la localización del terreno repartido en concreto, generalmente por falta de un topónimo menor. Así, la denominación de los terrenos y solares presupone los demás topónimos de alcance más general, porque ellos son los últimos en cuanto a su especificación.

La primera fase de la ocupación de una tierra es la más creadora y la más importante. Así, el motivo de elegir las Islas Canarias y Tenerife en particular para señalar la manera como se forman los nombres de los lugares de una región

---

400 F. Moreno Fuentes (ed.) 1992: 133.

se funda en dos aspectos: Tenerife es una isla recién conquistada y ocupada en poquísimos años cuya toponimia originaria es transparente y donde, además, la distribución de las tierras se documenta con una mayor abundancia de fuentes que en épocas anteriores y posteriores, como acabamos de ver. El conquistador de Tenerife y repartidor de las tierras de esta isla, el adelantado Alonso Fernández de Lugo, insistió en que esta isla era *tierra nueva*, aunque la razón por la cual la llamaba de este modo era la justificación de sus actos arbitrarios y múltiples defraudaciones, cuando decía:

> vido algunas vezes que se ponía en plátjca que no se devía h*ac*er en esta ysla segund en Castilla, por que hera *tierra nueva* e que así se havía de poblar, por que de otra manera si se hiziera rigurosamente que no se poblara[401].

Así, todas las consideraciones jurídicas se subordinan al poblamiento rápido y efectivo de la isla que implica el reparto de terrenos y su designación. Pocos eran los españoles y demás europeos que habían pisado la isla antes de las campañas conquistadoras de 1495 y 1496, de modo que probablemente sólo los accidentes geográficos visibles desde el mar tuvieran nombre antes de la conquista. Aparte de los topónimos mayores referentes las zonas costeras y las grandes elevaciones y depresiones, toda la toponimia del interior y sobre todo la toponimia menor estaba por crear.

En la introducción, hemos colocado la región como entorno entre los saberes, al igual que el saber lingüístico; pero, a diferencia de éste, la región relaciona el conocimiento de un mundo geográfico con su configuración lingüística. Esta visión de la toponomástica, como disciplina sincrónica que se ocupa de los topónimos, es contraria a la usual y caracteriza una región como saber más bien sintópico que propiamente dialectal. Ya que los mundos geográficos suelen ser muy diferentes, las toponimias regionales también lo son, pero los tipos de topónimos son idénticos: no los topónimos particulares, sino los *tipos* de topónimos.

La región toponímica como íntima relación entre la lengua y los caracteres individuales del espacio geográfico está condicionada por los accidentes geográficos y la influencia del hombre sobre la naturaleza en su infinita diversidad[402]. No hay lugares más adecuados para estudiar tal entramado etnolingüístico que

---

[401] *Interrogatorio*, 87r; cf. L. de la Rosa Olivera/E. Serra Ráfols (eds.) 1949: 108-109.

[402] Según la propuesta presentada en 1.5.3., el léxico toponímico, en vez de ser una "lengua funcional", como opina M. Trapero (1995: 23-25, 57-83, 177-192), es una *región*, como venimos exponiendo, un saber sintópicamente compartido dentro de una lengua histórica, pero no simplemente dialectal, porque los hablantes, incluso los foráneos, deben usar los topónimos que circulan en una región.

las islas, porque sus habitantes son plenamente conscientes de las particularidades del espacio insular y las conocen, y éstas son un objeto de estudio tanto más privilegiado cuanto que puede captarse en su fase formativa como sucede en el caso de Tenerife[403].

Hemos dividido el análisis de la región en la *zona*, el *ambiente* y el *ámbito*. La *zona* toponímica está constituida por el conocimiento de los nombres de lugar de esta isla y coincide con los límites dialectales, aunque los supera, ya que la toponimia pertenece al acervo lingüístico de los hablantes que conocen el espacio como entorno vital en todos los niveles sintópicos, no sólo los dialectales, y coincide en particular con el espacio en el cual son conocidos los topónimos prehispánicos específicos. Los conocimientos al respecto no se limitan a la familiaridad con los lugares, sino que incluyen las terminologías de las actividades con las cuales el hombre se apropia de la tierra por el trabajo y otros motivos, o se desinteresa de su aprovechamiento. Esta relación entre la toponimia y las terminologías se establece desde las cédulas de repartimiento que no dejan sin mencionar el uso que se debe hacer del terreno, si es que el aprovechamiento no queda implícito. Los repartidores no podían saber de qué manera se utilizarían las tierras en el futuro, pero tenían alguna noción acerca de su posible explotación. Por lo tanto, la indicación de los usos tiene una dimensión futurista. Como queda dicho, restringiéndome al manejo de los seis primeros cuadernos editados por E. Serra Ráfols de forma íntegra y fiable, extraigo de los albalaes los usos de las tierras destinadas a la *senbradura*[404], que es el uso más común, también llamado "de *pan levar*"[405] o, por ejemplo, "para *pan* senbrar"[406] y "para sembrar *pan* o *pastel*"[407]; "para

[403] M. Trapero (1995: 195-207) remite a la toponimia del Valle de Telde en Gran Canaria como ejemplo de topónimos motivados, lugar cuyo paisaje ha sido muy alterado en la actualidad. Sin embargo, la transformación geográfica y su designación es más fácil de describir en Tenerife, porque se han conservado tanto los primeros documentos como los posteriores, correspondientes a las primeras décadas del siglo XVI, de manera que nos permiten trazar el perfil toponímico de una isla de considerable extensión.

[404] E. Serra Ràfols (ed.) 1978: 20; 5. La cifra que aparece en segundo lugar es el número corriente del primer cuaderno de las datas. Si aparecen dos cifras unidas mediante un guión, la primera expresa el número corriente de las datas del volumen citado y la segunda corresponde al número corriente de un cuaderno.

[405] E. Serra Ràfols (ed.) 1978: 29; 53-15. Una *tierra de pan levar* era "[l]a destinada a la siembra de cereales o adecuada para este cultivo" (*DRAE*).

[406] E. Serra Ràfols (ed.) 1978: 27; 44-6.

[407] E. Serra Ràfols (ed.) 1978: 25; 32. La *hierba pastel* o el *glasto* es una "[p]lanta crucífera, tallo herbáceo, ramoso, de seis a ocho decímetros de altura, hojas grandes, garzas, lanceoladas, con orejetas en la base; flores pequeñas, amarillas, en racimo que forman un gran ramillete y fruto en vainilla elíptica, negra y casi plana, con semilla comprimida, tres veces más larga que ancha" (*DMILE*).

poner *viña*"[408], "para *parral* o *viña latada*"[409] o simplemente "para *latada* y *casa*"[410], "*mayuelo*[411] *de biña*"[412], "*latadas* y *pomares*"[413]; destinadas también a "faser un *molino* para moler pan"[414]; a "*tenerías*"[415], es decir, curtidurías o curtiembres; a un "asiento para *colmenas*"[416] o un "asiento para *colmenar*"[417]; o a varias cosas a la vez en el caso de "*casas* e *huertas* e *engenios* e *cañaverales* e *parrales*"[418]. La utilización de mayor provecho y consideración social era la construcción de un "*ingenio* para moler las cañas"[419] o bien "un *ingenio* de haser açucar *de agua* o *de bestias*"[420]. Las *cuevas* podían servir para *majada* y *cuadra*[421]. Los objetivos no se realizaban siempre porque el donatario abandonaba la isla o bien porque no cumplía con las condiciones, que podían ser la construcción de una casa, el casamiento, la roturación de la tierra y otras cosas por el estilo.

Todas estas actividades implican el conocimiento de las terminologías de la producción azucarera y de otras ramas de producción y fabricación que pertenecen a *ambientes* particulares, tales como el de los "maestros de açúcar" que pasaron del archipiélago de Madera a Canarias, el de los ganaderos y los demás grupos profesionales (3.9.). En la primera parte del siglo XX, esta clase de estudios se realizaba mediante el método "palabras y cosas"[422]. Debemos una elaboración del método aplicado a los ambientes de la cultura popular española a una obra de Fritz Krüger[423] sobre la historia fonética de dialectos españoles occidentales en la cual se atribuye un valor especial a la delimitación del espacio geográfico, o *región*, caracterizado por la difusión de determinados fenómenos. En lo esencial,

---

408 E. Serra Ràfols (ed.) 1978: 49; 168-10.

409 E. Serra Ràfols (ed.) 1978: 55; 196-38. El portuguesismo *latada* significa "[e]mparrado, armazón que sostiene la parra u otras plantas, como tomateras y árboles frutales" (*DHEC*).

410 E. Serra Ràfols (ed.) 1978: 26; 37.

411 *Majuelo* o "viña nueva".

412 E. Serra Ràfols (ed.) 1978: 26; 42-4.

413 E. Serra Ràfols (ed.) 1978: 28; 49-11. "Sitio, lugar o huerta donde hay árboles frutales, especialmente manzanos" (*DRAE*; port. *pomar*).

414 E. Serra Ràfols (ed.) 1978: 24; 29.

415 E. Serra Ràfols (ed.) 1978: 25; 30.

416 E. Serra Ràfols (ed.) 1978: 40; 115-30.

417 E. Serra Ràfols (ed.) 1978: 46; 145-22.

418 E. Serra Ràfols (ed.) 1978: 37; 96-11.

419 E. Serra Ràfols (ed.) 1978: 30; 60-22.

420 E. Serra Ràfols (ed.) 1978: 56; 209-51.

421 E. Serra Ràfols (ed.) 1978: 20: 6.

422 I. Iordan y M. Alvar ofrecen una sucinta orientación en I. Iordan 1967: 103-128 que merece una reconsideración en el contexto de la lingüística actual.

423 Cf. F. Krüger 1914: 5-41.

este estudio es fecundo también en la historia de la lengua, siempre que se vincule con la introducción y la transformación de conocimientos, técnicas y prácticas en un espacio geográfico, y a condición de que dispongamos de documentos que permitan la investigación de tales temas. Cualquier forma de investigación que supere la usual presentación de listas de palabras debería ser oportuna.

El concepto de *ámbito* es relevante para delimitar el conocimiento de los accidentes geográficos que designan los nombres de lugar; es decir, sin el conocimiento de estas circunstancias no se sabe a qué se refieren los topónimos arbitrarios u opacos, lo cual es la condición imprescindible para saber lo que designan los nombres de lugar, o los topónimos recurrentes en ámbitos diferentes que ejemplificaremos mediante los nombres de lugar en el *término de Icod*.

Para *poner* las tierras *en labor* los agricultores la *rompen* y la *bonifican*, *talando*, *cortando* y *descepando* los *montes*. El mismo efecto tiene la construcción de *ingenios* cuyos *edificios* e instrumentos de trabajo demandaron una enorme cantidad de madera para la fabricación de *exes*, *prensas*, *cureñas* y *maderas grandes* o *gruesas*, además del inmenso consumo de agua. La consecuencia de la sobreexplotación del agua y de los bosques, junto con los daños causados por el ganado, llevó a la deforestación de las islas y al cambio radical del medio ambiente. *Aprovechar* la tierra fue, como dijimos, una obligación ineludible para cumplir con los requisitos conducentes a conservar la cesión de la tierra, pero la edificación de los ingenios fue la causa de las mayores alteraciones del paisaje que sólo terminaron en el siglo XVII cuando se agotaron los recursos ambientales necesarios para la producción azucarera. Al inicio de la explotación de Tenerife –y de Gran Canaria– la implantación de ingenios se fomentó como iniciativa económica prioritaria. Alonso de Lugo impuso esta condición con toda claridad en un acto de donación otorgado a los mercaderes Jaime Joven y Pedro Campos en 1500 que concierne a una tierra de riego

> en el mejor lugar que estuviere en Taganana e Tafur, que es en el Reyno de Anaga, para que sea vuestro etc., seáis obligado de hacer un yngenio de açúcar e porque habéis prometido de hacer el dicho ingenio que es en servicio de sus altezas digo que cualquiera merced o mercedes que yo he hecho de las d[ichas]s. tierras por albalaes o escritura a cualquier o cualesquier personas lo doy por inseguro y digo que no valga, salvo que esta dicha merced que a vosotros hago [...].

En el acto de habla que concluye el documento el adelantado revoca una decisión anterior en términos explícitos: "Que digo que puesto que a otros lo haya dado para viñas que no valga salvo esto que sea para ingenio de açucar porque es más servicio de sus altezas y más pro y bien de la isla. Alonso de Lugo"[424].

---

[424] F. Moreno Fuentes (ed.) 1992: 21.

La política colonizadora de la Corona y del adelantado consistió en atraer a Tenerife y La Palma personas dignas de ser remuneradas por sus servicios, según dice en un albalá de 1505:

> la voluntad de su alteza es poblar estas dichas islas de personas que ellas sean noblescidas e honradas e defendidas e porque el bachiller J[uan] G[uerra] es persona honrada e tal de que su alteza es servida que esté e pueble e sea v[ecin]o. en esta isla e porque él sea venido a vecindar e vivir a esta isla, voluntad de su alteza es que a las semejantes personas se den sus vecindades, según que merecen[425].

Llama la atención la insistencia en que las islas "sean noblescidas e honradas e defendidas". Este objetivo es el motivo por el cual se reparten tantas tierras y tan grandes como corresponden al estatus social y a la fuerza económica de las personas y como mejor puedan ser aprovechadas. *Noblescer esta isla* es el tenor de todos los documentos en el afán de elevar el nivel social, económico y cultural de las Islas.

En el juicio de residencia, el adelantado se defiende en el memorial de descargo haciendo escribir: "estas islas están muy pobladas e noblescidas de gente muy noble, más que ninguna de todas las islas, donde ay muchos hijosdalgo e personas prencipales"[426]. La clase social de las personas se conjuga con la dignificación urbana de La Laguna mediante la construcción de iglesias y conventos: "ayudó a haser la iglesia mayor de La Laguna e hizo la iglesia de Sant Miguel e de Santa Cruz a su propia costa e a ayudado a hedificar e sostener los monesterios de Sr. San Francisco e Santi Spiritus, por que mejor se noblesciese la isla [e] el culto devino fuese abmentado"[427]. No me consta que San Cristóbal de La Laguna haya obtenido el título de *noble ciudad*[428], pero de *villa* pasó a ser *ciudad*. En la actualidad el excelente estado de conservación de su urbanismo histórico le ha merecido la denominación honorífica de patrimonio de la humanidad.

Los logros de la política poblacional del adelantado tuvieron el efecto de que la Corona no hiciera caso de sus infracciones de leyes. Vemos en esta política la gran diferencia de la colonización española respecto a la inglesa, que no se reduce a la fundación de villas y ciudades, sino que tiene como objetivo alcanzar el nivel de desarrollo de la metrópolis.

---

425 F. Moreno Fuentes (ed.) 1992: 167.

426 Folio 36v del manuscrito; cf. L. de la Rosa Olivera/E. Serra Ráfols (eds.) 1949: 46.

427 Folio 37; cf. ibíd.: 46.

428 Como sí lo obtuvo Las Palmas de Gran Canaria: "Año de 1515, el emperador y rey nuestro Señor Carlos V y la reina doña Juana su mujer dieron a la ciudad título de *noble*, llamándola *Noble Ciudad Real de Las Palmas* y llamándola *ciudad*, que antes la llamaban *villa del Real de Las Palmas*" (J. de Abreu Galindo [2]1977: 242).

La gran aportación de M. Trapero (1995) a la *semántica de la toponimia* es el estudio estructural del léxico toponímico entendiendo por "semántico" la referencia a los significados propios de un idioma, a diferencia de lo que designan[429]. En este sentido, se excluyen en este estudio muchas parcelas de la toponimia que no están estructuradas y, por consiguiente, no forman campos semánticos, sino que son listas abiertas tales como los fitotopónimos, los zootopónimos, los hagiotopónimos y los motivados por antropónimos[430]. Sin embargo, una investigación que pretenda ser exhaustiva debería dedicarse también a estos temas.

Si nos orientamos sólo por los topónimos guanches, el análisis semántico está condenado a fracasar, ya que son opacos como ocurre normalmente con los topónimos europeos, propiedad que motiva su estudio etimológico. En Europa, la mayoría de estos nombres son semánticamente arbitrarios, porque se originaron en lenguas muy diferentes a lo largo de milenios y perdieron su motivación. En los territorios de lengua castellana sólo los últimos estratos pudieron conservarla como en *Alameda*, *Ciudad Real* o *Sierra Nevada*, aunque los hablantes no conocen siempre la motivación originaria de tales nombres. En cambio, los topónimos arbitrarios en Canarias son casi todos de origen prehispánico y forman, por lo tanto, un solo estrato cronológico para los hablantes actuales. Si sus equivalentes eran todavía conocidos o supuestos en el siglo XVI, esto implica una situación de bilingüismo o diglosia en la que se conocía o bien el topónimo canario antiguo o bien el castellano o bien ambos a la vez. En lo sucesivo debe haber tenido lugar una selección entre el topónimo canario y el castellano. No sorprende que el origen prehispánico se indique en las datas, por ejemplo, en los albalaes que mencionan un "barranco q[ue][431] está en Anaga q[ue] es el llamado

---

429 En lo que concierne a la semántica en la toponimia, elaboro, entre otras cosas, también las propuestas de M. Trapero 1995: 81 y 1999. Sin embargo, me importa subrayar que la toponimia no es un corpus (como lo es para la toponomástica), sino un saber.

430 La lista de los topónimos no estructurados es aún más larga: "Tampoco forman campos semánticos los grupos clasificatorios que pueden hacerse desde el punto de vista histórico cultural: por ejemplo, los antropónimos (patronímicos, apodos e hipocorísticos, gentilicios, de oficios y condiciones, etc.); los de referencia socio-económica (actividades pastoriles, agrícolas, pesqueras, industriales, comunitarias, etc.); los de actividades administrativa y de defensa; los de referencia cultural (creencias mágico-religiosas, leyendas populares, costumbres locales, etc.); y los relacionados con la religión: la hierotoponimia. Y tampoco son campos semánticos los grupos léxicos que pueden hacerse con los topónimos según su procedencia lingüística: por ejemplo, en el caso de Gran Canaria, con el de los guanchismos, el de los canarismos, el de los andalucismos, el de los portuguesismos, etc." (M. Trapero 1995: 83).

431 Resuelvo las abreviaturas de la edición de Serra Ráfols, generalmente indicadas mediante punto (q.), que falta en este caso concreto. Si se citan topónimos a partir de la página 62, su mención no se basa en la transcripción íntegra de las datas originales, pero sus formas son también fiables.

Benixo"[432], "una cueva [...] q[ue] ha por nombre la Cueva *Azmygua*"[433], "el pago q[ue] dizen *Heneto*"[434] y de forma más explícita "toda el agua [...] q[ue] es hacia la costa de Aguache; la qual agua se llama en lengua de Tenerife *Ajofa* en *Temijar*"[435]; "las cuevas q[ue] llaman los guanches *Taforya*" y a renglón seguido "las dos cuevas de *Taforya* con sus corrales"[436]; "[u]nas aguas que son en el barranco de *Aguajo* que se llama en el nombre de los guanches"[437].

En cuanto a los significados de los nombres prehispánicos, hay que saber que *Tenerife* es una isla, *el Araotava*, hoy *La Orotava*, una villa y *el Teide* un pico. Este saber toponímico permite dos usos lingüísticos: uno que confía la función designativa al nombre solo en *el Araotava* o *Teyda*[438]; y otro que interpreta los nombres propios mediante apelativos como en la *isla de Tenerife* y el *término de Araotava*, tipo que aparece con frecuencia en las cédulas[439]. Este empleo de los topónimos muestra que su semántica está implícita en los nombres arbitrarios y puede aclararse en caso necesario o lexicalizarse en su forma explicitada. Los topónimos de la lengua común, tanto los primarios como los secundarios, "interpretan" el nombre de lugar semánticamente opaco, en el sentido que doy a este término[440].

El hablante y el oyente manejan la semántica implícita del nombre propio de manera muy diferente. Al oír, por ejemplo, un topónimo por primera vez, una persona no puede enterarse, sin más contexto, de la ubicación a la cual se refiere el nombre, sobre todo si no está motivado en su lengua, y debe conocer el lugar que designa para tener una idea de su significado implícito. El hablante supera el carácter oculto del significado del nombre propio por vía interpretativa explícita al anticipar la comprensión que se dirige mediante el uso de *interpretadores*, porque los hablantes conocen tanto la designación como el significado implícito de un topónimo. Los interpretadores aparecen en nuestra documentación desde el inicio del poblamiento de la isla con tanta frecuencia que algunas veces sobran las referencias: los nueve *reinos* guanches son nombrados como en *Reino de Abona*, *villa* se usa en *villa de Sant Cristóbal*, aunque estos topónimos se pueden

---

432 E. Serra Ràfols (ed.) 1978: 26.

433 E. Serra Ràfols (ed.) 1978: 26.

434 E. Serra Ràfols (ed.) 1978: 31.

435 E. Serra Ràfols (ed.) 1978: 37.

436 E. Serra Ràfols (ed.) 1978: 133; 613-14.

437 F. Moreno Fuentes (ed.) 1992: 161; 1505.

438 Por ejemplo en "la halda de *Teyda*" (E. Serra Ràfols [eds.] 1978: 145).

439 Para más detalle sobre el tema remito a J. Lüdtke 1998a. En lo que concierne a los topónimos, se trata de un caso de interpretación de "objetos".

440 J. Lüdtke 1984 y sobre el español 1998a.

dar por conocidos en la zona isleña. Otra cosa son los lugares menos conocidos como el "barranco del Albarrada", siempre citados en la edición de E. Serra Ráfols[441], o las "fuentes de Chipevcho"[442], o aquellos lugares cuya designación se prestaría a ambigüedades como en el "Barranco de Abona"[443], la "montaña de Tegueste"[444], el "Río de Guyma"[445] o Güímar, porque los mismos nombres designan lugares diferentes. Cuando la toponimia representa un conocimiento compartido, los nombres de lugar evocan por sí solos los significados, a veces al inicio distintos a los actuales, como vamos a ver al tratar la adaptación de los topónimos.

Pero la lingüística toponímica de Trapero va mucho más allá de la aplicación que ha hecho a los nombres de lugar opacos, porque fundamenta la toponomástica como disciplina autónoma[446], es decir, como estudio del léxico toponímico. Los topónimos fundamentales comunes constituyen el *léxico primario* que configura los accidentes geográficos en forma exclusiva al cual pertenecen lexemas tales como *barranco*, *cerro*, *cumbre*, *isla*, *puerto*, *rambla*, *río*, *roque*, *valle*, etc. Según Trapero, "[e]l límite entre su función primaria de léxico común y su función secundaria de topónimo lo marca la singularidad de la referencia del segundo uso frente a la generalidad significativa del primero"[447]. El núcleo de las voces pertenecientes a este grupo son primarias también a otro respecto, precisamente porque se oponen en cuanto a su morfología como simples a las *voces secundarias* complejas, las cuales son las voces derivadas (*lugarejo*, *bufadero, terrezuela*) y las convertidas o traspuestas (*llano*)[448]. Por estas características los campos semánticos se componen de un número muy reducido de palabras simples, pero las palabras complejas entran igualmente para formar un campo homogéneo en cuanto a su semántica.

Junto a un léxico esencialmente toponímico existe otro que funciona en varios campos que forma el conjunto de los *topónimos secundarios*. Hay por ejemplo un léxico simple, o no derivado, compuesto de lexemas que son *nombres de materia* o *de masa* y que en otros usos se convierten en contables. Así, la

---

441 E. Serra Ràfols (ed.) 1978: 32; 69-31.

442 E. Serra Ràfols (ed.) 1978: 266; 1326-24.

443 E. Serra Ràfols (ed.) 1978: 162; 788-29.

444 E. Serra Ràfols (ed.) 1978: 294; 1413-51.

445 E. Serra Ràfols (ed.) 1978: 156; 752-23.

446 E. Coseriu 1999: 15.

447 M. Trapero 1995: 35.

448 En lo que sigue, me aparto de la división de Trapero (1995, 1999), dejando intactos, sin embargo, los logros teóricos de su enfoque. Desarrollo en extenso la idea de la formación de palabras en una obra publicada en J. Lüdtke 2011.

tierra y el *agua* de nuestra documentación son instancias de la *tierra* como nombres de materia consideradas en su extensión y del *agua* en el paisaje de la isla que se reparten en los albalaes y se mencionan frecuentemente en plural sin llegar a ser nombres propios. Sucede también que *agua* está en variación con *fuente* o *fuente de agua* como en "*fuente de agua* q[ue] está en Adexe q[ue] se llama Taguaycio", retomada como "una *agua* en Adexe q[ue] llamar [*sic*] Tagycio"[449]. En otros casos un nombre común como *casa* se individualiza en "la *casa* del señor Obispo"[450] en La Laguna y puede servir de topónimo. Este proceso se va a aclarar más abajo.

Un tipo de topónimos procede de comparaciones de un lugar con una propiedad de otra entidad las cuales crean *usos metafóricos*. En *lomo* subyace la comparación con una parte del cuerpo de los cuadrúpedos, en *mesa* se establece la relación de una elevación del terreno con un mueble y de una cadena de montañas con los dientes de la herramienta de un carpintero en *sierra*. Las *fortalezas* son "elevaciones rocosas singulares, que se alzan sobre el contorno hasta dominarlo"[451]. Un *pico* es una montaña alta y escarpada o la parte alta de una montaña que se parece al pico de una ave, una *punta* se compara con el extremo más delgado de una cosa. En cuanto a *caldera*, tenemos el testimonio de Abreu Galindo de que el topónimo *Acero* en La Palma se convirtió en *Caldera*, debido a una metáfora: "Este término de *Acero* se llama al presente *Caldera*, porque su hechura es en forma de caldera, toda a la redonda cerrada de muy altos riscos y laderas, que bajan en forma de cerros a lo bajo de ella"[452]. Esta metáfora puede ser de origen portugués.

Como queda dicho, reunimos los topónimos comunes, tanto los primarios como los secundarios, en *campos semánticos* que se documentan parcialmente en la fase inicial de la ocupación de la isla, tomando como orientación provisional la clasificación semántica general que M. Trapero ha establecido para Gran Canaria en su *Diccionario de toponimia canaria*[453]. Se va a comprobar la estructura fundamental de la *región* y su permanencia en las islas, ya que la toponimia la refleja desde la época fundacional. Por supuesto, sólo se admiten sustantivos que se recogen en las datas, cuyo aprovechamiento no ha sido exhaustivo, pero no creo haber

449 E. Serra Ràfols (ed.) 1978: 53; 189-31.

450 E. Serra Ràfols (ed.) 1978: 61; 242-27.

451 M. Trapero 1999: 221. Un contexto discursivo de esta voz se refiere claramente a un accidente geográfico: "un pedaço de t[ierr]a. en Teguexte detrás de la fortaleza de Tegina que se entiende de barranco a barranco en la qual tierra avrá tres c[ahíces] de senbradura" (E. Serra Ràfols [eds.] 1978: 20).

452 J. de Abreu Galindo ²1977: 284.

453 Cf. M. Trapero 1999: 75-80.

dejado pasar muchas voces toponímicas. Debemos esforzarnos por hacer abstracción del aspecto actual de la isla e imaginarnos un mundo prehistórico escasamente marcado por el hombre prehispánico, su hábitat y sus actividades ganaderas y agrícolas rudimentarias. Sin embargo, al leer los documentos atentamente, resulta posible enterarse de los lugares que han sido marcados por la mano de los guanches. Captamos pocos elementos del paisaje aún intactos hoy en día, ya que, o bien no se mencionan, o bien sólo se manifiestan en la descripción de la ubicación de una tierra repartida. Sin embargo, mientras que Trapero valora las aportaciones a la toponimia canaria por contribuir a la recolección más exhaustiva y auténtica en la actualidad, mi intento es diferente, porque se trata de estudiar de qué manera se forma la toponimia de una región importante, la de Tenerife, en cuanto modelo de la formación de una toponimia primitiva fuera de la Península Ibérica. En el momento de la conquista de Tenerife sólo estaba constituida por completo la toponimia mayor –los nombres de las Islas, los reinos, los poblados, las elevaciones importantes y sobre todo los accidentes costeros–, estando por adoptar, adaptar y crear los nombres de lugar consecutivos a la implantación de los europeos.

Un inconveniente grave dificulta el análisis semántico del léxico histórico en general, no sólo el de la parte que estamos tratando: la falta de diccionarios históricos completos. Procurando estudiar el devenir histórico del léxico toponímico hasta donde sea posible, no puedo servirme de repertorios léxicos que consignan la semántica del vocabulario peninsular vigente antes de la expansión a Canarias, sino que hay que deducir los significados de las voces de los contextos discursivos junto con el conocimiento de la geografía isleña y la literatura especializada, extrapolando las informaciones relevantes a partir de fuentes de índole diversa. Revisé las entradas de los diccionarios históricos del español canario, el *DHECan* y el *DHEHC*, elaborados por C. Corrales Zumbado y D. Corbella Díaz (2001) así como por M. Morera (2001). Consulté igualmente el *DCECH* de J. Corominas y J. A. Pascual, y sobre todo el *Diccionario de toponimia canaria* de M. Trapero (1999). No hay que desatender la continuidad de numerosos topónimos que apoyan mi interpretación semántica. En pocas palabras, se ofrece aquí una aproximación a la semántica del léxico toponímico de Tenerife a principios del siglo XVI.

En el primer conjunto de campos semánticos, la geografía y naturaleza de los suelos, se distingue en cuanto a la situación geográfica la "división del territorio insular" en *isla*, *isleta*, *islote* y *roque* (port. *roque*), que es una roca o peñasco que está en el mar. Hay que agregar a este campo las subdivisiones que eran los *bandos/vandos* (*de guerra* y *de paces*) antes de la conquista, llamados *reinos/reynos* por separado también en los años posteriores a la conquista, no *menceyatos* como hoy en día. *Término* se usa en las datas para un territorio tan grande como un *reino* o menor, al lado del menos frecuente *comarca*. En la "orientación", es decir, "la posición de un lugar respecto a un punto cardinal", encontramos *barlo-*

vento (que implicaría *sotavento*, no documentado), *norte* y *sur*; se usan estos nombres aunque no se describan puntos geográficos desde el mar. El empleo de los nombres de los puntos cardinales indica su fuerte arraigo temprano, no sólo en el diario de a bordo de Cristóbal Colón (4.0.2.). Los términos referentes a la "posición de un lugar respecto a otro" son, entre otros, *abaxo*, *arriba*, *banda/vanda*, que puede ser la transferencia de un término marinero a las bandas de norte y sur de las islas como también de un reino o de un barranco, castellanismo que ya encontramos en *Le Canarien*. *Canto*, en el sentido de "extremidad o lado de alguna parte o cosa", sirve de vez en cuando para describir la posición de una tierra. *Costa* es "una franja de tierra cercana al mar" y como tal sirve para precisar la posición de un lugar. El "límite de una posición" de un terreno determinado se designa mediante *cabeçada* y a veces también *entrada* siendo el punto de orientación La Laguna, donde se redacta el albalá en la mayoría de los casos, en tanto que mediante *cabo* se considera el inicio y el final de una tierra. El *pie* es inicio de una elevación, sobre todo vista desde abajo. El "linde y señal en un territorio" se menciona con regularidad, siendo los más frecuentes *linde* y *lindero*; hay dos señales, *majano* "montón de piedras que resulta de quitarlas de una finca o de otro lugar" y *mojón* "piedra que delimita o señala algo".

Los términos que caracterizan los "tipos de suelo por su naturaleza y su aspecto" son relativamente pobres, porque los solicitantes no motivaron su selección de un terreno, sino que lo describen en cuanto a su aspecto, pero no sabemos si *río* se refiere más bien a la arena cuando está seca o a la roca como ocurre también con *cantera* "mina de cantos", ya que las palabras base *canto* o *piedra de canto* designan en Canarias este tipo de piedra como material de construcción. No se reparte el tipo de suelo que se llama *malpaís* ni la *tosca* que no significa "toba, roca volcánica" como generalmente en Canarias, sino "piedra sin labrar", siendo voz de origen portugués, una elipsis de *pedra tosca*. Es relevante que *malpaís* esté ausente en Madera y que allí se encuentre el también canario *pedregal*. Entre los "tipos de terrenos" aparece el campo semántico del "terreno con vegetación espontánea" que abarca las voces *monte* "bosque", *dehesa*, *exido*, que es "[d]urante la época colonial y hasta mediados del siglo XIX [en México y en otros lugares], porción de tierra de uso comunal que estaba dedicada al pastoreo y que se encontraba en las afueras de las poblaciones rurales" (*DEM*), y *pajonal*, un nombre colectivo derivado del aumentativo *pajón* "hierba seca en el campo". Encuentran asimismo su lugar entre los campos semánticos *malpaís* como "terreno dificultoso de andar" y *derriscadero* "lugar que tiene mal camino, al filo de un risco"[454].

---

454 F. Moreno Fuentes (ed.) 1992: 185.

La naturaleza de las datas y las características físicas de la isla, así como la redacción de los documentos, privilegian la expresión de la "morfología del terreno". Destacan entre las "elevaciones del terreno", según la extensión del accidente, los "puntos elevados singulares" *peñón/peñol*, aumentativo de *peña*, *pico*, "cúspide aguda de una montaña" y "montaña de cumbre puntiaguda" (*DRAE*; port. *pico*), *punta* que es el extremo puntiagudo de tierra en la costa a diferencia de un *roque* (port. *ponta*), *miradero*, un "punto elevado desde donde se divisa un amplio y hermoso panorama" (port. *miradouro*), *morro*, "remate rocoso y redondeado de un lomo", y *asomada/somada*, "[r]emate de una colina o lomito [...] desde donde atalaya otro campo" y "[l]ugar del camino desde donde se divisa un valle o caserío" (*TLEC*; port. *assomada*). La "elevación en general" se opone al "punto elevado singular" en *cabeço*, "cerro alto o cumbre de una montaña" y "montecillo aislado" (*DRAE*; port. *cabeço*), con respecto al cual el *morro* apenas mencionado es más abrupto y marcado. *Espigón* "cerro alto, pelado y puntiagudo"[455] se documenta también en Madera en la forma *espigão*. *Cerro* es la parte alta de una elevación que se va a sustituir como topónimo mediante *montaña*, *montañeta* y *montañuela*, en Canarias "cada uno de los conos volcánicos que se elevan en el suelo isleño". *Montaña* se opone a *cordillera*, voz todavía viva en aquel momento, a *sierra*, llamada así por su extensión (port. *serra*), y a *mesa* si es plana. El *pico* puede ser una *montaña* si termina de esta forma. Es difícil decir qué aspecto tenía exactamente un *lomo*, explicado en el *DRAE* como "altura pequeña y prolongada", entre las variantes citadas por Trapero[456]; se documenta igualmente *loma* y la intensificación *lomada*, que tienen como variantes lusas *lomba* y *lombada*[457] en las datas, de las cuales derivan. Finalmente, *parral* no puede referirse al cultivo de la vid, no tratándose del objetivo del repartimiento de un terreno, sino que debe significar "montaña" o "colina", según una interpretación de Trapero[458].

Las voces reseñadas pueden funcionar en otros campos según la forma peculiar del accidente; así ocurre con las elevaciones "con forma redondeada" *cabeço*, *montaña*, *montañeta*, *montañuela*, *lomillo*, *loma*, *lomada*; las que terminan en *punta*; *mesa* como "cima con superficie llana"; *sierra* que tiene la "cima aserrada" y que se va a perder; los accidentes de sentido vertical en el caso de *cerro*, *fortaleza* o *risco* (port. *risco*); los "promontorios de roca" *morro*, *peña/peñol* o *roque* y que, si corresponde a "un tipo de roque que por tener figuras capricho-

---

[455] F. Moreno Fuentes (ed.) 1992: 140.

[456] M. Trapero 1999: 265; port. *lombo*.

[457] Port. *lomba*, "[p]lanura sobre serra, colina ou qualquer altura" (*GDLP*); *lombada*, "[g]rande lombo ou lomba contínua de terreno" (*GDLP*).

[458] M. Trapero 1999: 307.

sas, generalmente cónicas, y en algo parecidas desde alguna posición a las de un monje vestido con su hábito", se llama *flayre* como en la *Punta del Flaire*[459]; las "sucesiones de alturas" *cordillera* y *sierra*, y las elevaciones *asomada/somada*, *buenavista*, *miradero*, "que ofrecen una vista panorámica".

Comparado con las elevaciones, el campo semántico de los llanos no conoce muchas distinciones: *llano*, *mesa*, *vega* y *vega de arriba*, *tablero*; como tampoco en el de las depresiones: *caldera*[460], *hoya* "[c]oncavidad u hondura grande formada en la tierra" (*DMILA*), y *rehoya* "[b]arranco u hoyo profundo" (*DRAE*), *ribera* "[m]argen y orilla del mar o río" o "[t]ierra cercana a los ríos, aunque no esté a su margen", que en este último significado puede ser un lusismo[461], *valle*, que es en Canarias "una amplia superficie con pendiente suave desde la cumbre hasta el mar", *degollada*, "paso entre dos montes"[462], y sobre todo *barranco*, *barranquete*, *barranquillo*, *barranquera* y *combada*[463]; así como los "terrenos en vertiente" que pueden ser una *falda/halda*, una *ladera*, "declive de un monte o de una altura" (*DRAE*; port. *ladeira*), que se opone a *risco* en Canarias, *majada* (port. *malhada* "cabana de pastores"), un redil que se clasifica aquí, porque es más un accidente de la naturaleza que un lugar ajustado por el hombre. Las "cuevas, grietas y oquedades" se manifiestan con *cueva* (port. *cova*), *bufadero* "nombre que se da en nuestras islas a ciertos saltaderos del mar en algunas de las peñas que ciñen sus riberas"[464], *silo* que podemos imaginarnos como una cueva que sirve de granero o que tiene este aspecto, el occidentalismo *ahijadero*, "[p]rado o majadal que se reserva para que ahijen las ovejas en la temporada de la parición y cría del corderaje"[465],

---

459 E. Serra Ràfols (ed.) 1978: 235; 1227-10. *Flayre*, o *fraile* en la actualidad, es una etimología popular que deriva del lat. FRACTUM > *frecho*, presente en varios lugares de la toponimia peninsular (M. Trapero 1999: 222-223).

460 Cf. C. Díaz Alayón 1987: 32-33, 1987a: 85. Cf. port. *caldeira*, *caldeirão*.

461 Llama la atención que en la isla de Madera se denominan *ribeiras* las depresiones que en las Islas Canarias son *barrancos*. Véase la Carta Militar de Portugal, Instituto Geográfico do Exército, *Regiões Autónomas*, *Açores*, *Madeira*, Série P821, 2003. En un documento de Tenerife de 1527 aparece el *(puerto de) Ribera Brava*, situado en Madera (D. Galván Alonso [ed.] 1990: II:, 548). La proximidad de la *ribeira* maderense al *barranco* tinerfeño se confirma en A. Vieira 2004: 44, 45.

462 F. Moreno Fuentes (ed.) 1992: 107: "se hizo un majano frontero de una mata verde e el mismo camino por lindero hasta la *degollada*, aguas vertientes a la huerta de Juan Yanis" (1504).

463 Según el *DHEC*, "loma prolongada". Encuentro esta voz una sola vez en la siguiente primera documentación probable: "la qual dicha fayana tiene de la parte de encima una *combada*" (F. Moreno Fuentes [ed.] 1992: 20). El *DCECH* documenta la base *comba* "vallecito" sólo en el año 1573 y no da ninguna fecha para *combada*. Cf. port. *comba*.

464 J. Viera y Clavijo ^{2}1982a: s. v.; C. Díaz Alayón 1987: 31-32, 1987a: 81.

465 Regionalismo de Salamanca según M. Alonso 1982: s. v.

abrigo, lugar que sirve de tal para personas y animales; los "arrastres y desprendimientos de tierras" con *rambla/arrambra/arranbra*, "lecho natural de las aguas pluviales cuando caen copiosamente" (DRAE), que aparece en la forma aportuguesada *arrambra*, y el lusismo *fajana*, *fayana*, "terreno llano al pie de laderas o escarpes y formado comunmente [*sic*] por materiales desprendidos de las alturas que lo dominan" (port. *fajã*)[466]; los "accidentes de costa" otra vez con *bufadero*, con *caleta* y *punta* así como *puerto* (port. *porto*) y *muelle*, voz de origen catalán, para cuya primera documentación ofrezco como fecha 1502 (port. *molhe*); los poco numerosos hidrónimos entre los cuales contamos los "manantiales" *agua*, *madre del agua* (port. *madre de água*), *madre del arroyo*, *fuente/huente* (port. *fonte*), *manadero*, lusismo que no encuentro mencionado en ninguna obra española (port. *manadeiro*), *manantial*, *naciente* (1511; port. *nascente*), lugar donde brota un manantial, y *remaniente*, una palabra que designa la "extracción del agua", *pozo*; los "depósitos de agua", *estanco* en tanto "depósito natural" como también *herido* (port. *ferido*)[467], *laguna* que se conserva en *La Laguna*, *laguneta*, *charco* y *abrevadero*, *aguadero*[468]; *albercón* y *estanque* como depósitos artificiales (port. *estanque*); y para terminar esta reseña de la morfología del terreno, los "cauces del agua" que son los cauces naturales *barranco*, *barranca*, *barranquete*, *caedero*, hoy *caidero*, *arroyo*, *río*, que todavía tenía "agua corriente permanente", por ser la isla abundante en agua, y los artificiales *acequia*, *canal*, *desaguadero*, *tanquecillo* (port. *tanque*) y *tomadero* (1546), "[z]anja o canal para encauzar el agua hacia las presas o depósitos".

Con contadas excepciones, los topónimos aducidos anteriormente denominan lugares naturales. El resto se refiere a la "intervención y uso del hombre en la naturaleza", que puede ser tanto del guanche como del europeo. El campo de los "núcleos de población" abarca los términos genéricos *lugar*, *lugarejo*, y los más específicos, según su tamaño de menor a mayor, *casa*[469], *casas*, *cueva*, si está habitada, llamada también *cueva de morada*, el guanchismo *auchón* "[c]ueva habilitada para vivir en ella o para servir de granero", *vecindad* y *pago*, que designan realidades parecidas, las fortificaciones *fortaleza* y *torre*, así como *ingenio*, *aldea*, *villa* y *ciudad*. Con toda probabilidad el campo de las "construcciones elementales que servían de refugio en el campo" fue más rico en ese perí-

---

[466] M. Trapero 1999: 217, siguiendo el *DHECan*.

[467] Por ejemplo en "tierra cerca del *herido* del agua para en que haga casa e ingenio y molino" (F. Moreno Fuentes [ed.] 1992: 62), un regionalismo portugués del Miño: "Cada porção de água represada que se usa nas regas" (DLPC: s. v.).

[468] F. Moreno Fuentes (ed.) 1992: 206.

[469] Esta palabra se usa para las casas ya existentes al localizar las tierras, o bien se deben construir para justificar el reparto.

odo, aunque encontramos en las datas sólo *albarrada*, una voz que Trapero comprueba únicamente en El Hierro con el significado "pared de piedra seca"[470], así como *choza* y *esteo* (port. *esteio*) que podría ser un tipo de refugio. Caben aquí, sin embargo, todos los topónimos guanches, de los cuales detecté *tagoro*[471] en las datas y *gamabuesa*, es decir, *gambuesa*, en los *Acuerdos del Cabildo de Tenerife* (3.8.). Los "establos para animales de pastoreo" se llaman *corral* en poblado y *majada* en el campo, *rodeo*, por ejemplo, *de las vacas*, "sitio donde se reúne el ganado mayor" (*DRAE*), y hay que citar otra vez *ahijadero*, que funciona en el campo de los "establos para animales domésticos" al igual que *cuadra* y *palomar*. Colocamos en este lugar la habitación de las abejas, *colmena* y el colectivo *colmenar*. La diferenciación de las "vías de comunicación urbana" es todavía escasa, sólo contamos con *calle*, *calleja* y *calle real*. Cuando una vía comunica pueblos, se dispone de *camino*, *camino real*, *carril*, "camino estrecho capaz tan sólo para el paso de un carro", *vereda*, "camino estrecho", *arrife* (1551; port. *arrife* "arruamentos abertos no interior do maciço florestal") y *serventía* (1516; port. *serventia*), "[c]amino que pasa por terrenos de propiedad particular, y que utilizan los habitantes de otras tierras". *Puerto*, *portechuelo* y *paso*, que aparece en el topónimo *Malpaso*, son "vías dificultosas de comunicación en montaña", *andén* "[p]aso estrecho y peligroso en un risco escarpado" (*DDEC*), y *atajo*, *cuesta*, *paso*, *puente* "elementos de una vía particular". Para terminar, ofrecemos las palabras más importantes y frecuentes en las datas, que constituyen el motivo de su redacción, a saber, las *tierras* que se reparten. El término básico, pues, es *tierra*[472], a veces *terrezuela*, con frecuencia diferenciado en *tierra de riego* o *de regadjo* y *tierra de sequero*[473], o de forma aislada, *de secano*, si no se llama simplemente *pedaço*, *suerte*, *terreno*, *heredad*, *heredamiento* o *asiento*; se destinan para usos particulares las que se llaman *campo*, *labrança*, *sementera*, *era*, que puede ser un lugar destinado a la trilla como un terreno de cultivo pequeño y llano (port. *eira*), *vega*, si es grande, *tablero* con el significado "terreno llano cultivable", *viña* y *majuelo*, probablemente "viña nueva", *huerta/guerta* así como *terrero* (1536), "[t]rozo de terreno llano sin piedras usado habitualmente para bailar, practicar la **lucha canaria** o el **juego de palo**" (*DHECan*). Un *solar* es

---

470 Cf. M. Trapero 1999: 110.

471 F. Moreno Fuentes (ed.) 1992: 149, 184.

472 *Tierra* no forma parte del campo "tipo de suelo", sino del de "tierras de cultivo", si bien en realidad no lo son todavía o no necesariamente; son terrenos que se van a convertir en tierras de cultivo tras los trabajos de desmonte y roza.

473 Excepcionalmente se encuentra un contexto discursivo explicativo: "si algunas *tierras* tienen *de sequero* son helechales e cosa perdida", *memorial de descargo*, 13v; cf. L. de la Rosa Olivera/E. Serra Ráfols (eds.) 1949: 18.

un terreno destinado a la construcción y los *propios*, terrenos u otros bienes públicos, pueden ser de todos los tipos de cultivo.

No esperábamos tanta coincidencia de la estructuración léxica y de las palabras con la documentación actual, o bien podemos imaginarnos la toponimia canaria plenamente configurada cuando se crean los topónimos primarios de Tenerife. Los campos semánticos pueden enriquecerse mediante los procedimientos de la *formación de palabras* y las *combinaciones sintagmáticas*. A continuación se reúnen los tipos más frecuentes por tratarse de procedimientos lingüísticos sistemáticos, pero generalmente no se recogen entre las voces del léxico toponímico secundario, ya que siempre vale la advertencia de que entran en los campos semánticos únicamente palabras que se oponen a otras. Como se verá, la mayoría de los derivados y las combinaciones sintagmáticas forman parte de listas, y todas pueden servir para formar topónimos que designan lugares concretos.

En la modificación se comprueban:

- nombres colectivos, sobre todo de plantas, que significan "sitio poblado de x": *breçal*[474], *cañaveral (de açúcar)*, *cardonal*[475], *carrizal*, *escobonal*[476], *esparragal*, *frutal*, *gamonal*[477], *higueral*, *mocanal*[478], *parral*, *pedregal*, *pinal/pinar*, *sauzal*, *helechal/helechar*, *sabinal/savinar*[479], *tabaibal*[480], *tor-*

---

[474] De *brezo*: "Arbusto de la familia de las Ericáceas, de uno a dos metros de altura, muy ramoso, con hojas verticales, lineales y lampiñas, flores pequeñas en grupos axilares, de color blanco verdoso o rojizas, madera dura y raíces gruesas, que sirven para hacer carbón de fragua y pipas de fumador" (*DRAE*).

[475] De *cardón*: "Planta euforbiácea, sin hojas, de tallos carnosos de hasta tres metros de altura, de color verde pálido y de forma acanalada, con las aristas de estos canales erizadas de pequeñas y duras púas. Suele formar extensos y compactos grupos, con la apariencia de altos candelabros (*Euphorbia canariensis*)" (*DDEC*).

[476] De *escobón* (o *tagasaste*): "arbusto leguminoso, alto, de hojas trifoliadas y flores en racimos axilares de color blanco" (*DHEC*).

[477] De *gamón*: "Planta liliácea, con hojas erguidas, largas, en figura de espada, y flores blancas en espiga apretada, sobre un escapo rollizo de un metro aproximadamente de altura, de raíces tuberculosas, fusiformes e íntimamente unidas por uno de sus extremos (*DMILE*).

[478] De *mocán*: "Árbol de Canarias, cuya madera se emplea en la fabricación de coches y carretas" (*DMILE*).

[479] De *sabina*: "Arbusto o árbol de poca altura, de la familia de las Cupresáceas, siempre verde, con tronco grueso, corteza de color pardo rojizo, ramas extendidas, hojas casi cilíndricas, opuestas, escamosas y unidas entre sí de cuatro en cuatro, fruto redondo, pequeño, negro azulado y madera encarnada y olorosa" (*DRAE*).

[480] De *tabaiba*: "Árbol cuya madera, muy ligera y poco porosa, se usa para tapones de cubas y barriles" (*DRAE*).

viscal[481], *xaguarçal*[482], *colmenar*, *granadillar*[483], *palmar*, *pomar*, *tomillar*; *arboleda*;
- intensificaciones: *cabeçada*, *combada*[484], *lomada*, *latada*[485]; *rehoya*;
- diminutivos: *caleta*, *isleta*, *laguneta*, *montañeta*, *barranquete*, *çarçalejo*, *çauzalejo*, *lugarejo*, *realejo*; *islote*; *barranquillo*, *barranconillo*, *cabecillo*, *peñoncillo*; *fontyzuela/huentezuela*, *montañuela*, *pedazuelo*, *terrezuela*;
- los aumentativos *peñón* y *albercón*;
- y la moción o formación de un femenino a partir del masculino para referirse a un accidente de tamaño mayor: *barranca*, el lusismo *lomba* y *loma*.

En la transposición dominan las nominalizaciones predicativas que topicalizan de forma toponímica la designación de lugares: *asiento*, *riego*, *asomada*, *entrada (del valle)*, *sobida*, *heredad*, *heredamiento*, *poblaçón*, *matança*, *sequero*, *cavallería*, *peonía*.

La composición genérica está presente en el tipo verbo + "cosa" donde "cosa" designa un lugar: *abrevadero*, *bailadero*, *baladero*, *bañadero*, *bufadero*, *lavadero*, *manadero*, *renaciente*.

Las combinaciones sintagmáticas son básicamente grupos nominales de dos tipos que corresponden a sustantivo + adjetivo o adjetivo + sustantivo: *calle real*, *cueva foradada*, *pasto común*, *Río Grande*, *malpaís*, *Malpaso*, y pueden incluir casos de elipsis o conversión como *(terreno) baldío*; o a sustantivo + *de* + sustantivo: *auchón de las vacas*, *calle de los Mesones*, *campo del Rey*, *punta del Hidalgo*, *ranbla/rambla del Ahorcado*, *tierra de riego*, *tierra de senbradura*, *tierra de sequero*, *valle de las Figueras*.

Los topónimos tanto de Tenerife como del resto del archipiélago se formaron mediante el recurso a todos los tipos de léxico toponímico que acabo de comen-

---

[481] De *torvisco*: "Mata de la familia de las Timeleáceas, como de un metro de altura, ramosa, con hojas persistentes, lineares, lampiñas y correosas, flores blanquecinas en racimillos terminales, y por fruto una baya redonda, verdosa primero y despés roja" (*DRAE*).

[482] De *jaguarzo*: "Arbusto cistáceo, que puede alcanzar hasta los dos metros de altura, derecho y ramoso; su madera es fuerte y quebradiza, de tonos marrones que se vuelven rojos bajo la corteza; las hojas, lanceoladas y casi lineales, son algo viscosas, de color verde oscuro por el haz y blanquecinas y tomentosas por el envés; las flores blancas, pequeñas y delicadas, tienen el aspecto y la textura del papel arrugado; el fruto, capsular, pequeño y liso, es casi globoso (*Cistus monspeliensis*)" (*DDEC*).

[483] De *granadillo*: "Arbusto hipericáceo de densa ramificación, de hasta cuatro metros de altura, con hojas de color verde oscuro por el haz y pálido por el envés, flores amarillas y frutos capsulares, parduscos, con numerosas semillas (*Hypericum canariense*)" (*DHEC*).

[484] Del port. *comba*: "Vale que se vai elevando entre dunas ou montanhas" (*GDLP*).

[485] Del port. *lata*: "Vara transversal ou forcado de parreira" o bien "[r] enque de videiras altas dispostas aos dois lados de un caminho" (*GDLP*).

tar. Subrayemos que este léxico es muy innovador en la creación de palabras nuevas mediante procedimientos semánticos y de formación de palabras. Al inicio, importa lo que designan los topónimos llamados primarios, es decir, los topónimos prehispánicos, y lo que significan los topónimos primarios y secundarios de la lengua común (cf. 1.5.3.). El primer estrato de topónimos son los nombres primarios propios adoptados de la lengua de los guanches y combinados a menudo con topónimos primarios comunes[486] que sirven para interpretar los topónimos prehispánicos.

Antes de pasar a elaborar la formación de la toponimia isleña es preciso hacerse una idea de cómo se va identificando un terreno en la documentación. En efecto, no se localizan todos con facilidad, ni siquiera tierras tan próximas a La Laguna como algunas del bando de Anaga. En 1497 Alonso de Lugo concedió a Juan de las Casas y a Fernando de Gran Canaria "un *barranco*, [que] es *a barlovento* de *Anaga* que a por nombre *Taganana*"[487]. Se trata de Taganana, la tierra situada en el barranco aún no tiene nombre. Cuando el repartidor revoca su donación tres años más tarde, "el mejor lugar [...] en *Taganana* y *Tafar*", para que se haga un "un ingenio de açúcar"[488], tampoco tiene nombre, independientemente de si se trata del mismo terreno. En otra donación el lugar no se llama *barranco de Taganana*, como podríamos pensar, sino "el *valle de Taganane* [*sic*]"[489], si es realmente el mismo lugar. Posteriormente se localiza un terreno de "c[ahiz] y medio en la *comarca* de *Taganana* de *s[equero]* en la *lomada arriba de vuestras t[ierr]as. de r[iego]* [es decir, de Juan de Armas]"[490]. La posición de otra tierra de Juan de Armas se especifica más: "4 f[anegas] de t[ierr]a de r[iego] que son en el otro *cabo del río de Taganana* en un *agua* que nasció junto con el dicho *río de Taganana*"[491]. La siguiente descripción es más explícita y contiene un topónimo primario: "Un *valle* que está adelante de *Taganana*, el primero, que se llama *Guaxa*"[492], cuya forma varía en "toda la tierra [...] en el *barranco de Aguaje*, entre Benijo e Tagana [*sic*]"[493], y en "unas t[ierr]as [...] que son en *Taganana*, en el *barranco de Aguaxe*"[494]. El lugar se ubica en Anaga, sigue la indicación de la posición dentro de este antiguo reino a barlovento adoptando el nom-

486 M. Trapero 1995: 34.

487 E. Serra Ràfols (ed.) 1978: 20-21.

488 E. Serra Ràfols (ed.) 1978: 42.

489 1501, E. Serra Ràfols (ed.) 1978: 87.

490 1503, E. Serra Ràfols (ed.) 1978: 139.

491 1502, F. Moreno Fuentes (ed.) 1992: 46.

492 1501, F. Moreno Fuentes (ed.) 1992: 54.

493 1502, F. Moreno Fuentes (ed.) 1992: 157.

494 1505, F. Moreno Fuentes (ed.) 1992: 149.

bre aborigen Taganana que se caracteriza primero como *valle* y luego como *comarca*, dentro de la cual la tierra repartida se delimita frente a otra, la de Juan de Armas. En la misma comarca se distinguen a continuación el *río de Taganana* y otro *valle* llamado *de Guaxa*, que puede ser una mala lectura, en la primera mención, el cual quizás se convierta en el *barranco de Aguaxe*, sin que sepamos si el valle y el barranco de este nombre son idénticos ni si ya se diferencian en su semántica. De este modo, el mosaico de las tierras distribuidas obliga a los solicitantes y al repartidor a precisar cada vez más la localización de las tierras contiguas, proceso que solamente podemos observar en las zonas muy solicitadas, mientras que no obtenemos informaciones sobre las mejores tierras y aguas que Alonso de Lugo se otorga a sí mismo y a Hernando de Hoyos, *criado* del rey: "las tierras e aguas [...], que se disen Tahoro, que son junto con la sierra por a do suben a Dabte fasta el Cabo de Tahoro"[495], así como tampoco sobre los reinos de Güímar, Abona y Adeje por ser poco rentables.

Los hablantes adoptan numerosos topónimos prehispánicos y los adaptan al mismo tiempo[496]. No es seguro ni siempre cierto que los topónimos aborígenes auténticos sean los que se recogen en la actualidad. Al contrario, la oralidad y el carácter auténtico de los topónimos antiguos se manifiesta en la variación de sus significantes mediante los cuales los varios autores de los documentos intentan dar forma gráfica al topónimo que escucharon. Entre los topónimos recurrentes cada vez en una sola variante, algunos fueron adoptados con facilidad y otros dejaron esta fase adaptación atrás como *Tacoronte*, *Taganana* que, si presentan las variantes *Taganane* o *Tagnane*, pueden considerarse *lapsus cálami*. Otro reino se escribe mayoritariamente *Abona*; las variantes son *Avona* y *Abone*, esta última probablemente una variante gráfica como también en la mayoría de las grafías de *Tegina*, *Tegyna*, *Tejina* frente a *Texina* –compárense *Benixo*, *Benyxo* y *Benijo*– que señala un cambio fonético en curso, y *Teguyna*. Esta última grafía puede ser un indicio de la confusión de los grafemas <g> y <gu> para el fonema /g/ como en *Tegeste* y *Tegueste*; la variante asibilada *Teguexte* tiene aire de adaptación lusa como también *Maxca* al lado de *Masca*. Las grafías *Tahoro* y *Taoro* pueden marcar diferencias de estructura silábica, lo que sucede también en *Naga* y *Anaga*. La sibilante sonora parece ser originaria en *Tegina*, la sibilante sorda en *Adexe*, *Adex* y *Dexe*, si bien se documenta con la variante *Adés*. En lo que concierne al reino que hoy se escribe *Güímar*, su nombre ofrece las variantes *Goymat*, *Guyma*, *Goyma*, *Guymad*, *Guimar*, *Guymar*, *Goymard*, *Aguymar*, *Agoy-*

[495] E. Serra Ràfols (ed.) 1978: 16.

[496] Con *adopción*, *creación* y *adaptación* me refiero a los procedimientos en la formación de topónimos que distingue M. Alvar (1993) y que acepta también M. Trapero (1995: 129).

mad, *Aguymad*, de modo que no sabemos cuál de ellas se aproxima más a la forma originaria. El nombre actual de *La Orotava* acumula sus variantes con *el Araotava*, *el Araotaba*, *el Arabtava*, *el Arabtaba*, *el Aravtaba*, *el Arautava*, *(el) Aravtava*, *el Arraotava*, *lOrutaua*, *el Arutaba*, *(el) Autaba*, sin que se pueda afirmar con exactitud si, como ocurre con *Güímar*, corresponde mejor que las demás a la forma guanche originaria. En el nombre de una fuente las divergencias vocálicas son tan notables que no llegamos a reconstruir la forma originaria. En 1502 Rodrigo de Jaén llama a esta fuente *Taguaycio* y *Taguacio*: "una fuente de agua que está en Adexe que llaman *Taguaycio* [...]. [...] vos doy la fuente de *Taguaycio*". Dos años más tarde el adelantado la designa mediante *Tugicio* cuando concede "la mitad del agua que llaman *Tugicio*"[497]. El beneficiario Rodrigo de Jaén confirma el topónimo después del transcurso de casi dos meses: "doy a vos F[ernando] G[arcía], clérigo, la mitad del agua que llaman *Tugycio*"[498]. Los grafemas <gu> y <g> corresponden al fonema /g/, pero resulta imposible reducir <ay> e <y> a una sola forma, si no es que estamos ante un caso de variación en la lengua originaria. Al comparar las formas antiguas de los topónimos comprobamos una notable convergencia con las formas modernas en la mayoría de los casos, pero no podemos afirmar lo mismo a propósito, por ejemplo, de *La Orotava* y *Güímar*. Pese a la insistencia de los investigadores en las fuentes orales reunidas en la actualidad, hay que advertir que no es posible reconstruir las formas exactas de los topónimos guanches originarios, ni siquiera las de los españoles, a partir de las recolecciones modernas. Cada topónimo tiene pues su historia.

La conservación de los topónimos canarios se suele valorar como prueba de la pervivencia de una parte de la población prehispánica. En la conciencia de los canarios actuales, los topónimos son símbolos de su origen en parte aborigen y por este motivo tienen una gran capacidad identificatoria. En consecuencia, mientras que los nombres comunes *gánigo*, *baifo*, *gofio*, *goro*, etc. ya no se reconocen como voces de origen canario y en general, con algunas contadas excepciones, se desconocen por completo, los canarios reconocen bastante bien cuáles topónimos son canarios y cuáles españoles[499]. Por esta razón, la consideración de los topónimos canarios tiene más importancia que la de los topónimos peninsulares. Veremos que esta actitud respecto a la toponimia se repetirá en Hispanoamérica en mayor escala.

Los nombres de lugar se adaptan igualmente en las formas españolas, si son traducciones de topónimos guanches. Un caso muy significativo es el topónimo

---

497 F. Moreno Fuentes (ed.) 1992: 13. Hay otras variantes más del mismo documento en otra transcripción en E. Serra Ráfols (ed.) 1978: 53.

498 F. Moreno Fuentes (ed.) 1992: 142.

499 M. Trapero 1995: 125.

menor *bailadero* que delata el hibridismo cultural durante la época de los primeros contactos. *Bailadero* es un sustituto de *baladero*. Espinosa escribe a este propósito:

> cuando los temporales no acudían, y por falta de agua no había yerba para los ganados, juntaban las ovejas en ciertos lugares que para esto estaban dedicados que llamaban *el baladero de las ovejas*, e hincando una vara o lanza en el suelo, apartaban las crías de las ovejas y hacían estar las madres al derredor de la lanza, dando balidos; y con esta ceremonia entendían los naturales que Dios se aplacaba y oía el balido de las ovejas y les proveía de temporales[500].

Ya desde principios del siglo XVI este significado de *baladero*, que según parece estaba difundido en todas las islas, se pierde y se reemplaza por la etimología popular *bailadero*[501].

La creación de un topónimo es un acto que pasa desapercibido, aunque la isla manifiesta caracteres insólitos y desconocidos anteriormente en la misma así como en el resto de las Islas Canarias. Al ser del mayor relieve de cara al futuro, los lugares no se "bautizan" mediante nombres propios, entendiendo como tal un acto intencionado. Los nombres de lugar que los europeos estiman dignos de comentario son los nombres guanches. Ya que se conocen los topónimos mayores se comentan los topónimos menores de los cuales hemos citado algunos más arriba.

En el repartimiento, Alonso de Lugo y los demás repartidores, o los solicitantes, no denominan las tierras, sino que describen simplemente su localización. Como el terreno se describe a partir de alguno de los pocos topónimos conocidos que son con mayor frecuencia de origen guanche, se procura especificar su ubicación lo más exactamente posible tomando éstos como referencia, porque los mismos topónimos léxicos se usan en ámbitos diferentes. Selecciono las descripciones de tierras situadas en la región de Icod de los Vinos, porque es uno de los lugares tradicionales que no sufrió tantas transformaciones causadas por cambios de cultivo y urbanizaciones tan profundas y radicales como otros y por tener un conocimiento directo de la villa.

En cuatro casos los nombres se mencionan explícitamente como topónimos: "en Ycoden desde la *fuente de la Guancha* q[ue] dicen" (1491)[502], "en término

---

[500] A. de Espinosa 1980: 34.

[501] F. Moreno Fuentes (ed.) 1992: 126 lo documenta ya en 1505: "un agua manatial, que es en Adexe al *Bailadero*, la cual dicha agua se llama Arguaya"; y no aparece apenas sino hacia finales del siglo según C. Díaz Alayon 1987: 29-31, 1987a: 74-76.

[502] E. Serra Ràfols (ed.) 1978: 168. Reproduzco la mayúscula de la transcripción de E. Serra Ráfols así como las demás particularidades de esta edición. Evidentemente, las mayúsculas señalan que los transcriptores reconocieron las expresiones como topónimos, pero no excluyo erratas. Las cifras entre paréntesis remiten a las fechas indicadas en los documentos.

de Ycoden al rededor de una *montaña* q[ue] se llama *de Atamasno*"(1516 o 1515)[503], "y por la otra parte el *barranco* q[ue] dicen *de Tezegid*" (1514)[504], "un *barranco* q[ue] se llama *Masca*" (1504)[505] otorgado al antiguo rey de Adeje. En estos pasajes la *Fuente de la Guancha*, la *Montaña de Atamasno*, el *Barranco de Tecegid* y el *Barranco de Masca* se caracterizan como topónimos. *Término de Icod* aparece por lo menos seis veces[506] sin variar la denominación del territorio. El resto de las expresiones descriptivas se cita por el orden en el que se presentan en la reseña precedente. Dos tierras se encuentran a proximidad del *malpaís (de los llanos) de Icod*: "En término de Ycode cabe la cruz del *Malpays* alinde del *savinar*"(1512)[507], "en saliendo del *sabinal* y del *malpaís* en *los llanos de Ycode*" (sin fecha)[508] y otra "[d]esde *la albarrada del xinovés* hasta *el malpaís de Ymcod* [*sic*]" (1506)[509]. En la mayoría de los casos las elevaciones sirven de orientación para localizar una tierra, pero *loma* y *lomada* pueden ser simplemente términos descriptivos como en "en la *lombada* de Ycode q[ue] es de *la aranbra de los Cavallos* hazia Taoro" (1501)[510], "en *la lomada* de Ycode cabe *las ramblas de los Cavallos*" (1501)[511], "en *las lomadas* de Ycode"[512], "en *las lomas* de Yquoden" (1506)[513] e incluso en "en Icode en *las lomas* sobre *el puerto*" (sin fecha)[514]; sin embargo, el singular puede ser un topónimo: "en *la lomada* de Ycode"[515], "en *la loma* de Icode"[516] y "sobre *la loma* de Ycode" (1504)[517]. *Montaña* se documenta en "[u]na fuente de agua q[ue] nace en *la montaña de Ycode*" (1512)[518] y *sierra* en "arriba *la sierra de Ycode*" (1512)[519], "*los llanos de Icode*"[520]; "más

503 E. Serra Ràfols (ed.) 1978: 250.

504 E. Serra Ràfols (ed.) 1978: 252.

505 E. Serra Ràfols (ed.) 1978: 175, 1504.

506 E. Serra Ràfols (ed.) 1978: 79 (1507), 167 (1508); 252 (1522); 283 (1514); 294 (1516); 300 (1506).

507 E. Serra Ràfols (ed.) 1978: 38.

508 E. Serra Ràfols (ed.) 1978: 38.

509 E. Serra Ràfols (ed.) 1978: 175.

510 E. Serra Ràfols (ed.) 1978: 27.

511 E. Serra Ràfols (ed.) 1978: 71.

512 E. Serra Ràfols (ed.) 1978: 57 (1502); 158 (1507); 163 (1503); 189 (1504); 293 (1508).

513 E. Serra Ràfols (ed.) 1978: 180.

514 E. Serra Ràfols (ed.) 1978: 104.

515 E. Serra Ràfols (ed.) 1978: 64 (1503); 145 (1504); 147 (1507); 155 (1508); 190 (1499); 191 (1502).

516 E. Serra Ràfols (ed.) 1978: 133 (1501); 172 (1505).

517 E. Serra Ràfols (ed.) 1978: 159.

518 E. Serra Ràfols (ed.) 1978: 170.

519 E. Serra Ràfols (ed.) 1978: 179.

520 E. Serra Ràfols (ed.) 1978: 149 (1508); 166 (1504); 190 (1505); 194 (1504).

una hontezuela abajo de *la vega de Icode*" (1503)[521], "en Icoden en *la vega*" (1506)[522], "encima de lo mío de *La Vega de Icode*" (como escribe Alonso de Lugo en un documento autógrafo, 1502)[523], "en el d[ic]ho. *barranco de Ycode* [...] en *la vega de Ycode*" (1507)[524], "en *la vega de Icode*" (1522)[525], lugar que sigue llamándose de esta forma y que es una *vega de arriba*; "en el *valle de Ycode*"[526]; "en Icode [...] *el barranco* arriba hacia el *Mocanal*" (1503)[527], "bajo del *barranco de Icode*" (1501)[528], "en el *barranco de Icod*"[529] y "el *barranco hondo* en Icode como van a Davte" (1507)[530]. Las *fajanas* son un rasgo de la naturaleza de la zona: "en las *fajanas de Icode*"[531], "para un *majuelo* en las *fajanas de Ycode*" (1503)[532]. Hay una sola corriente de agua que se documenta algunas veces: "en el *río de Ycode*"[533], "entre el *río de Ycode* e entre la *hazienda* q[ue] tiene Cristóbal de Ponte ginovés" (1505)[534] y "[u]n pedazo de t[ierr]a. encima del *río de Ycod*" (1502)[535]. Finalmente, dos colectivos de plantas, *mocanal* y *sabinal/sabinar*, sirven para formar topónimos menores: "en frente del *mocanal de Ycode*" (1505)[536], "en Icoden para viña arriba de lo de Hernando Guanarteme frontero del *mocanal*" (1503)[537], personaje en quien reconocemos el antiguo rey grancanario de Gáldar, "por los riscos hasta el *Savinal de Icoden*" (1503)[538], "el *sabinal de Icode*" (1502)[539].

Los ejemplos aducidos son suficientes para mostrar el nacimiento del topónimo a partir de la descripción de un lugar. Las descripciones genéricas no sirven para crear un topónimo; es preciso que el nombre se refiera a un lugar determinado en una zona reducida, tratándose de topónimos menores. Por este motivo,

[521] E. Serra Ràfols (ed.) 1978: 90.

[522] E. Serra Ràfols (ed.) 1978: 117.

[523] E. Serra Ràfols (ed.) 1978: 158.

[524] E. Serra Ràfols (ed.) 1978: 187.

[525] E. Serra Ràfols (ed.) 1978: 285.

[526] E. Serra Ràfols (ed.) 1978: 187 (1504); 253 (1511).

[527] E. Serra Ràfols (ed.) 1978: 98.

[528] E. Serra Ràfols (ed.) 1978: 128.

[529] E. Serra Ràfols (ed.) 1978: 184 (1510); 186 (1500).

[530] E. Serra Ràfols (ed.) 1978: 144.

[531] E. Serra Ràfols (ed.) 1978: 135 (1500); 186 (1504).

[532] E. Serra Ràfols (ed.) 1978: 187.

[533] E. Serra Ràfols (ed.) 1978: 68 (1501); 116 (1500); 183 (1506); 185 (1507).

[534] E. Serra Ràfols (ed.) 1978: 30.

[535] E. Serra Ràfols (ed.) 1978: 69.

[536] E. Serra Ràfols (ed.) 1978: 31.

[537] E. Serra Ràfols (ed.) 1978: 90.

[538] E. Serra Ràfols (ed.) 1978: 89.

[539] E. Serra Ràfols (ed.) 1978: 101.

la determinación *de Icod* no forma necesariamente parte de los topónimos que se acaban de alistar. Su mención se debe a la necesidad de circunscribir la zona en un albalá precisamente por la alta recurrencia de accidentes similares en zonas diferentes, pero descritos de forma idéntica. Este razonamiento explica el topónimo actual *La Vega* no especificado en las inmediaciones de Icod de los Vinos e incluso los topónimos fosilizados, al considerarlos a partir de su creación última en el discurso. Permanecerá por siempre una imposibilidad detectar el origen de los nombres más antiguos nacidos en otra lengua, pero tendremos más suerte si logramos encontrar textos que documentan topónimos en una fase muy poco posterior a su introducción en el uso local. El origen reciente es cierto en todos los casos de cambios geográficos debidos a la intervención del hombre que se manifiestan en el terreno, como lo comprobamos en los documentos manejados. Aun así, hay que contar con topónimos concurrentes entre los cuales se inicia un proceso de selección. Las condiciones de este cambio se cumplen en el repartimiento de tierras en la isla de Tenerife con extraordinaria claridad durante los años subsiguientes a la conquista. En resumen, para aclarar el procedimiento lingüístico aplicado en la creación de estos topónimos, se usan apelativos tomados del léxico toponímico que sirven de descripciones y designaciones de determinados lugares. La expresión puede cobrar la función de topónimo en el primer acto designativo o en su repetición y generalización a través de una serie de actos de adopción como siempre cuando se propagan innovaciones lingüísticas, es decir, en el *discurso repetido*[540]. Ésta es por lo menos la conclusión que se impone al considerar el análisis de las datas de Tenerife.

La muestra de la creación de topónimos en la zona de Icod de los Vinos abre otra perspectiva en la elaboración de la teoría de los entornos todavía no abordada. El elemento que nos interesa es la precisión del concepto de *entorno situacional práctico* u *ocasional* (1.5.3.). Como la *situación inmediata* está constituida mediante los interlocutores y a partir del lugar al cual éstos se refieren usando los deícticos locativos, el entorno situacional práctico es la ampliación de lo dado en una situación. En cuanto a los varios tipos de topónimos, se enfoca el lugar del entorno situacional práctico, en el caso presente el de Icod y de todo lo que rodea este lugar. En vista de la similitud de la naturaleza de lugares diferentes, las expresiones *el barranco*, *el malpaís*, *el puerto*, *el mocanal*, *el sabinal*, *las fajanas*, etc. designan, enunciadas desde Icod, los lugares de una microtoponimia muy diferente de la que se designa cuando los mismos topónimos primarios y secundarios se expresan, pongamos por caso, en Garachico, Los Realejos, Tacoronte o Tejina. Al utilizar los nombres de lugar de un ámbito reducido, se

540 E. Coseriu 1981b: 113-118.

evoca al mismo tiempo la microtoponimia del lugar que sirve de punto de referencia y el sistema de la macrotoponimia de la región canaria en su totalidad. Debemos leer los albalaes de Tenerife en esta clave y, además, las referencias a cualquier lugar tocado en las fuentes que siempre abren un horizonte geográfico que rebasa el lugar documentado en cada caso.

Los cronistas no sólo representan otro universo de discurso, sino que escriben sobre las islas cuando habían discurrido cien años tras la conquista de Tenerife. Los datos que extraemos de ellos no son tan ricos ni están tan diversificados como las informaciones que arrojan las datas. Su valor consiste en que explican algunos topónimos. Así, los guanches llamaban a su isla, según Abreu Galindo, *Chineche*: "Esta isla de Tenerife se llamaba, en su común hablar, *Chineche*, y a los naturales llamaban *Bincheni*"[541]; o, siguiendo a Espinosa, mediante la variante *Achinech*: "los naturales de esta isla, que llamamos *guanches*, en su lenguaje antiguo la llamaron *Achinech*"[542]. *Isla de Tenerife* está en variación con *isla de Infierno*: "A esta isla de Tenerife llaman algunos la *isla de Infierno*, porque hubo en ella muchos fuegos de piedra azufre, y por el pico de Teide, que echa mucho fuego de sí"[543]. Se establecen correspondencias entre nombres guanches y castellanos: "Alonso de Lugo, teniendo en poco a los guanches, puso su real en La Laguna, que llamaban *Aguere*"[544]; o se interpretan, como *Arguijón*: "la cuesta que desciende de la ciudad de La Laguna de Santa Cruz, que se dice *Arguijón*, que es decir 'mira navíos'"[545]. Se refieren cambios de nombre: "el puerto de *Santa Cruz*, que primero se llamaba *Añaso*"[546], y un acto de bautizo:

> Aquietada y reducida la isla de Tenerife por el capitán Alonso de Lugo, y habiéndola puesta en razón, determinó venirse al llano de La Laguna, donde le paresció sería bien fundar un pueblo; y así lo puso por obra, llamándolo *San Cristóbal de La Laguna*, porque en tal día había fundado el pueblo, a 26 días del mes de junio, (que es día de San Cristóbal), año de 1495[547].

El bautizo se refiere sólo al hagiotopónimo, siendo *La Laguna* la adaptación castellana del nombre *Aguere*. No obstante, aparte de algunos casos evidentes,

---

[541] J. de Abreu Galindo ^{2}1977: 1977: 300.

[542] A. de Espinosa 1980: 26.

[543] J. de Abreu Galindo ^{2}1977: 327.

[544] J. de Abreu Galindo ^{2}1977: 317.

[545] J. de Abreu Galindo ^{2}1977: 292. M. Trapero (1996: 190-191) no cree que esta equivalencia sea cierta, porque los guanches "desconocían totalmente el arte de la navegación". Sin embargo, los navíos formaban parte de su horizonte vital, debido a la aparición no infrecuente de navegantes.

[546] J. de Abreu Galindo ^{2}1977: 314.

[547] J. de Abreu Galindo ^{2}1977: 321.

no nos enteramos del arraigo de los conocimientos de los cronistas entre los hablantes.

No dejo de mencionar el nombre de una octava isla mayor, la *isla de San Borondón*, cuya ubicación introduce Abreu Galindo tras muchas prevenciones: "Esta isla de *San Blondón* parece de la isla de La Palma al oesudueste, y de la del Hierro parece al oesnoroeste"[548]. El autor sabe que el nombre deriva de *San Brandano* y narra que muchos de los españoles que fueron en su busca no hallaron "sino arrumazón (como dicen los mareantes) o acumulación de celajes"[549], cosa que no es cierta y cita "algunas averiguaciones que se han hecho"[550]. No hace falta profundizar en las pruebas de que este espejismo es realmente tierra; esta isla entra aquí porque es una de las tantas prefiguraciones de tierras míticas que desorientaron a las personas de ánimo aventurero en América.

Frente a la escasa presencia del léxico canario de Hispanoamérica, contamos con la propagación de una parte del léxico toponímico que son innovaciones canarias como *ancón*, *bufadero* (*bufeadero* en Hispanoamérica), *caldera*, *malpaís* o que corresponden a una difusión, o bien paralela, o bien coincidente, con *barranco*, *hoya*, *loma*, *lomo* y *morro*[551].

3.10. Los ambientes económicos y la influencia portuguesa en el léxico canario

Venimos tratando el léxico isleño en varios capítulos intentando ambientar sus parcelas en las actividades de determinados grupos de hablantes. Los préstamos castellanos estudiados en *Le Canarien* nos sirvieron para advertir la presencia de los marineros andaluces en las islas (3.4.) y su percepción de las particularidades de la geografía canaria; el léxico de los cargos administrativos fue el motivo para referirnos a la implantación del castellano mediante un ejemplo que deja ver al mismo tiempo la adaptación paulatina de la semántica léxica (3.5.3.); los prehispanismos ofrecieron un vistazo a la adopción de voces que reflejan la vida tradicional, la flora y fauna, así como la toponimia (3.8.); los topónimos de origen castellano y portugués muestran hasta qué punto su adaptación fue original; y la creatividad léxica está presente en los procedimientos de la formación de topónimos derivados y de las combinaciones sintagmáticas (3.9.). Como siempre, nos proponemos también en este caso seguir la construcción del devenir histórico.

---

548 J. de Abreu Galindo ²1977: 333.

549 J. de Abreu Galindo ²1977: 338.

550 J. de Abreu Galindo ²1977: 340.

551 Cf. M. Trapero 1995: 133; M. Álvarez Nazario 1972: 104-106 y 1982: 158-175.

El léxico más interesante es el propiamente castellano interpenetrado de aportaciones portuguesas del cual hemos visto una muestra en el capítulo anterior. Los mayores cambios léxicos son los designativos que suelen escapar a la atención de los historiadores de la lengua. Se atribuye generalmente la primera adaptación del español en América a la fase antillana, pero creo que esta idea de Cuervo[552] (cf. 2.7.), muchas veces repetida, debe ser modificada en parte. Aunque es certera en principio, hay que matizarla en ciertos casos de palabras atestiguadas en Canarias y quizás existentes con anterioridad en Andalucía u otras regiones del reino de Castilla. Entre las palabras que cita Cuervo se documentan *alçado* (*esclavo alçado*) en 1498 en Tenerife y *estancia* en un interrogatorio de 1508 que se refiere en este caso particular a un episodio de la conquista de Gran Canaria. Mi sospecha es que muchas supuestas novedades indianas no son más que lagunas documentales[553].

Tomar la documentación actual significaría que consignáramos los resultados de los procesos de selección como siempre en este tipo de estudios diacrónicos que se remontan desde el presente hacia el pasado y que, proyectando todos los elementos en el mismo nivel actual y eliminando comúnmente los fenómenos que se pierden, no aclaran los estratos cronológicos involucrados. Es en este sentido que los elementos léxicos se suelen registrar en la abundante lexicografía isleña, que destaca por su alto nivel entre las actividades lexicográficas, incluso comparada con otros grandes países de tradición lexicológica[554]. También se presta mucha atención al vocabulario en las numerosas monografías que tratan las hablas canarias en su conjunto y las particularidades lingüísticas de las varias islas[555].

Las influencias peninsulares regionales en el léxico canario se pueden estudiar en el *Atlas lingüístico y etnográfico de las Islas Canarias* (1975, 3 vols.), elaborado y publicado bajo la dirección de Manuel Alvar. En base a esta obra es posible analizar la composición regional contemporánea del léxico canario. Limitándonos a las conexiones peninsulares se comprueba que el catalán[556], en

---

552 R. J. Cuervo ^{2}1987: 36-38.

553 Se pueden considerar como tales algunas voces que J. A. Frago Gracia cita a lo largo de su texto, es decir, *estancia* (1999: 44), *lomada* (58), *pargo* (89), *vieja* (58), *peje* (232), *raspadura* (233), *zafra* (293), unas de ellas ya mencionadas antes y otras tratadas en este capítulo.

554 C. Corrales Zumbado 1996.

555 Citemos algunas obras como ejemplos: M. Almeida/C. Díaz Alayón 1988 (Islas Canarias), M. Alvar 1959 (Tenerife), M. Almeida 1989 (Gran Canaria), M. Morera 1994 (Fuerteventura) y M. Torres Stinga 1989 (Lanzarote).

556 Resulta imposible atribuir el catalanismo *muelle* que he mencionado en 3.9. a la influencia directa de este grupo de pobladores.

el oriente de la Península Ibérica, y el italiano (fuera de ella) no figuran entre las lenguas de las cuales proceden voces canarias documentadas en época temprana, a pesar de la participación de catalanes, genoveses y otros italianos en el poblamiento de las islas. Sin embargo, esta circunstancia puede deberse al método empleado en la encuesta. Con mayor claridad se destaca la influencia del occidente comprobada mediante los datos demográficos, la cual, a buen seguro, deriva en la mayoría de los casos de la inmigración portuguesa. La documentación directa de la interrelación entre la posible procedencia occidental concreta y la correspondiente histórica, como acabamos de ver, dista mucho de ser abundante[557]. Es siempre posible apoyarse en la documentación de la geografía lingüística e interpretarla de forma diacrónica, pero en este caso se debe extraer conclusiones diacrónicas acerca de la difusión histórica tanto en la Península Ibérica como en el archipiélago canario. De este modo, una voz canaria puede remontarse a una voz que estaba difundida en todo el occidente peninsular o en una región limitada como el Portugal metropolitano o atlántico, Galicia, el reino de León, Asturias, Extremadura, el oeste de Andalucía o cualquier combinación de estas regiones. Se vería que los significantes de las voces documentadas en épocas históricas no son idénticos a los documentados en la actualidad; hay palabras que todavía aparecen en los documentos tempranos y que hoy se han perdido. Además, las interferencias léxicas, que toman la forma de préstamos, operan en ambos sentidos. El *ferido* miñoto o probablemente maderense, aunque no documentado, se convierte en el *herido* tinerfeño que hemos visto en el capítulo anterior como a la inversa la *rambla* y el *avchón/auchón* en la *arrambra* y el *aucham* portugueses.

En un área de afinidades lingüísticas tan considerable como las que existen en el oeste de la Península Ibérica puede resultar aleatorio atribuir una procedencia determinada a una palabra. Sin embargo, en el caso del portugués esta atribución es justificada, porque se basa en una inmigración masiva bien documentada.

Ante las dificultades presentadas, me he atenido a otros criterios metodológicos. Para tener acceso al léxico histórico, me he aproximado a la selección del léxico de la siguiente manera. Para estudiar un léxico toponímico empecé por el aprovechamiento de las datas de Tenerife cuya originalidad está asegurada, como acabamos de ver. A continuación utilicé los índices de las mismas ediciones y de los *Acuerdos del Cabildo de Tenerife* para reunir las voces que ya habían llamado la atención de los editores. Aproveché el capítulo sobre las actividades económi-

---

557 Al leer el artículo de L. Cintra (2008) que reseña los estudios sobre los dialectos de Madera hay que notar la escasez de investigaciones y la ausencia de una contribución acerca de la terminología azucarera.

cas en la obra de Eduardo Aznar Vallejo (1992) que contiene el léxico de las primeras décadas, hasta 1526, pero, por un lado, no se plantea el problema de la formación de una terminología nueva como tal ni tiene, por otro, a su disposición en la primera edición (1983) las numerosas ediciones de documentos que se publicaron después. Los numerosos lusismos comprobados en las distintas obras, tanto ediciones de fuentes como estudios, me convencieron, como si todavía fuera necesario, de la importancia de la influencia portuguesa en el léxico canario desde el comienzo. En este sentido, revisé el léxico de origen portugués que Marcial Morera (1994) analiza desde una perspectiva maximalista. Todas las obras consideradas proporcionan un léxico en gran parte convergente que he limitado a las palabras documentadas lo más temprano posible, en todo caso siempre antes de 1580, fecha que marca el inicio de la unión de las Coronas de España y Portugal, según mis recuentos y la documentación consignada en los diccionarios históricos de Morera (*DHEHC*) y Corrales Zumbado y Corbella Díaz (*DHECan*).

El valor del estudio también léxico de la obra de Aznar Vallejo reside en particular en que se basa en fuentes documentales, generalmente consultadas en los originales conservados en los archivos. Su análisis no se distingue en muchos aspectos de un análisis lingüístico si no fuera por la perspectiva de contribuir a la reconstrucción histórica que no a la histórico-lingüística. En ambas perspectivas, el período que empieza con el principio de la conquista de Gran Canaria en 1477 y concluye con la creación de la Audiencia en 1526 es la época de la formación del español en las islas de realengo. La limitación a estas islas no es ningún inconveniente como tampoco la mayor abundancia de documentación sobre Tenerife. En cambio, la articulación del estudio en el marco administrativo, los hombres y las actividades económicas requiere la extrapolación de las informaciones relativas a la lengua. Los límites cronológicos, la coherencia y la amplitud de esta obra histórica hacen superflua la repetición de una revisión de las fuentes documentales que no puede ser tan pormenorizada en el ámbito de una historia general de la lengua española como la ofrecida en los ricos materiales de la síntesis en cuestión, tanto más que muchas veces el autor usa los términos en su forma original. Lo que generalmente se da por sabido, no siempre con razón, son los significados de las voces citadas. Por lo demás, se puede prescindir de aprovechar los materiales acopiados, siempre que no se esperan innovaciones, préstamos o adaptaciones de ninguna clase.

Es posible que sea más relevante reseñar algunos campos onomasiológicos o terminologías populares que los de procedencia parcial portuguesa o ibérica occidental en general, aspecto que se basa más bien en la geografía lingüística que en la probable percepción de los coetáneos, que estaban más interesados en las actividades económicas y los ingresos, si bien debemos contentarnos con las parcelas léxicas documentadas.

No obstante su relativa cantidad, las fuentes citadas permiten un análisis menos completo que el del léxico toponímico. Por consiguiente, el método debe adaptarse a estas condiciones y limitarse a un estudio onomasiológico que abarque la producción azucarera (3.10.1.), la carpintería y la construcción de casas, incluyendo los materiales de construcción, como los árboles y otras plantas (3.10.2.) así como la pesca y los pescados (3.10.3.). Una motivación adicional para seleccionar estos vocabularios son las primeras documentaciones de muchas de las voces, su carácter diferencial y su difusión posterior en América, puntos de vista que, por supuesto, no valen ni coinciden en todos los casos.

El efecto de la práctica escrituraria manifestada en las fuentes es que no se documentan significantes occidentales, en el caso de que los hubiera, en otra forma que castellana o, en menor medida, portuguesa en los documentos escritos en esta lengua. En estas condiciones resulta imposible aplicar un esquema de subclasificación como el que propone A. Llorente Maldonado (1984, 1987) en el aprovechamiento de los datos del *ALEICan*. Es preferible suponer que se trata más bien de portuguesismos que de occidentalismos, porque "lo más probable es que la mayor parte de estas voces comunes a las mencionadas áreas ibéricas hayan llegado al archipiélago a través del portugués"[558]. Los pobladores maderenses y azorianos tenían detrás una larga fase de aclimatación antes de asentarse en las Islas Canarias y podían tener el prestigio de ser más experimentados frente a los oriundos de la Península, argumento a favor de que los portuguesismos hayan podido arraigar en La Palma a partir de finales del siglo XV y posteriormente en Tenerife, pero tenemos menos certeza en cuanto a su cronología en las demás islas donde la difusión del léxico de origen portugués puede ser tanto el resultado de una implantación temprana como de inmigraciones posteriores de portugueses y de una acomodación sucesiva[559].

En el caso presente, el problema de la cronología de la documentación canaria se complica con el problema de la falta de la documentación coetánea en la

---

558 M. Morera 1994a: 70.

559 Conviene citar a M. Morera quien se propone "estudiar sistemáticamente las consecuencias lingüísticas que implicó la integración semántica y formal de estos préstamos en el español isleño" (1994a: 9). Este punto de vista actual no me permite proyectar los resultados de la investigación en los siglos XVI y XVII, pero voy a aprovechar sus materiales en la medida de lo posible. Por los caracteres de un estudio pancrónico es imposible averiguar las etapas de mayor o menor penetración de lusismos en el español de Canarias. Por razones de coherencia metodológica dejo también a un lado el interesante artículo de P. N. Leal Cruz sobre el análisis contrastivo del léxico español de origen portugués en La Palma, isla que conserva el mayor número de palabras de esta procedencia en el archipiélago. El autor muestra que la distancia mínima entre español y portugués favorece las transferencias de la una a la otra lengua considerando que sólo un 7% de total del léxico es "de distinto étimo" (2003: 661).

posible región de procedencia. Sin embargo, las lenguas y los dialectos son tan afines que, según la lengua escrita que se use en las islas, pueden aparecer tanto en español como en portugués en los poco frecuentes documentos en los cuales se emplea este último idioma. De este modo, no se consigna la forma originaria, sino la que corresponde al tipo léxico de la lengua de llegada. La situación de contacto y de diglosia implica el bilingüismo de un número importante de personas que sólo se manifiesta si los documentos se redactan alternativamente en una y otra lengua delatando en el significante gráfico de las voces el trasfondo de la lengua de contacto. En el proceso de apuntar los contenidos transmitidos en lenguas usadas alternativamente operan correspondencias regulares en ambos sentidos. La base de la comparación son lenguas mínimamente distantes entre sí, de todos modos menos diferentes que hoy en día, si bien el portugués sufrió mayores cambios vocálicos y el español consonánticos en los siglos XV y XVI. No es éste el lugar de tratarlos detalladamente; sólo advierto que las correspondencias luso-hispánicas son un argumento a favor de la fase del cambio fonológico manifestado en las interferencias y en las adaptaciones de los lusismos a esta lengua, dos procesos diferentes que cabe distinguir. Entre las correspondencias fonéticas que aparecen en las fuentes puedo citar: *-ei-/-e-*: *manadeiro/manadero*; *-e-/-ie-*: *rego/riego*; *-ou-/-o-*: *louro/loro*; *-ø-/-n-*: *fajã/fajana*; *-mb-/-m-*: *lombada/lomada*; *f-/h-*: *ferido/herido*; *j*, $g^{e,i}$*/x*, *j*: *abadejo/abadexo*, donde <x> representa la palatal sorda como se deduce también de la correspondencia *ch-/x* como en *marracho /marraxo*; y *z/c*: *azevinho/acebiño*. Me privo de la discusión de las correspondencias *j/y* como en *fajã/fayana* y *ç/s* que se colocarán en el contexto mucho más amplio del desarrollo de las palatales y del seseo/ceceo. Podemos colocar aquí las correspondencias de la morfología léxica, por ejemplo *-doiro, -douro/-dero*, *-eiro/-ero* e *–inho/-illo*, *-ão/-ón*: *espigão/espigón*; *-ã/-ana*: *fajã/fajana*. Argüimos de estas regularidades de las palabras que logramos documentar hasta aproximadamente 1580, fecha que marca la unión de las dos Coronas peninsulares, que su estudio es de particular importancia, debido a que los portuguesismos no son sólo préstamos, sino que representan la huella léxica de toda una variedad contactual que se manifiesta también de otra forma, por ejemplo en la presencia masiva de rasgos fonológicos portugueses documentados con posterioridad. Al considerar las adaptaciones de los significantes portugueses a los españoles no es recomendable partir de los étimos latinos, que los hablantes desconocen.

La profunda interpenetración de las lenguas lleva a veces al predominio de significantes portugueses[560] y en otros casos al predominio de significados de voces comunes al portugués y al español[561], pero no se puede aclarar la cuestión

---

560 M. Morera 1994a: 53-54.

561 M. Morera 1994a: 65-67.

de si ya se documentan en el siglo XVI, si aparecen tras la unión de las Coronas o si resultan de la acomodación lingüística en épocas posteriores. Por este motivo y a falta de consignación de los portuguesismos en los diccionarios históricos del español de Canarias, exceptuando las palabras consideradas sobre todo en el *DHECan*, se pueden aprovechar las datas de Tenerife y los *Acuerdos del Cabildo de Tenerife* así como los demás materiales publicados en las *Fontes Rerum Canariarium*, siempre que nos limitemos al ejemplo de esta isla y a los campos onomasiológicos asequibles en esta documentación. Si una voz aparece más de una vez, su arraigo resulta más probable. Debido a las conquistas precedentes de Gran Canaria y La Palma, puede haber convergencia con el uso lingüístico de estas islas. No se puede esperar que la documentación sea cuantiosa, porque el propio carácter popular de este estrato léxico hace improbable que aparezca en las fuentes. Más allá de estas reservas, la documentación es relativamente rica.

3.10.1. La industria azucarera

> **Azúcar** (*Saccharum*). Sal esencial cristalizable extraída de la caña dulce, primer fruto considerable de la labranza de los españoles que ocuparon nuestras Canarias en el siglo XV. La isla de la Palma, famosa por su excelente azúcar, es la que conserva sus ingenios, pues a excepción de la villa de Adeje en Tenerife, todos los de esta misma islas [*sic*], los diez o doce de Gran Canaria, y los de la Gomera, han desaparecido: bien que siempre les queda a estos el lauro de haber llevado a las Américas desde su patria, las primeras cañas de azúcar, que tanto han prosperado en aquellas regiones, y la idea del primer trapiche[562].

Un gran número de portuguesismos se integra al español de Canarias a través de la adopción del léxico relativo a la producción azucarera[563]. Como ocurre siempre con el léxico que migra y que es esencialmente internacional, hay que considerar la procedencia de la caña de azúcar y de la industria azucarera así como la elaboración de la terminología como dos procesos paralelos que se documentan de manera muy diferente y desigual. Es posible trazar la historia del cultivo de la caña de azúcar desde sus orígenes lejanos en la India para producir azúcar, pasando sucesivamente por Persia, el Oriente Próximo, Chipre y Sicilia hasta llegar a los reinos moros de la Península Ibérica[564], pero las fuentes escritas son

---

562 J. de Viera y Clavijo ²1982a: 59; ¹1768.

563 M. Morera 1994a: 38-39.

564 J. H. Galloway 1989: 19-47.

escasas y poco explícitas. Por cierto, la iniciativa de los genoveses relaciona el reino moro de Granada con Madera y Canarias[565], proponiendo el cultivo al rey de Portugal para que establezca la industria del azúcar en el Algarve[566], pero poco sabemos de la transmisión de la terminología. Según la crónica de la conquista de Gran Canaria, Pedro de Vera introdujo la caña de azúcar en la isla: "el gobernador Pedro de Bera ynbió a España y a la isla de la Madera por frutales y cañas de asúcar [...], y se plantaron por toda la ysla muchísimos cañaverales, que luego comensaron a dar ynfinito asúcar muy bueno"[567]. Permanece una duda acerca de la procedencia de los frutales y de las cañas de azúcar: o bien ambos tipos de plantas provienen tanto de España como de Madera, o bien los frutales de España y las cañas de azúcar de Madera.

Los historiadores, excepto Aznar Vallejo, no prestan mucha atención a la terminología, ni a la lengua en la cual se expresa. Dadas las transiciones de una tierra a otra, la primera terminología peninsular era árabe. En cuanto al paso a las lenguas ibéricas, es lógico suponer la primera adaptación al castellano y de ahí al portugués, y es menos probable la adaptación directa del árabe al portugués. Sin embargo, esta transmisión eventual no se documenta. Los antecedentes inmediatos de la terminología canaria son maderenses, sin que encontremos vestigios de las fases intermedias. Un término clave como el *engenio* castellano aparece sólo en 1486[568]. En ese momento, la isla de Madera, poblada a partir de aproximadamente 1425, y que primero suministraba madera y cereales, ya producía azúcar desde 1433[569]. En 1452 y 1455 se instalaron allí los primeros ingenios hidráulicos[570]. En consecuencia, resulta imposible averiguar hasta qué punto la terminología canaria pueda reflejar un vocabulario castellano originario adaptado al portugués y readaptado al castellano o un vocabulario creado básicamente en portugués.

Afortunadamente, disponemos de algunos documentos peninsulares que pueden aclarar hasta cierto punto, si existe una conexión directa entre la terminología andaluza y la canaria. Se trata en primer lugar de una lista de los bienes secuestrados al morisco granadino Luis Abençayde en la cual se mencionan, entre muchas otras cosas, "formas llenas de açúcar", "una tinaja mediana, que avra en ella media arroba de miel de cañas" y "[d]os capachos llenos de tierra con que adoban el açúcar"[571]. Todo es llevado a subasta, cuando el subastador

---

565 J. Heers 1971: 324, 335-337; J. H. Galloway 1989: 45.

566 J. H. Galloway 1989: 34.

567 F. Morales Padrón (ed.) 1978: 164; A. Vieira 2008: 72-73.

568 Documentado, según F. A. Frago 1999: 90, n. 213, en Andalucía.

569 J. H. Galloway 1989: 50.

570 J. Heers 1971: 335.

571 J. Martínez Ruiz 1964: 271; cf. J. Martínez Ruiz 1962: 167.

cree notar que faltaba azúcar, interrumpiendo la esposa la subasta en el momento del remate. En el pleito que siguió, el primer testigo de la defensa, el morisco Hernando el Haçon, "maestro de hacer el azúcar", explicó el uso del barro en la elaboración del azúcar que conllevaba una notable pérdida del peso del azúcar en el proceso, comprobado en la declaración del segundo testigo, Francisco Vaca[572]. Nos interesan dos informaciones, aparte del uso del barro que comentaremos más abajo: el hecho de que Hernando el Haçon hablara "por lengua de Zacarías de Mendoça, intérprete público de Granada", y el uso de una terminología parcialmente distinta de la canaria. Una parte del léxico es común, *açucar*, *miel de cañas*, *formas* "los moldes donde se hace el azúcar de pilón", *refinar*, *blanquear*, *azúcar blanco*. En cambio, hay un léxico granadino específico que no encuentra documentación en las Canarias del siglo XVI: el *aculo* "fondo de los moldes de azúcar", el *pilón* "azúcar moldeado", que se documenta en el *DHECan* sólo en el siglo XX con una referencia al tabaco, los *alcaduzes* "tuberías donde vierten los moldes" y sobre todo *xorruras* "impurezas". Es posible que los *alcaduzes* correspondan a las *corrientes* canarias que veremos más adelante. En suma, los documentos granadinos muestran el trasvase terminológico del árabe al español y una base común en lo concerniente a la parte del léxico que se puede esperar en un producto comercializado, pero que manifiesta diferencias en la parte técnica no accesible a todos.

Debido a un resto de duda y por ser la terminología maderense el eslabón perdido de su transmisión, damos los términos en el español de principios del siglo XVI, agregando la voz portuguesa correspondiente entre paréntesis y dejando para el futuro que un arabista e hispanista o especialista en la lengua portuguesa estudie la transformación última del léxico árabe en romance peninsular. Desafortunadamente, la documentación portuguesa es muy tardía[573], mientras que la documentación canaria es la más temprana y, por mucho tiempo, la más rica; tampoco los historiadores de la lengua y los etimólogos portugueses se dedicaron, que yo sepa, a la terminología azucarera, de manera que no hay más remedio que comparar la situación canaria con la brasileña, accesible en la obra de André João Antonil, criptónimo del jesuita toscano Giovanni Antonio Andreoni, *Cultura e opulência do Brasil por suas drogas e minas* (1982), publicada por primera vez en 1711, ya que tanto la producción canaria como la brasileña proceden de Madera en línea directa; sin embargo, debemos tener bien presente que el ambiente brasileño, ya plenamente colonial, es muy diferente de la situa-

---

572 J. Martínez Ruiz 1964: 272-287.

573 La documentación maderense que A. Vieira (2004) cita a lo largo de su artículo no deja captar la terminología de la producción azucarera. Su transmisión del árabe a las varias lenguas románicas requeriría un estudio detenido y minucioso.

ción canaria y que pasaron además dos siglos entre la producción de las fuentes. Madera y Canarias, con Gran Canaria[574], La Gomera, La Palma y Tenerife, en mucho menor medida las Azores, fueron las regiones de experimentación en las cuales las técnicas de cultivo y producción azucarera empezaron a adaptarse a las condiciones coloniales, aunque no consta que los maderenses ni los canarios hayan introducido mayores innovaciones tecnológicas respecto a la fase mediterránea de la expansión de este ramo. El modelo del ingenio parece haber sido, sin embargo, el lagar[575]. El cultivo y la producción no sólo se difundieron de Madera a Canarias y el Brasil, sino también de Canarias a La Española y el resto de los territorios españoles de América[576]. Así, la introducción tan temprana de la industria sacarina a partir del archipiélago canario, más abundante en agua, está relacionada directamente con su auge en la isla cercana de Madera. Alonso de Lugo fomentó, más que otra cosa, la implantación de los ingenios de azúcar, otorgando a los pobladores capaces de edificarlos las mejores tierras y aguas (3.9.). Por lo demás, los portugueses establecidos anteriormente en el archipiélago de Madera y las Azores tenían un buen motivo para emigrar, ya que estaban bajo un régimen de señorío que les cerraba el acceso a la propiedad de la tierra, y aun cuando algunos lo tenían, el tamaño reducido de las tierras disponibles para los muchos propietarios de ingenio maderenses hacen comprensible su emigración a Canarias.

Nuestro problema para dar cuenta de la filiación lingüística de la terminología azucarera y su origen es que la documentación es prácticamente inexistente en la Madera de los siglos XV y XVI[577] y en las regiones mediterráneas en las que

---

[574] Las *Ordenanzas del Concejo de Gran Canaria*, estudiadas y publicadas por F. Morales Padrón (1974), ofrecen informaciones acerca de la producción azucarera de esta isla. Sin embargo, no es esperable que este texto, como documento dispositivo que es, aclare por ejemplo el funcionamiento de un ingenio de azúcar ni que describa los ambientes profesionales de este tipo de planta. Para conocer los trabajos concretos y los ambientes profesionales los documentos tinerfeños aprovechados en este capítulo son mucho más útiles. Pocas son las voces que se encuentran en las ordenanzas grancanarias que no aparezcan también en Tenerife. Si bien opino que no son más que lagunas documentales, no las tomo en cuenta, ya que no se excluye que se trate de posibles divergencias entre las islas. Las mismas observaciones se aplican al artículo de G. Camacho y Pérez Galdós sobre "El cultivo de la caña de azúcar y la industria azucarera en Gran Canaria (1510-1535)" (1961). Además, no se distingue claramente entre el uso coetáneo y el moderno ni se trata, o sólo de paso, la aportación portuguesa a la terminología, ya que el objetivo de esta contribución no es lingüística.

[575] A. Vieira 2004: 52-53.

[576] J. H. Galloway 1989: 49-50.

[577] Los datos relevantes de la comparación sistemática de las condiciones de la economía azucarera en Madera y Canarias según A. Vieira 2004 no parecen alcanzar para este propósito.

se introdujo esta industria con anterioridad. Esta circunstancia limita la fuerza probatoria de las fuentes en cuanto al origen portugués o castellano, es decir andaluz, de la primera terminología ibérica, pero nos brinda la ocasión de tratar su aparición en la lengua española y, de forma indirecta, también en la lengua portuguesa. La isla que dispone de una rica documentación de publicación relativamente reciente es Tenerife. El cultivo del azúcar en esta isla despertó el interés de los investigadores[578] antes del estudio de la situación en Gran Canaria.

Presento este léxico siguiendo el procesamiento desde la plantación de la caña de azúcar hasta la elaboración del azúcar blanco y mostrando en el recurso a dos documentos relativos al mismo ingenio los problemas en la reconstrucción de un *ambiente* a través de fuentes de aprovechabilidad muy diferente, en las cuales entran voces tomadas de fuentes lexicográficas que a su vez se valen de ediciones de documentos coetáneos. El proceso se realiza en tres o cuatro etapas: el cultivo de la planta, la cosecha de la caña de azúcar, la molienda de la caña para extraer el guarapo y, finalmente, la transformación del guarapo en azúcar. Ofrezco el material lingüístico en cursivas y en la forma en la cual aparece en las fuentes, es decir, o bien en forma modernizada, o bien respetando la grafía original. Procuro no mezclar la terminología del siglo XVI con las más recientes, porque se trata de captar, en la medida de nuestras posibilidades, el uso sincrónico de este vocabulario. Lo vamos a ver en seguida.

Como decíamos en 3.9., el *señor de ingenio* (1508; port. *senhor de engenho*) aplicaba las técnicas para preparar las tierras y *poner*las *en labor* cuando las *aprovechaba* para *edificar* un *ingenio* (1495) o *ingenio de azúcar*, que aparece como *engenhos de açúcar* en mi documentación de 1500 (port. *engenho de açúcar*)[579], término que designaba tanto la planta en su totalidad, incluyendo los *cañaverales*, como la máquina que servía para *moler* la *caña de azúcar*. Evidentemente, cuando *ingenio* se combina con *cañaveral* en el binomio *engenio e cañaverales* (1506)[580], se distinguen los edificios de las plantaciones. Existían *ingenios de agua* y *de bestias* cuya diferencia reside en la fuerza motriz. Si el ingenio funciona con *bestias*, es decir, con caballos o bueyes, se llamaba también *trapiche* (1517), aunque esta voz no se usaba con frecuencia. Los terrenos, medidos en *fanegas* (port. *fanega*, *fanga*) o *fanegadas*, eran siempre de *regadío* (port. *regadio*) o *riego* (port. *rego*), y se roturaban de la misma manera que las tierras

---

578 M.ª L. Fabrellas 1952.

579 Cuando Juan de Valdés escribe: "Por grossero hablar tengo dezir, como algunos, *engeño*; yo uso *ingenio*" (1969: 122), confirma un uso bien establecido. Se refiere al significado "máquina de guerra", no al "ingenio de azúcar". Covarrubias (1994: s. v.), quien lo cita, sólo usa *ingenio*.

580 E. Serra Ráfols (ed.) 1949: 120.

de labranza para cereales. El *cañaverero* (1504; port. *canavieiro*) hacía plantar las *çocas* de la caña que no se reproducía de otra forma que vegetativa. Tras dos años, la planta crecida se llamaba caña de *çoca* (1505; port. *soca*) y posteriormente de *reçoca* (1527); en cuanto término que se refiere a los terrenos con cañaveral de *reçoca*, aparece ya en 1511. Hay que dejar claro que la *çoca* es el retoño que sirve para propagar la planta; al decir *de çoca* o *de reçoca*, se distinque la caña o el cañaveral en sus ciclos vegetativos. Como elipsis de *cañaveral de çoca* o *reçoca*, *çoca* y *reçoca* designan, pues, al cañaveral según sus fases vegetativas. Cuando el cañaverero no coincidía con señor de ingenio, se empleaba *desburgadores* (1508), nombre de agente derivado del verbo *desburgar* (1521; port. *esburgar*), para limpiar el cañaveral. Las enfermedades y los parásitos que atacaban los cañaverales y las bestias que entraban en ellos requerían mucha *cura* y una *guarda* constante. Entre las labores se cuentan la *cava*, el *riego* y la *escarda*, sobre todo la *primera escarda*. Después de, probablemente, dos o tres renuevos se practicaba la *remuda de las tierras cansadas*. En la *çafra* (1507; port. *safra*) o cosecha los *cortadores* tenían que darse mucha prisa para que el jugo de la caña cortada y sin cortar no fermentara; se seccionaba el *cogollo* de la caña y se quitaban las *hojas*, ambas partes bajas en sacarosa, en el mismo cañaveral. El tiempo límite después del corte variaba entre 24 y 48 horas, el de la zafra entre 50 y 70 días[581], de modo que se tenía que cortar la caña, hacer la molienda y elaborar el jugo en un espacio de tiempo muy breve. Los *almocrebes* (*almocreve*, 1505) efectuaban el *acarreto* de las cañas de azúcar en *tareas* (1510; port. *tarefa*) hacia la *casa de moler* (1535; port. *casa de moer*) o *de molienda* (1539; port. *casa de moenda*); la tarea era la "[m]edida utilizada en el acarreto de leña o caña de azúcar" e igualmente una unidad de cultivo, pues el tamaño mínimo de un cañaveral correspondía a una tarea. La *casa de moler* era el ingenio en sentido estricto o el molino en el cual se exprimía el jugo que se llamaba en forma líquida *caldo* como ocurría con el vino. Ya que el rendimiento en *caldo* (port. *caldo de cana*) era bajísimo, un 20 o 30%, el residuo que quedaba de los tallos de las cañas o *bagaço* (1523; port. *bagaço*) pasaba a la *casa de prensar* o *de prensa* (1573), mucho menos documentada como indica la fecha tardía de la documentación; la prensa era básicamente un lagar. El caldo producido mediante estos dos métodos (si realmente se aplicaban ambos) se cocía en la *casa de calderas* y se convertía en *miel* (port. *mel* m.). En este proceso de condensación una costra acaramelada quedaba en la caldera o *tacha* (port. *tacha*) que se raspaba, la *rapadura* (1531; port. *raspadura*). Otro criterio para denominar la casa de calderas era la *hornalla* o gran fogón, llamándose la casa *de hornallas* (1527; port. *fornalla*, igualmente

581 A. Vieira 2008: 63-64.

documentado en el occidente peninsular), sobre las que se ponían las *tachas* o *pailas* (port. *paila*) y *calderas*. Se documentan asimismo *casas de hacer espumas* (1539), *de mieles* (1509), *de purgar* (1507), *de refinar* y *de pileras* o *pilleras*. Como de este modo se multiplican sobremanera las casas que forman un ingenio, conviene dar ejemplos de ingenios que concretan la manera cómo debemos imaginarnos un ingenio. Obtenemos esta información a partir de contratos de arrendamiento, por ejemplo en el siguiente contrato de arrendamiento del 2 de abril de 1526, tomado de los protocolos de Bernardino Justiniano y redactado en La Laguna:

> Elvira Díaz, v[ecina], mujer de Pedro de Lugo, difunto, arrienda a Doménigo Rizo, mercader genovés, est[ante] presente, los bienes siguientes [...]: la mitad del *ingenio de moler cañas de azúcar* con *casas de calderas*, *de purgar*, casa de morada, casas de mieses, graneles, cocina, despensa, "establerías", *formas*, *sinos*, *andamios*, *corrientes*, *prensas*, *ejes*, *calderas* de cobre, *tachas* y otros *pertrechos* y *aparejos* pertenecientes al *ingenio* según le pertenecen por la partición entre ella y su hija [...]. Ella y su hija le arriendan todas las *cañas* que en las dichas tierras tiene, así *de planta* como *de zoca y rezoca*[582].

La mera enumeración de los edificios y de los *pertrechos* y *aparejos* dificulta enormemente su atribución a determinadas *casas* y funciones. Las *formas* y los *sinos* se usan en la fase final de la elaboración, debiendo ser el *sino* (port. *sino* "campana") una especie de *forma* acampanada, según Antonil[583]. Los *andamios* se pueden relacionar con la *casa de purgar* como también las *corrientes* que son cajas o canales. El ingenio descrito, sito en La Orotava, menciona la *casa de moler* en la cual se colocaban las *prensas*. Por otro lado, los procesos de cocción se efectuaban en la *casa de calderas* y el purgado o la eliminación de las impurezas en la *casa de purgar*, en *calderas* y *tachas*, o en varias casas de este tipo, todo lo cual implica tres clases de casas en el ingenio de la viuda de uno de los personajes acomodados de Tenerife, el antiguo regidor Pedro de Lugo, que no debe confundirse con el adelantado Pedro Fernández de Lugo, hijo del conquistador de Tenerife. En cambio, se distinguen claramente las cañas de los dos primeros años, las *cañas de planta* y de *zoca*, por un lado, y las que brotan a continuación, las *cañas de rezoca*, por el otro. Valga este documento para poner de

---

582 D. Galván Alonso (ed.) 1990: I 399.

583 "São as formas do açúcar uns vasos de barro queimado na fornalha das telhas, e têm alguma semelhança com os sinos, altas três palmos e meio, e proporcionalmente largas, com maior circunferência na boca, e mais apertadas no fim, aonde são furadas, para se lavar e purgar o açúcar por este buraco" (A. J. Antonil 1982: 127).

manifiesto las dificultades para deducir de informaciones limitadas una noción de una realidad y una terminología complejas.

El mismo ingenio vuelve a ser objeto de otro documento, expedido por Bernardino Justiniano el 30 de julio de 1527, porque el arrendatario Doménigo Rizo pide un descuento de la renta, ya que algunas cosas necesitan ser reparadas y renovadas, ocasionando un contrato de arrendamiento más pormenorizado que permite que nos formemos una idea más concreta de un ingenio y de su funcionamiento. Se nombran los bienes pertenecientes al ingenio, se especifican los motivos que se aducen para justificar el descuento así como los edificios, los *pertrechos*, el personal, las bestias y los cañaverales del ingenio de Elvira Díaz:

> Los bienes son los siguientes: la mitad de un *ingenio moliente y corriente* sito en La Orotava con sus *ejes*, *ruedas*, *prensas* y otras *maderas* y *pertrechos* pertenecientes a la *casa del ingenio* para que esté, según que está, *moliente y corriente*. Se especifica que un *banco*, un *husillo* y *eje pequeño* asentados en el *ingenio* están mal acondicionados y maltratados por manera que se presume que no podrán servir la *zafra* venidera de 1528; es condición que Rizo ponga en el *ingenio* otro *banco*, *husillo* y *eje pequeño* [...]. Se incluye en el arrendamiento la *casa de calderas*, *peroles* grandes de cobre y tres *tachas* asentadas en el *ingenio*. Se añade que el cobre está algo traído y gastado de servir en el *ingenio* y asimismo recibe las *hornallas del ingenio* hechas y aderezadas con su *casa de hornallas*[,] *tendal* y *finas* y todos los *pertrechos* pertenecientes a la *casa de calderas*. Recibe la *casa de purgar* con sus *andamios*, *furos* y *corrientes* [...]; asimismo recibe en la *casa de purgar* su *soberado* y *piletas* para poner el azúcar con su *balcón* para solearlo, y otra casa junto a la *casa de piletas* [...]. Recibe la *casa de refinar* en la que hay una *caldera* grande de cobre, dos *tachas* de cobre asentadas sobre una *hornalla*, dos *tinas* grandes de palo y sus *andamios* en que *purgan* los *sinos* de la *panela*, con sus *corrientes* y *canalejas* por donde va la *remiel* de la *casa de refinar* al *tanque* de la *remiel*. Recibe un *granel* que está en el *ingenio* que es *soberado* y arrimado a la *casa de refinar*, tejado y bien reparado, y debajo de él un *estanco* para la *remiel*. Recibe las *herramientas*, *pertrechos* y *municiones* siguientes: 3 *hurgoneros* de hierro, 7 *batideras* de cobre, 1 *repartidera*, 3 *pombas*, todo de cobre; 3 *escumaderas* grandes, 6 *escumaderas* pequeñas, un *signo* de hacer *lejía* y 4 *cubos*, todo de cobre; 2 *rascadores* de hierro, 1 *coladera del barro* de cobre, 1 *caldera* de cobre viejo y otra chiquitita de hierro que llama *pie de cabra*, 1 *almádana* pequeña y otra grande, 1 *barra* de hierro grande, 1 *pala* [...], 1 *tacha* grande *de refriar* y 3 *tachuelas* de cobre del *tendal*, todo de cobre; 1 *paileta* vieja, 3 *hachas*, 2 grandes y 1 pequeña [...], 14 *podones de desburgar*, 8 *calabozos de cortar*, 5 *rejas de arados*, 16 *acederas*, 3 *rosales* de pino, un cadenado grande con su llave, 4 *remiñones* de cobre, 2 frenos para los esclavos negros, 1 *olla* de cobre, 14 brazas de *guindaleza* vieja [...]. Recibe con esta escritura [...] 4 *acémilas* que Elvira Díaz trae al *acarreto* de los *molinos*. [...] además recibe un *pedazo de tierras de cañas de un año* que son *de planta* en que hay 10.150 brazas de tierra, que están ahora bien *curadas* y *limpias* [...]; otro *pedazo de tierras con cañas plantadas este presente año en marzo* que pasó [...], las cuales *cañas de*

> *planta* están *nacidas* y *escardadas*, bien *acondicionadas* aunque no *acabadas*; en el dicho cercado de la cueva de la orchilla la *tierra calma* que está en él desde las dichas *cañas de planta nueva* hasta arriba al fin del cercado que fronta con el camino viejo, dice la mitad de la dicha *tierra calma* [...]. Recibe la mitad de un pedazo de tierra [...], con unas pocas *cañas de rezoca de este año*, que han de ser para *planta* [...] y dice que las *cañas de zoca nueva* que en el cercado le da, las recibe *curadas*, *limpias* y bien *acondicionadas* aunque no estén *cavadas*, recibe además un pedazo de tierras [...], que está con *cañas de zoca de un año*, *limpias*, *escardadas* y bien *acondicionadas*[584].

Agreguemos los varios productos que se comercializan y que motivan el plural *azúcares*, generalmente de género masculino, pero de forma aislada también en femenino, que son el *azúcar blanco* y el *mascabado*, así como los productos de menor valor que aparecen en un contrato de venta concluido el 13 de abril de 1527 entre dos personas que ya conocemos:

> D. Pedro Fernández de Lugo, Adelantado, vende a Doménigo Rizo, mercader genovés est[ante] presente, todas las *escumas*, *rescumas* y *remieles de azúcar* que a él le pertenecen en esta zafra del presente año de sus ingenios y heredamientos de Los Sauces y de El Realejo. Cada arroba de *escumas* y *rescumas* por precio de 350 mrs. [maravedíes] y cada pipa de *remiel* por 3000 mrs. de la m[one]da de Tfe.[585].

En otro contrato se distinguen las *remieles* de los *azúcares*:

> Francisco Fernández, v[ecino] de villa de Conde en el reino de Portugal, maestre del navío "Santo Antonio", surto en el puerto de Santa Cruz, lo fleta a Doménigo Rizo, mercader genovés v.º presente, para cargar por él y por el Sr. Adelantado de Canarias 45 toneladas de *remieles* y *azúcares* hasta 45 pipas de *remieles*, cinco más o menos, y lo demás de *azúcares*[586].

Las *remieles* son de calidades diferentes, según aparece en un convenio del 22 de octubre de 1527, también concluido ante Bernardino Justiniano en el cual se mencionan "1200 azumbres de *remiel del que sale de las panelas*" que se llevaban a Flandes[587] como los *azúcares* y las *melazas* que según el traslado del tras-

---

[584] D. Galván Alonso (ed.) 1990: II, 570-575. En un contrato posterior del 11 de septiembre de 1527, el matrimonio Cristóbal de Valcárcel e Isabel de Lugo, hija de Elvira Díaz, le arriendan a Doménigo Rizo la otra mitad del ingenio (II, 711-713). Ya que conocemos el inventario del ingenio a través del documento anterior, este documento no nos facilita nuevas informaciones léxicas.

[585] D. Galván Alonso (ed.) 1990: I, 412.

[586] D. Galván Alonso (ed.) 1990: II, 905.

[587] D. Galván Alonso (ed.) 1990: II, 799.

paso de una carta de flete de 1507 redactada en Cádiz estaban destinados a la misma región[588]. La *panela* (port. *panela*) es una "[e]specie de azúcar ordinario, obtenido de la última cochura en la elaboración del azúcar, cuajado en un recipiente en forma de vaso" (*DHECan*), que es un *sino* en el caso presente, una vasija de barro en forma de campana. La *rescuma* o *reescuma* es una "[e]spuma que aún queda al elaborar la primera espuma y obtener el azúcar de este nombre" (1520, *DHECan*). El *azúcar lealdado* es el que ha sido controlado de forma oficial por un *lealdador de los açúcares*, nombre de agente derivado del lusismo *lealdar*. Estas voces se documentan en abundancia a lo largo de los *Acuerdos del Cabildo de Tenerife*. Se utilizaban *cajas* (1506) para exportar el azúcar.

Empecemos por comentar la preparación de los terrenos destinados a los cañaverales, por lo que se puede deducir de este documento. Las *rejas de arados* sirven para poner todas las tierras en labor, no sólo los cañaverales, y los *podones de desburgar* y los *calabozos de cortar*[589] para limpiarlas, representando junto con el uso de los bueyes y novillos las técnicas agrícolas en general. Las mismas labores se aplican habiendo ya estado la tierra en barbecho, para la que este texto ya usa el término *tierra calma*. Las *zocas*, una vez plantadas, se llaman *cañas de planta*, y tras echar raíces, *nacidas*. La *zoca* es, pues, la parte de la planta que queda en la tierra llamándose la planta *caña de hoja* y en la primera zafra de la caña recién plantada, *primera hoja*[590]; la importancia de la *zoca* para la reproducción de la planta explica el motivo por el cual estaba prohibido a los cortadores arrancar las plantas. Sin embargo, la referencia a las "*cañas de rezoca de este año* que han de ser para *planta*" significa que se usan de plantones tanto las *zocas* como las *rezocas*. Los participios y los adjetivos implican el *cercado* y los trabajos de *cura* que siguen al plantío, la *escarda* y la *cava* entre los que se derivan de las informaciones del contrato[591]. Si el trabajo está bien hecho, las

588 M. Marrero Rodríguez (ed.) 1974: 131.

589 "Instrumento cortante de hoja ancha, destinado a podar o desmochar árboles o maleza" (*DEA*).

590 Comprobamos estos términos en un documento tinerfeño de 1507: "Le vende [a Rodrigo Alonso] solamente la *primera hoja* con el agua y con un estanque de agua [...] para regar las cañas, y la *zoca* que quedare, después de cortada la caña, será para Sardina, propietario de la tierra" (M. Marrero Rodríguez [eds.] 1974: 78). Y en otros de 1508: "Las tierras están plantadas de cañas y las ha de moler Juan de Llerena, para quien será el azúcar obtenido; y la *zoca* queda para su hermano junto con la tierra" (143); "[Alonso López] Hipoteca la mitad del cañaveral, así *de hoja* como *de zoca*" (148).

591 En un contrato concluido ante el escribano Juan Ruiz de Berlanga, la lista de los trabajos de un cañaverero es un poco más larga: "Juan Méndez, vº., da a partido a Héctor Luis, cañavero [*sic*], presente, todas las cañas que tiene puestas en Daute [...], para que las *cure –cavar, escardar, regar, envarar, armar trampas a los ratones* y demás labores propias de este cultivo– hasta que estén *en sazón* y se muelan" (1507; M. Marrero Rodríguez [eds.] 1974: 71-72).

cañas están "*limpias* y bien *acondicionadas*" y están *acabadas* o, según otra documentación, *en sazón*[592], si ya se pueden cortar. La maduración de la *caña de planta* duraba entre quince y diecisiete meses, pero la de las cañas *de zoca* y *rezoca* estaba lista ya en doce meses[593]. El texto muestra que no hay una única época del año destinada a la plantación, como nos enteramos cuando se dice que hay "un *pedazo de tierras de cañas de un año* que son *de planta*", es decir, plantadas aproximadamente en julio del año precedente, y "otro *pedazo de tierras con cañas plantadas este presente año en marzo* que pasó", si bien la expresión "la *zafra* venidera de 1528" implicaría que hay una sola. En efecto, un contrato de venta concluido entre el adelantado Pedro Fernández de Lugo y Doménigo Rizo el 13 de abril de 1527 se refiere a una sola zafra mediante la expresión "en esta zafra del presente año"[594] que abarca necesariamente el mes de abril, época confirmada en tres documentos más de la misma colección manejada. Esta afirmación está en contradicción con la indicación del mes de enero, tomada de un documento de 1507 que se refiere a un ingenio situado en el Valle de Güímar, si la fecha se refiere a la zafra[595]. Las informaciones aducidas concuerdan con un dato del poeta canario de procedencia portuguesa Gaspar Frutuoso, según el cual los ingenios operaban entre enero y julio[596]. Al decir que "Elvira Díaz trae al *acarreto* de los *molinos*" deja suponer que los esclavos hacen el servicio de este *acarreto* y que el ingenio dispone de *carretas*, voz que aparece en numerosos documentos de la época y también en la colección manejada.

Para que el ingenio sea "moliente y corriente", en este orden de los adjetivos (port. *engenho moente e corrente*), todos los trabajos tienen que engranar, además de ser el ingenio "bien acondicionado". El *acarreto* de los *flejes de cañas*[597] (port. *feixe de cana*) no se podía interrumpir sin graves perjuicios económicos para el mantenimiento en marcha del ingenio. Las referencias a la molienda están implícitas en la mención "*ejes*, *ruedas*, *prensas* y otras *maderas* y *pertrechos* pertenecientes a la *casa del ingenio*" y en la de un *husillo* y un *eje pequeño*. A falta de

---

592 M. Marrero Rodríguez (ed.) 1974: 57.

593 J. H. Galloway 1989: 91.

594 D. Galván Alonso (ed.) 1990: I, 412.

595 Según un contrato redactado el 13 de noviembre de 1507, el mercador genovés Esteban Mentón "se obliga a pagar a Tomasín Gardón […] 193 arrobas de azúcar blanco, lealdado […]. Pagaderas, en el ingenio de Güímar, del azúcar que se cogiere en este valle y se moliere en el mismo ingenio, de *la zafra que ahora se hace, el día primero de enero*" (M. Marrero Rodríguez [ed.] 1974: 118). La interpretación alternativa, y quizas más probable, es que las arrobas son "pagaderas el día primero de enero". En este caso, la cuestión del inicio de la zafra queda abierto.

596 A. Vieira 2004: 47.

597 M. Marrero Rodríguez (ed.) 1974: 59.

aclaraciones explícitas, prefiero tener mucho cuidado, porque según J. H. Galloway[598] la nomenclatura es confusa todavía en épocas posteriores y porque no existen representaciones gráficas coetáneas, de modo que no se recomienda explicar la fase inicial de la expansión de esta industria con demasiada confianza en conocimientos posteriores. Sin embargo, los términos empleados apuntan en la dirección de la bipartición de la *casa del ingenio* en la *molienda* y la o las *prensas*. Los *ejes* (port. *eixo*) y las *ruedas* (port. *roda*) pertenecen a la molienda, mientras que las *prensas* y el *husillo* implican el acto de prensar posterior a la molienda. A diferencia del ingenio que describe Antonil (1982), el tipo de planta que es propiedad de Elvira Díaz corresponde a una tecnología más antigua. La mención de *acémilas* y la falta de otras bestias sugieren el agua como fuerza motriz transmitida a los *ejes* o cilindros mediante *ruedas*. El agua podía estancarse en un *herido* (3.9.) y regularse mediante *bicas* (1508; port. *bica*)[599]. Las *ruedas* que describe Antonil[600] solían ser tres, dos grandes y una pequeña. El hecho de que se distinga un *eje pequeño* implica, si lo interpreto correctamente, la existencia de tres cilindros, es decir, uno grande en el centro y dos pequeños a ambos lados. Las referencias a la *prensa* se limitan a las *prensas* y al *husillo*, mientras que no sé dónde encasillar el *banco* "mal acondicionado y maltratado", que no aparece en Antonil.

El jugo de la caña se conducía a la *casa de hornallas* y *de calderas* (port. *casa das fornalhas*, *casa das caldeiras*) que se distinguen entre sí, aunque en la misma casa la hilera de las calderas –compuesta de los *peroles*, de fondo abombado[601], las *calderas*, las *tachas*, de fondo plano, así como las *pailas* (1510; port. *paila*)[602], ordenada de mayor a menor– se correspondía con la hilera de *hornallas* que daban fuego a las calderas. Los *hurgoneros* servían para remover las cenizas. Las *escumas* ("espuma", port. *escuma*)[603] que subían a la superficie se quitaban

---

598 Cf. J. H. Galloway 1989: 108.

599 Se documentan en los *Acuerdos del Cabildo de Tenerife*; E. Serra Ráfols/L. de la Rosa Olivera (eds.) ^{2}1996: 28. Se ajusta a esta función la de "tubo o canalillo para desaguar o verter un líquido" contenida en la definición lexicográfica del *DHECan*: "Orificio, tubo o canalillo para desaguar o verter un líquido, como la piquera del lugar por donde pasa el mosto al pocillo" (1500). Esta voz es también un occidentalismo general.

600 Cf. A. J. Antonil 1982: 108.

601 Según el *DECLC*, esta voz es un catalanismo del castellano, fechado alrededor de 1600, que aquí se documenta varias décadas antes (en 1527), y tiene la forma *parol* en portugués. Es un "diminutiu de l'antic *pér* 'espècie de cubell', éste de origen galo". J. Coromines no menciona el uso en la industria que nos ocupa.

602 "(Arc[aísmo]) Vasija grande de metal, redonda y poco profunda por la cual iba pasando el **guarapo** hasta convertirse en azúcar" (*DHECan*). El contrato de Elvira Díaz menciona una *paileta*, diminutivo de *paila*.

603 "Espuma, conjunto de impurezas o materias insolubles del jugo o caldo de las cañas que asciende a la superficie de este líquido cuando se calienta y se deseca con cal" (*DHECan*).

mediante *escumaderas* (port. *escumadeira*), grandes y pequeñas conforme a la cantidad de las impurezas y al volumen de los recipientes. Además, se usaban entre los *pertrechos* aducidos las *pombas* (port. *pomba*) que servían para trasvasar el caldo de una caldera a otra o a un *perol*, los *remiñones* o *remiñoles* –"[c]ucharón o cazo de cobre [...] para trasvasar el caldo" (*DHECan*, 1511; port. *reminhol*)–, que aparte de esta función llevaban la *lejía* a una caldera. La *lejía* se producía con las cenizas de las hornallas y, después de llevada mediante una *pala* (port. *pá*) para guardarla y ponerla posiblemente en *tinas* (port. *tina*), servía para limpiar el caldo en las calderas. Podemos representarnos cerca de la casa de calderas el *tendal* (port. *tendal*) que acogía las *formas* a las cuales iba el azúcar ya cocido para tomar consistencia.

Las formas se llevan a la *casa de purgar* donde se ponen sobre *andamios* y tras haber quitado el estrato superior del azúcar se colocan en fila sobre tablas de *furos* ("se levantam e endireitam as formas sobre as tábuas, que chamam de furos")[604]. Las *corrientes* (port. *corrente*)[605] sirven para conducir la *remiel* (1502) que está goteando en el proceso del purgado a través de los *furos* para ser recibido en un *tanque* u otro recipiente que, sin embargo, sólo se menciona en una fase posterior, cuando la remiel pasa a la *casa de refinar*. La casa de purgar tiene un *soberado* o piso y *piletas*[606] con un *balcón* que sirve para *solear* o secar el azúcar. En consecuencia, la casa correspondiente, o una parte de una casa destinada a contener las piletas, se llama *casa de piletas*. En este contexto se menciona el *granel* (1522; port. *granel*), porque ocupa el desván o sobrado, aquí *soberado*, por debajo del cual se encuentra un *estanco* para la *remiel*. A su lado está la *casa de refinar* que es una "[d]ependencia en la que el azúcar se sometía a otra cocción en enormes recipientes de cobre o calderas. Se conseguía así un azúcar más solidificado" (*DHECan*).

En este punto, hay que llamar la atención sobre la *coladera del barro* de cobre que es la única mención del uso del barro en la fabricación del azúcar. Éste, una vez bien amasado, "se bota nas formas para purgar o açúcar", según Antonil[607]. El barro se aplica a la parte superior de la forma y, bien humedecido, va descendiendo y purgando el azúcar. Se produce tanto el *azúcar blanco* como el *azúcar*

---

604 A. J. Antonil 1982: 131.

605 "En los **ingenios** de azúcar, caja o canal de madera donde caía la miel que no llegaba a cristalizar en las **formas**" (*DHECan*).

606 El *DHECan* se refiere en primer lugar al texto que estamos analizando y define esta voz de la siguiente manera: "(Arc[aísmo]) f. Recipiente que ha tenido y puede tener diversos empleos, como el de poner a solear la azúcar, lavar la ropa, fregar la loza e incluso de abrevadero".

607 A. J. Antonil 1982: 128.

mascabado en esta operación que describe Antonil: "Como o açúcar vai purgando, assim vai branqueando por seus graus, a saber, mais na parte superior, menos na do meio, pouco na última [...], e este menos purgado é o que se chama mascavado"[608].

Agreguemos el uso de dos herramientas. La *batedera* sirve para remover la *miel* en una *tacha*, según Antonil: "que chamam tacha de bater, aonde se mexe com uma batedeira, que é semelhante à escumadeira, mas com seu beiço [borde] e sem furos"[609]. Luego, la *miel* o *remiel*, según se llame, pasa a la *repartidera* donde también se bate para repartirla por las formas: "se passa [a têmpera que chamam venda] com reminhol dentro de uma repartideira, e a reparte pelas [...] quatro ou cinco formas"[610]. Los objetos de uso común son *almádana* (*almádena*), *barra*, *cubo*, *hacha*, *olla*, *rascador* y otros que no hace falta comentar, con la excepción del marinerismo *guindaleza* que designa un "[c]abo grueso y muy largo, de tres o cuatro cordones" (*DEA*).

Digamos rápidamente que pertenecen al personal de un ingenio el *purgador* (1510), el *reescumero* (1522) y el *refinador* (1509), sin repetir los oficiales ya nombrados.

3.10.2. La carpintería y la madera

Se entiende que los maestros de azúcar inmigrados trajeron su terminología profesional a las islas en las cuales se asentaron. Pero hay más. No fue posible construir los ingenios sin la intervención de artesanos procedentes de Portugal[611]. El estudio de las fuentes proporcionaría informaciones útiles para concretar la terminología tratada en el apartado precedente, por ejemplo acerca del material de las *corrientes*, cuando dos aserradores se obligan a hacer "24 docenas de tablas para *furos* y *corrientes* de su ingenio"[612].

Como estamos en la época fundacional del urbanismo de Tenerife, se contratan proyectos de construcción de casas que dejarán huellas duraderas en el paisa-

---

608 A. J. Antonil 1982: 132.

609 A. J. Antonil 1982: 122.

610 A. J. Antonil 1982: 1982: 123.

611 Demos el testimonio de M. Marrero Rodríguez quien afirma tras su estudio del protocolo del escribano Juan Ruiz de Berlanga referente a los años 1507 y 1508: "La mayoría de los artesanos eran originarios del reino de Portugal. Los que trabajan la piedra en la modalidad de pedreros o canteros, los que edifican casas, albañiles, y los que labran la madera, carpinteros" (1974: 40).

612 M. Marrero Rodríguez (ed.) 1974: 76.

je de la isla. Podríamos estudiar algunas de las obligaciones otorgadas para fabricar casas[613]; sin embargo, los documentos no contienen tantos lusismos ni son tan explícitos como para permitir reconstruir el proceso de la construcción, ya que no dispongo de una fuente comparable a la obra de Antonil que pueda dar una idea sumaria de una casa canaria tradicional. Ofreceré, en cambio, la descripción de una casa desde la parte inferior hacia la superior, en cuanto intervienen elementos de construcción que se denominan mediante términos de procedencia portuguesa cierta o posible. Se agregarán algunos artefactos y los nombres de los árboles que producen la madera utilizada en la carpintería así como algunas otras plantas.

Existen fundamentalmente dos tipos de casa: la *casa terrera* (1527; port. *casa terreira*), "de una sola planta" (*DHECan*)[614], o *casas bajas*, y la *casa sobrada* o *soberada*, que es la casa canaria tradicional, "con piso alto". Las puertas y ventanas se enmarcan mediante piezas de madera llamadas *coceras* y *coçeyras* (1520; port. *couceira*), se *engonzan* (1510; port *engonçar*), es decir, engoznan, haciéndolas girar sobre *gonces* o *engonces* (1502; port. *engonço* "gozne"), y se cierran con un *ferrojo* ("cerrojo", 1509; port. *ferrolho*), que el *DHECan* prefiere clasificar como arcaísmo. El tipo de la casa sobrada era también frecuente en las dependencias de un ingenio de azúcar (3.10.1.). Los *esteos* (1507; port. *esteio*) son los puntales o postes sobre los cuales se ponen entre otras cosas los *asnados*. El asnado es un "[j]abalcón, madero ensamblado en uno vertical para apear otro horizontal o inclinado"; los asnados se cubren de tablas. Las tablas del piso forman el *sollado* (1521; port. *solhado*). Sobre los asnados y los tirantes se ponen los *flechales* o *frechales* (1507; port. *frechal*), que son soleras asentadas de plano sobre las paredes de una casa; "los cuatro *frechales* forman el cuadro que sirve de base a las demás piezas de la armadura del tejado". En un caso particular[615] los *flechales* se llaman *engalabernados*, o acoplados, voz que es un catalanismo según el *DCECH* y el *DECLC*. Se usan *toças* (1506; port. *touça* y *toiça*) para construir *tixeras* (1507). La *toça* es un "[t]rozo grande de madera, y especialmente tronco de árbol cortado". El *DHECan* no menciona el arraigo de *touça*, o *toiça*, en la lengua portuguesa. Lo que escribe el *DCECH* (s. v. *tozuelo*) acerca del origen aragonés de *toza* se debe revisar también completamente a la luz de las numerosas documentaciones canarias. Otro posible lusismo es *tixeras*, "[p]ieza de madera empleada habitualmente como cabrio de tejado", sobre todo si consideramos

---

613 Por ejemplo, M. Marrero Rodríguez (ed.) 1974: 53-54, 66-67, 123-125; D. Galván Alonso (ed.) 1990: II: 562-563.

614 Si en lo que sigue no se indica la fuente de las expresiones entrecomilladas y otras informaciones, éstas se toman del *DHECan*.

615 M. Marrero Rodríguez (ed.) 1974: 66.

que se encuentra en la forma *tiseras* (1519), documentada todavía en el *ALEICan* ("cabrio"), más próxima al portugués *tesouras*[616]. Los *xebrones* (1510; hoy *jibrón*, cat. *xebró*) son "los maderos colocados paralelamente a los pares de una armadura de tejado para recibir la tablazón"; la voz se usa en catalán; sin embargo, parece difícil que este término que proviene del francés *chevron* haya pasado directamente del catalán al español canario[617]. La *lata* (1508; port. *lata*)[618] es una "[t]abla o palo largo y delgado", y sirve asimismo para cubrir el techo así como el *colmo* (1520, port. *colmo*) o "[p]aja de centeno, que suele utilizarse para techar, así como el mismo techo de paja". No puede faltar un préstamo semántico del portugués, *engrudo* (1523; port. *grude*), la "[c]ola de pegar, especialmente usada en carpintería". Añadamos dos artefactos: la *pipa*, que aparece temprano en Canarias (1512[619]; port. *pipa*), y la *corza*, que menciono a pesar de su documentación tardía en el *DHECan* (1585), porque procede del portugués de Madera; el significado es "[n]arria, rastra, especie de carro sin ruedas que se emplea para arrastrar grandes pesos".

La nomenclatura de la madera, y con ésta los nombres de los árboles, se presentan en varios ambientes. La amenaza de la destrucción del medio ambiente así como la tala incontrolada de los árboles y su utilización en la carpintería u otros ramos es el motivo de la intervención del cabildo en sus acuerdos y la ocasión de su aparición en los documentos notariales, sin olvidar las datas que mencionan árboles para localizar y delimitar una tierra. Por consiguiente, la documentación de este léxico es inseparable de sus ambientes; si éste no es digno de mención, tampoco lo es la madera ni el árbol. En lo que sigue, apuntamos tanto el uso de la madera como los préstamos portugueses. Así, los *aceviños* (1505; port. *azevinho*) sirven para describir la ubicación de un terreno[620], así como los barbuzanos[621] en

---

616 Cf. *tesoura*, "[e]strutura de madeira ou de ferro que sustenta a cobertura de uma construção" (*DLPC*).

617 *DCVB*: s. v. El *Grand Robert* ofrece la siguiente definición de *chevron*: "[p]ièce de bois équarri sur laquelle on fixe des lattes qui soutiennent les éléments (ardoises, tuiles...) de la toiture".

618 Si *lata* es un lusismo, lo es por su semántica. La etimología remota de esta voz es céltica o germánica (*DCECH*).

619 E. Serra Ráfols/L. de la Rosa Olivera (eds.) ²1996: 148.

620 F. Moreno Fuentes (ed.) 1992: 140, 245. Esta voz designa un "[á]rbol aquifoliáceo, especie muy particular de acebo, cuya madera, blanco-amarillenta, sólida y pesada, ha sido muy estimada por los carpinteros y ebenistas (*Ilex aquifolium maderensis*)" (*DHECan*).

621 "Árbol de la familia de las lauráceas, que crece hasta 16 metros de altura. Su madera, de tonos rojizos muy oscuros, es durísima, pero frágil, algo parecida a la caoba y de mucha duración. Las flores, abundantes, se disponen en racimos. Son olorosas y dan lugar a frutos en forma de aceitunas alargadas (*Apollonias barbujana*)" (*DHECan*).

barranco de Vergusanos (1501)[622], o *valle de los Vargusanos*[623] y los *sabugos* (port. *sabugueiro*)[624]. En la carpintería se emplean *palos de barbuzano* (1527)[625], *esteos de tea* (1507)[626] y *tablas de pino*[627]. En el mismo contrato se concierta que "[l]a madera empleada será de *acebiño*"[628]. En otros se estipulan *armazones de tea*[629] y *tablas de acebiño, haya y laurel*[630]. El *haya* tiene la variante *faya* (1500; port. *faia*)[631], si bien ambas voces designan especies diferentes. El cabildo de Tenerife trata de *xebrones de acebiño*[632], de "**maderas** de las montañas, especial *palo blanco*[633], *bergasco* y *mocanes*[634]", de *aderno* (1530; port. *aderno*)[635] y *lau-*

---

622 F. Moreno Fuentes (ed.) 1992: 25, 180.

623 F. Moreno Fuentes (ed.) 1992: 18.

624 F. Moreno Fuentes (ed.) 1992: 289. "Arbusto propio de la laurisilva, de tres o cuatro metros de altura, tallos delgados y frágiles de corteza blanquecina, hojas compuestas de bordes aserrados, inflorescencias blancas de flores olorosas y frutos pequeños en bayas negruzcas (*Sambucus palmensis*)" (*DHECan*).

625 D. Galván Alonso (ed.) 1990: I: 382.

626 M. Marrero Rodríguez (ed.) 1974: 66. La *tea* es la "[m]adera resinosa que se extrae del corazón del **pino** canario" (*DHECan*).

627 M. Marrero Rodríguez (ed.) 1974: 66.

628 M. Marrero Rodríguez (ed.) 1974: 66.

629 M. Marrero Rodríguez (ed.) 1974: 124.

630 D. Galván Alonso (ed.) 1990: II: 562.

631 "Árbol miricáceo, muy frondoso, que puede alcanzar los diez metros de altura, de tronco y ramas nudosos, hojas simples, lanceoladas, y flores verdosas. Los frutos en drupa, de color rojo negruzco, llamados **crese(s)**, fayos o fitos, son comestibles aunque poco gratos; las semillas han sido utilizadas para hacer **gofio** (*Myrica faya*)" (*DHECan*).

632 D. Galván Alonso (ed.) 1990: II, 87, 89.

633 Documentado a partir de 1505; "[á]rbol oleáceo que puede alcanzar hasta los quince metros de altura, de tronco grueso –o arbustiforme, y con varios troncos– cubierto de una corteza gris muy áspera y verrucosa. Inflorescencias racimosas, con pequeñas flores blancas, y frutos oblongos, algo carnosos, purpúreos cuando están maduros. Su madera, de excelente calidad por su dureza, se emplea en carpintería (*Picconia excelsa*)" (*DHECan*). No encontré *bergasco* en ningún diccionario.

634 1514; E.Serra Ráfols/L. de la Rosa Olivera (eds.) 1965: III, 29. "Árbol de la familia de las teáceas, que llega a alcanzar los diez metros de altura, de tronco delgado pronto ramificado, hojas lanceoladas, con bordes serrados, flores blancas en racimos axilares, más o menos colgantes, en forma de campanas, y frutos rojizo-grisáceos que se vuelven negros al madurar, llamados como el árbol también **yoya** (*Visena mocanera*)" (*DHECan*).

635 L. de la Rosa/M. Marrero (eds.) 1986: V, 223. "Árbol de la familia de las mirsináceas, que puede llegar a medir seis o más metros de altura, con troncos casi rectos, lisos y de corteza blanquecina; hojas romboidales grandes, de color verde, a veces con tonos pardos por el envés; flores aisladas en grupos de dos o tres, que se transforman en pequeños frutos comestibles, violáceos y redondos llamados también *adernos* (*Heberdenia excelsa* o *Ardisia bahamensis*)" (*DHECan*).

rel (1507)[636], este último con la variante de significante *loro* (1578; port. *louro*). Otros árboles son: *marmulano* (1520)[637], *sabina* (1529; port. *sabina*)[638], *sanguino* (1534; port. *sanguineiro*)[639], *til* (1507; posiblemente del portugués *til*, una variante de *tília*)[640] y *viñátigo* "*Persea indica*" (1522)[641].

Acabamos de reunir los nombres de los árboles cuya mención está motivada por el eventual origen portugués de los términos. En realidad, el aspecto semántico implicado en su aparición en las Islas Canarias es mucho más relevante. En efecto, las especies arbóreas son todas endémicas y carecían de nombre europeo y, en el caso de Madera, de nombre en absoluto, de manera que la aplicación de los significantes portugueses o castellanos a las especies recién descubiertas es una innovación designativa, premonición de actitudes que resurgirán en el Nuevo Mundo. A diferencia de los contactos lingüísticos que en las Indias se manifiestan también en el préstamo de términos botánicos, los nombres de los árboles canarios son casi todos ibéricos; una excepción es *mocán*. Ante la clasificación europea de los árboles, es prácticamente irrelevante si se usaban voces castellanas o portuguesas, tanto más que sus significantes eran y son muy similares, y que las adaptaciones fonológicas funcionaban en una y otra dirección; esta última observación se aplica sobre todo a voces tales como *faya* y *haya*, *laurel* y *loro*, que designan especies de árboles diferentes, así como *til* cuyo significante

---

636 L. de la Rosa/M. Marrero (eds.) 1986: v, 130, 223, 388, 394. "Árbol lauráceo que puede alcanzar hasta veinticinco metros de altura, de tronco recto con la corteza grisácea, casi lisa; hojas ovado lanceoladas, coriáceas, fragantes, con nervadura pronunciada y unas pequeñas glándulas características en la base de los nervios principales; flores de color crema verdoso y frutos elípticos, carnosos, en forma de aceituna negruzca al madurar. Es componente principal de la laurisilva junto con otras lauráceas como el **til**, el **viñático** y el **barbuzano** (*Laurus azorica* o *canariensis*)" (*DHECan*).

637 "Árbol de la familia de las sapotáceas, parecido al laurel, de hasta doce metros de altura, de tronco grueso con la corteza gris oscura, áspera y agrietada; hojas lanceoladas, grandes y anchas, un poco coriáceas, verde oscuras y algo lustrosas; flores blanquecinas, solitarias o agrupadas hacia los extremos de las ramas; frutos carnosos, negros al madurar (*Sideroxilon marmulano*)" (*DHECan*).

638 "Cedro de Canarias [...] (*Juniperus cedrus*)" (*DHECan*).

639 "Árbol de hasta diez metros de altura, de tronco grueso y corteza oscura; copa densa, siempre verde; hojas aovadas y pecioladas, con borde aserrado y glándulas redondas y prominentes en la parte baja, en las axilas de los nervios; flores pequeñas y verdosas, y frutos algo carnosos, esféricos, rojizos, que oscurecen al madurar (*Rhamnus glandulosa*)" (*DHECan*).

640 "Árbol de la familia de los laureles, de gran porte, propio de lugares muy húmedos de la laurisilva, con hojas anchamente lanceoladas u oavadas y frutos como bellotas en un cáliz basal (*Ocotea foetens*)" (*DHECan*).

641 M.ª T. Cáceres Lorenzo y M. Salas Pascual (1995: 59-82) ofrecen una lista comentada de los fitónimos actuales de posible origen portugués.

puede deberse a una influencia portuguesa. La especie que se llama *xaramago* en las *Actas del Cabildo de Tenerife* (1514)[642] es una adaptación de un fitónimo castellano o portugués a una planta de las islas que es difícil de identificar. Aquí interesa por el procedimiento designativo aplicado.

3.10.3. Los moluscos y los pescados

Los moluscos marinos y los pescados se mencionan en entornos muy diferentes: los moluscos como alimento para aplacar el hambre durante la conquista y el "pescado de vara e marisco" juntos[643] como objeto de la reglamentación del mercado, lo cual motiva el término genérico *pescado*, en lugar de *pez*.

Dos moluscos se ven documentados en un episodio de la conquista de Gran Canaria, en el cual el adelantado Alonso de Lugo y su gente tuvieron que alimentarse de *lapas* y *burgaos*, según el juicio de residencia de 1506 que se le tomó en Tenerife:

> [Alonso de Lugo] sufrió muchos trabajos e hambres e muchas vezes se sostenían él e la gente que con él estavan con las yervas del campo, animando a los que con él estavan, partiendo lo que tenía con éllos, quando lo tenía, sufriendo muchas desaventuras e trabajos, sosteniéndose muchas vezes con *lapas* y *burgaos*[644].

Las dos especies se repiten en otro parecer. Las documentaciones de *lapa* y *burgao* son más tardías, lo cual no prueba nada como tampoco la mención relativamente temprana de *burgó* en una fuente francesa que motivaría el origen de *burgao* en esta lengua, ya que se trata de un molusco (o de varios) difundido por las costas del Atlántico, cuyo nombre puede propagarse a partir de cualquier lugar y lengua de esta zona[645]. Otro molusco marino es *craca* (port. *craca*) que no hallé en la documentación consultada.

El cabildo de Tenerife se vio obligado a intervenir en el establecimiento de precios oficiales, debido a que los precios de mercado eran, en opinión de los pescadores, poco rentables. Por este motivo, uno de los primeros acuerdos es el siguiente:

---

642 E. Serra Ráfols/L. de la Rosa Olivera (eds.) 1965: III, 77, 79.

643 1506; E. Serra Ráfols (ed.) 1949: 114.

644 Folio 50, L. de la Rosa Olivera/E. Serra Ráfols (eds.) 1949: 109-110; cf. 67v, ibíd.: 110.

645 Según el DCECH, el origen de ambas voces es o bien incierto, o directamente desconocido.

A petición de los pescadores, que dicen que por estar los precios del **pescado** barato se excusaban de no haber más pescadores y también por que tenían muchos costos, acuerdan que todo pescado que muriere de cualquier manera, excepto de vara, se pese en la carnicería, siendo fresco:

El *congrio*, la libra a 10 mrs. [maravedíes]
el *peje rey* y *bicuda*, a 8
y la *sama* a siete la libra
y el *peje escolar* fresco a 8 m. la libra
todo pescado de *brecas* y *sargos* y pescado menudo excepto *caballas*, valga a 8 mrs. y las *caballas* a 7 mrs. la libra, y el *cazón* a 6 mrs. la libra
y *gata* y *quelbe* y *abadejo* y *raya* 5 mrs. la libra
y *peje perro* a 4 mrs. la libra.

Entiéndese que todo *pescado de cuero* se le corte el hocico hasta los ojos y se le abra y destripe y le corte la cola y alas[646].

Los ictiónimos citados son comunes al español y al portugués, con la excepción de *pexe perro*, si bien corresponde a *peixe cão*; en lugar de *congrio* y *quelbe* u otro forma de este nombre existen en portugués *congro* y *guelro*. Se agregan en listas posteriores, no idénticas, *atún*, *besugos*, *bonito*, *chernas*, *chopas*, *galludo*, *marraxo* y *mero*[647], que se conocen en portugués como *atum*, *besugo*, *bonito*, *cherna*, *choupa*, *gata*, *marracho* y *mero*. En otras fuentes aparecen todavía *salema* o *çalema* y *sargo*. Nos enteramos en los *Acuerdos del Cabildo de Tenerife* que se practicaba la pesca mediante *nasas*[648]. Aparte de *pescado* y *marisco*, se usaba en tanto término genérico el lusismo[649] *pescado de cuero* que probablemente se documente en este pasaje por primera vez.

No es éste el lugar para entrar en extensas disquisiciones etimológicas, puesto que el motivo del tratamiento de estos nombres es su eventual proyección en el español de América. En estas condiciones es interesante que los ictiónimos de Canarias y Madera convergen. Esta última isla, totalmente deshabitada al principio, sufrió escasez de carne, de manera que la base de la alimentación tenía que

---

646 E. Serra Ráfols/L. de la Rosa Olivera (eds.) ^{2}1996: 20-21.

647 L. de la Rosa Olivera/M. Marrero Rodríguez (eds.) 1986: 336; una lista parecida se encuentra en la página 392 y en L. de la Rosa Olivera/ E. Serra Ráfols (eds.) 1949: 4-5.

648 E. Serra Ráfols/L. de la Rosa Olivera (eds.) ^{2}1996: 122.

649 Según M. Morera: "*pescado de cuero* 'pescado que carece de escamas o que las tiene muy pequeñitas' (port. *pescado de couro* 'designação comum aos peixes teleósteos, siluriformes, de pele lisa ou revestida de placas ósseas')" (1994: 61-62).

ser el pescado, lo cual explica muy bien el arraigo y la propagación de los nombres de peces[650].

3.10.4. El impacto de los lusismos

La importancia del portugués supera con mucho la de las demás lenguas ya mencionadas (3.7.) en su conjunto. Según la síntesis de D. Corbella Díaz[651] son de origen luso 1250 voces, de las cuales el 12% son formas verbales, 65% sustantivos, 12% adjetivos y 2% "de otras categorías". Esta circunstancia se debe a la inmigración lusa masiva. Contamos con varias oleadas inmigratorias en las islas occidentales. Los primeros inmigrantes vinieron como conquistadores y pobladores, y tomaron posesión de las tierras repartidas en La Palma y Tenerife. Una segunda oleada menos minuciosamente documentada llegó durante la época de la unión de las Coronas de España y Portugal; de éstas, la primera era regional y la segunda general, ya que operaba en todo el imperio. El asentamiento en zonas compactas y el parentesco lingüístico favorecieron la creación de variedades contactuales luso-hispánicas (1.5.2.)[652]. Si bien este hecho permite estudiar el influjo léxico del portugués por separado como una de las grandes áreas de contacto de ambas lenguas, hablar sólo de portuguesismos reduciría la percepción de las variedades nacientes a mero préstamo de palabras, mientras que el contacto se extendió durante varios siglos, siendo comprobable en sus resultados hasta la actualidad. Al proponer estudiar por el momento la vertiente léxica de este contacto advierto al mismo tiempo que ésta se ubica dentro de las variedades intermedias para las cuales disponemos de documentación temprana. Los demás aspectos fonético-fonológicos y gramaticales se tratarán en otra obra. Si bien se suele confiar en la fuerza probatoria de la fonética en la gramática diacrónica, se impone mucha prudencia en la confianza en este criterio; al revisar las datas de Tenerife, hemos visto que la fonética y la fonología del léxico se adaptan con regularidad a la lengua usada, lo cual invalida la vigencia absoluta del argumen-

---

650 Encontré documentados, en la isla de Madera, entre los ictiónimos comunes *atum*, *badejo*, *besugo*, *bica*, *bicuda*, *cabra*, *cavala*, *cação*, *cherne*, *choupa*, *congro*, *escolar*, *gata*, *guelro*, *marracho*, *mero*, *pargo*, *peixe cão*, *peixe rei*, *raia*, *sardinha* y *sargo* (A. de A. Nunes [2]1974). Se verán más préstamos de este tipo en M. Morera 1994a: 115-116.

651 D. Corbella Díaz 1996: 121.

652 M. Morera (1994a: 153-166) y D. Corbella Díaz (1996) ofrecen sucintos panoramas de la investigación sobre los lusismos canarios. Ambos autores son conscientes de que hablar sólo de préstamos no hace justicia a la envergadura del fenómeno. En realidad, las Islas Canarias pertenecen a la región de contacto profundo del español con el portugués.

to fonético-fonológico. Claro está que la dominancia del español tiene el efecto de que la constelación se decante hacia esta lengua[653].

La presencia del acervo lingüístico portugués en las Islas Canarias y su documentación en determinadas épocas de la historia lingüística sirven para dar cuenta de las transferencias en las épocas correspondientes. Se trata de captar, donde sea posible, las etapas intermedias, no sólo el inicio y el término del proceso. Habría que integrar la cronología de la expansión con la procedencia regional de los pobladores portugueses originarios de la metrópoli y de las islas atlánticas. Las etapas cronológicas que se identificaran serían adecuadas para justificar la presencia portuguesa en las diferentes épocas de la expansión de la lengua en Hispanoamérica a nivel continental y regional, como en la emigración canaria hacia Santo Domingo, Cuba, Puerto Rico, Venezuela y Uruguay que se realiza a partir del siglo XVII.

No hay duda de que gran parte del léxico regional de las Islas Canarias proviene del oeste de la Península Ibérica, pero no sabemos en casos particulares si una voz es un occidentalismo directo o si es voz asturiana, leonesa, extremeña, gallega o portuguesa arraigada en el andaluz occidental y llevada a Canarias. Estas voces no se consideran como andaluzas, porque según una opinión muy difundida es "andaluz" sólo lo diferencial respecto al "castellano". Como sucede tantas veces, ésta parece ser una perspectiva errónea originada en la ausencia de una documentación apropiada. De todos modos, el estatus variacional de los lusismos y occidentalismos españoles es muy diferente según las regiones: los lexemas que pertenecen al nivel dialectal en la región de origen pueden corresponder a un dialecto secundario o a la lengua común en los territorios colonizados.

Desgraciadamente, ni la inmigración portuguesa en las Islas Canarias ni la emigración hacia las tierras americanas se ha estudiado globalmente desde la perspectiva de la lengua, así que dependemos de la extrapolación de conclusiones lingüísticas de datos analizados para propósitos extraños a la historia lingüística.

---

[653] M. Morera describe la interpenetración luso-española como simbiosis, pero deja muy claro que el léxico de origen portugués se sustituyó desde hace no mucho tiempo: "El progresivo proceso de castellanización de lusismos se puso en marcha en Canarias desde el mismo momento en que los portugueses llegaron a las islas. A pesar de esto, no cabe ninguna duda de que la mayor desaparición de elementos de este componente del léxico regional se ha producido en concreto en las últimas décadas del siglo XX, en que la sociedad canaria se ha visto expuesta a un intenso proceso de urbanización y su economía ha experimentado una radical *terciarización* y tecnificación" (1994a: 150).

3.11. Las Islas Canarias: camino de Indias y camino de España

No quiero adelantarme demasiado en la historia de la emigración española hacia América, emigración que formará parte de la vida de las diferentes regiones hispanoamericanas, pero tampoco puedo renunciar a un avance informativo acerca del puesto de las islas en la implantación del español en América. Relacionando la emigración, tanto la canaria como la peninsular, con la historia general, que determina las destinaciones a las que se dirigen los emigrantes, señalemos, sin embargo, el lugar de Canarias en el poblamiento del nuevo continente y subrayemos la influencia lingüística que ejercieron los canarios. Se ofrece una visión de conjunto de la emigración[654] con la intención de mostrar que no es probable que el fondo canario del español americano provenga de la fase de los orígenes, sino que ha arraigado a partir de las últimas décadas del XVIII.

Cada época histórica tiene características lingüísticas evolutivas diferentes. En cuanto a la relevancia de Canarias en la historia del español americano hay que distinguir fundamentalmente tres estratos cronológicos. El primero, que fue el más importante y decisivo, se hubiera mantenido por más tiempo si no hubiera intervenido la despoblación de las Antillas y la destrucción de la Armada en 1588 que dejó desprotegidas las Islas Canarias y América ante el avance de europeos no ibéricos, iniciando la segunda fase. La reacción española consistió en la construcción de fortificaciones y, después de algunos tanteos, el fomento de la emigración canaria hacia las regiones más deshabitadas y más vulnerables que llevó a la refundación de los lugares despoblados y a nuevas poblaciones a partir del siglo XVII. Este hecho cualitativo es más relevante para entender la historia lingüística que el reasentamiento de pobladores en términos cuantitativos, sobre todo si se refiere a la inmigración posterior a la fundación de un lugar. Probablemente la acomodación lingüística[655] no dependa tanto de la inmigración en términos cuantitativos como de la época fundacional y de las migraciones internas. El tercer estrato cronológico es posterior a la Independencia de América.

Ofrezcamos algunos datos sobre la emigración oficial y clandestina, el comercio así como las disposiciones legales dentro de su entorno histórico. Las islas fueron tierra de inmigración hacia América, cambio de la estructura demográfica que estableció los contactos permanentes de Canarias con las islas y costas del Caribe. Este éxodo no fue registrado por la autoridad competente, la Casa de la Contratación, cuya sede se encontraba en Sevilla y a partir de 1718 en Cádiz a raíz de la Guerra de Sucesión Española. Al estudiar el origen regional de

---

[654] A. M. Macías Hernández 1991 y 1992, M. Hernández González 1995 y 1997.

[655] Cf. P. Trudgill 1986.

los pobladores de América hay que considerar que los canarios, que podían emigrar con más facilidad que los peninsulares, no se incluyen en la documentación.

El *Catálogo de pasajeros a Indias* de la Casa de la Contratación en Sevilla, que inició sus actividades en 1503, consigna entre 1504 y 1527 sólo a seis personas originarias de las Islas Canarias. Sin embargo, el número de los emigrados efectivos fue muy superior, aunque existen, también en este caso, datos meramente aproximativos. Ya la emigración oficial que se comprueba en otras fuentes de la Casa de la Contratación, en documentos de las Islas Canarias[656] y en crónicas de Indias superaba con mucho la cifra citada. Desde 1497 se llevaron indígenas canarios al Nuevo Mundo como soldados; en algunas expediciones llegaron hasta cincuenta hombres[657].

Las otras potencias europeas, en especial las que adoptaron la Reforma protestante (los ingleses, en parte los franceses, los neerlandeses y los daneses), no reconocieron ni la división papal del globo ni el Tratado de Tordesillas (1494) concluido entre Castilla y Portugal que concreta la concesión del papa Alejandro VI. Tras el desastre de la Armada Invencible las costas de las tierras dominadas por los españoles estuvieron expuestas a los ataques de corsarios y piratas; al mismo tiempo, las oleadas migratorias del siglo XVI y también del siglo XVII hacia el continente americano despoblaron el Caribe. La expansión de los franceses desde la isla de la Tortuga hacia la parte occidental de La Española es otra consecuencia del desamparo de las Antillas. Estos sucesos históricos ocasionaron un cambio de la política poblacional de la Corona: en un primer momento se procuró limitar la emigración canaria y no se establecieron grupos canarios compactos en las Indias, pero tras el hundimiento de la Invencible se fomentó esta emigración, y desde entonces comunidades homogéneas se asentaron en las islas y tierras del Caribe. El toque de alarma había sido la conquista inglesa de Jamaica (1655). Sin embargo, mientras que España tuvo que hacer un gran esfuerzo defensivo y poblacional en la época de su decadencia peninsular, la colonia floreció en esos siglos.

Las disposiciones legales de la emigración son muy irregulares y siguen los cambios políticos. Por un lado, en la real cédula del 9 de septiembre de 1511 se autoriza el viaje mediante el puro registro sin control ninguno y, por el otro, se piden al mismo tiempo permisos especiales para mayores grupos de emigrantes[658]. Desde 1545, los permisos de emigrar a las Indias aumentan, lo que tiene

---

656 Si se conservan por casualidad como ocurre en el caso de los protocolos notariales que ha estudiado M. Lobo Cabrera 1991. Según esta fuente 84 vecinos de Gran Canaria pasaron a las Indias.

657 E. Aznar Vallejo 1983: 158.

658 M. Alvar 1975: 30.

como consecuencia la despoblación de las islas y las quejas relativas a dicha sangría poblacional. La inseguridad jurídica que se refleja en el *Cedulario de Canarias* es una constante y las disposiciones no siguen una línea uniforme durante los siglos XVI y XVII[659]. Es posible atribuir estas vacilaciones en parte a un conflicto de competencias: al contrario de las Indias, que dependían de una institución propia, del Consejo de Indias, las Islas Canarias estaban bajo el control del Consejo de Castilla.

La escala numérica de la emigración canaria se subestima, porque la investigación no dispone de fuentes estadísticas que se aproximen a la integridad relativa y a la continuidad del *Catálogo de pasajeros a Indias*. De todas formas, es posible recoger documentos de la emigración canaria y compensar con éstos otras lagunas documentales. La participación de los canarios en la colonización, siempre presente desde los descubrimientos, fue en aumento en el último tercio del siglo XVII, sobre todo en la última década, y siguió creciendo a lo largo del siglo XVIII. Baste con dar tres ejemplos de colonización canaria. La real cédula de 1678 otorgó la liberalización del comercio canario con las Indias a cambio de la financiación de la travesía de cinco familias isleñas destinadas a poblar las regiones deshabitadas, principalmente Cuba, Yucatán y Venezuela, el llamado "tributo de sangre"[660]. En 1684, 97 familias, es decir, 543 personas, llegaron a la Isla de Santo Domingo para contrabalancear el avance de los franceses, fundando San Carlos de Tenerife que se integró en el municipio de Santo Domingo[661]. En 1693, colonos canarios, en su mayoría tinerfeños, fundaron Matanzas en Cuba, medida preventiva para adelantarse a una eventual ocupación de la Bahía de Matanzas por parte de los neerlandeses quienes amenazaban con apoderarse de La Habana[662]. En 1726, emigrantes tinerfeños fundaron Montevideo para poner coto a la expansión de los portugueses. La liberalización del comercio en 1763 produjo el estancamiento de la emigración canaria, pero después de que en 1778 siete puertos del Nuevo Mundo obtuvieron la autorización de comerciar con las Canarias, la emigración volvió a facilitarse más y a documentarse mejor[663]. Los isleños se asentaron en la Isla de Santo Domingo, Puerto Rico, Cuba, Venezuela, Yucatán, Luisiana[664] y otros lugares en comunidades compactas[665].

659 F. Morales Padrón (ed.) 1970.

660 M. Hernández González 1995: 26-28.

661 M. Hernández González 1995: 30.

662 F. Castillo Meléndez 1987: 54.

663 M. Álvarez Nazario 1972; J. Pérez Vidal 1991.

664 J. A. Samper Padilla/C. E. Hernández 2009.

665 M. Alvar 1972a.

El comercio de Canarias con América creó otro contacto permanente que restringió el monopolio de Sevilla. En la primera fase de la colonización del Nuevo Mundo el aprovisionamiento de los españoles fue un problema; los canarios pudieron abastecer las Indias occidentales de alimentos –vino, cereales, queso, aceite y otros productos– más rápidamente que los andaluces. Se aplicó una reglamentación más liberal desde 1508, con tal que las mercancías se registraran en la Casa de la Contratación de Sevilla. Posteriormente, esta autorización ampliada volvió a limitarse y se sustituyó a partir de 1566 por autorizaciones a plazo[666].

La aportación de los canarios a la constitución del español americano no resulta sólo de la emigración y del comercio con las Indias, sino también del papel que tenían en la emigración clandestina que debe haber existido desde el siglo XV. Algunas personas habrían esperado el pasaje de navíos en barcas[667]. Las Islas Canarias eran el punto débil en el control de la emigración. En las leyes de Indias volvieron a repetirse las disposiciones que prohibían la salida a extranjeros, judíos, musulmanes, conversos y negros ladinos; lo que significa, como siempre en las leyes prohibitivas, que se infringían con regularidad. Así, una real cédula emitida el 11 de mayo de 1526 en Sevilla dice acerca de la emigración de los negros ladinos:

> declaramos y mandamos que ninguna ni algunas personas agora ni de aquí adelante no puedan pasar ni pasen a la dicha Isla Española ni a las otras Indias, islas y tierra firme del mar Océano ni a ninguna parte dellas ningunos negros que en estos nuestros Reinos o en el Reino de Portugal hayan estado un año[668].

Una real provisión del 3 de octubre de 1539 proscribe el pasaje "so pena que por el mismo caso haya perdido y pierda todos sus bienes para nuestra Cámara y Fisco, y sea luego echado de la isla o provincia donde estuviere y hubiere pasado":

> queremos y mandamos que desde el día que esta dicha nuestra carta fuere mostrada y pregonada en las gradas de la ciudad de Sevilla, en adelante, ningún hijo ni nieto de quemado, ni reconciliado, de judío, ni moro, por la Santa Inquisición, ni ningún nuevamente convertido de moro, ni judío pueda pasar ni pase a las dichas nuestras Indias, Islas y Tierra Firme del mar Océano en manera alguna[669].

Tales prohibiciones incluyeron también la emigración de portugueses así como de otros extranjeros aun durante el reinado de Felipe II que desde 1580 era igual-

---

666 E. Aznar Vallejo 1983: 315-316.

667 F. Morales Padrón (ed.) 1970: III, 196.

668 R. Konetzke 1953: I, 80.

669 R. Konetzke 1953: I, 192.

mente rey de Portugal[670]. Muchos de estos portugueses eran criptojudíos que procuraban esconder su origen. Se igualaban portugués y judío entre los siglos XVII y XVIII[671].

Pese a estas medidas, llegaron a América canarios de procedencia muy variada. Formaron probablemente parte de los estratos inferiores representados en minoría en la composición social de los colonizadores, originarios de otras regiones españolas; serían campesinos isleños los que debido a la adaptación a las condiciones de vida poco felices de las Islas Canarias habían de resistir como colonizadores mejor a las duras condiciones en América que los emigrantes de los estratos superiores oriundos de la Península Ibérica. En los siglos XVII y XVIII se repoblaron precisamente con canarios las regiones para las que no se hallaron pobladores en la Península[672]. Aunque, según las ideas jerárquicas de la época, la procedencia social de los pobladores peninsulares tuvo mejor consideración que el origen social de los canarios, estos últimos aportaron experiencias muy similares de nivelación social que los americanos, lo cual repercute también en la nivelación lingüística y contribuye a la formación de una lengua común o koiné incipiente que difícilmente puede tomar una forma bien definida, pero no obstante esta limitación las experiencias canarias y las americanas de los europeos convergen. No hay que desestimar la convergencia social y lingüística en la fase inicial del español americano por el motivo de que el asentamiento de los castellanos en Canarias sea más antiguo que la colonización del Nuevo Mundo, y de que se hubieran asentado más pobladores castellanos y portugueses hasta 1500 en las Islas Canarias que en La Española, la primera colonia hispanoamericana. Los antiguos canarios ofrecieron a los españoles el ejemplo de una asimilación lingüística valorada de manera positiva y de la integración social de su clase dirigente. Durante la época colonial la flota de Indias hizo escala obligada varios días en las Islas Canarias. Las islas estaban en comunicación permanente con España y América.

Las consecuencias lingüísticas se deben extrapolar de los datos migratorios y demográficos, y serán hipotéticas hasta tanto no tengamos suficientes investigaciones para afirmar la existencia de interrelaciones entre movimientos migratorios y configuraciones lingüísticas con garantías fundadas. Es cierto que la presencia canaria en América se manifiesta en rasgos fonéticos y gramaticales convergentes con el andaluz, mientras que el léxico canario muestra caracteres más individuales. Se produce una acomodación lingüística general de tipo cana-

---

670 *Recopilación de las leyes de los Reinos de Indias*, libro VIII, ley 28; apud G. de Granda 1978a: 151.

671 G. de Granda 1978a: 154.

672 G. de Granda 1978a: 146-147.

rio en las zonas de colonización caribeña, principalmente a partir de finales del siglo XVIII.

Puede existir un vínculo seguro entre la terminología azucarera maderense, canaria y antillana cuya documentación tardía no resta plausibilidad a esta afirmación[673]. La propagación de los ictiónimos corresponde con toda probabilidad también a la primera fase, porque el hambre era una de las constantes plagas de los conquistadores y colonizadores, y se puede subsanar por lo menos en las costas mediante la recolección de *chernas* o *chernos*, *bicudas* y *samas*[674], por citar solamente los términos hallados en los *Acuerdos del Cabildo de Tenerife* (3.10.3.). Sin embargo, el aire canario del español antillano y de otras regiones se debe a la emigración a partir del siglo XVII cuyo reflejo se analiza en Puerto Rico mediante un amplio estudio[675], así como en la lengua de Sabana de la Mar[676] y en la coincidencia de los portuguesismos léxicos del español de Canarias y Venezuela[677] que no podemos considerar en esta ocasión, como tampoco la última fase a la cual se accede en la investigación de la lengua de San Bernardo en Luisiana[678], la única continuidad persistente de las localidades fundadas entre 1777 y 1783 en esta región norteamericana. En líneas generales, la emigración era tan fácil como el regreso. De ahí que las Islas Canarias pudieran influir en las tierras americanas más próximas situadas hacia el oeste y que recibieron influencias lingüísticas y culturales de esas zonas. Y también en sentido inverso, las Canarias sirvieron de enlace entre América y Europa. Se importaron tanto las plantas y las semillas americanas como el léxico hispanoamericano. Hay un emblemático jardín de aclimatación en Puerto de la Cruz, Tenerife, en el que se cultivaron las plantas americanas en el siglo XVIII y que visitó Alexander von Humboldt al inicio de su viaje de exploración del continente americano en 1799. El cultivo del tabaco en La Palma condiciona la importación de la terminología antillana correspondiente, ejemplo de las numerosas coincidencias léxicas del español canario y americano[679].

---

[673] M. Álvarez Nazario 1972: 114-116.

[674] Cf. los términos que reúne M. Álvarez Nazario (1972: 180-191) y que coinciden con la documentación de principios del siglo XVI.

[675] M. Álvarez Nazario 1972.

[676] I. Pérez Guerra 2003a.

[677] L. M. Santana Hernández 2003.

[678] S. G. Armistead 2007, J. A. Samper Padilla/C. E. Hernández 2009a.

[679] C. Corrales Zumbado/D. Corbella Díaz (1994) recogen este léxico desde una perspectiva actual.

3.12. Las experiencias de los portugueses en las costas occidentales de África[680]

> Tres espectaculares modelos diferentes, capaces de llenar la imaginación de un marino aventurero, se apoderaron de él [Cristóbal Colón]: los almirantes genoveses de hacia 1300, los empresarios colonizadores (italianos o flamencos de los años veinte del siglo XV, en Madera y las Azores), y, sobre todo, los descubridores portugueses e italianos de lejanas tierras, en las costas de África, a partir de 1440[681].

En la historia de la lengua española las fronteras de los Estados y los límites lingüísticos resultan a veces muy estrechos. En el siglo XV los viajes de los portugueses a lo largo de las costas occidentales de África inician la época de los descubrimientos. En toda una nueva terminología náutica se encuentra expresada la ampliación de los conocimientos geográficos, como también se amplían las experiencias lingüísticas mediante el trato con hablantes de lenguas antes desconocidas. Si bien los castellanos se dedican a la exploración del Atlántico, sus intereses se concentran en las Islas Canarias y la tierra firme de enfrente.

Los portugueses acumulan experiencia más rápidamente que los castellanos., Volvió a difundirse la teoría de que la Tierra tiene forma de globo, pero más bien entre astrólogos, aunque es poco probable que los navegantes portugueses se hayan aprovechado de la navegación astronómica[682]. A ésta se oponían los que defendían que Enrique el Navegante introdujo la determinación de la latitud mediante la observación de la estrella polar y los escépticos que no creían que era posible manejar los instrumentos náuticos en alta mar.

La piedra de toque para resolver este problema son los escritos de Cristóbal Colón, porque en este gran navegante confluyen las experiencias mediterráneas, las portuguesas y las castellanas. El genovés no discute ni el uso de la brújula, por la cual se deja guiar, ni la rosa de los vientos de 32 divisiones, ya que indica el rumbo en *cuartas*, las divisiones propias de la rosa de los vientos, y no en *grados* como hubiera sido el caso de haberse valido de otros instrumentos náuticos. Entre éstos, Colón no menciona el astrolabio para tomar la altura del sol, pero sí se sirve del cuadrante, instrumento de resultados inciertos en la navegación de alta mar. Como todos los navegantes de su época, empleaba ampolletas, que son relojes de arena, para medir el tiempo durante el cual se conserva un rumbo y

---

680 Este capítulo es la versión española modificada y ampliada de J. Lüdtke 1994d.

681 J. Heers 1996: 70.

682 Como supone, entre otros, L. de Albuquerque ^{4}1989.

para medir la distancia recorrida, ya que no sabe indicar la hora astronómica exacta ni su posición. A veces el descubridor mide la latitud y la longitud solas. Cuando usa el cuadrante el 2 de noviembre de 1492, en la costa de Cuba, tenemos que atribuirle un error de cálculo en la medición de la latitud; logra mediciones exactas sólo en tierra y tras muchas repeticiones. Aún más incorrectas son sus mediciones de la longitud que son muy difíciles de realizar. Si los portugueses, en cambio, hicieron sus mediciones en tierra, con el margen de error que esto representaba, fue para situar los territorios en mapas, no tanto para determinar el rumbo de las naves en alta mar[683].

En 1440 se introdujo la determinación de la longitud mediante la observación de la estrella polar[684]. Pero antes de emprender sus viajes los marineros tuvieron que superar la idea de que la zona tórrida era inhabitable: incluso en el siglo XVI los cronistas españoles se vieron obligados a argumentar acerca de la habitabilidad de la zona tórrida. Para los portugueses, el momento decisivo al respecto fue la circunnavegación del Cabo Bojador.

En su *Crónica da Guiné*[685], Gomes Eanes de Zurara relata la historia de los descubrimientos que los portugueses realizaron en las costas occidentales de África hasta la muerte de Enrique el Navegante (1460) aproximadamente. Las experiencias documentadas en esta obra llegan a los marineros desde el Algarve hasta la desembocadura del río Guadalquivir; y si en cierta medida esta región sigue formando un espacio geográfico y comunicativo en nuestros días, más aún lo era en el siglo XV[686]. Así, no sólo formaban parte de las experiencias de Cristóbal Colón, quien había llegado hasta La Mina, sino también de las de los marineros de Palos y de Moguer con los cuales Colón emprendió su primer viaje, y, de manera indirecta, pertenecían al horizonte de todos los navegantes que cruzaron el Atlántico con posterioridad. La crónica de los viajes anuales al África occidental no explica los conocimientos previos, pero los podemos deducir del empleo de la terminología náutica. Llegamos, en cambio, a saber más acerca de la captura de los habitantes de las costas africanas[687]. En estas condiciones se forma realmente un procedimiento para obtener informantes e intérpretes que

---

683 Para este párrafo aproveché las pruebas fehacientes de J. Heers 1996: 227-236.

684 Cf. acerca de los presupuestos náuticos de los viajes de descubrimiento de los portugueses L. de Albuquerque ^{4}1989.

685 A partir de João de Barros (1932: 18) las relaciones posteriores se apoyan en Zurara. Por este motivo, no las vamos a utilizar aquí.

686 P. Chaunu 1969: 137.

687 La historiografía de la lengua portuguesa no ha prestado demasiada atención, desde S. da Silva Neto (1952), a los contactos lingüísticos tempranos en el Occidente de África.

Colón aplicaría en América, práctica que le produciría conflictos con las normas jurídicas de Castilla (4.1.1.)[688].

La astronomía de la cual habla la crónica de Zurara (en el cap. XII) se usa en lo esencial en la astrología de la época. Para el desarrollo de la navegación, sin embargo, la aplicación eficaz de las experiencias anteriores y su ampliación fue importante. Los conocimientos se comprobaron con la circunnavegación del Cabo Bojador, como decíamos, antes de la cual los marineros tuvieron que superar un miedo similar al de la tripulación de la flota de Colón en vista de la travesía del Atlántico: se creía que más allá del cabo la tierra era inhabitable; que ésta era un desierto arenoso sin agua ni vegetación; que allí había bajíos y corrientes tan fuertes que la vuelta no sería posible; para los cuales no había además mapas marítimos (cap. VIII). Gil Eanes se atrevió a salvar este obstáculo en 1434 (cap. IX). Desde entonces los portugueses emprendieron cada año, con una interrupción entre 1437 y 1439, un viaje a las costas occidentales de África.

Es muy modesto lo que se manifiesta en la lengua, pero en lo que concierne al español, sólo se documenta con mucha posterioridad en el diario de a bordo de Cristóbal Colón. Primero hay que mencionar los nombres de los vientos de los cuales aparecen en Zurara las direcciones y los puntos cardinales que son fundamentales para la navegación ante las costas atlánticas de África: el *norte*, porque las otras direcciones de los vientos se orientan por éste; el *nordeste*, el rumbo de la vuelta a Portugal[689]; el *nordoeste*, la dirección en la cual están situadas las Azores desde Madera[690]; el *sul*, el rumbo de la costa occidental de África desde Portugal, y en general[691]. Entre las otras direcciones sólo se documenta una vez *leuãte*[692]. Si bien denominaciones "atlánticas" y "mediterráneas" de los vientos aparecen mencionados en Zurara, éstas se citan únicamente en casos aislados.

El hecho de que entonces estos nombres de la rosa de los vientos eran nuevos y todavía no habían llegado a las lenguas románicas del Mediterráneo, lo demuestra el testimonio del mercader veneciano Alvise da Ca' da Mosto, quien viajó por encargo de Enrique el Navegante a Guinea, pasando por las islas atlánticas:

688 Si bien existen algunas referencias a la exploración de la lenguas del oeste de África mediante la captura de habitantes de la costa, los historiadores no presentaron esta última, según mis informaciones, como parte de un proyecto de exploración sistemática. Cf. para algunas indicaciones, por ejemplo, G. G. Kinzel 1976: 283, y L. de Albuquerque 1987: 13.

689 G. E. de Zurara 1978: I, 320.

690 G. E. de Zurara 1978: I, 309.

691 G. E. de Zurara 1978: I, 293, 241, 325, 342, 344.

692 G. E. de Zurara 1978: I, 320.

> partimos del dicho Cabo de San Vicente el día 22 de marzo de 1455, con viento de *gregal* y *tramontana* en popa, dirigimos nuestro camino hacia la Isla de Madera andando recto cuarta del *garbino* hacia *poniente*[693].

Por lo tanto, Ca' da Mosto usa también en el Atlántico y en un ambiente portugués las denominaciones tradicionales de los vientos mediterráneos.

Este mercader relata igualmente que la estrella polar (*tramontana*) apenas era visible en la región del río Gambia y que, por el contrario, aparecieron seis estrellas en el horizonte hacia el sur:

> Durante los días que estuvimos enfrente de la desembocadura de este río no vimos más de una vez la *estrella polar* y nos parecía muy baja por encima del mar y por eso convenimos en observarla con tiempo muy claro, y nos parecía estar por encima del mar la altura de una lanza. Ademas, divisamos seis estrellas bajas, claras, lúcidas y grandes por encima del mar. Cuando se orienta por esta señal en la brújula, estaban exactamente en el austro, lo cual se representa de la siguiente manera:
>
>   *
> *   *   *   *   *
>   *
>
> éstas las tomamos por el Carro del Austro; pero no vimos la estrella principal, porque no era razonable poder descubrirla, si no perdíamos nuestra estrella polar[694].

El cambio de la orientación mediante la estrella polar por la Cruz del Sur en el hemisferio austral, si se trata realmente de esta constelación, causó la breve interrupción de los viajes de descubrimiento de los portugueses.

---

[693] "partimmo dal sopraddetto Capo San Vincenzo a' dì 22 marzo 1455, con vento da *greco* e *tramontana* in poppa, drizzando il nostro cammino verso l'Isola di Madera, andando alla quarta di *garbin* verso *ponente* a via dritta" (R. Caddeo [ed.] 1929: 169-170).

[694] "Nelli giorni che noi stemmo sopra la bocca di questo fiume non vedemmo più che una volta la *tramontana* e ne pareva molto bassa sopra il mare, e però la convenivamo vedere con tempo molto chiaro, e ne pareva sopra il mare l'altezza di una lancia. Ancora avemmo vista di sei stelle basse sopra il mare, chiare, lucide e grandi; tolte quelle a segno per la bussola, ne stavano dritto per ostro, figurate in questo modo seguente:

        *
*   *   *   *   *
        *

le quali giudicammo il Carro dell'ostro; ma la stella principale non vedemmo, perchè non era ragionevole di poterla discoprire se non perdevamo la nostra *tramontana*" (R. Caddeo [ed.] 1929: 257).

Es difícil averiguar hasta qué punto los conocimientos náuticos, incluso los más elementales, estaban difundidos entre las tripulaciones. Cuando en 1447 Nuno Tristão sucumbió en Guinea con todos los adultos a las flechas envenenadas de los nativos y sólo quedaron cinco jovenes con fuerzas suficientes, el que era el grumete no poseía los conocimientos necesarios para timonear la carabela:

> el grumete en que todos ellos tenían su esperanza confesó claramente su poca sabiduría, diciendo que no sabía gobernar una embarcación ni ser provechoso para ello, que, sólo si fuese dirigido por otro, haría todo lo que pudiese para hacer lo que le mandasen[695].

El único que conocía el rumbo para volver de Guinea a Portugal era

> un mozo de la cámara del Infante que se llamaba Airas Tinoco que iba como escribano [...], un mozo tan joven, nacido y criado en Olivenza, que es una villa del interior muy distante del mar, el cual avisado por la gracia divina encaminó el navío y mandó al grumete que siguiese recto el *norte*, desviándose un poco hacia la parte del *levante*, siguiendo el viento que se llama *nordeste*, porque allí sabía él que se hallaba el Reino de Portugal al cual deseaban llegar[696].

El grumete, por el contrario, no conocía el rumbo a seguir hacia Portugal. Es probable que no supiera manejar la *agulha*[697] ni la *carta pera marear* o *carta do marear*[698]. Es interesante que Zurara suponga conocimientos náuticos sólo entre los costeños. Al parecer, el círculo de las personas que tenían acceso a este saber especializado estaba tan restringido que no era compartido por todos los tripulantes. Los términos marineros para los cuales damos como ejemplos los nombres de los vientos sólo se fueron difundiendo poco a poco en la comunidad lingüística castellana. Hasta principios del siglo XVI no se publicaron los tratados en

---

695 "o grumete em que elles todos sua sperãça tinham claramente confessou sua pouca sabedorya dizendo como nom sabya rotear nem trabalhar acerca dello em cousa que aproueitasse / sooemente que se por outrem fosse encamynhado que farya quanto podesse naquello que lhe mandassem" (G. E. de Zurara 1978: I, 319).

696 "huũ moço da camara do Jffante, que se chamaua airas tinoco, que hya por scriuam [...], huũ tã pequeno moço nado e criado em oliuença / que he hũa villa do sertaão muy afastada do mar o qual auisado por graça deuinal, encaminhou o nauyo / mandando ao grumete que dereitamente seguisse o *norte* abaixandesse huũ pouco aa parte do *leuãte*, ao vento que se chama *nordeste* / por que ally entendya elle que jazia o Regno de Portugal / cuja vyagem eles seguyr deseiauam" (G. E. de Zurara 1978: I, 319-320).

697 G. E. de Zurara 1978: I, 52.

698 G. E. de Zurara 1978: I, 52, 286, 294.

portugués y español que divulgaban estas novedades entre los especialistas y más allá. Por regla general, los cronistas de Indias tuvieron que seguir comentando los términos marineros más comunes.

Mientras que Zurara hace pocas alusiones a conocimientos náuticos, narra con todo detalle los viajes de descubrimiento efectuados por orden del Infante. A Enrique le importaba ante todo obtener informaciones exactas acerca de las tierras recién descubiertas. Así, encomendó en 1436 a Afonso Gonçalves Baldaia capturar a alguna persona como informante:

> os encomiendo que vayáis tan lejos como podáis y que os esforcéis por tener lengua de esa gente tomando a alguien a través de quien os podáis informar con certeza, porque no será cosa pequeña, según mi deseo, tener a alguna persona por la cual yo pueda estar informado[699].

En este viaje Afonso Gonçalves Baldaia no pudo cumplir con esta misión. El Infante tuvo que esperar hasta que en 1441 Antão Gonçalves hiciera prisioneros a un hombre y una mujer para cumplir con su deseo[700]. En el mismo año, el Infante mandó a Guinea con la misma orden y con la de continuar los descubrimientos a Nuno Tristão, quien se encontró con la nave de Antão Gonçalves. Nuno Tristão llevaba consigo a un árabe o beréber que no entendía la lengua de los prisioneros:

> Nuno Tristão dijo que un *alarbe* que él traía allí, que era siervo del Infante, su señor, hablase con alguno de aquellos capturados para ver si entendía su lengua y que éste, si se entendiesen, sería muy útil para saber todo el estado y las condiciones de la gente de aquella tierra. Y de hecho hablaron los tres, pero la lengua del uno era muy diferente de la de los otros, por lo cual no se pudieron entender[701].

En un esfuerzo común Antão Gonçalves y Nuno Tristão lograron capturar a diez personas más. Entre ellas estaba un "caballero", Adahu, que además de su lengua beréber sabía el árabe:

---

699 "vos encomendo que vaades o mais auante que poderdes E que vos trabalhees dauer lingua dessa gente. / filhando alguũ per que o certamente possaes saber / Ca nõ sera pequena cousa segundo o meu deseio auer algũa persoa per que desto possa seer en conhecimento" (G. E.de Zurara 1978: I, 55).

700 Cf. D. Gomes en R. Rainero 1970: 112-115.

701 "Disse Nuno tristam que huũ *allarue* que elle ally trazia que era seruo do Iffãte seu senhor fallasse com alguũ daquelles catiuos pera veer se entendya sua linguagem. e que se se entendessem que aproueitarya muyto pera saber todo o estado e condiçoões das gentes daquella terra E bem he que fallarõ todos tres. mas a linguajem era muy afastada huũa das outras. pello qual se nõ poderõ entender" (G. E. de Zurara 1978: I, 66).

> Los capitanes, una vez vueltos a sus navíos, mandaron a aquel *alarbe*, que Nuno Tristão llevaba consigo, que hablase con aquellos moros. Pero ninguna vez lo pudieron entender, porque la lengua de aquellos no es el *árabe*, sino el zenaga del Sáhara, porque así llaman a aquella tierra, pero parece que el caballero, ya que era más noble que los otros que allí eran cautivos, había visto más y mejores cosas y había recorrido otras tierras donde había aprendido la lengua *árabe*. Y por tanto, se entendía con aquel *alarbe* al cual contestaba a cualquier cosa que le preguntaba[702].

Los portugueses perdieron al árabe y a una prisionera, mientras se negociaban algunos rescates. Así, el "caballero" Adahu debía ser provisionalmente suficiente para el Infante como informante, ya que ningún otro de los moros libertos y capturados entendía la lengua de los zenagas:

> Aunque la lengua de aquellos prisioneros no pudiese ser entendida por ninguno de los otros moros que estaban en esta tierra, tanto si fuesen libertos como cautivos. Bastó para el comienzo lo que aquel caballero, que Antão Gonçalves había traído, sabía decir, por el cual el Infante se informó sobre una parte muy grande de las cosas de aquella tierra donde él vivía[703].

En un viaje posterior Antão Gonçalves perdió a Adahu por su exceso de confianza, pero trocó diez negros en la región del Río de Oro:

> Antão Gonçalves recibió por el precio de sus dos prisioneros a diez negros, es decir, moros y moras de diferentes tierras. El tratante entre ellos fue un tal Martim Fernández que era alfaqueque del Infante. Y bien parece que tenía buenos conocimientos de la lengua árabe, pues era entendido entre aquellos, mientras que el otro alarbe que era moro de nación no había podido encontrar a quien lo entendiesse, sino uno solo[704].

---

702 "Recolheitos aquelles capitaães a sseus navyos. mandar[o]m aaquelle *alarue*, que Nuno tristam leuaua consigo / que fallasse cõ aquelles mouros. e nũca o poderom entender. porque a linguajem daquelles nõ he *mourisca* mas azaneguya de zaara / ca assy chamã aaquella terra /. mas o caualleiro parece que assy como era nobre antre os outros que ally eram catiuos assy vira mais cousas e milhores e andara outras terras onde aprendera a linguagem *mourisca* E portanto se entendya cõ aquelle *alarue*. ao qual respondya a qual quer cousa que lhe preguntaua" (G. E. de Zurara 1978: I, 68); cf. D. Gomes en R. Rainero 1970: 114-117.

703 "Ainda que a linguagẽ daquelles presos nom podesse ser ẽtendida per nhuũs outros mouros que em esta terra esteuessem / ora fossem forros ou catiuos. abastou pera começo o que aquelle cavalleiro que Antam gonçalluez trouxera soube dizer. pello qual o Iffante foe ẽ conhecymẽto de muy grande parte das cousas daquella terra onde elle moraua" (G. E. de Zurara 1978: I, 73).

704 "Antã gonçalluez recebeo por preço de seus dous catiuos dez negros antre mouros e mouras. de terras desuairadas. seendo trautador antre elles huũ Martym fernandez que era alfa-

Mediante este rescate el alcance de las informaciones se amplió más allá de las tierras de los beréberes hacia el África negra. En estas cazas de esclavos, que se regularizaron, se reclutaban los intérpretes, de modo que un navegante llamado Lançarote ya pudo obtener más informaciones de un intérprete capturado de Antão Gonçalves o Nuno Tristão en 1433:

> Pero Lançarote no se olvidó de informarse con los moros que había capturado lo que tenía que saber acerca del lugar y del tiempo en que estaba, y supo de ellos a través de su intérprete que allí cerca había algunas islas pobladas donde podrían hacer buenas presas con poco trabajo[705].

Los portugueses supieron pronto que no podían fiarse de la lealtad de los intérpretes. Gonçalo de Sintra no hizo vigilar al joven beréber que había llevado consigo como intérprete, de modo que éste pudo escaparse a una isla situada en la proximidad del Cabo Blanco en 1443 o 1444, y advertir a los isleños de los portugueses:

> Gonçalo de Sintra llevaba a un mozo zenaga como truchimán el cual sabía ya mucho de nuestra lengua y que el Infante le había dado, mandándole que le pusiesen buena guarda. Y parece que disminuye la atención de los que tenían cuidado de él, y principalmente del capitán, cuya responsabilidad debía ser mayor y el mozo que buscaba tiempo y lugar para ello, se fue una noche de entre ellos y se lanzó entre aquellos habitantes de la isla a los cuales dio nuevas de todo lo que sabía de los contrarios[706].

Los inconvenientes resultantes de esta huida dejó a los portugueses una lección que habrá de ser recordada posteriormente en más de una oportunidad: "que siempre se debe poner especial guarda en el prisionero, rehenes, truchimanes de

---

queque do Iffante E bẽ parece que auya grande sabedorya da linguajẽ mourisca pois antre aquelles era entendido, onde o outro allarue que era mouro de naçõ nom podera achar quem o ẽtendesse seno huũ soo" (G. E. de Zurara 1978: I, 79).

[705] "Empero a Lançarote nom esqueceo de saber dos mouros que tijnha presos o que lhe cõpria de saber acerca do lugar e tẽmpo em que estaua e aprendeo delles per seu ẽtrepetador que ally acerca auya outras jlhas pouoadas onde poderyam com pouco seu trabalho fazer boas presas" (G. E. de Zurara 1978: I, 91).

[706] "Gonçallo de Sintra leuaua huũ moço azenegue por torgimam, o qual ja de nossa linguajẽ sabya grande parte / que lhe o Jffante entregara mandandolhe que posesse neelle boa guarda / E parece que mingua de boo avisamento daquelles que dele tijnham cuidado e principalmẽnte do capitam de que o carrego deuera ser mayor / buscando o moço tempo e lugar pera ello /. spedyosse hũa noite dantre elles e lançousse com aquelles moradores da jlha, aos quaaes deu nouas de todo o que sabya dos contrairos" (G. E. de Zurara 1978: I, 116).

tierra ajena y resguardarlos con gran cautela. Y los males que ya acontecieron de esto son manifiestos"[707].

Ocurrió más de una vez en la historia colonial que algún europeo se hizo abandonar y se expuso a los riesgos de ser explorador tierra adentro. El primer portugués que permaneció en la costa occidental de África, en Río de Oro, fue João Fernandes. El mismo pudo haber sido prisionero de los moros en el Mediterráneo y haber aprendido así el árabe y una lengua beréber, pero Zurara no confía en que sus conocimientos lingüísticos, en el caso de que los tuviera, le fueran de provecho: "puede que él ya había sido prisionero entre los otros moros en esta parte del Mar Mediterráneo donde había tenido conocimiento de la lengua. Pero no sé si le era útil entre aquéllos"[708]. Siete meses más tarde Antão Gonçalves partió en busca de João Fernandes quien estaba esperando la llegada de sus compatriotas en la playa. A este hombre atrevido se remontan los conocimientos de los portugueses acerca de las lenguas y los pueblos del Occidente de África, por lo que pudo enterarse en su permanencia. Distingue sobre todo los beréberes arabizados de los demás habitantes: "La escritura que usan y la lengua que hablan no son tales como las de los otros moros, sino de otra manera. Pero todos son de la secta de Mahoma y son llamados alarbes y azenegues [zenagas] y beréberes"[709]. De los tres pueblos citados uno hablaba árabe y los dos otros una lengua beréber que tenía un alfabeto propio, hoy en día revitalizado. João Fernandes divide el continente africano en tres partes según criterios religiosos, políticos y lingüísticos: hay tierras habitadas por musulmanes o "moros", en las cuales unos hablan árabe, otros una lengua beréber, y la tierra de los negros, llamada Malí:

> Y hay que saber que en toda la tierra de África que va desde Egipto hasta el poniente los moros no tienen más reino que el Reino de Fez, en el cual se encuentra el de Marruecos y de Tafilete, y el Reino de Túnez, en el cual está el de Tlemcen [o Tremecén] y de Bujía [o Béjaïa]. Y toda la otra tierra la poseen estos alarbes y azenegues que son pastores de a caballo y de pie y que van por los campos como ya he dicho. Y se dice que en la tierra de los negros hay otro reino que se llama de Malí, pero esto no

---

[707] "que no prisioneiro arrefeẽs, turgimaãs de terra alhea, sempre sse deue de poer special guarda sguardando sobre elles com grande cautella E os malles que ja desto acontecerõ magnifestos sõ" (G. E. de Zurara 1978: I, 120).

[708] "bem he que elle fora ja catiuo antre os mouros em esta parte do mar medyo terreno / onde ouuera conhecimento da linguajem. mas nõ sey se lhe prestarya antre aquelles" (G. E. de Zurara 1978: I, 131).

[709] "A letra com que screuem / nem a lynguagem com que fallã nõ he tal como a dos outros mouros ante doutra guisa / Empero todos som da seita de maffamede e ssom chamados alarues e azenegues e barbaros" (G. E. de Zurara 1978: I, 290).

> es cierto, porque ellos traen de aquel reino los negros y los venden como los otros, en lo cual se muestra que si fuesen moros no los venderían así[710].

El autor hace alusiones ocasionales a los beréberes y sus lenguas, comentarios que son, sin embargo, aún más generales que los que acabamos de citar.

No sabemos si los portugueses formaron a algunos de los esclavos negros rescatados de los beréberes como intérpretes, ni tampoco si los hombres que permitieron la comunicación con los senegaleses de entonces eran beréberes o negros: "Y cuando se fueron más allá, encontraron un gran río que se llama Senegal y que está muy poblado, y los cristianos hablaron con ellos a través de los hombres que llevaban consigo"[711]. A pesar de esta comunicación incipiente los portugueses se encuentraban ya al inicio de una nueva etapa con la exploración de Guinea, cuando en el viaje de 1445 avanzaron hasta la tierra de los negros que comienza en la región del río Senegal:

> Y la gente de esta tierra verde es toda negra y por esto la he llamado Tierra de los Negros o Tierra de Guinea, motivo por el cual los hombres y mujeres de ella son llamados guineos, que quiere decir tanto como negros[712].

En este viaje capturaron a un joven nativo para instruirlo en la lectura y la escritura según era voluntad del Infante, pero éste murió pronto[713]. Los negros de la costa llegaron en realidad a oponer una resistencia tan tenaz que ninguno pudo ser capturado en los años siguientes. Por este motivo no se llevaron intérpretes en los viajes posteriores[714]. Cuando más tarde lograron capturar a algunos negros, no nos enteramos de sus lenguas, ni siquiera de sus eventuales servicios

---

[710] "E he bem que saibaaes que em toda a terra dafrica que he des o egipto atees o poente / os mouros nõ teẽ mais Regno que o Regno de feez no qual jaz o de Marrocos e de Taffelete e o Regno de Tunez em que he o de Tremecem e de Bugya/. E toda a outra terra possuuẽ estes alarues e azanegues que som pastores de cauallo e de pee e que andan sobre os cãpos, como ja tenho dicto / E dizse que na terra dos negros ha huũ outro Regno que se chama de Meelly empero esto nõ he certo ca elles trazem daquelle Regno os negros e os vendẽ como os outros no que se mostra que se fossem mouros que os nõ venderyam assy" (G. E. de Zurara 1978: I, 290-291).

[711] "Et, transeuntes vltra inuenerunt flumen magnum quod vocatur Cenega multum populatum, et locuti sunt Chrisstiani [*sic*] cum ipsis per homines quos secum portabant" (D. Gomes en R. Rainero 1970: 125).

[712] "E esta gente desta terra verde he toda negra e porem he chamada terra dos negros ou terra de guinee por cujo aazo os homeẽs e molheres della som chamados guineus, que quer tanto dizer como negros" (G. E. de Zurara 1978: I, 225).

[713] G. E. de Zurara 1978: I, 227.

[714] Cf., por ejemplo, G. E.de Zurara 1978: I, 282.

como intérpretes[715]. Al fin y al cabo, la *Crónica de Guiné* es otra cosa que lo que indica su título, puesto que es la crónica de las exploraciones de las islas atlánticas y de las costas habitadas de beréberes.

Es probable que Zurara relate los sucesos sólo hasta 1453, es decir, no hasta la muerte del Infante en 1460, ya que no menciona el viaje a Guinea que hizo Alvise da Ca' da Mosto en 1455. Este mercader veneciano se ocupa de los contactos lingüísticos con los negros con tanto detalle como lo había hecho Zurara con los beréberes. La primera comunicación la tuvo al sur del río Senegal con un señor llamado Budomel, como sus dominios: "Me detuve con mi carabela en este lugar parar tener lengua con este señor"[716]. Para este fin dispuso de un intérprete negro posiblemente adquirido no mucho tiempo antes: "le hice saber por un truchimán mío negro que yo había venido con algunos caballos y otras cosas para servirle si le hacía falta"[717]. El autor indica de forma expresa el origen de los intérpretes. Uno de ellos fue enviado a tierra en la región de la desembocadura de un río entre el Cabo Verde y el río Gambia; en esta ocasión nos enteramos de que los portugueses habían formado a estos negros como intérpretes:

> y deliberamos si mandar a tierra a uno de nuestros truchimanes, porque cada una de nuestras naves tenía truchimanes negros traídos de Portugal, los cuales habían sido vendidos por esos señores de Senegal a los primeros portugueses que vinieron para descubrir dicho país de negros.
>
> Estos esclavos se habían hecho cristianos y sabían bien la lengua española[718].

Hay que entender esta "lengua española" –"lingua spagnola" en el texto original– como portugués. Antes de la unión de las Coronas de Castilla y Aragón, la Península Ibérica en su totalidad se llamaba en castellano *España*, en italiano *Spagna* y en portugués *Espanha*. Ya que un italiano de esa época podía llamar a su lengua italiano, aun cuando hablara una koiné regional, la misma perspectiva desde fuera era muy natural en la percepción de la Península Ibérica.

---

715 G. E. de Zurara 1978: I, 348-352.

716 "A questo luogo mi affermai con la mia caravella per aver lingua da questo signore" (R. Caddeo [ed.] 1929: 217). El nombre de *Budomel* se reproduce posteriormente mediante las formas *Bor-Damel*, *Vedamel, Vedanil*; cf. R. Caddeo (ed.) 1929: 216, n. 2.

717 "fecili assapere per un mio turcimanno negro, come io ero venuto con alcuni cavalli e altre robe per servirlo se gli era bisogno" (R. Caddeo [ed.] 1929: 217).

718 "e deliberammo di voler mandare in terra uno delli nostri turcimanni, perchè cadauno delli nostri navilj aveva turcimanni negri, menati con noi di Portogallo, i quali furono venduti per quelli signori di Senega a' primi Portogallesi che vennero a scoprire il detto paese de Negri. Questi schiavi erano fatti cristiani, e sapevano ben la lingua spagnuola" (R. Caddeo [ed.] 1929: 249).

Los negros de la tierra mataron al intérprete en la playa[719]. Esta circunstancia fue una gran desventura para los descubridores. La relación del segundo viaje de Ca' da Mosto a Guinea en el año 1456 nos revela que sólo se avanzaba hasta donde la comunicación con los indígenas mediante intérpretes estaba asegurada. Ésta era posible en la tierra del río Gambia[720]. Sin embargo, Ca' da Mosto supo que en esta región se hablaban otras lenguas. Al sur del río Gambia, en la proximidad de Cabo Rojo (Cabo Skirring), el viaje se interrumpe, ya que ninguno de los intérpretes presentes entendía la lengua o lenguas de los nativos que se habían acercado a la carabela del veneciano en sus canoas:

> les hice hablar a través de mis truchimanes; ninguno de ellos pudo entender ninguna vez lo que decían, tampoco los de las otras carabelas: al ver esto, tuvimos grandísima pena, y finalmente partimos sin poder entenderlos. Como vimos que estábamos en una tierra nueva y que no podíamos ser entendidos, concluimos que era superfluo continuar, porque juzgamos que siempre hallaríamos más lenguas nuevas y que no se podía hacer cosa de provecho; y así decidimos regresar[721].

Esta justificación de la vuelta prueba que los portugueses seguían una técnica exploradora. Los intérpretes tuvieron un papel destacado como informantes e intermediarios, y también como agentes comerciales. Colón, que había estado en Guinea[722], conoció esta práctica allí y la aplicó después con la mayor naturalidad en los primeros contactos con los indígenas antillanos. El 12 de noviembre de 1492 escribe en su diario de a bordo que mandaba detener a cinco mancebos y que hacía traer a siete mujeres y tres niños. Esta captura que Las Casas particularmente no tenía por "la mejor cosa del mundo", la justifica Colón de manera expresa con las experiencias de los portugueses en Guinea:

> Esto hize porque mejor || se co*m*portan los ho*m*bres en España aviendo mu || geres de su t*jer*ra q*ue* sin ellas, porq*ue* ya otras mu || chas veces se acaeçió traer ho*m*bres de Gujnea || p*ar*a q*ue* deprendiesen la lengua en Portugal, || y después q*ue* bolvían y pensaba*n* de se aprove || char d'*e*llos en su t*jer*ra por la buena co*m*pañja || que le avía*n*

[719] R. Caddeo (ed.) 1929: 249-250.

[720] R. Caddeo (ed.) 1929: 264-265, 266-268.

[721] "li feci parlare alli miei turcimanni; nè mai alcun di loro potè intender cosa che e' dicessono, nemmeno quelli dell'altre caravelle: il che veduto, ne avemmo grandissimo dispiacere, e finalmente ci partimmo senza poterli intendere. E vedendo ch'eravamo in paese nuovo, e che non potevamo esser intesi, concludemmo che 'l passar più avanti era superfluo, perchè giudicavamo, dover trovar sempre più nuovi linguaggi, e che non si poteva far cosa buona: e così determinammo di tornar indietro" (R. Caddeo [ed.] 1929: 278-179; cf. 280).

[722] C. Colón 1984: 8-11.

hecho y dádivas q*ue* se les avían dado, || en llega*n*do en t*jer*ra jamás parecía[n]. Otros no || lo hazía*n* así. Así que, tenje*n*do sus mugeres, || [23v] ternán gana de negociar lo q*ue* se les encargare, || y ta*m*bién estas mugeres mucho enseñará*n* a los || n*uest*ros su lengua, la qual es toda vna en || todas estas yslas de Yndja, y todos se entien || den y todas las andan co*n* sus almadías, lo || q*ue* no an en Gujnea, adonde es mjll ma*ne*ras || de lenguas q*ue* la vna no entiende la otra[723].

Luego, esta tropelía le traería dificultades jurídicas.

Se documenta un solo caso en el cual Enrique el Navegante pensó, más allá de los numerosísimos dominios lingüísticos, en la India como objetivo a largo plazo. Con posterioridad a 1456, a Diogo Gomes le dio un indio, para que sirviera de intérprete en esa tierra. Después de haber obtenido del rey Batimansa paz y el derecho de comerciar en la región del río Gambia, el navegante escribe:

> Esto lo quise ensayar y envié en tierra a un indio llamado Diego (o Santiago) que el señor Infante había mandado con nostros, para que, si llegábamos a la India, tuviéramos a una lengua[724].

Por consiguiente, no es seguro como se piensa que la meta de los viajes de descubrimiento proyectados por el Infante haya sido sólo Etiopía, pero parece haber sido su objetivo por lo menos al principio y, en un futuro lejano, la reconquista de Jerusalén, un proyecto ibérico común. En la década de 1450, los primeros conflictos entre Portugal y Castilla se originaron en torno a la obtención de privilegios que sólo podía otorgar el papa. Éste y Portugal persiguieron la idea de una cruzada contra África con el fin de dominarla y cristianizarla, como la habían tenido los capellanes franceses en pleno cisma al principio del siglo. El Tratado de Alcáçovas (1479) significó una concesión de Castilla respecto a las pretensiones portuguesas sobre África y una renuncia por parte de Portugal a la posesión de las Islas Canarias. Bajo el reinado de Juan II este país empezó a dirigir sus miras más allá de la exploración de África hacia Asia y, más concretamente, hacia la India. En 1482, Diogo Cão exploró la costa de Gabón hasta Angola. En 1488, Bartolomeu Dias continuó los descubrimientos hasta pasado el cabo de Buena Esperanza en la proximidad de la actual ciudad East London. Se sumaron a estas navegaciones de reconocimiento viajes en el Atlántico, de los cuales se sabe poco. Entretanto, el rey de Portugal había rechazado la oferta de

723 C. Colón 1976: I, 122.

724 "Quod ego volui experimentare mittens Jacobum quendam indium, quem Dominus Infans nobiscum misit vt, si intrassemus in Indiam, quod habuissemus linguam, in terram" (D. Gomes en R. Caddeo [ed.] 1929: 147).

Cristóbal Colón de navegar por el camino de occidente. Los portugueses sabían que la vía de oriente era más corta que la inversa[725]. Tras la toma de Granada la reina Isabel accedería a la propuesta de Colón.

725 A. H. de Oliveira Marques 2006: 124-152, 189-199.

4. CONDICIONES DE LA DIFERENCIACIÓN DE LA LENGUA ESPAÑOLA EN LAS ANTILLAS Y EN CASTILLA DE ORO

4.0.1. El período de orígenes

> [S]e debe consyderar q*ue*sta ysla es como vn fundamento e rrayz de donde se an de gove*r*nar e sostener e pobla*r* todas las yslas e t*ie*rra firme del mar oçeano e la puerta para su entrada e saljda delos q*ue* fueren e vinjere*n* alo menos pa*ra* la buelta (*Información de los Jerónimos*, Santo Domingo, 1517).

El que así describe la importancia de La Española, es el licenciado Cristóbal Serrano, regidor y vecino de Santo Domingo, originario de Sanlúcar de Barrameda. Pero no sólo la isla tiene esta posición geográfica clave, sino que podemos decir que su lengua es asimismo "fundamento y raíz" de la lengua de "todas las islas y Tierra Firme del Mar Océano". Aunque gracias a la labor de Manuel Álvarez Nazario (1982) y de otros autores es imposible sostener que todavía no se haya descrito "la koiné lingüística realizada en las Antillas, en el primer tercio del siglo de la empresa americana", que "está en la base de todo el español ultramarino"[1], falta, sin embargo, una descripción desde la perspectiva de La Española y como base de la lengua española de toda América (2.5.).

El período de los orígenes del español en América abarca, según Guillermo L. Guitarte[2], los años que transcurren entre 1493 y 1519 en las Antillas, mientras que en Castilla del Oro y las costas septentrionales de la América del Sur se extiende hasta la década de los años veinte del siglo XVI y la conquista del Perú (4.2.). Los límites temporales se basan en fechas de la historia lingüística externa. En 1493, Colón funda la Isabela, la primera villa de La Española. Desde este año los españoles se asientan de forma duradera en el Nuevo Mundo. Mientras que 1493 es fuera de toda duda un inicio absoluto para la historia lingüística del español en América, todas las delimitaciones ulteriores de períodos en la historia del español necesitan una justificación concreta.

---

[1] D. Catalán 1958: 235. Cf. J. L. Rivarola 1996 y 1998, L. R. Choy López 1999 y 2002, J. G. Moreno de Alba [1]2001: 7-67 (base y andalucismo del español americano), M.ª T. Vaquero de Ramírez 2006 (zonas dialectales), T. Medin 2009: 21-78 (formación de una sociedad colonial) y gran parte de la bibliografía en 2.5.

[2] G. L. Guitarte 1983: 169-172.

Aunque los españoles y la lengua española se expanden desde La Española hacia las otras Antillas y muy pronto a Tierra Firme, con la fundación de Santa María del Darién (1509), que se va a despoblar en años posteriores, sólo después de la conquista de México que causó el éxodo de los pobladores de las Antillas al antiguo imperio de los aztecas, inicia un cambio en los rumbos de la colonización a mayor escala. Este proceso se repite a partir de 1531 con la conquista del Perú.

Los filólogos tomaron conciencia muy pronto de la gran importancia del período antillano para el desarrollo ulterior del español americano. El primero en reconocer la incidencia del período antillano en la formación lingüística del continente o en formularla por lo menos en palabras explícitas es Rufino José Cuervo. Este filólogo colombiano escribe a principios del siglo XX:

> Puede decirse que la Española fue en América el campo de aclimatación donde empezó la lengua castellana a acomodarse a las nuevas necesidades. Como en esta isla ordinariamente hacían escala y se formaban o reforzaban las expediciones sucesivas, iban éstas llevando a cada parte el caudal lingüístico acopiado, que después seguían aumentando y acomodando en los nuevos países conquistados[3].

Sin embargo, esta atinada postura de Cuervo no se tomó como directriz en la labor de investigación, como, en rigor, se debería haber hecho. En el período de implantación en las Antillas el español entra en contacto con la primera lengua amerindia, el arahuaco, y se constituyen formas comunicativas que se van perfeccionando en la conquista de Tierra Firme y se transfieren a las nuevas comunidades.

No se difunden solamente los primeros préstamos de lenguas indígenas desde esta isla. En el siglo XVI continúa también el proceso de adaptación de los significados de palabras españolas. Hoy en día los especialistas sostienen la formación de un nuevo modelo lingüístico a partir de esta fase.

El concepto de aclimatación nos puede servir para matizar la afirmación de que la periodización se basa en la "historia externa". Hay que ponerse de acuerdo sobre qué significa "externo" e "interno" en la lingüística. Lo más común es oponer tajantemente la *historia externa* de una lengua a la *historia interna*[4]. Esta oposición es una herencia del siglo XIX durante el cual se cultivaba la gramática histórica, o diacrónica, llamada también "historia interna", al tiempo que algunos gramáticos diacrónicos empezaron a descubrir las condiciones históricas,

---

[3] R. J. Cuervo 1939: XVII.

[4] Expuse este tema en mi contribución al VIII Congreso Internacional de Historia de la Lengua Española (2011).

sociales y culturales del cambio lingüístico. Pero como muy bien sabía Hermann Paul[5], la gramática histórica no es otra cosa, en lo esencial, que una gramática descriptiva, y una gramática descriptiva pretende describir la gramática de una lengua como homogénea, es decir, como si fuera unitaria, eliminando la variación. Sin embargo, una de las grandes aportaciones de Ferdinand de Saussure (1972/1987) a la lingüística es la difusión de la concepción tripartita del lenguaje en *langage* (*lenguaje*), *langue* (*lengua*) y *parole* (*habla*). El objeto de la "historia interna" es la *langue*, considerada desde una perspectiva diacrónica. En este concepto no se toman en cuenta ni el *lenguaje* ni el *habla*. ¿Con qué término de la oposición se enlazan el lenguaje y el habla en su historia, con la historia "interna" o "externa"? En mi opinión, el lenguaje y el habla abarcan aspectos "internos", o propiamente lingüísticos, y "externos" que se relacionan con el mundo sobre el que se habla, formulados en discursos. Por consiguiente, lo extralingüístico puede estar fuera de la lengua, pero no fuera ni del lenguaje ni del habla; la oposición no es nítida. El lenguaje concierne a la designación de las "cosas" y el hablante lo realiza individualmente en discursos. La *lengua* interrelaciona también aspectos "internos" y "externos", ya que tiene diferencias en el espacio que llamamos *diatópicas*, diferencias de nivel social o *diastráticas* y diferencias que aparecen al hablar un individuo en un momento determinado o *diafásicas* (1.5.). Considerando la interrelación de todos estos fenómenos, me resulta imposible aceptar la oposición en los términos corrientes. En consecuencia, la historia lingüística integral en su concepción –no lo puede ser en su realización– enfoca sus problemas a partir de los cambios lingüísticos que los hablantes crean y difunden en el espacio, en su entorno social y en su nivel cultural individual. En este sentido, el inicio del período es cierto, pero todos los límites posteriores están difuminados y se compararán con el ritmo de los cambios lingüísticos a lo largo de la expansión de la lengua. Los primeros cambios que perciben los coetáneos son léxicos y nosotros que estudiamos la historia de la lengua hoy en día, comprobamos el mismo tipo de modificaciones en las fuentes. Tras el auge de los cambios en los primeros años, éstos fueron disminuyendo en la expansión a Puerto Rico, Cuba y Castilla del Oro. El léxico se diferenciaba escasamente en la expansión a las otras Antillas, un poco más en el golfo de Urabá y el primer centro de irradiación lingüística que se desplazaba hacia Panamá. Los viajes de descubrimiento a La Florida y las *cabalgadas* a las Bahamas aportan pocas innovaciones léxicas; por el contrario, confirman un reciente saber común aplicado a otra región. De este modo, la última fecha de este período de límites escalonados, en cuanto al aprovechamiento retrospectivo de las fuentes,

[5] H. Paul [5]1920: 23-24.

son los años en torno a 1550, cuando La Española se marginaliza y pierde definitivamente importancia como centro de irradiación lingüística tras la refundación de La Habana en el noroeste de Cuba. Las demás regiones se individualizan pronto, en menor medida el norte de Sudamérica y en mayor grado la Nueva España que, por tanto, dejamos fuera de consideración. Los períodos consecutivos pueden delimitarse según otros criterios que léxicos: todo depende de la aceleración o la retardación de todos los tipos de cambio lingüístico. Los rasgos divergentes e innovadores no léxicos no se documentan en los tres primeros decenios, o si éste es el caso, son pocos.

Es oportuno considerar las primeras décadas bajo dos perspectivas: en la perspectiva de una historia del español de América, el español del Caribe en el lapso de tiempo que abarca los años entre 1493 y 1519/1531 es la base del desarrollo futuro en el continente y sólo en este sentido me parece plenamente justificado llamar a esta fase *período de orígenes*; para los fines de una historia del español en el Caribe, por el contrario, es poco probable que haya solución de continuidad con los desarrollos posteriores aunque sí nuevas orientaciones.

Ya que la fase antillana precede al desarrollo de todas las comunidades hispanoamericanas, la historia del español en las Antillas es la parte fundacional de cada historia hispanoamericana nacional. En esta época los contactos por vía marítima y de otros tipos tuvieron influencias lingüísticas en cada región. Así, habiendo sido Santo Domingo centro de irradiación lingüística, la lengua hablada en esta ciudad devino una etapa de la lengua implantada en otras tierras americanas. Con el aumento del aislamiento de Santo Domingo, el ascenso de La Habana como puerto más importante en el viaje de vuelta de la carrera de Indias y la erección de los virreinatos en la ciudad de México y en Lima se desplazan los caminos por los que se difunden las innovaciones españolas y americanas dentro de las distintas colonias de las Indias así como entre las colonias. Por lo visto las historias lingüísticas deben seguir el camino de la conquista y colonización desde el momento de los primeros contactos en las Indias. Aduzcamos dos ejemplos:

1. La historia de la lengua en el Perú debe tomar en cuenta la historia del español en las Antillas y en Castilla del Oro antes de pasar al desarrollo propiamente peruano.
2. Ya que las Filipinas fueron colonizadas desde la Nueva España y estaban en contacto con la metrópoli a través de la Nueva España, la historia del español filipino abarcará tanto la fase antillana como la novohispana. Ésta es la conclusión que se deduce del examen de la cuestión que planteó Cuervo y que retomó Guitarte, es decir, que el período antillano o de orígenes fue la fase de la aclimatación del español americano.

Aparte de este desarrollo orientado que en todo caso tiene su principio en La Española, hay también repercusiones desde regiones como México o el Perú en las Antillas y en todas aquellas direcciones hacia las que conducían las vías de comunicación que continuaban desplegándose en el continente (2.7.).

La periodización esbozada es válida sólo para el español de América en su conjunto, ya que el español aclimatado en las Antillas se llevó a México y al Perú. En cambio, no se supone que en este breve lapso temporal de tres o cuatro décadas la aclimatación haya llegado a su término, formando una eventual koiné antillana.

Esta periodización implica una opción entre las dos posibles perspectivas que son el pasado colonial de las Indias y el presente nacional de los países hispanoamericanos. Voy a prescindir de este ir y venir entre ambas. La división del español americano en historias por países tiene que ver con el cambio de perspectivas. Es evidente que ningún orden basado en un criterio actual puede ser plenamente satisfactorio. A pesar de las deficiencias manifiestas, los historiadores de la lengua, quienes no recurren a la solución más natural que es seguir la penetración en el continente americano por parte de los españoles, deberían evitar adoptar el punto de vista de los historiadores sin más.

El primer cambio lingüístico que los autores españoles observan en América y sobre el que emiten comentarios metalingüísticos tiene que ver con el léxico. Podríamos deducir de ello que los historiadores de la lengua tendrían que empezar por la creación léxica y proseguir con la transformación fonológica y gramatical, si realmente quieren dar una idea lo suficientemente adecuada de la historia –del devenir– de la lengua en América. El orden inverso –fonología, gramática, léxico–, que es el corriente en la gramática histórica y en la descripción lingüística en general, se traspone a la historia de la lengua, independientemente del ritmo del cambio en los diferentes niveles lingüísticos. Sin embargo, no se comprueba un dialecto secundario (1.5.) en las Antillas que se caracterice por una fonología y una gramática relativamente homogéneas en el período de orígenes. No quiero acallar que el estudio del cambio fonético-fonológico y gramatical sea inconmensurablemente más difícil y exija un esfuerzo metodológico y una amplia base documental que no es posible presentar en este lugar.

Las únicas fuentes que nos dan informaciones explícitas sobre las fases de desarrollo y las diferencias regionales del español son las crónicas. El español de las Antillas correspondía a una unidad sintópica en la conciencia lingüística de fray Toribio de Motolinía, actitud que puede ser un reflejo de la conciencia lingüística de sus coetáneos. Este franciscano, que antes de llegar a México pasó en 1524 diez días en Puerto Rico y seis semanas en Santo Domingo, escribió entre 1536 y 1541 en su *Historia de los indios de la Nueva España* enumerando las plagas en su nueva tierra:

> [...] fue tanta falta de pan, que en esta tierra llaman *centli* cuando está en mazorca; y en lengua de las Islas le llaman *maíz* –de este vocablo y de otros muchos usan los españoles, los cuales trajeron de las Islas a esta Nueva España–[6].

Este testimonio de Motolinía, entre otros, y el siguiente de Mendieta:

> [...] la tenemos medio corrupta [nuestra lengua española] con vocablos que a los nuestros se les pegaron en las islas cuando se conquistaron, y otros que acá se han tomado de la lengua mexicana[7],

confirman que los españoles tuvieron conciencia de que la lengua indígena de las Antillas influenciaba el léxico castellano que tomaba así características propias[8]. Aunque falten indicios de rasgos fonológicos y gramaticales diferenciadores, podemos estar seguros de que este testimonio correspondía a una realidad en el espacio de las Antillas de entonces que se apoya en el léxico[9] y que era a su vez expresión de la nueva experiencia. En cambio, no estamos autorizados a inferir de estas palabras que la lengua antillana constituyera una fase del español en América para Motolinía. Este autor llama la atención sobre el hecho de que los españoles "trajeron [muchos vocablos] de las Islas a esta Nueva España", pero esta afirmación concierne sólo a la Nueva España.

Cambiemos de rumbo, y tomemos el camino de Panamá al Perú. A los pocos años de la conquista del Perú, Agustín de Zárate, autor del tercer testimonio que presentamos, quien había estado en 1544 y 1545 en aquel país, escribió entre 1546 y 1553 desde Valladolid:

> En todas las provincias del Perú había señores principales, que llamaban en su lengua *curacas*, que es lo mismo que en las islas solian llamar *caciques*; porque los españoles que fueron á conquistar el Perú, como en todas las palabras y cosas generales y mas comunes iban amostrados de los nombres en que las llamaban de las islas de Santo Domingo y San Juan y Cuba y Tierra-Firme, donde habian vivido, y ellos no sabian los nombres en la lengua del Perú, nombrábanlas con los vocablos que de las tales cosas traian aprendidos, y esto se ha conservado de tal manera, que los mismos indios del Perú cuando hablan con los cristianos nombran estas cosas generales por los vocablos que han oido dellos, como al *Cacique*, que ellos llaman *curaca*, nunca le nombran sino *cacicua*, y aquel pan [...] le llaman *maíz*, con nombrarse en su lengua *zara*, y al brebaje llaman *chicha*, y en su lengua *azúa*, y así de otras muchas cosas[10].

---

[6] T. de Motolinía 1985: 119.

[7] G. de Mendieta 1973: II, 120.

[8] Cf. sobre la conciencia lingüística en América E. Martinell Gifre 1988 y 1994.

[9] Cf. G. L. Guitarte 1983: 171.

[10] A. de Zárate 1947: 470b.

Aparece aquí, al lado de las antillanas, la palabra *chicha* que los españoles tomaron probablemente de la lengua de los indios cunas de Panamá, pero que Zárate atribuye como los demás a los arahuacos; este testimonio es una advertencia a no sobrevalorar a los autores que escriben sobre regiones de las cuales carecen de conocimientos directos y personales. Castilla del Oro tiene su influencia en la lengua de las regiones andinas, aunque escasa, y ésta se incluye en el espacio antillano.

Nuestro cuarto testigo es el Inca Garcilaso. Este mestizo peruano opone la lengua de los españoles, formada en las Antillas, sin otra caracterización a la lengua de los indios del Perú. Sus comentarios conciernen igualmente al léxico: "Las que los españoles llaman *batatas* (y los indios del Perú *apichu*) las hay de cuatro o cinco colores"[11]. Una palabra antillana se presenta, pues, como integrada en la lengua española. Otra identificación es aún más clara:

> Hay otra fruta que nace debajo de la tierra, que los indios llaman *ínchic* y los españoles *mani.*
>
> (Todos los nombres que los españoles ponen a las frutas y legumbres del Perú son del lenguaje de las islas de Barlovento, que los han introducido ya en su lengua española y por eso damos cuenta de ellos)[12].

> De los frutos que se crían encima de la tierra tiene el primer lugar el grano, que los mexicanos y los barloventanos llaman *maíz* y los del Perú *zara*, porque es el pan que ellos tenían[13].

Extraemos tres conclusiones de las citas tomadas del Inca Garcilaso: 1) el autor dispone de un término para designar la lengua antillana, es decir, *lenguaje de las islas*, mientras que los indígenas antillanos se llaman *barloventanos* sin distinción entre arahuacos y caribes; 2) este *lenguaje* se caracteriza por su léxico y se distingue también de otras variedades por el léxico; y 3) el léxico indígena antillano está integrado en la lengua de los españoles.

El último testimonio lo tomamos del padre jesuita José de Acosta. En su visión retrospectiva del siglo pone las cosas en su lugar y dice en su *Historia natural y moral de las Indias* (1590) tras subrayar la falta de especias americanas:

> Pero la natural especería que dió Dios a las Indias de occidente es la que en Castilla llaman *pimienta de las Indias*, y en Indias por vocablo general tomado de la pri-

[11] Garcilaso de la Vega 1991: 517.

[12] Garcilaso de la Vega 1991: 517.

[13] Garcilaso de la Vega 1991: 514.

> mera tierra de islas que conquistaron nombran *ají*, y en lengua del Cuzco se dice *uchu*, y en la de Méjico, *chili*[14].

Aquí está implicado un esbozo temprano de geografía lingüística. El autor opone Castilla a las Indias, en las que son usuales *pimienta de las Indias*, por un lado, y *ají*, por otro. *Ají*, cuyo origen está en las Antillas, es el "vocablo general". Frente a esto deberíamos creer que *uchu* y *chili* se usaron sólo en las respectivas lenguas amerindias. Sin embargo, se documentan *ucho* en el español peruano del siglo XVII y *chile* desde el siglo XVI en México[15]. Acosta cita, pues, de manera directa *uchu* como voz quechua y *chili* como voz nahua, pero de manera indirecta los préstamos correspondientes que empiezan a sustituir a *ají* en el Perú y en México, si bien *ucho* no acaba de arraigar.

Se ha cuestionado la relevancia del léxico para la división lingüística actual del español americano. Si bien la reserva se refiere a las investigaciones geolingüísticas, podemos preguntarnos si se aplica también a la historia de la lengua. Las diferencias léxicas entre el español de España y el español de América son más profundas en los niveles de lengua menos cultos, pero precisamente porque el léxico es diferente entre los países y aun dentro de cada país, no se cree poder apoyarse en criterios léxicos en una división dialectal del español americano. Así, por ejemplo, J. M. Lope Blanch:

> La variabilidad propia del dominio léxico impide conceder excesiva importancia a las diferencias que en él se presenten entre unas naciones y otras. No parece muy recomendable, por consiguiente, establecer delimitaciones dialectales con bases lexicográficas[16].

Es cierto que, para establecer una división dialectal en el presente, los criterios léxicos son poco apropiados. Para el pasado tenemos, sin embargo, el testimonio seguro de algunos autores que no hay que desechar. En ellos encontramos la primera diferenciación léxica en las Indias con su reflejo en la conciencia metalingüística. Por eso tomamos en cuenta el léxico antes que la fonología y la gramática. Los historiadores, en cambio, han prestado siempre mucha atención al léxico colonial, y su ejemplo me parece convincente. Sin embargo, la fragmentación léxica es un tema importante para una investigación histórica, pues hay que aclarar de qué manera se perdió una división diatópica que estaba presente en la conciencia de los españoles de los siglos XVI y XVII; si bien el estado de la lexicografía históri-

---

14 J. de Acosta 1954: 144.

15 M. Galeote 1997: s. v.

16 J. M. Lope Blanch 1989: 27.

ca no permite llegar a conclusiones definitivas por el momento. Intenté contribuir a un estudio de la diferenciación en el tiempo y en el espacio que esbocé en 2.7. Un estudio histórico debe justificar, entre otras cosas, la diversidad léxica actual.

El transplante del español a Canarias y a las Antillas se desarrolló en muchos aspectos de manera paralela. Los arahuacos tenían el mismo nivel cultural que los canarios, pero no eran belicosos, sino "cobardes" como decía Cristóbal Colón, lo que facilitó la ocupación y el poblamiento de La Española. Ésta es la primera condición del desarrollo lingüístico: la delimitación del espacio en el cual se difundirá la lengua. La segunda es la afinidad y la relativa unidad lingüísticas de los arahuacos: los lucayos capturados en las Bahamas sirvieron de intérpretes a los españoles en Haití y les comunicaron sus conocimientos geográficos que circunscribían el radio de acción de arahuacos y españoles. La homogeneidad lingüística facilitó el poblamiento de las Antillas Mayores. Los españoles no tuvieron que conquistar la isla al principio –tercera condición–, puesto que los arahuacos eran pacíficos. Sólo se rebelaron cuando los españoles ya eran prácticamente señores de las islas. La cuarta condición es el origen regional de los pobladores. En las Antillas el papel de los grupos regionales de pobladores es particularmente importante. Se ha discutido e investigado este problema con abundancia de materiales y se ha comprobado el predominio de los andaluces[17]. Hay que nombrar como quinta condición la contribución de las lenguas o dialectos de España a la formación del español americano primitivo.

Los préstamos y las innovaciones se difundieron en el período de orígenes en el espacio que se comunicaba por vía marítima, pero si por un lado con limitación regional como generalmente ocurrió con los préstamos de la lengua canaria y de las lenguas arahuacas, por otro también en el léxico del espacio total, como sucedió con el lenguaje especializado de los marineros. Comprobamos al mismo tiempo nivelación y diferenciación.

La historia del sistema fonológico y de la gramática es distinta. Es poco probable que estas partes de la lengua se hubieran ya consolidado cuando los españoles pasaron a conquistar México. Sin embargo, la lengua de Canarias es interesante para estudiar una posible consolidación lingüística comprobable, quizás, en una documentación sin solución de continuidad. Los mejores documentos son las actas inquisitoriales en las que se transmiten los mismos tipos de textos desde principios del siglo XVI hasta principios del siglo XIX. La documentación oficial antillana no ofrece las mismas ventajas que las actas de la Inquisición canaria. Este tipo de documentación, que contiene numerosos textos escritos por particulares, vuelve a producirse en México recién a partir de 1571.

---

[17] Cf. P. Boyd-Bowman ²1985, entre otras contribuciones.

Como en Canarias, los españoles poblaron las Antillas en dos fases: la primera corresponde al régimen de factoría, políticamente parecido al régimen señorial de las Islas Canarias orientales; en la segunda fase los reyes favorecieron el espíritu emprendedor de los conquistadores en detrimento de los intereses del virrey Cristóbal Colón y de sus sucesores, rectificando así su política como ocurriera en Canarias a partir de 1477/1478. A raíz de esta segunda expansión se empezaron a poblar Puerto Rico, Jamaica y Cuba entre 1508 y 1511, así como la Tierra Firme a partir de 1509. Es probable que los antillanismos, es decir, los préstamos arahuacos y en menor grado los caribes, ya se difundieran de La Española a las otras Antillas y a Tierra Firme: *canoa*, *cacique*, *bohío*, *ají*, *iguana*, *cazabe*, *maíz*, *sabana*, etc., los mismos que llegarían poco más tarde a México[18].

Sin embargo, hay una diferencia que a primera vista no parece tan profunda, pero que incide en el desarrollo ulterior: las Islas Canarias se integraron en la Corona de Castilla; las Indias, en cambio, eran un reino o un conjunto de reinos que dependían de la Corona de Castilla. La consecuencia es que los funcionarios reales y los eclesiásticos se establecieron en Canarias donde se reclutaban también los soldados que defendían las islas, en tanto que estas mismas categorías de personas, incluyendo a los misioneros, experimentaron un recambio permanente durante toda la dominación española de América. Se resienten de esta manera los efectos de una regionalización diferente del español en Canarias y en América. Los estrechos contactos con Andalucía produjeron variedades canarias próximas al andaluz; las variedades hispanoamericanas, en cambio, se subordinan al español metropolitano llevado por los representantes del poder central y de la Iglesia. Las características de la regionalización dependen de la incidencia muy variable de las fuerzas centrípetas y centrífugas en las zonas hispanoamericanas.

En cuanto a los pobladores, el predominio lingüístico de los andaluces y de los meridionales en general parece ya fuera de duda. Se mantiene al igual que en Canarias la influencia del oeste de la Península, incluso de Portugal, aunque en menor medida, así como también la influencia portuguesa en la lengua, al lado del predominio meridional en general[19].

4.0.2. Fuentes del español en el período de orígenes

Partir de los entornos (1.5.3.) significa escudriñar lo que sabían los sujetos agentes coetáneos, ante todo Cristóbal Colón, pero raras veces las fuentes dan un

[18] Cf. J. M. Lope Blanch 1981: 75-88.

[19] Cf. G. de Granda 1978a: 139-156.

acceso directo a esta perspectiva; ni siquiera el *Diario de a bordo* está exento de una visión con mucho posterior, guiada por intereses surgidos a lo largo de las décadas consecutivas a los primeros contactos y experiencias. Tales narraciones y descripciones encubren el cambio, mientras estaba gestionándose, a veces en el lapso de algunos días como la sustitución de *almadía* por *canoa*, otras veces el desfase abarca años y décadas[20]. Accedemos a este saber únicamente a través de contextos discursivos. Los contextos implicados en los textos están cronológicamente estratificados e imbricados, sin que nosotros logremos, a pesar de esfuerzos interpretativos, ahondar en la formación de tradiciones elocucionales y discursivas; porque se trata también de tradiciones elocucionales, ya que siempre tenemos que contar con parcelas de la realidad que se dan por sabidas o se callan. No conseguimos entender el cambio, en nuestro caso, lingüístico a través de una perspectiva teleológica de la historia. La otra visión es la reconstrucción de la historia general y lingüística mediante la interpretación de los conocimientos de los coetáneos. No obstante las muchas limitaciones de las fuentes, la teoría de los entornos nos permitirá valorar aún mejor el uso de la documentación antillana y americana temprana que la canaria. La historiografía americana desbordante en volumen y a veces en fantasía requiere una reducción de lo históricamente eficaz. Precisamos de algunos criterios para obrar este redimensionamiento. El primer criterio es la máxima aproximación a la situación inmediata en la cual ocurre una innovación lingüística, pero el segundo criterio, que resulta íntimamente unido al primero, es el afianzamiento de la innovación mediante su adopción, que es tanto más válida cuanto que no es sólo el propio autor quien la adopta, sino otras personas, sobre todo si se remiten directamente a la fuente. Este tipo de fuentes evoca el universo del discurso empírico, por ejemplo, en el diario de a bordo de Cristóbal Colón, en cartas fechadas y en los documentos oficiales. La crítica textual resulta de rigor, siempre que la transmisión de la fuente no es segura como ocurre –volvemos otra vez sobre el mismo ejemplo– con el diario de Colón. Se procurará ofrecer algún indicio sobre su aprovechamiento. El segundo universo de discurso en el orden de importancia para nuestro propósito son las ciencias, es decir, las obras que pueden pretender ser llamadas científicas en este período y se incluyen en el concepto genérico de historiografía indiana,

---

[20] Traigo a la memoria un ejemplo que se ubica fuera de nuestro período, pero que es tan elocuente que merece citarlo, la descripción que hizo Hernán Cortés del Mercado de Tlatelolco. Este ejemplo se vuelve tanto más significativo que la descripción es la base del famoso mural que Diego Rivera pintó en el Palacio Nacional y de la magnífica reconstrucción expuesta en el Museo Nacional de Antropología, ambas en la ciudad de México. Hernán Cortés, quien había perdido todos sus papeles en la Noche Triste, tuvo que reconstituir esta descripción de memoria (1993: 233-237).

las cuales más que ser historias o crónicas se semejan a obras enciclopédicas. Como tales, se deben valorar a partir del momento histórico en el cual sus autores las redactan. Sin embargo, si no sabemos en qué momento, ni en qué lugar un autor escribe su obra, ni cuáles fuentes utiliza, debemos ser prudentes al recurrir a ellas. No obstante, los comentarios que se emiten sobre los fenómenos y sucesos que exponen son valiosos para poner las cosas en su lugar. En la época de los orígenes los tratados especializados son de menor relevancia, pero no pueden faltar, dado el caso se los puede considerar. El universo de la ficción no se presenta en este momento[21], si no en la obra latina de Pedro Mártir de Anglería (1459-1526) por sus calidades literarias, ni tampoco el de la fe, universo sobre el cual encontramos sólo unas pocas referencias cuando se tocan los temas de los malos tratos y de la evangelización de los indígenas. La religiosidad de Colón está fuera de duda, pero sus huellas lingüísticas son borrosas: lo que permanece son la toponimia y la misión de evangelizar a los indios, con lo cual la colonización ibérica se distingue radicalmente de la anglosajona. Vale aclarar que, a pesar de que Bartolomé de las Casas se dedica a proteger a los indios, esta política queda fuera de los límites del período que estamos tratando.

Los universos de discurso a través de los cuales accedemos a una parcela de la realidad lingüística del período de orígenes son, pues, la administración y la ciencia; la primera en la documentación oficial, la segunda en escritos de orientación muy variada debido a los intereses divergentes que sus autores defienden. Como ya vimos, estos textos son llamados generalmente crónicas desde la perspectiva actual, si bien corresponden a una variedad de tipos textuales. El segundo universo de discurso está relacionado con el primero, dado que suele basarse en documentos oficiales, aparte de las experiencias propias de los autores y los testimonios de testigos presenciales.

La primera dificultad que se opone a la realización de una descripción del español en el período fundacional es el "escaso número de fuentes primarias publicadas de acuerdo con las exigencias mínimas requeribles en la materia"[22]. En cuanto a los más interesados, los lingüistas dominicanos, éstos tienen probablemente más dificultades que los lingüistas de otros países hispanoamericanos que se proponen estudiar la historia de la lengua española en su tierra, ya que la documentación relativa a los primeros años del dominio español en la isla se encuentra en el Archivo General de Indias y otros archivos españoles.

Los textos cronológicamente muy cercanos a la época de la conquista y de la colonización son casi siempre de carácter oficial. La documentación colonial es

---

21 Véase W. Mignolo 1982 acerca de la transformación de la documentación en literatura, un proceso que se observa fundamentalmente con posterioridad al período de orígenes.

22 G. de Granda 1988: 207.

enorme y se conserva en el Archivo General de Indias de Sevilla, en los archivos nacionales de los Estados hispanoamericanos y en otros de España y Europa. Una parte importante ha sido publicada por y para historiadores como fuentes históricas, sobre todo la *Colección de documentos inéditos relativos al descubrimiento, conquista y colonización de las posesiones españolas en América y Oceanía*[23] y la *Colección de documentos inéditos relativos al descubrimiento, conquista y organización de las antiguas posesiones españolas en Ultramar*[24]. El valor de estas fuentes depende de la finalidad de la investigación. Los documentos oficiales publicados hasta la fecha son fuentes útiles para las informaciones históricas sobre el descubrimiento, la conquista, el poblamiento, la demografía y la convivencia de los grupos poblacionales. Y estos documentos editados con finalidades históricas son también utilizables con respecto a informaciones sobre lenguas indígenas y el español oficial en tierras ultramarinas. Las limitaciones de su aprovechamiento como documentos lingüísticos radican en que se han modernizado en distinta manera. Por eso no se pueden usar en un estudio de la ortografía y de la fonología. En cambio, el número de textos editados según criterios rigurosamente lingüísticos es muy reducido. Disponemos ahora de dos textos de los comienzos del español americano: la *Información de los Jerónimos* de 1517, editada por Andreas Wesch (1993), y la edición parcial de la *Residencia que Alonso de Zuazo tomó a los jueces de apelación* (1517), publicada por Isolde Opielka (2008), que presentaré al final de este apartado. La colección de los *Documentos para la historia lingüística de Hispanoamérica* (1993) reunidos por María Beatriz Fontanella de Weinberg contiene una sección dominicana. Se reclaman ediciones fidedignas desde hace rato[25]; pero hasta que éstas no existan, hay que apoyarse en los documentos originales conservados en los archivos si se quiere llegar a resultados seguros[26]. Sin embargo, las ediciones históricas son útiles para analizar las tradiciones discursivas oficiales en América[27]. Se encomienda en este sentido el aprovechamiento del *Cedulario cubano* de José María Chacón y Calvo (1929). La *Colección de documentos para la historia de la for-*

[23] En 42 tomos, Madrid, 1864-1884 (Kraus Reprint Ltd., 1964-1966; sigla: *CDI*). Colección editada por J. F. Pacheco, F. Cárdenas y L. Torres de las que los tomos I, V, VII, VIII, X, XI, XXI, XXIV, XXX-XXXVI, XXXVIII, XXXIX y XL atañen a las Antillas durante las primeras décadas.

[24] En 25 tomos, Madrid 1885-1932 (sigla: *CDU*), sobre todo con los tomos V-IX y XXII. Colección editada por la Real Academia de la Historia.

[25] Por ejemplo de J. L. Guitarte 1968: 159-160; G. de Granda 1988: 203-213; J. Lüdtke 1988a: 1514-1515 y 1996.

[26] J. A. Frago Gracia 1987; método que aplica en su *Historia del español de América* (1999).

[27] Cf. J. J. Real Díaz 1970.

mación social de Hispanoamérica (1953, 1958, 1962) de Richard Konetzke, da cabida a una parte importante de los primeros documentos.

Los textos de particulares están temporalmente tan próximos al poblamiento originario como los documentos oficiales. Su análisis fonológico y gramatical es de mayor interés que la documentación cancilleresca, dado que se manifiesta en ellos una lengua muchas veces regional, la posición social de su autor y la relación personal entre los corresponsales. Pero al principio algunos se escriben en otras lenguas que el español, de modo que no son siempre utilizables para nuestros fines. Ejemplos son las cartas de Cristóbal Colón y de las personas próximas a él[28].

Una posición privilegiada tiene el diario de a bordo de Cristóbal Colón que es una relación y al mismo tiempo un texto especializado. Debemos la conservación de este diario de a bordo, el primero en ser transmitido hasta la actualidad, a la copia que hizo Bartolomé de las Casas. Sin embargo, éste no reproduce siempre el texto literal, sino que a veces lo resume y lo comenta. El diario de a bordo ha sido editado con frecuencia. La mejor edición para nuestros fines es la de Manuel Alvar, que contiene una transcripción diplomática, un facsímile de la copia de Las Casas y una versión modernizada[29]; edición que se complementará con los comentarios de Demetrio Ramos Pérez y Marta González Quintana (1995). Este extraordinario documento histórico se puede comparar con las relaciones de descubrimientos y viajes posteriores publicados por Martín Fernández de Navarrete[30], particularmente las de Álvarez Chanca y de Michele da Cuneo.

La literatura en sentido amplio es abundante. Los testigos presenciales redactaron la mayoría de las obras, en parte en el lugar de los hechos, en parte desde una distancia temporal mayor utilizando las fuentes orales y escritas disponibles, si bien no muy fiables desde la perspectiva de los entornos. Por eso son comentarios continuos sobre los hechos narrados y las cosas descritas. La primera crónica fue escrita, no obstante, por el humanista italiano Pedro Mártir de Anglería –quien nació en Arona, en el ducado de Milán, entre 1455 y 1459, y murió en 1526 en Granada sin pisar nunca las tierras americanas–; lo citaremos con frecuencia utilizando el nombre de pila Pedro Mártir como lo hace el propio autor. Su *De orbe novo decades octo*[31] cosechó muchas críticas por parte de los cronistas posteriores. Para nosotros, la reproducción de los informes orales sobre la

---

[28] C. Colón 1984; J. Gil/C. Varela (eds.) 1984.

[29] C. Colón 1976.

[30] Madrid 1825-1829; reedición 1954-1955.

[31] La primera edición completa es de 1530; la primera década se imprimió en 1511, aunque se publicó una edición pirata de 1504, a la cual alude el autor en un pasaje que citamos a continuación.

época inicial en esta obra escrita en estilo epistolar es de gran valor testimonial y lingüístico. Un estudio lingüístico sólo se debe apoyar en el texto latino original, no en sus traducciones. Los interesantes comentarios metalingüísticos sobre el español pasan generalmente desapercibidos en las traducciones españolas[32]. El autor explica su uso desenvuelto de la lengua latina de la siguiente manera:

> Llamo algodón aquella especie de hilaza que otra vez he dicho que se llama *bombicino*, en italiano.
>
> Si los latinistas del Adriático o de la Liguria echan a ignorancia o a descuido varias palabras semejantes, si mis escritos llegan alguna vez a sus manos, como vimos que ocurrió con mi primera Década, impresa sin contar conmigo, he resuelto no preocuparme de ello gran cosa; y sepan que yo soy de la Lombardía, no del Lacio, y que nací lejos del Lacio, que fue en Milán, y que he vivido muy lejos de allí, como que es en España. Lo mismo quiero que tengan por dicho los genuinos adriáticos o ligúricos más cercanos al Lacio, acerca de *bergantines*, *carabelas*, *adelantado*, *almirante* en su nombre vulgar español. Y no ignoro que los helenistas dicen que quien tiene como principal ese mando debe llamarse *archithalaso*; los apasionados a la voz del griego y del latín, éstos *navarchum*, aquéllos *pontarchum*, y lo mismo las otras cosas semejantes[33].

Bartolomé de las Casas, en cambio, es testigo ocular de la época posterior a 1502, aunque su *Historia de las Indias* trata los años hasta 1520, y es testigo directo sólo a partir de 1527 en Puerto Plata y otros lugares. Las Casas inicia también en ese año la redacción de su *Apologética historia*[34]. Nuestro aprove-

---

[32] J. Lüdtke 1992. J. G. Moreno de Alba (1996) ofrece un estudio basado también en el original latino. En 2011 Carlos Castilla ha presentado una tesis doctoral sobre este autor en la Universidad Nacional de Tucumán, Argentina.

[33] P. M. de Anglería 1989: 142; las cursivas son en parte del traductor, en parte mías. El original dice: "Dico *gossipiu*m id lanuginis genus quod alias *bombycinu*m appellatione vulgari Itala dixi. Ascripturi ne sint ignorantiæ, an incuriæ plæraq*ue* similia Latinissimi viri qui Adrianum incolunt aut Lygustic*um*, si ad eorum manus nostra deuenerint aliquando, vti primam Decadem vidimus nobis inconsultis impressorum prelis suppositam, neutro cruciari statu ad summum, voloq*ue* sciant me Insubrem esse, non Latium & longe a Latio natum, quia Mediolani: & lo*n*gissime vitam egisse, quia in Hispania. Idem velim dictum genuinis Adriaticis siue Lygusticis Latio proprioribus de *Bergantinis*, de *Carauellis* & *Almiranto Adelanto*que vulgari appellatione Hispana" (1966: 98; II, vii; las cursivas son mías).

[34] Acerca de la credibilidad de Las Casas y de la fiabilidad de sus informaciones escribe J. Pérez de Tudela Bueso: "Las Casas era, por su temperamento, por su hábito y por su acendrada dignidad religiosa, incapaz de decir una sola palabra en falso. Por lo demás, después de siglos de diatribas sobre su persona, todavía falta quien haya podido, documento en mano, convencerle de mentiroso" (en: Las Casas 1957: I, LIV).

chamiento de Bartolomé de las Casas presenta el problema de que la mayoría de sus obras no se publicaron en el siglo XVI. Hay que tomar en cuenta este dato para valorar la información contenida en ellas y tenemos que escudriñar de forma más detenida el posible estatus variacional de una voz citada. En estas obras, siempre nos enteramos de cuáles pasajes son citas literales, cuáles parafraseados y cuáles resúmenes de determinadas fuentes. Además, Las Casas, que tenía una memoria excelente, distingue con claridad la época de la narración de la época narrada.

El cronista oficial Gonzalo Fernández de Oviedo es un observador exacto de la naturaleza y un historiador detallado de la joven historia del Nuevo Mundo. Mientras que la impronta de las experiencias antillanas adquiridas en Cuba y La Española era decisiva en el caso de Las Casas, Fernández de Oviedo conoció primero la Tierra Firme en 1514, más exactamente Castilla del Oro, donde había llegado en la flota de Pedrarias Dávila, tomando contacto con Santo Domingo sólo posteriormente, aunque a fondo. A diferencia de Las Casas que no pudo difundir de forma impresa más que su *Brevissima relación de la destruyción de las Indias* (1552), este cronista oficial de Indias llegó a publicar sus obras, por lo menos en parte; por ejemplo, el *Sumario de la natural historia de las Indias* (Toledo, 1526), dedicado a Carlos V, y *La historia general de las Indias. Primera parte de la historia natural y general de las Indias y de la Tierra Firme del Mar Océano* (Sevilla, 1535; Salamanca, 1547); el resto de los cinco tomos de esta obra inmensa no se imprimió hasta el siglo XIX.

No hay que dejar sin mencionar la *Suma de geographía* (Sevilla, 1519) de Martín Fernández de Enciso, quien describe las Indias en el último capítulo y atestigua el inicio del español en Tierra Firme. Sin embargo, el primer texto impreso en su tiempo es la *Carta a Luis de Santángel* que escribiera Cristóbal Colón sobre sus descubrimientos en alta mar[35].

Se ha rechazado las crónicas como fuentes para el estudio histórico del español americano. Éstas son, sin embargo, fuentes valiosas para muchos aspectos del español que sin ellas carecen de descripciones exactas y detalladas. Lógicamente, es preciso someterlas a una interpretación antes de su aprovechamiento en la historia de la lengua. Mientras que podemos tomar las creaciones lingüísticas especialmente de informes de testigos oculares, entre los que se distingue el diario de a bordo de Colón, interesa en las relaciones posteriores más bien la distancia con respecto a los hechos narrados y descritos y los comentarios metalingüísticos. Pasando revista a las crónicas no sólo de las primeras tres décadas,

---

35 C. Varela ^{2}1984: 179. Véase acerca de los problemas editoriales de esta carta F. Lebsanft 2006.

sino de todo el siglo XVI en una serie, deducimos de ellas qué saber lingüístico se crea en una época determinada en la que destaca la primera fase de los primeros contactos en La Española, seguida de la expansión a México y al Perú, y qué saber lingüístico se transmite, se transforma o cae en el olvido. Todas estas informaciones se toman hasta cierto punto de las crónicas de orientación enciclopédica. Y no por último ellas mismas son –cosa que con frecuencia no se considera– testimonios de la historia de la lengua literaria y posteriormente de la lengua estándar en el Nuevo Mundo.

Por lo demás podríamos repetir, en lo que concierne a la edición de las crónicas, lo que dijimos acerca de la edición de los documentos: faltan ediciones críticas y comentadas con todo detalle como las que son la norma en los textos medievales. En este sentido no se puede encarecer en su justa medida la edición de la *Historia de las Indias* que corresponde a los tomos 3 a 5 y de la *Apologética historia* que constituyen los tomos 6 a 8 de las obras completas de fray Bartolomé de las Casas, realizada por un grupo de editores de sus hermanos de hábito.

No está de más decir que no vamos a utilizar una obra muy conocida para la historia de la lengua, *Le historie della vita e dei fatti di Cristoforo Colombo* (Venecia 1571), que se atribuye a su hijo don Fernando, pero que escribieron seguramente varios autores u otros intervinientes prescindiendo del traductor. Toda la literatura sobre Colón se apoya en esta biografía de la que no se puede sacar provecho sin una cuidadosa crítica textual[36]. Sin embargo, dos relaciones contenidas en esta obra son importantes para nosotros: las relaciones del jerónimo catalán Ramon Pané de 1496 y 1498 sobre los indios de La Española[37].

Procuraré prestar atención al estatus probatorio de una fuente, tanto más que éstas son muy heterogéneas. Esta característica no les quita valor, sino que, al contrario, nos permite tener acceso a la diversidad lingüística. Los documentos fechados, localizados y redactados por un autor conocido tienen la ventaja de que podemos atribuirles informaciones sintópicas, sinstráticas y sinfásicas, si disponemos de datos sobre su procedencia regional y social así como sobre su nivel cultural. En cambio, hay que manejar el documento con más cuidado en la medida en que conocemos sólo alguno de los datos requeridos. Los textos narrativos ponen también los fenómenos en su lugar, pero se dirigen a un público menos o poco informado sobre el tema tratado. Al mayor nivel informativo puede corresponder un lenguaje que se eleva sobre el uso cotidiano y contribuye a la elaboración de una lengua estándar y ejemplar, que siempre estuvo presente en América como bien recuerda Rufino José Cuervo en su trabajo "Castellano

---

[36] Cf. I. Luzzana Caraci 1989.

[37] R. Pané 1974 y sobre todo 1992, en la edición de J. J. Arrom; cf. D. Ramos Pérez 1981-1982: 43-47.

popular y castellano literario" (1987). No cabe desechar el testimonio de los extranjeros quienes colaboran en la ampliación de los conocimientos sobre el Nuevo Mundo como Cristóbal Colón y algunos de sus tripulantes, Américo Vespucio, Pedro Mártir de Anglería y muchos más.

La *Información de los Jerónimos*

Quizás no haya mejor documento oficial para estudiar el español antillano de los orígenes que el llamado *Interrogatorio Jeronimiano* y que vamos a llamar mejor *Información de los Jerónimos* o *Jeronimiana*, escrito entre el 6 y el 18 de abril de 1517 en las Casas de la Contratación de Santo Domingo[38]. Aquí afloran la vida cotidiana y la lengua de la isla a través de los pareceres que dan trece vecinos de la misma "sobre la manera como deben estar los yndios destas yslas"[39]. Además, todo lo que comprobamos en este documento, o casi todo, se encuentra también en las crónicas de Indias: en *De orbe novo* de Pedro Mártir de Anglería, en la *Historia de las Indias* y la *Apologética historia* de fray Bartolomé de las Casas, y en la *Historia general y natural de las Indias* de Gonzalo Fernández de Oviedo[40].

No presento esta *Información de los Jerónimos* según las intenciones de los reformadores de Indias, fray Bartolomé de las Casas y el cardenal Cisneros, sino como lo presentan los mismos Jerónimos:

> ellos avian venjdo prjnçipalmente a entender en la cons*er*vaçion y buen tratam*jen*to delos yndios e a otras cosas aellos tocantes e a dar orden como esta t*ie*rra se poblase e avmentase / y por ser el negoçio en sy grave y de mucho peso e tal q*ue* rrequjere mucha examjnaçio*n* e consejo pa*ra* que bien se determjne / por tanto dixeron q*ue* les paresçia e paresçio para que mejor se pueda açe*r*tar enlo suso d*ic*ho que se devian llamar e traer antellos personas de conçiençia temerosos de Dios de buen trato y conver*s*açion y q*ue* tengan ysperençia delas cossas delos d*ic*hos yndjos y dela man*er*a en q*ue* mas Djos y sus altesas puedan ser serujdos y la t*ie*rra aprovechada e poblada y

---

38 Cf. M. Giménez Fernández 1953: I, 308, n. 858.

39 A. Weisch 1993: 1r.

40 Me baso aquí en el manuscrito original de la *Información de los Jerónimos*, conservado en el Archivo de Indias (Indiferente general, legajo 1624, ramo 3, número 1) así como en la transliteración fidedigna realizada por A. Wesch (1993) y, para el 11° testigo, por R. Kailuweit. Doy las gracias a la directora y a los empleados del Archivo General de Indias por facilitarme con diligencia y generosidad una copia de la *Información*. El texto íntegro fue publicado por primera vez por E. Rodríguez Demorizi 1971: 273-354. M. Giménez Fernández había publicado con anterioridad los pareceres escritos del licenciado Vázquez de Ayllón (1953: I, 573-590), y de fray Bernardo de Santo Domingo (1953: I, 591-595).

q*ue* sean tales de qujen se presuma q*ue* con juram*en*to çerca delo que les fuere preguntado diran v*er*dad (1r).

Este documento había sido llamado "interrogatorio" por la serie de preguntas que se transcriben en él al inicio. Parece ser que el primero en llamarlo *Interrogatorio Jeronimiano* fue Lewis Hanke[41], pero esta denominación no es exacta. Fue el escribano Pedro de Ledesma quien caracterizó a este documento como "y*n*formaçio*n*" que hizo "sa[car] delo original" (52v). El artículo *lo* indica que se trata de varios textos que en su conjunto constituyen la *información*, término tradicional para esta clase de documentos (3.5.1.), y que abarca lo siguiente: el tema de la información (1r) que acabamos de citar, el interrogatorio (1v-2r), los pareceres basados en el interrogatorio, el parecer escrito del licenciado Lucas Vázquez de Ayllón (26r-35r) y el parecer escrito de fray Bernardo de Santo Domingo "çerca dela dispusyçion delos yndios" (49v-52r).

Carecemos por completo de datos relativos al amanuense que trasladó la *Información*, lo que dificulta la caracterización de la lengua del documento por la procedencia regional del copista, es decir, por un criterio extralingüístico. Sabemos que Pedro de Ledesma, quien puede ser oriundo de Ledesma, es decir, leonés, no es responsable de la ortografía porque dice: "esta y*n*formaçio*n* fize sa[car] delo original" (52v). Sin embargo, corrige la copia y la valida con su firma. Si por acaso descubrimos otra mano en el texto de la *Información*, puede ser la de Pedro de Ledesma[42].

La procedencia regional de los testigos no nos permite tampoco extraer conclusiones acerca de la norma lingüística que sigue la *Información*. Entre los testigos hay dos andaluces (Marcos de Aguilar y Cristóbal Serrano), dos extremeños (Diego de Alvarado y Juan Mosquera), quizás un leonés (Andrés de Montamarta), un castellano nuevo (Lucas Vázquez de Ayllón), tal vez dos castellanos viejos (Jerónimo de Agüero y Antonio de Villasante), dos aragoneses (Juan de Ampiés y Miguel de Pasamonte) y tres testigos de origen desconocido (fray Pedro Mejía, Gonzalo de Ocampo y Pedro Romero) que tampoco se mencionan en el catálogo de Peter Boyd-Bowman (1985). Ya que no es posible atenerse a criterios extralingüísticos para determinar la lengua del documento, no tenemos más remedio que comparar la lengua de la *Información* con la de otros documentos oficiales coetáneos. Entre ellos se cuentan las *Leyes de Burgos* que emplean

41 Cf. L. Hanke 1949: 42-45: "The Jeronymite Interrogatory".

42 M. Giménez Fernández no está en lo cierto cuando sostiene que Pedro de Ledesma haya copiado el parecer del licenciado Vázquez de Ayllón (1953: I, 573) ni cuando le reprocha el descuido del traslado del parecer de fray Bernardo "que lo hace casi ininteligible y contrasta con la fidelidad del traslado del Parecer de su superior el Juez Ayllón" (1953: I, 595).

palabras indígenas que, según Bartolomé de las Casas, los castellanos metropolitanos no podían conocer.

Residencia tomada a los oidores por Zuazo

Si la *Información de los Jerónimos* trata de los indígenas, la *Residencia que Alonso de Zuazo tomó a los oidores Matienzo, Villalobos y Ayllón* (1517) se centra en la actuación de estos tres jueces de apelación, las ambigüedades de las relaciones entre Fernando el Católico, el tesorero Miguel de Pasamonte, el verdadero representante del rey, y el virrey Diego Colón. Isolde Opielka asumió la labor de publicar este expediente preparando una edición parcial del interrogatorio y de cuatro *deposiciones*, las de Francisco de Monroy, Pedro de Baruelo, Alvaro Bravo y Pedro Romero, persona que aparece también en la *Información* y a quien citamos en 1.5.3. como ejemplo para explicar varios tipos de entornos. La mayor parte de este documento de unos 500 folios, conservado en el Archivo General de Indias, se encuentra en un estado deplorable. El papel ha embebido la tinta, de modo que la lectura del verso de los folios es muchas veces imposible. Lo nuevo que se documenta en este legajo son las formas de la praxis social de los españoles que se iban conformando a las posibilidades de enriquecerse en sus *bandos* o *parcialidades* (cf. 4.1.4.2.). A falta de partidos políticos, las parcialidades eran los grupos de presión que se formaban para recibir y mantener una encomienda, equipar navíos para obtener la autorización de *rescatar*, capturar indios en las *islas inútiles*, las Bahamas, o cubrir cualquier infracción de la ley[43].

---

[43] Cito la descripción de la obra por F. Moya Pons que había suscitado mi interés: "Es el documento más completo que he visto sobre problemas e intimidades de la Audiencia como Juzgado de Apelación en la Española. Las deposiciones de los testigos contrarios a los Jueces proyectan un amplio cuadro de acciones deshonestas por parte de esos tres funcionarios. Setenta preguntas, orientadas a esclarecer hasta qué punto los Jueces abusaron de su poder y se enriquecieron a costa de los vecinos y de las rentas reales, fueron contestadas por más de treinta testigos que se consideraban lesionados por las acciones de los Jueces, cf. ff. 9v-403v. La defensa de los Jueces estuvo llena de tecnicismos legales y, desde luego, estuvo orientada a negar todos los cargos, cf. 404-442v. Hasta donde tengo noticias, este cuerpo de documentos no ha sido publicado ni parcial ni totalmente todavía, así como tampoco existe un estudio, ni siquiera preliminar del mismo, donde se establezcan los procedimientos legales utilizados por Zuazo para llevar a cabo la Residencia, los cuales fueron muy cuestionados por Pero Gallego, abogado de los Jueces, cf. 442 y ss. y 464 y ss. Escapa a los fines de esta obra penetrar en los problemas legales suscitados por la Residencia, especialmente en lo que toca al esclarecimiento de cada uno de los cargos levantados contra los Jueces. Sin embargo, quiero hacer notar que las acusaciones de los testigos, pese a las negativas de los Jueces y de su abogado, coinciden con los testimonios de los cronistas y con la mayoría de los documentos que he utilizado en la

Estos documentos se completarán con el Repartimiento de 1514 en una edición destinada a historiadores[44]. Pero aguardamos más ediciones tanto de documentos como de obras históricas y necesitamos más estudios basados en documentos.

En cambio, no he podido aprovechar el Corpus diacrónico del español (CORDE) de la Real Academia Española, como hubiera querido hacerlo. Por un lado, se accede a los mismos textos, aunque no siempre en ediciones fidedignas. Siguiendo el método aplicado en esta obra, tuve que leer los textos integralmente para interpretarlos a partir de los entornos. Por este motivo, el mayor problema de CORDE son los ejemplos descontextualizados que exigirían el recurso constante a los textos originales, lo cual representaría un rodeo.

4.1.1. Lo nuevo en el Nuevo Mundo y lo viejo en el Nuevo Mundo. El diario de a bordo de Cristóbal Colón

El genovés Cristóbal Colón no es una autoridad de la lengua española, más allá de que no se haya transmitido su castellano aportuguesado[45], pero sí de la manera de ver lo nuevo con ojos europeos. El gran navegante no nos interesa en tanto héroe, ni siquiera por su epopeya en sí, sino por lo que a través de las narraciones de sus coetáneos pasó de boca en boca a la posteridad. En sus actitudes tiene mucho en común con nosotros que venimos de otro continente, a pesar de la distancia temporal. Al mismo tiempo, este navegante genovés radicado en Portugal y en Castilla es un personaje cuya vida simboliza el enlace entre la expansión portuguesa y la castellana en el Atlántico, así como en América por su estancia en la isla de Madera, sus viajes a Guinea y los largos años de gestación de su proyecto en Castilla. Colón consignó en los diarios de sus viajes las primeras experiencias que en términos absolutos un europeo ha hecho en América y que se han grabado en la memoria de europeos y americanos.

---

preparación de esta obra. La 'Residencia de los Jueces, por Zuazo' aguarda todavía la mano del especialista en Derecho Indiano, así como del historiador social que quiera conocer muchas de las peculiaridades de la vida de la Española en el Siglo XVI" ([3]1978: 225, n. 40). Cabe decir que la *Residencia* es aún mucho más interesante de lo que hacen suponer las palabras de Moya Pons.

[44] L. Arranz Márquez 1991; hay ediciones anteriores.

[45] No nos ocuparán sus lusismos, posibles catalanismos, italianismos, latinismos y primeras documentaciones de palabras españolas como tales. Cf. acerca de la lengua R. Menéndez Pidal 1940: 5-28; F. Romero Lema 1969; J. Arce 1971: 11-28; B. Malmberg 1974: 51-59; B. E. Vidos 1977; J. Gil en la "introducción" a C. Colón [2]1984: XXIII-LVI; J. M. Castellnou i Grau 1989; los comentarios de M. Alvar en C. Colón 1976; y D. Ramos Pérez/M. González Quintana 1995.

Uno solo de estos diarios se ha conservado, el diario de a bordo del primer viaje, en el que el descubridor escribe sus entradas día tras día a partir de la situación inmediata, registros que se conservan a veces en forma algo abreviada. Al mismo tiempo y como siempre ocurre en los textos que parten de esta perspectiva enunciativa, no son explícitos en cuanto a los aspectos que nos interesan, que son las cosas dadas por sabidas. Existen dos versiones conocidas del diario no del todo idénticas: la primera procede de Hernando Colón y se conoce sólo en la traducción italiana, publicada en 1571 en Venecia; la segunda es una copia autógrafa en forma de sumario de Las Casas que este dominico utiliza en su *Historia de las Indias* y que cita en parte con todo detalle. Esta versión es que la que se ha difundido y publicado hasta la actualidad, y nos apoyaremos también en ella[46]. La *Historia de las Indias* será muy útil para apreciar la gran distancia entre la experiencia del primer encuentro y su profundización en las primeras décadas de la colonización. Sólo en este sentido recurrimos de vez en cuando a la historia de Cristóbal Colón escrita por su hijo Hernando.

En el primer diario de a bordo el descubridor tiene el firme propósito de apuntar cada noche lo acaecido durante el día y "el día lo q*ue* la noche nave || gare"[47] para cumplir el mandato de los reyes: "pensé de || escrevir todo este viaje punctualme*n*te, de || día en día, todo lo q*ue* yo hiziese y viese y pas || sasse, com*mo* adelante se veyrá"[48]. Según resulta del relato, está plenamente consciente de la novedad de las experiencias diarias. Sin embargo, emprende su viaje contando con su pericia de navegante, sus conocimientos geográficos y su mitología. Considerando, pues, la importancia de su impacto, prestamos atención primero a su bagaje cultural para dedicarnos en un segundo momento a lo que el propio Colón experimenta como nuevo.

Lo viejo

> Señores emperadores, reyes y dux y todas las otras personas que queréis conocer todas las clases de hombres y la diversidad de

46 Las Casas no copió el original de Colón conservado en el archivo real, sino, probablemente en 1544, una copia del diario. Es posible que este dominico haya consultado otra vez el texto entre 1552 y 1553 para la redacción de su *Historia de las Indias* (D. Ramos Pérez/M. González Quintana 1995: 20-21). Posteriormente se pierde la huella del diario. Acerca de la transmisión del texto, cf. M. Alvar 1976: I, 9-16; J. Gil en C. Colón ²1984: IX-XXIII (Gil no se refiere a la edición de Alvar de 1976). Utilizamos para nuestro estudio lingüístico la edición diplomática y facsimilar de M. Alvar de 1976.

47 C. Colón 1976: I, 66-67.

48 C. Colón 1976: I, 66.

> las regiones del mundo, leed este libro donde hallaréis todas las grandísimas maravillas y grandes diversidades de Armenia, de Persia y de Tartaria, de la India y de muchas otras provincias [...]. Pero además hay algunas de aquellas cosas las cuales él [Marco Polo] no vio, sino que escuchó de personas dignas de fe, y por esto dirá las cosas vistas de vista y las otras de oídas, a fin de que nuestro libro sea veraz y sin ninguna mentira[49].

Las ideas geográficas de Colón condicionan la extensión transatlántica de los dominios lingüísticos del español y del portugués, y por este motivo son relevantes para la historia de la lengua. Sin embargo, un evento esencial se da por sabido que es la *toma de posesión* de la nueva tierra por parte de Colón. Este acto de habla institucional se documenta en unas pocas líneas del diario, ya que los testimonios originales se perdieron:

> el Almirante salió a tierra en la barca armada de Martín Alonso y Viçente Anes, su hermano, que era capitán de la Niña. Sacó el Almirante la vandera real; y los capitanes con dos vanderas de la cruz verde que llevava el Almirante en todos los navíos por seña, con una F y una Y: ençima de cada letra su corona, una de un cabo de la + y la otra de otro. Puestos en tierra habiendo todos dado gracias a Nuestro Señor arrodillados en tierra, y besándola con lágrimas de alegría por la inmensa gracia que les había hecho.
>
> Vieron árboles muy verdes y aguas muchas y frutas de diversas maneras. El Almirante llamó a los dos capitanes y a los demás que saltaron en tierra, y a Rodrigo Descobedo escrivano de toda el armada, y a Rodrigo Sánchez de Segovia, y dixo que le diesen por fe y testimonio commo él por ante todos tomava, commo de hecho tomó, possessión de la dicha Ysla por el Rey e por la Reyna sus señores, haziendo las protestaçiones que se requirían, commo más largo se contiene en los testimonios que allí se hizieron por escripto[50].

Este acto simbólico tenía un aspecto universal, otro nacional y un tercero particular. En lo universal, se toma posesión de la tierra en nombre de la religión cristiana, expresada en la cruz de las banderas y la oración, iniciando así de forma

[49] "Signori imperadori, re e duci, e tutte altre gente che volete sapere le diverse generazioni delle genti e le diversità delle regioni del mondo, leggete questo libro dove troverete tutte le grandissime maraviglie e gran diversitadi d'Erminia, di Persia e di Tarteria, d'India e di molte altre provincie [...]. Ma ancora v'ha di quelle cose le quali egli [Marco Polo] non vide, ma udille da persone degne di fede, e però le cose vedute dirà di veduta e l'altre per udita, acciò che che 'l nostro libro sia veritieri e sanza niuna menzogna" (M. Polo 1975: prólogo); traducción mía.

[50] C. Colón 1995: 109, 111.

simbólica la occidentalización del nuevo continente; las letras iniciales de los reyes y las coronas señalan la misión histórica de Castilla; y en toda la entrada están implicadas las consecuencias para Colón, que son su elevación a almirante y virrey. La toma de posesión iba acompañada de actos también simbólicos que aparecían en una data de Tenerife (3.9.) y que se documentarán más ampliamente en el descubrimiento del Mar del Sur (4.2.3.).

Una vez aclarado este hecho primordial, podemos dedicarnos a los conocimientos geográficos del descubridor. El Nuevo Mundo se miraba a través del conocimiento de la geografía de Ptolomeo (c. 90-c. 168), de la *Imago mundi* del cardenal Pierre d'Ailly (1350-1420), del mapa del florentino Paolo Toscanelli (1397-1482), con quien Colón afirma haber estado en contacto directo, y de escritos de otros sabios. En el mapa del humanista Toscanelli figura la legendaria *Antilia*, que significa "anteisla, isla anterior"[51] y que la imaginación de los cartógrafos desplazaba desde 1367 hacia una región situada al este de Irlanda e incluso al este de las Azores como escala en el camino de Cipango o Japón; en esta posición está localizada en el globo terráqueo que Martin Behaim hizo en 1492 y que representa con fidelidad la imagen del mundo en vísperas del primer viaje de Colón. Sin embargo, el fundamento de las ideas acerca de la India y China que subyacen a todas estas fuentes de información se encuentra en la descripción del viaje de Marco Polo, cuyo inicio cito como lema y que fue anotada abundantemente por Colón en la traducción al latín[52].

Una vez descubierta La Española, la isla de Haití o Quisqueya de los arahuacos, los portugueses, así como Pedro Mártir de Anglería y Américo Vespucio (1451, 1452 o 1454-1512)[53], la identificaron con esta Antilia. Pluralizadas ya en Pedro Mártir[54] como generalmente sucede con los nombres de islas (compárese

---

[51] Los portugueses van a identificar esta isla con La Española, según Las Casas: "Antilla llamaban los portogueses [*sic*] entonces esta isla Española" (1994: II, 1177).

[52] De entre el sinnúmero de tratamientos del tema destaco el esbozo crítico del fondo histórico, cultural, científico e ideológico del proyecto de Cristóbal Colón en J. Heers 1996: 95-123. Este historiador reconstruye en su obra los conocimientos del navegante, su mentalidad y la de sus coetáneos, sus actitudes ante el Nuevo Mundo, la naturaleza y los indios. Lo primero que Colón se propone conocer en 1492, desde antes de partir, es la geografía marítima, o sea, el *camino* de las Indias (1996: 368). Véanse también J. Gil 1992 y B. Pastor 2008: 25-100.

[53] Á. Rosenblat 1977: 141.

[54] Así describe la continuación del primer viaje tras el descubrimiento de Cuba: "Ad Orientem igitur proras vertens Ophyram insulam sese reperisse refert, sed cosmographorum tractu diligenter considerato, Antiliæ insulæ sunt illæ & adiacentes aliæ, hanc Hispaniolam appellavit" (P. M. de Anglería 1966: 40; *De orbe novo*, I, i). En español: "Volviendo, pues, la proa hacia el Oriente, cuenta que encontró la isla de Ofir. Pero, considerando diligentemente lo que enseñan los cosmógrafos, aquéllas son las islas Antillas y otras adyacentes. Llamó a ésta Española" (P. M. de Anglería 1989: 11).

Canaria – Canarias, India – Indias), las Antillas se registraron en el mapamundi portugués de 1502 como las *antilhas* del rey de Castilla. Este topónimo no se impone en el período considerado, sino que éstas se llaman *las islas y tierra firme de la mar Océana*. De la misma manera que en el caso de la denominación de esta isla imaginaria, el descubridor tomaba por seguros los conocimientos expuestos en las obras de sus garantes y estaba dispuesto desde el principio a proceder a identificar los lugares, los habitantes y los objetos, mayormente las mercancías, con los datos supuestamente familiares. Así, una vez llegado Colón a la primera isla desconocida, nos encontramos en un mundo imaginario viejo, pero empíricamente nuevo. En el *Diario* se entrelazan estos universos de discurso en contraste. Fomentar la preeminencia del principio de realidad será el cometido de los humanistas, cosmógrafos y cronistas coetáneos de Cristóbal Colón, quien rectificaba sus identificaciones a lo largo de sus cuatro viajes, pero sin reconocer el error de no haber arribado a Asia. La idea a que se aferra Colón de haber llegado a Asia tiene consecuencias también para la percepción toponímica, no sólo de los topónimos mismos, sino también del léxico que sirve para configurar los accidentes geográficos mediante el léxico toponímico correspondiente, ya que busca un *imperio*, *provincias*, determinadas *ciudades* y muchos otros lugares; sin embargo, tiene que denominar, muy a pesar suyo, lo que encuentra.

El fecundo error de Colón, siguiendo a Toscanelli, consistió en creer que la distancia entre las costas occidentales de Europa y las costas orientales de Asia era menor de lo que es en realidad. Puesto que Colón y los cartógrafos coetáneos no tenían conocimiento de la existencia de América, el Tratado de Tordesillas puso el supuesto límite entre la esfera portuguesa y la esfera castellana entre África y Asia. Y la creencia de Colón de haber descubierto las Indias por el camino del oeste hizo que durante toda la época colonial la América española se llamara *las Indias*[55]. De este modo la mitología personal de Colón, su convicción de haber llegado a Asia, a Catay y Cipango, ha dejado huellas duraderas. El 17 de octubre de 1492 llamó a los habitantes de la primera isla descubierta *indios* y a la tierra *estas Indias*, un uso ya tradicional, por otro lado, antes del descubrimiento. Dado que cree haber "descubierto" una tierra conocida[56], se esfuerza por identificar lo nuevo con "la India" o alguna de sus diversas partes, lo que motiva el plural

[55] La palabra *Indias* con referencia a América se imprime por primera vez en la carta a Luis de Santángel (C. Colón ^{2}1984: 140). Se esboza a veces el inicio de una diferenciación de los nombres de habitantes de América por otros nombres étnicos. La variación lingüística duró sin embargo poquísimo tiempo y pronto volvió a predominar *indio* como nombre de cualquier aborigen del nuevo continente.

[56] El verbo *descubrir* se utilizaba en la época de los descubrimientos como verbo intencional.

Indias. En realidad, había contado con encontrar negros en las Indias, se sorprende pues de que los habitantes sean "de la color de los canarios, ni negros ni blancos", "los cabellos ni crespos, salvo corredíos y gruessos como sedas de cavallo", es decir, no como los de los negros que había conocido; y Colón se sorprende otra vez: "y ellos ninguno prieto, salvo de la color de los canarios, ni se deve esperar otra cosa, pues está Lestegüeste con la isla del Fierro en Canaria, so una línea"[57]. Sin embargo, Pedro Mártir pone en duda que Colón haya llegado a las Indias en las cartas dirigidas al conde Borromeo en el mes de mayo de 1493 y en noviembre de 1494 así como en el mes de febrero del mismo año al arzobispo de Granada[58].

Le importaba estipular, tras alguna vacilación pero sin intentar un examen empírico del asunto, que Cuba era tierra firme porque quería tomar esta isla como una parte de Asia. El 23 de octubre esta isla era todavía "la ysla de Cuba, q*ue* creo q*ue* deve ser Çipango"[59], siendo probable que "ysla" haya sido una interpolación de Las Casas (esto acarrea una de las incoherencias que comprobamos en el diario de a bordo); el 2 de noviembre de 1492, sin embargo, Cuba es llamada "tierra firme". Remitiendo a pasajes precedentes de Colón, pero no copiados, Las Casas comenta: "y todavía afirma q*ue* aq*ue*lla es tj*er*ra firme"[60]. El 12 de junio de 1494 Colón hizo consignar al escribano de a bordo en un acta que Cuba era tierra firme. Estaba prohibido bajo pena de castigo afirmar lo contrario.

No obstante, Michele da Cuneo que había acompañado a Colón en su viaje en aguas de Cuba no renuncia a su escepticismo. Tras nombrar un rumbo en el viaje de Cuba, añade: "creyendo el señor Almirante que ésta era tierra firme"[61]. Michele da Cuneo se distancia a veces cuando una opinión no revisable de Colón debe quedar en tela de juicio. El mapa mental de Colón y la realidad geográfica estaban en contradicción. Este desorden no incide sólo en los topónimos –asiáticos o americanos–, sino también en el léxico: lo que es *isla* o *tierra firme*, por ejemplo.

A pocos años de distancia Américo Vespucio (en italiano Amerigo Vespucci) afirma ya que la tierra descubierta es un "Nuevo Mundo" y que no se trata de Asia. En cuanto a los nombres de los continentes se difunde ante todo la voz *continente*. Según las ideas geográficas de entonces, el número de continentes es idéntico después del descubrimiento: *Europa*, *África* y las *Indias*. En el mapamundi de Martin Waldseemüller, publicado en Saint-Dié en 1507, la parte meridional del continente se llama erróneamente *America*[62]. Este nombre se hace

---

57 C. Colón ²1984: 31.

58 P. M. de Anglería 1966: 360, 364, 365.

59 C. Colón 1976: I, 104.

60 C. Colón 1976: I, 114.

61 J. Gil/C. Varela (eds.) 1984: 255.

62 A. Asche/W. M. Gall 2006: 45.

extensivo a todo el Nuevo Mundo en el mapamundi de Gerhard Mercator (1538). Sin embargo, el nuevo nombre tarda en difundirse. Durante la época colonial el nombre más común del continente en el uso oficial sigue siendo casi siempre *las Indias*; a veces es llamado *las Indias Occidentales*, desde que se había patentizado el error de Colón. Hasta el siglo XVIII las potencias coloniales europeas siguen distinguiendo entre las Indias Occidentales y las Indias Orientales[63].

Con todo lo nuevo que describen las fuentes tendemos a pasar por alto que muchas cosas siguen inalteradas. Se aplica un saber tradicional en el nombramiento mismo de la tierra y de los habitantes. El hecho de que la tierra sea redonda había sido probado por la ciencia de entonces, pero los marineros se atrevieron a llevarlo a la práctica sólo con mucho temor. A la inversa, la habitabilidad de la zona tórrida era un hecho comprobado en las navegaciones que habían emprendido los marineros portugueses y andaluces. A pesar de esta certeza, muchos autores del siglo XVI trataban este tema como si fuera una cuestión abierta a debate.

Se descuida generalmente un aspecto de la historia del léxico ultramarino, el de los conocimientos extralingüísticos con el correspondiente saber lingüístico que precede a la expansión ultramarina. La documentación es falaz porque produce la impresión engañosa de que las palabras surgen con la nueva experiencia. Esta inversión de perspectivas es particularmente obvia en el caso de la terminología náutica. Pero lo mismo sucede con los conocimientos geográficos y cosmográficos. Las obras importantes se escribieron con posterioridad al descubrimiento de América, cuando estos conocimientos constituían un saber seguro. Pero las ideas y las correspondientes palabras circulaban en ese entonces entre los eruditos y entre algunos navegantes que se atrevían a depositar su confianza en los conocimientos cosmográficos y geográficos de los eruditos. Es sintomático que los cronistas de Indias hayan introducido sus obras con la exposición de la cosmografía y geografía de la época y que hayan acompañado los descubrimientos geográficos con sus comentarios que manifiestan la generalización del léxico marinero en las Indias y con ésta un cambio de la marca diasistemática. El léxico como tal no cambia por eso; se patentiza, sin embargo, un nuevo saber en el uso de las palabras, un cambio cultural, un cambio etnolingüístico. Valga como ejemplo la *Suma de geographia* (1518) de Martín Fernández de Enciso quien divulga esencialmente, si nos limitamos a los conocimientos cosmográficos, el saber del siglo XV.

Las experiencias náuticas de Colón y la difusión de ciertos conocimientos náuticos entre los marineros de la costa atlántica de Castilla formaban parte de

[63] Acerca de los nombres de América, cf. F. Morales Padrón 1988: I, 19-24.

las condiciones inmediatas de su primer viaje. El saber náutico de Colón solo no habría sido suficiente para ganar la confianza de los marineros de Palos y Moguer. Ellos coinciden en testimoniar en los pleitos colombinos que nunca hubieran participado en el viaje de Colón sin su confianza en los Pinzón[64].

Los marineros no emprendieron sus viajes sin el previo saber náutico, como tuvo que experimentar Cristóbal Colón en la preparación de su primer viaje a Indias. Nos enteramos de este saber al encontrar en el diario de a bordo del descubridor las primeras documentaciones castellanas de los nombres de los vientos usados en la navegación atlántica, pero es muy probable que estos nombres hayan sido tan usuales en las costas de Andalucía como en el Algarve, según el testimonio de Gomes Eanes de Zurara (1978), quien escribe su *Crónica de Guiné* a mediados del siglo XV, y las documentaciones tempranas de los puntos cardinales en Canarias.

Si bien los nombres actuales de los vientos se documentan por primera vez, según el diccionario etimológico de Corominas y Pascual, en el diario de Colón, aparecen mucho antes en portugués. Se atribuye la introducción de ocho direcciones en la rosa de los vientos a Carlomagno[65]. Hasta el siglo XV se duplicaron dos veces los nombres de los vientos, de modo que en la época de Colón la rosa de los vientos tenía 32 rumbos[66]. Los nombres que empleaba son los de la figura de la página siguiente.
Las formas castellanizadas de los vientos mediterráneos aparecen en cursivas. Los nombres de los vientos se tomaron prestados del francés como muestra el artículo aglutinado en *leste* y no directamente del inglés o de otra lengua germánica[67]. Estas palabras son todavía tecnicismos como muestra la variación en Colón al dirigirse a un corresponsal que no es marinero; en la carta a Santángel emplea *setentrión*, *Oriente*, *austro* y *Ocidente/Osidente* en variación con *Ponien-*

---

64 F. Morales Padrón/A. Muro Orejón/F. Pérez-Embid (eds.) 1964.

65 Escribe Eginardo en su *Vida de Carlomagno*: "Ventis vero hoc modo nomina inposuit, ut subsolanum vocaret *ostroniwint*, eurum *ostsundroni*, euroaustrum *sundostroni*, austrum *sundroni*, austroafricum *sundwestroni*, africum *westsundroni*, zefyrum *westroni*, chorum *westnorđroni*, circium *norđwestroni*, septentrionem *norđroni*, aquilonem *norđostroni*, vulturnum *ostnorđroni*" (Éginhard [3]1947: 82, 84). Traducción: "Llamó a los vientos con los siguientes nombres: al viento este *ostroniwint*, al sudeste *ostsundroni*, al sudsudeste *sundostroni*, al sur *sundroni*, al sudsudoeste *sundwestroni*, al sudoeste *westsundroni*, al oeste *westroni*, al noroeste *westnorđroni*, al nornoroeste *norđwestroni*, al norte *norđroni*, al nornordeste *norđostroni*, al nordeste *ostnorđroni*". Es obvio que no se transmiten estos nombres de los vientos en línea directa a la Península Ibérica, sino que se invierte el orden de algunos elementos de los compuestos y que se substituye el elemento *ost* por *est*.

66 P. Chaunu 1983: 294.

67 *DCECH*: s. v. *este*.

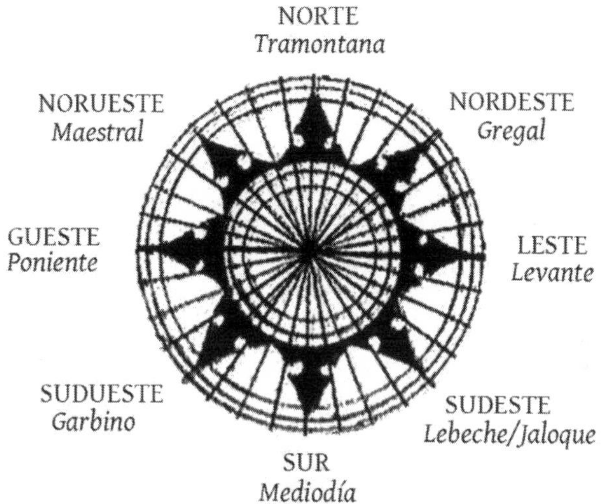

te. Sólo al agregar una nota a la carta cuando estaba en aguas de Lisboa, se le escapan *Sul* y *Sueste*.

La condición previa de la navegación de alta mar es, entre otras cosas, el manejo de la *aguja* y de la *carta de marear* que se difundieron durante el siglo XV. La rosa de los vientos estaba dibujada en varios lugares de una carta de marear. Se ajustaba la *aguja de marear*[68] o brújula en la *carta de marear*, cuando el piloto tomaba su *derrota* como Colón en dirección de las Islas Canarias (se niega la verdad de su afirmación, pero por el momento a nosotros sólo nos interesan las palabras): "[...] y || llevé el camjno d*e* las yslas de Canaria de V*uestr*as || Altezas, q*ue* son en la d*ic*ha mar occeana, p*ar*a de || allí tomar mj derrota y navegar tanto q*ue* yo || llegase a las Yndias"[69].

Éstos son todos términos técnicos de la navegación que no conocían todos los profanos y que quizás no estuvieran arraigados desde hacía mucho tiempo. Parece ser que, por lo menos, algunos de estos términos habían entrado en el uso andaluz a través del portugués, puesto que el condado de Niebla estaba en contactos frecuentes con la costa de Algarve. Tenemos que esperar hasta décadas más tarde para encontrar un comentario explícito acerca de la novedad de la difusión de los marinerismos como éste de Fernández de Oviedo: "estonces la anduvieron [la mar] a tiento e con la *sonda* siempre en la mano, e *apocando* las velas de noche", donde delimita a continuación los grupos de profanos que son

[68] Cf. M. Metzeltin 1970.

[69] C. Colón 1976: I, 66.

las clases altas y los habitantes de tierra adentro: "y los caballeros y gente ejercitada en la tierra, que no entendieren algunos términos de la navegación, con que me conviene dar cuenta destas cosas de la mar, pasen adelante"[70].

La rosa de los vientos es un ejemplo de la introducción de una nueva terminología náutica y de su difusión en la lengua española, pero también del cambio de lugar que el lenguaje de los marineros tiene en la arquitectura lingüística. Este cambio terminológico resulta de la transición del cabotaje mediterráneo a la navegación astronómica en el Atlántico. Las 16 líneas se llaman *rumbos*; ocho de ellos, las direcciones principales del viento, se dibujan en las *cartas de marear* en negro, los otros ocho *rumbos* entre los rumbos principales, en rojo. Entre estas últimas líneas se encuentran las *quartas*[71]. Un ejemplo de un *rumbo* es *leste gueste*, que es el camino de Indias que había tomado Colón; un ejemplo de una *derrota* es *leste*, voz que guarda esta forma en portugués. Una parte de este léxico especializado pasa tal cual al español con la expansión ultramarina. Sin embargo, una variación lingüística no del todo concluida acompaña este proceso. Durante la época colonial continúa la variación entre *norte*, *tramontana* y *septentrión*, *sur*, *mediodía* y *austro*, *este*, *levante* y *oriente*, *oeste*, *poniente* y *ocidente/occidente*. En estas series de voces, *tramontana*, *levante*, *mediodía* y *poniente* son tradicionales y populares, *septentrión/setentrión*, *oriente*, *austro* y *occidente* corresponden al estrato latinizante de la lengua, y *norte*, *leste*, posteriormente *este*, *sul*, *gueste/oeste* son términos del lenguaje marinero; como tales admiten más diferencias, de las cuales cito sólo *nordeste*, *sudeste*, *sudoeste* y *norueste* que no tienen equivalentes en otras variedades según una explicación de Fernández de Oviedo: "en ocho partes o vientos principales en que se divide la esfera, que son: Leste (id est Oriente), Sueste, Sur o Austro, Sudueste, Oeste u Occidente, Norueste, Norte o Septentrión, Nordeste"[72]. En su afán de aclarar el léxico específico que usa, este cronista repite incesantemente las mismas glosas para explicar las direcciones de los vientos, por ejemplo: "al Leste u Oriente", "corren al Leste la vía del Oriente", "Hueste o Poniente", "Septentrión o Norte", "la banda del Sur o Mediodía".

Así, desde entonces se viene dando lugar a la difusión de una parte de la terminología náutica en la lengua común, proceso que está abundantemente documentado en los cronistas de Indias que todavía comentan voces marineras hoy corrientes en la lengua española. Valgan dos ejemplos del primer cronista, Pedro

---

[70] G. Fernández de Oviedo 1992: I, 29. Sobre el léxico marinero en este autor, cf. J. M.ª Enguita Utrilla 2004: 187-198.

[71] Cf. para el portugués L. de Albuquerque ⁴1989: 54-55; acerca de la rosa de vientos en C. Colón, véanse J. F. Guillén y Tato 1951: s. v., y C. Colón 1976: II, 18, n. 7.

[72] G. Fernández de Oviedo 1992: II, 12, proemio.

Mártir de Anglería. Este autor es interesante porque emplea los marinerismos españoles en una obra latina:

> Sinum repetunt sub Grisalua repertu*m* ab Alamino, cui nomen dedere *Baiam Sancti Ioannis*. *Baiam* vocat Hispanus sinum[73].

> Otro comentario: "ex acri vndaru*m* refluxu quem Hispani voca*nt* *ressacam*"[74].

El paso del lenguaje especializado de los marineros a la lengua común es un cambio diasistemático que tiene repercusiones lingüísticas. Una parte de los términos náuticos se propaga en el léxico del español peninsular en general, por ejemplo, *bahía*, *resaca*, *norte*, etc.; pero esta transición a la lengua común tiene más envergadura en Canarias y en América, donde, sobre todo en el período de orígenes, los conocimientos náuticos pasan por una fase de experiencia directa para todos los emigrantes a Indias, experiencia que se vuelve constante en las Islas Canarias. Este cambio explica la facilidad con la que se aplican voces marineras a otros ámbitos e incluso a la vida de los hombres de tierra adentro. Así, las Islas Canarias y las Antillas tienen con frecuencia *bandas* como los buques: una *banda del norte* y una *banda del sur*. Y varios lingüistas documentan la ampliación designativa de voces originariamente marineras en regiones hispanoamericanas muy apartadas entre sí. Los significados indicados son sólo una selección entre muchos, por ejemplo: *abra* "bahía no muy extensa" y "abertura ancha y despejada entre dos montañas", *amarrar* "sujetar el buque en el puerto o en cualquier fondeadero, por medio de anclas y cadenas o cables" y "atar, sujetar", *cerrazón* "oscuridad grande que suele preceder a las tempestades, cubriéndose el cielo de nubes muy negras" y "niebla espesa que dificulta la visibilidad" (Argentina), *derrotero* "línea señalada en la carta de marear para el gobierno de los pilotos en los viajes" y "camino, rumbo, medio tomado para llegar al fin propuesto", *embarcarse* "introducirse en una embarcación" e "introducirse en un tren o avión", *estero* "arroyo, riachuelo" y "terreno bajo y pantanoso, que suele inundarse y cubrirse de vegetación acuática" (Argentina, Colombia), *matalotaje* "prevención de comida que se lleva en una embarcación" y "equipaje y provisiones que se llevan a lomo en los viajes por tierra", *punta* "lengua de tierra, generalmente baja y de poca extensión, que penetra en el mar" y "últimas estribaciones

---

[73] P. M. de Anglería 1966: 154; *De orbe novo*, IV, vii. En español: "llegan al golfo descubierto por Alaminos cuando la expedición de Grijalva, y le pusieron Bahía (que así llaman al golfo los españoles) de San Juan" (P. M. de Anglería 1964: 421).

[74] P. M. de Anglería 1966: 83; *De orbe novo*, II, ii. En español: "por violento reflujo (llamado resaca por los españoles) de las olas" (P. M. de Anglería 1964: 222).

montañosas que penetran en la llanura" (Argentina), *rancho* "lugar donde se acomodan una o varias personas, especialmente marinos y gente que vive fuera de poblado" y "vivienda rústica del hombre del campo" (Argentina), a veces incluyendo al terreno correspondiente (México), entre otros significados, *rumbo* "cada uno de los 32 espacios en que se divide la rosa de los vientos" y "camino y senda que uno se propone seguir en lo que intenta o procura", *zafar* "desembarazar, libertar, quitar los estorbos de una cosa" y "lograr superar o eludir una situación desfavorable o desagradable" (Argentina), etc.[75]. Habrá que distinguir en estos casos si hoy las palabras pertenecen a dialectos secundarios, a una lengua estándar regional (dialecto terciario) o a la lengua española en general. De todos modos, estamos ante la conformación de varias regiones toponímicas en las cuales la participación de los marineros había sido decisiva.

Lo nuevo

Tenemos la suerte de que se haya conservado el diario de a bordo de Cristóbal Colón. No sólo podemos seguir en este informe destinado a los Reyes Católicos las innovaciones y los préstamos día tras día, sino también apreciar cómo aumentan los conocimientos acerca de las Lucayas y las otras Antillas, y cómo se concreta su descripción lingüística. Los procedimientos lingüísticos para representar lo nuevo se vuelven a aplicar en lo sucesivo. Colón los documenta por primera vez en América.

Sin embargo, la mayor novedad era el Nuevo Mundo mismo y así el almirante parece quedarse al principio sin habla frente a lo nuevo. Le faltaron las palabras para enaltecer la belleza de la nueva tierra, su fertilidad, el carácter apacible de su gente y la exuberancia de la naturaleza. El 21 de octubre describe en las Lucayas las cosas desconocidas de esta manera:

> aves y paxaritos de tantas || maneras y tan diuersas d*e* las n*uest*ras, q*ue* es ma || ravilla. Y después ha árboles de mjll ma*ne*ras || y todos de su ma*ne*ra fruto, todos guelen q*u'*es || maravilla; que yo estoy el más penado d*e*l mun || do de no los cognosçer[76].

Es evidente que sus hipérboles sirven para impresionar a los Reyes Católicos. Las plantas, los animales, las frutas, los puertos, las montañas, las lagunas y los valles se llaman *maravilla*, son *infinitos* y hay de *mil maneras*, todo junto se

---

[75] G. de Granda 1978d: 233-253, que cita las contribuciones anteriores sobre el tema.

[76] C. Colón 1976: I, 102.

caracteriza mediante adjetivos elativos en *-issimo*, con particular frecuencia *grandissimo*[77].

El 16 de septiembre de 1492 los descubridores observan en la alta mar "manadas de yerba"[78], una planta que posteriormente se designa por medio de la voz portuguesa *sargaço* (esp. *sargazo*). Entre Santa María de la Concepción[79] y Fernandina (Long Island) Colón alcanza a un *lucayo*, que llevaba "vn poco de su pan" y sobre todo "vnas hojas secas", la primera referencia al *tabaco*[80]. La tripulación vuelve a ver estas hojas secas el 6 de noviembre: "mugeres y ho*m*bres, con vn tizón en la mano, || yervas p*ar*a tomar sus sahumerios q*ue* acostu*m*bravan"[81], es decir, para las *cohobas*. El 16 de octubre Colón ve "lagartos"[82], palabra que podría referirse a los *caimanes*, y "vna gra*n*de culebra"[83], *iguana* que se convierte en las entradas del 21 y del 22 de octubre en una "sierpe". Las clasificaciones varían porque carecía de conocimientos de la fauna americana, incluso en la identificación de los hiperónimos. La base de la clasificación es el lugar que un animal o una planta americana equivalente tiene en la ecología europea, sin que Colón lo haya aclarado. A veces y sobre todo al principio la clasificación fundada en la equivalencia fue provisional. Colón conoció el maíz en las Lucayas, este "poco de su pan", es decir, el cazabe. Debido a su importancia en la alimentación de los indios designa el maíz como *panjzo*, planta graminácea semejante al maíz[84]. De

---

[77] Cf. J. Arce 1971: 17-20; cf. E. Martinell Gifre 1988a.

[78] C. Colón 1976: I, 72.

[79] Antes identificado con Rum Cay, isla que según Joseph Judge corresponde a Crocked Island; cf. J. Judge/J. L. Stanfield 1986: 590-592. Una breve reseña de otras opiniones se encuentra en F. Morales Padrón 1988: I, 95-98.

[80] C. Colón 1976: I, 93. "Usaban los indios desta isla [Española], entre otros sus vicios, uno muy malo, que es tomar unas ahumadas, que ellos llaman *tabaco*, para salir de sentido. Y esto hacían con el humo de cierta hierba que, a lo que he podido entender, es de calidad de beleño [...]. La cual toman de aquesta manera: los caciques e hombres principales tenían unos palillos huecos, del tamaño de un jeme o menos, de la groseza del dedo menor de la mano, y estos cañutos tenían dos cañones respondientes a uno [...], e todo en una pieza. Y los dos ponían en las ventanas de las narices, e el otro en el humo e hierba que estaba ardiendo o quemándose; y estaban muy lisos e bien labrados. Y quemaban las hojas de aquella hierba arrebujadas o envueltas de la manera que los pajes cortesanos suelen echar sus ahumadas; e tomaban el aliento e humo para sí, una e dos e tres e más veces, cuanto lo podían porfiar, hasta que quedaban sin sentido grande espacio, tendidos en tierra, beodos, o adormidos de un grave e muy pesado sueño. [...] aquel humo [...] llaman los indios *tabaco*, e no a la hierba o sueño que les toma (como pensaban algunos)" (G. Fernández de Oviedo 1992: I, 116).

[81] C. Colón 1976: I, 118.

[82] C. Colón 1976: I, 95.

[83] C. Colón 1976: I, 96.

[84] C. Colón 1976: I, 118.

vez en cuando incurre en identificaciones equivocadas, por ejemplo, con el *lignáloe/liñáloe* o áloe, la *almáciga*[85], la *canela*[86]. Proyecta el topos literario del *ruyseñor* en el canto de los pájaros que cree escuchar por todas partes. Sin embargo, el ruiseñor no es endémico en las Antillas, sino una simple creación de la imaginación de Colón.

Sucede que no se establece la correspondencia mediante la equivalencia ecológica, sino que se basa, por ejemplo, en una similitud externa. En su segundo viaje el almirante conoce en Guadalupe una fruta que llama *piña* por su semejanza con el fruto del pino (cf. ingl. *pine-apple*), ampliando el campo de uso del significante *piña*. La especie que Colón había observado tiene aproximadamente el doble tamaño de una piña mediterránea, pero no por eso la comparación es desacertada. Una de las muchas palabras designando la piña, *naná*, tomada del guaraní, se ha impuesto en la mayor parte de las lenguas europeas y en el español argentino (*ananá*), pero no en la totalidad del español[87].

En otros casos se introduce una palabra como en una definición lexicográfica con la indicación del género y de la diferencia específica, y se usa varias veces de esta manera. Las hamacas se describen como "redes de algodón" el 17 de octubre y posteriormente como "sus camas"[88]. El 28 de octubre el navegante encontró "vn perro q*ue* nu*n*ca ladró"[89], explicación alterada algunas veces: "perros q*ue* jamás ladraro*n*"[90], "q*ue* no ladrava*n*"[91], animal hoy extinguido. Otro procedimiento identificatorio consiste en referir a la existencia de los animales o de las plantas mediante la determinación "de India", por ejemplo "nuezes grandes de las de India", "ratones grandes de los de India también"; estos ratones son, según Las Casas, las *hutías*, en la ortografía actual *jutías*. Es posible también que se precise la semejanza mediante una comparación con algo parecido en Guinea o España, o con una indicación muy general como *grande* o *grandísimo*.

A pesar de todos estos intentos Colón no pudo nombrar propiamente casi ninguna de las plantas ni ninguno de los animales. Corre entusiasmado y al mismo tiempo desorientado por los bosques de las Lucayas y de las Antillas Mayores describiendo lo que está mirando por medio de hiperónimos como *planta, árbol, animal, ave, pájaro*, de la misma manera que lo hubiera hecho cualquier europeo en una situación parecida.

---

85 C. Colón 1976: I, 157.
86 C. Colón 1976: I, 115.
87 Á. Rosenblat 1977: 139-140.
88 C. Colón 1976: I, 97.
89 C. Colón 1976: I, 107.
90 C. Colón 1976: I, 109.
91 C. Colón 1976: I, 118.

Es interesante que la experiencia multisecular adquirida en los contactos bélicos y culturales con los moros y los beréberes se refleje, con razón o sin ella, en las transferencias a cosas antillanas. El 29 de octubre el descubridor compara las casas de una población cubana en la proximidad del "río de Mares" con *alfaneques*, lo cual Las Casas reproduce de la siguiente manera: "Las casas diz qu*e* era*n* ya más || hermosas qu*e* las qu*e* avía visto, y creya qu*e* cua*n*to más || se allegase a ti*e*rra firme serían mejores. Era*n* || hecha[s] a man*e*ra de alfaneques, muy gra*n*des, y pare || çían tiendas en real"[92]. No lejos de esta población se encontraban "mo*n*tañas hermosas y altas com*m*o || la Peña d*e* los Enamorados, y vna d' *e*llas tiene || ençima otro mo*n*tezillo a ma*n*era de vna hermosa || mezqujta"[93], palabra que posteriormente se aplica con cierta frecuencia a los templos de los indígenas del continente. El 13 de octubre, las barcas de los lucayos halladas en las aguas de la isla Guanahaní recién descubierta, que bautiza San Salvador, se llaman *almadías*, la primera documentación en la lengua española[94]. Los portugueses habían aplicado esta voz a las barcas que habían conocido en el África occidental[95]. Puesto que *almadía* se sustituyó muy pronto por el préstamo indio *canoa*, citamos el pasaje por extenso, que es al mismo tiempo la descripción más detallada de una nueva cosa en el diario de a bordo:

> Ellos [los habitantes de Guanahaní] || vinjero*n* a la nao con almadías, q*ue* son hechas || del pie de vn árbol, com*m*o vn barco lue*n*go, || y todo de vn pedaço, y labrado muy a maravilla || segú*n* la tj*er*ra, y gra*n*des, en q*ue* en algu*no*s venjan || .40. y .45. ho*m*bres. Y otras más pequeñas, || fasta aver d'*e*llas en que venja vn solo ho*m*bre. || Remava*n* con vna pala com*m*o de fornero, y || anda a maravilla. Y si se les trastorna, luego || se echan todos a nadar y la endereçan y va || zian con calabaças q*ue* traen ellos[96].

Le importa mucho la descripción de las *canoas* en la carta a Santángel, posible origen de la difusión de la palabra *canoa*, ya que dicha voz aparece entre 1493 y 1495 en el diccionario castellano de Antonio de Nebrija, probablemente por intermedio de esta carta:

---

92 C. Colón I: 1976: 109.

93 C. Colón I: 1976: 110.

94 Sobre esta palabra y otros antillanismos, cf. H. López Morales 1990.

95 Cf. Las Casas 1992: 469, en el resumen de un pasaje tomado de la crónica de Zurara (cf. 3.12.). Esta palabra aparece en la descripción del viaje de 1455 que Alvise da Ca' da Mosto emprendió en las costas occidentales de África. Observa tales barcas en el río Senegal: "Vero è che coloro che abitano sopra questo fiume, e alcuni di quelli che stanno alle marine, hanno alcuni zopoli, cioè *almadie* tutte d'un legno, che portano da tre in quattro uomini al più nelle maggiori" (A. da Ca' da Mosto en R. Caddeo [ed.] 1929: 216).

96 C. Colón 1976: I, 87-88.

> Ellos tienen <en> todas las islas muy muchas *canoas* a manera de fustes de remo, d'ellas maioras, d'ellas menores, y algunas y muchas son mayores que huna fusta de diez e ocho bancos. No son tan anchas, porque son de hun solo madero, mas huna fusta no terná con ellas al remo, porque van que no es cosa de creer; y con éstas navegan todas aquellas islas que son innumerables y traten [*sic*] sus mercaderías. Algunas d'estas *canoas* he visto con LXX y LXXX ombres en ella, y cada uno con su remo[97].

Dos días antes habían traído *azagayas*, "lanzas pequeñas arrojadizas"[98], como regalos en el primer encuentro, palabra beréber que Cristóbal Colón utiliza también en otras ocasiones. El almirante compara lo nuevo con elementos de la cultura árabe o mora conocidos en la Península Ibérica[99].

Como vemos, el diario de a bordo de Colón es también el protocolo de sus actos creadores y de los de su tripulación, aunque las innovaciones parezcan a veces insignificantes. Los actos designativos innovadores van en dos direcciones. La primera es la aplicación y posible ampliación del campo designativo de las palabras españolas que hemos expuesto en las líneas precedentes. Es irrelevante que se hagan identificaciones equivocadas, porque Colón cree haber escuchado un *ruiseñor* en las proyecciones de su imaginación o porque interpretó mal los relatos de los indios. Puede dar una identificación equivocada con una palabra particular, pero también con una historia cuya correspondencia con la realidad cree haber hallado, sin que haya tenido lugar todavía en los hechos. Un ejemplo particularmente curioso de esta segunda dirección designativa es la identificación de los *manatíes* con las sirenas: "vido tres serenas || q*ue* salieron bien alto d*e* la mar, p*e*ro no era*n* tan || hermosas com*m*o las pintan, q*ue* en algu*n*a ma*n*era || tenjan forma de ho*m*bre en la cara"[100]. Las sirenas estaban pintadas

---

[97] C. Colón ²1984: 143.

[98] C. Colon 1976: I, 86.

[99] No convence lo que M. Morínigo opina al respecto y lo que otros repiten: "El deseo de la propiedad lingüística y la consiguiente indecisión para dar nombres a las cosas que no pueden reconocer se complica en el ánimo de los descubridores con el prejuicio de hallarse cerca de las tierras visitadas y descritas por Marco Polo [...]. Ese mismo prejuicio le hace creer que Luis de Torres, marinero que sabía árabe, le puede servir de intérprete, puesto que los árabes musulmanes habían precedido a los cristianos en ese remoto Oriente. Así se explica la inclinación por las voces árabes para nombrar las cosas nuevas: la canoa es *almadía*, los indios son *gandules*, *azagayas* sus armas, *alfaneques* sus casas y *alcatraz* el pelícano americano" (1959: 57-58). Ésta no resulta una justificación apropiada porque los españoles seguirán comparando las culturas del continente con la cultura árabe en los momentos posteriores a los primeros contactos en el Caribe. Cf. sobre las comparaciones árabes o moras en los primeros contactos con las culturas de América J. Lüdtke 1996a.

[100] C. Colon 1976: I, 208.

en los mapas tardomedievales como decoración, pero también es posible que cuente un suceso imaginario.

Los *lucayos* de Guanahaní dijeron a los demás isleños el 14 de octubre: "'venjd a ver los || ho*m*bres que vinjero*n* del çielo; traedles de || comer y de bever'"[101]. Se encuentran tales referencias a palabras de los indios en numerosos pasajes del diario; por supuesto, aunque había procurado averiguarlas, no son más que interpretaciones de su autor, ya que dice en la carta a Santángel:

> Y luego que legé a las Indias, en la primera isla que hallé, tomé per forza algunos d'ellos para que deprendiesen y me diesen noticia de lo que avía en aquellas partes, e así fue que luego entendiron y nos a ellos cuando por lengua o señas; y éstos han aprovechado mucho. Oy en día los traigo que siempre están de propósito que vengo del cielo, por mucha conversación que ayan havido conmigo. Y estos eran los primeros a pronunciarlo adonde yo llegaba, y los otros andavan corriendo de casa en casa y a las villas cercanas con bozes altas "Venit, venit a ver la gente del cielo"[102].

Con todo eso, había tomado medidas para establecer el contacto lingüístico con los príncipes de la India. Había llevado a Rodrigo de Xerez como intérprete, cuyos conocimientos lingüísticos desconocemos, al converso Luis de Torres que "sabía dize, que ebrayco y || caldeo y avn algo arávigo". Llegado a Cuba, el almirante envía a éstos a un supuesto Gran Kan con cartas de los Reyes Católicos y muestras de especias[103]. Existía una técnica para establecer contactos lingüísticos, como hemos visto (cf. 3.12.), que los portugueses habían practicado ya en las costas del África occidental y que Colón adoptó. Apenas llegado en Guanahaní Colón hace la prueba de si son aptos para intérpretes, haciéndoles repetir lo que les decía, y se propone tomar presos a algunos de ellos: "Yo, plaziendo || a N*uest*ro Señor, levaré de aquj al t*iem*po de mj partida seys a V*uestra*s Al*teza*s p*ar*a q*ue* deprenda*n* fablar"[104]. Realizó su intención, capturando a siete indios de los que uno se huyó el 15 de octubre, seguido de otro[105]. Se procuró tomar no sólo a hombres, sino también a mujeres, dado que las experiencias de los portugueses con sus lenguas habían mostrado que los hombres se quedaban si eran cautivados con sus mujeres y niños. Colón da expresamente una motivación bastante detallada de su acción, lo que podemos interpretar como reconocimiento de que el acto pudiera ser posteriormente censurado. El 12 de noviembre escribe

---

101 C. Colon 1976: I, 89.
102 C. Colón ²1984: 142-143.
103 C. Colón 1976: I, 113-114.
104 C. Colón 1976: I, 87.
105 C. Colón 1976: I, 90, 91.

una entrada frente a Cuba que Las Casas llama "las palabras formales del Almirante":

> ayer vino || abordo d*e* la nao vna almadía con seys man || cebos, y los çinco entraro*n* en la nao; estos ma*n*dé || detener ⁊ los traygo. Y después enbié a || vna casa q*ue* es d*e* la p*ar*te del río d*e*l ponjente, y tru || xero*n* siete cabeças de mugeres entre chicas ⁊ gra*n*des y tres njños. Esto hize porque mejor || se co*m*portan los ho*m*bres en España aviendo mu || geres de su t*je*rra q*ue* sin ellas, porq*ue* ya otras mu || chas veces se acaeçió traer ho*m*bres de Gujnea || p*a*ra q*ue* deprendiesen la lengua en Portugal, || y después q*ue* bolvían y pensaba*n* de se aprove || char d'*e*llos en su t*jer*ra por la buena co*m*pañja || que le avía*n* hecho y dádivas q*ue* se les avían dado, || en llega*n*do en t*je*-*r*ra jamás parecía[n]. Otros no || lo hazía*n* así. Así que, tenje*n*do sus mugeres, || [23v] ternán gana de negociar lo q*ue* se les encargare, || y ta*m*bién estas mugeres mucho enseñará*n* a los || n*uestr*os su lengua, la qual es toda vna en || todas estas yslas de Yndja, y todos se entien || den y todas las andan co*n* sus almadías, lo || q*ue* no an en Gujnea, adonde es mjll ma*n*eras || de lenguas q*ue* la vna no entiende la otra. || Esta noche vino a bordo en vna almadía el || marido de vna d'estas mugeres y padre de || tres fijos, vn macho y dos fembras, y dixo || q*ue* lo dexase venjr co*n* ellos, y a mj me aplo || go mucho, y queda*n* agora todos consolados || con él, q*ue* deven todos ser parie*n*tes, y él es ya || hombre de .45. años[106].

La gravedad de esta captura se atenúa en *Le Historie*[107], aunque Cristóbal Colón había afirmado en la carta a Luis de Santángel que "tomó per forza" a algunos indios, mientras que Las Casas la condena severamente como violación del derecho de gentes. La argumentación de Colón, en cambio, es sólo utilitarista.

Por lo visto Colón no apuntó las palabras indígenas de las que pudo enterarse para facilitar el aprendizaje de la lengua por parte de los españoles. Tampoco da cuenta de que los eruditos de la tripulación se hayan interesado por la lengua de los indios. Por de pronto para el virrey era sólo importante que la lengua de los indios fuera homogénea o relativamente homogénea, lo que le ahorraba capturar *lenguas* de muchos grupos étnicos diferentes. Tomó, aparte de los lucayos de Guanahaní y de los arahuacos de Cuba, a algunos indios del nordeste de Haití[108]. Mencionemos de paso que tres cristianos ya sabían entonces algo de la lengua de los indios[109].

Una verdadera comunicación lingüística entre los españoles y los arahuacos era imposible. Los indios capturados todavía no eran *lenguas*, y Colón mismo

---

106 C. Colón 1976: I, 122.

107 "sì quietamente e senza romore o tumulto" (F. Colombo 1930: I, 186; I: 1990: I, 105).

108 C. Colón 1976: I, 217.

109 C. Colón 1976: I, 138.

escribió: "por lengua no los entiendo"[110]. Los indios de Guanahaní fueron guías en un mundo de islas que era al mismo tiempo el dominio de su lengua. Los españoles no salieron de las Antillas arahuacas en este primer viaje. En las Lucayas se tomó noticia de más de cien islas cuyos nombres se enumeran[111]. Es cierto que Colón haya confundido palabras del *lucayo* (*¿igneri?*, 4.1.2.) con nombres propios. La palabra arahuaca *bohío*, que significa "casa", es tomada posteriormente por el nombre de la isla de Haití[112]. El 23 de noviembre, día en que toma *bohío* por el nombre de Haití, dice haber oído que los indios habían comunicado una noticia sobre tuertos, información que induce a Las Casas a afirmar que el almirante no entendía casi nada. Aunque era un excelente observador, no ha reproducido las palabras ni nombres indios con mucha exactitud[113], puesto que es patente que no se ha interesado mucho por su lengua. Un ejemplo llamativo es –si no se trata de una transmisión defectuosa– el nombre de la isla que había bautizado *Isabela*, muy probablemente Fortune Island. En su primera aparición el 16 de octubre se escribe *Samaot*, al día siguiente *Samoet* (dos veces), el 19 de octubre *Saomete* y *Saometo*, el 20 de octubre *Saometo*[114].

En realidad, la comunicación con los habitantes de las islas descubiertas se estableció mediante el lenguaje de los gestos e incluso del cuerpo. No entro en este interesante tema porque no se constituye una tradición de lenguaje de signos a partir de los primeros contactos mediante gestos entre Colón y los indígenas, pero este remedio explica la falta de comprensión, las malas interpretaciones y la facilidad con la cual el descubridor incurre en sus identificaciones equivocadas. No se usa *gesto*, sino *señas*, *señales* y a veces *ademanes* en las expresiones *hacer señas* o *ademanes* y *decir por señas*, como si se tratara de una comunicación cabal. Con el paso de las semanas Colón llegó a entender mejor los valores deícticos, mímicos o simbólicos de estas *señas*; sin embargo, el almirante entiende a veces tan mal los gestos que identifica un bohío que se encuentra en la dirección del gesto con el nombre de la isla de Haití o Quisqueya[115] como acabamos de ver.

Prescindiendo de la perplejidad del autor del diario, los nombres indígenas nos han llevado al segundo tipo de neologismos, los préstamos. Colón considera los nombres como los préstamos más importantes y los consigna sistemáticamente. Aunque bautiza nuevamente las islas recién descubiertas, utiliza los nom-

---

110 C. Colón 1976: I, 105; 24 de octubre.

111 C. Colón 1976: I, 90.

112 Cf. C. Colón 1976: I, 103, 115, 123; cf. Las Casas 1957: I, 153, 160; 1994: I, 571, 583.

113 Cf. Las Casas 1957: I, 201; 1994: I, 648.

114 Cf. C. Colón 1976: I, 94, 96, 98, 99.

115 Sobre los gestos en el diario J. Romera Castillo 1989 y en general sobre el lenguaje de los gestos en las Indias, cf. E. Martinell Gifre 1988: 21-42 y 1992: 123-150.

bres españoles con menos frecuencia que los indígenas. Toma posesión con solemnidad de dos islas recién descubiertas en el nombre del cristianismo (*San Salvador*, *Santa María de Concepción*), otras en el de los Reyes Católicos (*Fernandina, Isabela*), del príncipe heredero (*Juana*), pero prefiere llamar a algunas con su topónimo indígena: *Guanahaní, Saometo* (con variantes) o *Cuba* (con variantes). Esta variación colombina señala que el problema del uso de los nombres geográficos en lo sucesivo tiene su fundamento en las primeras vacilaciones –si no cayeron en el olvido como los nombres de las Lucayas, de modo que los especialistas tuvieron que buscar San Salvador en épocas recientes–. Hay que añadir que Colón aplicó a veces el mismo nombre a lugares geográficos diferentes. *Fernandina*, una de las Lucayas (Long Island), se convierte en el nombre español de Cuba. El paso del nombre anterior de Cuba, *Juana*, a *Fernandina* estaba motivado por la muerte del príncipe heredero Juan, que abrió el camino a la sucesión de Carlos I, el futuro emperador de Alemania Carlos V. También Pedro Mártir documenta el nombre *Juana*; esto da lugar a comentarios de Gonzalo Fernández de Oviedo[116] quien pone en tela de juicio a Pedro Mártir como fuente histórica fidedigna. Nosotros, en cambio, nos enteramos de las tradiciones continuas y de la ruptura de la tradición.

Es evidente que los nombres astronómicos eran específicos de Colón: *Puerto del Sol, Río de la Luna*, *Valle del Paraíso*[117]. Sólo mencionemos de paso que las identificaciones equivocadas de Colón tales como *Cipango* = *Cuba*[118] no se conservaron desde el principio. En algunos casos los nombres nuevos, especialmente en el Caribe, se tradujeron a otras lenguas o se volvieron a introducir los viejos. Otros se dan en la mayoría de las veces por su semejanza con paisajes castellanos, provincias o lugares, por ejemplo, *La Española* como forma diminutiva de *España* para *Haití* a causa de su supuesta similitud con España[119]. Los accidentes geográficos motivan muy pocos topónimos en el primer viaje; las evocaciones son sobre todo religiosas y manifiestan la intención de evangelizar las nuevas tierras.

[116] Pedro Mártir escribe: "alteram Hispaniolam, Ioannam alteram vocauit" (P. M. de Anglería 1964: I, i, 40). En español: "a la una [Colón] la llamó la Española, y a la otra Juana" (P. M. de Anglería 1989: 11). Fernández de Oviedo comenta: "Esta isla creo yo que es la que el cronista Pedro Mártir quiso intitular Alfa, e otras veces la llama *Juana*; pero de tales nombres no hay en estas partes e Indias isla alguna. Y no sé qué le pudo mover a la nombrar así" (1992: I, 47). Cf. el comentario casi idéntico en 1992: II, 111.

[117] Cf. Á. Rosenblat 1977: 140.

[118] *Colba*; C. Colón 1976: I, 103.

[119] Por si queda una duda acerca de este origen, citamos a Pedro Mártir, quien escribe al hablar de la sustitución de los topónimos Quizqueia, Haití y Cipango: "Ab Hispania postmodu*m* appellant diminutive Hispaniolam" (1966: 130; III, vii). En español: "Posteriormente le llaman por el nombre de España en diminutivo: Hispaniola" (1989: 218), es decir, Española.

Mientras que Colón adopta en seguida los nombres que oye en la boca de los lucayos y de los taínos, tarda varios días hasta registrar la primera voz indígena en su diario. Llama a las barcas de los indios durante unos días *almadías*; es manifiesto que Las Casas añade a la primera mención de esta voz el 26 de octubre: "Estas son las canoas"[120]. Aparecen en la entrada del 3 de noviembre "redes || en q*ue* dormjan, q*ue* son hamacas"[121], quizás otro comentario de Las Casas; sin embargo, figura también pocos días después en las *Historie*[122].

Hernando Colón documenta en el mismo día la palabra que significa "asientos" o "banquillos", *Duchi*, en plural, su singular es *duho*, en la etnografía moderna *dujo*, que utilizaban indios antillanos, y la palabra *maíz*, grano que Colón había comparado con el *panjzo* o "mijo"[123]. Esta palabra se ha conservado, por ejemplo, en la provincia española de Jaén como palabra para el maíz, al lado de *paniza*[124].

El 16 de diciembre Colón ve batatas en Haití (esta identificación, sin embargo, no es segura): "Tiene*n* sembrado en ellas ajes, q*ue* || son vnos ramjllos q*ue* plantan"[125]. *Aje* es una batata o una subespecie[126]. El almirante dice el 15 de enero de 1493: "axí, q*u'e*s su pemjenta"[127]. Lo poco que había entendido de la lengua indígena lo podemos deducir de que se entera sólo el 18 de diciembre que la palabra que significa "rey" es *caçique*: "y allí supo el Almj*rant*e || q*ue* al rey llamava[n] en su lengua caçique"[128], aunque esta voz aparece como comentario de *rey* en la entrada del día anterior. Por lo tanto, Colón aplicó *rey* en un significado discursivo ampliado, sustituyendo a este significado ampliado por un préstamo, después de haber identificado el nombre del jefe indio. A partir de entonces el uso puede variar entre la palabra española y la indígena. Esta identificación no habrá sido completa, ya que no sabía distinguir muy bien a un *cacique* de un *nitaíno*, como sabemos de una reproducción de Las Casas que comenta este pasaje en el diario de a bordo:

> Hasta ento*n*çes [hasta el 23 de diciembre] no avía podido enten || der el Almj*rant*e si lo dize*n* por rey o por gove*r*nador. || También dizen otros no*m*bres por gra*n*de q*ue* llama*n* || Nitayno: no sabía si lo dezían por hidalgo || o governador o juez[129].

---

[120] C. Colón 1976: I, 108.

[121] C. Colón 1976: I, 115.

[122] F. Colombo 1930: I, 175; 1990: I, 98.

[123] C. Colón 1976: I, 183, 184; cf. *miglio* en una lista de palabras de Antonio Pigafetta (1928: 88), *millo* en gallego y *milho* en portugués.

[124] J. M. Becerro Hiraldo/C. Vargas Labella 1986: 67, 112.

[125] C. Colón 1976: I, 165.

[126] J. Chez Checo (ed.) 1978.

[127] C. Colón 1976: I, 218.

[128] C. Colón 1976: I, 171.

[129] C. Colón 1976: I, 184.

El número de préstamos es, pues, reducido. En la mayoría de los casos, Colón denominó lo nuevo mediante innovaciones designativas de palabras españolas. Este procedimiento sorprende, considerando que estaba afligido, como señala, por desconocer los nombres de las muchas plantas y animales.

Aquello que el genovés no ve, no reconoce ni denomina bien, lo aclara Bartolomé de las Casas en su *Historia de las Indias*. Ya hemos mencionado la palabra mal interpretada *bohío*. Mientras que Colón denomina con etnónimos propios, aparte de los *indios*, sólo a los *caribes*, nos enteramos de que los hablantes de las islas apenas descubiertas se llaman *lucayos* o *yucayos*[130] y que se llaman así por la palabra *cayo* "isla"[131]. El pan que llevaba el *lucayo*, que Colón había encontrado en su "canoa chequita" entre Santa María de la Concepción y Fernandina como provisión, era *cazabí* o *cazabe*, pan de harina de yuca o mandioca[132]. Tanto la "culebra" como la "sierpe" se nombran por medio de *iguana*, palabra usual en La Española[133]. Las "yervas p*ar*a tomar sus sahumerios" se convierten en *tabacos*, el "panizo" en *maíz*[134]. La llanura extensa que el 20 de diciembre Colón describe en palabras genéricas como "un valle gra*n*díssimo y todo labrado", son para Las Casas unas *sabanas*, voz haitiana con las variantes *çabana* y *zabana*[135].

Por lo demás, el *Diario* no podía desarrollar una función discursiva ejemplar. Las condiciones especiales de su concepción y el secreto impuesto por la Corona lo impidieron. Así, el "discurso mitificador" que perciben a su manera Beatriz Pastor, Juan Gil[136] y otros sólo es accesible a la recepción de los coetáneos en los escritos publicados a una distancia de poco tiempo posterior a los sucesos. A partir de este momento, debemos contar con una transmisión escrita junto con la oral; depende de una valoración probabilística si atribuimos una tradición lingüística a una u otra. Como ya vimos, los nombres de la rosa de los vientos se van difundiendo en el uso general a partir de la oralidad, pues o bien no se usan en los escritos, o bien, si aparecen, se comentan mediante los nombres más comunes. Voces como las *Indias* y los *indios* bien pueden tener su origen no sólo en la *Carta a Luis de Santángel*, sino también en la transmisión oral. La pérdida de los topónimos colombinos aboga en favor del predominio de la oralidad en la formación de una tradición lingüística en la toponimia que se interrumpe no sólo tras este primer viaje, sino también en los posteriores, tanto en los colombinos

---

130 Las Casas 1994: II, 1466.

131 Las Casas 1994: I, 552.

132 Las Casas 1994: I, 564.

133 Las Casas 1994: I, 570, 572.

134 Las Casas 1994: I, 587.

135 Las Casas 1994: I, 627.

136 E. O'Gorman 1977, B. Pastor 2008: 17-100 ([1]1983), J. Gil 1992, F. Borchmeyer 2009.

como los otros. Las informaciones que además se ocultan al público no surten efecto en la historia de la lengua y no se consideran aquí.

Las Casas menciona otras palabras que introduce, como Colón, con la fórmula "que llaman/llamaban *x*". Cuando una palabra entra en el uso de esta manera, incluso varias veces, pero no se usa como palabra española, es decir, sin comentarios, entonces no es necesariamente un préstamo. Por lo general, no se adopta en la propia lengua. Estas menciones de voces pueden tener la función de proporcionar informaciones sobre los indios y su lengua o de hacer la relación más auténtica. Quedan así como verdaderos préstamos colombinos los nombres propios, entre ellos los nombres de islas, que compiten con los nombres españoles, y probablemente dos apelativos, las palabras *cacique* y *canoa*, que Colón utiliza en las variantes *canoas* y *canuas* en su relación dirigida a Luis de Santángel, fechada en el 15 de febrero de 1493. Esta relación se da a conocer fuera del reducido grupo de los descubridores y se integra en seguida al español.

En cuanto a las fases de la colonización resulta decisivo que la lengua de las Grandes Antillas fuera relativamente unitaria. Los límites de la expansión antillana de la lengua arahuaca son los límites del primer asentamiento de los españoles. Los belicosos caribes dificultan el avance de los españoles en las Antillas Pequeñas. Además, estas islas no daban ningún motivo para la fundación de una factoría, puesto que ahí no existían mercancías interesantes para el trueque, pero ante todo porque carecían de oro.

Hay que constatar que en la mente de los descubridores por el camino del oeste no vivían sólo indios en las Indias. En una ocasión Chanca cuenta a los *caribes* entre los *indios*:

> La diferençia destos a los otros *indios* en el ábito es que *los de Caribe* tienen el cavello muy largo, los otros son tresquilados e fechas cient mill diferençias en las cabeças de cruzes, e de otras pinturas en diversas maneras, cada uno como se le antoja, lo cual se hazen con cañas agudas[137].

Pero normalmente se diferencian ambas etnias como en la introducción de la palabra que designa la batata: "A este age llaman los de Caribe 'nabi' y los indios 'hage'"[138].

Anticipemos algunos desarrollos que constituyen también el marco de la historia de la lengua y condicionan el fracaso personal de Colón que tiene como consecuencia que se reduzca la parte atribuible a su influencia sobre el futuro de la lengua española en América. Tomo la carta a Santángel para señalar el incorre-

---

[137] J. Gil/C. Varela (eds.) 1984: 162.

[138] C. Colón 1976: I, 173.

gible triunfalismo del almirante y las expectativas desmesuradas que despertó, las cuales al fin se volvieron contra él mismo[139]. Se entiende todavía que, satisfecho de su misión cumplida, celebra "la gran vitoria que nuestro Señor [le] ha dado en [su] viaje"[140], pero encarece tanto una de las islas descubiertas, que llama La Española y que elige como centro de explotación, que sería difícil que resultara conforme a lo esperado: esta isla "y todas las otras son fertilíssimas en demasiado grado, y esta en estremo"[141], etc., y no acaba allí con los elogios. La mayor expectación que despierta es el enriquecimiento mediante el oro hallado en los ríos, "los más de los cuales traen oro" y "ay muchas specierías y grandes minas de oro y otros metales"[142]. Tras afirmar que los indios, gente pacífica, no negra, ingenua y fácil de engañar, "se farán cristianos"[143], y pronosticar "la conversión d'ellos a nuestra sancta fe, a la cual son muy dispuestos", vuelve a engrandecer la isla preferida: "[e]sta es para desear, e vista, es para nunca dexar"[144]; además, ésta ya estaba en posesión de los reyes y en posición céntrica para agilizar el comercio con la tierra firme del Gran Kan. Llama incluso "villa grande" a la aldea en proximidad de la fortaleza provisional erigida con los materiales reciclados de una carabela encallada. Su conclusión es que ofrece a los reyes "oro cuanto ovieren menester [...], speciería y algodón cuanto Sus Altezas mandarán cargar", almástiga, lignáloe, "esclavos cuantos mandarán cargar e serán de los idolatres"[145], y otras mercancías. En fin, los reyes dispondrían de las riquezas cuya ganancia habían sido el motivo por el cual habían patrocinado el viaje de Colón a Asia y debían hacerlo en el futuro, en sustitución del camino dificultoso por el imperio otomano. Vislumbramos los problemas escondidos en el optimismo voluntarista que son la organización del trabajo para extraer el oro y recoger las otras riquezas, la esclavización de los indios, incompatible con su evangelización, y simplemente la verdad de las afirmaciones ambiciosas del descubridor.

4.1.2. Los habitantes de las Antillas y sus lenguas

> Ya los teníamos [a los españoles que entraron en la isla de Guadalupe en 1493] por perdidos e comidos de aquellas gentes que se

[139] Cf. las observaciones de J. Gil (1992: 21-56) desde otra perspectiva.

[140] C. Colón ^{2}1984: 139.

[141] C. Colón ^{2}1984: 140-141.

[142] C. Colón ^{2}1984: 141.

[143] C. Colón ^{2}1984: 142.

[144] C. Colón ^{2}1984: 143.

[145] C. Colón ^{2}1984: 145.

> dizen los caribes, porque no bastava razón para creer que heran perdidos de otra manera, porque iban entr'ellos pilotos marineros, que por la estrella saben ir e venir hasta España; creíamos que en tan pequeño espacio no se podían perder. Este día primero que allí deçendimos andavan por la playa junto con el agua muchos ombres e mugeres mirando la flota e maravillándose de cosa tan nueba, e llegándose alguna barca a tierra a hablar con ellos diziéndolos "taino, taino", que quiere dezir 'bueno', esperaban en tanto que no salían del agua, junto con él moran, de manera que cuando ellos querían se podían salvar. En conclusión, que de los ombres ninguno se pudo tomar por fuerça ni por grado, salvo dos que se seguraron e después los traxeron por fuerça. Allí se tomaron más de veinte mugeres dellas cativas y de su grado se venían otras naturales de la isla que fueron salteadas y tomadas por fuerça. Çiertos mochachos cabtivos se vinieron a nosotros huyendo de los naturales de la isla que los tenían cabtivos[146].

Cristóbal Colón tuvo mucha suerte en su primer viaje de descubrimiento a las Indias. Una de las condiciones felices de su éxito fue la relativa unidad lingüística de las Antillas. En la carta que escribe en alta mar el 15 de febrero de 1493 a Luis de Santángel reproduce una experiencia basada en la observación del comportamiento lingüístico que Diego, el lucayo al que había capturado en las Bahamas, mostraba en Cuba y La Española: "En todas estas islas no vide mucha diversidad de la fechura de la gente, ni en las costumbres, ni en la lengua, salvo que todos se entienden que es cosa muy singular"[147]. La difusión de las lenguas indígenas influyó en la extensión de las primeras zonas de la colonización y, con ello, las primeras regiones de la implantación de la lengua española en La Española. Los arahuacos se habían asentado en las Antillas Menores o Pequeñas Antillas o islas de Barlovento y Sotavento, en las Antillas Mayores o Grandes Antillas y en las Bahamas[148]. En cuanto que durante el período antillano no había contacto lingüístico duradero con otros indígenas que los arahuacos y en cuanto que otras influencias lingüísticas pasaban muy probablemente por ellos como intermediarios, vamos a tratar sobre todo de arahuacos, o arauacos, en este lugar.

---

146 Carta del doctor Diego Álvarez Chanca al cabildo de Sevilla; C. Colón [2]1984: 159.

147 C. Colón [2]1984: 143.

148 R. Cassá (1992) da una buena síntesis divulgativa sobre la historia de los arahuacos y caribes de las Antillas e incorpora la investigación arqueológica reciente que es crucial para entender el desarrollo interno de las culturas antillanas prehispánicas. Entre los trabajos sobre la arqueología mencionamos dos síntesis: la de R. Dacal Moure y M. Rivero de la Calle (1984) sobre Cuba y la de M. Veloz Maggiolo (1972) sobre la isla de Santo Domingo. Nuestros conocimientos arqueológicos son recientes y susceptibles de mejora.

El nombre moderno deriva de una etnia establecida en la región entre el delta del río Amacuro en Venezuela y la Guayana Francesa actuales. Las lenguas arahuacas eran el grupo de lenguas más difundido de la América del Sur.

Nuestros conocimientos de los habitantes, sus diferentes culturas y lenguas se basan en hallazgos arqueológicos, en descripciones etnográficas de europeos y en documentos lingüísticos y culturales transmitidos hasta la época actual. Para entender la historia de los pobladores de las islas caribeñas, sus rutas migratorias y sus asentamientos, los avances de la arqueología son decisivos. Nuestra tarea, sin embargo, está mucho más limitada y es distinta. Basta que identifiquemos las grandes comunidades lingüísticas y su extensión, mayormente la zona del contacto lingüístico en la isla de Haití con los pobladores españoles, la densidad demográfica de las comunidades y su grado de desarrollo social, económico y cultural. Un tratamiento extenso debería relacionar la investigación lingüística con la historia y la arqueología[149]. Por este motivo las obras históricas son más relevantes que cualquier otro tipo de fuente.

Los pobladores arcaicos

Los arqueólogos aún no han podido establecer si la primera ruta de entrada a las Antillas Mayores fue América Central, tomando como puente islas hoy sumergidas y Jamaica, si el primer poblamiento antillano partió de Venezuela y las Antillas Menores, o si tomó las dos rutas. Pueden corresponder a estas oleadas más tempranas los habitantes del extremo oeste de la península Guacayarima en La Española y los *guanahacabibes* en el extremo oeste de Cuba. Gonzalo Fernández de Oviedo describe los pobladores preagrícolas de La Española en los siguientes términos:

---

149 Informan sobre los arahuacos antillanos y sus lenguas S. Lovén 1935, C. H. de Goeje 1939, D. Taylor 1977, R. E. Alegría 1976 y 1978, M. Álvarez Nazario 1977 y 1996, I. Rouse 1992 y S. Jansen 2011. Aparte de la evidencia arqueológica y la lengua de los arahuacos sobrevivientes hasta la actualidad nuestra fuente más fiable son la *Historia de las Indias* (1994) y la *Apologética historia* (1992) de Las Casas. Aunque no hay motivos para suponer que Las Casas supiera la lengua arahuaca (cf. S. Lovén 1935: 659), este autor hacía indagaciones sobre su cultura y su lengua, y apuntaba las palabras indicando el acento o la cantidad de sílabas. La regularidad con la que proporciona informaciones sobre las palabras arahuacas confirma la suposición de que usaba un vocabulario que podía ser el de Ambrosio de Morales que se ha perdido (S. Lovén 1935: 563). A. Tovar (1966) delimita las lenguas arahuacas y el grado de parentesco interno mediante los métodos de la lexico-estadística y la tipología; cf. también A. Meillet/M. Cohen (dirs.) 1952: 1102-1128; así como A. Tovar/C. Larrucea de Tovar ^{2}1984: 120-134.

> se hizo la guerra a los indios de la Guahaba, e de la Sabana, e de Amigayahua, e de la provincia de Guacayarima, la qual era de gente muy salvaje. Estos vivían en cavernas o espeluncas soterrañas e fechas en las peñas e montes. No sembraban ni labraban la tierra para cosa alguna, e con solamente las fructas e hierbas e raíces que la Natura, de su proprio e natural oficio producía, se mantenían y eran contentos, sin sentir nescesidad por otros manjares; ni pensaban en edificar otras casas, ni haber otras habitaciones más de aquellas cuevas donde se acogían [...]. Aquesta gente fue la más salvaje que hasta agora se ha visto en las Indias[150].

Muy similar es la información que nos proporciona Diego Velázquez en una carta del 1° de abril de 1514. Según el gobernador de Cuba los *guanahacabibes* (o *guanahatabibes*; estas variantes pueden ser lecturas diferentes debidas a la confusión de las grafías de <c> y <t>) son nómadas y recolectores:

> Estos últimos, que son los postreros, son a manera de salvages: no tienen casas, asientos, ni pueblos, ni labranzas: no comen sinó tortugas, pescado i algunas salvaginas, que toman por los montes[151].

Si bien ambos autores conocen a estos indígenas por informaciones indirectas, esto no significaba que tal situación fuera conocida por pocos. Bernal Díaz del Castillo los recuerda como todavía existentes en 1517: "en doce días [del mes de febrero de 1517] doblamos la [banda] de San Antón, que por otro nombre en la isla de Cuba se llama la tierra de los *guanataveis*, que son unos indios como selvajes"[152].

Los arahuacos

Nuestros conocimientos acerca de los arahuacos continentales e insulares y sus migraciones se basan exclusivamente en la documentación arqueológica. Las primeras migraciones identificadas se relacionan con un tipo de cerámica denominado *saladoide* por el sitio guía de Saladero ubicado en la entrada del delta del río Orinoco. La cerámica aparece generalmente en comunidades que poseen técnicas agrícolas; los arqueólogos llaman *agroalfareros* a los pobladores que cultivan especies vegetales y producen cerámica. Éstos se difundieron desde la cuenca del Amazonas, siguiendo el río Negro, el Casiquiare y el Orinoco hasta

150 G. Fernández de Oviedo 1992: I, 83.

151 Carta de Diego Velázquez a Su Alteza, 1° de abril de 1514, en R. Cassá 1992: 24.

152 B. Díaz del Castillo 1982: 6.

alcanzar la región que hoy corresponde a Venezuela y Guayana. Tomaron en épocas distintas la ruta de las Pequeñas y Grandes Antillas, pasando por Trinidad y Tobago, hasta las Bahamas. Los sitios arquelógicos atestiguan la existencia de por lo menos dos culturas arahuacas: una cultura preagrícola de cazadores, pescadores y recolectores, y una cultura agroalfarera más tardía cuyos pobladores practicaban la agricultura de roza y producían una cerámica refinada. Su desarrollo cultural coincide con el neolítico avanzado. Las islas de Santo Domingo y Puerto Rico habían llegado a un mayor grado de evolución que Jamaica, Cuba y las Lucayas.

No es fácil desenredar las etnias y las lenguas que designan los etnónimos cronísticos y los científicos modernos para que nos formemos una idea de su conjunto; pero para nuestros fines se ponen de relieve, en primer lugar, las lenguas de la isla de Haití, en segundo lugar, las demás Antillas Mayores por ser tierra de asentamiento de los españoles en un segundo momento después de 1508 y, en tercer lugar, el resto de las islas que aunque no se poblaban tenían que suministrar la mano de obra indígena que empezaba a faltar tras la extinción de la población de las Antillas Mayores.

El dominio del *taíno* tuvo la mayor extensión entre las lenguas arahuacas insulares. El primero en aplicar este nombre a los indígenas antillanos fue Cornelius S. Rafinesque en 1836[153]. El origen es la palabra *taíno* que significa "bueno", citada en el lema de este apartado. La lengua, llamada igualmente taína, se hablaba en Haití, Cuba, Jamaica, Borinquén, o Puerto Rico, y Trinidad. El idioma de las Lucayas o Bahamas pertenece también a esta familia lingüística. Los lucayos, llegados quizás con la primera oleada migratoria, podían comunicarse con los arahuacos de las Antillas Mayores. Puesto que las corrientes marítimas del Caribe pasan de sudeste a noroeste, la inmigración era más fácil desde la Sudamérica septentrional, siguiendo la dirección de aquellas corrientes, que desde la América Central o la Florida. La conquista y el poblamiento de los españoles siguió el rumbo opuesto desde el centro del Mar Caribe hacia la Sudamérica septentrional y en la vertiente caribeña de Panamá, antes de que el primer gran imperio, México, se conquistara metódicamente a partir de 1519. La consecuencia de las condiciones geográficas y demográficas fue que los españoles no se expandieran, al fin y al cabo, en la Florida y en las costas orientales de Norteamérica.

Había una cultura común, que guardaba afinidades con la cultura neolítica de los arahuacos antillanos, en extensas regiones de Cuba, en los Jardines de la

153 En la obra *The American Nations; or, Outlines of Their General History, Ancient and Modern* (Philadelphia), que no he podido consultar. Carl Friedrich Philipp von Martius reúne el primer glosario latín-taíno en 1863, ^{2}1867 (= 1969: 314-318). M. R. Harrington (1921) y S. Lovén (1935) difunden este nombre como etnónimo.

Reina, en Haití y en las Antillas Pequeñas. Hoy en día no es posible averiguar mediante testimonios lingüísticos si los representantes de esta cultura, los *cibuneyes*, pertenecían a la gran familia de las lenguas arahuacas, pero es probable que hayan formado parte de la segunda oleada migratoria de este grupo de etnias[154]. A juzgar por los restos arqueológicos, la cultura de los arahuacos de implantación más reciente, los *taínos*, que corresponden a la tercera y última oleada y que se remontan a los siglos XII y XIII, se sobrepuso a la cultura de los cibuneyes y asimismo a la cultura de los habitantes originarios de estas islas. Los españoles tropezaron con estos últimos, que son las etnias que las fuentes llamaban *guanahatabibes* o *guanahatabeyes*[155], como acabamos de ver. Cabe la posibilidad, sin embargo, de que los guanahatabibes fueran cibuneyes todavía no asimilados por los taínos y se distinguieran mediante este rasgo negativo del resto de los indígenas antillanos. Los cibuneyes estaban en un nivel cultural inferior que los taínos que poblaban el resto de Borinquén, Haití y el oeste de Cuba[156], y pueden corresponder al estrato social de las *naborías* que las fuentes históricas describen como los "sirvientes" de los indios de La Española.

En cambio, la lengua de los *ciguayos*, hablada en la región de Samaná en el nordeste de Haití, que los lucayos capturados por Colón no entendían, es sólo una variedad de la lengua arahuaca dominante y podría ser idéntica al idioma de los *macoriges*, *maçoriges* o *maçorixes*[157]; Las Casas, empero, nuestra autoridad

---

[154] Podemos leer dos comentarios de Las Casas al respecto: "toda la más de la gente de que estaba poblada aquella isla [de Cuba] era pasada y natural desta isla Española, puesto que la más antigua y natural de aquella isla era como la de los yucayos [...]. Esta era la natural y nativa de aquella isla, y llamábanse en su lengua *ciboneyes* (la penúltima sílaba luenga); y los désta, por grado o por fuerza, se apoderaron de aquella isla y gente della y los tenían como sirvientes suyos, no como eslavos" (1994: III, 1843). En la *Apologética* se llaman *exbuneyes*: "cuando pasó la gente de esta isla Española, y poco a poco sojuzgó a la de aquella (es decir, Cuba), que era una gente simplícisima y mansuetísima (la misma que la de los lucayos [...]), tuviéronlos por esclavos y llamábanlos *exbuneyes*, la penúltima sílaba luenga" (1958: 149).

[155] M. Álvarez Nazario 1977: 13-14.

[156] M. Álvarez Nazario 1977: 18.

[157] Las Casas en la *Apologética historia*: "Es aquí de saber que un gran pedazo desta costa, bien más de veinte y cinco o treinta leguas, y quince buenas y aun veinte de ancho, hasta las sierras que hacen desta parte del norte la Gran Vega inclusive, era poblada de unas gentes que se llamaban *macoriges* y otras *ciguayos*, y tenían diversas lenguas de la universal de toda la isla. No me acuerdo si diferían éstos en la lengua, como ha tantos años, y no hay hoy uno ni ninguno a quien lo preguntar, puesto que conversé hartas veces con ambas generaciones, y son pasados ya más de cincuenta años. Esto, al menos, sé de cierto: que los *ciguayos*, por donde andaba agora el Almirante, se llamaban 'ciguayos' porque traían todos los cabellos muy luengos, como en nuestra Castilla las mujeres" (1994: I, 666). La grafía del nombre de los *macorixes* constituye un problema ortográfico. Ya que la cedilla se omite con frecuencia en la grafía

para la situación lingüística de Haití, no lo recuerda con exactitud. Es ciertamente difícil atribuir el estatus de un dialecto de otra lengua a una lengua amerindia, pero lo es aún más en el caso de una lengua que sólo conocemos por unas pocas palabras en ortografía española y por una única variedad a la que se sobrepuso el caribe, como ocurrió con el dominio lingüístico de los ciguayos, según el historiador dominicano Frank Moya Pons, quien cree que los ciguayos, que habrían llegado con la segunda oleada, son el resultado de la integración de taínos y caribes[158]. La etnia de los maçorixes habitaba también el centro y sur de Cuba, sin que la región de sus asentamientos haya sido delimitada con claridad.

Se hablaba en las Antillas Menores el *igneri* (*iñeri*) o *eyeri* (con otras variantes) o *allouague*, nombres dados por los arqueólogos y los historiadores; estos grupos étnicos estaban amenazados por las incursiones de los caribes. Los hablantes del igneri podían haber penetrado en Puerto Rico y el oeste de Haití, mezclándose con otros arahuacos, los taínos, que seguían de cerca. Así, sería muy posible que los habitantes de Jamaica, las Bahamas y los cibuneyes de Cuba estuvieran emparentados con estos arahuacos.

En la época del descubrimiento los caribes estaban conquistando las Antillas Pequeñas. Mataban a los hombres y se quedaban con las mujeres. De ese modo se mantuvo una lengua arahuaca, el *caliponau*, como idioma de mujeres, pero conservando numerosos préstamos tomados del caribe. En el transcurso de los siglos, las lenguas europeas hicieron retroceder las lenguas arahuacas de las Antillas Pequeñas, que se extinguieron en los últimos islotes lingüísticos, Dominica y San Vicente, en torno a 1920; la incursión de los europeos de varia procedencia impidió la prosecución de la expansión de los caribes. En la actualidad, los *caribes negros*, descendientes de mujeres de lengua arahuaca y de hombres caribes de las Antillas Pequeñas, a pesar de su etnónimo, continúan a hablar el *carif* en Roatán, una de las Islas de la Bahía en el mar de Honduras y en las costas situadas enfrente; en 1797, los británicos deportaron de San Vicente a esa isla a 5000 negros e indios que conservan esta lengua hasta hoy en día[159]. La conservación de esta lengua permite comparar el arahuaco insular, llamado desacerta-

---

de la <ç>, esta letra se confunde con <c>, pero también <t> con <r> como muestra la grafía *Maroris* que aparece en la cita italiana sobre la estructura social en 4.1.9. y que se basa en una mala lectura de <c>. Tampoco me sirve de argumento la forma moderna *Macorís* que no se usa sólo en la región originaria (*San Francisco de Macorís*), sino también en el sudeste de la República Dominicana (*San Pedro de Macorís*). No me pronuncio sobre la forma originaria auténtica, porque no manejo documentación que permita averiguar si las formas actuales corresponden a una transmisión oral o escrita. A continuación voy a usar la grafía *maçorixes* de forma tentativa, aunque Pedro Mártir escribe *Macorixes* (1966: 132; III, 7).

158 F. Moya Pons [8]1981: 9.

159 A. Tovar/C. Larrucea de Tovar [2]1984: 121-122.

damente *caribe insular* por Douglas Taylor (1977), con el arahuaco conocido por unas pocas palabras del taíno citadas en las fuentes históricas.

Para delinear una geografía lingüística rudimentaria del pasado podemos servirnos de la palabra que designa el oro, la única que interesaba a Colón en concreto en su primer viaje. Con esta palabra se ejemplifican, entre otras cosas, las diferencias lingüísticas entre las islas. Los lucayos llamaban al oro *nozay*, los habitantes del oeste de La Española usaban *caona* y el este de esta isla decía *tuob*. Las Casas confirma expresamente la observación de Colón[160]. Por consiguiente, podemos atribuir *caona* al taíno de las Antillas Mayores y *tuob* a la lengua de los ciguayos y/o de los maçorixes de La Española. Las Casas localizaba estas comunidades lingüísticas, que se extinguieron en una época muy temprana, con bastante exactitud:

> Tres lenguas había en esta isla [La Española] distintas, que la una a la otra no se entendía: la una era de la gente que llamábamos el Macorix de Abajo y la otra de los vecinos del Macorix de Arriba [...]. La otra lengua fué la universal de toda la tierra, y ésta era más elegante y más copiosa de vocablos y más dulce el sonido; en ésta, la de Xaraguá –como dije arriba– en todo llevaba ventaja y era muy más prima[161].

Las relaciones de Ramon Pané

Se ha celebrado a Ramon Pané[162] como el primer etnógrafo y el primer antropólogo del Nuevo Mundo. Su coetáneo, fray Bartolomé de las Casas, quien le había conocido personalmente, le concede este honor a regañadientes. No le cita literalmente como a otros autores: "Algunas otras cosas dice (fray Ramón el ermitaño) confusas y de poca sustancia, como persona simple y que no hablaba del todo bien nuestra castellana lengua, como fuese catalán de nación, y por tanto es bien no referillas"[163]. Tampoco está convencido de sus conocimientos en las lenguas indígenas, argumento malhumorado que podemos dirigir contra el propio Las Casas. Hoy sus informaciones son de inestimable valor, puesto que escribe

160 Las Casas 1994: I, 666.

161 Las Casas 1992: III, 1281.

162 Este religioso era catalán. Ya que hoy el catalán es oficial en Cataluña y se escriben también los nombres en su forma oficial en las comunidades históricas, me atengo a este uso que se refleja asimismo en la versión catalana de la relación de R. Pané (1992).

163 II: 1958: 124; I: 1994: 155, 181. Estas palabras de Las Casas parecen inducir a Lovén a suponer que Ramon Pané había escrito sus relaciones en catalán (S. Lovén 1935: 561), pero la cita no apoya esa interpretación. Se trataba sólo de "referir" las palabras de Pané, no de traducirlas.

en una época en que las comunidades estaban si no intactas, por lo menos no tan deterioradas como después de los primeros repartimientos de Nicolás de Ovando a partir de 1502.

Ramon Pané llegó en el segundo viaje de Colón y fue el primer misionero cuyo nombre conocemos; evangelizaba a los habitantes de Macorix. A principios de 1495 Cristóbal Colón le encargó vivir con el cacique Guarionex y recoger informaciones sobre "ritos y antigüedades" de esos indios[164]. Ya que este cacique hablaba el arahuaco general de la isla, el taíno, mientras que el misionero sólo sabía la lengua de Macorix, éste pidió permiso para llevar consigo a indios bilingües. Le acompañó Guaicananù, el mejor de los indios y el primer cristiano bautizado cuyo nombre de pila era Juan. El lugar en que Pané había de vivir distaba media legua del fuerte de la Concepción. Allí estuvo casi dos años, probablemente desde principios de 1495 hasta finales de 1496. Sin embargo, Ramon Pané y Juan se trasladaron de ahí hasta donde habitaba el cacique Mabiatué que estaba más dispuesto a convertirse al cristianismo. Pané permaneció en su entorno al menos hasta 1498.

Encontramos las primeras referencias a sus conocimientos lingüísticos en una epístola de Pedro Mártir del 13 de junio de 1497 y en otra del 12 de mayo de 1499[165]. Este cronista se basa en relatos orales y no en relaciones escritas. Las fechas de las epístolas de Pedro Mártir apoyan la conclusión de que Pané terminó la primera relación a mediados del año 1496, para que Colón la llevara al regreso de su segundo viaje, y que pudo terminar la segunda en 1498[166]. Es posible que la primera relación, como la segunda, haya sido llevada a España por otro navegante que Colón. En cuanto a la fecha de la segunda relación, Pané puede haberla rematado asimismo en 1500, para que Colón la llevara consigo a

---

164 F. Colombo 1930: I, 213; 1990: I, 219; cap. XXV.

165 P. M. de Anglería 1966.

166 Ésta es la opinión de D. Ramos Pérez (1981-1982: 43-47). Según este autor, la segunda relación empieza con "Ora...". J. J. Arrom da una edición crítica y fiable de las relaciones, usando sin embargo el singular *Relación*, en 1974. La mejor edición es la última en lengua catalana (1992), que contiene el texto italiano de Fernando Colombo en facsímil. Los nombres y las palabras arahuacas se documentan en su forma italianizada de manera arbitraria y seguramente plagada de errores. Arrom reproduce los nombres y las palabras en la forma que se acerca más a la forma originaria o que corresponde a las palabras en su forma actual. Estas correspondencias se escriben aquí entre paréntesis. No obstante, habría sido preferible que Arrom hubiera proporcionado una edición de los textos latinos de Pedro Mártir y del extracto español de Las Casas. Véase asimismo la edición de H. E. Polanco Brito que incluye otros textos cronísticos (R. Pané 1988). Mencionan a Pané, o escribieron sobre él, el conde de la Viñaza (1892: 10), C. Bayle (1950: 42), S. Lovén (1935: 560-583), además de los otros autores citados en las notas.

la vuelta del tercer viaje, como prisionero de Francisco de Bobadilla. Podemos deducirlo del hecho de que Pedro Mártir tuvo conocimiento de esta relación entre 1500 y 1504, pues en una versión italiana de la primera década, publicada en 1504, nos informa sobre esta relación de Pané[167].

Las relaciones son breves, una de ellas por lo menos por falta de papel[168]. Seleccionamos aquellas informaciones que podían ser conocidas entre los españoles. Pese a eso no tomamos las palabras arahuacas como préstamos en este lugar, aunque manifiestan su adaptación al latín, al español o al italiano en la documentación. La intención de los textos es la de describir una cultura ajena. Es en este sentido que insertamos un informe sobre estas relaciones en este lugar.

El primer problema que hay que abordar es la lengua en la que Pané reproduce los términos indígenas: pueden ser maçorixes o taínos[169]. Si se suponen como maçorixes, este hecho sería muy interesante y significativo, pues probaría que se expandían los ritos y ceremonias de los taínos a las otras comunidades lingüísticas con sus nombres. Si bien es cierto que los maçorixes adoptaban los ritos y ceremonias taínos, ignoramos si adoptaban el léxico especializado. Me inclino más bien a la suposición de que Pané haya reproducido este léxico en taíno, ya que es manifiesto que estaba consciente del problema lingüístico, que conocía esa lengua y que disponía de un informante bilingüe, Juan. Le parece digno de mención que esos indios carecían de escritura[170], pero que tampoco tenían una tradición homogénea[171]. Los indígenas ya no sabían que habían migrado desde el continente a las islas, pues creían que eran originarios de dos cuevas situadas en La Española[172].

Pané describe ante todo las deidades o los ídolos del chamanismo que son espíritus de los muertos y otras representaciones religiosas que reflejan los elementos y la identidad tribal, llamados *cemini* en plural o *cimiche* en singular[173].

---

[167] Tenemos, por consiguiente, tres fuentes para esta relación: el resumen de Pedro Mártir en latín (1530, primera década, libro ix, caps. 4-7); el extracto en español que da Las Casas en la *Apologética historia* (1958: caps. lxx, clxvi, clxxvii; 1992: caps. 120, 166, 167)M y el extracto en la traducción italiana de la historia del almirante escrita por su hijo Hernando (F. Colombo 1990: I, cap. lxi).

[168] R. Pané 1992: cap. viii, 130v.

[169] Según R. Cassá (1992: 80), los términos que cita Pané son ciguayos. Esta etnia puede haber tomado elementos de la cultura de los taínos, como las ceremonias y los rituales, lo cual explicaría la identidad del léxico ciguayo que cita Pané con el de otras fuentes; la práctica del chamanismo propio a los taínos parece haberse difundido en las comunidades tanto maçorixes como ciguayas.

[170] R. Pané 1992: 127r.

[171] R. Pané 1992: cap. v, 128v, 129v.

[172] R. Pané 1992: 127v.

[173] R. Pané 1992: 132r, 132v.

Dejando la corrupción de las formas aparte, esta diferencia aparece en las documentaciones de esta palabra como préstamo. Las Casas usa el singular *cemí*, plural *cemíes*, en la *Información de los Jerónimos* encontramos, sin embargo, el plural *cemiles*. El misionero llama a los chamanes *bohuti* o *buhuitihu*, los *bohites* en Las Casas y los *behiques* en la *Información*. Los muertos[174] pueden aparecer como *Goeiz*, espíritu vivo (*¿guayza?* o nombre de la máscara o "carátula" de los indios), o como *Opia*[175], espíritu muerto, *hupía* en Las Casas. Se alude al rito de la *Cogioba*[176] que se describe como "polvere" ("polvo"), pero puede haber tenido el significado más general de "droga". Relacionamos el instrumento musical *maiohanan* con las ceremonias. Pané menciona al *Cacique*[177].

En cuanto a la cultura material, el jerónimo hace mención a plantas cultivadas en sus *conichi*[178] o campos, los *conucos*, como la *giuca*, la *yuca*, de cuyas raíces se producía el *Cazzabí*[179], y el *agí* que podemos considerar como corrupción del nombre del tubérculo *age* y no del pimiento *axí*, hoy *ají*, y algunas plantas cuyas frutas se recogen: *Iobi*[180]o "mirabolanos", y una hierba llamada *Digo*[181], la fruta *Guabaza*[182]. Los nombres de animales son dos: *tona*, "a guisa di rane", y *Cobo*[183], un caracol de mar. Le llamaba la atención "una infermità, come rogna", llamada *caracaracol*. Conoce el *Guanin*[184], plural *Guanini*[185], el *guanín* u *oro bajo* de los españoles, y sus casas, *Bouhi*[186]. Y no faltan los *Canibali*[187], palabra que por su forma española nos hace sospechar que todas las voces citadas pueden ser ya préstamos. Por otro lado, los dos nombres de una misma planta contradicen esta conclusión: "pigliano un'erba, che si chiama *Gueio*, che ha le foglie simili al Basilicò, grossa & larga, & con altro nome chiamasi *Zachon*"[188]. Nos quedamos con la duda de si estas palabras pertenecen a una misma lengua o

---

174 R. Pané 1992: 127.

175 R. Pané 1992: 133r.

176 R. Pané 1992: 131v; *cohoba*.

177 R. Pané 1992: 127v, 130r.

178 R. Pané 1992: 131r.

179 R. Pané 1992: 131v; *cazabí*, hoy *cazabe* o *casabe*.

180 R. Pané 1992: 127v; *jobos*.

181 R. Pané 1992: cap. ii, 128r.

182 R. Pané 1992: 132v; no identificada.

183 R. Pané 1992: 127v.

184 R. Pané 1992: 129v.

185 R. Pané 1992: 129r.

186 R. Pané 1992: 128v; *bohío*.

187 R. Pané 1992: 132.

188 R. Pané 1992: 136. En la edición de la *Historia del Almirante* de L. Arranz: "una hierba que se llama *güeyo*, que tiene las hojas semejantes a la albahaca, gruesa y larga, por otro nombre llamada *zacon*" (H. Colón 1984: 217).

a dos, la de los maçorixes o la taína. Si eran maçorixes, se deben considerar como préstamos taínos en esa lengua.

Pese a las incertidumbres acerca de la atribución del léxico a una lengua indígena determinada, es cierto que esta relación es un ejemplo de la manera en que voces no documentadas en otras fuentes entran en las crónicas, sin que aparezcan igualmente en los documentos oficiales.

Los caribes

El caribe es, tras el arahuaco y el tupí-guaraní, el grupo lingüístico más difundido de América del Sur; y los caribes se habrían extendido más a expensas de los arahuacos si los españoles no lo hubieran impedido. Estos pueblos estaban asentados en las costas del Caribe, en el interior de Venezuela y de Guayana, en el valle del Magdalena y en la cuenca del Amazonas. En la época del descubrimiento los caribes ocupaban las Antillas Menores entre Tobago y Guadalupe. Las otras islas situadas hacia el norte servían de base operativa para sus ataques contra los arahuacos de Puerto Rico y estaban despobladas. Al contrario de los arahuacos los caribes eran muy belicosos.

El avance de los caribes produce el contacto lingüístico con los arahuacos antillanos; un contacto que se debe mayormente a la captura de las mujeres y niños arahuacos que se deportaban a las Antillas Menores; y también a la captura de caribes tras la extinción de los taínos de La Española para sustituir a los trabajadores indígenas. Estas situaciones de contacto a las cuales se suman posibles contactos culturales anteriores a la llegada de los españoles dificultan la atribución de algunas voces al caribe o al arahuaco. Éste es el caso de *canoa*, *piragua*, *curare*, *manatí*, *colibrí* y *caimán*[189].

El nombre *caribes* se remonta a una adaptación lingüística de Colón o de su tripulación. El 4 de noviembre de 1492 Colón recibe informaciones acerca de los caribes a las que da una interpretación fabulosa y les presenta entre otras cosas como antropófagos[190]. El 23 de noviembre les llama *canjbales*[191], y el 11, 13 y 17 de diciembre "[l]os de Canjba", a los que los arahuacos tienen miedo[192]. El día de San Esteban de 1492 introduce una variante: "los de Canjba, qu'*e*llos llama*n* caribes"[193], un nombre étnico que volverá a usar[194]. Deducimos de la oposición que se

[189] T. Buesa Oliver/J. M.ª Enguita Utrilla 1992: 66-67.

[190] C. Colón 1976: I, 115.

[191] C. Colón 1976: I, 132.

[192] C. Colón 1976: I, 157, 160, 167.

[193] C. Colón 1976: I, 191.

[194] C. Colón 1976: I, 199.

expresa por medio de "*e*llos" que "los de Canjba" corresponde a una forma lucaya del nombre de los caribes, mientras que *Carib* era la forma usual en La Española[195] y que Colón adopta en su acervo lingüístico. En el tiempo de su vuelta el almirante explica *Carib* como "la ysla de Carib"[196], ya que no sabe todavía que eran muchas islas. En su segundo viaje tuvo conocimiento directo de los caribes.

A pesar de las citas anteriores no está enteramente asegurado si ambos nombres, *caribes* y *canibales* –esta última palabra era al principio una palabra llana–, se crearon ya en el primer viaje de Colón, pero se documentan sin ninguna duda desde el segundo viaje. Chanca llama a las Antillas Menores islas "de Caribe"[197] cuando llega a *Guadalupe* y a los habitantes *caribes*[198], y los describe como "gente que come carne humana"[199]. Simón Verde les llama *cambalos*[200]; Juan de' Bardi *canabali* en italiano[201]; y el savonés Michele da Cuneo *camballi* en su latín, pero es probable que <m> sea una mala lectura de <ni>. El acento de esta forma está conforme con la forma *Canibáles* que Pedro Mártir, cuidadoso en los detalles lingüísticos, marca con un acento gráfico en su latín[202]. Así, esta palabra era paroxítona en su origen. Sin embargo, en la edición moderna de Martín Fernández de Enciso se usa *caníbales* y no caribes:

> Están todas las otras [islas entre La Trinidad y San Juan] que he nombrado entremedias destas dos, y son todas de *caníbales*, que comen carne humana, y vánse por la mar en canoas a hacer guerra a otras partes y unos a otros[203].

El cambio hacia el acento proparoxítono en *caníbales* indica de manera indirecta que los caribes se han transformado en mito por la tradición literaria y que ésta se ha independizado de la experiencia concreta y oral. Una confirmación del olvido de la voz en el uso oral se encuentra en un comentario sobre un oráculo que relata Ramon Pané, en el cual un cacique pronosticó la llegada de "una gente vestida que los señorearía y mataría y que se morirían de hambre":

> creyeron ellos [los indios de La Española] que aquella gente debía ser los que llamamos *caribes* y entonces los llamaban y llamábamos *cañíbales*"[204].

---

195 C. Colón 1976: I, 213.
196 C. Colón 1976: I, 216.
197 D. Álvarez Chanca 1984: 158.
198 D. Álvarez Chanca 1984: 159.
199 D. Álvarez Chanca 1984: 158.
200 J. Gil/C. Varela (eds.) 1984: 210.
201 J. Gil/C. Varela (eds.) 1984: 214.
202 P. M. de Anglería 1966: 40; *De orbe novo*, I, i.
203 M. Fernández de Enciso 1987: 206; [1]1519.

> De uno o de dos o de diez –que apenas subían de tres los que mataban [los indios]– hacían grandes quexas a los Reyes, que por ser *caníbales* (que entonces llamaban [a] los que ahora decimos *caribes*, que son los que comen carne humana), no querían conservar con los cristianos ni los acogían en sus tierras, antes los mataban[205].

Salvo el acento que se debería chequear en el manuscrito de la obra, este pasaje prueba que *canibales* había caído en desuso, como indica el imperfecto, y sustituido *agora* por *caribes*, y que el mismo Las Casas había empleado la palabra en el pasado como los demás. En suma, *caribe* tiene una base indígena, *caníbal*, que no aparece ni en Covarrubias ni en *Autoridades*, es la elaboración culta y tardía de transmisión escrita de una creación colombina[206].

El cambio lingüístico en América se produce sobre todo en las lenguas indígenas que se extinguen, porque sus hablantes aprenden una lengua indígena más difundida, o sea, una *lengua general*, o porque aprenden el español. En otro caso, sus hablantes se retiran hacia regiones inaccesibles. Comparado con las lenguas indígenas, el cambio de la lengua española es siempre un cambio interno relativamente limitado.

4.1.3. Acerca de los límites del dominio de la lengua española en América

El hallazgo de las islas situadas en la parte occidental del océano excede la creencia de Colón de haber descubierto unas islas ubicadas según sus ideas geográficas enfrente del continente asiático. La reestructuración del saber coetáneo acerca del globo terráqueo implica dos vertientes: una universal que localiza de varias maneras las tierras encontradas en el mundo entonces conocido y una regional que va configurándose en los viajes de descubrimiento de Cristóbal Colón y de otros navegantes de la época. Estos dos entornos interrelacionados evolucionan a un ritmo diferente en ambientes diversos. La interpretación del sentido geográfico y político de los descubrimientos es una tarea a la cual se dedican los estudiosos renacentistas y el ambiente de los monarcas entre los cuales cabe contar al papa Alejandro VI, nacido como vasallo de la Corona de Aragón. En cambio, los conocimientos detallados acerca del Caribe son el fiel tra-

---

204 R. Pané 1992: III, 1156.

205 R. Pané 1992: II, 1372.

206 C. A. Jáuregui (2008: 48-63) no tiene conocimiento del uso de la forma llana *canibáles* tras las primeras décadas y su reaparición como cultismo. Habría sido interesante prestar atención al acento porque así se podría aclarar la transmisión popular o culta del vocablo.

sunto de las experiencias de los descubridores, colonizadores y funcionarios reales adquiridas en un región circunscrita.

La toponimia así como la aplicación y la creación del léxico toponímico son la imagen lingüística de la paulatina elaboración de estos entornos. Por tanto, dirijimos nuestra atención, en primer lugar, a la emergencia de la toponimia global y continental, y, en segundo lugar, a la antillana (4.1.9.) con la inclusión de Panamá, extensión del mundo antillano. Nos dejaremos llevar por la idea de la semántica esbozada en 3.10. y su aplicación a la isla de Tenerife exigiendo mantener el difícil equilibrio entre la exposición del saber enciclopédico y el idioma.

A pesar de que nadie tenía un conocimiento cabal ni de la extensión de la Tierra ni de los límites exactos fijados en los tratados, la Corona se apresura a aclarar la posición de las Indias en el cosmos, sin poder esperar, por razones políticas, a que se resuelvan todas las cuestiones científicas, cosmográficas en aquel momento, y así tomar decisiones inequívocas acerca de la delimitación de las esferas castellana y portuguesa.

Después del descubrimiento de unas islas que Colón consideraba "partes de India" en el prólogo de su diario, los Reyes Católicos se esforzaron por asegurarse el monopolio de la cristianización y colonización de las nuevas tierras. La hazaña provocó intensas actividades diplomáticas en la Santa Sede. Los Reyes Católicos hicieron confirmar sus derechos en un continente que, para ellos, era todavía Asia, a través de cuatro bulas del papa valenciano Alejandro VI: la primera *Inter caetera*, la segunda *Inter caetera*, la *Eximia devotionis* y la *Dudum siquidem*. Para asegurar estos derechos con respecto a Portugal, reino al que el viaje de Colón había quitado los frutos de su largo trabajo, se concluyó con este país un tratado que se negoció en Simancas y se firmó en Tordesillas en el año 1494. Este tratado luso-español fijó la línea de demarcación que dividía la tierra no cristiana en una esfera de influencia portuguesa y una castellana, pasando en el Atlántico 370 leguas al oeste de las islas de Cabo Verde y aportando a Portugal la futura posesión del Brasil. El tratado preveía un reglamento de aplicación que nunca se realizó y que posteriormente cayó en el olvido. De este modo no se establecieron la "legua" exacta como medida de longitud entre las varias vigentes ni aquélla de las islas de Cabo Verde que serviría de base para la medida del meridiano situado 370 leguas hacia el oeste. Después de la toma de posesión portuguesa del Brasil se consideró que Belem do Pará en el norte y Laguna en el sur se encontraban en el meridiano del Tratado de Tordesillas[207].

La configuración de la región o, mejor dicho, de las regiones toponímicas del Nuevo Mundo se sustrae a un reconocimiento directo. Sus contornos son move-

---

[207] H. Vianna [12]1975: 32-40.

dizos y dependen de las informaciones sobre los viajes de descubrimiento y de las interpretaciones de los humanistas que meditan en sus obras sobre los problemas planteados. La difícil investigación de las regiones toponímicas se refleja tanto en la ampliación continua de los conocimientos geográficos como en el cambio frecuente de los topónimos y el área de aplicación del léxico correspondiente. En este proceso ya no nos ocupará el drama personal de Colón que se debe a sus obsesiones u objetivos propagandísticos, sino el lento surgir de los contornos geográficos fijados a través el léxico y la toponimia. Así, distinguimos los designios personales de Colón y el hecho histórico que lo trasciende. El "objetivo asiático"[208] de Colón no excluye la interpretación de la tierra hallada como nuevo mundo o nuevo continente, como de hecho sucedió. Sus ideas personales son relevantes sólo en cuanto que resultan reflejadas en la historia de la lengua. Algunos fenómenos que derivan de forma directa de sus hazañas permanecen o se reinterpretan, otros, en cambio, no se adoptan. De este modo, no se propagan algunos de sus topónimos cristianos o los que expresan su mitología particular, por ejemplo en la toma de posesión de la tierra.

El Tratado de Tordesillas se basa en la idea colombina de que la Tierra fuera una isla dividida en tres partes llamadas continentes. El humanista italiano Pedro Mártir de Anglería tuvo una inquietud acerca de la corta distancia que supuso Colón entre las costas occidentales de Europa y el oriente de Asia[209]. Éste y otros humanistas se encargaron de interpretar los datos que les proporcionaban los navegantes.

La delimitación de los dominios adjudicados a Castilla y Portugal era difícil de llevar a la práctica. La penetración del Brasil se efectuó a partir de las capitanías fundadas a lo largo del litoral. Sin embargo, el mayor reto fue el descubrimiento de la cuenca del Amazonas que abrió el horizonte de las tierras accesibles a Portugal, pero la situación geográfica no permitió el reconocimiento del río desde su desembocadura. Así, fue el español Francisco de Orellana quien en 1541 emprendió el primero de los grandes viajes de descubrimiento en el interior del país, porque esta región era más fácil de alcanzar desde el Perú que desde el delta. No obstante, la unión de las coronas española y portuguesa favoreció a partir de 1580 la conquista y colonización de esta parte del continente por los portugueses más allá de la línea fijada en el Tratado de Tordesillas, de modo que éstos pudieron ocupar hasta 1640 un territorio que aproximadamente corresponde a la extensión actual, en parte a expensas de los españoles[210]. El Tratado de

[208] E. O'Gorman 1977.

[209] Cf. E. O'Gorman 1977: 90-91.

[210] H. Vianna [12]1975: 180.

Madrid (1750) reconoció la nueva distribución de las posesiones, revocando expresamente el Tratado de Tordesillas, ya que ambas partes lo habían infringido.

Los juristas españoles inclusive impugnaron el Tratado de Tordesillas como título jurídico. No obstante, su efecto inmediato fue que el nuevo continente se dividiera en una esfera española y otra portuguesa, dando como resultado un dominio lingüístico español y un dominio lingüístico portugués. Los otros Estados europeos restringieron sólo con posterioridad el dominio lingüístico potencial del español; formaba parte de esto la circunstancia de que muchos de ellos, en cuanto Estados protestantes, no reconocían ni la autoridad espiritual ni la secular del papa.

Los amplios espacios del continente pertenecieron al ámbito de poder de los españoles. La hispanización fue un proceso continuo cuyas fases más intensas fueron el siglo XVIII y, más aún, la época posterior a la independencia, creando nuevas situaciones de contacto lingüístico hasta la actualidad.

4.1.4. Los españoles en las Antillas

La colonización inicia con el segundo viaje de Colón. Los yacimientos de oro en La Española son el motivo por el que Colón fundó una factoría en esa isla. El primer asentamiento había sido la *Villa de la Navidad*, fortín que se construyó entre la Navidad de 1492 y el día de Año Nuevo de 1493. El lugar se había escogido por casualidad, ya que en este paraje del norte de La Española la carabela había encallado. El barco naufragado se utilizó para la construcción de una fortaleza en la que se dejaron a 39 hombres.

El 25 de septiembre de 1493 una flota de 17 navíos zarpó de Cádiz. La primera isla a la que llegaron, el 3 de noviembre del mismo año, era una de las Antillas Menores que Colón llamó *Dominica* porque este día cayó en domingo. Ya que no encontraron en seguida un surgidero en Dominica echaron anclas en la isla más cercana, *Marigalante* o *María Galante*, apodo de la nao capitana, la *Santa María*. Las primeras descripciones de las islas nos las dieron el médico sevillano Diego Álvarez Chanca y los italianos Guglielmo Coma y Michele da Cuneo[211]. Chanca se interesa por las especias y el efecto medicinal de algunas frutas como el manzanillo que los caribes usaban para recubrir de veneno las puntas de sus flechas. En *Guadalupe* la tripulación se encontró con mujeres arahuacas que los caribes habían capturado y que, según cuenta el doctor Chanca, les saludaban gritando "taíno, taíno" (4.1.2.), seguramente para distinguirse de

[211] Estos testimonios se reúnen en C. Colón [2]1984: 151-260.

las mujeres caribes que no eran "buenas". La mayoría de los hombres habían salido para merodear y tomar arahuacos. Explica lo que son *canoas*[212] y, arribado a *Santa María de Monserrat*, diferencia entre los otros "indios" y "los caribes"[213] que ya habían conquistado "Burequen", es decir, la isla de *Boriquén* o *Borinquén* o la isla *San Juan Bautista* de Colón. Notemos que *indio* ya es un etnónimo genérico, pero el uso vaciló en las primeras décadas y designó al principio únicamente a los arahuacos de las Antillas Mayores, de modo que no fue necesario buscar otro nombre o, cuando hubiera sido necesario, ya había en verdad pocos sobrevivientes. Al llegar a La Española, ninguno de los españoles dejados en la Villa de la Navidad estaba con vida.

Colón dividió la isla en *provincias*[214], transferencia de una visión clásica al Nuevo Mundo que era menos usual en España. El contacto lingüístico se estableció por los intérpretes[215] que el almirante había capturado en su primer viaje, aplicando de esta manera el método sometido muchas veces a prueba en los viajes de castellanos y portugueses en Canarias y las costas de África. La comunicación con el primo del cacique Guacanagarí, en la proximidad de Monte Cristi, y con el mismo cacique, que fingió estar herido en una pierna cuando recibió a Colón recostado en una hamaca[216], se hizo difícil por el idioma[217]. A pesar de estos inconvenientes, el virrey logró saber cómo murieron los españoles que habían quedado en La Navidad. En esta ocasión, Chanca explica lo que son *caciques*[218] y opina que los indios son fáciles de convertir a la fe católica. Como médico es especialista en plantas medicinales, pero no enumera más plantas útiles y más especies que Colón. La convergencia entre la visión de Colón y Chanca es significativa y nos da la certeza de que las nuevas experiencias y su expresión lingüística eran comunes a todos y podían transmitirse por vía oral. En este sentido, los testimonios tempranos son valiosos y representativos de los cambios lingüísticos.

La primera villa fundada en América fue la *Isabela*, nombrada así en honor de la Reina Católica. Las descripciones de la Isabela están todas muy idealizadas, pues el sitio no era idóneo para la construcción de un buen puerto ni ofrecía buenas condiciones para la agricultura, y estaba además lejos de las minas de oro. Sin embargo, este pueblo es importante para la historia de la ciudad hispa-

---

[212] D. Álvarez Chanca 1984: 160.
[213] D. Álvarez Chanca 1984: 162.
[214] D. Álvarez Chanca 1984: 164.
[215] D. Álvarez Chanca 1984: 165.
[216] D. Álvarez Chanca 1984: 170.
[217] D. Álvarez Chanca 1984: 171-172.
[218] D. Álvarez Chanca 1984: 173.

noamericana por su *traza* y las formas comunicativas. Guglielmo Coma escribe lo siguiente sobre la planta y la planificación de la villa:

> La ciudad de la Isabela, que surge bellísima, está junto a un puerto excelente, que abunda en peces de sabor suculento que, probado por los médicos, se dan a los enfermos para que recobren la salud. Se pescan otros de cuerpo enorme, de tamaño de un buey, que devoran cortándoles los pies, de gusto a ternera; si los pruebas, dejarás las demás delicias de pescado. Los nuestros la llaman Isla Bella, habiendo puesto a la ciudad el nombre de Isabela. Esta, por aventajar a todas las demás en virtud de su estratégica situación y la benignidad de su clima, será dentro de muy pocos años populosa, y repleta y frecuentada de colonos competirá con cualquiera de las ciudades españolas cuando estén acabados sus edificios y levantados con magnificencia sus muros. Disponen las casas y construyen las murallas de suerte que den ornato a la ciudad y presten refugio seguro a los habitantes. Una ancha calle trazada a cordel divide la ciudad en dos partes, calle que es cortada después transversalmente por otras muchas costaneras; en la playa se alza un magnífico castillo con una elevada fortaleza, la morada del Prefecto se llama Palacio Real, ya que acontecerá alguna vez, por la gracia de Dios, que es artífice y dador óptimo de tantos bienes, que los Reyes, zarpando de Cádiz, penetren en tan dichosos reinos para ver sus islas después de haber alcanzado la victoria por doquier. Allí se ha consagrado un noble templo opulento en dones y repleto de ofrendas, que la reina Isabel envió desde España para el culto divino. Deciden que está también la capital de la provincia[219].

La esperanza de que los Reyes Católicos o sus sucesores zarparan algún día de Cádiz para arribar a las Indias nunca se cumplió, ni siquiera en la época más desastrosa de la monarquía que siguió a la invasión de España (1808). Los peces "de cuerpo enorme" son, evidentemente, *manatíes*. Si la casa del gobernador y la iglesia se encontraban en la misma plaza, la planta se asemejaba a la plaza mayor de Las Palmas, cuyo fuero los Reyes Católicos otorgaron en torno a esta época. Pero el fuero real y la fundación virreinal siguieron tradiciones distintas. Esta diferencia explica que no se documente el léxico administrativo de la misma manera que en las Islas Canarias ni que parta de una base idéntica; tenemos que esperar hasta el gobierno de Nicolás de Ovando para que se imponga el Estado.

La fundación de la Isabela tenía un carácter novedoso y sin precedente en la experiencia de los españoles. Conocemos el origen social de los hombres cuya cifra oscila entre 1200 y 1500 personas, reclutadas por la Corona y por Colón, sin contar otros que viajaban sin recibir sueldo, pero no conocemos las cifras absolutas de los varios estratos sociales (4.1.4.2.) ni sabemos quiénes eran colonos, es decir, quiénes tenían la intención de permanecer en La Española y quié-

[219] G. Coma 1984: 199; cf. M. de Cuneo 1984: 243.

nes tenían la intención de regresar. Ésta es una de las razones por la cual no doy tanta importancia a los porcentajes de los pobladores en cuanto a su procedencia social o regional, entre las otras razones se cuentan las correlaciones entre determinados rasgos lingüísticos y grupos de pobladores que son poco numerosas o difíciles de establecer, y las que dominan en la lengua del Nuevo Mundo como las innovaciones designativas, los préstamos y los cultismos que son independientes de este criterio. Tampoco conocemos la composición social de los pasajeros de las tres carabelas bajo el mando de Bartolomé Colón (1494) y de las cuatro naves de Antonio de Torres en el mismo año. Sin embargo, nos enteramos de que en el segundo viaje de Cristóbal Colón pasaron a La Española unos veinte hombres con sus caballos, muchos hidalgos, un centenar de ballesteros y arcabuceros, algunos centenares de artesanos, labriegos, carniceros, carpinteros, herreros, talabarteros y sobre todo albañiles y canteros; pero no consta cuáles de estos pobladores sobrevivieron y permanecieron en la isla. Si la fundación de la Isabela y su fracaso fueron útiles para algo, se puede decir que la villa sirvió de campo de experimentación, aunque no logro probar un vínculo directo entre este experimento urbanístico y las fundaciones posteriores.

La segunda fundación de una *villa* fracasó como la primera, aunque por otros motivos. Cristóbal Colón la sustituyó por la ciudad de Santo Domingo, fundada en 1494 y una segunda vez en 1496 por su hermano Bartolomé. La elección de este lugar se basaba en la proximidad de las minas de oro y de su función de puerto de exportación. En su urbanismo no se retoma la *traza* de la Isabela.

Las nuevas fundaciones de los españoles eran todas villas o ciudades, aun cuando tuvieron por mucho tiempo las dimensiones de una aldea[220]. Sin embargo, siempre que los indios habían desarrollado una cultura urbana como en México y en el Perú, los españoles se asentaron en las ciudades indígenas. La cultura de los arahuacos antillanos había alcanzado sólo el nivel de una economía de subsistencia sin haber producido concentraciones de población en centros urbanos. Puesto que los españoles fundaron villas y ciudades para españoles, se vislumbraba desde el principio la separación de una comunidad española y una muchedumbre de comunidades indígenas que formarían en el futuro la *república de los españoles* y la *república de los indios*.

No obstante, encontramos ya en épocas tempranas atisbos de una alternativa a esta separación en dos comunidades. Los españoles –entre ellos algunos hidalgos y una mayoría de gente de origen modesto– no habían aguantado tantas penas y peligros para ser asalariados en una factoría. Se empeñaron entonces en

---

[220] Desgraciadamente, no es posible analizar la urbanización de las Antillas en la documentación oficial. F. de Solano editó las fuentes (1996) que muestran la ausencia de fueros y ordenanzas, lo cual hace difícil el estudio del léxico urbanístico en la época de los orígenes.

tomar el papel de los caciques, uniéndose con sus hijas. Sus intereses económicos, su nueva posición social y sus nuevos lazos familiares les pusieron en contraste con los partidarios del virrey Colón. El descontento general llevó a Bernal Díaz de Pisa en 1494 a la primera rebelión. Al año siguiente la rebeldía abierta estalló con la agitación de Francisco Roldán[221]. Este hecho tuvo importantes consecuencias: al fin y al cabo, Colón y sus herederos perdieron su monopolio y se volvió a favorecer la iniciativa de particulares como en tiempos de la Reconquista y de la conquista de las Islas Canarias. La empresa particular autorizada por el rey será a partir de entonces la base de la expansión y colonización de los españoles en América.

Esta actitud rebelde de los primeros españoles en el nuevo continente origina una diferenciación que se manifiesta desde el primer momento. José Ortega y Gasset formula este profundo cambio en un brindis con las siguientes palabras: "El hombre americano [...] deja de ser sin más el hombre español, y es desde los primeros años un modo nuevo del español. Los conquistadores mismos son ya los primeros americanos"[222]. Cristóbal Colón expresa esta actitud de forma circunstancial y quiere poner remedio a los resultados que esta situación produce cuando escribe a los Reyes Católicos en 1498: "*Acá son muy necesarios devotos religiosos para reformar la fe en nos, más que por la dar a los indios, que ya sus costumbres nos han conquistado y les hacemos ventaja*"[223]. Oviedo había comentado la conducta de los españoles con motivo del segundo viaje de Colón y de la fundación de Isabela en el mismo sentido: "como a algunos de los que a estas partes vienen, luego el aire de la tierra los despierta para novedades e discordias: que es cosa propia de las Indias; así naturalmente, están los indios e gentes naturales dellas muy diferentes de contino"[224]. El hombre nuevo entra en escena en la visión de un autor como Bartolomé de las Casas quien lo rechaza y ridiculiza en la primera figura que se rebela contra la situación de subordinación que Bartolomé Colón impone a los asalariados, es decir, a Francisco Roldán. Este personaje no quiere dejarse introducir en la tradicional sociedad estamental, sino ascender en ella. Esta intención resulta muy clara, transparentándose en la crítica de la parte contraria[225].

Tras el tercer viaje de Colón la inmigración se estancó. Oviedo comenta esta situación:

---

221 Las Casas 1994: II, 974-986.

222 J. Ortega y Gasset 1973: 244.

223 Las Casas 1994: II, 1133.

224 G. Fernández de Oviedo 1992: I, 52.

225 Las Casas 1994: II, 975-976.

> E como los que se habían ido de acá con el Almirante (e antes sin él), e habían padescido los trabajos que se han dicho, e iban enfermos e pobres, e de tan mala color que parescían muertos, infamóse mucho esta tierra de Indias, e no se hallaba gente que quisiese venir a ellas.
>
> Por cierto, yo vi muchos de los que en aquella sazón volvieron a Castilla, con tales gestos, que me paresce que aunque el rey me diera sus Indias, quedando tal como aquéllos quedaron, no me determinara de venir a ellas [...].
>
> Y como faltaba ya la gente, e no dejaban de irse a España sino los que no podían o por falta de navíos, e de la vuelta del Almirante ninguna certinidad se tenía, estaba ya cuasi perdida esta tierra e tenida por inútil, e con mucho temor los que acá estaban[226].

Al cabo de estos primeros años, la población inmigrada descendió a 360 personas. Esta disminución implicaría consecuencias lingüísticas probables, aunque no siempre documentables. Los elementos más tangibles son los topónimos que se olvidan o cambian. Las quejas de los cronistas, por ejemplo, de Las Casas, se refieren a los topónimos dados por Colón en su tercer viaje[227] y se volvieron en una constante en las admoniciones de los reyes de conservar los topónimos tan necesarios para el buen gobierno de las Indias.

La erosión del poder de Cristóbal Colón y el nombramiento de Nicolás de Ovando como gobernador en 1502 inician, con la llegada de 2500 colonos, una fase de fortalecimiento del poder real, acentuada por la proporción numérica minoritaria de los veteranos y la gran mayoría de los recién llegados, de conquistas en La Española a partir de 1504, seguida de la fundación de las villas Santa María de la Vera Paz, de Salvatierra de la Sabana, Yáquimo, entre otras, en el oeste de la isla, de Salvaleón y Santa Cruz en el este y de la creación de los primeros obispados. Las nuevas poblaciones, extremadamente dispersas, se agregan al eje céntrico formado por las primeras villas y Santo Domingo. El inicio del gobierno de Ovando coincide prácticamente con la fundación de la Casa de la Contratación en 1503 que dirige y controla desde Sevilla los descubrimientos, la colonización, la emigración, el comercio, y que forma los funcionarios de la empresa indiana. La isla prosperó en esta época según el testimonio de Las Casas y llegó a tener entre 10 y 12 000 españoles[228]. Diego Colón, como gobernador y virrey, y su esposa María de Toledo instalaron la primera corte en el Nuevo Mundo. En 1511, se instaura la Audiencia de Santo Domigo, el primer tribunal de apelación castellano fuera de la Península.

La población isleña volvió a descender a partir de 1508 a raíz de la conquista de las Antillas aún no ocupadas. En este año Juan Ponce de León empezó la con-

---

[226] G. Fernández de Oviedo 1992: I, 60.

[227] Las Casas 1994: II, 1043, 1067-1068, 1377.

[228] Las Casas 1994: II, 1452.

quista de Borinquén o San Juan de Puerto Rico. Como consecuencia de las experiencias de La Española los indígenas opusieron mayor resistencia, huyendo en parte hacia las Antillas Menores. En 1509 Juan de Esquivel conquistó Jamaica o Santiago, que apenas se pobló. Diego Velázquez inició en 1511 la sumisión de Cuba o Fernandina. Siguió una serie de fundaciones de ciudades en Cuba: Baracoa (1512), Bayamo (1513), Trinidad (1514), Sancti Spíritus (1514), Puerto Príncipe, llamado posteriormente Camagüey (1515), Santiago (1515) y La Habana (1519). Apenas fundada, esta última ciudad situada entonces en el sur de la isla sería la base de la conquista de México. Al mismo tiempo La Española decayó por el agotamiento de los yacimientos de oro y el descenso masivo de la población indígena.

Resumiendo, comprobamos una ruptura poblacional y probablemente lingüística entre la fundación de la primera villa, seguida del éxodo de quienes podían regresar, y la llegada de Nicolás de Ovando. Mientras que se formó la lengua antillana en dos etapas, la colombina y la ovandina, este modelo lingüístico se difundió en poquísimos años en las Antillas Mayores, en Castilla del Oro, en la Nueva España y tentativamente en el norte de Sudamérica. La rapidez de la expansión de los españoles aclimatados en La Española es suficiente para explicar la homogeneidad léxica, la única comprobable, de las nuevas tierras. Frente a la ruptura anterior, la continuidad de una parte de la población en La Española y las otras Antillas[229] es fundamental para entender el desarrollo del español, sea que los habitantes hayan sido taínos, españoles, mestizos o esclavos negros (4.1.4.3.). En comparación con la transmisión de la lengua recién formada, independientemente del grupo social que la llevó a efecto, y su estatus social en las Antillas mismas, los temas tradicionales de la procedencia regional (4.1.4.1.), social (4.1.4.2.) y cultural de estos pobladores son de menor importancia y sólo se consideran brevemente aquí.

4.1.4.1. *El origen regional de los pobladores*

> [A]unque eran los que venían, vasallos de los reyes de España, ¿quién concertará el vizcaíno con el catalán, que son de tan diferentes provincias y lenguas? ¿Cómo se avernán el andaluz con el valenciano, y el de Perpiñán con el cordobés, y el aragonés con el guipuzcoano, y el gallego con el castellano (sospechando que es portugués) y el asturiano e montañés con el navarro, etc.?[230]

---

[229] Al mismo tiempo estas islas se despueblan durante los siglos XVI y XVII, tema constante de la política poblacional de la Corona.

[230] G. Fernández de Oviedo 1992: I, 52.

Desde el principio del estudio del español americano se dio gran importancia al origen regional de los conquistadores y pobladores. Gracias a las investigaciones del lingüista canadiense Peter Boyd-Bowman (1956, 1964, 1973, 1985) estamos informados acerca de todo cuánto se puede saber sobre el origen regional de los pobladores de las Indias. Sin embargo, aunque se esperaba encontrar la explicación de cómo se formaron las variedades americanas del español en su procedencia regional, este saber no nos cerciora de la o las normas lingüísticas que los emigrados llevaban a las Indias. Incluso Boyd-Bowman, quien dedicó muchos años de su vida a esta investigación, acaba mostrándose relativamente escéptico acerca del valor de estas investigaciones para la historia de la lengua cuando escribe en una nota del "Prólogo" de su *Indice geobiográfico de cuarenta mil pobladores españoles de América en el siglo XVI*:

> se debe tener en cuenta siempre que el predominio numérico de los andaluces fue sólo uno de varios factores que ayudaron a formar el dialecto antillano original y sólo uno de otros muchos más que contribuyeron a formar los dialectos antillanos de la actualidad. Nuestras estadísticas no pasan de ser guías que señalan, en casos de mayorías considerables o de migraciones en grupos en determinados años, tendencias lingüísticas regionales que pueden haber sido reforzadas o neutralizadas, en seguida o más tarde, por otras circunstancias. Por sí mismas, estas estadísticas carecen de validez lingüística. Pero empleadas debidamente como testimonio auxiliar así por historiadores de la lengua como por los sociólogos, pueden ayudarnos a resolver el problema fundamental de *quién, cuándo y dónde*[231].

Podemos afirmar con certeza que nadie hablaba en América exactamente la misma lengua que la de la Península. Cada uno adoptó más o menos elementos lingüísticos de los otros españoles y de los indígenas. La documentación permite un acceso muy restringido a la manera en que se produjo este proceso histórico, en el que el origen regional fue nada más que uno de varios elementos, por importante que sea. Podemos plantearnos la cuestión relevante para la historia lingüística de la siguiente manera: ¿Quién aprendió la lengua de quién? O bien: ¿La lengua de quién se imitó? ¿Qué elementos lingüísticos se crearon de nuevo en el nuevo ambiente? ¿Qué expresiones se evitaron por ser ya inútiles, incomprensibles o estar estigmatizadas? ¿Qué elementos se tomaron prestados? Como en todas las comunidades en las que se encuentran hablantes de dialectos, la convergencia lingüística pasó por la lengua común que fue al mismo tiempo, como muestran los resultados del devenir histórico, la lengua dominante. Subyace a lo que se sigue el modelo de las variedades contactuales, con la dificultad adicional

---

[231] P. Boyd-Bowman 1964: XXV, n.

de que no tenemos un conocimiento exacto de la distancia entre la lengua común y las variedades regionales entre las cuales predominaba el andaluz.

Precisamos de un conocimiento bien documentado de la variación del español de finales del siglo XV y principios del XVI para atribuir una relevancia lingüística a las estadísticas del origen regional de los colonizadores en América. Sin embargo, nuestras informaciones son muy incompletas a pesar de la ingente mole de datos acopiados, ya que no es posible deducir de las investigaciones minuciosas sobre el origen regional de los pobladores del Nuevo Mundo que la lengua tuvo la composición regional equivalente. Debemos contentarnos con que, a falta de documentos lingüísticos adecuados, las conclusiones resultan hipotéticas.

En cambio, hay que suponer que la lengua del período de orígenes haya tenido una fuerte impronta de los aproximadamente 360 españoles que eran asalariados de los reyes. Para apreciar su influencia lingüística sería importante conocer su procedencia regional y social. No es posible averiguar estos datos con el método de Boyd-Bowman, porque, en primer lugar, se basa en primer lugar en los años que van de 1493 a 1520 como período de orígenes, seguidos de períodos de cada veinte años, en vez de estudiar el ritmo interno de la emigración; en segundo lugar, porque toma la división provincial de 1833 y no la división de tierra de realengo y tierra de señorío que en aquellos tiempos facilitaba o dificultaba la emigración; y, en tercer lugar, porque no es importante el origen regional de todos los emigrados, sino sólo el de aquéllos que sobrevivieron y se quedaron en América.

4.1.4.2. *El origen social de los pobladores*

> Mas, como la cosa ha seído tan grande, nunca han dejado de pasar personas principales en sangre, e caballeros, e hidalgos que se determinaron de dejar su patria de España para se avecindar en estas partes, y especial y primeramente en esta ciudad [de Santo Domingo], como sea lo primero de Indias donde se plantó la sagrada religión cristiana[232].

Las clases sociales participaron en una medida variable en la emigración. La nobleza y especialmente la alta nobleza no desearon emigrar. Se reivindicaron autorizaciones para el traslado de campesinos que siempre emigraron en número reducido, sobre todo al principio. Y si se asentaron en las Indias, cambiaron muy

232 G. Fernández de Oviedo 1992: I, 53.

pronto la agricultura por el oficio más prestigioso de soldado. Los artesanos fueron también en grupos pequeños y los que se establecieron solían renunciar a su oficio.

Leemos que los primeros colonizadores procedían de las clases sociales bajas y que eran más bien incultos. Esta valoración puede ser acertada desde la perspectiva de los cronistas, pero no se puede afirmar sin más que corresponda a la visión del siglo XVI, considerando la sociedad en su totalidad. Formaban parte en aquella época de la clase baja quien practicaba un trabajo manual, es decir, los labradores y la mayoría de los oficios de artesanos, particularmente los albañiles y los carpinteros. Las personas procedentes de estos grupos, es decir, la abrumadora mayoría de los habitantes de España, no llegaron a América en la misma proporción de su parte en la población castellana. Tomando en cuenta su porcentaje en la población total de España, el número de labradores y artesanos es, en términos relativos, reducidísimo. En la colonia, la consideración social dependía aún más que en la metrópoli de una ocupación no manual. Puesto que los indígenas y los esclavos negros hacían los trabajos manuales –que por eso se considerarán como clases bajas–, los españoles procuraron sustraerse al trabajo físico por no desclasarse. No olvidemos un grupo importante de espíritu inquieto y aventurero, la joven generación independiente que Oviedo caracteriza en su *Sumario*:

> los que a aquellas partes van, por la mayor parte son mancebos, y no obligados por matrimonio a residir en parte alguna; y porque como se han descubierto y descubren cada día otras tierras nuevas, paréceles que en las otras henchirán más aína la bolsa; y aunque así haya acaecido a algunos, los más se han engañado, en especial los que ya tenían casas y asientos en esta isla[233].

Ellos tenían una sola alternativa: *medrar* o fracasar.

La valoración consistente en afirmar que emigraron muchos delincuentes, no es, por lo demás, un hecho cierto en cuanto al número de emigrados. Considerando las leyes de la época, no se trataba con frecuencia de pasajeros voluntarios, sino de exiliados que tenían que cumplir una pena, sobre todo de destierro[234]. Y no debemos confundir la delincuencia con el nivel social.

De todos modos, el traslado a las Indias implicaba un ascenso social, independientemente de la procedencia social en la Península. Se da una nivelación en el ámbito social, pero hacia arriba en opinión de las personas afectadas.

Aún más interesante que la procedencia regional de los aproximadamente 360 asalariados es su composición social. Sobre esto se pronuncia Las Casas:

---

233 G. Fernández de Oviedo 1979: 85.

234 J. Heers 1996: 377-379.

> Acordaron los reyes, con parecer del Almirante, que estuviesen siempre en esta isla a sueldo y costa de Sus Altezas, por su voluntad empero, trecientas [*sic*] y treinta personas desta calidad y oficios y forma siguiente: cuarenta escuderos, cien peones de guerra e de trabajo, treinta marineros, treinta grumetes, veinte artífices o que supiesen labrar de oro, cincuenta labradores de campo, diez hortelanos, veinte oficiales de todos oficios y treinta mujeres[235].

Éste es el nivel social que por lo general se describe como popular y bajo[236]. Sin embargo, comparando esta estructura social y el número de sus integrantes con la metropolitana, se considerará superior el nivel social de la población en La Española[237]. Bien es verdad que entre los nobles sólo emigraba la baja nobleza, pero la clase media estaba mejor representada en relación con la metrópoli. La escasa presencia de personas cultas que junto a la nobleza hubieran podido tener una función lingüística normativa habría sido más relevante que el origen social en general.

Estas condiciones no se mantuvieron durante mucho tiempo en La Española. El comendador mayor Nicolás de Ovando y posteriormente el virrey don Diego Colón favorecieron a la nobleza y a los funcionarios reales en el reparto de los indios. Al mismo tiempo los españoles de la primera hora que en la Península

---

[235] Las Casas 1957: I, 304; 1994: II, 957.

[236] Cf., por ejemplo, M. Álvarez Nazario 1982: 44-46, y F. Moya Pons 1992: 66. A. Garrido Domínguez escribe: "en la empresa americana prima con mucho el estrato social más bajo" (1992: 40). Hay que entender qué se considera el "estrato social más bajo". En la estimación de la época éste está constituido por los jornaleros a quienes no contamos entre los emigrados. Me parece muy equilibrada la opinión F. Morales Padrón: "Entre el elemento humano que nutrió la corriente conquistadora se percibe la presencia de gran proporción de hidalgos, muchos de ellos muy pobres. Por eso se van. La nobleza entonces se dividía en Grandes, Nobles, Caballeros, Gentiles-hombres e Hidalgos. Embarcan pocos labradores, debido sin duda a la resistencia de los señores a que abandonen sus tierras. La Corona se esforzó desde 1493 por enviar gente del campo sin conseguirlo. Entre los 13262 emigrantes que van de 1520 a 1539 sólo se detectan 12 labradores. La colonización fue más obra de soldados. Muchos campesinos se convirtieron en tales. Resumiendo: la conquista fue obra de la nobleza inferior y de gente que había convergido hacia las ciudades o se había formado en ellas (artesanos, clérigos, religiosos…). Cortés dice que 'La más de la gente española que acá pasa son de baja manera, fuertes y viciosos, de diversos oficios y pecados'" (1986: 131-132).

[237] F. Morales Padrón se expresa en palabras similares: "Las expediciones estuvieron integradas por sectores medios, bajos y capas inferiores o pobres de la nobleza peninsular, en proporción mayor que en la población de España o de cualquier parte de Europa. Sólo así se explica la poca relación entre el número de los que actuaron y lo que hicieron. Sólo así se explica que grupos tan reducidos lograron estructurar rápidamente un orden nuevo, crear por todas partes focos de vida urbana (fundaron ciudades) y civil, con su organización municipal, su orden político, administrativo, judicial, eclesiástico" (1986: 131).

habían vivido de su trabajo manual tuvieron que continuar haciéndolo, según la voluntad de los reyes, en las Antillas[238]. Los que no pudieron ascender a la clase de los encomenderos prefirieron pasar de La Española a Puerto Rico, a Jamaica y sobre todo a Cuba[239]. Sin embargo, este proceso produjo un cambio social en La Española. Mientras que en esta isla los nobles y los funcionarios llegaban a dominar cada vez más –desarrollo paralelo al *ennoblecimiento* de la ciudad–, las clases media y baja derrocadas y empobrecidas pasaron a las otras Antillas y en las fases posteriores a Tierra Firme. Volvemos a sacar conclusiones de esta migración para el desarrollo lingüístico: si la lengua de la primera sociedad colonial correspondía más bien a un nivel popular, este nivel lingüístico se llevó a las otras Antillas así como a Tierra Firme, porque justamente las personas de este estrato social dejaron la isla. Es posible que haya tenido lugar un *ennoblecimiento* lingüístico en Santo Domingo en la corte de Diego Colón y María de Toledo.

De este modo, la base de la consolidación del español en La Española puede corresponder a un nivel social más alto que el de las demás Antillas y de Tierra Firme. Sin embargo, esto no significa de ninguna manera que el supuesto nivel lingüístico haya persistido hasta la actualidad, ya que en el desarrollo posterior hubo cambios de orientación lingüística, y más importante que la procedencia de un nivel social determinado en la Península es el ascenso a otro estatus social en la nueva tierra y la convivencia de los españoles con hablantes de otras lenguas a quienes dominaban, por lo menos como personas que integraban el grupo dominante.

El nivel cultural y el manejo de la norma lingüística por parte de los colonos son importantes, pero difíciles de apreciar. No se puede tomar la lengua literaria como base de la comparación, ya que no estaba presente en las primeras décadas. No obstante, los registros formales afirmaban su posición en el sermón, la lectura y redacción de los documentos oficiales, los pregones y otras manifestaciones parecidas. Al atribuir un carácter popular al español de los orígenes, el motivo se encuentra más bien en los registros informales no documentados de los soldados, el grupo dominante en los primeros contactos con los indios, que en determinados niveles de lengua, es decir, en fenómenos sinstráticos.

El componente quizás más importante de la sociedad colonial eran los mestizos nacidos de las relaciones de los españoles con las indias menoscabando ni su parte hispana ni su "bestialidad" ni su "fealdad". De estos niños se habla por primera vez en 1498, cuando se trataba de saber si las indias embarazadas o que habían parido debían ir a Castilla con los rebeldes[240]. En otras ocasiones causa escándalo el concubinato de españoles e indias, por ejemplo en esta época a Las Casas:

[238] F. Moya Pons ^{3}1978: 109-111.

[239] Cf. F. Moya Pons ^{3}1978: 139.

[240] F. Colón 1984: 269, L. Arranz Márquez 1991: 71-72.

"Si los caciques y señores tenían hijas, luego con ellas eran abarraganados; y desta manera estuvieron todos, yo presente, munchos [*sic*] años"[241]; "Estos señores y caciques tenían hijas o hermanas o parientes cercanas, las cuales luego eran tomadas, o por fuerza o por grado, para con ellas se amancebar"[242]; "los españoles que tenían a las hijas de sus señores o a las mismas señoras por criadas y como mujeres, y ellos pensaban que eran con ellas casados"[243]. Nicolás de Ovando obligó a los españoles a contraer matrimonio con sus "criadas"[244]. Sin embargo, había españoles que no querían casarse de ninguna manera con sus concubinas, según el testimonio de Oviedo, quien contrasta las "dueñas e doncellas hijasdalgo" venidas en el cortejo de la virreina María de Toledo con las indias rechazadas:

> E aunque algunos cristianos se casaban con indias principales, había muchos más que por ninguna cosa las tomaran en matrimonio, por la incapacidad e fealdad dellas. E así, con las mujeres de Castilla que vinieron, ennoblesció mucho esta ciudad,

y agrega desde la época en la cual escribe: "e hay hoy dellas e de los que con ellas casaron, hijos e nietos"[245]. Estos niños nacidos en la nueva tierra serán los *criollos* que se atestiguan en un momento posterior, como diremos en su lugar. Si éstos todavía carecen de denominación, los niños nacidos de la mezcla de razas se llaman ya en Oviedo *mestizos* (4.1.6.), palabra malsonante cuya connotación se debe tanto a la mala fama de sus padres como a la propia, si damos crédito a este cronista:

> también han venido otros acá de tal suerte, que bastaran revolver a Roma e a Sanctiago, como lo suelen decir los vulgares. Que se deba creer lo que digo de los indios, prúebase porque la experiencia e obras de algunos lo mostraron, y por los *mestizos*, hijos de cristianos e de indias; porque con grandísimo trabajo se crían, e con mucho mayor no los pueden apartar de vicios e malas costumbres e inclinaciones a algunos[246].

De esta manera, se unen en los descendientes de padres españoles y madres indígenas los elementos negativos de ambas herencias[247]. Un mestizo particular

---

241 Las Casas 1994: II, 1160.

242 Las Casas 1994: II, 1283.

243 Las Casas 1994: II, 1336.

244 Las Casas 1994: II, 1459.

245 Las Casas 1992: I, 89.

246 G. Fernández de Oviedo 1992: I, 92.

247 Cf. la visión idílica del "léxico del mestizaje" en M. Alvar (1987; 161-162; sobre *mestizo*). El *DCECH* indica el año 1600 como fecha de la primera documentación, aunque ya está en Oviedo desde 1535 en forma impresa.

se menciona como negociador en la *pacificación* del cacique rebelde Enrique mandada por Carlos V[248]. Ya que el suceso tuvo lugar en 1533, es razonable suponer que la voz empleada en el relato se encontraba en el uso oral.

En estas noticias de Oviedo apuntan, pues, dos grupos sociales que no se originan en España, sino en las Indias: los criollos –porque frente a los peninsulares su estatus era inferior– y los mestizos. Es muy probable que los criollos hayan sido bilingües como el mestizo del relato de Oviedo. Esta generación nueva es el exponente de la nueva lengua, de la cual no tenemos ningún testimonio directo.

4.1.4.3. *Los esclavos negros*

No se puede dejar de aludir a otro componente social, los esclavos negros, cuya lengua tampoco se documenta si no se trata de su lengua originaria que se deduce de los etnónimos que provienen de los territorios situados entre el oeste de África y Mozambique, por ejemplo, *berbisíes*, *jolofes*, *fulas*, *mandingas*, etc.[249]. Los esclavos negros se introdujeron, por un lado, para abolir o, al menos, reducir la esclavitud de los indios, según una propuesta de Las Casas, aunque la política de la trata era vacilante[250]. Posteriormente el protector de los indios deploraría su propia sugerencia:

> Este aviso de que se diese licencia para traer esclavos negros a estas tierras dió primero el clérigo Casas, no advirtiendo la injusticia con que los portogueses los toman y hacen esclavos; el cual, después de que cayó en ello, no lo diera por cuanto había en el mundo, porque siempre los tuvo por injusta y tiránicamente hechos esclavos, porque la misma razón es dellos que de los indios[251].

Sin embargo, la decisión resultó ser irreversible. Aparte de la abolición de la esclavitud indígena, el suministro de mano de obra para los ingenios de azúcar y trapiches era la mayor motivación para mantener la esclavitud negra. Se puede calcular la demanda a partir de los cálculos de Oviedo: “es menester tener, a lo menos, continuamente ochenta o cient negros, e aun ciento e veinte e algunos más, para que mejor anden aviados”[252]. En 1518 se dio el permiso de ingreso de

[248] Cf. G. Fernández de Oviedo 1992: I, 129.

[249] M. Álvarez Nazario 1982: 23; 1974: 32-37, 42-47, 49-51, 52-53, 54-61; S. Zavala ²1984: 196-203.

[250] S. Zavala ²1984: 112-116.

[251] Las Casas 1994: III, 2191.

[252] G. Fernández de Oviedo 1992: I, 107.

4000 esclavos negros, mientras que al mismo tiempo la población española iba disminuyendo[253]. Las proporciones respectivas de ambos grupos muy desfavorables para los españoles animaron a los negros a sublevarse en los años veinte del siglo XVI. Dice Oviedo que "ya hay tantos en esta isla, a causa destos ingenios de azúcar, que paresce esta tierra una efigie o imagen de la misma Etiopía"[254]. La amenaza que constituían los negros ladinos indujo a las autoridades a prohibir su importación y a limitarla a negros bozales; sin embargo, produjeron alzamientos también negros de un mismo origen africano.

A falta de documentación existen sólo hipótesis acerca de la influencia africana en las Antillas. Humberto López Morales indica tres hipótesis: una que llama "hipótesis criollista"[255], defendida sobre todo por German de Granda (1978a), otra que consiste en el aprendizaje del español –y a la cual es propenso López Morales– y una tercera que postula que el criollo hispánico tiene su origen en una lengua franca de base portuguesa. Además, la primera y la tercera hipótesis no se excluyen e incluso permiten localizar el nacimiento de una lengua criolla ya en el siglo XV[256], teoría monogenética que defiende igualmente Germán de Granda (1978b). A mi modo de ver, los poco numerosos esclavos que se documentan en las dos primeras décadas del siglo XVI hasta 1518 hacen improbable la aparición de un criollo hispánico durante el período de orígenes que no ofrece un buen fundamento para desarrollarlo. No se dispone por lo demás de ninguna fuente que demuestre lo contrario.

4.1.4.4. *La demografía españolense y su impacto en los primeros años*

Las migraciones americanas internas tuvieron consecuencias para la lengua española con respecto a por lo menos tres puntos de vista:

(a) La población española asentada durante un período prolongado en una sola isla, La Española, fue el grupo cuya lengua contribuyó de manera decisiva a la formación del nuevo léxico fundamental, y cuya gramática y fonología se habrían podido nivelar para formar una koiné, dado el caso de que se hubieran establecido en la misma región y permanecido en la isla. La época, sin embargo, fue demasiado breve, los asentamientos muy poco compactos, la movilidad de

---

253 M. Álvarez Nazario 1982: 24.

254 G. Fernández de Oviedo 1992: I, 125.

255 H. López Morales 1995: 123-124.

256 Cf. M. Álvarez Nazario 1982: 26-27, G. de Granda 1978, H. López Morales 1995: 123-124.

los colonos alta y la lengua culta demasiado presente en el uso público que se manifestaba en el sermón y la enseñanza de los sacerdotes y religiosos, en la lectura pública de los documentos oficiales en la Audiencia y los municipios así como en la corte virreinal para ser una condición suficiente de la formación de otra lengua común al lado de la ya existente. Frente a la acomodación y la coalescencia en el dominio del léxico fundamental que se aprende a lo largo de toda la vida, los mismos procesos son menos probables en la fonología y la gramática, ya que fueron adultos quienes emigraron.

(b) Una parte importante de los emigrados, cuyo número no se puede cuantificar, volvió a la metrópoli, difundiendo ahí el conocimiento de las nuevas cosas y palabras. Esta influencia se atribuirá también a los funcionarios reales y a aquéllos que como Las Casas y Fernández de Oviedo atravesaron el Atlántico varias veces. Al mismo tiempo, esta observación es otra objeción al peso otorgado a la procedencia regional y social de los emigrados a Indias, en la cual se calculan las llegadas, pero no las pérdidas y partidas.

(c) Procede del grupo de los primeros pobladores antillanos la población hispanoamericana, cuya lengua se había adaptado a las nuevas condiciones, que pasó de La Española a las demás Antillas y a Tierra Firme, al principio sobre todo a Castilla del Oro.

Una estimación aproximada pero confiable de gente establecida en La Española se extrae del repartimiento de los indios en 1514. 26 de los 738 encomenderos vivían en España; diez encomenderos eran instituciones: hospitales, conventos y una iglesia. Partiendo de los aproximadamente 710 encomenderos y suponiendo que cada uno de ellos tenía una familia de cinco personas en total, la población española, y la mestiza incipiente, se calcularía en 3585 personas[257]. Considerando que no todos los españoles habían conseguido un repartimiento de indios, parece adecuada la indicación de Las Casas, citada arriba, de que en la época de Nicolás de Ovando vivieron entre 10 y 12000 españoles en la isla[258]. Una gran parte pasó a Puerto Rico, Cuba, la base de la expansión a México, y el Darién porque no habían logrado obtener indios en repartimiento, de modo que según Las Casas sólo unos 3000 o 4000 españoles permanecerían en La Española en torno a 1520[259].

En este proceso expansivo los españoles llevaron sus experiencias y su lengua a regiones que formaron la base de la conquista de México y del Perú.

---

[257] F. Moya Pons 1992: 72; E. Rodríguez Demorizi 1971.

[258] Las Casas 1994: II, 1452; 1961: II, 99.

[259] Las Casas 1994: II, 2313; cf. F. Moya Pons 1992: 74-75.

Santo Domingo era entonces, y lo siguió siendo también después, el centro administrativo del Caribe y del norte de la América del Sur. De esta manera se mantuvo la dominancia lingüística de Santo Domingo en toda la región antillana y circuncaribeña durante la primera mitad del siglo XVI. Esta ciudad y La Española fueron importantes para la formación del español americano con respecto a dos aspectos: en primer lugar, una parte de los habitantes colonizó las nuevas regiones de la tierra firme; en segundo lugar, los *nuevamente venidos* de España se encontraron por lo menos algunas semanas o meses en La Española antes de extenderse por las demás regiones.

4.1.5. El ocaso de los indios de las Antillas

> No creo que quedaron vivos ni se escaparon desta miseria [de la epidemia de viruelas de los años 1518-1519 en La Española] mill ánimas, de la inmensidad de gentes que en esta isla había y vimos por nuestros ojos[260].
>
> [N]o se cree que hay al presente en este año de 1548, 50 personas, entre chicos y grandes, que sean naturales e de la progenie o estirpe de aquellos primeros [indios]. Porque, los más que ahora hay son traídos por los cristianos de otras islas, o de Tierra Firme, para se servir dellos[261].

Los españoles aniquilaron casi por completo a la población indígena antillana en el período de orígenes. Este exterminio ha influido en la percepción histórica de los contactos ulteriores entre españoles e indios, y la ha deformado hasta cierto punto más que otros hechos históricos mediante la leyenda negra. Debido a la explotación de la mano de obra en las minas de oro, así como en las otras regiones de los primeros contactos, el desplome demográfico en La Española y las Antillas en general no continúa de idéntica manera en las demás regiones hispanoamericanas, aunque el encuentro de los españoles y los indios tuvo en cada caso consecuencias desastrosas para los indios –como también, a la inversa y guardando las proporciones, para los españoles–. Sin embargo, las pérdidas de los españoles no impidieron la colonización, ni tampoco la expansión de la lengua española.

Abordemos las particulares condiciones del exterminio de los indios en las Antillas y especialmente en La Española, porque esta isla tiene una importancia

---

260 Las Casas 1994: II, 2317.

261 G. Fernández de Oviedo 1959: I, 66-67.

continental en el desarrollo poblacional. Ángel Rosenblat, quien ha estudiado detenidamente el desarrollo de la población americana, calcula en las Antillas en el momento del descubrimiento una población de aproximadamente 300 000 habitantes; de ellos corresponden a La Española alrededor de 100 000. Según la estimación de Rosenblat el margen de error no supera el 20%[262]. El número de indios de La Española se fue reduciendo con los años: 60 000 en 1598 y 30 000 en 1514 –los datos incluyen a los deportados de otras islas–[263].

Sin embargo, se emprenden otros estudios sobre los indios antillanos y su ocaso después de la síntesis de Rosenblat. Se admite incluso una población aún mayor: ocho millones en La Española[264]. Los puntos fijos de los cálculos son siempre las cifras de los indios encomendados: 60 000 en 1508, 40 000 en 1509, 33 523 en 1510 y 25 303 en 1514[265]. Si la cifra alta es correcta, la población indígena debe haber disminuido enormemente en una época en la que poquísimos españoles vivían en La Española: hasta 1500 el número de los españoles estaba limitado a 360 o a poco más de 500 personas, según las fechas y las fuentes. Esta cifra sólo aumentó con la llegada de Nicolás de Ovando en 1502/1503. La introducción del repartimiento y de la encomienda aceleró con certeza el descenso poblacional. En contra de la cifra alta de ocho millones que procuran justificar Cook y Borah, Frank Moya Pons estima la población haitiana de 1494 en 377 559 personas, basándose en la hipótesis de un descenso poblacional anual de 4,6% entre 1494 y 1503. Considerando las dimensiones de la isla con sus 78 000 km^2, resulta una densidad demográfica de 4,8 indios/km^2 que según Moya Pons es compatible con la organización económica, social y política de esta sociedad de agricultores, recolectores, pescadores y cazadores cuyos mayores pueblos no superaban los 4 o 5 000 habitantes[266]. Las cifras tradicionales están entre las de Rosenblat y Moya Pons, por un lado, y las de Cook y Borah, por otro. Éstas se basan en el censo de Bartolomé Colón realizado en 1496 con la intención de recaudar los tributos de las regiones céntricas de La Española, Cayabo y Marién. Según este censo habrían vivido en La Española, sin incluir las regiones orientales y occidentales, 1 130 000 hombres. A este número de habitantes se refieren tanto Las Casas como el licenciado Zuazo en una carta de 1518 dirigida a Monsieur de Chièvres[267].

El exterminio estimado generalmente como inevitable en el choque de un pueblo de cultura inferior con un pueblo de cultura superior tiene en La Españo-

---

262 Á. Rosenblat 1954: I, 102-103.
263 Á. Rosenblat 1954: I, 108.
264 S. Cook/W. Borah ²1998: I, 359-387.
265 F. Moya Pons 1977: 11.
266 F. Moya Pons 1977: 18; cf. F. Moya Pons 1992.
267 A. de Zuazo 2000: 86; C. O. Sauer 1966: 65-69.

la, además, causas específicas. Colón forzó a los arahuacos, acostumbrados sólo a los trabajos de una economía de subsistencia, a las arduas labores en las minas, en la agricultura y a la entrega de tributos, cargas que eran con mucho superiores a sus fuerzas. Los indios que huyeron, fueron cazados y esclavizados. Las instrucciones dadas a Nicolás de Ovando en 1501 y 1503 declararon libres a los indios, pero a pesar de esto era posible forzarles al trabajo asalariado. En consecuencia, los indios fueron repartidos en grupos de trabajo para la explotación intensa de la isla. La reacción frente a la extinción de los indígenas empezó antes de finalizar el segundo decenio de la ocupación española. Los dominicos se hicieron abogados de los indios que eran explotados por los españoles que tenían indios repartidos –aún no se llamaban *encomenderos*– mediante el trabajo forzado en las minas y estancias –lo que era contrario a su estatus de vasallos y libres–, y obligados a convertirse al cristianismo. A raíz de un nuevo repartimiento de indios por el virrey Diego Colón en 1509, los dominicos suscitaron una campaña en favor de la protección de los indios. Tras muchas vacilaciones decidieron confiar un sermón, aprobado y firmado por todos, a su mejor predicador, fray Antonio de Montesino. Este sermón fue pronunciado en el cuarto domingo del Adviento de 1511 en la iglesia mayor de Santo Domingo sobre un pasaje del Evangelio de San Juan: "Ego vox clamantis in deserto", "Yo soy la voz del que clama en el desierto" (San Juan 1, 23)[268], y fue corroborado el domingo siguiente, causando un escándalo público.

La predicación del dominico desencadenó la legislación indigenista de la Corona. La política dominica de la protección de los indios resulta en las llamadas *Leyes de Burgos* proclamadas por Fernando el Católico en 1512/1513[269], en las que se hace el compromiso –imposible de cumplir, por otra parte– de la libertad de los indios, el repartimiento y el trabajo asalariado.

El descenso de la población, sin embargo, no se detuvo. Se interrumpió así el proceso de la renovación demográfica: nacieron menos hijos, se impidieron los partos, y hubo menos mujeres que hombres. Pero todo esto no es suficiente para explicar la desaparición casi total de los antillanos en un lapso de aproximadamente 30 años. Hay que mencionar el detalle importante de que los taínos, a diferencia de los indios del continente, no podían huir en grupos grandes y por eso estaban expuestos más fácilmente a las cazas de esclavos. Pero más que esto los trabajos forzados y la subalimentación deben haber provocado un debilitamiento y depresiones colectivas que predispusieron a los antillanos en una medi-

---

268 Las Casas narra este suceso en los capítulos III a V del libro III de su *Historia de las Indias* (1994: 1757-1770).

269 Es decir, las *Ordenanzas para el tratamiento de los indios*; cf. A. Wesch 1993.

da mayor que en otros choques de culturas de diferentes niveles de desarrollo para las enfermedades introducidas primero por los europeos y por los esclavos negros después. Las epidemias de viruelas, de sarampión y de otras enfermedades contagiosas mataron a la mayoría de los indígenas. Hay que entender el suicidio colectivo como una solución para salirse de una situación desesperada. Pero a pesar de que este exterminio es cierto en líneas generales, sobrevivieron algunos núcleos de indios como los de Boyá hasta principios del siglo XVII.

La aniquilación de los indios inicia con una demora de pocas décadas, en Puerto Rico, Cuba y Jamaica. Las *rancherías* de esclavos en las Antillas Pequeñas, Tierra Firme y las Lucayas despoblaron el espacio antillano de tal manera que es probable que en la segunda mitad del siglo XVI hayan sobrevivido sólo grupos aislados. En lo sucesivo, otros europeos –ingleses, franceses, neerlandeses– pudieron penetrar bastante libremente en este enorme espacio entonces escasamente poblado, estableciéndose de manera definitiva en el siglo XVII.

A pesar de esta sangría, es posible reconocer las huellas de la población indígena que se perdió en parte en la población blanca y en parte en la población negra de las islas. Hay descendientes de los arahuacos, de los caribes isleños y de los caribes originarios de tierra firme, hablantes de *iñeri*. Si ellos hablaban aún una lengua indígena, ésta se llama *caribe insular*, tomando como base su difusión geográfica[270].

La deportación de los caribes y de los indios continentales hacia las Antillas Mayores, sobre todo La Española, hizo que la lengua de los taínos entrara en contacto con el caribe así como con varias otras lenguas indígenas. De ahí que muchas veces el origen de una voz tomada del arahuaco o del caribe tenga que quedar sin aclarar. Las palabras caribes pueden haber sido tomadas prestadas por los arahuacos, pasando de ahí a la lengua española o por vía directa.

4.1.6. Acerca de los préstamos antillanos

Tomando en cuenta estos contactos lingüísticos múltiples y seguros, es lógico que muchos préstamos arahuacos hayan pasado a la lengua de los colonizadores, aunque no es posible documentarlos en cada caso. Es razonable suponer esta circunstancia, porque los primeros contactos con el Nuevo Mundo tuvieron lugar en el dominio lingüístico de los arahuacos, más concretamente en las ciudades y

---

[270] Cf. D. Taylor 1977. N. del Castillo Mathieu (1982) prueba en el análisis puntual de *cacique*, *canalete*, *cayuco*, *cazabe* en el caribe insular que estas voces derivan del taíno y propone un posible origen taíno para *colibrí* y una explicación de *bucanero* y *bucán*.

villas de La Española hasta 1508, ya que en la expansión posterior no se documentan voces que se puedan atribuir a una ambientación en una isla particular atestiguada en época antigua. No radicaron todos los préstamos documentados en la lengua corriente de los colonizadores. Se pone en tela de juicio[271] que los numerosos nombres de animales y plantas transmitidos en las crónicas hayan correspondido a un uso vivo. Habría que preguntarse entonces cómo llegaron a las crónicas si no estaban en el uso. Las crónicas en las que se atestiguan la mayor parte de las palabras arahuacas describen también lo exótico, utilizando las palabras indígenas como colorido local, pero al mismo tiempo se evidencia en el uso cronístico si eran los indios o los españoles quienes empleaban palabras determinadas, es decir, si se cita una palabra como propia de los indios o de los españoles. Cabe considerar que Gonzalo Fernández de Oviedo se dedicaba a extensas encuestas de informantes en Santo Domingo, sin mencionar los apuntes que había tomado durante sus viajes por Centroamérica. Hay que tomar en cuenta que el uso de los préstamos era diferente según la fase temporal del desarrollo histórico, el contacto con los indios y las regiones, y que los conocimientos de Oviedo no eran de ninguna manera comunes a todos los españoles de todos los territorios circuncaribeños. Nos hemos enterado de la entrada de algunas voces indígenas a través de las relaciones de Ramon Pané no documentadas en otras fuentes (4.1.2.) y veremos otro ejemplo de la adaptación ocasional de un léxico sin arraigo posterior en la *carta relación* panameña de Gaspar de Espinosa (1515-1517; 4.2.3.).

Sea como fuere, era necesario denominar lo nuevo. Aislando las documentaciones de su entorno, el arraigo de este léxico puede parecer dudoso. Sin embargo, el problema se resuelve si observamos su aparición en el contexto de las crónicas. Así Gonzalo Fernández de Oviedo pretende escribir la lengua literaria de su época en la *Historia general y natural de las Indias*, pero justifica explícitamente la introducción de algunas palabras con la novedad de las cosas que designan:

[271] Por ejemplo de forma indirecta por P. Boyd-Bowman: "Aunque nuestros textos rindieron buen número de indigenismos, de los cuales algunos cayeron posteriormente en desuso, nos impresiona la frecuencia relativamente baja del elemento indígena dentro del texto corrido. Hasta los más comunes, como *cacique*, *naboría*, *cacao*[,] *canoa*, *ají* no alcanzan a cambiar el carácter predominantemente peninsular del español americano" (1972: xii); y J. C. Zamora Munné: "Frente al medio millar que usa Oviedo, y al número aun mayor que supone Morínigo, yo no puedo documentar más que 229, a pesar de usar como fuente no una sola obra (la citada *Historia* [de Oviedo]) sino el elevado número de manuscritos y libros que relacioné al principio de este trabajo" (1976: 104). De las 229 voces 66 voces son de origen taíno, si se incluye los derivados y los tainismos probables.

> Si algunos vocablos extraños e bárbaros aquí se hallaren, la causa es la novedad de que se tracta; y no se pongan a la cuenta de mi romance, que en Madrid nascí, y en la casa real me crié, y con gente noble he conversado, e algo he leído, para que se sospeche que habré entendido mi lengua castellana, la cual, de las vulgares, se tiene por la mejor de todas; y lo que hobiere en este volumen que con ella no consuene, serán nombres o palabras por mi voluntad puestas, para dar a entender las cosas que por ellas quieren los indios significar[272].

En este sentido utiliza unos 500 indigenismos en los que se refleja el uso lingüístico. No obstante, éste no es homogéneo, porque se basa en las experiencias que el autor había hecho en diferentes momentos en Tierra Firme y en La Española, y en las informaciones que por todas partes había recogido a lo largo de su vida. Por eso tengo por probable que los préstamos apuntados hayan sido vivos, si bien en diferentes regiones, momentos y ambientes.

Lo que llama la atención es otra cosa: ¿por qué no se transmiten los numerosos nombres de plantas y animales que cita Fernández de Oviedo y se sustituyen por otros? Más aún: ¿cómo sucede que sea imposible identificar muchas plantas y animales descritos en las crónicas?

Ya que no podemos contestar a estas preguntas en este momento (cf. 4.1.9.), discutiremos las sustituciones de palabras y los dobletes. Escribe a este propósito J. M.ª Enguita Utrilla quien ha investigado con más detenimiento el léxico de Fernández de Oviedo, sobre todo los nombres de animales y plantas:

> es lícito deducir que un número considerable de dobletes léxicos es fruto exclusivo de la erudición del cronista; si éste consigna tales indigenismos se debe probablemente a un deseo de informar con detalle, o de exponer complacidamente los conocimientos adquiridos; o tal vez constituyen un recurso compensatorio de la propia pobreza de estilo. Para los hablantes, al no haberlos asimilado, no pudieron transmitirlos a la posteridad[273].

Este investigador sostiene que muchas denominaciones de plantas no han continuado hasta la actualidad. Sin embargo, es dudoso que estas voces no hayan sido frecuentes. Aprovechando más textos, sobre todo documentos oficiales, se atestiguarán voces todavía desconocidas. Un ejemplo es *yucayeque*, la aldea en la lengua de los taínos, documentado en la *Información de los Jerónimos* en 1517 y la *Residencia tomada a los jueces de apelación*[274], y relacionado con la *yuca*. Los *guáyaros*, que son "raíces silvestres usadas a falta de yuca", se documentan

---

[272] G. Fernández de Oviedo 1959: I, 10; 1992: I, 10.

[273] J. M. Enguita Utrilla 1979: 172.

[274] J. Lüdtke 1991; A. Wesch 1993: 107-108; I. Opielka 2008: 180.

mayormente en las crónicas, pero se presentan también en un pleito de La Española de 1509[275]; se entiende el motivo por el cual esta voz cae en desuso: el trabajo ya no permite a los indios buscar raíces silvestres.

Se documentan mucho menos préstamos en un aprovechamiento de escritos que se redactaban en América y que no estaban destinados a la metrópoli[276]. Han sido tomado prestados del arahuaco e integrado en la lengua común española del continente hasta el siglo XVI por lo menos 57 palabras que muy probablemente pertenecen al léxico fundamental de aquel siglo. Es posible que sean más palabras, ya que el origen exacto de algunas palabras no es seguro[277]. Pero es prematuro, por cierto, concluir de ello que los indigenismos usados por Fernández de Oviedo no correspondieran al uso lingüístico efectivo. Las palabras documentadas en otros textos que las crónicas se mantienen como regla general en las Antillas hasta la actualidad[278]. Pero al mismo tiempo las palabras conservadas hasta hoy son igualmente frecuentes ya en las crónicas y se usan en ellas, cosa importante para valorar su integración en el léxico de la época, sin comentario y explicaciones[279]. Un número de más de 500 palabras tomadas de las lenguas arahuacas y de otras lenguas se comprueban hasta la actualidad en Puerto Rico, sin tener en cuenta los numerosísimos topónimos de origen arahuaco. Los habitantes de las ciudades ignoran con mucha frecuencia estas palabras o las conocen apenas[280], ya que desconocen los animales, las plantas, los artefactos, etc. denominados con nombres indígenas o usan otras palabras. Los biólogos, en cambio, prefieren generalmente términos científicos para plantas y animales americanos o nombres indígenas que corresponden al uso lingüístico general o suprarregional. Veo en esta actitud una contradicción entre el apego a lo propio, expresado en los indigenismos, que se declara con tanta frecuencia, y el afán de distanciarse de un lenguaje considerado ramplón.

Hay que ir a las fuentes para valorar la vitalidad del léxico y ponderar las condiciones históricas en las que nacieron las obras, como vimos en el *Diario de a bordo* de Colón, la *Información de los Jerónimos* y tantas fuentes más que venimos utilizando.

---

[275] F. J. Zamora Salamanca 1997.

[276] Cf. J. C. Zamora Munné 1976: 146, 267.

[277] Cf. J. C. Zamora Munné 1976: 86-87.

[278] P. Henríquez Ureña 1982, S. Valdés Bernal 1986, 1991.

[279] En cuanto a los préstamos comprobados solamente en las crónicas, se debería averiguar en una investigación comparativa cuáles de esas palabras pertenecientes a un léxico especializado –a la terminología de la botánica, zoología, etnología, etc.– sobreviven en ámbitos tradicionales de la cultura antillana y cuáles se sustituían por palabras agregadas en épocas más tardías; cf. sobre todo M. Álvarez Nazario 1977: 59-102.

[280] M. Álvarez Nazario 1996: 74.

Es notorio que *De orbe novo*, de Pedro Mártir de Anglería[281], la primera crónica de Indias, casi coetánea de los hechos narrados, haya sido criticada, a veces duramente, por autores a quienes había abierto el camino. Le reprochan sus errores, reales o supuestos, porque nunca había estado en el Nuevo Mundo. No obstante ello, cierto es que su información y sobre todo sus interpretaciones han sido a menudo mejores que las de sus detractores; pero no viene al caso entrar en detalles. Nos ocupamos de Pedro Mártir precisamente porque carece de conocimientos directos del Nuevo Mundo y nos importa indagar lo que se podía saber en España respecto a las lenguas y al uso indiano del español. En este capítulo nos limitamos a la documentación de los préstamos antillanos que aparecen en su obra.

El hecho de que Pedro Mártir haya escrito sus obras en latín dificulta en cierta medida su aprovechamiento lingüístico, hasta tal punto que ni siquiera es directamente evidente que sus obras puedan ser relevantes para la historia de la lengua española. Cuando se recurre a este humanista italiano, los autores que estudian los indigenismos[282] emplean una traducción española y citan las formas modernas de estas palabras. El aprovechamiento –no exhaustivo– de Pedro Mártir en latín por Georg Friederici en su *Amerikanistisches Wörterbuch und Hilfswörterbuch für den Amerikanisten* (1960) es más bien una excepción.

No es oportuno usar una traducción al español para fines lingüísticos, porque las traducciones son todas modernas. La traducción completa más antigua es de 1892[283]. Además de no presentar un material más o menos auténtico, las traducciones españolas hacen desaparecer lo nuevo, por lo que la descripción de las Indias con palabras y alusiones clásicas puede parecer inadecuada y anticuada al lector moderno no advertido. Aunque no tiene sentido esperar que un traductor moderno traduzca el latín de Pedro Mártir al español del siglo XVI, si cabe con el vocabulario de Antonio de Nebrija a la mano, y supla de este modo las carencias de una traducción coetánea, las conclusiones lingüísticas basadas en una traducción contemporánea serán muchas veces incompletas o erróneas.

Así, no hay más remedio que estudiar los textos originales. Aún más: vista la historia de las Indias desde la actualidad, es difícil imaginarse los conocimientos que tenían, o los de los cuales carecían, los coetáneos en España. Se publicaron

---

281 Las observaciones que siguen se apoyan en un artículo mío publicado en 1992 y reelaborado en gran parte.

282 Cf., por ejemplo, M. Alvar 1972, M.ª de las N. Olmedillas de Pereiras 1974: 197-221, el DCECH. En cambio, J. G. Moreno de Alba (1996) aduce las formas latinas. M. Ballesteros Gaibrois (1987: 31-49) conoce los originales latinos, aunque cita, por supuesto, las traducciones en su obra divulgativa.

283 Traducción a cargo de J. Torres Asensio, reproducida en la reimpresión de 1989.

pocas crónicas de Indias a su tiempo: algunas cartas de relación, el *Sumario de la natural historia* (1526) y la primera parte de la *Historia general y natural de las Indias* (1535) de Gonzalo Fernández de Oviedo. Quedaron sin publicar las obras más importantes de fray Bartolomé de las Casas y de muchos otros. Los conocimientos del lector europeo del siglo XVI se basaron por bastante tiempo en las obras de Pedro Mártir de Anglería, que contienen fundamentalmente los mismos elementos que las crónicas posteriores, sólo que la suya es la primera. Y sólo él pudo informarse de viva voz, por "persona interpuesta", interrogando en su casa a quienes volvían de las Indias[284]. Nuestro cronista es un testigo privilegiado que podía reunir conocimientos que ya no estarían al alcance de las generaciones inmediatamente posteriores. Si por un lado no podía escribir en la tranquilidad de un despacho, por vivir en una corte itinerante, por otro se encontraba siempre en el centro de la vida política y, a través de sus cartas, en el centro de la vida intelectual de su época.

Siempre ha llamado la atención el latín de Pedro Mártir; él mismo se defiende de los ataques de los humanistas italianos en las *Décadas*. No basta tener en cuenta sólo las obras de Anglería y los juicios de los coetáneos y de la posteridad. Nos encontramos en una época en la cual cambia la relación entre el latín y las lenguas vulgares, sobre todo en Italia. Con la expansión del toscano como lengua literaria fuera de la Toscana al inicio del siglo XVI, la lengua vulgar asume algunas funciones que antes habían correspondido al latín. Una de las reacciones a la expansión de la lengua vulgar es el ciceronianismo de Pietro Bembo, actitud normativa que se explica asimismo como reacción al latín medieval. Pedro Mártir no escribe este latín, pero su formación lingüística abarca las obras de toda la Antigüedad sin elegir a Cicerón como único modelo del bien decir. Su lengua recibe la vitalidad de las lenguas vulgares y quizá de su dialecto lombardo. El cambio de la norma latina es posterior a su llegada a España (1487), la norma ciceroniana sólo se impuso en el siglo XVI. Cuando se publica la primera década, en 1511, a la cual precede una edición no autorizada en 1504, el autor compara su norma poco ortodoxa con la nueva, que tiene que admitir en parte y a regañadientes.

No es el caso de entrar en la fonética de las palabras indígenas que cita el cronista. Sólo advierto que describe la [h] arahuaca[285] que entra en variación con la [f] castellana en la palabra indígena *furacanes* en lugar de *huracanes*[286] para lec-

---

[284] P. M. de Anglería 1966: 40; *De orbe novo*, VIII, viii.

[285] P. M. de Anglería 1966: 131; *De orbe novo*, III, viii.

[286] P. M. de Anglería 1966: 56, 134, 234; *De orbe novo*, I, iv, III, viii, y VII, ix, respectivamente. "*Huracán*, en lengua desta isla [Española], quiere decir propiamente tormenta o tempestad muy excesiva; porque, en efecto, no es otra cosa sino grandísimo viento e grandísima y

tores no españoles, el fenómeno meteorológico que se había conocido en las Antillas. A pesar de esta observación sobre la [h], escribe algunas palabras arahuacas sin <h>: *amac(c)a* "hamaca", *boius* "bohío", *utia* "jutía", y otras, por el contrario, con esta letra: *Pythahaya* "pita(ha)ya"[287], *Hibuéro* "güira, güiro"[288], *Hóvos* "jobos"[289], *Chohóbba* "cohoba, un vegetal embriagante que se toma esnifando, probablemente el tabaco en forma de rapé"[290]. En estos rasgos como en otras cosas Pedro Mártir sigue por cierto la variación fonética de sus informadores y la gráfica de sus fuentes escritas.

Manifiesta el mismo afán de exactitud con los acentos, que indica casi regularmente desde el primer capítulo de la primera *Década*, pero que justifica mucho más tarde:

> Desde la isla Matininó, que se nombró en la primera Década (con acento en la última sílaba, como Vuestra Santidad lo echará de ver por la vírgula puesta encima en todos sus vocablos, para que no se haya de repetir tantas veces dónde se ha de cargar el acento de los nuevos vocablos)[291].

Los traductores modernos omiten generalmente estos acentos gráficos, aunque hay divergencia entre el uso de entonces y el actual, en particular en el caso de *Canibáles*[292] que está en contraste con el moderno *caníbales* (4.1.2.). No veo explicado este acento, si no yerro, por nadie. Un buen indicio del carácter culto de esta voz es su reaparición tardía en la documentación española; las fuentes tempranas llaman a estos indígenas regularmente *caribes*. Considerando que Michel de Montaigne usa *cannibales* en uno de sus ensayos (1580)[293] y no *caribes*, lo más probable es que la recepción haya pasado por Anglería, si bien es evidente que no puede ser la única fuente debido al acento "culto" de la voz indígena.

La referencia a sus informadores, "Do quae dant"[294] –"Doy lo que me dan"–, vale particularmente para las palabras indígenas: reproduce su aspecto fonológi-

---

excesiva lluvia, todo junto, o cualquiera cosa destas dos por sí" (G. Fernández de Oviedo 1992: I, 146).

[287] P. M. de Anglería 1966: 199; *De orbe novo*, V, ix.

[288] P. M. de Anglería 1966: 119; *De orbe novo*, III, iv.

[289] P. M. de Anglería 1966: 100; *De orbe novo*, I, ix.

[290] P. M. de Anglería 1966: 74; *De orbe novo*, I, ix.

[291] P. M. de Anglería 1989: 216; "Ex insula Mattininó de qua in prima Decade cu*m* accentu in vltima vti tua Sanctitas noscet per virgulam superi*m* positam in omnibus eoru*m* vocabulis ne toties repetendum sit vbi accentus nouoru*m* vocabulorum iaceant" (P. M. de Anglería 1966: 129; *De orbe novo*, III, vii).

[292] P. M. de Anglería 1966: 40 y ss.; *De orbe novo*, I, i.

[293] F. Lestringant 1984.

[294] P. M. de Anglería 1966: 231; *De orbe novo*, VIII, iv.

co sin dar una valoración crítica. Parece que por este motivo la forma de algunos indigenismos varía según los informadores. Escojo dos casos de variación ortográfica que pueden ser interesantes. Notamos esmero filológico cuando apunta “Cazábi”[295], “Cazabi”[296], “Cazábbi”[297], “caccáby”[298], “cazzabi”[299]: el rasgo común de estas grafías es la marcación de la pronunciación llana, esta palabra no es oxítona, como se escribe a veces, sino paroxítona; la variación de <b> y de <bb> quizá italianizante marca el valor fonológico /b/ y la variación <z> ~ <cc> ~ <zz> reproduce la sibilante predorsodental, o un sonido parecido, otra vez de manera italianizante (<z>, <zz>) o castellanizante (<cc>, es decir, <ç>) con la finalidad de señalar el carácter sordo del sonido. La forma de *maíz* varía todavía más: “Maiziu*m*”[300], “Maís”[301], “Maisum”[302], “Maizum”[303], “Maizio”[304], “Maizium”[305], “Maizum”[306], “Maiiccio”[307], “maiícium”[308]. Si prescindimos de las diferencias de la adaptación a la morfología latina, se señala en esta palabra sobre todo el carácter sordo o sonoro y el punto de articulación de la sibilante. Las letras <z> y <s> parecen marcar el carácter sonoro, las letras <cc> y <c> el carácter sordo de la sibilante, mientras que <s> por un lado y <z>, <cc> y <c> por otro indican una variación entre una sibilante apicoalveolar y una sibilante predorsodental que es la original. Por lo tanto, *Maís/Maisum* es una innovación española que resulta de la confusión de ambas sibilantes. Se trata, pues, de un caso de seseo, con la sibilante apicoalveolar, pero éste no se da sólo en palabras patrimoniales, sino también en un préstamo de una lengua indígena que se integra plenamente en el sistema del español[309].

Podemos considerar en general a los indigenismos como préstamos. Sin embargo, la mención de las primeras palabras arahuacas está motivada por su interés filológico: “Vocant enim coelum turéi. Domum boa. Aurum cáuni. Virum

295 P. M. de Anglería 1966: 66; *De orbe novo*, I, vii.
296 P. M. de Anglería 1966: 73; *De orbe novo*, I, ix.
297 P. M. de Anglería 1966: 124 y 131; *De orbe novo*, III, v y vii.
298 P. M. de Anglería 1966: 137; *De orbe novo*, III, ix.
299 P. M. de Anglería 1966: 245; *De orbe novo*, VIII, iii.
300 P. M. de Anglería 1966: 41; *De orbe novo*, I, i.
301 P. M. de Anglería 1966: 87; *De orbe novo*, II, iii.
302 P. M. de Anglería 1966: 88; *De orbe novo*, II, iv.
303 P. M. de Anglería 1966: 110; *De orbe novo*, III, ii.
304 P. M. de Anglería 1966: 113; *De orbe novo*, II, iii.
305 P. M. de Anglería 1966: 116; *De orbe novo*, III, iv.
306 P. M. de Anglería 1966: 124; *De orbe novo*, III, v.
307 P. M. de Anglería 1966: 165; *De orbe novo*, V, ii.
308 P. M. de Anglería 1966: 245; *De orbe novo*, VIII, iii.
309 Volveremos sobre este tema en otro contexto.

bonum tayno, nihil mayani"[310]. Entre éstas no arraigan *turéi* y *mayani*, *boa* se adapta como *bohío*, *buhío*, *cáuni* como *caona* y *tayno* "bueno" se usa aquí con el significado de *nitayno* "noble". Es decir que difícilmente se trata en este caso de préstamos, sino más bien de palabras arahuacas como tales, que se citan para mostrar que esta lengua se puede escribir con letras latinas: "[Colonus] secum decem viros ex illis abduxit, a quibus posse omnium illarum insularum lingua*m* nostris litteris latinis sine vllo discrimine scribi compertum est"[311]. En cambio, un préstamo se introduce y se explica de la siguiente manera: "suis linthribus quas Canóas vocant, eduxeru*n*t [...]. Canóas autem illas ex solo cauato acutissimis lapidibus ligno, longas sed angustas construunt, monóxyla propterea esse dicemus"[312]. No es preciso que me extienda más sobre los préstamos del arahuaco, y de las lenguas antillanas en general; basta citar las palabras ya mencionadas arriba, conservando el caso latino:

1) personas: "Anaborías"[313] – *naboría* o *naburía*, que son los "sirvientes" de los cronistas, "Boitii"[314] o "Bouiti"[315] – *behique* (Las Casas), *bohite* o *buhite* (*Información de los Jerónimos*, 1517), "chamán o curandero", "Cazicum"[316], "Cacíchi"[317] – *cacique*, "Mitainos"[318] o "Tainos" – *taíno*, *nitaíno*[319];
2) religión: "Zemes"[320] o "Zaemibus"[321] – *cemí* (Oviedo), pl. *cemiles* (*Información de los Jerónimos*), los "ídolos" de los arahuacos, "Aréitos"[322] o "areites"[323] – *areíto* "baile y canto"; "Chohóbba"[324] – *cohoba*;

---

[310] P. M. de Anglería 1966: 41-42; *De orbe novo*, I, i; en español: "Pues al cielo le llaman *turei*, a la casa *boa*, al oro *cauni*, al hombre de bien *tayno*, y a la nada *mayani*" (P. M. de Anglería 1989: 14).

[311] P. M. de Anglería 1966: 41; *De orbe novo*, I, i; en español: "trayéndose consigo diez hombres de aquéllos, por los cuales se vio que se podía escribir sin dificultad la lengua de todas aquellas islas con nuestras letras latinas" (P. M. de Anglería 1989: 14)

[312] P. M. de Anglería 1966: 40; *De orbe novo*, I, i; en español: "sacó aquella gente a los hombres [...] en sus botes, que llaman *canoas* [...]. Las *canoas* aquellas las construyen de un solo madero, largas pero estrechas, vaciándolo con piedras agudísimas. Por eso diremos que son monóxilas" (P. M. de Anglería 1989: 12).

[313] P. M. de Anglería 1966: 76; *De orbe novo*, I, x.

[314] P. M. de Anglería 1966: 130; *De orbe novo*, III, viii.

[315] P. M. de Anglería 1966: 236: *De orbe novo*, VII, x.

[316] P. M. de Anglería 1966: 51; *De orbe novo*, I, iii.

[317] P. M. de Anglería 1966: 76; *De orbe novo*, I, x.

[318] P. M. de Anglería 1966: 130; *De orbe novo*, III, vii.

[319] P. M. de Anglería 1966: 46; *De orbe novo*, I, ii.

[320] P. M. de Anglería 1966: 74 y 156; *De orbe novo*, I, ix, y IV, viii.

[321] P. M. de Anglería 1966: 130; *De orbe novo*, III, vii.

[322] P. M. de Anglería 1966: 130; *De orbe novo*, III, vii.

[323] P. M. de Anglería 1966: 236; *De orbe novo*, VII, x.

[324] P. M. de Anglería 1966: 74; *De orbe novo*, I, ix.

3) civilización material: "Amaccas"[325] – *hamaca*, "Boios"[326] – *bohío*, "Canóas"[327] – *canoa*, "Guanínes"[328] – *guanín*, que se llama "oro bajo" en las crónicas, "Machanas"[329] – *macana*, al principio una especie de espada de madera que tenía dos filos;
4) raíces y otras plantas comestibles: "Ages, Iúcca, Maizum, Battátes"[330] – *age*, *yuca*, *batata*[331], que son tres especies de tubérculos, "Guaiéros"[332] – *guáyaro*, una raíz silvestre a manera de pastinaca, "Magguéioru*m*"[333] – *maguey*, una especie de agave, "axi"[334] o "haxi"[335] – *axí* "pimienta, chile", "boniatu*m*"[336] – *boniato*, una especie de batata, diferente de la *boniata* o *yuca* dulce;
5) frutas: "Guaiánam [*sic*]"[337] – *guayaba*, fruto del árbol tropical pequeño *guayabo*, "Gua*n*nába"[338] – *guanábana*, fruta americana semejante a la chirimoya;
6) árboles: "Copéi"[339] – *copey*, "Hibuéro"[340] – *hibuero*, *higüero* "güira, güiro", "Iaruma"[341] – *yaruma*, "Mameiae"[342] – *mamey*, "Xaguá"[343] – *xagua*, *jagua*, "Yagua"[344] – *yagua*; estos nombres se citan por su utilidad, por ejemplo para la fabricación de canoas;

---

325 P. M. de Anglería 1966: 151; *De orbe novo*, IV, vi.

326 P. M. de Anglería 1966: 123; *De orbe novo*, IV, v.

327 P. M. de Anglería 1966: 40; *De orbe novo*, I, I.

328 P. M. de Anglería 1966: 118; *De orbe novo*, III, iv.

329 P. M. de Anglería 1966: 116; *De orbe novo*, III, iv.

330 P. M. de Anglería 1966: 124; *De orbe novo*, III, v.

331 "Y entre las *batatas* se hallan cinco especies, o géneros dellas, diferenciadas en la rama o en la hoja, e tienen aquestos nombres: *aniguamar*, *atibiuneix*, *guaraca*, *guacaraica* e *guananagax*, y todas son *batatas*, y a mi parecer poco se diferencian" (G. Fernández de Oviedo 1992: I, 234-235).

332 P. M. de Anglería 1966: 136; *De orbe novo*, III, ix.

333 P. M. de Anglería 1966: 136; *De orbe novo*, III, ix.

334 P. M. de Anglería 1966: 252; *De orbe novo*, VIII, viii.

335 P. M. de Anglería 1966: 199; *De orbe novo*, V, ix.

336 P. M. de Anglería 1966: 199; *De orbe novo*, V, ix.

337 P. M. de Anglería 1966: 100; *De orbe novo*, II, ix.

338 P. M. de Anglería 1966: 73; *De orbe novo*, I, ix.

339 P. M. de Anglería 1966: 136; *De orbe novo*, III, viii.

340 P. M. de Anglería 1966: 119; *De orbe novo*, III, iv.

341 P. M. de Anglería 1966: 215; *De orbe novo*, VII, I.

342 P. M. de Anglería 1966: 199; *De orbe novo*, V, ix.

343 P. M. de Anglería 1966: 136; *De orbe novo*, III, viii.

344 P. M. de Anglería 1966: 198; *De orbe novo*, V, ix.

7) animales: "Guaicanu*m*"[345] – *guaicán*, *reverso*[346], "Iuganas vocant, dicunt alii Iuanas"[347]– *iguana*, "Manatí"[348] – *manatí*;
8) otras palabras: "bexucu*m*"[349] – *bexuco*, *bejuco*, "zauánam" [350]– *çauana*, *zabana*, *sabana*.

Falta todavía un examen crítico de la forma y del contenido de estas palabras que Pedro Mártir reúne, junto a los nombres propios extraños, al final de las *Décadas*. Estos "Vocabula barbara"[351] constituyen el primer glosario de americanismos[352]. El valor lingüístico de la lista plagada de errores es modesto, la nómina tampoco está completa. Por un lado, se alistan topónimos indígenas y, por el otro, apelativos, pero sin distinguir la lengua de origen. Por este motivo, prescindo de un análisis que nos llevaría muy lejos.

La mayoría de las palabras que cita Pedro Mártir de Anglería son ya préstamos del español. Habla a favor de esta suposición el hecho de que tales palabras se aplican tanto a las Antillas como a Tierra Firme y México, donde se hablan otros idiomas. Y Pedro Mártir menciona, por el contrario, pocas palabras no antillanas, y cuando lo hace da generalmente el equivalente antillano. La razón de este procedimiento me parece muy sencilla: el grado de vitalidad de los préstamos antillanos –arahuacos y caribes– depende de las vías de comunicación recorridas por los españoles. Los informadores de Pedro Mártir arribaron por fuerza a La Española. Los que siguieron su camino hasta Castilla del Oro o México debieron volver a La Española para regresar a España y se expusieron así por lo menos dos veces a la influencia lingüística de la isla. Se comprende que las noticias sobre esta isla son más detalladas y más frecuentes que las de otras tierras, ya que todos los que estuvieron de vuelta se tuvieron que acostumbrar de nuevo a la lengua de los baquianos de La Española. Los descubridores y los colonizadores que se establecieron en el continente se adaptaron por segunda vez a un nuevo ambiente lingüístico.

Me inclino a creer que este empleo de los indigenismos no es un recurso estilístico de nuestro autor, ya que éste afirma que "da lo que le dan". Pedro Mártir no ha creado nuevas palabras, ni siquiera nuevos significados de discurso. Esta

[345] P. M. de Anglería 1966: 51; *De orbe novo*, I, iii.
[346] Este pez se llama *pez reverso* en G. Fernández de Oviedo (1979: 104).
[347] P. M. de Anglería 1966: 252; *De orbe novo*, VIII, viii.
[348] P. M. de Anglería 1966: 133; *De orbe novo*, III, viii.
[349] P. M. de Anglería 1966: 234: *De orbe novo*, VII, ix.
[350] P. M. de Anglería 1966: 115; *De orbe novo*, III, iii.
[351] P. M. de Anglería 1989: 269-273.
[352] J. G. Bohórquez C. 1984: 32-33; G. Haensch 1997: 216.

creatividad lingüística les correspondía a los descubridores y a los primeros colonizadores, ante todo a Cristóbal Colón y a sus tripulaciones, pero hay que investigar, junto a la creación lingüística, la adopción de las innovaciones por parte de los hablantes y su difusión progresiva[353]. De esta tarea se hizo cargo Pedro Mártir plenamente consciente de los problemas relacionados con la descripción de un mundo que desconocía y con la narración de sucesos que otros presenciaban. Que los préstamos de las lenguas indígenas encontraran aceptación temprana en la lengua española y se difundieran en otras lenguas europeas, es en gran parte obra del humanista italiano. Algunos cronistas de Indias criticaron al milanés por no haber visto el Nuevo Mundo, pero precisamente ahí reside el valor que podemos atribuirle para la historia de la lengua española: la posibilidad de averiguar a través de su obra lo que atraviesa el océano en ambas direcciones. Si se difunde el español en América, lo mismo pasa con lo americano en la Península e incluso en Europa. Pero Pedro Mártir no acepta todas las informaciones que recibe de Cristóbal Colón y de otros: las interpreta y rectifica sobre el fondo de su cultura humanística. Las islas descubiertas por Colón ya no son para él "las Indias", sino un "Mundo Nuevo"[354] o las Antillas. Sus habitantes no son *indios*, sino *indígenas*. Según la feliz fórmula de Demetrio Ramos Pérez, Pedro Mártir es "intérprete desde el pasado [...] de lo sorprendente que se descubría cada día en el confín del Océano"[355]. Así, entra en la variación también el léxico culto, a veces con un desfase de siglos como en el caso de *indígena* que se difunde desde el siglo XIX.

Pasemos al segundo cronista por orden cronológico. Es parte de las condiciones históricas de la creación del *Sumario de la natural historia de las Indias* (1526) de Gonzalo Fernández de Oviedo la circunstancia de que ha sido escrito para Carlos V, lo que no sólo se expresa en el apóstrofe directo al emperador, sino también en el hecho de que desarrolla temas de su interés como la caza, las mujeres, la tenencia de animales en la corte como la del "tigre" en Toledo, donde Fernández de Oviedo redactó su libro. Así, la selección de sus temas está marcada asimismo por los deseos imperiales, aparte de sus experiencias como testigo de vista a las que atribuye mucha importancia y de sus encuestas llevadas a cabo

---

353 Cf., sin embargo, la aproximación a los indigenismos, en Pedro Mártir, de S. E. Barberini 1980: 195-218.

354 E. Lunardi 1976.

355 D. Ramos Pérez 1981-1982: 56. Y dice muy acertadamente al final como conclusión: "Es en suma el *descubrimiento* lo que el cronista asume en su obra –como todos– que responde a una sucesión de tiempos, en cada uno de los cuales aparece, como generador del impulso del momento, un supuesto que parte de la interpretación, a la que se superpone luego otro tiempo, con otro supuesto y con otro horizonte. Es una de las claves de la crónica indiana, que aparece así ya en Pedro Mártir en carne viva" (1981-1982: 80).

con informantes en todas las tierras visitadas por él. En cambio, escribe su *Historia general y natural de las Indias* ya como cronista oficial.

No obstante, no hay que creer que sólo adopta una perspectiva europea. Su uso de innovaciones americanas –préstamos arahuacos y adaptaciones de palabras españolas para denominar lo nuevo– es bastante natural, pues tras introducir palabras nuevas como *canoa* y *cacique* las emplea sin diferencia respecto a su léxico habitual.

Se deduce de las crónicas, como he dicho, la manera de interpretar el uso del nuevo léxico. No es de esperar que dé explicaciones sistemáticas. Comenta las palabras más bien incidentalmente, al hablar de si los huevos de los *lagartos* ("caimanes") son comestibles. Podemos sacar conclusiones de este comentario que van más allá del caso particular:

> No tienen yema, y todos son clara, y guisados en tortillas son buenos y de buen sabor; yo he comido algunas veces de estos huevos, pero no he comido de los lagartos, puesto que muchos cristianos los comían cuando los podían haber, en especial los pequeños, al principio que la tierra se conquistó, y decían que eran buenos. E cuando estos lagartos dejaban los huevos cubiertos en el arena, y algún cristiano los hallaba, cogía aquella nidada, y traíalos a la ciudad del Darien, y dábanle cinco o seis castellanos, y más, según los que traía, a razón de un real de plata por cada huevo; yo los pagué en este precio, y los comí algunas veces en el año de 1514 años; pero después que hubo mantenimientos y ganados, se dejaron de buscar, pero no porque si con ellos topan acaso, dejen de comerlos de buena voluntad algunos[356].

Su experiencia se refiere a 1514 y la época inmediatamente posterior. De todos modos, las circunstancias descritas han pasado a la historia en el momento de la redacción de la obra, ya que eran exactas "al principio que la tierra [Castilla del Oro] se conquistó; transcurrieron, pues, como máximo cinco años. Era cierto que en aquel tiempo "muchos cristianos los comían [los huevos de los lagartos] cuando los podían haber", y sigue la ruptura en el tiempo: "pero que después que hubo mantenimientos y ganados, se dejaron de buscar". La introducción de alimentos europeos explica la sustitución de plantas ("mantenimientos") y animales comestibles ("ganados"). Queda por saber si las palabras y con ellas el saber relacionado con las plantas y los animales designados por ellas se perdió, sin ir más lejos, sólo porque ya no se consumían estos animales y vegetales. Tal explicación es apropiada para justificar la pérdida del interés en muchos animales y plantas después de la introducción de la agricultura y ganadería españolas. En épocas más tardías algunos españoles persistieron de vez en cuando en sus viejas

---

[356] G. Fernández de Oviedo 1979: 199-200.

costumbres alimenticias: “pero no porque si con ellos topan algunos, dejen de comerlos de buena voluntad algunos”.

La explicación de que los animales y plantas eran alimentos no parece aplicarse a algunas palabras que podían ser tratadas por su utilidad general o por su carácter espectacular[357].

El lapso de tiempo en el que la flora y fauna del Nuevo Mundo eran mejor conocidas fue a veces bastante breve, también en La Española donde finalmente los españoles preferían alimentarse de los vegetales y animales de la isla para no perecer de hambre, en la época de la fundación de las primeras villas y de la conquista y poco después, es decir, hasta que comenzaron con la agricultura y la cría de ganado, si es que no seguían confiando en las importaciones, porque tenían otras, y mejores, fuentes de recursos:

> En aquella isla [La Española] hay muchos y muy ricos ingenios de azúcar, la cual es muy perfecta y buena; y tanta, que las naos vienen cargadas de ella cada un año. Allí todas las cosas que se siembran y cultivan de las que hay en España, se hacen muy mejor y en más cantidad que en parte de nuestra Europa; y aquellas se dejan de hacer y multiplicar, de las cuales los hombres se descuidan y no curan, porque quieren el tiempo que las han de esperar para le ocupar en otras ganancias y cosas que más presto hinchan la medida de los codiciosos, que no han gana de perseverar en aquellas partes. De esta causa no se dan a hacer pan ni a poner viñas, porque en aquel tiempo que estas cosas tardaran en dar fruto, las hallan en buenos precios y se las llevan las naos desde España; y labrando minas, o ejercitándose en la mercadería, o en pesquerías de perlas, o en otros ejercicios, como he dicho, más presto allegan hacienda de lo que la juntarían por la vía del sembrar el pan y poner viñas; cuanto más que ya algunos, en especial quien piensa perseverar en la tierra, se dan a ponerlas. Asimismo hay muchas frutas naturales de la misma tierra, y de las que de España se han llevado, todas las que se han puesto se hacen muy bien. E porque particularmente se tratará adelante de estas cosas que por su origen la misma isla y las otras partes de las Indias se tenían, y hallaron en ellas los cristianos, digo que de las que llevaron de España hay en aquella isla, en todos los tiempos del año, mucha y muy buena hortaliza de todas maneras, muchos ganados y buenos, muchos naranjos dulces y agrios, y muy hermosos limones y cidros, y de todos estos agrios muy gran cantidad; hay muchos higos todo el año, y muchas palmas de dátiles, y otros árboles y plantas que de España se han llevado. En esta isla ningún animal de cuatro pies había, sino dos maneras de animales muy pequeñicos, que se llaman hutia y cori, que son casi a manera de conejos. Todos los demás que hay al presente se han llevado de España, de los cuales no me parece que hay que hablar, pues de acá se llevaron, ni que se deba notar más principalmente que la mucha cantidad en que se han aumentado así el ganado vacuno como los otros; pero en especial las vacas, de las cuales hay tantas, que son

---

[357] A. Gerbi 1978: 334.

muchos los señores de ganados que pasan de mil, y dos mil cabezas, y hartos que pasan de tres, y cuatro mil cabezas, y tal que llega a más de ocho mil. De quinientas y algunas más, o poco menos, son muchos los que las alcanzan; y la verdad es que la tierra es de los mejores pastos del mundo para semejante ganado, y de muy lindas aguas y templados aires; y así, las reses son mayores y más hermosas mucho que todas las que hay en España; y como el tiempo en aquellas partes es suave y de ningún frío, nunca están flacas ni de mal sabor. Asimismo hay mucho ganado ovejuno, y puercos en gran cantidad, de los cuales y de las vacas muchos se han hecho salvajes; y asimismo muchos perros y gatos de los que se llevaron de España para servicio de los pobladores que allá han pasado, se fueron al monte, y hay muchos de ellos y muy malos, en especial perros, que se comen ya algunas reses por descuido de los pastores, que mal las guardan. Hay muchas yeguas y caballos, y todos los otros animales de que los hombres se sirven en España, que se han aumentado de los que desde allá se han llevado[358].

El saber etnolingüístico estaba difundido en medida variable entre los españoles. Sin duda es legítimo relacionar las diferencias en el saber acerca de los animales y plantas americanos con la diferencia entre los establecidos desde largo tiempo y los recién llegados. Ambos grupos se opusieron desde el inicio de la colonización. Los veteranos rechazaban a los novatos y los consideraban como rivales. Sabemos de la existencia de estos grupos porque se denominaban por nombres específicos, más concretamente nombres disfemísticos. Los experimentados excluyen a los novatos y a los pobres de la sociedad colonial. Todos habían emigrado para *medrar*. Se apropiaron de la nueva tierra y los nacidos en el Nuevo Mundo se consideraron como *hijos de la tierra*, aunque los mestizos fueron los primeros *hijos de la tierra*, porque habían emigrado pocas mujeres europeas. En épocas posteriores todos los nacidos en las Indias se llamaron *criollos*. Esta voz se documenta desde 1569[359], caracterizando pronto el contraste en los nacidos en el nuevo continente y los recién inmigrados. Se puede atribuir a la palabra *criollo* el valor positivo de lo propio, contenido probablemente también en *hijos de la tierra*. Sin embargo, la palabra *mestizo* no está documentada en el período de orígenes a pesar de la existencia de una población mestiza en edad infantil y adolescente (4.1.4.2.).

Las denominaciones disfemísticas de los recién llegados aparecen en momentos posteriores. Si se llaman al principio "los nuevamente venidos de Castilla", esta paráfrasis atestigua de manera indirecta una expresión más breve. La primera palabra por "novato" era *bisoño*: los que así se llamaban en las guerras de Ita-

---

[358] G. Fernández de Oviedo 1979: 86-88.

[359] J. A. Frago Gracia presentó una comunicación sobre *crioyo* en el III Congreso de la Asociación de Historia de la Lengua Española que quedó sin publicar en las actas.

lia y que emigraban a las Indias tenían que hacerse respetar frente a los *baquianos*, voz que tiene la variante *baqueano* según las regiones. Se denominan también los *baquianos* en los textos mediante una paráfrasis: "prácticos de la tierra". En la relación de la conquista de Gran Canaria la palabra *baquianos* se sustituye por *prácticos* en una versión posterior[360], por este motivo creo que si bien *baquiano* era frecuente en las Islas Canarias antes de llegar a América, fue cayendo en desuso porque la diferencia entre pobladores viejos y nuevos ya había perdido importancia. La primera documentación americana de *baquiano* es de 1544. Los *baquianos* se opusieron a los *chapetones*[361], que reemplazan a los *bisoños*. En México *gachupín* tomará el lugar de *chapetón*[362]. La voz *baquiano* es por consiguiente mucho más antigua de lo que se suele creer[363]. Los baquianos fueron los informantes de Gonzalo Fernández de Oviedo y conocemos algunos de ellos en La Española a través de la *Información de los Jerónimos* (1517) y de la *Residencia tomada a los jueces e apelación por Alonso de Zuazo* (1517). Éstos representaban el saber acerca del pasado y eran interrogados por este motivo, pero su estatus de buen informante no implicaba necesariamente prestigio social. Los baquianos habían aprendido a sobrevivir en el Nuevo Mundo, porque tenían la experiencia imprescindible para ello. Puede que no supieran muchas otras cosas fuera de su ámbito, por lo que se daba una actitud negativa frente al baquiano. Esta palabra se usaba incluso como insulto.

Volvamos al pasaje en el que se relataba que los huevos de caimán "se dejaron de buscar"[364]. Había dos maneras de buscar alimentos: *ranchear* y *mariscar*. Las Casas usa *ranchear* para la caza de indios; éste puede ser un uso especial y, quizás, eufemístico de la palabra, documentada en *La Florida* del Inca Garcilaso de la Vega. La obra se publicó apenas en 1606, pero su informante Gonzalo Silvestre (a quien el Inca llama "autor") narra sucesos de la época en torno a 1540[365]. Si *ranchear* es, en una de sus acepciones, la recolección de plantas y

---

[360] F. Morales Padrón (ed.) 1978: 140, 291.

[361] Oviedo da al mismo tiempo la paráfrasis y la equivalencia entre *bisoño* y *chapetón*: "Los que nuevamente vienen a ellas [las Indias], a los quales en estas Indias llamamos *chapetones*, y en Italia les dicen *visoños*" (1992: II, 175); cf. "*chapetones* o nuevamente venidos" (1992: I, 302).

[362] S. Alberro 1992.

[363] Cf. J. L. Rivarola 1990a: 79-89.

[364] G. Fernández de Oviedo 1979: 200.

[365] "Y acuérdome que un día salieron del real siete de a cavallo a *ranchear*, que es buscar alguna comida y matar algún perrillo para comer, que en aquella tierra usávamos todos y nos teníamos por dichosos el día que nos cabía parte de alguno y aún no avía faisanes que mejor nos supiessen" (Garcilaso de la Vega 1988: 298).

animales comestibles por tierra, la misma acción se llama *mariscar* si tiene lugar en la costa[366].

Al principio los españoles no comían alimentos desconocidos, lo que confirma lo dicho. Hasta llegar a tanto debieron pasar varios meses en el segundo viaje de Colón: había arribado el 28 de noviembre de 1493 al puerto de la Navidad, pero sólo después de aproximadamente cuatro meses los españoles comenzaron a comer de los alimentos de los indígenas[367]. Muchos recién llegados prefirieron morirse de hambre a comer los productos de la nueva tierra.

Una última consideración relaciona la introducción de la "cultura de la conquista"[368] con la extinción de la cultura indígena. La notable diferencia de la documentación más abundante de los indigenismos en la literatura cronística se justifica con facilidad por el hecho de pertenecer al universo del discurso científico que perpetúa parcialmente el saber de los indígenas documentado en una situación de contacto cultural y lingüístico en vivo como el que transmite Oviedo, sabiendo que se trata de conocimientos pretéritos. Al exponer los usos del zumo venenoso de la yuca en la *Historia*, sobre todo en la producción de un licor dulce y de otro agrio ("agro"), derivado de este zumo, este autor escribe:

> estas experiencias pocos indios las saben ya hacer, porque los viejos son muertos, e porque los cristianos no lo han menester; porque para agro, hay tantas naranjas y limones en la isla, que no hay nescesidad [sic] de lo que es dicho, ni para licor dulce mucho menos, por haber tanto azúcar en la Isla: y así se ha olvidado lo que en estos dos casos de dulce e agro servía el zumo de la yuca[369].

Cabe aplicar este comentario también a las menciones de voces indígenas poco frecuentes en los documentos oficiales. Si interpretamos las fuentes no de forma puntual, sino considerando los estratos cronológicos, la región de la cual procede y el ambiente en el cual era corriente, una información esclarece otra.

---

366 Se encuentra en una crónica de la conquista de Gran Canaria redactada en torno a 1554 (F. Morales Padrón [ed.] 1978: 14, 18), si bien se refiere a un hecho sucedido al principio de la conquista, y en *La Florida* del Inca Garcilaso: "En otro lançe semejante prendieron los indios desta provincia Hirrihigua otro español llamado Hernando Ventimilla, grande hombre de mar. El cual salió una tarde inadvertidamente, *mariscando* y cogiendo camarones por la ribera de la baía abaxo, con la menguante della, y assí descuidado fue hasta encubrirse con indios escondidos. Los cuales, un monte que avía entre la baía y el pueblo donde avía indios escondidos. Los cuales, viéndole solo, salieron a él y le hablaron amigablemente diziendo que partiesse con ellos del *marisco* que llevava" (1988: 276-277).

367 "[Cristóbal Colón] comenzó a comer, y la gente, del cazabí o pan y ajes y de los otros manteninimientos [*sic*] de los indios" (Las Casas 1994: I, 882).

368 G. M. Foster 1962: 33-50.

369 G. Fernández de Oviedo 1992: I, 232.

Todo esto apoya la constatación de que se deben tomar las crónicas al pie de la letra, es decir, no sólo utilizarlas como fuentes para reunir recolecciones de materiales, sino interpretarlas colocando las informaciones en sus entornos. Éstas describen en parte un mundo que sólo siguen recordando los veteranos, a los que pertenecen también Las Casas y Fernández de Oviedo; pero ambos autores nos informan también sobre lo nuevo, es decir, sobre la introducción de la agricultura y la ganadería españolas. Debido a estos cambios la mayor parte del saber de los baquianos se va haciendo obsoleto. Si analizamos las fuentes con exactitud, se descubren las discontinuidades del desarrollo. Ya que las descripciones coetáneas del período de orígenes son escasas, se sabe poco acerca de este período desde su propia perspectiva. Si bien Las Casas y Oviedo lo evocan en momentos posteriores, el lector actual no se entera necesariamente de que la realidad reseñada pertenecía al pasado mismo en el momento de la redacción de sus obras. Un autor como Fernández de Oviedo comete este error, recriminando ignorancia a Pedro Mártir de Anglería, cuando por el contrario se trataba sólo de conocimientos anticuados. Así se toma equivocadamente por información sobre mediados del siglo XVI lo que existió en realidad a principios del siglo. C. O. Sauer (1966/1984) pone de relieve esta diferencia temporal.

La reconstrucción de los conocimientos de los primeros años, los lingüísticos inclusive, resulta difícil. Por un lado, los primeros escritos como los de Colón o Chanca, expresan más bien el saber previo que el nuevo. Por el otro, disponemos de las obras enciclopédicas de Las Casas y Oviedo, quienes enfocan el período de orígenes desde tiempos posteriores, cuando la Nueva España y el Perú estaban conquistadas. No obstante, es posible dentro de ciertos límites acceder al eslabonamiento y a la construcción de los conocimientos, porque los mismos autores se refieren a estas disimilitudes cronológicas o describen las experiencias en su diferenciación manifestada en cada fase evolutiva. En este sentido las crónicas interrelacionadas son fuentes fundamentales para el estudio de muchos dominios del léxico, pero es necesario complementarlas con otras fuentes.

La adaptación fonológica y sobre todo morfológica y la integración de los arahuaquismos en el español americano del siglo XVI muestran que, cosa nada extraña, los españoles hablaban la lengua de los arahuacos con errores. Así, el género de los préstamos corresponde al uso español: las palabras en *-a* son femeninas, pero no siempre como, por ejemplo, *naboría*; las que acaban en *-o* son masculinas, independientemente de su forma en el arahuaco.

El arahuaco era una lengua aglutinante, ocasionando algunos problemas en la delimitación de las palabras al adaptarlas al español. La voz arahuaca que significaba "ojo", *aku*, no se tomaba prestada bajo esta forma, sino con el sufijo privativo *ma-*: *maco*, por lo general en el plural *macos*, es decir, literalmente "sin ojos"[370].

No es probable que la fonología de las lenguas arahuacas haya influido en la pronunciación del español. Los contactos lingüísticos no fueron lo suficientemente intensos, tampoco duraron mucho tiempo. He aquí algunos problemas: era difícil reproducir /w/, los matices de *e/i* y de *o/u* particularmente en posición final donde se adapta como *-o*, las vocales largas que los cronistas indican con regularidad, por ejemplo, en el caso de la *i* que muchas veces se escribe <y> como en *zeyba*[371].

Las palabras arahuacas se difundieron con la expansión de los españoles en más regiones que todos los otros indigenismos continentales. Se generalizaron *cacique*, *canoa* y *maíz* incluso más allá de la lengua española. Los arahuaquismos servían para denominar cosas nuevas aun cuando éstas eran similares con restricciones. Así se transfería al principio de la conquista del Perú *bohío*, que designaba la choza de los indígenas antillanos, a las casas de piedra de los indígenas peruanos. La difusión diferente de estas voces contribuye a la diferenciación del español americano en los nuevos dominios lingüísticos. Sucede con frecuencia que dos o más préstamos tomados de diversas lenguas indígenas entren en conflicto. Los antillanismos *ají*, *maizal* y *batata* pasan con la conquista a la Nueva España. Tras una etapa de coexistencia de estas palabras con los nahuatlismos *chile*, *milpa* y *camote* se seleccionaron los últimos[372]. Sirvan además de ejemplos algunos pares de palabras tomados de Oviedo (en los que la segunda palabra no siempre reemplaza a la primera): *cori* – *curiel*, un roedor que se parece al cobayo, *beorí* – *tapir*, *encubertado* – *armadillo*, *perico ligero* – *perezoso*, *gallina olorosa* – *zopilote* y *aura*, *picudo* – *tucán*, *pájaro loco* – *oropéndula*, *higo del mastuerzo* – *papaya*, *peral* – *aguacate*.

Numerosas voces indígenas cayeron en desuso desde los primeros años a raíz de la importación de alimentos, plantas y animales europeos en las regiones del Caribe y del olvido subsiguiente de los medios de subsistencia de los autóctonos, así como de la extinción de la población indígena que ya no motivaba el uso del léxico relativo a su cultura. A continuación, volveremos nuestra atención a los aspectos lingüísticos de la desaparición de los indios antillanos, aspectos que se incluyen en el tratamiento de los campos léxicos.

---

370 M. Álvarez Nazario 1977: 93-94.

371 Véanse las interesantes observaciones en M. Álvarez Nazario 1977: 83-92.

372 J. C. Zamora Munné 1976: 101; M. Álvarez Nazario 1977: 117-121; P. Ontañón de Lope 1979; J. M. Lope Blanch 1981; J. Lüdtke 2007; acerca de su desarrollo ulterior en Cuba, cf. S. Valdés Bernal 1986.

Para dar una idea coherente y sistemática del léxico antillano, citaremos los indigenismos en el capítulo sobre los campos léxicos (4.1.9.) junto a las adaptaciones del léxico patrimonial y de las creaciones españolas.

4.1.7. La "transculturación" de los arahuacos

Es cierto que el cambio cultural de los indios antillanos implicaba la transición de la propia cultura a la *manera de vivir* de los españoles cuyo campo léxico vamos a esbozar más abajo. Llamamos a esta sustitución de una cultura por otra transculturación[373]. La transculturación de los taínos se considera aquí sólo como la primera fase del desarrollo léxico que es la base de las transformaciones de la lengua en México, en el Perú y otras regiones. Como siempre en los procesos de desarrollo que se propagan desde las Antillas hay que separar la historia de la lengua en las Antillas del despliegue continental. Sin embargo, el cambio de la sociedad es de importancia incomparablemente mayor para el desarrollo continental en su conjunto que para el desarrollo antillano, ya que aquí los indios fueron exterminados muy pronto. La transculturación se interrumpió por el proceso paralelo del exterminio. Sin embargo, una parte importante de las técnicas culturales involucradas en este proceso se transmitieron al resto del continente.

Como en muchos trabajos de historia del léxico, el terreno ha sido preparado por los historiadores[374]. Por eso hay que apoyarse en sus estudios en la medida

---

[373] Utilizo el término de *transculturación* introducido por F. Ortiz (1983: 86-90) en lugar de *aculturación*. En efecto, los cambios culturales no implican una orientación en un solo sentido, sino que ambas culturas en contacto se transforman paralelamente. Aquí nos atenemos a algunos reflejos lingüísticos de la cultura taína, prescindiendo del cambio cultural de los españoles. S. Valdés Bernal adopta también este término (1991: 40-44) y lo aplica tanto a los indios antillanos como a los españoles. Sin embargo, los procesos de cambio cultural no son estrictamente paralelos. Los españoles obligan a los indígenas a adaptarse a su *manera de vivir*, mientras que los indios no tienen ni el poder ni la voluntad de exigir la transculturación de los españoles. Los lingüistas españoles insisten a veces en el *aindiamiento* del español, pero el español no se convierte de ninguna manera en indio. Si comprobamos un mestizaje cultural en ambos casos, el resultado llega hasta la occidentalización del indio cuando forma parte de la cultura mayoritaria de las naciones hispanoamericanas, mientras que el español no se americaniza hasta el punto de transformarse en indio. Puede que las naciones hispanoamericanas exageren sus distintivos respecto a Europa y Estados Unidos, pero yo, como europeo, nunca me veo fuera de la cultura occidental en una nación hispanoamericana, aunque sí en una comunidad indígena. Por lo demás, está muy lejos de mí tomar la "transculturación" de los arahuacos como una forma de cinismo. Con estas observaciones retomo mi artículo de 1994a.

[374] Cf., por ejemplo, R. Konetzke 1971, C. O. Sauer 1966/1984, N. N. McAlister 1984.

en que éstos son relevantes para la historia lingüística dentro de los límites de nuestro planteamiento. En principio, se comentan fenómenos conocidos que, sin embargo, no se consideran generalmente en la historiografía de la lengua española en América.

Los historiadores hablan de la transculturación de los taínos en el lenguaje de nuestra época. Para ello adoptan palabras de varias épocas pasadas y acuñan expresiones nuevas para fenómenos antiguos. De este modo, nuestro lenguaje técnico es en parte contemporáneo, en parte reflejo de varios siglos de historia indiana. Por esta heterogeneidad de los términos, la vía de acceso a la lengua del pasado está parcialmente soterrada. Si queremos reconstruir el devenir de la lengua, no hay otro remedio que recurrir a la documentación coetánea.

Las Casas describe la situación de partida en la *Apologética historia*:

> luego de mañana [estos indios] almorzaban, íbanse a trabajar en sus labranzas o a pescar o a cazar o hacer otros ejercicios; después, al mediodía yantaban, y comúnmente lo demás que restaba del día gastaban en bailes y cantos o en jugar a la pelota; a la noche cenaban, y a la postre hacían la susodicha colación[375].

Quién sabe hasta qué punto esta visión es idílica. El cambio cultural de los taínos se realiza partiendo de esta situación ante todo en los ambientes de la organización del trabajo, de la sociedad y de la religión. La evangelización del indio, aunque declarada objetivo principal de la colonización española y legitimación del patronato real de las Indias, está menos documentada en las fuentes y menos llevada a efecto que la organización del trabajo y la reestructuración de la sociedad.

Repartimiento y encomienda

La reestructuración de la sociedad se lleva a cabo por los servicios personales de los indios. Éstos no eran la única solución a la explotación de la colonia: Colón había impuesto a los indios del norte de La Española un tributo, cierta cantidad de oro o de algodón, según las regiones. Al mismo tiempo se repartieron indios en favor de los españoles. Una forma jurídica nacida en la Reconquista, el *repartimiento*, se aplica a la nueva realidad. En España y las Islas Canarias se habían repartido el botín, terrenos y casas. En La Española y más tarde en Puerto Rico, Cuba y Jamaica, se repartieron indios, en principio legalmente libres sin excepción, como resulta del repartimiento de La Española, de 1514, frente al desarrollo en Tierra Firme en torno a la misma época.

---

375 Las Casas 1992: III, 1316.

Es relevante para la historia de la lengua hacer constar que se introdujo el sistema de la encomienda para impedir el acabamiento de los indígenas. Esta medida considerada oficialmente protectora y conservadora de la población indígena debía servir para impedir la mezcla de las comunidades india y española. Los indios, legalmente vasallos de los Reyes Católicos, se repartieron entre los pobladores que habían rendido grandes servicios a la Corona. Los beneficiarios del repartimiento tenían la obligación de proteger a los indios repartidos, ocuparse de su instrucción y remunerar su trabajo, pero no tenían la jurisdicción sobre ellos ni el derecho a sus tierras. Con estas puntualizaciones hacemos abstracción de los desastres posteriores, ya que el reglamento legal y la realidad social tuvieron poco en común[376].

Las palabras *repartir* y *repartimiento*, de contenido muy general, asumen como términos jurídicos y castrenses un campo de designación específico según las regiones conquistadas y colonizadas. En las Islas Canarias se reparten botín, sobre todo esclavos canarios, y terrenos, como se consigna en los libros de datas[377]. En las Antillas se reparten indios como trabajadores en las *minas* y *labranzas*. Mientras que el verbo usado en Tenerife (1497) era *dar* o *dar en repartimiento*, en el texto del repartimiento de 1514 se empleaban, a veces combinándolos, los verbos *dar*, *repartir* y *encomendar*, por ejemplo: "[Miguel de Pasamonte y Rodrigo de Alburquerque] los *dieron* [los caciques, indios y naborías de casa] e *repartieron* e *encomendaron* a los vecinos y moradores de la dicha isla"[378]. El correspondiente término *repartimiento* lo atribuye Las Casas al comendador Nicolás de Ovando, diciendo a propósito del repartimiento de 1503: "Este repartir entre los españoles los indios, vecinos y moradores de los pueblos, llamó y llamaron el *repartimiento*"[379]. El mismo cronista certifica la sustitución de *repartimiento* por *encomienda* en años posteriores: "el *repartimiento* que agora llaman *encomiendas*"[380]. Si damos fe a la fuerza probatoria de estos ejemplos, *repartir* y *encomendar*, y *repartimiento* y *encomienda* parecen ser sinónimos, pero si analizamos los contextos en los que se encuentran, no comprobamos en absoluto paralelismo en los campos de uso. En efecto, *repartir* aparece en el repartimiento de 1514 sólo en combinación con *dar* o con *encomendar* o con ambos verbos como resumen del repartimiento de una villa o ciudad. En los contextos en los que el documento se refiere a la actividad de los *repartidores*, que también se llamaban *encomendadores*, se usa constantemente *hacer el repar-*

---

376 Cf. Sobre este tema E. Mira Caballos 1997.

377 E. Serra Ráfols 1959.

378 E. Rodríguez Demorizi 1971: 81.

379 Las Casas 1961: II, 37; 1994: II, 1346.

380 Las Casas 1957: I, 408; 1994: 1 II, 138.

timiento, mientras que *encomendar* se emplea siempre que se indica el beneficiario de una concesión individual: "Encomendósele [a Rodrigo de Alburquerque] mas el cacique Collado con cinquenta e tres personas de servicio: los treinta e cuatro hombres, e veinte e tres mujeres"[381]. Esta distribución de ambas expresiones es lógica, ya que *encomendar* es un verbo obligatoriamente trivalente, destacando al beneficiario, y *hacer el repartimiento* prescinde de él como, por ejemplo, en: "pedimos e requerimos [...] que Sus Mercedes se junten e den forma como *se haga el repartimiento* de los caciques e indios de esta dicha isla [La Española]"[382]. El verbo trivalente *repartir*, cuyo segundo actante se puede dar por descontado, parece ser menos idóneo para la designación de la actividad global o individual de la adjudicación de los indios. En resumidas cuentas, los campos de uso de *repartir* y *encomendar* no coinciden.

Con todo, la relevancia social del *repartimiento* y de la *encomienda* no consiste en la acción de *repartir* y *encomendar*, sino en la correspondiente institución social, llamada asimismo *repartimiento* y *encomienda*. Consideremos los significados discursivos de estos sustantivos para establecer el significado que hace posible la sustitución de los términos. En la *Probanza de Astudillo*, hecha en Santo Domingo sobre los agravios que Rodrigo de Alburquerque hizo en el repartimiento, en el mes de febrero de 1515, se hallan dos significados diferentes de *repartimiento* en el mismo período:

> [Francisco Dávila] dixo que en el dicho *repartimiento* / ovo muchos *repartimientos* de muchos mineros, pero que no sabe quién sea cada uno ni lo que mereșçen para ver si son iguales ni si no; e que en algunos *repartimientos* le pareșçió a este testigo que ovo desigualdad[383].

La primera aparición de *repartimiento* tiene el significado de una nominalización predicativa, es decir, de un nombre de acción, o sea, la acción o el proceso mismo de *repartir*, considerado como hecho. La segunda aparición se podría entender de la misma manera si no se dijera que hubo desigualdad en algunos repartimientos. La desigualdad no se da en los actos individuales de repartimiento, sino en el número de indios repartidos, de suerte que el significado discursivo de este *repartimiento* está en relación metonímica con el significado predicativo de esta palabra y puede ser analizado gramaticalmente como objeto resultativo de la nominalización de *repartir*[384]. Los significados discursivos de *repartimiento* en

---

[381] E. Rodríguez Demorizi 1971: 88.

[382] E. Rodríguez Demorizi 1971: 79.

[383] L. Arranz Márquez 1991: 503-504.

[384] J. Lüdtke 1978: 54-61.

la documentación americana se distribuyen entre el significado predicativo y el significado de objeto resultativo; en *repartimiento* se trata del primero, en *repartimiento de muchos mineros* del segundo. Por lo tocante a la institucionalización, ambos significados discursivos representan instituciones, pero éstas no son las mismas. El *repartimiento* que está a cargo de un repartidor es otro que el *repartimiento* que puede ser desigual. Sólo el segundo significado discursivo es sustituible por *encomienda* como institución indiana.

Pasemos a los significados discursivos de *encomienda*. Hallamos un uso predicativo ejemplar en el Repartimiento de 1514:

> E otrosi dijeron los [repartidores], que mandaban e mandaron que si algunos hijos de cristianos fueron registrados en el dicho repartimiento, diciendo ser hijos de mujeres naturales de la dicha Isla, y en dicho repartimiento *han sido encomendados* a algunos o algunas de las dichas personas, *la tal encomienda* sea en sí ninguna, e que los tales hijos de cristianos sean libres de toda sujeción e servidumbre, e que sus padres e parientes hagan de ellos libremente todo lo que quisieren[385].

Prescindiendo de la alusión a los mestizos *ante litteram*, *encomienda* es en este contexto una anáfora de una forma de *encomendar*. Si este significado varía, en este caso se añade la resultatividad al valor predicativo. La *encomienda* es un acto institucional igual que el *repartimiento* y complementario con el que se documenta en una *cédula de encomienda*. La única cédula de encomienda conocida del repartimiento de 1514 es la copia de la cédula de Antonio de Herrera que Bartolomé de las Casas insertó en su *Historia de las Indias*[386]. Cito las documentaciones de *cédula de encomienda* que encuentro en la *Probanza de Astudillo* de 1515, por ser tempranas:

> [El bachiller Bartolomé Ortiz] oyó desir que estava pregonado quel dicho Rodrigo de Alburquerque avía de haber solo el dicho repartimiento e que lo oyó dezir públicamente; e que después lo hiso segund pareçió por sus *çédulas de encomienda*[387].

En un caso se usa elípticamente *encomienda* por *cédula de encomienda*:

> [El bachiller Bartolomé Ortiz] sabe que dieron indios / al bachiller Juan Roldán e al bachiller Bustamante e al liçenciado Serrano e al bachiller Pedro Moreno por que ha oído dezir a los dichos, e que ha visto las *encomiendas* dellos[388].

---

385 E. Rodríguez Demorizi 1971: 105

386 Cf. Las Casas 1994: III, 1910.

387 L. Arranz Márquez 1991: 438; otros ejemplos 431, 440, 441.

388 L. Arranz Márquez 1991: 443.

Con respecto al repartimiento de Diego Colón, el historiador mexicano Silvio Zavala señala "que en las instrucciones que se dieron a don Diego Colón, en ese año de 1509, figura un capítulo IV que encarga la instrucción de los indios en la fe así a los religiosos como a 'aquellos a quien los *dieren* en nuestro nombre *en encomienda*'". Y comenta: "Ya en esa época se emplea el término de encomienda como sinónimo de repartimiento"[389]. En otra cédula del rey Fernando, despachada en 1510 a Juan Ponce de León y destinada a Puerto Rico, se observa, según Zavala, "el uso temprano de la voz encomienda". Esta palabra se usa en la expresión "estar a su encomienda e administración"[390]. Si la observación es acertada, sólo se puede referir al uso institucional que es complementario con el significado predicativo de *repartimiento* ("acto de repartir") que no es, pues, estrictamente sinónimo de *encomienda.*

En cuanto al contenido de las palabras, *encomienda* reemplaza una parte del contenido de *repartimiento.* Mientras que se reserva *repartimiento* para el reparto de botín y tierras, se sustituye esta palabra por *encomienda* desde el repartimiento de 1514 para el significado discursivo "reparto de indios en beneficio de españoles" –para el que se usaba ya el verbo *encomendar*–. Por cierto que *repartir* y *repartimiento* contienen otra perspectiva que *encomendar* y *encomienda,* pues *repartir* describe el acto desde el reparto de los indios, *encomendar*, en cambio, desde la asignación de indios a españoles.

Se encuentran asimismo los sintagmas *encomienda de indios* e *indios de encomienda* que parecen corresponder exactamente a las expresiones *repartimiento de indios* e *indios de repartimiento.* Diego Colón escribe al cardenal Jiménez de Cisneros desde Santo Domingo: "acá he oído decir que Su Alteza ha hecho o quiere hacer *encomienda de indios* en aquélla [la isla de Cuba]"[391]. Resulta claro de la combinación con *hacer* que se trata aquí del significado predicativo de *encomienda.* E igualmente en la combinación *indios de encomienda* en el siguiente ejemplo:

> e diz que ha XV años que [Francisco Quexada] tiene *indios de encomienda* en la dicha villa de Santiago, por çedula e mandamiento del Rey nuestro señor padre e ahuelo (Real Decula [*sic*] a favor de Francisco Quexada para que no le quiten los indios mientras sigue en Castilla, Madrid, 18 de noviembre de 1516)[392].

Dicho sea de paso que la encomienda se antefecha según esta cédula al año 1501 bajo el gobierno de Francisco de Bobadilla. Lo que no he encontrado en la

---

389 S. Zavala 1973: 287, n. 24.

390 S. Zavala 1973: 313.

391 S. Zavala 1973: 292.

392 L. Arranz Márquez 1991: 408.

documentación relativa a las Antillas hasta 1520 es el significado de objeto resultativo de *encomienda*, "los encomendados", que correspondería al segundo significado discursivo de *repartimiento*.

Como es sabido, la introducción de la encomienda en las Indias se atribuye a Nicolás de Ovando, comendador de Lares. Esta hipótesis se formula en el primer estudio sobre Ovando, por Ursula Lamb:

> La norma de asignar propiedades de las aldeas moras (*caserías*), puesta en práctica por las Ordenes Militares, fue seguida de manera análoga en las Indias mediante el repartimiento de nativos bajo sus caciques, o como individuos si eran capturados en la guerra. Este repartimiento de nativos a los colonos con la obligación de que éstos les pagaran, alojaran, alimentaran y les enseñaran la fe, constituye el principio de la encomienda[393].

Autores posteriores se apoyan en esta monografía de Ursula Lamb y retoman su hipótesis del origen de la encomienda en la institución medieval de las órdenes militares.

Ahora bien, es muy probable que la experiencia del comendador de Lares, por ejemplo en Extremadura, haya influido en la organización del trabajo de los indios en La Española, pero es poco probable que esta experiencia haya tenido alguna incidencia directa en la lengua. La misma Lamb reconoce que:

> La separación de los términos repartimiento y encomienda en su distinto significado jurídico fue un proceso gradual. En los documentos empleados, el término repartimiento era el más amplio y general y solamente se limitaba su sentido a las tierras en los *libros de repartimiento*, mantenidos por los cabildos, cuando se hacía referencia a esos libros. El término encomienda como tal, no se encuentra en dichos documentos[394].

Esta última afirmación difícilmente puede referirse al gobierno de Nicolás de Ovando y a la década posterior a su gobierno en La Española. Es precisamente este "distinto significado jurídico" el que hace inverosímil el traslado del término de *encomienda* a la realidad americana. Por consiguiente, sería de esperar que se documente el uso de esta voz en Castilla exactamente como se encuentra en La Española.

Un argumento contra el origen del término de *encomienda* en la encomienda de las órdenes militares es la ausencia del significado discursivo "los encomen-

393 U. Lamb 1956: 144.
394 U. Lamb 1956: 144-145.

dados" en la palabra *encomienda* que comprobamos, en cambio, en el término de *repartimiento*. Otro argumento en contra es la inexistencia de *comendador* para designar a la persona a la que se encomendaban indios, palabra, además, inadecuada por ser los comendadores de condición noble. Tampoco hallamos la innovación *encomendero* en la documentación relativa a La Española. En cambio, aparecen siempre paráfrasis para este contenido léxico como en las ordenanzas que dio Rodrigo de Alburquerque sobre las competencias del visitador de indios después del repartimiento en la Villa de la Concepción: "que cada e cuando *las personas que tovieren indios encomendados* los sacaren a servir de las estançias de sus caçiques"[395]. Esta casilla vacía de la formación de palabras era fácil de llenar: ya existían las innovaciones *minero* "el que tiene a cargo los indios en las minas" y *estanciero* "el que tiene a cargo los indios de una estancia". Pero la existencia de *encomendero* supone un significado discursivo de *encomienda* que todavía no comprobamos en los textos de la época estudiada.

Concluyamos estas observaciones acerca de la encomienda con un comentario sobre los verbos *depositar* y *allegar*. *Depositar* se usa en lugar de *encomendar* para los indios repartidos provisionalmente por diversos motivos[396]. Mientras que "se depositaron" los indios a los españoles, "se allegaron" algunos indios también a los caciques:

> A Juan de Alburquerque, vecino e regidor de esta ciudad, para cumplimiento de una cédula de Su Alteza, se le encomendó el cacique Nibagua con cuarenta personas de servicio: veinte e ocho hombres, e once mujeres en los cuales entra un indio que *se le allegó* a terrenos [tierra] del dicho cacique después de hecho el registro de los indios[397].

Un uso verbal como éste hace difícil la interpretación de *allegado* como "pariente, amigo, conocido, persona cercana a una casa o familia"[398]. Pueden ser, por el contrario, los indios que habían "perdido su adscripción clánica original", los que "buscaron refugio en un nuevo grupo bajo el mando de un cacique"[399].

Se formaron en las Antillas algunos campos léxicos que ahí se perdieron luego con el ocaso de los indios, pero que los españoles llevaron a las regiones

---

[395] 7 de enero de 1515; L. Arranz Márquez 1991: 321.

[396] Este verbo "debía entenderse como reparto provisional, limitado en el tiempo y pudiendo sólo ser disfrutado por una o dos demoras, por el tiempo que durase la realización de trabajos concretos o bien mientras el rey resolviera lo que habría de hacerse" (L. Arranz Márquez 1991: 252-253).

[397] E. Rodríguez Demorizi 1971: 91.

[398] L. Arranz Márquez 1991: 256.

[399] F. Moya Pons 1992: 70.

conquistadas más tarde en el continente donde se readaptaron. Hemos dado algunas indicaciones acerca de los desarrollos en la época de los orígenes. Hemos discutido el nacimiento del significado de *encomienda* y la integración de esta palabra en el marco de las instituciones indianas, fundamento del cambio ulterior; el trabajo, base de la estructuración de la sociedad, y la parcial reconstitución de su léxico en América, la transferencia de algunas partes del léxico de un campo designativo a otro, para citar nada más que algunos ejemplos. Es de suponer que estas palabras hayan formado parte del léxico fundamental de entonces. Si comparamos el léxico de aquel tiempo con el actual, comprobamos que el léxico relacionado con el cambio histórico en las colonias y en Europa se ha perdido en todas las lenguas europeas o ha sido marginalizado. Una comparación sincrónica del léxico español en España y las regiones hispanoamericanas pasa por alto este cambio histórico.

Contactos entre españoles e indios antillanos

La mezcla de razas es una de las condiciones más importantes del contacto lingüístico en las Antillas. No sabemos si los taínos aprendían el español en una variedad intermediaria (1.5.2.) o si los colonizadores hablaban una especie de *pidgin* en el trato con los indios empleados en los servicios de trabajo, porque los testimonios directos son tardíos, pues los dan Oviedo y Las Casas en los años treinta y cuarenta del siglo XVI. Sin embargo, no es preciso que el contacto lingüístico haya sido intenso para explicar los numerosos arahuaquismos. Lo más probable es que los préstamos hayan sido transmitidos por las mujeres, concubinas en la mayoría de los casos, y llamadas *criadas* a veces también por las esposas de los pobladores[400], entre ellos los encomenderos. Casi todas las mujeres eran indias. Las españolas emigraron a América en número reducido. Los mestizos nacidos de la unión de españoles con indias, de número no calculable, habrían aprendido español y arahuaco. Que los mestizos hablaran español resulta de que desde su juventud participaban en el ejército de los españoles en las conquistas. En los primeros tiempos el origen ilegítimo de los mestizos, como ocurriera también con el de los hijos naturales de la Edad Media española, no era un impedimento para la integración en la sociedad colonial.

Por lo tanto, existieron las siguientes posibilidades de contacto entre hablantes del arahuaco y del español, sin que sea siempre posible afirmar si los indígenas aprendieron el español o, al revés, los españoles el taíno o si ambos grupos

400 Ésta es la opinión defendida por H. López Morales 1995: 155.

adquirieron algún conocimiento de la lengua del otro: la convivencia de españoles e indias con sus hijos; el trabajo de las naborías de casa; el trabajo en las minas de oro y en la agricultura que permitía escasos contactos lingüísticos; la formación de indios y sobre todo indias como intérpretes[401] y como instructores o auxiliares; el aprendizaje de lenguas indígenas por náufragos, prisioneros, desertores y otros que eligieron la vida de los indios, entre ellos Cristóbal Rodríguez, "la lengua"[402], y el jerónimo catalán Ramon Pané[403]; y, finalmente, la catequesis.

La primera manifestación de que los indios aprendían el español es que al arribar a la Villa de la Navidad durante el segundo viaje de Colón sabían ya decir *jubón* y *camisa*, y que algunos indios gritaban al día siguiente *¡Almirante, Almirante!*[404] El conocimiento del español debe haber progresado más de lo que las crónicas dejan entrever, dado que algunos de los indios que vivían en una estancia de La Española eran capaces de deponer en un pleito de 1509[405]. Estos indios hispanizados se llamaban *ladinos* igual que en España. Por ejemplo, Colón tenía a un indio de Jamaica sobre quien observa: "un indio que allí tenía desta isla [Jamaica], ladino en nuestra lengua"[406]. Oviedo dice de Enrique, cacique en La Española: "era muy ladino e hablaba la lengua castellana"[407]. Y Las Casas describe cómo bautiza a algunos niños de La Española con la ayuda de un indio hispanizado:

> El clérigo Casas, luego, en llegando al pueblo, hacía juntar todos los niños chequitos, y tomaba dos o tres españoles que le ayudasen, con algunos indios desta isla Española, ladinos, que consigo llevaba y alguno que había él criado, baptizaba los niños que en el pueblo se hallaban[408].

Si un testigo que depone en la *Información de los Jerónimos* se refiere a "çiertos caçiques los mas ladjnos"[409], sus conocimientos lingüísticos corresponden a su estatus en la sociedad de la época. Es probable que muchos indios no hayan podido superar el nivel de una variedad de aprendizaje o, dicho de forma popular, de un español chapurreado como éste que ofrece Las Casas, si bien la cita tiene otra motivación en este autor:

---

401 Á. Rosenblat 1977: 93-97.
402 Á. Rosenblat 1977: 97-100.
403 R. Pané 1992.
404 Las Casas 1957: II, 249; 1994: II, 858.
405 F. J. Zamora Salamanca 2006: 2996.
406 Las Casas 1961: II, 82; 1994: II, 1424.
407 G. Fernández de Oviedo 1992: I, 124.
408 En Cuba en torno a 1513; Las Casas 1961: II, 243; 1994: III, 1876.
409 A. Wesch 1993: 5r.

> Preguntando españoles a indios –y no una vez acaeció, sino más– si eran cristianos, respondió el indio: "Sí, señor, yo ya soy un poquito cristiano". "En qué sabes que eres poquito cristiano?": Dixo él: "Porque ya saber yo un poquito mentir; otro día saber yo muncho [*sic*] mentir y seré yo muncho [*sic*] cristiano"[410].

En una muestra de un aprendizaje más adelantado, Oviedo cita a un indio fugitivo en La Española, que valga como ejemplo, no obstante la fecha tardía (1543):

> Esos puercos me daban a mí la vida e me mantenían e yo a ellos; eran mis amigos e mi buena compañía; e el uno se llamaba tal nombre, e el otro se decía tal, e la puerca se llamaba la tal (como él los tenía nombrados)[411].

La hispanización se originó menos en aquéllos que estaban más preparados para esta tarea, es decir, en las lenguas. Colón había llevado a España a diez lucayos y haitianos que se bautizaron en Barcelona. Cinco de los siete indios llevados en el segundo viaje de Colón murieron en la travesía. Los dos sobrevivientes sirvieron de lenguas en las Antillas Pequeñas, pero huyeron apenas llegados a La Española. Por causa de la falta de intérpretes Colón siguió aplicando la técnica de la toma de indios, pero no se comprueba un éxito verdadero. Al principio los eclesiásticos no se molestaban mucho por aprender el arahuaco para instruirles mejor en la fe cristiana. Quien se ocupó menos de este cometido, a pesar del encargo real, fue el padre fray Buil, que llegó en el segundo viaje de Colón y regresó cuanto antes[412]. La situación cambió sólo con la llegada de los franciscanos, dominicos y mercedarios en los primeros años del siglo XVI. Se sabe de uno solo, fray Domingo de Vico, que compiló un diccionario del arahuaco, hoy desaparecido o perdido[413].

Importa en la hispanización de los arahuacos sólo el aprendizaje lingüístico que se convierte en una tradición, pero no el aprendizaje en sí, porque éste, evidentemente, no pudo surtir efecto.

En cuanto a los españoles, apenas hay indicios directos de que tuvieran conocimientos de la lengua de los indios. Las Casas, que cita algunas oraciones breves, aparte de numerosos comentarios lingüísticos, tomados quizás del vocabulario perdido de Morales, no se pronuncia explícitamente sobre sus propios conocimientos lingüísticos. Sin embargo, menciona a varios españoles que habían aprendido la lengua de La Española. Alonso de Hojeda que había venido en

---

410 Las Casas 1994: III, 2396.

411 G. Fernández de Oviedo 1992: I, 221.

412 Las Casas 1994: II, 842-844.

413 P. Henríquez Ureña 1982: 121, n. 1.

el segundo viaje de Colón hablaba con el cacique Caonabo "algunas palabras que ya el Hojeda entendía"[414]. El mismo autor comunica la información sobre Cristóbal Rodríguez quien tenía el sobrenombre la "lengua", "porque fue el primero que supo la lengua de los indios desta isla [La Española], y era marinero, el cual había estado ciertos años de industria entre los indios, sin hablar con cristiano alguno, por la aprender"[415]. En otra ocasión, en 1502, se documenta que una india que trabajaba en una mina de oro encontró un grano de oro:

> La cual, baxando los ojos, vido un poquito dél [del grano de oro] relucir; e visto, de propósito descubre más; y, así descubierto todo, llama al minero español, que era el verdugo que no los dexaba resollar, y dícele: *Ocama, guaxeri, guariquen caona yari.* (*Ocama*, dice oyes; *guaxeri*, señor; *guariquen*, mira o ven a ver; *yari*, el joyel o piedra de oro; *caona* llaman al oro)[416].

Este testimonio confirma que los mineros y estancieros debían saber hasta cierto punto la lengua de sus trabajadores; su bajo estatus social explica también que un autor como Las Casas no viera ninguna necesidad de ponerse en el lugar de estas personas que despreciaba. La misma información se comprueba en el pleito citado arriba en el cual esos mozos mostraban conocimientos de la lengua de sus trabajadores indígenas[417]. Igualmente valiosa es una observación de Bernal Díaz del Castillo, quien estaba presente en el descubrimiento de Cozumel en el mes de abril de 1518. Mientras la flota de Grijalva esperaba en vano la llegada del calachioni o cacique maya:

> vino una india moza, de buen parecer, e comenzó a hablar la lengua de la isla de Jamaica [...]; y como muchos de nuestros soldados e yo entendíamos muy bien aquella lengua, que es la de Cuba, nos admiramos, y la preguntamos que cómo estaba allí[418].

Si bien Bernal sólo afirma que los españoles entendían muy bien aquella lengua, este testimonio es revelador en un sentido más general, porque muestra que los españoles habían adquirido en pocos años –Cuba se pobló desde 1511– conocimientos del arahuaco cubano. El contacto lingüístico había durado ya más tiempo en La Española, siendo más necesario que los pobladores de la primera hora aprendieran la lengua que en épocas posteriores. Por lo tanto, tenemos buenas

---

414 Las Casas 1994: II, 921.

415 Las Casas 1994: I, 1246.

416 Las Casas 1994: II, 1300.

417 F. J. Zamora Salamanca 2006: 2997.

418 B. Díaz del Castillo 1982: 20-21.

razones para creer que una parte de los españoles dominara la lengua de los taínos. No podemos examinar si la hablaban bien, pero tampoco es relevante para la cuestión de los préstamos.

El testimonio más dramático es el ejemplo de la transculturación o aindiamiento de un español residente en La Habana que comunica Las Casas:

> El español ya cuasi no sabía hablar nuestra lengua, sino en la de los indios hablaba las más palabras; sentóse luego en el suelo como los indios y hacía con la boca y con las manos todos los meneos que los indios acostumbraban, en lo cual no poca risa a los españoles causaba. Creo que se entendió dél que había tres o cuatro años que allí estaba; y después –algunos días andados– que en su lengua y nuestra materna se iba acordando, daba larga relación de las cosas que por él habían pasado[419].

Podemos imaginarnos que los conocimientos más fidedignos se basaron en los informes de personas que fueron a parar entre los indios como éste.

La cristianización del nuevo continente era una de las tareas principales de las que Colón se hizo cargo ya en su primer viaje. La Corona exhortaba en instrucciones y disposiciones a que los indios se instruyeran, que fueran a misa e incluso que aprendieran a leer y escribir. En las *Leyes de Burgos* de 1512/1513 la cristianización y la hispanización ocupan mucho espacio. Sin embargo, la hispanización como fase previa se exigió de manera más bien indirecta porque se pedía a los españoles que *enseñaran* a los indios en las cosas de la fe, lo cual Las Casas comenta respecto al prólogo de las leyes de esta forma:

> ¿qué doctrina podían dar hombres seglares y mundanos, idiotas y que apenas –comúnmente y por la mayor parte– se saben santiguar, a infieles de lengua diversísima de la castellana, [de la] que nunca aprendieron sino tres vocablos: "daca agua, daca pan, ven a las minas, torna a trabajar"[420].

La instrucción puede haber tenido lugar en lengua española, pero no al principio, por ejemplo no en torno a 1500:

> yo digo verdad, y lo juro con verdad, que no hobo [*sic*] en aquellos tiempos ni en otros munchos [*sic*] años después, más cuidado y memoria de los doctrinar y traer a nuestra fe ni que fuesen cristianos que si fueran yeguas o caballos o algunas bestias otras del campo[421].

419 Las Casas 1994: III, 1889.

420 Las Casas 1994: III, 1808.

421 Las Casas 1994: II, 1338.

La situación cambió con la llegada de los franciscanos en 1502. Después, se requería a los españoles que enviaran a sus indios a escuchar el sermón; el primero se hizo en 1510: "Enviáronlos todos, hombres y mujeres, grandes y chicos; él [Pedro de Córdoba], asentado en un banco y en la mano un crucifixo y con algunas lenguas o intérpretes, comenzóles a predicar"[422]. Tras esta fase, es decir, durante el gobierno de los jerónimos, los religiosos ya habían aprendido la lengua de los indios.

Se incluía el aprendizaje del latín por parte de los hijos de caciques. Así, se tiene noticia de un bachiller que enseñaba "gramática". Este primer profesor del Nuevo Mundo se comprueba en el repartimiento de 1514: "Al bachiller Xuarez, que tiene cargo de enseñar a leer e escribir e gramática a los hijos de los caciques, para servicio los dichos caciques tres naborias de casa de cinco que registro"[423]. Esta enseñanza abarcaba la instrucción religiosa, la asistencia a misa y las prácticas religiosas. Aunque podemos permanecer escépticos acerca de los resultados de la evangelización, existen a veces pruebas indudables, por ejemplo, las que se mencionan de pasada en el citado repartimiento de 1514. Las viudas indias, tanto las que habían estado casadas con españoles como las que habían sido esposas de caciques, se recomiendan al cuidado de los encomenderos. Las expresiones entonces corrientes para la instrucción religiosa eran o bien "enseñar doctrina en las cosas de la fe": "A Hernando de Brizuela, casado con mujer de la Isla, se le depositó a Isabel, mujer que fue de Bernaldino, ya difunto, para que la enseñe su mujer doctrina en las cosas de la Fé"[424]; o bien "industriar en las cosas de la fe", al lado de otras: "Asimismo se le depositó [a Pedro Gallego] una mujer de la Isla, que fué mujer de Tamayo Daguaco, ya difunto, para que la industriase en las cosas de la fé"[425]. Es interesante que se obligara a las mujeres de los encomenderos a instruir a las indias en la religión de los cristianos. Según los términos de las *Leyes de Burgos* esto era una de las obligaciones de los hijos de caciques.

Además, los Jerónimos tenían que encargarse de cuidar de la hispanización de los indios, mirando a los caciques y los principales en primer lugar:

> que haya un sacristán si se hallare suficiente de los indios, si no de los otros que sirvan en la iglesia y muestra los niños a leer y escribir hasta que son de edad de nueve años, especialmente a los hijos de los caciques y de los otros principales del pueblo, y asimismo les muestren a hablar romance castellano y ha se de trabajar en todos los caciques cuanto fuere posible que hablen castellano[426].

---

[422] Las Casas 1994: II, 1517.
[423] E. Rodríguez Demorizi 1971: 157.
[424] E. Rodríguez Demorizi 1971: 121.
[425] E. Rodríguez Demorizi 1971: 141.
[426] R. Konetzke 1953: I, 66.

Si bien Rosenblat cree que las Antillas se hispanizaron pronto[427], esto es más probable para las mujeres indias que vivían con españoles que para los hombres.

Con todo, estos procesos antillanos tienen una influencia muy limitada en el desarrollo continental del español. Es cierto que la política lingüística de la Corona empezó con la cristianización e hispanización de los antillanos, pero en las Antillas no nacieron modelos de convivencia de españoles e indios y del uso de las lenguas que hubieran podido continuar influyendo directamente en el continente, ya que los indios antillanos se extinguieron muy pronto. La importación de esclavos negros reforzó las diferencias entre las Antillas y amplias zonas de Tierra Firme.

4.1.8. Cuestiones generales del estudio histórico del léxico ultramarino

Es paradójico que el léxico hispanoamericano haya sido investigado en otras relaciones que las propiamente léxicas. El léxico se clasifica, hablando en términos generales, según criterios externos. Entre estos criterios se destaca el origen, sobre todo si una palabra procede de una lengua amerindia (*indigenismo*), del andaluz (*andalucismo*) o de otro dialecto peninsular. Este criterio se une al de la designación de lo nuevo en el Nuevo Mundo y a los tipos de formas lingüísticas, en las que se manifiestan las innovaciones léxicas. En la comparación del español de América con el español peninsular casi siempre se subrayan las diferencias; si las palabras hispanoamericanas se documentan asimismo en una fase más antigua de la lengua española en la Península, éstas se consideran como *arcaísmos*. De vez en cuando se agregan las primeras documentaciones o se presentan cronologías de documentaciones. Puesto que entre las palabras reunidas de esta manera no figuran necesariamente relaciones semánticas, su tratamiento usual consiste en una lista comentada[428].

Estamos todavía camino de un estudio histórico-semántico del español de América. Las investigaciones sobre la continuación de dialectalismos andaluces, occidentales y canarios, de lusismos y voces indígenas, de marinerismos y arcaísmos no pueden hacer las veces de una histórica del léxico español en América, sino que deben integrarse en ella. Tampoco se lleva a cabo la comparación,

---

427 Á. Rosenblat 1977: 100-103.

428 Cf., por ejemplo, el tratamiento de C. E. Kany (1962) que clasifica el léxico hispanoamericano según criterios como la metáfora, la metonimia o la formación de palabras, los estudios de M. Alvar (1970, ²1990) sobre los americanismos en Bernal Díaz del Castillo y, entre los trabajos más recientes, el de T. Buesa Oliver/J. M.ª Enguita Utrilla (1992) y el J. G. Moreno de Alba (1992) que sintetizan los resultados de la investigación sobre los indigenismos.

implícita o explícita, del español en América con el de España de forma metodológicamente satisfactoria. La comparación debería referirse a la misma sincronía e incluir las marcas diasistemáticas. El estudio histórico tendría el objetivo de justificar la constitución tanto de los fenómenos comunes como de las diferencias. Un problema del aprovechamiento de la literatura especializada consiste en que el léxico hispanoamericano se trata sin diferenciar las etapas cronológicas. Estamos muy lejos de un conocimiento siquiera aproximado de su evolución.

No conozco estudios sobre el léxico del español en América y su historia desde una perspectiva lexemática. Podríamos lamentar el hecho de que la investigación de los campos semánticos se estanque[429]. Pero ¿qué otra cosa podríamos decir si la lexemática no ha sido aplicada –en detrimento del desarrollo de la disciplina– a la historia del español de América? Por supuesto, no es verdad que una investigación de esta índole se imponga a la atención de los historiadores de la lengua, ya que la complejidad de la historia no es fácil de reducir a la descripción sincrónica de una lengua funcional. Deducimos de las distinciones previas que, según Eugenio Coseriu, hay que tomar en cuenta antes del análisis lexemático, que debemos estudiar el *significado* en el *sistema* de una *lengua funcional* como *técnica sincrónica del hablar*[430]. Nos proponemos, pues, mostrar las posibilidades de la aplicación de la semántica léxica a la historia del español de América en su período de orígenes. Las épocas posteriores son menos apropiadas para iniciar una investigación de este tipo, porque ya suponen la adaptación semántica del período fundacional. Las distinciones previas servirán para comprender más claramente los problemas de la historia de la lengua. Nos vamos a referir sobre todo a la distinción entre *significante* y *significado*, *significación* y *designación* así como *léxico estructurado* y *léxico terminológico*.

La lexemática examina, en primer lugar, los significados, no los significantes. En la historia del español americano los significantes son sustituidos –pero, siempre tras haber denominar lo nuevo– por otros significantes a lo largo de la expansión ulterior, como por ejemplo *pimienta* → *ají* → *chile*, *maizal* → *milpa*, *lagarto* → *caimán*, *sierpe* → *iguana*, *rey* → *cacique* → *señor*[431]; en otros casos, los sustitutos aducidos no son los únicos para las "cosas" designadas. Los sustitutos de significantes no son idénticos en absoluto en todas las regiones: en el Caribe se siguen usando *maní*, mientras que en México se introduce la forma *cacahuate* en su lugar y se expande desde ahí a otras regiones, incluso a España

---

[429] H. Geckeler 1993: 11. En lo que sigue retomo en gran parte, si bien con muchas ampliaciones, J. Lüdtke 1996b.

[430] Cf. E. Coseriu 1977: 95-133,

[431] Cf. M. A. Morínigo 1953.

bajo la forma *cacahuete*[432]. *Chile* suplanta a *ají* y *milpa* a *maizal* en la Nueva España. *Caimán* e *iguana* se hacen extensivos a toda la lengua española. *Señor* entra en competencia con *cacique* en la Nueva España, el Perú y otras regiones. El resultado de las sustituciones diacrónicas es una variación sincrónica de las formas de las palabras, a las que hoy corresponden en algunos casos diferencias semánticas. Si ha tenido lugar la sustitución completa de un significante por otro, como en el ejemplo de *almadía*[433] y *canoa* que vamos a comentar seguidamente, este cambio debe ser mostrado en cada caso particular. Vamos a volver sobre la sustitución después de aplicar la distinción entre *significación* y *designación*.

En lo que concierne a la distinción entre significación y designación o, más generalmente, entre *lengua* y *cosas*, a los españoles no les queda más remedio que aplicar, en un principio, los significados antiguos a las cosas nuevas por designar. Cristóbal Colón designa la embarcación de los habitantes de Guanahaní poco tiempo después del descubrimiento de la isla con el arabismo *almadía*:

> Ellos vinieron a la nao con *almadías*, que son hechas del pie de un árbol, como un barco luengo, y todo de un pedazo, y labrado muy a maravilla según la tierra, y grandes en que algunos venían 40 y 45 hombres. Y otras más pequeñas, fasta haber d'ellas en que venía un solo hombre[434].

Intentemos una explicación. Según otra corriente de la semántica, la semántica cognitiva, o cognoscitiva, la "representación" precede al signo lingüístico, mientras que en la semántica estructural el signo lingüístico, y su significado, es, al contrario, una condición previa para el acto de significar y de designar del hablante. Hay que notar que la ampliación del campo de usos de un signo lingüístico es la aplicación de un signo lingüístico para designar otro referente que el usual. La alternativa es el caso del préstamo de otra lengua, en el que se adopta total o parcialmente un signo lingüístico incluyendo sus referentes. El préstamo de palabras indígenas permite a los españoles prescindir de una posible

[432] Con el cambio a *-ete* esta palabra se populariza y se incorpora a la formación de palabras como si fuera un diminutivo; cf. *arete*, *boquete*, etc. W. Meyer-Lübke (1966: 26) llamaba a esta función de un sufijo "alineador" ("einreihend"), porque la forma incluye una palabra derivada en una serie de derivados mediante un sufijo. Casos similares son *azulejo* y *almohada* que son adaptaciones de palabras árabes y se pueden considerar como etimologías populares. Este cambio no ocurrió en el español de México, porque en esta variedad muchas palabras terminan en *-ate*.

[433] Alvise da Ca' da Mosto usa esta palabra en la relación de su viaje a la costa occidental de África: "alcuni di quelli che stanno alle marine, hanno alcuni zopoli, cioè *almadie* tutte d'un legno, che portano da tre in quattro uomini al più nelle maggiori" (R. Caddeo [ed.] 1929: 216).

[434] C. Colón 1976: II, 54.

designación de emergencia. Ellos toman voces que se pueden considerar como propias: *león* → *puma* en el Perú, *tigre* → *jaguar*, *piña* – *ananás*, préstamo del tupí-guaraní, generalizándose estas voces en la lengua española. Había una gran receptividad de los españoles respecto a los indigenismos, ya que estaban preparados para el contacto con una cultura muy diferente y una lengua no emparentada por la convivencia multisecular con la cultura y la lengua árabes. Si ellos identificaban un elemento de una cultura indígena con la cultura árabe, suponemos cierta similitud entre ambos elementos. Colón llama al barco antillano en el primer momento *almadía*, voz que sustituye pronto por *canoa*. A continuación, era posible que dos o más identificaciones léxicas y designaciones entraran en conflicto. La barca identificada por Colón como *almadía* toma muy pronto el significante arahuaco *canoa*. Comprobamos en esta sustitución algo muy importante: Colón y su tripulación renuncian en seguida a su significante impuesto, aunque apenas conocen el significante indígena. Éste se consideraba evidentemente como más propio que la voz impuesta.

Sin embargo, la palabra *almadía* ya la habían empleado los portugueses en los contactos con los moros y los negros de la costa occidental de África en el siglo XV. Puesto que además está atestiguada en las regiones orientales de la Península Ibérica[435], puede ser un elemento del castellano de la época, aun cuando se documenta por primera vez en el diario de a bordo de Colón. Es probable que el significado tradicional haya sido diferente del que aquí se comprueba, porque Colón diferencia esta embarcación en su descripción según material, construcción y tamaño. En menciones posteriores se continúa empleando el uso de *almadía* introducido por Colón[436]. Con la ampliación del alcance de la designación, *almadía* recibió un nuevo significado de discurso que Colón adoptó en su lengua. A partir de entonces el significado de *almadía* que se aplicaba a embarcaciones indias no fue idéntico al usual en la Península. Algunos días más tarde *almadía* se sustituyó en el primer viaje de Colón por *canoa*, préstamo de la lengua arahuaca[437]. Esto parece haber sucedido, a no ser que la sustitución de un significante por otro se deba al copista fray Bartolomé de las Casas en su anotación del día 28 de octubre de 1492. Sin embargo, en la carta a Luis de Santángel, escrita el 15 de febrero de 1493 y publicada en el mismo año, Colón no emplea otra palabra que *canoa*. Con este nuevo significante la innovación semántica

---

435 *DCECH*: s. v.

436 M. Alvar en C. Colón 1976: I, 35.

437 H. López Morales (1995: 123) hace hincapié en la gradualidad de la incorporación de *canoa* y otros indigenismos a la lengua de Colón, punto de vista que hay que tomar en cuenta siempre que la documentación lo permite.

recibe una nueva expresión. En otras palabras: por la vía de la nueva designación de una palabra tradicional se crea un nuevo significado en la lengua española.

Observemos una documentación poco tiempo posterior. Podemos estar en la duda de si, después de haber conocido la *canoa*, Colón usaba las palabras *almadía* y *canoa* para diferentes tipos de barca en diferentes regiones. En este caso se trataría de una diferencia diatópica. Colón no nos informa acerca de este detalle. No obstante, si, por un lado, los españoles usaban *almadía* en la costa occidental de África y las Islas Canarias de la misma manera que *canoa* en América, hay ya una documentación temprana de *canoa* en Martín Fernández de Enciso, de 1519, para designar los barcos de los negros.

> Tienen [los negros de Manicongo] barcos fechos de sólo un palo, tanto anchos que roda un tonel en ellos, y son tanto largos que van en uno ciento y cincuenta hombres de pelea, y llevan dentro todas las cosas que han menester para sus mantenimientos; y llámanlas *canoas*[438].

Este autor usa *canoa* también para la embarcación americana de madera de una pieza, por ejemplo, al hablar de los indios que se tomaron en el río Marañón o Amazonas: "En este río se tomaron cuatro indios en una *canoa* que venían por el río abaxo"[439]. Los hablantes y escribientes que siguen este uso documentan un cambio designativo: lo designado por *canoa* que Colón y sus tripulaciones habían equiparado en América a lo designado por *almadía* en África, fue adoptado por los españoles emigrados a América con posterioridad como única palabra, cuando ya no importaba la diferencia de región. Este cambio designativo es la mayor transformación que se comprueba en este caso. En cambio, es incierto si ha habido un cambio en el contenido de *almadía* y *canoa*. Supongamos que tenemos los siguientes rasgos distintivos en *canoa*: "embarcación", "sin vela", "larga y estrecha", "para una o más personas" y "de un tronco". Todos éstos se aplicarían igualmente a *almadía*, y, según esta interpretación, tendríamos identidad o cuasi-identidad de los significados de *almadía* y *canoa*. En el uso de una palabra por otra se habría sustituido un significante por otro. No se trataría de un cambio semántico, sino de una sustitución material. No obstante, un cambio de este tipo se llama generalmente "cambio semántico" en la lingüística histórica. Estricta-

---

438 M. Fernández de Enciso 1987: 170.

439 M. Fernández de Enciso 1987: 203. También se refiere a las Antillas Pequeñas: "Están todas las otras [islas] que he nombrado entremedias destas dos [la Trinidad y San Juan], y son todas de caníbales, que comen carne humana, y vánse por la mar en *canoas* a hacer guerra a otras partes y unos a otros" (206). Además, *canoa* aparece en el topónimo *cabo de Canoa* a la proximidad de Cartagena de Indias (217).

mente hablando, el significado no cambia si *almadía* y *canoa* no se distinguen. Sólo se daría un cambio semántico, si la diferencia de tamaño o de otro tipo introdujera una distinción semántica entre ambas palabras[440]. Esta discusión no debe señalar que el significante sea irrelevante, sino más bien que el contenido se materializa por una expresión y que esta materialización puede cambiar de una región a otra. Cabe resaltar que, en lo esencial, el cambio semántico no consiste en una nueva relación entre un significante y un significado, sino en el cambio de un significado respecto a otro.

Así pues, importa mucho tener presente que *almadía* y *canoa* son artefactos, es decir que no son *cosas* que hallamos simplemente en la *realidad extralingüística* y que luego configuramos en la lengua, sino que los significados preceden a las cosas creadas por el hombre en sus artefactos.

Un caso creo que convincente, si bien no evidente de un cambio semántico, es la adaptación semántica de *indio*[441]. El uso de este etnónimo está en concordancia con las ideas geográficas de Cristóbal Colón cuando lo aplica a los habitantes de Guanahaní. En este momento aún no había ninguna diferencia en el significado colombino "natural de la India", ya que las Indias que creía haber encontrado y la India eran la misma tierra para el descubridor. Sin embargo, después de que Américo Vespucio, Pedro Mártir de Anglería y otros hubieran declarado que las Indias eran un Nuevo Mundo, y luego de enterarse de que las Indias y la India se encontraban en dos continentes diferentes tras la circunnavegación del mundo por parte de Magallanes, a más tardar, la voz *indio* recibió una nueva interpretación, es decir, "natural del Nuevo Mundo o de las Indias". Y no sólo esto, ya que no todos sus habitantes eran *indios*, también había *caribes*, *indios flecheros* y otras etnias, de manera que la palabra podía tomar, por un lado, el significante genérico de "natural de las Indias" y, por otro, el de "natural de las islas del Mar Océano", a diferencia de los *caribes*.

El proceso así descrito se documenta particularmente bien en los orígenes del español de América. Dado que los españoles de la época tienen una conciencia metalingüística de las innovaciones léxicas, encontramos en los textos americanos descripciones de lo cotidiano que no tienen equivalentes en España. Pero al mismo tiempo se constituyen relaciones semánticas, cuando varias palabras pertenecientes al mismo ámbito onomasiológico se integran en la lengua española. Hemos visto en el caso de *canoa* que esta palabra se diferencia de *almadía*, sustituyendo a este arabismo en el uso hispanoamericano, y que acaba por eliminar

---

[440] La tradición de llamar a estas transformaciones "cambio semántico" se origina en la semántica histórica de M. Bréal ([3]1897).

[441] E.-M. Güida (2004) muestra que *indio* e *indiano* tienen antecedentes medievales y que su significado no se limita a "natural de la India".

almadía. *Piragua* se delimita respecto a *canoa* y se conserva en el campo léxico de las embarcaciones. El campo léxico de las embarcaciones, sin embargo, no sufre cambios profundos.

Todos los cambios que acabamos de reseñar, es decir, los designativos, los semánticos y las sustituciones de significantes, producen nuevos perfiles culturales divergentes entre España y las Indias, y en las mismas nuevas tierras, todo lo cual es motivo suficiente para establecer ambos mundos como *regiones* léxicas diferentes. El estudio de estas regiones es la tarea de la etnolingüística que incorpora, por consiguiente, la ampliación de los campos designativos de signos existentes, el cambio semántico, el préstamo y la creación de signos nuevos, toda vez que estas diferencias sirven para configurar regiones, como vimos en la nueva designación de *piña*, el nuevo significado de *indio*, *maíz* en cuanto préstamo arahuaco y su derivado *maizal*. Cuando los hablantes conocen más de un significante para designar una cosa, por ejemplo *ají* y *chile*, ambas voces no son idénticas, ya que *ají* connota la difusión en las islas y *chile* el uso en la Nueva España; son más bien variantes regionales.

Todo lo expuesto implica que el concepto de innovación sigue siendo relevante incluso más allá de los primeros contactos. Con frecuencia, se da el caso de que entran en competición varias innovaciones que son adoptadas por diversos grupos de hablantes, los cuales eliminan determinadas voces en un proceso de selección y generalización de duración muy variable; se comprueba la eliminación expeditiva de los arabismos y la selección regional más lenta de numerosos indigenismos. Independientemente del cambio léxico, el estatus sistemático de los fenómenos puede variar y llegar a resultar más diferenciador que los fenómenos mismos. Así, al igual que el seseo americano se realiza de forma diferente que el seseo gallego o catalán, voces tales como *criada*, *estancia*, *piña*, etc. reciben usos divergentes en ambas orillas del Atlántico ya en épocas tempranas. Sobre todo no se excluye de este proceso los lenguajes especializados como el de los marineros que se difunde con la emigración a Indias. Para entender el cambio del estatus diasistemático, se debe prestar atención a la cronología de los fenómenos documentados y a la región en la cual aparecen. De ninguna manera podemos hacer caso omiso del tiempo y el lugar, y se evitará, sobre todo, pasar directamente del período que nos ocupa al presente.

Detengámonos muy brevemente en el problema teórico de la división del léxico en *léxico estructurado* y *léxico terminológico* (cf. 2.10.), ya que, por lo general, se trata el léxico como si fuera algo monolítico. Distinguimos el saber acerca de las cosas y el saber lingüístico (1.5.3.). El quizás mal llamado saber enciclopédico es tan elemental que ni siquiera se documenta en una enciclopedia; verifíqueselo en entradas como *casa*, *iglesia*, etc. en una enciclopedia. El léxico que corresponde al saber sobre las cosas son las terminologías científicas y técnicas, incluyendo las populares. Una terminología clasifica la realidad o una parte de la realidad. Las terminologías carecen de la estructuración propia de la realidad y reflejan la realidad misma a manera de nomenclaturas o bien desde un punto de vista determinado. Los significados de aquellos signos que son conceptos coinciden con las clases de objetos. De manera análoga los significantes de estos signos designan las clases de objetos. Así, una terminología es una clasificación objetiva o pretende serlo. Si se modifica el saber acerca de un objeto, también se modifica el contenido o concepto que corresponde al término. Las terminologías cambian con los progresos científicos y técnicos, no con el cambio lingüístico general. Idealmente, la significación coincide con la designación. Las estructuraciones propiamente lingüísticas, por el contrario, son delimitaciones en la intuición que tienen los hablantes de la realidad.

Según lo expuesto, la lexemática limita su objeto de estudio al léxico usual en el que la experiencia se estructura siguiendo sus criterios propios, mientras que la semántica cognitiva se aplica preferentemente a artefactos tales como sillas y tazas o a terminologías populares de animales. Así, *almadía* y *canoa* serían más bien casos prototípicos para la aplicación de la semántica cognitiva. En realidad, este tipo de semántica no establece aquella parte del léxico para la que su enfoque puede ser apropiado, pero los ejemplos muestran que el léxico considerado son las terminologías populares y los artefactos. Criticando la semántica componencial norteamericana –que por desgracia los lingüistas europeos aceptan como críticas hechas a la semántica estructural en general–, los cognitivistas pasan sin más a la discusión de ejemplos típicos –o prototípicos–: no se plantean el problema de la subdivisión del léxico y de la teoría, ni tampoco proponen métodos para su estudio más adecuado[442].

Puede parecer extraño, pero el estudio histórico del léxico terminológico y nomenclátor del español en América en el período de orígenes permite la afirmación de posturas difícilmente verificables en la actualidad. Las afirmaciones de los semánticos cognitivos se basan en experimentos con adultos acerca del léxico ya formado y aprendido en la primera edad. Para darnos cuenta de nuestro quehacer científico en este procedimiento experimental es útil la fundamental distinción válida para cualquier actividad humana, la distinción aristotélica y humboldtiana entre *enérgeia* y *érgon*. Partir del lenguaje como *érgon*, como producto de la actividad del hablar, no es una postura apropiada de por sí para captar

---

[442] Los experimentos de la semántica cognitiva se producen en el nivel lingüístico del discurso. Las conclusiones relacionadas con el nivel de la lengua, son, por lo tanto, indirectas. En pocas palabras, median entre la lexemática y la semántica cognitiva la distinción de la lengua y del discurso, de los significados y de las cosas, de la estructuración lingüística y de las terminologías, el punto de vista del hablante y del oyente.

la creatividad lingüística en los testimonios de los cronistas que aplican su saber a las cosas nuevas. Nos vamos a preguntar: ¿Aplican prototipos? Esta pregunta implica la llamada *categorización* de un concepto actual con respecto a otro prototipo conocido anteriormente. En cuanto a la aplicación de un signo lingüístico a una cosa nueva, ¿se conceptualiza primero la cosa que después se convierte en signo lingüístico o, al contrario, es el signo lingüístico el que sirve para analizar la nueva realidad, es decir, precede al acto designativo? Si Colón llama a las barcas de los indios de Guanahaní *almadías*, ¿conceptualiza primero la cosa o precede el signo lingüístico, que sirve para analizar la nueva realidad, al acto designativo? La primera reacción habría sido: ¿Cómo se llama eso/esto? Este acto presupone un contacto con un indígena que pudiera contestar a la pregunta. Sin embargo, la cosa se identificaba a ojos vistas. Comprobamos en el uso de *almadía* que el signo lingüístico es precedente, porque Colón emplea una palabra que en realidad había conceptualizado otra barca en otra región, pero que a pesar de esta evidencia le sirve para analizar la nueva realidad. Deduzco de la precedencia del signo que la conceptualización léxica no es independiente del signo lingüístico.

En palabras más generales, si estudiamos únicamente el léxico desde la cosa designada o el *referente* conceptualizado sin incluir la pregunta acerca del signo lingüístico, excluimos al mismo tiempo cualquier reflexión sobre un estudio alternativo. Por esto empezamos con la perspectiva más abarcadora que toma en cuenta el signo lingüístico. Ésta se convierte en una evidencia, siempre que Colón denomina animales y vegetales que tienen alguna similitud con la flora y fauna conocidas en Castilla, según el informe de Las Casas sobre el segundo viaje. El almirante creía haber visto en Guadalupe *almáciga*, *jenjibre*, *incienso*, *sándalo* y otras plantas aromáticas así como entre los animales *halcones, ñeblíes*, *milanos*, *garzas*, *grajas*, *palomas*, *tórtolas*, *dorales*, *ánsares*, *ruiseñores*, *perdices*[443], *grullas* y *cuervos*[444]. No importa si las identificaciones eran correctas, lo que sí interesa es que los nombres preceden en todos estos casos a un posible reconocimiento de las especies.

Hasta ahora nos hemos planteado los problemas léxicos desde el estudio de las innovaciones. Sin embargo, podemos abordar los mismos temas desde la conciencia lingüística de los coetáneos. Se les encarga a los descubridores dar "buena razón y cuentas" como en el caso muy concreto de la *instrucción* que Diego Velázquez dio a Hernán Cortés[445]. Este gobernador de Cuba manda a Cortés

---

443 Las Casas 1994: II, 855.

444 Las Casas 1994: II, 896.

445 J. L. Martínez (ed.) 1990: I, 48.

"inquirir e saber el secreto de las dichas islas e tierras" que irían a ser la Nueva España. Este *secreto* abarca en gran parte el nuevo saber que se organiza en campos terminológicos. Cito como apoyo el siguiente pasaje de la *instrucción*:

> trabajaréis con mucha diligencia e solicitud de inquirir e saber el secreto de las dichas islas e tierras y de las demás a ellas comarcanas y que Dios Nuestro Señor haya sido servido que se descubran e descubrieren, así de la maña e conversación de la gente de cada una dellas en particular, como de los árboles y frutas, yerbas, aves, animalicos, oro, piedras preciosas, perlas, e otros metales, especiería e otras cualesquier cosas que de las dichas islas e tierras pudierdes saber e alcanzar, e de todo traer entera relación por ante escribano[446].

Las clasificaciones propuestas por Velázquez y por Cortés en sus *cartas de relación* son tan tentativas como las de los demás descubridores y conquistadores que describen el *secreto* de la tierra recorrida. Por eso no podemos basarnos en ningún autor en particular, sino que vamos a tomar como directriz su procedimiento en general.

Los problemas se plantean de otra manera según que partamos del punto de vista del hablante y escribiente o del oyente y lector. El hablante conoce la cosa, pero puede tener dudas acerca del significante o de la clasificación léxica más adecuada de la cosa. El oyente o, mejor, el lector puede conocer o desconocer tanto el signo lingüístico como la cosa que designa. En el caso de que conozca el signo lingüístico, sobre todo el significante, puede vacilar sobre la cosa que el signo designa.

Oponemos, pues, el enfoque de los estudios lexemático y terminológico al estudio cognitivo que prescinde de la distinción entre un léxico que estructura nuestra experiencia en significados difundidos en la sociedad y un léxico terminológico. Además, lo que está por resolver es el problema de si pasamos de una representación de la cosa directamente al signo lingüístico –éste es el punto de vista de la semántica cognitiva– o si el signo lingüístico precede al acto designativo según la lexemática europea. A veces tenemos la suerte de tomar en el acto el momento de la creación o del préstamo de una voz.

Luego, al escribir un texto se plantea otro problema: el autor debe tener en cuenta al lector y al público en general, sus conocimientos, lo que puede dar por sabido y lo que hay que explicar. Se trata de un problema de comunicación intercultural: los autores escriben de manera diferente a partir de los entornos en los cuales se encuentran, sobre las Indias en las Indias y sobre las Indias en la metrópoli o en un texto destinado a ser leído en la metrópoli. Parece haber tres actitu-

---

[446] J. L. Martínez (ed.) 1990: I, 55.

des fundamentales. Primero, la explicación de todo lo extraño, el método que siguen Gonzalo Fernández de Oviedo y Bartolomé de las Casas, elaborando lo diferencial. Segundo, la familiarización de lo desconocido mediante la reducción de las diferencias; no se usan las palabras indianas específicas, sino los hiperónimos patrimoniales o las voces generales. Se cita la traducción como procedimiento explicativo, pero la mención de las voces puede implicar igualmente la variación de significantes. Es difícil percatarse hasta qué punto la percepción intercultural se refleja en la presentación intercultural. Pero una cosa es cierta: las diferentes actitudes conducen a una multitud de variantes regionales o sociales de los significantes que se emplean como sinónimos. Tercero, la simple puesta por escrito de testimonios en la documentación, por ejemplo, en una *probanza* o una *información*. Pero también en estos documentos oficiales hay que contar con adaptaciones léxicas.

Es posible identificar a los hombres que conocían mejor que los otros el *secreto* de la nueva tierra y las costumbres de los indígenas, porque se llaman en las fuentes al principio "prácticos de la tierra" (4.1.6.). Esta expresión parece ser un rodeo de *baquiano* que hemos ido comentando repetidamente y que se documenta menos en obras dirigidas a un público no especializado. Es muy probable que este grupo aparezca por primera vez con la llegada de los 2 500 colonos que trajo Nicolas de Ovando en 1502. Con la nueva orientación impuesta por este gobernador a La Española se opusieron también chapetones y baquianos, aunque no consta que estos términos se hayan usado entonces[447]. La descripción del saber etnolingüístico debe emprenderse desde el saber de los baquianos como lo hacían ya los cronistas, el saber que se remonta a los años anteriores a los recién llegados. Esta decisión previa implica que en general los hablantes tenían menos conocimientos de la cultura indígena y de la naturaleza indiana que los baquianos, pero cuando se procura describir un saber hay que tomar evidentemente, hoy como entonces, como base el saber de los que lo tienen. La difusión de este saber entre los otros colonizadores es un problema que ya no es posible escudriñar con nuestras fuentes de información. Pero puesto que hoy los habitantes del campo saben más de la naturaleza que los habitantes de ciudades es lógico suponer que el contraste entre campo y ciudad haya existido también en épocas anteriores. Como los españoles podían desempeñar sus derechos de vecino sólo en ciudades, esta situación favorece una vida centrada fuertemente en ellas.

Concluimos estas observaciones generales con algunos comentarios sobre los préstamos indígenas, la variación y el alcance universal del nuevo léxico español. Los préstamos arahuacos reflejan el contacto cultural y son todos, por lo

[447] Cf. L. Arranz Márquez 1991: 89.

tanto, préstamos etnolingüísticos. Se pueden distinguir, en cuanto a su caracterización, dos tipos de préstamos: los que nombran fenómenos de la cultura arahuaca y los que nombran el nuevo medio ambiente. Ambos tipos de fenómenos culturales se pueden expresar igualmente por palabras españolas.

Sería útil recurrir a *De orbe novo* de Pedro Mártir, a las crónicas de Oviedo y a las obras de Las Casas, para mencionar sólo las más significativas, porque ofrecen un comentario continuo sobre los textos referentes a las Indias; entre los autores citados, Las Casas es la fuente más fecunda para formarse una idea de los tipos de variación que estudiamos en uno de los episodios más famosos de su *Historia de las Indias*[448], inicio de la política de la protección del indio.

La predicación del dominico Antonio de Montesino, o Antón de Montesinos (4.1.5.), provocó un escándalo entre los españoles que tenían indios de repartimiento (4.1.6). En la primera fase de la legislación indigenista, este grupo logró imponer sus intereses económicos. La relación sobre sus actuaciones en la corte ofrece una visión sucinta de las peripecias de la elaboración de las leyes, en la cual aparecen de paso el nuevo léxico indiano, la gama de su variación y la conciencia de su novedad. Estos fenómenos se expresan en tradiciones tanto elocucionales recién establecidas como discursivas (1.4.). En efecto, no se trata sólo de un léxico específico, sino de un modo de hablar sobre la *mudanza* de los asientos de los indios y sus trabajos en las minas y labranzas.

Nuestro estudio variacional empieza por las personas a quienes Las Casas responsabiliza de la elaboración de las injustas *Leyes de Burgos* circunscritas mediante las siguientes palabras:

> Es bien aquí de considerar que en la constitución de todas estas leyes se hallaron presentes y se admitieron todos los españoles principales que arriba dexamos nombrados. Esto es cosa evidente porque, como entonces no se sabía cuasi nada de las cosas destas Indias: ni qué era *yuca* y *ajes*, *axí* o *cazabí* o *montones*, la *villa de La Zabana* y la *Villa Nueva de Yáquimo* estar lexos de las minas, *hamacas* y *areítos* –que son los bailes que los indios tenían– los cuales, por una de las leyes se prohibe que [se les imponga impedimento a] los quitados–, y otros vocablos y avisos que no se podían saber si las personas idas de acá no las avisaran y manifestaran, manifiestamente se arguye haberse los dichos, en el hacer de las dichas leyes hallado.
>
> De donde queda luego manifiesta la ceguedad o malicia de los del Consejo, que admitían al constituir de las dichas leyes, los enemigos de los indios, como se ha dicho arriba, tan interesados en los sudores y calamitosa servidumbre de los inocentes indios, rabiando por sacalles la sangre[449].

---

448 Las Casas 1994: III, xiii-xvi.

449 Las Casas 1994: III, 1819-1820.

En el tercer capítulo del libro III de su *Historia de las Indias* Las Casas nombra expresamente a los españoles establecidos en las Antillas a quienes achaca la injusticia de las *Leyes de Burgos*, es decir, a Francisco de Garay, Juan Ponce de León, el conquistador de Puerto Rico, al mercader Pero García de Carrión y "otros vecinos". El prólogo de la ley no calla la colaboración de los tres grupos de asesores que habían intervenido en la formulación de las leyes, que son los miembros del Consejo de Castilla ("*algunos del mi Consejo*", dice la reina Juana), los teólogos consultados ("*personas de buena vida y letras y consciencia*") y "*otros que habían muncha [sic] noticia y experiencia de las cosas de la dicha isla e de la vida y manera de los dichos indios*"[450], que Las Casas califica de "enemigos de los indios". No obstante la importancia histórica de los pareceres jurídico y teológico como fundamento de las *Leyes de Burgos*, no entramos en sus méritos, porque no inciden directamente en la configuración de la lengua.

Sin duda, la nueva divergencia lingüística se percibe desde el primer momento, pero no todos los textos tienen el mismo valor documental para servir de prueba de la percepción de la novedad como los de Las Casas. Hay que contar también con el hecho de que numerosas voces entraran en el uso común y que incluso se convirtieran en patrimoniales. Por consiguiente, distinguimos varios grados en la presentación de los indigenismos y de las innovaciones léxicas patrimoniales.

La primera categoría consiste en su mera mención sin ningún comentario u otro indicio del carácter novedoso de una voz; así, el *pan* de los indios es el *caçabi*, palabra llana que también la edición crítica de la *Historia* de las Casas reproduce mediante el oxítono *cazabí*[451], aunque Pedro Mártir de Anglería pone el acento siempre en la penúltima sílaba, escribiendo *Cazábi*. *Cacique* e *indio* ya son tan corrientes que no requieren ninguna explicación. La segunda categoría introduce un distanciamiento mínimo mediante determinantes nominales tales como los adjetivos posesivos en "sus asientos"[452], que implica la referencia a dos sustantivos diferentes que designan la misma realidad. Se dispone del término *estancia*[453] desde la perspectiva española y del término etnográfico indígena, que es *yucayeque*, que parece no haber entrado en el uso general; no se encuentra, por ejemplo, en Las Casas. Este autor se refiere en la descripción de los *montones*, que citaremos más abajo, a instrumentos a los cuales llama "unos palos tostados", donde recurre el determinante *unos*, con cuya vaguedad alude al bastón plantador y de búsqueda de los indios antillanos que los aztecas llamarán *coa*.

---

450 Las Casas 1994: III, 1805.
451 Las Casas 1994: III, 1816.
452 Las Casas 1994: III, 1805.
453 Las Casas 1994: III, 1805.

Otro determinante frecuente es *cierto* que no se encuentra en este contexto. La tercera categoría consiste en la agregación de un sustantivo explicativo al mencionado, introducido mediante la conjunción coordinante *y* como en "sus asientos y estancias"[454] o la disyuntiva *o* como en "las estancias o granjas"[455]. La equivalencia de *asiento* y *estancia* en este caso concreto resulta claramente de la variación de estas palabras en el prólogo que cita Las Casas. *Granja* es la glosa de *estancia* que este autor usa en otro contexto de su *Historia*. Como corolario, puede indicarse una diferencia cronológica en el caso de "que llaman" y "que llamaban", cuando importa distinguir el uso de una voz entre los indígenas vivos en una situación de contacto lingüístico, entre los españoles coetáneos y entre los indios ya extinguidos. En los comentarios de Las Casas sobre las *Leyes de Burgos* se usa una variante que le sirve para documentar sus críticas vehementes como en "aquella tiranía que llamaban repartimiento"[456] o "un gañán o otro peón vicioso que con ellos [los indios] enviaban (cuyo oficio no era sino ser verdugo de los desdichados, que llamaban estanciero y minero [...])"[457]; la variante consiste en que no se explican *repartimiento*, *estanciero* y *minero* mediante una glosa que introduce "que llamaban", sino que, al revés, esta fórmula ejemplifica una innovación indiana dada por conocida que se caracteriza mediante una voz como *tiranía* y *verdugo*, que pertenece a la última categoría considerada aquí[458]. La cuarta categoría es un comentario, o una paráfrasis de extensión variable, que Las Casas usa con frecuencia, cuando discute y critica un texto ajeno, intercalando sus notas explicativas. En la ley primera se mandó que se hiciesen

> cinco mil *montones*, los tres mill de *yuca* –que son las raíces de que hacían el *pan*– y los dos mill de *ajes* –que son raíces que se comen por fructa [*sic*]–. Ítem, docientos y cincuenta pies de *axí* –que es la pimienta que sirve de poner sabor a lo que se guisa, si es algo[459].

---

454 Las Casas 1994: III, 1805.

455 Las Casas 1994: III, 1816.

456 Las Casas 1994: III, 1812.

457 Las Casas 1994: III, 1809.

458 Los términos de este estrato interpretativo no son de ninguna manera específicos de Las Casas como muestra el siguiente testimonio de Gerónimo de Mendieta: "Y asi los españoles a quien [el gobernador] los dió o encomendó [a los indios], ponían sobre ellos unos crueles *verdugos*, uno en las minas, que llamaban *minero*, y otro en las estancias o granjas, que llamaban *estanciero* (como ahora los usan en todas las Indias), hombres desalmados, sin piedad, que no les dejaban descansar, dándoles palos y bofetadas, azotes y puntilladas, llamándolos siempre de *perros* y otros peores vocablos, nunca viendo en ellos señal de alguna blandura, sino de extremo rigor y aspereza" (1973: 43).

459 Las Casas 1994: III, 1813.

Los editores de la *Historia* usan guiones para marcar el nivel discursivo de la ley y del comentario de Las Casas, quien da por sabido en este pasaje lo que son *montones* y aclara el significado de *yuca*, *aje* y *axí*. Este autor explica lo que son montones más adelante al hablar de la decimotercera ley: "Este alzar los montones era levantar la tierra con unos palos tostados por azadas y azadones, poco menos de altos que hasta la cinta, y de grandeza de cuatro pasos en redondo"[460]. Las técnicas explicativas que acabo de mencionar sirven para designar la novedad indiana, independientemente de si se trata de voces patrimoniales como *montón* y *casa* o de préstamos como *bohío*. La última categoría que distinguimos son las formas expresivas de la valoración generalmente negativa, aunque a veces también positiva, cuando se refieren a los indios, relativas a personas, objetos y hechos. Este estrato discursivo comprende las recriminaciones del protector de los indios y se separa nítidamente de las paráfrasis descriptivas y de las demás formas que acabamos de distinguir. En cuanto a los estratos gramaticales, aparecen una palabra insultante como *perro*, mediante la cual los españoles se refieren a los indios ("De perros lo hacen [rezar de mala gana las principales oraciones de la Iglesia Católica]; a osadas que nunca estos perros en su vida sean cristianos"[461]) y un grupo nominal como "aquellos pecadores verdugos"[462], que son los *mineros* y *estancieros*, a quienes se caracteriza en la misma página mediante "verdugo ordinario", o bien la expresión más compleja "la llaga mortal que mataba a los indios"[463], que es el *repartimiento*, estrato gramatical que combina un grupo nominal con una oración subordinada. Llamo a este fenómeno lingüístico *interpretación* que tomo en esta discusión de la variación lascasiana en su vertiente discursiva, dejando a un lado sus aspectos idiomáticos[464]. Este nivel expositivo le valió a Las Casas las muchas críticas de sus adversarios y el reproche de negligencia en el uso de las fuentes; se puede probar, por el contrario, lo que pertenece estrictamente a las informaciones que toma de otros y a la valoración que tiene en común con otros, si bien con frecuencia de manera opuesta. Ambos estratos se distinguen en su texto con toda la claridad que es de desear.

En efecto, las categorías enumeradas sirven para caracterizar los distintos niveles de la variación entre los cuales destaca el último, que llama la mayor atención a los lectores y que ha servido para desacreditar a Las Casas como persona y como fuente histórica de manera global. En nuestro contexto variacional las críticas antiespañolas no son más que la contrapartida de la infamación de los

---

460 Las Casas 1994: III, 1815.

461 Las Casas 1994: III, 1810.

462 Las Casas 1994: III, 1810.

463 Las Casas 1994: III, 1804.

464 J. Lüdtke 1984 y 1998; N. Delbecque 1998.

indios por parte de los españoles que se refleja de forma atenuada en el prólogo de las *Leyes de Burgos*: "*de su natural son inclinados a ociosidad e malos vicios, de que nuestro Señor es deservido, y no a ninguna manera de virtud ni doctrina y el principal estorbo que tienen para no se enmendar de sus vicios e que la doctrina no les aproveche*"[465], donde *ociosidad* y *malos vicios* son expresiones que recurren en documentos oficiales, por ejemplo en la *Información de los Jerónimos*, y que Las Casas desarrolla en un capítulo aparte, citando las recriminaciones de los españoles contra los indios, diciendo por ejemplo: "no saberse regir", "no eran capaces de fe", "iguales de bestias", "eran bestias y holgazanes y amaban la ociosidad"[466], donde por lo menos *bestia* igual que el ya citado *perro* "interpretan" a los indios para deducir de esta valoración conclusiones jurídicas, laborales y políticas. Comparando la *Historia* de Las Casas con la documentación oficial, este nivel interpretativo siempre está presente en los debates apasionados en torno al lugar de los indígenas y de los explotadores en la sociedad colonial. Es decir que hay formas interpretativas propias en los varios tipos de fuentes, pero la interpretación no está ausente, aunque pueda velarse.

Los conceptos clave que elaboran las *Leyes de Burgos* según la puntualización de Las Casas y el tratamiento que agrega se reducen a un léxico muy limitado enfocado a partir del tema del "buen tratamiento y conservación de los indios" según las leyes y la "perdición" y el "acabamiento" en Las Casas. La primera oposición se divide en la perspectiva de los *españoles* y "la vida y manera de los [...] *indios*", en la expresión neutral del prólogo de las leyes[467]. Los indios viven en *sus estancias*, o *yucayeques*, donde tienen *sus casas* o *bohíos*, duermen en *hamacas*, visten *mantas de algodón*, cultivan sus *labranzas* o *montones* mediante *palos tostados*, se alimentan de *pan cazabi* hecho de *yuca*, de *ajes* y *axí*, y se divierten cantando y bailando *areítos*. Los españoles tienen *repartimientos de indios*, llamados posteriormente *encomiendas*, procuran *mudar* –es decir, deportar– a los indios cerca de sus *villas* y *ciudades*, donde los reúnen en *estancias* que como plantaciones son de otro tipo que las indígenas, cultivan las *labranzas* bajo la supervisión de un *estanciero* y trabajan en las *minas* durante una *demora* o período laboral de cinco meses o más bajo el mando de un *minero*. Tanto el minero como el estanciero son declarados responsables de la *doctrina* de los indios.

La impresión que se impone en una lectura actual del texto de Las Casas es que todos los españoles residentes en La Española debían estar al corriente de los

---

465 Las Casas 1994: III, 1804.

466 Las Casas 1994: III, viii.

467 Las Casas 1994: III, 1805.

hechos, supuestos y reales, presentados en el párrafo anterior. Esto sin embargo no es cierto, ya que el defensor de los intereses de los españoles de la isla, el franciscano fray Alonso de Espinal, que residía en Santo Domingo lejos de las minas y estancias, no estaba bien informado acerca de la vida de los indios. Por lo tanto, las explicaciones que ofrece el dominico podían ser útiles tanto a un religioso ignorante como a un consejero real u otro peninsular. La variación léxica prestaba un auxilio interpretativo a cualquier lector no familiarizado con el ámbito descrito. Sólo de esta forma podía saber, como nosotros hoy en día, si "sus estancias" y "los pueblos de los españoles"[468] se referían en un caso concreto a la misma entidad, como también los frecuentes hiperónimos *asiento*, *casa*, *lugar*, *pueblo*, si los *mantenimientos* del prólogo eran similares a los alimentos de los españoles o no en el caso de las *hierbas* y *raíces*, o si correspondían a las paráfrasis tales como "el español que iba con ellos [los indios] a sus asientos"[469] o, en una ley, "*los que estovieren [sic] en las estancias*"[470] y "sus criados y mayordomos"[471]. Aún así, no todas las circunlocuciones presuponen denominaciones propias. Existe ya la figura del *encomendero*, quien encargaba a los mineros y estancieros, pero hubiera sido un anacronismo por parte de Las Casas aplicarle esta voz en 1512, ya que se crea algunos años más tarde; por este motivo son llamados "los españoles, [...] que habían de tener perpetuos los indios repartidos"[472], "los españoles a quien estuviesen repar- || tidos o encomendados"[473], "los españoles que tenían indios"[474], etc.

La variación del léxico en la documentación es asimismo interesante a otro nivel: el de su universalidad. La constitución de campos léxicos y la integración de nuevas palabras es sólo un aspecto interno del problema. Para los coetáneos era más relevante la asimilación de las nuevas experiencias. El léxico con que éstas se transmitían y que se suma al léxico especializado necesario para la navegación atlántica y la colonización en el África occidental, en las Islas Canarias, las Antillas y más allá, influye virtualmente en todas las variedades españolas y es, más aún, universal. Como léxico nuevo para europeos podía ser adoptado por otros europeos en la zona de contacto que era el Caribe –franceses, ingleses, holandeses– y en Europa entre los que acogían acuciosamente las noticias de los españoles y portugueses acerca de sus descubrimientos. La mejor fuente de la

[468] Las Casas 1994: III, 1805.
[469] Las Casas 1994: III, 1809.
[470] Las Casas 1994: III, 1815.
[471] Las Casas 1994: III, 1832.
[472] Las Casas 1994: III, 1812.
[473] Las Casas 1994: III, 1813.
[474] Las Casas 1994: III, 1814.

investigación de las relaciones entre lenguaje y cultura es la literatura especializada llamada *crónicas* y cuya fama como documentos lingüísticos no es tan unánime como lo merecen.

Se manifiesta en su asimilación europea que ni el nuevo lenguaje ni las nuevas experiencias ni las personas pertenecían sólo a una nación determinada. Muchos de los aspectos léxicos que vamos a tratar rebasan los límites de la historia de la lengua española en América o de la lengua portuguesa. La irradiación del léxico es tan general como la participación de los hombres involucrados –ibéricos, mediterráneos y otros europeos– como testigos oculares o eruditos e intelectuales que hacían propias las experiencias de los españoles y portugueses.

4.1.9. Campos léxicos

Con este concepto no se trata en rigor de *campos semánticos* ya que este término se identifica en la semántica estructural europea con el estudio sincrónico exhaustivo de los lexemas de un campo. Los estudiosos de los campos semánticos han podido aprovechar para sus trabajos diccionarios monolingües. Nosotros disponemos además para una primera aproximación a una investigación sincrónica y diacrónica de los campos semánticos en la historia de la lengua española en España[475], de diccionarios etimológicos a los que podemos recurrir a falta de un diccionario histórico de la lengua española. Carecemos, sin embargo, de tales fuentes de información para el estudio de la historia –y del estado presente– del español en América. Los diccionarios del español peninsular no sirven para un estudio del tipo que estoy proponiendo, puesto que no solían tomar en cuenta las fuentes hispanoamericanas en la elaboración de los diccionarios etimológicos ni en el diccionario histórico, que todavía está en su inicio, de la Real Academia de la Lengua (1964, 1972)[476]. Entretanto, se van a aprovechar los diccionarios de Peter Boyd-Bowman (1972, 1983, 1982, 1984) y el *Léxico histórico del español de México* (2002) de Concepción Company Company y Chantal Melis que se basan en la documentación oficial así como en numerosos diccionarios especializados[477].

---

[475] Cf. G. Salvador 1988. Ya que el mayor cambio léxico había tenido lugar en el siglo XV, no tomamos en cuenta estudios sobre la mortandad e innovación léxicas tales como R. Eberenz (2004) y S. N. Dworkin (2004), pero subrayemos que esta gran transformación del léxico general precede a la colonización de América.

[476] M.-D. Gleßgen (1997) ha propuesto la elaboración de un diccionario histórico del español americano cuya realización es tarea aún de quién sabe cuántos años.

[477] Se puede ver también el tratamiento del léxico en M. Álvarez Nazario 1982: 155-357. Sin embargo, tanto la teoría del léxico como la perspectiva continental que procuro aplicar son

Todo esto nos obliga a buscar otro enfoque si no queremos renunciar de antemano a una investigación de semántica léxica diacrónica o histórica. Podemos abordar dos consecuencias, una de índole teórica y otra de índole metodológica. En cuanto al planteamiento teórico, deberíamos renunciar al rigor del análisis funcional de un campo semántico o léxico, por lo menos provisionalmente. Es muy difícil realizar los trabajos preliminares –el aprovechamiento de una documentación extensa– y el estudio léxico al mismo tiempo. Otra solución sería un estudio del léxico a nivel universal. La perspectiva universal coincide con la designación de la realidad extralingüística mediante términos. En lugar de enfocar el problema semántico desde los significados de los lexemas en cuanto unidades funcionales, partimos, entonces, de los conceptos que designan los términos. Las voces se organizan a este respecto, por sus características comunes en cuanto a la sección correspondiente de la realidad extralingüística, en *campos designativos*.

La terminología de la semántica en sus varios niveles no está unificada. Otros lingüistas se refieren al nivel semántico universal –sin usar esta expresión– mediante los términos *denotación* o *referencia*. Al citar estas correspondencias no quiero decir que todos estos términos sean idénticos, ya que se distinguen por lo menos en sus perspectivas. Sin embargo, podemos hacer abstracción de estas diferencias teóricas y llamar a los campos designativos igualmente *campos referenciales*[478]; también serían aceptables términos como *campos denotativos* o *campos onomasiológicos*, este último si no tomamos *onomasiológico* en un sentido metodológico, sino como equivalente de *denotativo*.

Si necesitamos una terminología unívoca, podemos seguir llamando a los campos semánticos del léxico estructurado con este término, mientras que la diferencia teórica entre léxico estructurado y léxico terminológico o nomenclátor se puede reflejar en los términos *campo terminológico*, *campo referencial*, *campo denotativo* o *campo onomasiológico*. Y si prescindimos de una división interna del léxico, empleamos el término *campos léxicos*, que tiene la ventaja de expresar el carácter fundamental de muchos lexemas que entran en su composición.

La observación metodológica se deduce de la idea del campo designativo. Los textos que nos pueden servir de fuentes deben cubrir ampliamente las áreas temáticas que tratan. Éste es el caso sobre todo de las crónicas, a las que se debería volver a prestar más atención, y de aquellos documentos oficiales consistentes en pareceres dados por testigos que contestan a las preguntas de un interrogatorio preestablecido. El número de testigos es en general lo suficientemente grande como para establecer por lo menos el perfil de un campo designativo.

---

aspectos muy divergentes; la mayoría de las documentaciones, en parte dominicanas, en parte puertorriqueñas son posteriores al período de orígenes.

[478] R. Ávila 1999: 66-70.

Estos campos se documentan regularmente con su variación, cuyos parámetros son principalmente diferentes saberes y grados de cultura.

La selección y la descripción de los campos léxicos tienen, pues, una restricción ineludible: el testimonio de las fuentes y su fragmentación. No obstante, no creo que se dejen de documentar los fenómenos más salientes dentro de los límites de la política informativa de la Corona. Si no estuviera bien informada, habría sido imposible administrar tan vastos territorios durante un período tan largo. En cambio, no tenemos acceso a datos sobre la vida privada o sólo excepcionalmente, limitación a la cual tenemos que adecuarnos.

Existen campos onomasiológicos que experimentan cierta transformación en América, pero no es fácil encontrar textos que la documenten adecuadamente. Puesto que los campos léxicos son estructuras de contenido y, dado el caso, como vamos a ver, estructuraciones conceptuales, debemos dejarnos guiar en la búsqueda y en la valoración de las fuentes por criterios léxicos. Por eso, no es recomendable preferir para la investigación de los campos léxicos ni las crónicas ni la documentación oficial, siguiendo una opinión preconcebida. Antes bien, cabe comprobar el carácter fidedigno y la fecundidad de una fuente en cada caso. Escojo en este apartado sobre todo dos fuentes, la oficial *Información de los Jerónimos* (Santo Domingo, 1517)[479] y la obra enciclopédica de Gonzalo Fernández de Oviedo. Sin embargo, vamos a aprovechar las fuentes más idóneas y complementarlas con otras, si la idea del campo léxico lo requiere. Remito a los textos aducidos en las fuentes del español en el período de orígenes (3.0.2.).

Es preciso no tratar palabras sueltas. No hay que limitarse a una recolección de materiales, sino investigar el léxico en sus relaciones. Un texto se caracteriza por distintos estratos léxicos que dependen de los temas tocados en el texto. Existen también innovaciones comunes relativas, por ejemplo, a la estructura social, los alimentos o la indumentaria que resultan del contacto lingüístico y cultural en una región dada. Por la misma razón encontramos adopciones comunes a diversos hablantes de determinadas innovaciones como, por ejemplo, *indio*, *canoa* y *piña*. Más difícil va a ser comprobar selecciones comunes en las comunidades hispanoamericanas particulares. Lo más probable va a ser que la selección sea un proceso que tiene motivación propia en cada caso particular. Subyace al escudriñamiento de las relaciones léxicas la interpretación global de un documento en la que nos basamos para establecer los campos léxicos.

Procuraré tomar por base un saber léxico relativamente homogéneo. Esta necesidad metodológica es más fácil de cumplir con documentos oficiales. Las

[479] Ésta es la denominación adecuada de este género de texto, en lugar del tradicional *interrogatorio* (L. Hanke 1949; cf. J. Lüdtke 1991, 1994, y A. Wesch 1993).

crónicas, en cambio, son por su naturaleza fuentes heterogéneas. Al usarlas evitaremos, si es posible, mezclar diferentes regiones y diferentes épocas o, si lo hacemos, indicaremos la distancia regional y temporal. Este último método es defendible en vista de las escasas diferencias antillanas y de la proyección continental sorprendentemente homogénea del léxico antillano.

Demos un ejemplo. En la *Información de los Jerónimos* se pueden estudiar el cambio semántico y especialmente la naciente diferenciación del léxico. Los indigenismos no nos van a ocupar como tales, sino por la manera en que se integran en el léxico español de la isla. Sin embargo, la *Información* es uno de los pocos textos en los que se emplean los indigenismos sin comentarios metalingüísticos. Los únicos comentarios son "jugar al batey ques juego de pelota"[480], "los yndjos manjcatos que qujere desyr esforçados"[481] y "vn buhio o cassa"[482]. Por este motivo se puede estudiar el grado de integración de los préstamos indígenas en la estructura léxica del español antillano. Los campos léxicos que podemos reconstruir en parte son el de la *naçion*, el de las *profesiones* y de los *oficios* de los españoles, el de las *clases sociales* de los indios, su *manera de vivir*, los *mantenjmjentos*, y el de la *poblaçion*. Subrayemos que la brevedad del texto no permite el rigor metodológico que sería de desear.

Es difícil establecer un orden de las cosas. Sin embargo, sobresalen por sobre todo lo demás los hombres, que se clasifican bajo el criterio de su pertenencia a una *nación*. La *Información de los Jerónimos* revela el gran problema de la *manera de vivir* de los indios, que contrasta la vida de los europeos y de los indios en las Antillas y que será el tono fundamental tocado en el continente, siempre que se trate de la cultura de los indios en las otras regiones. La nación y la manera de vivir se combinan en la *estructura social* que no tiene término coetáneo, aunque hay una conciencia tan aguda de las diferencias sociales que se dan por sobreentendidas. La estructura social se relaciona con las *profesiones y oficios* que siguen a continuación. De allí podríamos pasar directamente al trabajo, pero preferimos la alternativa de tratar primero el *léxico toponímico*, sobre todo la *población*, ya que ésta mantiene algunas formas tradicionales, mientras que la idea europea del trabajo rompe con el orden de la vida indígena. Pertenecen a la vida indígena la *vivienda* y los *artefactos*. Después de haber esbozado una parte de la cultura material antillana vamos a volver al tema del trabajo o, en los términos de la época, del *servicio* de los indios en las minas y estancias, imprescindible para la vida económica de las Indias, es decir, las ganancias que

---

[480] *Información de los Jerónimos* 1517: 42v.

[481] *Información de los Jerónimos* 1517: 47v; ambos de Marcos de Aguilar.

[482] *Información de los Jerónimos* 1517: 50r; al parecer escrito por fray Bernardo.

se basan en *granjerías*. Una *granjería* importante es la producción de alimentos o *mantenimientos*. Concluimos con dos importantes campos léxicos que describen una parte de la naturaleza, la *fauna* y la *flora*, relevantes tanto para los *mantenimientos* como las *granjerías*.

Naçion

Esta palabra es el archilexema del campo léxico que abarca en la *Información* los lexemas *español*, *castellano*, *yndio*, *lucayo*[483], llamados también *yucayos* en otras fuentes, *carjbe*[484] y *negro*[485]. El carácter archilexemático de la palabra resulta de los siguientes contextos: "los españoles o otros de otras naçiones"[486], "qual qujer yndjo o español o negro o de otra naçion"[487]. Es interesante que se use casi siempre *español* y pocas veces *castellano*, así que podemos concluir que el concepto de *español* nació y se propagó fuera de España en Italia, en las Antillas y otros lugares, pero no se puede generalizar esta observación como muy bien advierte Isolde Opielka, pues en el texto que ha estudiado no aparece otro etnónimo que *castellano*[488]. Converge con este uso que Pedro Mártir llama a esta nación *Hispani* y *Castellani* en latín. Con todo eso, *España* ocurre sólo tres veces: "los rreynos despaña"[489], "ala corona rreal despaña"[490] y "beujr en poliçia como biven en españa y en otros rreynos"[491], y todas las demás veces *Castilla*. Claro está que los españoles se llaman también *cristianos* a sí mismos bajo el aspecto de la religión; este empleo es corriente en los testimonios de Gonzalo de Ocampo, Jerónimo de Agüero y Cristóbal Serrano entre otros.

Gonzalo Fernández de Oviedo documenta en su *Historia general y natural de las Indias* la conciencia del origen regional que tienen los españoles. Como queda dicho, la falta de otras documentaciones tan explícitas no se debe a otra cosa que a la evidencia:

> aunque eran los que venían, vasallos de los reyes de España, ¿quién concertará el vizcaíno con el catalán, que son de tan diferentes provincias y lenguas? ¿Cómo se aver-

[483] *Información de los Jerónimos* 1517: 42r.
[484] *Información de los Jerónimos* 1517: 52r.
[485] *Información de los Jerónimos* 1517: 13r, 21r, 24v, 51v.
[486] *Información de los Jerónimos* 1517: 7r.
[487] *Información de los Jerónimos* 1517: 50v.
[488] I. Opielka 2008: 120, 198.
[489] *Información de los Jerónimos* 1517: 3.
[490] *Información de los Jerónimos* 1517: 17r.

nán el andaluz con el valenciano, y el de Perpiñán con el cordobés, y el aragonés con el guipuzcoano, y el gallego con el castellano (sospechando que es portugués) y el asturiano e montañés con el navarro, etc.?[492]

Llama la atención la aparición de *andaluz*. No se acostumbra diferenciar a los andaluces de los *castellanos*.

Los *yndios*, de color *loro*[493], son siempre, si no hay ninguna indicación de lo contrario, los indios de La Española, y así estos indios históricos quedan sin nombre específico y auténtico hasta hoy en día. Si se trata de otros indios, éstos tienen denominación propia: "sus lucayos e esclavos"[494], "carjbes"[495]. Los caribes eran en la época del descubrimiento los indígenas sudamericanos que estaban invadiendo las Antillas. Al principio, los nombres eran en realidad dos, "los de Caniba" y "los de Caribe", donde *Caniba* es la variante lucaya de la tierra de los caribes y *Caribe* la que usaban los taínos de La Española. Ambas formas pueden ser variantes dialectales. Cristóbal Colón deriva el etnónimo *canibales*, palabra llana, de *Caniba*. El cambio del acento a la penúltima sílaba en *caníbales* delata una transmisión culta, mientras que *caribes* tiene los caracteres de una palabra popular. *Caníbal* se va a especializar para la designación de los –presuntos o auténticos– antropófagos. *Caribe*, en cambio, se refiere en las Antillas y en la expansión posterior tanto al pueblo como a los antropófagos en general. Cabe recordar que en el período de orígenes los *caribes* no eran *indios*, tampoco existía el etnónimo *taíno* (3.1.1.). En la residencia que Alonso de Zuazo tomó a los oidores de la Audiencia de Santo Domingo en 1517, uno de los testigos, Pedro Romero, se refirió a "las yslas de los Gigantes"; los *gigantes* son pues otra *nación* indígena[496]. Podemos agregar los etnónimos que ocurren en otros documentos oficiales (4.1.2.). El archilexema hoy usual, *indígena*, documentado en español desde 1843, aparece ya en los *(homines) indigenae* (desde I, 2) de Pedro Mártir, adjetivo convertido en sustantivo según corresponde a los habitantes de un Nuevo Mundo.

---

491 *Información de los Jerónimos* 1517: 23r; según palabras del aragonés Miguel de Pasamonte.

492 Gonzalo Fernández de Oviedo 1992: I, 52.

493 Las Casas describe este color: "los que viven so la línea equinoccial, como participen de la templanza della, son de color algo *azafranada* o –como decimos– *loros* [...], de necesidad se sigue ser la color de todas estas gentes entre *blanco* y *prieto*, *mediada*; en unas partes más cercana a lo *blanco* y en otras más a lo *negro*, pero en todas en *mediocridad* o *mediana manera*" (1992: I, 380).

494 *Información de los Jerónimos* 1517: 42r.

495 *Información de los Jerónimos* 1517: 52r.

496 Cf. I. Opielka 2008: 53r.

Es de suponer que *mestizo* en el significado actual se originó en el período de orígenes: "Que se deba creer lo que digo de los indios, pruébase porque la experiencia e obras de algunos lo mostraron, y por los *mestizos*, hijos de cristianos e de indias, porque con grandísimo trabajo se crían"[497]. Con el mestizo se agrieta la idea de la *nación* en las Indias, pero estamos todavía lejos de la formación de las castas coloniales.

Los *negros* se documentan temprano, una constante demográfica en las Antillas y en el Caribe en general, y con ellos los *boçales*[498] que todavía no saben otra lengua que la suya.

La *manera de vivir*

Los españoles tienen una *vida política*. Ni siquiera la alta civilización de los totonacos de Cempoala hace vacilar a Hernán Cortés en calificar a sus habitantes de "gentes bárbaras", aunque "viven más política y razonablemente que ninguna de las gentes que hasta hoy en estas partes se ha visto"[499]. De esta manera apreciamos mejor la distancia que los españoles ven entre su propia cultura y la arahuaca. Tenemos un documento extraordinario para valorar las actitudes españolas en el primer texto de política indigenista que es la *Información de los Jerónimos*. El campo léxico de la "manera de vivir de los indios" se construye en contraste con el campo que podemos llamar, en los términos de la *Información*, el campo de la *vida politica*[500], del "beujr en poliçia"[501] o del *beujr politica mente*. Una serie de juegos, bailes, ritos y ceremonias causan extrañeza a los españoles; los podríamos llamar, de manera más explícita según el tenor de los documentos, "vida bárbara" o "bestial", combinando las informaciones a nuestro alcance. Algunas manifestaciones de la vida indígena, calificadas de "oçiosidad"[502], se citan con fórmulas análogas que a veces contienen palabras indígenas, por ejemplo: "todo su pasat*iem*po hera e*n* holga*r* y tomar yervas para fazer sus cohobas"[503], "lo mas del t*iem*po an de gastar en areytos y juga*r* al batey"[504],

---

[497] G. Fernández de Oviedo 1992: I, 92.

[498] Por ejemplo en un documento de 1517 redactado en La Española, si bien se refiere a la importación de negros (L. Arranz Márquez 1991: 512).

[499] H. Cortés 1993: 114-115.

[500] *Información de los Jerónimos* 1517: 11v.

[501] *Información de los Jerónimos* 1517: 23r.

[502] *Información de los Jerónimos* 1517: 17r.

[503] *Información de los Jerónimos* 1517: 5v.

[504] *Información de los Jerónimos* 1517: 12r.

"tomando tabacos e yervas e haziendo areytos e cohobas"[505]. La actitud de los españoles frente a la vida indígena se expresa claramente en sustantivos que interpretan las manifestaciones de su manera de vivir: *viçios*, "malas costunbres"[506], "areytos y cohobas y otras torpedades"[507], "sus [...] juegos de pelota y otras ljviandades"[508], etc.

Ya que en la *Información* los testigos deben dar *pareceres* a los Jerónimos sobre la "conservación y el buen tratamiento" de los indios de La Española, entre otras cosas, es lógico que se exponga la manera de vivir de los indios en comparación con la de los españoles. Esta vida completamente nueva se describe con las categorías semánticas culturales del español de entonces. Por tanto, hubo que explicitar contenidos que si se hubiera tratado de España habrían sido evidentes. En general, se usaba *costumbres* para la manera de vivir, distinguiendo entre las *buenas costumbres* de los españoles y las *malas costumbres* o *vicios* de los indios[509]. Según el criterio de la "capacidad" o de la "razón" se llamaban las *buenas costumbres* también *vida politica*[510] y las *malas costumbres*, en contraposición a eso, *bestialidad*. Está implícito en el *beujr politica mente*[511] o *beujr en policia*[512] de los españoles la oposición al *vivir bárbaramente*, pero Alonso de Zuazo aplica esta caracterización sólo a los caribes de Tierra Firme, como vamos a ver a continuación.

Es interesante que el baile y la producción de estados de trance que se denominan con los préstamos arahuacos *areíto*[513] y *cohoba*[514] pertenezcan a las *malas*

---

505 *Información de los Jerónimos* 1517: 37v.

506 *Información de los Jerónimos* 1517: 8r.

507 *Información de los Jerónimos* 1517: 7v.

508 *Información de los Jerónimos* 1517: 9v.

509 Cf. A. Wesch 1993: 281-285.

510 *Información de los Jerónimos* 1517: 11v.

511 *Información de los Jerónimos* 1517: 1v, 5r, 13r.

512 *Información de los Jerónimos* 1517: 23r.

513 Oviedo ofrece esta descripción en 1526: "Tornando al *areito*, digo que el *areito* es de esta manera: cuando quieren haber placer y cantar, júntase mucha compañía de hombres y mujeres, y tómanse de las manos mezclados, y guía uno, y dícenle que sea él el tequina, *id est*, el maestro; y este que ha de guiar, ahora sea hombre, ahora sea mujer, da ciertos pasos adelante y ciertos atrás, a manera propia de contrapás, y andan en torno de esta manera, y dice cantando en voz baja o algo moderada lo que se le antoja, y concierta la medida de lo que dice con los pasos que anda dando; y como él lo dice, respóndele la multitud de todos los que en el contrapás o *areito* andan lo mismo, y con los mismos pasos y orden juntamente en tono más alto; y dúrales tres y cuatro y más horas" (1979: 132).

514 La *Información* apunta un ejemplo de mala costumbre de este tipo: "toman sus cohobas e yervas pa*ra* lançar del cuerpo lo q*ue* comen" (*Información de los Jerónimos* 1517: 20r); y la transferencia de esta voz al vino, ya que son "afiçionados al vjno por q*ue* dizen q*ue*s mejor

costumbres. Los testigos caracterizan de esta manera las relaciones conceptuales, en las que incorporan lo nuevo y que denominan mediante préstamos indios. Sin embargo, es más interesante analizar las relaciones semánticas de préstamos como *areíto* y *cohoba* que comprobar meramente el origen de su significante. Otra costumbre, no documentada en la *Información*, consiste en *embixarse* o *embijarse*; los indios se pintaban con un colorante rojo que extraían de los frutos de la *bixa*, el nombre taíno de un árbol antillano[515], y también de la fruta de un árbol llamado *xagua* o *jagua*. Tanto el verbo como el participio, también usado como sustantivo, pasaron al continente. Si tratamos de investigar el campo léxico de las *costumbres* con su transculturación española e india en el cambio de su configuración conceptual, la *Información de los Jerónimos* es la mejor fuente, si bien es cierto que nuestros conocimientos seguirán siendo deficientes.

La religión de los indios antillanos, el chamanismo, queda al margen de la atención de los españoles. Marcos de Aguilar alude en la *Información*, al hablar de los *bohites* o hechiceros y de las creencias de los indios, a sus ídolos, "demonios" o "diablos", los "çemjles"[516]. La forma que hoy se usa, *cemí*, plural *cemíes*, se basa en las crónicas de Pedro Mártir de Anglería, Fernández de Oviedo y Las Casas. La forma *çemjles* parece ser más auténtica o más vulgar que *cemíes*. El tema de la religión se desarrolla en las obras etnográficas. Las primeras son las dos relaciones de Ramon Pané (3.1.1.). Pedro Mártir de Anglería las comenta igual que Bartolomé de las Casas en su *Apologética historia*[517]. Sin embargo, a pesar del indudable interés del tema, la religión de los taínos debe quedar fuera de nuestro tratamiento histórico. No es un hecho de la historia de la lengua española, ya que no va volver a aparecer en la visión de las religiones del continente.

La estructura social

Como los canarios, los indios se separan en *indios de paz* e *indios de guerra*, si no tomamos en consideración los que estaban fuera del alcance de los españoles. Los prototipos de los indios de guerra eran los *caribes* "que comen carne humana" y los indios *alzados* que podían ser esclavizados. Cabe señalar aquí que la palabra usual que designa la toma de posesión de las Indias no era *conquista*[518] como hoy

---

cohoba que la suya" (14v). La naturaleza exacta de las *yervas* es difícil de determinar. Según Oviedo se trata de *tabaco* que toman en forma de *ahumadas* (1992: I, 116).

[515] El nombre botánico es *Bixa Orellana*.

[516] *Información de los Jerónimos* 1517: 43r.

[517] Las Casas 1992: II, 1155-1156.

[518] T. Todorov 1982: 59, P. Chaunu ³1987: 135-137.

en día, sino *guerra*, con su antónimo *paz*, cuando se trata de la actividad. Los soldados se convierten en *conquistadores* sólo una vez terminada la *guerra*.

Los Reyes Católicos decidieron en 1500 que los indios habían de considerarse como *vasallos* y legalmente libres[519]. Sólo podían ser esclavizados si eran "de buena guerra"[520]. La esclavitud era la consecuencia de la resistencia que los indios oponían a los españoles y de la huida con la que se esquivaban servir de mano de obra. A este respecto, hay que excluir a los caribes de nuestra consideración, ya que eran los únicos que se podían esclavizar por principio. Por lo demás, los Reyes Católicos procuraban impedir la venta de esclavos, solución que Cristóbal Colón había favorecido. El cambio social[521], cuyo léxico tratamos aquí, concierne a los *indios de paz* llamados asimismo *guatiaos*, considerados legalmente *vasallos* de los reyes de Castilla. Estas distinciones se suponen en la siguiente propuesta del licenciado Zuazo de traer caribes a La Española e integrarlos como esclavos a la sociedad colonial:

> Hay necesidad tambien que los caribes de Tierra firme que comen carne humana, se puedan traer por esclavos a esta isla porque aquellos viven bárbaramente, con que se señale el lugar donde los puedan traer, que ha de ser cabe nuestros *guatiahos*, que quiere decir nuestros amigos o questan de paz en servicio de su Alteza[522].

Esta denominación de *guatiao* deriva del trueque de nombres en La Española[523] y llega a designar a los indios de paz, significado que se traspasa al continente en la forma de *guatiano*[524].

Los indios de paz o guatiaos tenían la obligación de *servir*, como se decía en la lengua de la época; eran *personas de servicio*. Las prestaciones de servicio

---

519 S. Zavala ²1984: 102-103.

520 S. Zavala ²1984: 104-105.

521 El documento oficial que, quizás, informe mejor sobre la estructura social de los taínos sobrevivientes en aquel tiempo es el repartimiento de 1514 (reproducido en E. Rodríguez Demorizi 1971: 73-248), aunque se trata de una comunidad ya desarraigada.

522 Carta del licenciado Alonso de Zuazo del 22 de enero de 1518 a Monsieur de Chèvres [*sic*], en E. Rodríguez Demorizi 1971: 267.

523 Las Casas describe un trueque de nombres: "A éste [Cotubanamá o Cotubano], como a señor principal y señalado, el capitán general [Juan de Esquivel] dio su nombre, trocándolo por el suyo, diciendo que se llamase desde adelante Juan de Esquivel, y que él se llamaría Cotubano, como él. Este trueque de nombres en la lengua común desta isla se llamaba ser yo fulano, que trocamos los nombres, *guatiaos*, y así se llamaba el uno al otro *guatiao*. Teníase por gran parentesco y como liga de perpetua amistad y confederación. Y así, el capitán general y aquel señor quedaron *guatiaos*, como perpetuos amigos y hermanos en armas. Y así, los indios llamaban Cotubano al capitán, y al señor, Juan de Esquivel" (1994: II, 1324).

524 Cf. Boyd-Bowman 1972: s. v.; S. Lovén 1935: 517-518.

consistían en el trabajo en las minas y estancias después de que había fracasado el intento de recaudar tributos. Todo eso indica claramente que su nivel social era el de trabajadores, que correspondía legalmente al nivel de un jornalero en Castilla[525], pero era en realidad inferior a este nivel social. Éste es, pues, el denominador común de la estructura interna de la sociedad taína dentro de la sociedad colonial, si prescindimos de la vida que llevaban apartados de los españoles en sus aldeas o en las estancias, cumplida la *demora* o período laboral de, oficialmente, cinco meses. Abusando de la palabra, podríamos decir que los taínos de repartimiento bajo un cacique llevaban una vida bicultural, procurando mantener tenazmente sus tradiciones.

A la función del servicio y de la explotación económica se subordinan todas las demás relaciones entre españoles e indios antillanos. Así, las Lucayas son "islas inútiles", porque no se prestan a un aprovechamiento económico. Cuando Alonso de Zuazo escribe las siguientes líneas en una carta a Monsieur de Chièvres de 1518, la deportación de los lucayos a la Española era un hecho consumado:

> [Los jueces y tesorero] escribieron al Rey Católico que había muchas *islas inútiles* al derredor desta [La Española], e quera bien que los indios dellas se trujesen a esta isla Española para que sirviesen a los cristianos, después que habían dado ocasión con su repartimiento a tanta matanza de los indios naturales[526].

El *cacique*, o la *cacica*, "mujer del cacique" o "reina, señora", el rango social más alto, equiparado por los españoles al *rey* o *señor* cuando estaban en libertad, quien distribuía el trabajo diario, quizás asistido por el *nitaíno*, se transforma en un simple capataz en las minas y estancias. Habían existido caciques de poder diferente, poder que dependía de la importancia de la aldea o de la región y se refleja en tres fórmulas de tratamiento[527]; de éstos se eliminaron pronto los gran-

---

[525] Según la real cédula de Isabel la Católica despachada el 20 de diciembre de 1503 en Medina del Campo; CDI 1879: XXXI, 209.

[526] A. de Zuazo 2000: 87.

[527] "Tres vocablos tenían con que pronunciaban el grado y la dignidad o estado de los señores: el uno era *guaoxerí* (la última sílaba luenga) el cual ser el menor de los tres grados, como nosotros decimos a los caballeros 'vuestra merced', significaba; el segundo era *baharí* (la misma última luenga) y éste como a mayor señor quel primero, como cuando a los señores de título decimos 'señoría', ellos *baharí* lo llamaban; era el tercero y supremo *matunherí* (asimismo el acento en la postrera sílaba), que a solos los reyes supremos, como nosotros a los reyes decimos 'Vuestra Alteza', ellos *matunherí* lo aplicaban" (Las Casas 1992: II, 1280); cf. S. Lovén 1935: 518, R. Cassá 1974: 125-126, y 1992: 111-112. El máximo rango de jefes corresponde al *guamiquina*. Este título se aplica en la conocida inversión de perspectivas tam-

des caciques. De su poder administrativo, militar y religioso conservaban en la colonia el administrativo, pero subordinado al mando de un encomendero. El grupo de palabras "caçiques e yndios"[528] contrapone dos clases sociales. Se distinguen dentro de la categoría de los *caçiques* "los caçiques grandes" que ya no existían y "los peq*ue*ños"[529] o los "caçiques prjnçipales"[530]. Los caciques compartían el poder administrativo y militar con los *nitaínos* y el religioso con los chamanes, los *behiques* o *bohites*. No está claro si el nivel intermedio entre *caçique* y *nitaíno* se designaba igualmente y siempre por *capitán*: "su mjsmo caçique o capitan"[531], "alos caçiques o capjtanes"[532]; y por *principal*: "delos mas prjnçipales delos yndjos q*ue* sean como alguasyles"[533]. Las funciones originarias de los nitaínos no están enteramente aclaradas[534]. Según Las Casas, "tenían cargo sobre otros, como de regillos y guiallos"[535]. En la lengua colonial, *nitaíno* puede ser sustituido por *capitán* y desaparece del uso de las mismas Antillas. Si *nitaíno* se documenta en la segunda mitad del siglo XVI en Puerto Rico, no es sólo una conservación, sino que se refiere a un nivel social ya inexistente desde mucho tiempo[536]. Manifiestamente, *nitaíno* no pasó al continente americano[537], ni siquiera a Castilla del Oro. El rango de *behique*, hechicero o chamán y curandero, no aparece en ninguna forma en la sociedad colonial antillana y está ausente del léxico indiano continental. De toda esta jerarquía taína se conserva el rango de *cacique* con la función de organizar el trabajo en las minas y estancias. Pero el saber etnolingüístico de los españoles no se había limitado en el período antillano a este uso restringido, porque *cacique*, equivalente de *señor*, vuelve a asumir un empleo más amplio en el continente debido a la sociedad más desarrollada que los españoles encuentran ahí.

bién a españoles de alto rango, como a Cristóbal Colón, el almirante, "*guamiquina* de los cristianos" (Las Casas 1994: II, 877), llamado de este modo por la gente del cacique Caonabo. La cacica Anacaona quería "hacer reverencia y festejar al *guamiquina* de los cristianos que había venido entonces de Castilla. *Guamiquina* (la penúltima luenga) quiere decir en su lenguaje el señor grande de los cristianos" (1994: II, 1327). En este último caso *gaumiquina* designa al gobernador Nicolás de Ovando.

528 A. Wesch 1993: 1r.

529 A. Wesch 1993: 11v.

530 A. Wesch 1993: 23v.

531 A. Wesch 1993: 40r.

532 A. Wesch 1993: 44r.

533 A. Wesch 1993: 50v.

534 Cf. S. Lovén 1935: 502-503, R. Cassá 1974: 132-137, y 1992: 113-114.

535 Las Casas 1992: II, 1280.

536 Cf. M. Álvarez Nazario 1982: 246, n. 193.

537 P. Boyd-Bowman (1972) no registra esta voz.

Los trabajadores indígenas se llaman *personas de servicio* en el repartimiento de 1514, excluyendo a los niños y los viejos, o *indios* en contextos menos específicos cuando se oponen a los caciques o a las naborías de casa que son también de servicio. En el grupo de palabras *caciques e indios* los *indios* incluyen a veces las *naborías de casa*, de manera que, según los contextos, los *indios* abarcan a las *personas de servicio* y las *naborías de casa*, o bien designan exclusivamente a las *personas de servicio* como en "los caciques e indios e naborias de casa"[538]. Además, *indios*, empleado sin determinaciones léxicas, se aplica generalmente a todos los indígenas sin diferenciación social. No sabemos cómo se llamaban los trabajadores del campo en la época precolombina. De todos modos su estatus legal de jornaleros, como ya dijimos, no tiene correspondencia en la sociedad indígena.

La clase de los *caçiques* podía corresponder al estatus de los encomenderos, pero los *caçiques* no lograron nunca mantenerse en este estatus, mientras que los indios se encontraban en un nivel inferior al de los labradores de Castilla: "segund bive vn labrador de rrasonable saber en Castilla"[539], "deven trabajar ala man*er*a q*ue* los labradores personas de trabajo trabajan en Castilla"[540], "no ay yndjos q*ue* pudiese*n* saber beujr ala maner*a* delos labradores rrusticos de Castilla"[541]. Fuera de estas clases de indios, hay dos grupos que se caracterizan por su función, el uno por su función respecto a los españoles, los "ynterpetres dela lengua"[542] o la "lengua"[543], el otro por su función en la sociedad de los indios, los "bohites"[544] o "buhites"[545], o sea los "hechizeros"[546].

Las *naborías* de los caciques en el período precolombino y las *naborías de casa* de los españoles tienen muy poco en común. La primera alusión a las naborías se encuentra en la relación del jerónimo catalán Ramon Pané que, sin embargo, no usa la palabra *naboría*. Leemos en la traducción italiana que nos sirve de versión más auténtica en lugar del original que se ha perdido:

piacque a Dio d'illuminar col lume della santa fede cattolica tutta una casa della gente principal della sopradetta fortezza [recte: prouincia] della Maddalena, la qual provincia chiamavasi già M a r o r i s, e il signor di quella si chiama G u a u a o u o c o n e l,

[538] E. Rodríguez Demorizi 1971: 83; cf. E. Mira Caballos 1997: 81-83.
[539] *Información de los Jerónimos* 1517: 20v.
[540] *Información de los Jerónimos* 1517: 22r.
[541] *Información de los Jerónimos* 1517: 43v.
[542] *Información de los Jerónimos* 1517: 29v^{bis}.
[543] *Información de los Jerónimos* 1517: 51v.
[544] *Información de los Jerónimos* 1517: 43r.
[545] *Información de los Jerónimos* 1517: 47v.
[546] *Información de los Jerónimos* 1517: 43r.

> che vuol dir figliuolo di Guauaenechin. Nella casa sopradetta stanno *i suoi servitori e favoriti*, i quali ha [*sic*, han] per cognome Giahuuanoriú ed erano *in tutto sedici persone, tutti parenti*, fra' quali erano cinque fratelli maschi[547].

Si la identificación de los servidores y favoritos con las naborías es acertada, su función en la sociedad taína es poco clara[548], pero no puede ser equiparada a la de esclavos, por ser parientes. En opinión de Frank Moya Pons las naborías eran "una capa social dentro de la sociedad taína", lo que no es del todo seguro, "que tenía a su cargo la prestación de servicios domésticos y agrícolas, especialmente a los caciques y a la clase gobernante de los *nitaínos*"[549]. En la sociedad colonial, por el contrario, *naboría* o *naboría de casa*, de género femenino, significa "criado o servidor de español". Éste es el significado que se encuentra generalmente en la documentación oficial y en las crónicas. Quizás sea Las Casas el único que diferenció ambos usos de *naboría*, el colonial y el precolonial:

> Había en estas islas [las Antillas] entre los españoles dos maneras de esclavos perpetuos; la una, los podían vender públicamente, como los que tomaban en las guerras, y la otra, los que no podían vender que se supiese, y éstos llamaban *naborías*, puesto que para vendellos también secretamente buscaban y tenían mil mañas y cautelas. Comúnmente llamaban los indios en su lengua *naborías* los criados y sirvientes ordinarios de casa[550].

Pero aunque el cronista caracterizaba el estatus fáctico de la naboría atinadamente como esclavo, éste no era su estatus jurídico como señala Fernández de Oviedo con referencia a ciertos indígenas de Tierra Firme: "*Naboría* es un indio que no es esclavo, pero que está obligado a servir aunque no quiera"[551]. Y lo reconoce el mismo Las Casas al hablar de las instrucciones que dio el rey a Pedrarias para los indios de Panamá: "*Naborías* eran los indios de quien de contino, noches y días, perpetuamente se servían, que no les faltaba sino sólo el nombre de esclavos"[552]. El determinante *de casa* alude tanto a su empleo en trabajos domésticos como a una posible diferenciación entre *naboría de casa* y *naboría perpetua*. Se refiere con *naboría perpetua* al indio capturado en las "islas inútiles", que son las Lucayas o Bahamas[553]. La consecuencia de esta distinción jurídica debe de

---

547 F. Colombo 1930: II, 49-50; 1990: I, 217-218.

548 Cf. R. Cassá 1974: 140.

549 F. Moya Pons 1992: 69.

550 Las Casas 1961: II, 255; 1994: II, 1899; cf. S. Lovén 1935: 499-500; S. Zavala ²1984: 152-153, 155.

551 G. Fernández de Oviedo 1979: 142.

552 Las Casas 1961: II, 306; 1994: III, 1991-1992.

ser nula en la sociedad colonial porque no hay, según mis informaciones, reflejo del concepto de *naboría perpetua* en las crónicas de Indias. La expresión *indios domésticos* que usa Bartolomé de las Casas parece ser una paráfrasis de *naboría* para lectores no indianos:

> los *indios domésticos* que los españoles por sirvientes llevaban (que eran más de mill ánimas, porque siempre andan desta manera y con grande compaña, y otros muchos que traían de más de 50 leguas atrás, de los mismos de Cuba naturales[554].

Las naborías de casa eran indios de repartimiento, por lo tanto legalmente libres y, a diferencia de los indios de un cacique, de origen clánico o tribal heterogéneo, de modo que el uso colonial y generalizado de *naboría*, el prácticamente único documentado, se opone al uso precolombino entre otras cosas por el posible parentesco entre cacique y naboría.

Mención aparte merecen las concubinas de los españoles, llamadas *criadas*[555], que se podrían comprender en la expresión *naboría*. Respecto a sus hijos, los mestizos, el silencio de la documentación es prácticamente total. Sólo se alude a los hijos mestizos al final del listado de indios encomendados en cada villa o ciudad en el repartimiento de 1514: "algunos hijos de cristianos, diciendo ser hijos de mujeres naturales de la dicha Isla [La Española]"[556].

El estrato inferior de la sociedad taína eran los esclavos. Es revelador que el léxico de la tenencia de ganado se aplique a los esclavos. Este fenómeno, sin embargo, no es ninguna innovación americana. La esclavitud era un hecho en la sociedad europea ya antes de la conquista de las regiones americanas. De hecho, los españoles se sirvieron de la venta de esclavos para financiar la conquista de las Islas Canarias occidentales[557]. Considerando mi método cronológico, el lugar apropiado para tratar el léxico esclavista bien podría haber sido el capítulo sobre las Islas Canarias. Sin embargo, si lo trato en este contexto, la razón es la mayor relevancia que la discusión teológica y jurídica coetánea da a este tema en América y su uso económico y social hasta su abolición a lo largo del siglo XIX. Podemos estudiar este léxico mejor en América, porque disponemos de más fuentes, ya que se discute la legalidad de la esclavización de los indios. Las Casas, el protector de los indios, es el mejor testimonio ya que informa sobre las *cabalgadas* en las Lucayas cuyos habitantes capturados se calculaban en números de *piezas*:

---

553 R. Cassá 1974: 212-213.

554 Las Casas 1961: II, 244; 1994: III, 1879.

555 Las Casas 1961: II, 5; 1994: II, 1283.

556 E. Rodríguez Demorizi 1971: 105.

557 Cf. V. Cortés 1955.

[se vendía] cada indio de aquellos [lucayos] que ellos [los españoles] también nombraban *piezas*, cada pieza, como si fueran *piezas* o *cabezas* de ganado, por cuatro pesos de oro y no mas"[558];

> y llevados [los indios que habían sido cazado en Cuba] ante Diego Velázquez, repartíaselos a uno tantos y a otro tantos, según él juzgaba, no por *esclavos*, sino para que le sirviesen *perpetuamente* como *esclavos* y aun peor que *esclavos*; sólo era que no los podían vender, al menos a la clara, que de secreto y con sus cambalaches hartas veces se ha en estas tierras usado. Estos indios así dados, llamaban *piezas* por común vocablo, diciendo: "Yo no tengo sino tantas *piezas*, y he menester para que me sirvan tantas", de la misma manera que si fueran ganado[559].

En este contexto *manada* como en "*manada* de indios"[560] es un colectivo que se usa por analogía con la caza o el ganado. Los indios de La Española se llaman *mansos* ("los indios *mansos*")[561] o *bravos* ("los indios *bravos* caribes")[562] también por analogía con la domesticación de animales. Y así se emplea *cimarrón* en La Española sin distinción para ganado, esclavos e indios en esta primera documentación que se encuentra en Fernández de Oviedo: "un indio *cimarrón* o bravo [...] algunos puercos *cimarrones* e salvajes"[563]. Este cronista parece incluso afirmar que *cimarrón* era una palabra específica de La Española: "muchos gatos de los domésticos, que se trujeron de Castilla para las casas de morada, se han ido al campo e son innumerables los que hay *bravos* o *cimarrones*, que quiere decir, en la lengua desta isla, fugitivos"[564]. Antes se habría dicho *alzado*; sin embargo, el verbo que corresponde tanto a *cimarrón* como a *alzado* sigue siendo *alzarse*. Un sinónimo de *alzarse* es *ser rebelde*: "esto llamaron los españoles y llaman hoy *alzarse* y *ser rebelde* Enrique, y *rebeldes* y *alzados* los indios"[565]. Los indios fugitivos o "bravos" se cazaban. En el lenguaje técnico de la época se usaban dos palabras para la caza de indios, la una era *montear*: "en aquellos tiempos prime-

---

558 Las Casas 1961: II, 108; 1994: II, 1469. Este léxico se documenta también en los documentos oficiales, por ejemplo en la *Residencia tomada a los jueces de apelación por Alonso de Zuazo*, editada por I. Opielka 2008.

559 Las Casas 1961: II, 235; 1994: II, 1863.

560 Las Casas 1961: II, 235;: 1994: III, 1862.

561 1535; G. Fernández de Oviedo I: 1992: 128; *Información de los Jerónimos* (A. Wesch 1993: 52r).

562 G. Fernández de Oviedo I: 1992: 173.

563 1535; G. Fernández de Oviedo 1992: I, 221.

564 G. Fernández de Oviedo 1992: II, 38.

565 Las Casas 1961: II, 477; III: 1994: III, 2304. Enrique fue un cacique ladino indultado por Carlos V.

ros andaban los nuestros españoles *monteando* por su propia culpa los indios que huían de su braveza y crueldad"[566]; la otra era *ranchear*: "andar los españoles a cazallos [a los indios] por los montes, que llaman ellos *ranchear*, vocablo muy famoso y entre ellos muy usado y celebrado"[567]. Una forma particular de caza de indios se llamaba *aperrear*, que quiere decir "hacer matar por perros": "*aperrear*, conviene a saber, echar a los perros bravos"[568].

Es probable que las distinciones fundamentales y relevantes en la sociedad colonial de las Antillas hayan sido la de "indio repartido" (*cacique*, *indio*, *naboría*) y "no repartido" (*lucayo*, *caribe*) y entre los no repartidos, la de "enanejable" (*cimarrón*) y "no enajenable". Sobre esta base se desarrollará en América un vocabulario sociopolítico distinto que se crea en parte en la metrópoli, en parte *in situ*, y se proyecto en todo el continente.

Profesiones y oficios

Bajo el patronato real se transfieren a las Indias los cargos administrativos que expusimos en su aplicación a Gran Canaria (3.5.3.). Los nuevos cargos indianos que aparecen con el establecimiento de la Audiencia en Santo Domingo son *visorrey*, *repartidor de indios* y *oidor*. Como en las Canarias, los términos corresponden a la tradición castellana. Las diferencias se deben al casuismo de la legislación indiana que modifica los contenidos de los términos en cada intervención jurídica, como ocurre con los nombramientos, por ejemplo, que estipulan cada vez una por una las atribuciones gobernativas, jurídicas, dispositivas, administrativas y militares de los cargos u oficios de *gobernador*, *capitán general*, *justicia*, *alcalde mayor*, *tesorero*, *escribano*, *procurador*, etc. en una sociedad que no conoce la separación de poderes. A diferencia del cambio semántico corriente, estas modificaciones se introducen siempre de forma intencionada[569].

El campo léxico de las profesiones y de los oficios de los españoles está bien documentado. Puesto que la mayoría de las palabras del campo son tradicionales, me limito a comentar los neologismos *estançiero* y *minero*. Estos oficios son

---

566 Las Casas 1992: I, 362-363.

567 Las Casas 1961: II 235; 1994: III, 1862.

568 Las Casas 1961: II 285; 1994: III, 1954; cf. G. Fernández de Oviedo 1992: II, 156, en relación con la Florida.

569 Puedo renunciar a dar un resumen de los cargos administrativos, ya que se tratan en varias obras de historiadores, sobre todo de extranjeros, como, por ejemplo, R. Konetzke 1971 y L. N. McAlister 1984.

los que se comentan con mayor frecuencia en la *Información*, pero raramente con las palabras *estançiero* y *minero* de forma expresa. Así, el *estançiero* Diego de Alvarado describe su oficio con las siguientes palabras: "*e*ste te*stig*o en tiempo del comendador mayor [=Nicolás de Ovando] tuvo c*ar*go delos yndios del valle de hicagua [o "hiragua", "ycagua" o "yragua"[570]] e samana donde avia numero de mas de doss mjll yndios"[571]. En efecto, uno de los frecuentes circunloquios de *estançieros* o *mjneros* es "las p*er*sonas q*ue* los toviere*n* a cargo"[572], al lado de "personas q*ue* por jornal los an de atmjnjstrar"[573], el "q*ue* los avra de gov*er*nar"[574], "m*a*yordomos"[575] y "atmjnjstradores"[576]. En cambio, el *factor* Juan de Ampiés, el tesorero Miguel de Pasamonte y el juez Lucas Vázquez de Ayllón, quizás por no estar en contacto directo con tales personas y por su estatus social elevado, emplean corrientemente *estançiero* y *minero*[577]. En estas condiciones, la palabra sólo puede ser peyorativa, ya que los estancieros y mineros son, con los "moços de servicjo"[578] o "moços de soldada"[579], los más incriminados por la muerte de los indios en la *Información*[580]. Sorprende, para completar la serie de los derivados en *–ero*, la ausencia de *encomendero*, que sólo aparece de forma indirecta en el testimonio de Aguilar: "cada persona que yndios tuviese"[581], "los señores delos yndios"[582], "las personas a q*uie*n se dieren les hagan [a los indios] sus asyentos buhios e labranças"[583].

---

570 *Información de los Jerónimos* 1517: 14r.

571 *Información de los Jerónimos* 1517: 15v.

572 *Información de los Jerónimos* 1517: 8v.

573 *Información de los Jerónimos* 1517: 9r.

574 *Información de los Jerónimos* 1517: 12r.

575 *Información de los Jerónimos* 1517: 4v.

576 *Información de los Jerónimos* 1517: 40r y v, 41r.

577 *Información de los Jerónimos* 1517: 21v, 31r, 32v, 33r, 33v.

578 *Información de los Jerónimos* 1517: 19r.

579 *Información de los Jerónimos* 1517: 45r.

580 Baste el siguiente comentario de Las Casas: "El tractamiento [*sic*] y consuelo que hacían y siempre hicieron y los tristes, en remuneración de sus continos [*sic*] servicios y trabajos, era munchos [*sic*] azotes y palos; y otra palabra no oían de su boca sino '*perro*'" (1994: II, 1285). El insulto *perro* lo prohíbe la vigésima cuarta ley de Burgos. Cf. G. Fernández de Oviedo 1992: I, 67.

581 *Información de los Jerónimos* 1517: 13r.

582 *Información de los Jerónimos* 1517: 13r.

583 *Información de los Jerónimos* 1517: 44r, cf. 4.1.7.

El léxico toponímico antillano

La gran región de las Indias se perfila en un proceso denominativo e interpretativo que vamos a considerar en su fase inicial. Al comparar el léxico toponímico canario con el caribeño, veremos que la ubicación de las regiones recién descubiertas en la Tierra cobra más entidad que en Canarias y que nos acercamos de forma más pormenorizada al uso específico canario que al caribeño, debido a que las fuentes tinerfeñas en concreto no son solamente más específicas también, sino que los nuevos pobladores se radican en la tierra de adopción, al contrario de lo que pasa en las Antillas. Efectivamente, no disponemos de numerosos documentos indianos relativos a la toponimia menor. El motivo es sencillo: no se reparten tierras a los pobladores como antes en Canarias y también en la Península Ibérica, sino indios como *personas de servicio*. Además, los pobladores del primer momento son asalariados, aparte de los privilegiados, sujetos a la inestabilidad general y a enormes cambios en la política de Colón y de la Corona. Los límites movedizos del área geográfica y los orígenes heterogéneos de la documentación dificultan el aprovechamiento sistemático de las fuentes.

La documentación de la variación léxica compensa la relativa escasez de términos comparada con la riqueza de las fuentes tinerfeñas que testimonian la toponimia menor. Si buscamos un motivo para esta diferencia, lo más probable es la diversidad de la región y de los ambientes. No es ajeno a la falta de sistematización temprana el hecho de que el centro de recolección de las informaciones geográficas y de la producción de mapas sea la Casa de la Contratación en Sevilla, pero aunque ésta crea el oficio de cosmógrafo, los funcionarios habían de guardar con escrupulosa fidelidad el secreto de oficio, de manera que las noticias acerca de las Indias y su geografía cunden antes desde diversos centros peninsulares y europeos. Tenemos que esperar hasta el año 1574 para que Juan López de Velasco tuviera el permiso de publicar su *Geografía de las Indias* que no utilizo por situarse fuera de los límites temporales que me impone el período de orígenes en el sentido más amplio.

La variación de topónimos indígenas y españoles señala el dominio castellano sobre las tierras descubiertas, conquistadas y tomadas en posesión. Se comprueba una constante oscilación entre la percepción de la extrañeza y la apropiación posesiva prematura. En cambio, la motivación de los topónimos nuevos es un elemento permanente en el bautizo de los lugares: el cristianismo manifestado en la trinidad, los santos del día, en el cual se realiza el acto de bautizo, y otras fiestas del año eclesiástico católico, los reyes y su familia y sobre todo el recuerdo de tierras y ciudades del reino de Castilla.

Se debe al escaso rendimiento de las fuentes que tengamos que contentarnos con algunas observaciones sobre los cambios léxicos dentro del campo correspondiente, sin que sea posible ofrecer una idea ni siquiera aproximada de su configuración, si prescindimos de los términos genéricos que suelen carecer de variación. Las observaciones que siguen se refieren a los accidentes geográficos, el campo de la *población*, la *vivienda* y las *tierras de cultivo*.

Por lo demás, la comunicación intercontinental pide precisiones geográficas relativas al *camino* por *el mar Océano* o *la mar Océana*, con el cual la voz que se aplicaba al paso por la tierra se familiariza aún más en su uso entre navegantes, tomando en cuenta los vientos, las corrientes marítimas, las estaciones y otros datos del saber náutico. De todo esto abordamos sólo lo perteneciente al *camino*, que está determinado por el conocimiento de los vientos propicios y las corrientes, a la *derrota*, al *rumbo* y a la posición de un lugar respecto a un punto cardinal, en cuya denominación entran en competencia los términos náuticos, por ejemplo *norte*, en contraste con los tradicionales usados en el desplazamiento por el terreno, por ejemplo *tramontana*, *cierzo* y *septentrión*, según la región y el nivel de lengua (cf. 4.1.1.). No puedo encarecer demasiado la importancia del descubrimiento del *camino* a las Indias que Colón había abierto en el primer viaje y que supo reconocer en cada viaje subsiguiente a pesar de las desviaciones de sus viajes hacia el sur. En este sentido, los términos mencionados en este párrafo son igualmente *topónimos marítimos*, por extraña que pueda parecer la idea de aplicar el concepto de lugar a espacios y datos marítimos[584].

Respecto a la división del terreno, se afianza un cambio diasistemático, la difusión de *provincia* en variación con *reino* que concuerda con la idea de *imperio* ya antes de la elección de Carlos I de España como emperador de Alemania. La variación "*reino* o *cacicado*"[585] subraya la antigua independencia de los soberanos indígenas. Un indicio de esta innovación semántica es la sustitución de la voz *regio* en el latín de Pedro Mártir, usada al principio de su obra, por *provincia*. Un cambio similar se señala en la variación *costa o ribera*, *costa o ribera de mar* que prueba que *costa* empieza a imponerse en castellano a partir de los romances peninsulares periféricos que no diptongan la *o* abierta del latín *costa*, cuyo resultado castellano es *cuesta* "ladera o pendiente de una colina o una montaña". Es curioso que aparezca también la glosa inversa en "sus *costas* e *ribe-*

---

[584] J. Heers (1996: 233-238) comunica con claridad los elementos constitutivos de un *camino del mar*, en el cual se trataba de seguir, si posible, un solo rumbo en línea recta y medir o, mejor, apreciar las distancias recorridas. En la página 250 proporciona la descripción de un camino particular, el que, según Colón, conduce de las Islas Canarias a La Española. Como prueba de que esta información llegó a difundirse entre los españoles establecidos en las islas, cito una anécdota de Oviedo en la cual un labrador "oraba mal siglo a Colom, que el *camino* destas Indias enseñó" (1992: I, 166).

[585] G. Fernández de Oviedo 1992: I, 121.

ras"[586]. La *playa* se limita a un accidente costero y todavía no se prevé su desarrollo futuro en el continente. Como en las Islas Canarias, las costas de las Antillas y de otras regiones del Nuevo Mundo se oponen al igual que las *bandas* de un barco en *la banda del Norte* y *la banda del Sur*, en cuanto a la posición de una costa en relación con otra. En el campo de los terrenos que tienen vegetación espontánea, se documentan el general *monte o bosque*, *manglar*, un nombre colectivo derivado del fitónimo arahuaco *mangle*, "árbol o arbusto tropical que crece especialmente en las costas y pertenece a diversas especies y familias"[587], y *arcabuco*: "El *arcabuco* es boscaje de árboles, en monte alto o en lo llano: en fin, todo lo que está arbolado es *arcabuco*"[588].

En la morfología del terreno destacan las voces que designan puntos elevados singulares en "tres *mogotes* o tres montañas" y "un *morro* o montecillo", donde las glosas marcan la relativa novedad del uso, al lado de las palabras patrimoniales *monte*, *cerro*, *cumbre* y *sierra*. Como en Canarias, aparecen "un *farallón* o roquedo", un accidente de sentido vertical, y "los *Frailes* y Roques", unas isletas situadas enfrente de la costa meridional de La Española que conserva el topónimo *Siete Frailes* gracias a su consignación temprana en los mapas. Aparte de *vega* se comenta con frecuencia un tipo de llanura muy extensa con vegetación de pastos en las expresiones "llanos y campiñas, que los indios llamaban *zabanas*", "*zabanas* o campiñas" y "las *zabanas* o herbazales"; la adaptación seseante de *çavana* y *zabana* a *sabana* muestra la rápida integración a la lengua española de este internacionalismo futuro.

Algunos términos que designan accidentes naturales de costa muestran cierta variación como "una *caleta* o *ensenada* o *ancón*"[589] que puede manifestar una duda acerca de la denominación adecuada del accidente o acerca del uso más común de estas voces. El galicismo *abra* designa otra forma de ensenada. Encontramos una vacilación parecida en Las Casas, quien comenta *arrecife* mediante "unas peñas que llaman *arracifes* [*sic*]"[590] y dice que Sebastián de Ocampo halló

---

[586] G. Fernández de Oviedo 1992: I, 154.

[587] DEM: *s. v.* Oviedo lo menciona: "*Mangle* es un árbol de los mejores que en estas partes hay, y es común en estas islas e Tierra Firme" (1992: I, 285; cf. también 1979: 227-228); así como Las Casas: "y están también ciertas raíces de árboles en la mar, que según la lengua desta Española se llaman *mangles*" (1994: II, 1054).

[588] G. Fernández de Oviedo 1992: I, 160; h. 1535. Llamo la atención sobre la variante andalucista *alcabuco*: "como [los indios] se meten por los *alcabucos* [...], es forçado que se mueran", en el testimonio de Diego de Ocaña, en la Probanza de Astudillo, registrada en Santo Domingo en el mes de febrero de 1515 (L. Arranz Márquez 1991: 437).

[589] G. Fernández de Oviedo 1992: I, 129.

[590] Las Casas 1994: III, 2146.

"el *cabo* de la isla [de Cuba], que hoy se llama el *cabo* o *punta* de Sant Antón"[591], donde la primera mención de *cabo* se refiere a uno de los dos extremos de Cuba, mientras que la segunda designa un accidente que se glosa mediante *punta* y que Las Casas considera como más corriente. Los mismos dos usos se aclaran recíprocamente en la obra más técnica de Martín Fernández de Enciso cuando escribe: "Desde al *cabo* de Higüey fasta el *cabo* del Tiburón, que es el *cabo* y *fin* de la isla [La Española], hay ciento y sesenta leguas", oponiendo esta información a la siguiente: "El *principio* de la tierra de la *Española* es el *cabo* de Higüey"[592]. Así, el accidente se llama propiamente *cabo*, sirviendo *principio* y *cabo* o *fin* para ubicar los dos accidentes del mismo tipo el uno frente al otro. En cuanto al cabo o, visto desde La Española, al principio, de la isla de Cuba, Las Casas y Oviedo coinciden en llamarlo *punta de Maicí*, hoy *Maisí*: "la *punta* o cabo desta isla, que se llamaba en su lengua [de los indios] *Mahicí* [*sic*]"[593]; y más explícitamente "la *punta* o cabo oriental de la isla de Cuba, la cual creo que se llamaba, en mi tiempo, la *punta* de Maicí o de Bayatiquiri en lenguaje de los indios"[594], y así la llama Oviedo: "la *punta* de Maicí"[595]. Para Pedro Mártir *bahía*[596] merece su atención tanto por su novedad como por su pertenencia al lenguaje de los marineros que es el rasgo común de las denominaciones de los accidentes costeros que sufren un cambio diasistemático.

Entre la escasez de hidrónimos destaca el arahuaquismo que denomina depósitos naturales de agua, que son "ciertas entradas de peñas –que llaman *xagüeyes* los indios– como en la provincia de Higüey"[597]. La glosa de esta voz en Las Casas es *aljibe*: "no hay río alguno, y [los indios] no carecen de aguas, que beban, excelentes; éstas están en *aljibes* obrados por la misma naturaleza, que en lengua de indios se llaman *xagüeyes*"; "*aljibes* y *xagüeyes* (que son unas concavidades que la naturaleza hizo debajo de aquellas mesas y peñas)"[598]. La delimitación de los cauces naturales del agua no era fácil, aparte de *río*, como señalan los determinantes y las glosas de *quebrada* en "el *rio* o *quebrada* de agua"[599], "*quebradas* o *arroyitos de agua*"[600].

591 G. Fernández de Oviedo 1992: II, 102.

592 Martín Fernández de Enciso 1987: 2007.

593 Las Casas 1994: III 1843.

594 Las Casas 1992: I, 288-289.

595 G. Fernández de Oviedo 1992: II, 110, 111.

596 *Baia*m, en P. M. de Anglería 1989: 275; IV, vii, 154.

597 Las Casas 1994: II, 1333.

598 Las Casas 1992: I, 299.

599 G. Fernández de Oviedo 1979: 249.

600 Las Casas 1992: I, 293.

Localizarse en un lugar y localizar un texto son de la máxima importancia. El destinatario espera saber la procedencia geográfica de cualquier escrito, peninsular o indiano, y en el segundo caso, la región particular en la cual se redactó. La importancia de esta información debe ser el motivo por el cual el lugar de la redacción se inscribe en el texto a partir de la situación inmediata. El *yo* del escrito conlleva el continente en el cual se encuentra el autor y al cual alude mediante el adverbio deíctico *acá* vs. *allá* en la carta de Colón a Santángel, subrayando su presencia en un lugar sin necesidad de explicitar el continente o la *partida del universo*. Una forma más desarrollada de la nominación del continente respectivo en términos generales es *estas partes*, cuyo deíctico implica también el yo enunciador. Por supuesto, *estas partes* como también *aquellas partes* se pueden referir tanto a España como a América, mientras que el cultismo contenido en las expresiones *este orbe*[601] y *aqueste orbe*[602] no permite esta interpretación. Si la claridad lo requiere, se usa *estas Indias* o el más abarcador *todas estas Indias*. Cualquier persona, objeto y lugar determinados por medio de una forma del deíctico *este* trae consigo la ubicación en el espacio en el cual se encuentra el escribiente. En un acercamiento de espacios más amplios a más limitados se dice, para circunscribir la región del período de los orígenes, *todas estas islas y tierra firme*, que son las Antillas, Castilla del Oro y posteriormente el norte de Sudamérica. Y cuando Las Casas escribe "en esta Española y Sant Juan y la de Jamaica"[603] nos enteramos de que el autor se encuentra en el momento de la redacción en La Española.

La Española es también la isla a partir de la cual se va a describir el léxico toponímico global y antillano, ya que de ahí los españoles siguen migrando a las otras Antillas, y posteriormente el léxico de Panamá, el otro gran centro de irradiación continental. Las fuentes aprovechadas son los escritos de Colón –que en cuanto a este léxico no ofrece extrañezas– Las Casas y Oviedo, que complemento con la *Información de los Jerónimos* y la *Residencia tomada a los oidores de La Española, por Zuazo*, siempre que se refieren a la Tierra globalmente y a La Española. Sólo me limito a documentar el léxico innovador, o sea que no cito estas fuentes detalladamente cuando las palabras ya se han mencionado antes o que los autores convergen en su uso.

La *Tierra*, de la cual se sabía que es redonda, estaba dividida en tres partes llamadas *continentes*. Tras los viajes de Américo Vespucio, las *Indias* se convierten en un *mundo nuevo*, u *orbe nuevo* en Pedro Mártir, y tras la equivocación de Martin Waldseemüller patente en el mapamundi de 1507, *America*, en latín, se

601 Las Casas 1994: III, 1812.

602 Las Casas 1994: III, 1794.

603 Las Casas 1994: III, 1804.

opone globalmente a los demás continentes conocidos. Ahora, la Tierra ya no es una isla, sino el globo terráqueo mismo. En cambio, en el uso de la documentación oficial el continente continúa llamándose *las Indias*, pero se interpreta como América. El *ecuador* o la *línea equinoccial*, que pasa por la *zona tórrida* todavía considerada inhabitable por muchos como en la Antigüedad, los *trópicos del Cáncer* y *del Capricornio* así como el *polo árctico* y el *antárctico* sirven de orientación global y suelen aparecer en los mapas. Anticipemos que *la mar Océana* o *el mar Océano* se dividen en el *mar del Norte* y el *del Sur*, conllevando también otras acomodaciones toponímicas, como consecuencia del descubrimiento del mar del Sur por Vasco Núñez de Balboa en 1513.

Poblaçion

Al hablar de las *poblaçiones* de La Española los testigos de la *Información de los Jerónimos* emplean cuatro palabras genéricas, *poblaçion*, *pueblo*, *asyento* y *lugar*, sin que se pueda establecer un archilexema específico del campo, ya que cada testigo emplea un término genérico distinto[604]. Hallamos un tipo de lugar sólo habitado por indios, los "yucayeques"[605], pero no se distingue sino entre lugares de españoles y lugares de indios. Españoles y naborías de casa viven en *çibdades* y *villas*. Mientras que estas palabras se emplean sin variación, los términos genéricos muestran una estructura muy dispar. Los términos específicos que designan los pueblos de los indios parecen ser *mina*, incluyendo la estancia que sirve para su abastecimiento, la *estancia* en cuanto plantación y el *yucayeque*, según el testimonio de Marcos de Aguilar en una crítica al incumplimiento del deber de los visitadores, quien los contrapone a los *pueblos*, probablemente de los españoles, palabra que es para él, por tanto, término exclusivo: "los vesytadores en lugar de andar de mjna en mjna y destançia en estançia y de yucayeq*ue* en yucayeq*ue* tomando sabor en mandar y entender en cosas de jurjsdiçiones se an estado en los pueblos"[606]. En otros contextos hallamos *hazienda* –al igual que *estançia*–: "junto con la hazienda de los *crist*ianos" y "alas fas-

[604] Estas observaciones concuerdan con los datos sacados de la *Suma de geografía* de Martín Fernández de Enciso que usa *pueblo*, *lugar* y *población* como hiperónimos: "Sevilla es el mayor *pueblo* y de mayor trato a causa del puerto. Granada fué gran *pueblo* en tiempos de moros" (1987: 66); "Hay en ella [en la provincia de Bohemia] una ciudad que se llama Praga, que es gran *pueblo*" (79); "Agora están en esta isla muchos *lugares* de cristianos; el principal es Sancto Domingo" (209); "muchas *poblaciones* de indios" (216).

[605] *Información de los Jerónimos* 1517: 1r.

[606] *Información de los Jerónimos* 1517: 46r.

yendas de los españoles"[607], "sus fasyendas" con referencia a los indios[608] o "sus haziendas"[609] en el parecer de fray Bernaldo[610]. Se relacionan con los asientos la *mina de oro*, el *hato* y el *hatajo*. Gonzalo de Ocampo y Cristóbal Serrano contrastan los *pueblos* con los *asyentos*: "alos pueblos y asyentos delos españoles"[611], "que sean traydos de sus t*ie*rras e yucayeq*ues* a otros asyentos mas çercanos alas haziendas e pueblos delos españoles"[612]; pero Jerónimo de Agüero, en cambio, emplea indistintamente *asyento*: los indios "se deven traer delos d*ic*hos sus asyentos alos delos españoles"[613]; y también *poblaçion*: los caciques pequeños "no tiene*n* poblaçiones tan viçiossas como los grandes"[614]. Marcos de Aguilar, además de utilizar *pueblo*, contrapone las *poblaçiones* de los españoles a los *asyentos* de los indios: "sy algunas delas poblaçiones desta ysla se pudiesen llegar fasya los asyentos delos yndjos"[615]. Podemos inferir de esta variación que la realidad extralingüística hacía difícil el uso constante de estos términos genéricos.

En las aldeas de los indios se hallaba un lugar que se llamaba *batey*:

> ante la casa real estaba en todas una plaza grande más barrida y más llana, más luenga que cuadrada, que llamaban en la lengua destas islas *batey*, la penúltima sílaba luenga, que quiere decir el juego de la pelota[616].

La palabra se documenta ya mucho antes, en la *Información de los Jerónimos* de 1517, pero sólo referida al juego de pelota, ya que uno de los temas de este documento era la manera de vivir de los indios[617]. Es interesante que la variante *batel*[618], que aparece tres veces, podría ser un caso muy temprano de yeísmo, considerando que <l> puede representar la variante [l] de la oposición /l///ʎ/ en posición final.

---

607 *Información de los Jerónimos* 1517: 11v.

608 *Información de los Jerónimos* 1517: 11v.

609 *Información de los Jerónimos* 1517: 50v.

610 La misma variación se da dos años antes en una probanza redactada en Santo Domingo: "esto lo sabe este testigo porque lo ha visto en sus *haziendas* e *estançias* e minas" (Probanza de Astudillo, febrero de 1515, testimonio de Gonzalo de Guzmán, Santo Domingo; L. Arranz Márquez 1991: 468).

611 *Información de los Jerónimos* 1517: 8r.

612 *Información de los Jerónimos* 1517: 18r.

613 *Información de los Jerónimos* 1517: 11v.

614 *Información de los Jerónimos* 1517: 11r.

615 *Información de los Jerónimos* 1517: 45v.

616 Las Casas I: 1992: 525; cf. G. Fernández de Ovideo I: 1992: 143.

617 Cf. *Información de los Jerónimos* 1517: 9v, 12r, 14v,42v, 43r.

618 *Información de los Jerónimos* 1517: 14v.

Un elemento difícil de apreciar en la denominación de los *pueblos* de los indios es la importancia de sus dimensiones que se elevan según Las Casas a cien, doscientas, quinientas o mil casas[619], y, según autores modernos, a una mayoría de pueblos de menos de diez casas, y el resto, pueblos de veinte a cincuenta con la sede de un cacique o de cien a doscientas casas en caso de que pertenecieran a un gran cacique[620]. Cuando los testigos interrogados en la *Información* se remiten a la vivienda de un cacique, la llaman casi sin variar "casa de su caçique"[621], "casa delos caçiques"[622] o "cassa de vn caçique"[623].

La palabra *yucayeque* se perdió porque se acabó este tipo de aldeas. Los españoles fundaron nuevos *asientos* de indios cercanos a las minas de oro y estancias. Muchos indios perecieron a causa de las *mudanças* entre los yucayeques y las minas o las estancias. El tiempo pasado en las minas y estancias prevaleció en mucho sobre el tiempo pasado en los yucayeques. Los yucayeques decayeron, pues, por la destrucción del medio ambiente de los indios y sus reasentamientos forzosos en la cercanía de las minas, y así la palabra pasó al olvido con el descenso de las aldeas.

Fue una preocupación constante fomentar el nivel de la urbanización de los *pueblos de los españoles* que corresponde exactamente al afán de *medrar* a nivel individual, como resulta de la *Información* citada en la cual les importa a varios testigos el "noblesçimjento desta tierra"[624], "ennoblesçer la tierra"[625] o "ennoblesçer lo de aca"[626]. Para saber qué confiere esplendor a una ciudad como Santo Domingo es suficiente referirse a la corte virreinal y la presencia de los más altos representantes del rey nombrados en el *Sumario* de Oviedo:

> Váse cada día aumentando y ennobleciendo esta ciudad, y siempre será mejor, así porque en ella reside el dicho almirante visorey, y la audiencia y cancillería real que vuestra majestad en aquellas partes tiene, como porque de los que en aquella isla viven, los más de los que más tienen, son vecinos de la dicha ciudad de Santo Domingo[627].

Estos vecinos contribuyen con lo suyo a la belleza de la ciudad que son las *casas de cal y canto*. Se contruyen *fortalezas*, *hatos* o *hatajos* y *ventas* que son a veces el único edificio que permanece en uso tras la despoblación de un lugar.

---

619 Las Casas 1992: I, 525.

620 L. Arranz Márquez 1991: 38-39.

621 *Información de los Jerónimos* 1517: 11r.

622 *Información de los Jerónimos* 1517: 21r.

623 *Información de los Jerónimos* 1517: 21r.

624 *Información de los Jerónimos* 1517: 18v.

625 *Información de los Jerónimos* 1517: 25v.

626 *Información de los Jerónimos* 1517: 36r.

627 G. Fernández de Oviedo 1979: 91.

La vivienda

En la vivienda los indígenas antillanos distinguen las casas redondas de los caciques o *caneyes* de las casas cuadradas de los demás indios, *bohíos* o *buhíos*, según Fernández de Oviedo en su *Sumario*:

> Las casas en que estos indios viven son de diversas maneras, porque algunas son redondas como un pabellón, y esta manera de casa se llama *caney*. En la isla Española hay otra manera de casas, que son fechas a dos aguas, y a estas llaman en Tierra Firme *buhío*, y las unas y las otras son de muy buenas maderas[628].

Oviedo había conocido los *bohíos* en Castilla del Oro, pero esta voz la habían llevado allí los españoles. Los *caneyes* sólo existieron durante las primeras décadas y se perdieron con la extinción de los arahuacos en las Antillas, aunque la palabra pasó a Dominica, a Venezuela y otros lugares. En la *Información de los Jerónimos* ya no aparece *caney*, y *bohío* se cita con el comentario "vn buhio o cassa"[629].

Establecido en Santo Domingo en 1532, Oviedo informa de oídas sobre las casas de los indígenas. Ahora el término general es *buhío*, "pero, propiamente, en la lengua de Haití, el *buhío* o casa se llama *eracra*"[630], voz que no encuentro documentada en ningún otro autor. El *caney* sigue siendo el *buhío* que tiene forma de pabellón, mientras que las casas "hechas a dos aguas" se designan mediante el término genérico *buhío*, aunque me parece poco probable que este autor describa un *caney* habitado por un cacique y visto con sus propios ojos en La Española.

Sin embargo, hay más informaciones sobre las casas antillanas y caribeñas en Oviedo. Aunque describe sobre todo la casa indígena, añade en su *Historia general y natural* la manera en que los españoles adoptan y adaptan el *buhío*. Comenta la casa tradicional de los indios cuya descripción omitimos en lo que sigue y un nuevo tipo de casa indígena en las Antillas que contrasta una con otra como también un nuevo tipo de casa en Tierra Firme:

> Otras casas o buhíos hacen asimismo los indios, y con los mesmos materiales; pero son de otra fación y mejores en la vista, y de más aposento, e para hombres más principales e caciques, hechas a dos aguas, y luengas como las de los cristianos, e así, de postes e paredes de cañas y maderas [...]. Estas cañas son macizas y más gruesas

---

628 G. Fernández de Oviedo 1979: 134.

629 *Información de los Jerónimos* 1517: 50r; al parecer escrito por fray Bernaldo.

630 G. Fernández de Oviedo 1992: I, 143.

> que las de Castilla, y más altas, pero córtanlas a la medida de la altura de las paredes que quieren hacer, y a trechos, en la mitad, van sus horcones (que acá llamamos haitinales), que llegan a la cumbrera e caballete alto. Y en las principales hacen unos portales que sirven de zaguán o rescibimiento; e cubiertas de paja [...].
>
> Los cristianos hacen ya estas casas en la Tierra Firme con sobrados, e cuartos altos e ventanas; porque, como tienen clavazón, e hacen muy buenas tablas, y lo saben mejor edificar que los indios, hacen algunas casas de aquestas tan buenas, que cualquier señor se podría aposentar en algunas dellas[631].

Éste es un raro ejemplo de la diferenciación designativa de una misma palabra aplicada a la cultura indígena, la indígena hispanizada y a la cultura española en las Indias. Sin embargo, no resulta claro hasta qué punto "el *bohío* o casa de paja", que Las Casas menciona con frecuencia[632], represente una adaptación colonial de la casa indígena o la forma originaria ya en La Española.

Las tierras de cultivo

En el período que estamos considerando, la agricultura siguía siendo la indígena tradicional, aunque no debido a una eventual esterilidad de la tierra, sino porque, como escribe Oviedo en su *Sumario de la natural historia de las Indias*, los españoles esperaban "otras ganancias y cosas que más presto hinchan la medida de los codiciosos, que no han gana de perseverar en aquellas partes. De esta causa no se dan a hacer pan ni a poner viñas"[633]. La agricultura arahuaca carece de diversificación, según nos enteramos en el documento oficial que trata la política indigenista del período de orígenes, la *Información de los Jerónimos*. Los testigos disponen de un término, o bien español, o bien arahuaco, para designar la tierra de cultivo. El testigo Juan Mosquera se refiere a estas tierras mediante el préstamo *conuco* –por ejemplo en "fazer *sus conucos*"[634]–, mientras que Gonzalo de Ocampo usa las expresiones adaptadas "fazer *labranças*"[635], "fazer *sus labranças*"[636], "fecho *labranças* e *conucos*[637], pero distingue en el cultivo entre el período anterior o posterior a la colonización española. El oidor Lucas Váz-

[631] G. Fernández de Oviedo 1992: I, 144.

[632] Por ejemplo en "en sus casas de paja –que llamaban *bohíos*–" (Las Casas 1994: I, 549). S. Lovén (1935: 340-341, 344, 348) tampoco aclara esta duda.

[633] G. Fernández de Oviedo 1979: 86.

[634] *Información de los Jerónimos* 1517: 6r

[635] *Información de los Jerónimos* 1517: 7r.

[636] *Información de los Jerónimos* 1517: 7v.

[637] *Información de los Jerónimos* 1517: 7r.

quez de Ayllón agrega los vegetales cultivados en "muchas labranças de caçaby y ajes"[638] y fray Bernaldo el maíz en "poner estos conucos e mahiz"[639]. Estos campos consisten en *montones*, una voz que aparece en el mismo documento al proponer Jerónimo de Agüero "q*ue* [los indios de una cuadrilla] alçasen montones e*n*las estançias"[640]. Oviedo ofrece una descripción en el *Sumario*: "algunos hombres hacen *montones* de tierra a trechos y por linderos en orden, como en este reino de Toledo ponen las cepas de las viñas a compás, y en cada *montón* ponen cinco o seis o más de aquellos palos de esta planta; otros no curan de hacer *montones*, sino llana la tierra, hincan a trechos estos plantones"[641]. Este autor brinda una versión mucho más elaborada de la descripción de los conucos y de los montones, así como de los usos de la yuca, del aje y de la batata que todos se pueden cultivar de la manera descrita, aunque no de forma exclusiva[642], porque todos estos tubérculos se siembran también en terrenos allanados. Este último tipo de cultivo es usual en el caso del maíz; de la voz *maíz* se deriva *maizal*, el único terreno cultivado que tiene una denominación propia.

Los artefactos

Distinguimos entre los artefactos las embarcaciones y el ajuar. Los artefactos más importantes son la *canoa* –a la cual Oviedo dedica el capítulo V del libro VI de su *Historia*– y la *piragua*; los arahuacos pudieron haber tomado sobre todo esta última voz de los caribes, como dice este autor en el capítulo citado. En cambio, "los *nahes* o remos" no forman parte del léxico antillano que se transmite[643]. El ajuar contiene las *hamacas* o "redes de algodón" en el diario de a bordo de Colón, que se atan mediante *hicos* a "un árbol o poste"[644], los *duhos*, la *bar-*

[638] *Información de los Jerónimos* 1517: 31v.

[639] *Información de los Jerónimos* 1517: 50v.

[640] *Información de los Jerónimos* 1517: 13v.

[641] G. Fernández de Oviedo 1979: 96.

[642] G. Fernández de Oviedo 1992: I, 226-235.

[643] G. Fernández de Oviedo 1992: I, 128 y 149.

[644] Los *hicos* o *jicos* se describen en Oviedo de esta manera: "De los extremos desta manta [es decir, de la hamaca] están asidos e penden muchos hilos de cabuya o de henequén [...]. Aquestos hilos o cuerdas son postizos e luengos, e vánse a concluir, cada uno por sí, en el extremo o cabos de la hamaca, desde un trancahilo (de donde parten), que está fecho como una empulguera de una cuerda de ballesta, e así la guarnecen, asidos al ancho, de cornijal a cornijal, en el extremo de la hamaca. A los cuales trancahilos ponen sendas soga, es de algodón o de cabuya, bien fechas, o del gordor que quieren; a las cuales sogas llaman *hicos* (porque *hico* quiere decir lo mismo que soga, o cuerda); y el un *hico* atan a un árbol o

bacoa y el *cebucán, cibucán* o *sebucán*. El arraigo de *hamaca* se hace notar en la falta de glosa alguna en la *Información*; a lo sumo, los testigos determinan la voz de manera muy similar en "hamacas en q*ue* duerma*n*"[645], "la hamaca e*n* q*ue* duermen"[646] y "hamacas en q*ue* durmiesen"[647]. Este artefacto resultó de tanta utilidad que los españoles no sólo adoptaron la palabra, sino la cosa, y Oviedo lo recomienda incluso a los hombres de guerra en Europa. Al hablar del juego de la pelota o *batey*, en torno al cual los hombres estaban sentados en asientos de piedra y los caciques en *duhos*, Fernández de Oviedo explica esta última palabra:

> E al cacique e hombres principales poníanles unos banquillos de palo, muy bien labrados, de lindas maderas, e con muchas labores de relieve e concavadas, entalladas y esculpidas en ellos, a los cuales bancos o escabelo llaman *duho*[648].

Para preparar el casabe[649] se ralla la yuca, usándose a continuación un *cibucán*:

> E lo que así se ha rallado, échanlo en un lagar muy limpio, e allí hinchen dello un *cibucán*, que es una talega luenga de empleita, hecha de cortezas de árboles blandas, tejida algo floja, de labor de una estera de palma, e es de diez o doce palmos de luengo, e tan gruesa como una pierna e menos, en redondo fecha. Y después que está llena esta talega de aquella yuca rallada, está aparejada e bien fecha una alzaprima de madera, e con su torno, de que cuelgan el *cibucán* por el extremo dél, en lo alto, e al otro cabo que pende abajo, átanle pesgas de piedras gruesas, e con el torno, estírase el *cibucán* e levanta las piedras en el aire, de tal manera, que se estruja y exprime la yuca e le sale todo el zumo, e destílase en tierra por entre las junturas de la labor del *cibucán* o empleita dél[650].

Y después de extraído el jugo venenoso de la yuca, se hace una *torta* en un *burén* de la siguiente manera:

---

poste, y el otro al otro, y queda en el aire la hamaca, tan alta del suelo como la quieren poner" (1992: I, 117).

[645] *Información de los Jerónimos* 1517: 15v.

[646] *Información de los Jerónimos* 1517: 39v.

[647] *Información de los Jerónimos* 1517: 32v. Tanto Oviedo (1992: I, 117-118) como Las Casas (1992: III, 1281) la describen detalladamente.

[648] G. Fernández de Oviedo 1992: I, 145.

[649] Al lado del casabe existe otro tipo cuya denominación no se conserva, el *xauxau*: "Este pan [el *cazabi*] es bueno e de buen mantenimiento, e se sostiene en la mar; e hácenle tan grueso como medio dedo para gente, e para personas principales, tan delgado como obleas e tan blanco como un papel, e a esto delgado llaman *xauxau*" (G. Fernández de Oviedo 1992: I, 232).

[650] G. Fernández de Oviedo 1992: I, 231-232.

> Toman después aquesto, e tienen aparte, asentado en el fuego en hueco (que quede debajo por do ponerle fuego), un *burén*, que es una cazuela llana de barro, e tan grande cuanto un harnero, e sin paredes, e debajo está mucho fuego, sin que la llama suba a la cazuela, que está asentada e fija con barro. Y está tan caliente aquella plancha o cazuela que llaman *burén*, como es menester; y encima echan de aquella yuca (que salió exprimida del cibucán), como si fuese salvado o arena en torno, tanto cuanto cuasi toma la cazuela, menos dos dedos alrededor, e tan alto como dos dedos o más, e tiéndenlo llano, e luego se cuaja: e con unas tablillas que tiene para aquello la hornera, en lugar de paleta, dale una vuelta para que se cueza de la otra parte; y en tanto cuanto se hace una tortilla de huevos en una sartén, o más presto, se hace una torta deste cazabi en el *burén*, segund es dicho[651].

El *burén* está sobre "unos palos que ponen, a manera de parrillas o trébedes, en hueco, que ellos llaman *barbacoas*", en una de las acepciones de esta última palabra[652]. Un tipo de cesta, el *hava* o *haba*, cobrará una amplia difusión en las Indias:

> Hacen asimismo ciertas cestas, que ellos llaman *habas*, para meter la ropa y lo que quieren, muy bien tejidas, y en ellas entretejen estos bihaos[653], por lo cual, aunque llueva sobre ellas o se mojen en un río, no se moja lo que dentro de las dichas *habas* está metido; y las dichas cestas hacen de las cortezas de los tallos de los dichos bihaos y los hacen de los mismos para poner sal y otras cosas, y son muy gentiles y bien hechas[654].

---

[651] G. Fernández de Oviedo 1992: I, 232.

[652] G. Fernández de Oviedo 1979: 117-118. Los ejemplos se refieren a Tierra Firme. El otro uso de esta voz se documenta también con el significado "andamios [...] de madera e cañas, e cubiertos como ramadas [...], e a estos andamios llaman *barbacoas*" (G. Fernández de Oviedo 1992: I, 227).

[653] El *bijao*, cuyo nombre botánico es *Heliconia caribaea*, se comenta en otro lugar del *Sumario*: "Hay unos tallos, que llaman *bihaos*, que nacen en tierra y echan unas varas derechas y hojas muy anchas, de que los indios de sirven mucho" (1979: 240). S. Valdés Bernal propone una relación etimológica entre *bijao* y *bija* (1991: 116) que se justifica difícilmente, ya que las documentaciones originarias *bihao* y *bixa* se distinguen mediante los fonemas /h/ y /ʃ/.

[654] G. Fernández de Oviedo 1979: 241. Existen otros utensilios, el *híbiz* y el *guariquetén*, que no se transmiten en la lengua española: "Tienen luego un cedazo algo más espeso que un harnero de los con que ahechan el trigo en Andalucía, que llamaban *híbiz* (la primera sílaba luenga), hecho de unas cañitas de carrizo muy delicadas" (Las Casas 1992: I, 335); "rállanlas en unas piedras ásperas sobre cierto lecho al cual llamaban *guariquetén* (la penúltima breve), que hacen de palos y cañas, puestas por suelo dél unas hojas o coberturas que tienen las palmas, que son como unos cueros de venados" (1992: I, 334).

En la indumentaria llamaban la atención las *naguas*, cuya primera documentación se debe a Martín Fernández de Enciso:

> Usan las mujeres unas a que llaman *naguas*, fechas de manera que les toma desde la cinta fasta a las rodillas; y las que son vírgines andan como nascen; y luego que una mujer se echa con un hombre y pierde la virginidad se cubre[655].

En la misma época Oviedo menciona "unas mantas cortas de algodón, con que las indias andan cubiertas desde la cinta hasta las rodillas"[656]. La denominación de esta prenda se generaliza en la forma *enaguas* en el mundo hispánico.

La documentación de *macana* empieza con Pedro Mártir en latín en el ablativo "sagittis Machánisq*ue* id est ensibus amplis ligneis"[657] –es decir, "con [...] saetas y con *macanas*, esto es con anchas y largas espadas de madera"[658]–, glosa que se repite varias veces. Esta mención se refiere a Castilla del Oro. Oviedo confirma el uso español en la misma región:

> La *macana* es un palo algo más estrecho que cuatro dedos, y grueso, y con dos hilos, y alto como un hombre, o poco más o menos, según a cada uno place o a la medida de su fuerza, y son de palma o de otras maderas que hay fuertes, y con estas *macanas* pelean a dos manos y dan grandes golpes y heridas[659].

Sin embargo, las documentaciones antillanas posteriores, los muchos significados del vocablo y su difusión por toda Hispanoamérica prueban que esta voz es de procedencia arahuaca. La glosa común es "porra". Existe un derivado temprano, *macanazo*, "golpe dado con una macana", que se encuentra en Oviedo[660].

Si el uso arahuaco de *macana* es relativamente seguro, no ocurre lo mismo con *coa*. G. Friederici ofrece una etimología azteca para *coa*[661] y S. Valdés Bernal una arahuaca[662]. Esta segunda explicación me parece más plausible porque la palabra irradió también hacia el norte de Sudamérica. Según Las Casas, las *coas* "son unos palos tostados que [los indios] usan por azadas"[663], pero se usaban también para la recolección y en las minas.

---

655 M. Fernández de Enciso 1987: 209; cf. 1987: 225.

656 G. Fernández de Oviedo 1979: 245.

657 P. M. de Anglería 1966: 106; *De orbe novo*, III, i.

658 P. M. de Anglería 1989: 165.

659 G. Fernández de Oviedo 1979: 113.

660 G. Fernández de Oviedo 1992: II, 94.

661 Cf. G. Friederici ²1960: 193.

662 Cf. S. Valdés Bernal 1991: 186.

663 Las Casas 1994: II, 995.

El servicio de los indios: el trabajo en las minas y estancias y otras *grangerías*

El hiperónimo *grangería* se deriva de *granja* que Sebastián de Covarrubias define en 1611 de la siguiente manera:

> La posesión que tiene en el campo, con casa y caseros, que tienen cuidado de lo que allí se cría, como las aves, los lechones, las palomas, los conejos del corral, los patos y anadones. Hácese allí el queso, requesón, natas, cuajada; tienen su hortaliza, corrales para recoger el ganado y establos grandes para las bestias de labor; **2**. y en aquello se hace mucha ganancia, y ésta de llama propiamente **granjería**, y de allí se extendió a cualquier género de trato, del cual se saque alguna ganancia y provecho[664].

La extensión semántica observada en esta definición lexicográfica se documenta desde el principio de la colonización, y *grangería* llega a ser la palabra clave para designar cualquier explotación colonial. Según Oviedo, todo puede ser granjería, por ejemplo el cobre[665], la plata, las perlas, y el aljófar[666], el "pan cazabi", que "para muchos en esta tierra [es decir, La Española] es buena *granjería*", como dice este autor[667]. No puede faltar la ganadería que algunos testigos mencionan en la *Información de los Jerónimos* como por ejemplo Pedro Romero: "los d*ic*hos liçenciados tienen muchas vacas/ *y* puercas *y* ovejas *y* otras *granjerias*"[668]. El mismo documento usa *grangear* como en "*grangear* sus conucos"[669].

Los Colón quisieron introducir el tributo en oro. Ante el fracaso de obligarles al trabajo los indios fueron repartidos para que trabajaran en las minas. Las estancias eran de tipos muy variados, como hemos dicho en su lugar, pero ellas tenían en común que servían para la producción de alimentos. Vamos a discutir aquellas estancias que abastecían las minas.

Las minas que explotan los españoles durante el período de orígenes en el Caribe son las de oro. Se conocen yacimientos de cobre, plata y hierro en La Española, pero el oro es la *granjería* más interesante. La extracción del oro es la actividad económica en torno a la cual se desarrolla toda la vida de la colonia en las Antillas, razón suficiente para que tratemos la terminología minera de la explotación a cielo abierto.

La fuente fundamental que nos permite formarnos una idea de la minería en el período de orígenes es la descripción en gran parte idéntica que da Gonzalo

---

664 S. de Covarrubias 1994: s. v.

665 G. Fernández de Oviedo 1992: I, 1992: 154.

666 G. Fernández de Oviedo 1992: I, 1992: 167.

667 G. Fernández de Oviedo 1992: I, 1992: 232.

668 *Información de los Jerónimos* 1517: 52v.

Fernández de Oviedo en dos obras, el *Sumario* y la *Historia general y natural*. Este "veedor de las fundiciones del oro en la tierra firme" basa su primer informe en las minas de Castilla del Oro, aunque "esto es en todas ellas [estas Indias] de una manera", como escribe en la *Historia*[670]. Por su experiencia prolongada que abarca, con algunas interrupciones, los años que van entre 1514 y 1532, este cronista es el mejor informador acerca de la minería primitiva:

> Y desta causa, sé muy bien y he muchas veces visto cómo se saca el oro e se labran las minas en estas Indias; porque esto es todas ellas de una manera, e yo lo he hecho sacar para mí, con mis indios y esclavos, en la Tierra Firme, en la provincia y gobernación de Castilla del Oro[671].

En el octavo capítulo del libro VI de su *Historia general y natural de las Indias* Oviedo da lo que se puede considerar el primer informe sobre la obtención de oro en las islas y Tierra Firme. Ya que, a diferencia de España, el oro se obtiene en el Caribe en lavaderos, prescindimos de los antecedentes de la minería en Europa, ateniéndonos a la terminología empleada por Oviedo que se va a proyectar en el continente. La dificultad de exponer la terminología minera del período de orígenes se debe a la fragmentación de nuestros conocimientos y a la multitud de los campos léxicos que sólo se relacionan de manera adecuada si nos ubicamos en el contexto de la actividad económica.

El *señor de las minas*, o bien los *mineros* a los que emplea este señor, *buscan oro* "en sabana, o en arcabuco, o dentro del río e agua"[672]. La "mayor parte del oro nasce en las cumbres e mayor altura de los montes", pero se arrastra mediante "las aguas de las lluvias [...] a los arroyos o quebradas de agua"[673], donde se encuentra la "*veta* o *vena* del oro"[674]. Para *sacar oro* los mineros se sirven de una "*cuadrilla* de indios o esclavos"[675]. El trabajo se desarrolla esencialmente de la siguiente forma. Una vez hallada la mina, se *mide* y se *señala* con *estacas* a partir de "la *raya* de la mina del primero descubridor"[676]. A continuación, el

> tal minero, cuando quiere *dar catas* para *tentar* e *buscar la mina* que ha de *labrar*, si las quiere dar en *sabana* o *arcabuco*, hace así: limpia primero todo lo que está sobre

669 *Información de los Jerónimos* 1517: 24v.
670 G. Fernández de Oviedo 1992: I, 159.
671 G. Fernández de Oviedo 1992: I, 159.
672 G. Fernández de Oviedo 1992: I, 160.
673 G. Fernández de Oviedo 1992: I, 160.
674 G. Fernández de Oviedo 1992: I, 165.
675 G. Fernández de Oviedo 1992: I, 165.
676 G. Fernández de Oviedo 1992: I, 160.

> la tierra de árboles o hierba o piedras, e *cava* con su gente ocho o diez pies (y más o menos) en luengo, y otros tantos (o lo que le paresce), en ancho, no ahondando más de un palmo o dos, igualmente. Y sin ahondar más, *lavan* todo aquel *lecho* de tierra e cantidad que ha *cavado* en aquel espacio que es dicho, sin *calar* más bajo. Y si en aquel *peso* de un palmo o dos halla oro, síguelo; e si no, después de limpio todo aquel hoyo, ahonda otro palmo, e *lava* la tierra así, igualmente como hizo la que sacó del *primero lecho* o *cata primera*. E si tampoco en aquel *peso* no halla oro, ahonda más e más, por la orden que he dicho, palmo a palmo, *lavando* la tierra de cada *lecho* (o *tiento de cata*), hasta que llegan a la peña viva abajo[677].

Una *mina* puede ser una parte que le toca al señor o toda la mina, dividida "entre dos a diez o más minas en un término"[678]. Tiene que haber como mínimo dos "personas de trabajo"[679] que *escopetan* o cavan la tierra e hinchan las *bateas de servicio*, otras dos, los *acarreadores*, *acarrean* la tierra *escopetada* al agua y dos *lavadores*, generalmente mujeres indias o negras, la *lavan* asentadas en el agua, "las piernas metidas en el agua hasta las rodillas o cuasi"[680], después de vaciar las *bateas de servicio* en otras mayores *de lavar*. Si se "saca el oro en los ríos, arroyos o lagunas", se *xamuran*[681] o "agotan" las corrientes de agua o lagunas y se aplica el método de trabajo que acabo de resumir. El oro que se saca de esta manera es *oro virgen* –no fundido–, *oro fino* o *de ley* y se valora en *quilates de bondad*[682]. La inversión de capitales implica también una *estancia* que sirve para aprovisionar a las personas que trabajan en la mina. El período anual que los indios trabajaban en las minas se llamaba *demora*: "Duraban en las minas y en los trabajos dellas, al principio, seis meses; después ordenaron que ocho, que llamaban 'una *demora*', hasta el tiempo que traían todo el oro cogido a la fundición"[683].

En el octavo capítulo del libro VI de su *Historia* Ovideo también trata de los ingenios de azúcar que relevan la economía del oro tras su fracaso. Los resultados del aprovechamiento de esa fuente son exiguos. Los primeros intentos de

---

677 G. Fernández de Oviedo 1992: I, 160.

678 G. Fernández de Oviedo 1992: I, 161.

679 G. Fernández de Oviedo 1992: I, 162.

680 G. Fernández de Oviedo 1992: I, 161.

681 La *Información de los Jerónimos* documenta esta voz en 1517: "en xamurar y a *rre*coperar y rrevolver grandes piedras" (13r-13v). Según el DCECH, el étimo es el cat. *eixamorar*.

682 G. Fernández de Oviedo 1992: I, 159.

683 Las Casas II: 1994: II, 1351, 1354; 1994: II, 1453. Esta voz se astestigua igualmente en documentos oficiales, por ejemplo en el repartimiento de 1514, cf. E. Rodríguez Demorizi 1971: 75. Véase también el diccionario de términos mineros de F. Langue y C. Salazar-Soler 1993.

plantar la caña de azúcar se remontan a 1493 en la recién fundada villa Isabela, pero no tuvo continuidad[684]. Considerando las palabras encomiásticas con las cuales este autor describe los ingenios y trapiches, las informaciones sobre los ingenios y la producción azucarera son decepcionantes, a pesar de ser "una de las más ricas granjerías que en alguna provincia o reino del mundo puede haber"[685], encareciendo la misma idea aún más en otro lugar:

> no se sabe de isla ni reino alguno, entre cristianos ni infieles, tan grande e semejante cosa desta granjería del azúcar. [...] e las *espumas* e *mieles* dellos, que en esta isla se pierden y se dan de gracia, harían rica otra gran provincia[686].

Para la historia de la terminología es importante notar que el primer señor de un ingenio, Gonzalo de Velosa,

> trujo los *maestros de azúcar* a esta isla, e hizo un *trapiche de caballos* [...] e trujo los oficiales para ello desde las islas de Canaria, e *molió* e hizo azúcar primero que otro alguno[687].

Esta afirmación se matiza mediante la referencia a un experimento precedente que hizo Pedro de Atienza en la ciudad de la Concepción de la Vega, aunque no se aclare la tradición en la cual se encuentra este empresario. Al cronista le interesan más la historia[688] de los señores de los ingenios, su éxito económico y la ubicación de los "veinte *ingenios* poderosos, *molientes e corrientes*, e [de los] cuatro *trapiches de caballo*", que el funcionamiento de un ingenio o trapiche. Cita "el cobre o *caldereras* [*sic*] e *pertrechos*", "la mucha costa e valor del edificio e fábrica de la casa en que se hace el azúcar, e de otra grande casa en que *se purga*", de las "*carretas* para *acarrear* la *caña* al molino"[689], de las "*ruedas* para la *molienda* de azúcar"[690] y de "las *espumas* e *mieles* dellos [de los azúcares]"[691]. Además, las cañas *se curan* y *riegan*[692]. Oviedo es tan parco en el uso de la terminología específica que no proporciona ningún dato sobre el funcionamiento de

---

684 P. M. de Anglería 1966: 48; *De orbe novo*, I, iii; en español: 1989: 30.

685 G. Fernández de Oviedo 1992: I, 106.

686 G. Fernández de Oviedo 1992: I, 110.

687 G. Fernández de Oviedo 1992: I, 106.

688 G. Fernández de Oviedo 1992: I, 110.

689 G. Fernández de Oviedo 1992: I, 107.

690 G. Fernández de Oviedo 1992: I, 109.

691 G. Fernández de Oviedo 1992: I, 110.

692 El editor de Oviedo no reconoció *(azúcar) lealdado* como término, ya que separa este participio en "leal dado" (G. Fernández de Oviedo 1992: I, 110).

un ingenio o trapiche ni mucho menos sobre la filiación del léxico de la producción azucarera. Por consiguiente, tendríamos que recurrir a documentación de archivo muy dispersa[693].

La *grangería* que producía los mayores beneficios, después de las minas de oro, era el *rescate*[694], es decir, el tráfico del oro de las perlas que poco se distinguía del pillaje.

Los *mantenimientos* o *bastimentos*

Los lexemas que constituyen el campo de los *mantenjmjentos* funcionan en parte también en otros campos: son *plantas*, *animales*, *grangerias* y otras cosas. Sin embargo, los lexemas que tratamos aquí funcionan mejor en el campo de los *mantenjmjentos* que en otros, ya que en una sociedad amenazada en su existencia lo más importante era sobrevivir. Pero como los indios tenían incomparablemente mayores dificultades para mantenerse que los españoles, los testigos de la *Información de los Jerónimos* se refieren a los alimentos de los indios con mucha frecuencia, pero algunas veces también bajo el aspecto económico de la *grangeria*, en dos ocasiones se llaman *manjares*[695]. No obstante, todas las palabras que vamos a citar admiten una prueba de conmutación para la que la misma *Información* nos ofrece un contexto: "los yndjos se manternia*n* con [...]"[696]; "rrayzes q*ue* nasçen por los montes". Algunas plantas que son *mantenjmjentos* son indigenismos: "pongan la yuca ajes e mahiz"[697], "conviene q*ue* les fagan poner axies[698] y

[693] Remito al estudio de G. Rodríguez Morel 2004. Desgraciadamente, este autor traduce los términos al inglés sin indicar los equivalentes en español. No obstante, los documentos aprovechados dan la impression de ser idóneos para un estudio léxico.

[694] J. Heers 1996: 350-352. El *rescate* es el tema de numerosas preguntas de la *Residencia tomada a los jueces de apelación*, cf. I. Opielka 2008.

[695] *Información de los Jerónimos* 1517: 85, 45r

[696] *Información de los Jerónimos* 1517: 6r.

[697] *Información de los Jerónimos* 1517: 50r.

[698] El "axi, ques su pimienta" se documenta en la entrada del 15 de enero de 1493 (C. Colón 1995: 359) que, sin embargo, es un resumen de Las Casas, quien comenta en otro lugar: "La pimienta, porque parece a la pimienta montés de aquestas tierras, que llaman *axí*, bien pudieron engañarse que la había" (1994: I, 583). Oviedo lo describe así: "*Ají* es una planta muy conocida e usada en todas las partes destas Indias, islas e Tierra Firme, e provechosa e nescesaria, porque es caliente e da muy buen gusto e apetito con los otros manjares, así al pescado como a la carne, e es la pimienta de los indios" (1992: I, 235).

manj[699] y diahutias"[700], "no quieren comer syno la sustançia delo q*ue* es el anayboa"[701]. Si la *yuca* es *mantenjmjento*, el *agua de yuca* es *ponçoña*: "tomaria*n* agua de yuca e se mataria*n*"[702]. Estos indigenismos no se sustituyen nunca por palabras españolas.

En cambio, el *caçaby*/*caçabi*[703] es "el pan dellos"[704] o el "pan"[705] que se vende. Ya no es únicamente alimento de indios, pero se deja de comentar al entrar en el uso común de los españoles. Fernández de Oviedo da una descripción detallada de la preparación del casabe en su *Historia* que citamos más arriba al hablar del *cibucán* como uno de los artefactos[706].

A Juan de Ampiés le importa enumerar los animales que son *mantenjmjentos* poco apetitosos: "an por mejor e*n*los montes comer arañas e xueyes e cangrejos culebras rrayzes e otras vascosydades de la tierra ponçoñosas que no los mantenjmje*nt*os q*ue* los españoles les dan"[707]. Vázquez de Ayllón emplea en vez de *cangrejo* el indigenismo *xayba*[708] que designa varias especies y se distingue del *xuey* o *juey*, un cangrejo de tierra. Los *lagartos*, es decir, las *iguanas*, no atraen al visitador Juan Mosquera: "son yncljnados a muchos vjçios espeçialmente aestarse enlos montes comiendo arañas e rrayzes de arboles e lagartos e otras cosas suzjas"[709].

La naturaleza: *animales* y *plantas*

La naturaleza fue el tema de obras importantes, pero no se procura establecer su incidencia en la articulación de la historia de la lengua. La percepción de la natu-

---

699 "Una fructa tienen los indios en esta isla española, que llaman *maní*, la cual ellos siembran e cogen, e les es muy ordinaria planta en sus huertos y heredades, y es tamaña como piñones con cáscara, e tiénenla por sana" (G. Fernández de Oviedo 1992: I, 235).

700 *Información de los Jerónimos* 1517: 44r. El *diahutia* es una especie de *Xanthosoma*: "*Yahutia*, por otros llamada *diahutia*, es una planta de las más ordinarias que los indios cultivan con mucha diligencia o especial cuidado. Es de comer, della, la raíz e también las hojas, las cuales son como berzas grandes" (G. Fernández de Oviedo 1992: I, 235). Como forman acentuadas se conocen también *yahutía* y *diahutía*.

701 *Información de los Jerónimos* 1517: 39v. No logré identificar este indigenismo que se encuentra, sin embargo, en los diccionarios.

702 *Información de los Jerónimos* 1517: 38r.

703 *Información de los Jerónimos* 1517: 31v/32r.

704 *Información de los Jerónimos* 1517: 1v.

705 *Información de los Jerónimos* 1517: 23r.

706 Cf. G. Fernández de Oviedo 1992: I, 231-232.

707 *Información de los Jerónimos* 1517: 20r.

708 *Información de los Jerónimos* 1517: 29v.

709 *Información de los Jerónimos* 1517: 5r.

raleza en el universo del discurso científico se opone a la ficcionalización de la realidad, o el desamparo ante ella, en Colón. En general, aunque Gonzalo Fernández de Oviedo intenta dar una clasificación lo más objetiva posible, los animales y las plantas no interesan en sí mismos a los españoles. Antes bien, sirven o bien de alimentos o bien de mercancía. Ya que los campos terminológicos de los *mantenimientos* y de las *grangerías* presuponen el conocimiento de los animales y plantas, los tratamos aquí.

Es obvio considerar el léxico de la historia natural, pues los animales desconocidos y las plantas nuevas suponían un reto para la clasificación botánica y zoológica, y Gonzalo Fernández de Oviedo, que une la historia general a la historia natural en el Nuevo Mundo, va más allá en su clasificación que sus coetáneos. Lo comprobamos cuando comparamos a este cronista con Martín Fernández de Enciso en algunas de sus clasificaciones implícitas. En Enciso el significado de *serpiente* incluye a *escorpión*. Comparemos: "Estos [los pueblos africanos] comen lagartos y culebras y otras *serpientes*"[710] con "escorpiones y otras *serpientes*"[711]; estos escorpiones se encuentran en proximidad del Mar Caspio. Los cocodrilos del Nilo son *pescados*: "cocodrilos y todos los otros géneros de *pescados*"[712]; así también los cocodrilos de la India: "En el río de Cochín hay cocodrilos. Estos cocodrilos son unos *pescados* que tienen forma de hombres humanos"[713]. Pero *pescado* no es sólo el hiperónimo de reptiles, sino también de mariscos, ya que los hombres que habitan las costas occidentales de África "comen *pescados* de conchas que toman en las riberas"[714]. Lo que sea un animal, parece depender del tamaño: "Hay aves grandes como *animales*, que corren más que caballos y no vuelan"[715]. Estos *animales* son los avestruces. Los progresos clasificatorios de Oviedo son enormes. En los dos primeros volúmenes de la *Historia general y natural de las Indias* encontramos una descripción de la naturaleza americana, a la que no se concede la debida importancia en la historia de la biología[716].

El léxico de la historia natural se estructura en una jerarquía de hiperónimos e hipónimos. Pertenecen a la larga lista de nombres de animales y plantas numerosos préstamos de las lenguas amerindias. Aunque en la historia especializada se presta mayor atención a los nombres de especies y variedades, los hiperónimos

[710] M. Fernández de Enciso 1948: 154.
[711] M. Fernández de Enciso 1948: 116.
[712] M. Fernández de Enciso 1948: 146.
[713] M. Fernández de Enciso 1948: 192.
[714] M. Fernández de Enciso 1987: 173.
[715] M. Fernández de Enciso 1987: 151.
[716] Cf. Álvarez López 1940 y 1941.

son más importantes para la configuración terminológica. La clasificación de Fernández de Oviedo se basa en la *Historia naturalis* de Plinio el Viejo. El cronista usa en mayor o menor medida los hiperónimos del escritor latino, pero, puesto que tiene que clasificar especies desconocidas en el Viejo Mundo, se encuentra en la duda de tener que decidir qué hiperónimo había de aplicar a una especie determinada. En sus vacilaciones se ponen de manifiesto los criterios que adopta en su clasificación.

Los hiperónimos clasificatorios de animales ni son exclusivos ni se representan por un único significante. Por consiguiente, un mismo género puede ser incluido en dos hiperónimos diferentes o un hiperónimo idéntico puede tener significantes diferentes. *Animal* y *bestia* pueden funcionar como los hiperónimos más generales. Así se denominan *perros gozques*[717], *hutías*[718], *quemis*[719], *mohuy*, *coris*[720], *iguanas*, *lagartos*, *lagartijas*, *culebras*[721], pero normalmente se clasifica una especie zoológica como *animal*; por tanto, *animal* funciona como hiperónimo para todas las especies, lo que se manifiesta en las expresiones *animales de agua*[722], *animales terrestres*[723], *animales insectos o ceñidos*[724]. Este significante, sin embargo, se usa también como hipónimo si *animal* se diferencia de *sierpe*,

717 "*Perros gozques* domésticos se hallaron en aquesta isla Española (y en todas las otras islas que está en este golfo pobladas de cristianos), los cuales criaban los indios en sus casas. Eran todos estos *perros*, aquí en esta e las otras islas, mudos, e aunque los apaleasen ni los matasen, no sabían ladrar" (G. Fernández de Oviedo 1992: II, 30).

718 "En esta isla [La Española] ningún *animal de cuatro pies* había, sino dos maneras de animales muy pequeñicos, que se llaman *hutías* y *cori*, que son casi manera de *conejos*" (G. Fernández de Oviedo 1979: 87). Se puede clasificar en este grupo dos especies cubanas, un "animal que se llama *guabiniquinax*; son como zorros e del tamaño de una liebre" y "otro animal que llaman *aire*, tamaño como un conejo, de color entre pardo y bermejo, y muy duro de comer; pero no los dejan por eso de llevar a la olla o al asador" (G. Fernández de Oviedo 1992: II, 116).

719 Citemos a Las Casas para una propuesta de clasificación quien parece conocer a Oviedo: "había unos *conejos* de hechura y cola propia de *ratones* [...]. Estos eran de cuatro especies: una se llamaba *quemí* (la última sílaba aguda) y eran los mayores y más duros; la otra especie era los que se llamaban *hutías* (la penúltima luenga), la tercera los *mohíes* (la misma sílaba luenga), la cuarta era como *gazapitos*, que llamaban *curíes* (la misma sílaba también luenga)" (Las Casas 1992: I, 328).

720 "*Cori* es un *animal de cuatro pies*, e pequeño, del tamaño de *gazapos* medianos. Parescen estos *coris* especie o género de *conejos*, aunque el hocico le tienen a manera de *ratón*, mas no tan agudo" (II: 29).

721 Cf. G. Fernández de Oviedo 1992: I, 48.

722 Cf., por ejemplo, G. Fernández de Oviedo 1992: I, 226.

723 Cf., por ejemplo, G. Fernández de Oviedo 1992: II, 27.

724 G. Fernández de Oviedo 1992: I, 226.

pex/peje/pescado (estas expresiones no parecen relacionarse con diferencias de significado), *ave*, etc. En estos casos se entiende *animal* como *animal de cuatro pies*[725]. Sin embargo, surgen problemas de clasificación en este nivel. El animal que el autor llama *iuana* (*iguana*)[726] aparece clasificado bajo los hiperónimos *sierpe*[727], *serpiente*[728], *animal terrestre* y *animal de agua*[729], evitándose llamar a la iguana *pex/pescado*, es decir, con el hiperónimo idéntico a *animal de agua*[730]. Al lado de la *iguana* se ha conservado *carey* (un género de tortuga, *Eretmochelys imbricata*) e *hicotea* o *jicotea*, una tortuga de agua dulce[731]. Hay que agregar el *tiburón*, de origen incierto, cuya primera documentación se encuentra en Pedro Mártir[732], así como el *guaicano*, *gaicán* o *rémora*, un pez cazador[733], *guabina*[734],

---

[725] Cf., por ejmplo, G. Fernández de Oviedo 1992: I, 48.

[726] "Llámase *iuana*, y escríbese con estas cinco letras, y pronúnciase *i*, e con poquísimo intervalo, *u*, e después, las tres letras postreras, *ana*, juntas o dichas presto: así que, en el nombre todo, se hagan dos pausas de la forma que es dicho. Digo que se tiene por *animal neutral*, e hay contención sobre si es *carne* o *pescado*, porque anda en los ríos e por los árboles asimismo; y por esta causa, una vez me paresció [...] que le debía poner [...] con los *animales de agua*, y agora me ha parescido ponerle aquí con los *terrestres*, pues conforme a las opiniones de muchos, en ambos géneros se compadesce [...]. Mas de mi opinión e parescer, yo le habría por *carne* [...]. Éste es una *serpiente* o *dragón*, o tal *animal terrestre* (o *de agua*), que para quien no le conosce, es de fea e espantosa vista, e extraño *lagarto*, grande e de cuatro pies" (1992: II, 32).

[727] Cf. G. Fernández de Oviedo 1992: I, 48.

[728] G. Fernández de Oviedo 1992: I, 49; II, 32.

[729] G. Fernández de Oviedo 1992: II, 32.

[730] G. Fernández de Oviedo 1992: II, 58.

[731] G. Fernández de Oviedo 1992: II, 63.

[732] Según el DCECH: s. v. *tiburón*. El pasaje es el siguiente: "Puta*n*t ee amplas adeo p*ro*fundasq*ue* cauernas ei*us* vt e mari p*er* eas magni etia*m* marini pisces emerga*n*t, int*er* q*uos* quida*m* ab eis dicit*ur* Tiburon*us* q*ui* ho*min*em i*n*iec*tu* de*n*tis secat medicu*m* & vorat" (P. M. de Anglería 1966: 132; III, viii); traducción: "Piensan que son tan anchas y tan profundas sus cavernas [que se encuentran en un lago salado de La Española] que por ellas salen aun enormes peces de mar, y entre ellos uno que llaman *tiburón*, que de una dentellada parte por medio a un hombre y se lo traga" (1989: 223). Todas las demás documentaciones son posteriores a ésta que se puede fechar en 1516.

[733] La variante del nombre de este pez en López de Gómara es *guaicán*, pero su fuente de información parece ser Pedro Mártir quien describe ampliamente la pesca con la ayuda de este pez, al que llama *guaicanus*: "Pisce*m* incolæ Guaicanu*m*, nostri Reuersum appellant q*uia* versus venetur" (P. M. de Anglería 1966: 51; I, iii); traducción: "Los indígenas llaman a ese pez *guaicano*; los nuestros 'revirado' o 'vuelto', porque le pescan boca arriba" (1989: 359). En cuanto a *reversus*, esta traducción no me parece adecuada porque Pedro Mártir suele latinizar las palabras castellanas, como hace en *Colonus* y no *Columbus*. El DCECH glosa *guaicán* mediante "rémora".

[734] Las Casas 1992: I, 312.

libuza[735] y *tití* o *tetí*[736]. Tras aludir a los *animales insectos* en general, incluye varias especies de insectos, como por ejemplo los *cocos* o *gorgojos* en la categoría de *animalejos*[737], las *abejas*, *abispas*, *moscas*, *tábanos* y *mosquitos* en la de *animalias*[738]. *Manatí* representa un problema de clasificación especial. En efecto, si bien pertenece a la familia de los *pescados*, por vivir en el agua, se distingue por su piel y su carne: "Y es pescado de cuero y no de escama", "Creo yo que es uno de los buenos pescados del mundo y el que más paresce carne"[739]. Sorprende que el hiperónimo *marisco*, una innovación léxica del siglo XIV, esté ausente en la obra de Oviedo. Entre las aves los cronistas mencionan algunas especies de papagayos como *guacamayos* o *guacamayas* y *xaxabes* o *xaxaves*.

Es conveniente aducir los indigenismos generales que designan nombres de plantas antes de pasar al tratamiento abarcador de Oviedo. El mayor número de préstamos se encuentra en el ámbito de los frutos y las plantas o vegetales comestibles en general. Son nuevos alimentos la *batata* (tubérculo cuyo nombre se alternaba con *patata*) o el *boniato* (existen varias especies de los tubérculos de la *Ipomoea batatas*), la *guayaba* (fruto del *Psidium guajava*) y el derivado *guayabo*, el *maní* (*Arachis hypogea*), la *papaya* (*Carica papaya*), la *yuca* amarga (tubérculo, *Manihot utilissima*, el alimento principal de los indígenas) y la dulce[740]. Entre las otras plantas u objetos de procedencia vegetal que los españo-

---

735 Las Casas 1992: I, 335.

736 Las Casas 1994: II, 1398, y 1992: I, 313.

737 G. Fernández de Oviedo 1992: I, 288.

738 G. Fernández de Oviedo 1992: II, 31. Entran en esta categoría algunos indigenismos antillanos; el *cocuyo*: "hay una [luciérnaga] especial, que se llama *cocuyo*, que es cosa mucho de notar" (1992: II, 84); el *comixén* o *comején*: "y otras [hormigas] hay rubias, y otras hay que llaman *comején*, que la mitad son *hormigas*, y la otra mitad es un *gusanico* que traen metido en una cosilla o cáscara blanca que llevan arrastrando, y son muy dañosas, y penetran las maderas y casas" (1979: 190); "Hay otras [hormigas] que se llaman *comixén*, las cuales son pequeñas, e tienen las cabezas blancas" (1992: II, 78); la *nigua*: "a los hombres se les hace en los pies entre cuero y carne, por industria de una *pulga*, o *cosa* mucho menor que la más pequeña *pulga*, que allí se entra, una bolsilla tan grande como un garbanzo, y se hinche de liendres, que es labor que aquella *cosa* hace, y cuando no se saca con tiempo, labra de manera y auméntase aquella generación de *niguas* (porque así se llama, *nigua*, este *animalito*), de forma que se pierden los hombres, de tullidos, y quedan mancos de los pies para siempre" (1979: 108); el *xixén* o *jején*: "los peores [mosquitos] de todos son unos menudísimos que llaman *xixenes*" (1992: II, 81).

739 G. Fernández de Oviedo 1992: II, 64.

740 "Y es de seis géneros en esta isla Española. Una llaman *ipotex*, que hace un fructo como manzanillas, que cada una tiene seis cuarterones, y esta generación de yuca es de las muy buenas. Otra se dice *diacanan*, y tiénese por la mejor de todas, porque redunda más pan della. La tercera especie de yuca se llama *nubaga*; la cuarta se dice *tubaga*; la quinta llaman

les conocieron en las Antillas se encuentran el *anón* o la *anona* (*Annona squamosa*, árbol y fruto), el *bexuco* o *bejuco* (tallos largos y delgados de diversas plantas tropicales), la *cabuya* (fibras y cuerdas hechas de diversas especies de agaves), la *caoba* (*Swietenia mahagoni*), la *ceiba* (*Ceiba pentandra*), el *guano* (palmeras cuyas pencas tienen forma de abanico), el *guayacán* y también el *guayaco* (*Guaiacum officinale*) o *palo santo*, el *henequén* (*Agave furcroydes* y numerosas otras especies de agaves), el *maguey* (planta perteneciente al género *Agave*), el *mamey* (fruta y árbol, *Pouteria mammosa*), el *mangle* (varias especies de arbustos, por ejemplo, *Avicennia germinans*, *Rhizophora mangle* y *Laguncularia racemosa* en Cuba), la *tuna* (varias cactáceas de los géneros *Opuntia* y *Nopalea*, en España *higo chumbo* e *higuera chumba*), la *yabona*, hoy *yabuna* (planta silvestre muy común en las sabanas), el *yarey* (en Cuba, palmeras de la especie de las copernicias). Estos nombres de plantas arraigaron porque eran útiles como alimentos, material de construcción, madera, fibras, cuerdas, etc.

Dado que Fernández de Oviedo no posee conocimientos de la reproducción sexual de las plantas mediante pistilos y estambres, ni tampoco de las consecuencias que se derivan de ella para su clasificación (que el naturalista sueco Carl von Linné introduce en el siglo XVIII), no está en condiciones de dar los hiperónimos de las especies de plantas con certeza. Mientras que Plinio y Fernández de Oviedo conocen un hiperónimo general para "animal", no disponen de ninguno para "planta". Ambos autores saben, sin embargo, que los vegetales forman un conjunto, puesto que las tratan como tal. Los hiperónimos de plantas que usa Fernández de Oviedo son *árbol*, *arbusto*, *palma*, *cardo/cardón*, *hierba*, *planta*, *esterpo* y *legumbre*. La subordinación de las especies de plantas americanas no es de manera alguna unívoca. Debido a que vacila la extensión de los hiperónimos, es de suponer que se trata de un sistema de clasificación tentativo.

Gonzalo Fernández de Oviedo da una clasificación de la naturaleza americana en su día. Sus comentarios parecen contradecir mis afirmaciones: no sabe si un vegetal es una planta o un árbol, ni si, como vimos arriba, un ser animado es un *pescado* u otro tipo de animal, etc. Sin embargo, el problema es de otra índole. Este autor discute el estatus de los fenómenos en la realidad, no el uso lingüístico. Lo que ignora es si, por ejemplo, el signo *planta* o el signo *árbol* son adecuados; carece de noción clara acerca de lo que ve.

Ilustremos estas vacilaciones con algunos ejemplos críticos. Fernández de Oviedo prefiere clasificar al *papayo* como *planta*: "La corteza de este árbol (al

---

coro, y ésta es la que tiene los astilejos de las hojas coloradas; la sexta e última se nombra *tabacan*, y ésta tiene la rama más blanca que ninguna de las otras" (G. Fernández de Oviedo 1992: I, 233).

cual yo tengo más por planta que no por árbol) es gruesa como un dedo"[741]; y asimismo el *árbol manzanillo*: "Pero hablando más a lo cierto, yo no lo tengo por árbol, sino por planta"[742]. Se da también el caso inverso y en vez de *planta* se decanta por *árbol*: "*Guao* es un árbol que es más que planta, e por eso le llamo árbol: que también los he visto grandes"[743]. Es manifiesto que el tamaño es determinante para la categorización de los árboles y así una *planta* se convierte en *árbol* según su tamaño; éste es el caso de la planta a la que los indios antillanos llaman *goaconax* y que los cristianos llaman *bálsamo*: "Esta es una planta que nasce de sí mesma, sin industria de los hombres, e de que hay mucha cantidad en esta isla [La Española] e en otras partes, e cresce hasta parescer árbol de estado e medio de altura de un hombre, o cuasi tanto como dos estados, los ástiles o varas"[744]. Aparte de la mera descripción de las palmeras, el cronista no da un criterio que permita delimitar *árbol* y *planta*. Es poco claro si *palma* es un hipónimo de *árbol* o si ambos son cohiperónimos: "Estos árboles o palmas echan una fructa que se llama *coco*"[745]; "en la verdad, como se dijo de suso, este árbol es especie de palma"[746]. La voz *cardón* no sólo parece remitir a cualquier planta con espinas, como los cardos y cactos, sino también a un *árbol*, si el *cardón* es suficientemente grande como los "cardones que los cristianos llaman cirios" en La Española[747], a los que el cronista se refiere anafóricamente con "árboles" y "esos cirios"[748]. Fernández de Oviedo no aclara la diferencia entre *hierba* y *planta*, ya que los *plátanos*, que distingue explícitamente de los "árboles plátanos"[749], se denominan "hierbas" o "plantas"[750]. Deducimos de los comentarios acerca de la *hierba de las llagas* o *hierba de los remedios*, que también en este caso el tamaño es decisivo para su inclusión en la denominaciones de *hierba*, *planta*, *esterpo*[751] e incluso *árbol*: "Cuando esta hierba y sus tallos son nuevos, e no más altos que hasta la rodilla, e están tiernos, están para curar las llagas, como adelante se dirá; e después, creciendo, suben hasta ser como planta o esterpo, e aun cuasi árbol"[752].

[741] G. Fernández de Oviedo 1992: I, 274.
[742] G. Fernández de Oviedo 1992: II, 13.
[743] G. Fernández de Oviedo 1992: I, 301.
[744] G. Fernández de Oviedo 1992: II, 19.
[745] G. Fernández de Oviedo 1992: I, 283.
[746] G. Fernández de Oviedo 1992: I, 284.
[747] G. Fernández de Oviedo 1992: I, 264.
[748] G. Fernández de Oviedo 1992: I, 265.
[749] G. Fernández de Oviedo 1992: I, 249.
[750] G. Fernández de Oviedo 1992: I, 236.
[751] Fernández de Oviedo aplicaba este último hiperónimo, que no aparece, según mis informaciones, en ningún otro autor, sólo al *perebecenuc*.
[752] G. Fernández de Oviedo 1992: II, 21.

El criterio del tamaño o de la altura se confirma un poco más abajo en la descripción de la misma planta: "E llámola hierba, aunque he dicho que es esterpo o planta, porque cuando nasce, e aun está de dos o tres palmos alta, hierba es hasta que sube al altor que le quita el nombre de hierba"[753]. Una *hierba* puede tener rasgos comunes con el *cardo* como, por ejemplo, el *henequén*: "El henequén es otra hierba que también es así como cardo"[754]. La *bija* se clasifica una sola vez como "arbusto o planta"[755].

No hemos tomado en consideración en la discusión del sistema de las plantas la cuestión de si existía una diferencia entre los hiperónimos populares y los científicos de aquella época. Esta diferencia puede reflejarse en los fitónimos populares *hierba de las llagas* y *hierba de los remedios* para el *perebecenuc* arahuaco y su clasificación, en la *Historia natural*, como *planta* o *esterpo*, o, como ya vimos, en la preferencia de *planta* en lugar de *árbol* en el caso del *papayo*. El mismo punto de vista puede aplicarse a los hiperónimos de animales y, finalmente, a la denominación de las especies y variedades como "maneras de palmas"[756], "linaje de planta"[757], "generación de yuca"[758], por un lado, y "géneros de animales"[759], "géneros de yuca"[760], "especie de palma"[761], por otro.

Considerando el inmenso saber que los españoles debieron acopiar en América, era inevitable que surgieran dificultades en su interpretación con las categorías tradicionales. Debemos contar con que se amplía y, sobre todo, se transforma el léxico terminológico. La elaboración de nuevas terminologías, si son de importancia, ha de tratarse en una historia de la lengua. Se hace necesario atender a la distinción entre *léxico estructurado* y *léxico terminológico*[762] de la cual partimos para mostrar cómo nace una terminología dentro del léxico general o cómo un léxico de especialidad popular se convierte en terminología. Por lo demás, podríamos interpretar las palabras citadas anteriormente como tecnicismos.

El léxico tratado en este capítulo es en gran parte la base sobre la que se operan los cambios semánticos, teniendo como consecuencia que muchísimos términos pasen al léxico estructurado del español de América. Entre estos cambios destacan los procesos de metonimización y metaforización que todavía no apare-

---

753 G. Fernández de Oviedo 1992: II, 21.
754 G. Fernández de Oviedo 1992: I, 237.
755 G. Fernández de Oviedo 1992: I, 253.
756 G. Fernández de Oviedo 1992: I, 281.
757 G. Fernández de Oviedo 1992: I, 248.
758 G. Fernández de Oviedo 1992: I, 233.
759 G. Fernández de Oviedo 1992: III: 32.
760 G. Fernández de Oviedo 1992: I, 233.
761 G. Fernández de Oviedo 1992: I, 281.

cen en el período que estamos tratando. Además, sobre todos los lexemas, transformados o no, operan los procedimientos de la formación de palabras.

4.2. La lengua española en Castilla del Oro

4.2.0.1. *La inclusión de Castilla del Oro en el período de orígenes*

> Y porque, sin las ciudades que se poblaron y fundaron en el Perú, se fundó y pobló la ciudad de Panamá, en la provincia de Tierra Firme, llamada Castilla de Oro, comienzo por ella, aunque hay otras en este reino de más calidad. Pero hágolo porque el tiempo que él se comenzó a conquistar salieron della los capitanes que fueron a descubrir al Perú, y los primeros caballos y lenguas y otras cosas pertenecientes para las conquistas. Por esto hago principio en esta ciudad, y después estaré por el puerto de Urabá, que cae en la provincia de Cartagena, no muy lejos del gran río del Darién, donde daré razón de los pueblos de indios y las ciudades de españoles que hay desde allí hasta la villa de Plata y asiento de Potosí[763].

Hay que justificar la pertenencia de Panamá a la región del período de orígenes del español de América y prestar atención a su eventual proyección hacia el sur del continente tal y como la expresa Pedro Cieza de León en *La crónica del Perú*. Si algunas obras que tratan la historia de la lengua en América aluden a Panamá de paso, otras ni siquiera mencionan la importancia de esta base para la expansión lingüística. No puedo entrar en las razones de esta rara ausencia en los estudios de nuestra disciplina, sólo digo que la proyección antillana hacia Castilla del Oro y los países andinos es para mí motivo suficiente para incluir esta región en el período de orígenes[764].

Castilla del Oro es el nombre propagandístico que el rey Fernando dio a la región, que probablemente inventara un indio, exagerando la riqueza de los yacimientos de oro para aplacar a los españoles o burlándose de ellos, según Las Casas:

> Y, porque un indio les hizo entender [a los españoles] que había un río donde con redes se pescaba el oro, lo llevaron los procuradores a Castilla para que lo dixese al

762 E. Coseriu ^{2}1967: 18.

763 P. Cieza de León 1984: 73.

764 Hay trabajos relativamente viejos que no se toman aquí en cuenta; cf. S. L. Robe 1953 y 1960: 10-30.

> rey; e, o porque el indio lo inventó o porque ellos lo fingieron, de tal manera se extendió por todo el reino la fama de que pescaban el oro en la tierra firme con redes, desque llegaron, que para ir a pescallo cuasi toda Castilla se movió. Y así llamaron después por provisiones reales aquella provincia 'Castilla del Oro'; porque los oficiales que el rey entonces tenía no eran muy enemigos del oro[765].

Presuponer hoy en día un territorio llamado Castilla del Oro es hasta cierto punto arbitrario. Los españoles de aquel entonces tienen otra perspectiva: se han implantado en una isla del *mar Océano*, La Española, desde la que miran hacia las islas vecinas, San Juan, Cuba, Jamaica y la *Tierra Firme* aún por descubrir. El continente seguirá llamándose Tierra Firme hasta cuando los españoles se hayan establecido de manera estable y predominante en el continente.

El primer nombre del imperio español en el nuevo mundo, *islas del mar Océano y Tierra Firme*, es significativo, porque marca el centro de la colonia en las Antillas desde las que se mira hacia el continente.

La época fundacional de la lengua española en Panamá se refiere a los años que corren entre la fundación de Santa María la Antigua del Darién en el golfo de Urabá (1510) y el inicio de la conquista del Perú. Coincide con estos años un cambio radical de la orientación antillana inicial que desplaza el centro del dominio español con la proyección continental en la década de los veinte hacia la Nueva España, la cual, por ser un rumbo de escasa incidencia en el sur del continente, no se prosigue aquí, y en la década de los treinta en dirección al Perú. Los asentamientos en Tierra Firme preceden a los dos nuevos rumbos.

En realidad, Castilla del Oro es una parte de la Tierra Firme, pero del istmo de Panamá parten desarrollos tan dinámicos que se justifica su separación de los demás territorios. Esta región fue una plataforma para el comercio continental y también un punto de escala para los funcionarios, sacerdotes, misionarios y sobre todo los emigrados a las tierras andinas en su época fundacional.

La gobernación de Cartagena (1523 y 1532), con la gobernación del río San Juan (1536), será el núcleo de la expansión hacia el norte de los Andes y formará la Audiencia de Quito. De la gobernación de Santa Marta (1524) nacerá la Audiencia de Santa Fe de Bogotá con la penetración hacia el sur, y la gobernación de Venezuela (1530) será posteriormente la Capitanía de Venezuela, que dependerá de la Audiencia de Santo Domingo. La expansión colonizadora de estos territorios tiene características tan diferentes que distinguimos tierras de tránsito como, en primer lugar, Castilla del Oro y, en menor medida, el interior de las gobernaciones de Cartagena y Santa Marta, y tierras que carecen de expansión más allá del interior del mismo país como la mencionada Capitanía de Vene-

---

765 Las Casas 1994: III, 1946.

zuela. A esta diferencia se refiere esencialmente la cita tomada de Cieza de León, puesta de epígrafe a este capítulo.

4.2.0.2. *El Requerimiento y algunas fuentes panameñas tempranas*

El cambio de política de la Corona nos permite acceder a algunos textos escritos a partir de la situación inmediata, ya que los asuntos no se tratan en memorias y memoriales dirigidos a los monarcas, sino según la tradición castellana aplicada antes a las Islas Canarias. Escogeré una selección de documentos tomados del apéndice documental de las biografía de Vasco Núñez de Balboa que comparé con el de la biografía de Pedrarias Dávila[766], sin encontrar informaciones lingüísticas considerables en cada nuevo texto que aprovechaba. Por este motivo, me limito a basarme en unos pocos documentos.

Se reanuda el uso de las *capitulaciones* en 1499, abandonada tras las *Capitulaciones de Santa Fe*, lo que el virrey Diego Colón consideró como una violación de sus derechos, sin que pudiera tomar medidas en contra de las decisiones de la Corona. Entre las nuevas leyes se exigía la aplicación de las *Leyes de Burgos* sobre el *buen tratamiento* de los indios.

La mayor innovación legislativa fue la introducción de un nuevo tipo de documento en la conquista de la Tierra Firme. Los conquistadores que llegaron con el gobernador Pedrias Dávila en 1514 trajeron consigo el *Requerimiento que se ha de hacer a los indios de Tierra Firme*, de mala fama, redactado por el jurista Juan de Palacios Rubios en torno a 1512[767]. Éste tenía el objetivo de tranquilizar las dudas jurídicas y de conciencia de los reyes. Uno de los primeros, sino el primero, que llevó este documento a la práctica fue Gonzalo Fernández de Oviedo en lo que probablemente fuera su primer acto oficial en las Indias. La escena de lectura que debemos imaginarnos tuvo lugar en el puerto de Santa María la Antigua del Darién.

EL REQUERIMIENTO QUE SE MANDÓ HACER A LOS INDIOS

I. De parte del muy alto e muy poderoso e muy católico defensor de la Iglesia, siempre vencedor y nunca vencido, el gran rey don Fernando (quinto de tal nombre), rey de las Españas, de las Dos Sicilias, e de Hierusalem, e de las Indias, islas y Tierra Firme del mar Océano, etc., domador de las gentes bárbaras; e de la

---

766 Á. de Altolaguirre y Duvale 1914 y P. Álvarez Rubiano 1944.

767 Reproducido, por ejemplo, por M. Fernández de Enciso 1987: 220-221, y por G. Fernández de Oviedo 1992: III, 227-228.

muy alta e muy poderosa señora la reina doña Joana, su muy cara e muy amada hija, nuestros señores: Yo Pedrarias Dávila, su criado, mensajero e capitán, *vos notifico e hago saber* como mejor puedo, que Dios, Nuestro Señor, uno e trino, crió el cielo e la tierra, e un hombre e una mujer, de quien vosotros e nosotros e todos los hombres del mundo fueron e son descendientes e procreados, e todos los que después de nos han de venir. Mas, por la muchedumbre que de la generación déstos han subcedido desde cinco mill años y más que ha que el mundo fué criado, fué nescesario que los unos hombres fuesen por una parte y otros por otra, e se dividiesen por muchos reinos e provincias, que en una sola no se podían sostener ni conservar.

II. De todas estas gentes, Dios, Nuestro Señor, dió cargo a uno, que fué llamado Sanct Pedro, para que de todos los hombres del mundo fuese príncipe, señor e superior, a quien todos obedesciesen, e fuese cabeza de todo el linaje humano, donde quier que los hombres viviesen y estuviesen, y en cualquier ley, secta o creencia; e dióle todo el mundo por su reino e señorío e jurisdición.

III. Y como quier que le mandó que pusiese su silla en Roma, como en lugar más aparejado para regir el mundo; mas también le permitió que pudiese estar e poner su silla en cualquier otra parte del mundo, e juzgar e gobernar a todas las gentes, cristiano, e moros, e judíos, e gentiles, e de cualquier otra secta o creencia que fuesen.

IV. A éste llamaron Papa, que quiere decir Admirable, mayor padre e guardador; porque es padre e guardador de todos los hombres.

V. A este Sanct Pedro obedescieron e tuvieron por señor e rey e superior del universo los que en aquel tiempo vivían; e asimesmo han tenido a todos los otros que después de él fueron al pontificado elegidos, e así se ha continuado hasta agora e se continuará hasta que el mundo se acabe.

VI. Uno de los Pontífices pasados, que en lugar déste subcedió en aquella silla e dignidad que he dicho, como príncipe o señor del mundo, hizo donación destas islas e Tierra Firme del mar Océano a los dichos Rey e Reina e a sus subcesores en estos reinos, nuestros señores, con todo lo que en ellas hay, según que se contiene en ciertas escripturas que sobre ello pasaron, que podéis ver si quisiéredes. Así que, Sus Altezas son reyes e señores destas islas e Tierra Firme, por virtud de la dicha donación. E como a tales reyes e señores destas islas e Tierra Firme, algunas islas e cuasi todas (a quien esto ha sido notificado) han sido rescebido a Sus Altezas, e los han obedescido e obedescen, e servido e sirven como súbditos lo deben hacer; e con buena voluntad, e sin ninguna resistencia, luego sin delación, como fueron informados de lo susodicho, obedescieron e rescibieron los varones e religiosos que Sus Altezas enviaron para que les predicasen e enseñasen nuestra sancta fe católica a todos ellos, de su libre e agradable voluntad, sin premia ni condición alguna, e se tornaron ellos cristianos, e lo son; e Sus Altezas los rescibieron alegre e benignamente, e así los mandan tractar como a los otros sus súbditos e vasallos, e vosotros sois tenidos e obligados a hacer los mesmo.

VII. Por ende, como mejor puedo, *vos ruego e requiero* que entendáis bien esto que vos he dicho, e tomés para entenderlo e deliberar sobre ello, el tiempo que fuere justo; e reconozcáis a la Iglesia por señora e superiora del universo, e al Sumo Pontífice, llamado Papa, en su nombre; e al Rey e Reina, en su lugar, como a señores e superiores e reyes destas Islas e Tierra Firme, por virtud de la dicha donasción; e consintáis e deis lugar que estos padres religiosos vos declaren e prediquen lo susodicho.

VIII. Si así lo hiciéredes, haréis bien e aquello que sois tenidos e obligados, e Sus Altezas, e yo en su nombre, vos recibirán con todo amor e caridad; e vos dejarán vuestras mujeres e hijos e haciendas libremente, sin servidumbre, para que dellos e de vosostros hagáis libremente todo lo que quisiéredes e por bien toviéredes; e no vos compelerán a que vos tornés cristianos, salvo si vosotros, informados de la verdad, os quisiéredes convertir a nuestra sancta fe católica, como lo han hecho cuasi todos los vecinos de las otras islas. E allende desto, Sus Altezas os darán muchos previlegios y exenciones, e vos harán muchas mercedes.

IX. Si no lo hiciéredes y en ello maliciosamente dilación pusiéredes, *certifícoos* que con el ayuda de Dios, yo entraré poderosamente contra vosotros, e vos haré guerra por todas las partes e maneras que yo pudiere, e vos subjectaré al yugo e obidiencia de la Iglesia, e a Sus Altezas, e tomaré vuestras personas e vuestras mujeres e hijos, e los haré esclavos, e como tales los venderé, e disporné dellos como Sus Altezas mandaren; e vos tomaré vuestros bienes, e vos haré todos los males e daños que pudiere, como a vasallos que no obedescen ni quieren rescebir su señor, e le resisten e contradicen. E *protesto* que las muertes e daños que dello se recrescieren, sean a vuestra culpa, e no a la de Sus Altezas ni mía, ni destos caballeros que conmigo vinieron. E de como lo digo e requiero, *pido* al presente escribano m[768]e lo dé por testimonio signado.–*Episcopus Palentinus, comes.–F. Bernardus, Trinopolitanus, episcopus.–F. Tomás de Matienzo.–F. Al. Bustillo, magister.–Licenciatus de Sanctiago.–El doctor Palacios Rubios.–Licenciatus de Sosa.–Gregorius, licenciatus.*

Los componentes centrales son los actos de habla explícitos reproducidos en cursivas: *vos notifico e hago saber*, *vos ruego e requiero*, *certifícoos*, *protesto* y *pido*, entre los cuales *requiero* motiva la denominación del documento; sin tomar en cuenta que los imperativos y los tiempos verbales en futuro representan actos de habla indirectos, teniendo el sentido de mandatos, promesas y amenazas. La lectura y traducción del documento a los indios implica una serie de circunstancias elocucionales y discursivas tan difíciles de cumplir que las convierten en surrealistas.

768 G. Fernández de Oviedo 1992: III, 227-228.

En los documentos oficiales se acumulan las tradiciones elocucionales y discursivas con cada real cédula y real provisión, entre ellas el *Requerimiento*, recargándolas mediante el tratamiento sumario requerido para determinados temas, que veremos en la *carta relación* de Gaspar de Espinosa sobre los años 1515-1517.

Con las obras que tratan de las cosas de Castilla del Oro se presenta la oportunidad de volver a introducir y confirmar el interés etnográfico de cronistas como Pedro Mártir de Anglería y Gonzalo Fernández de Oviedo, quienes ofrecen la versión narrativa y científica de los universos de discurso. La documentación de los cambios lingüísticos aumenta de volumen, cuando nos apoyamos más en las crónicas y obras literarias que en los documentos oficiales. No es una casualidad si ambos autores coinciden en la mención de algunas voces atribuibles a la lengua de Cueva o cuna (kuna), una de las lenguas chibchas. Pedro Mártir de Anglería da la primera relación impresa de los sucesos en Tierra Firme[769]. Después de la impresión de la primera década de su obra en 1511 sale en 1516 la edición de otras tres, en Alcalá de Henares, que abarcan los descubrimientos españoles hasta 1515. Nuestro testigo principal a partir de 1514 es Gonzalo Fernández de Oviedo en su *Sumario de la natural historia de las Indias* (1526) y su *Historia general y natural de las Indias* (1535)[770]. Tratamos a estos autores en conjunto con Martín Fernández de Enciso y Las Casas, quienes ofrecen también datos relevantes sobre Castilla del Oro, más arriba en 4.0.2.

Tomamos en consideración la *Relación* de Pascual de Andagoya, uno de los primeros conquistadores, quien escribe en un momento clave (1540), aunque posterior a la conquista del Perú. La reactivación de la vida de la colonia entre la segunda y la tercera generación se deduce de la *Descripción de Panamá y su provincia* (1607), redactada por uno o varios de los funcionarios de la Audiencia de Panamá y enviada al Consejo de Indias, un documento que podrá servir de base para describir la etapa de la transformación de la ciudad de Panamá en la ciudad del comercio y del transporte interoceánico. Este documento fehaciente y exhaustivo está escrito desde la única perspectiva que nos puede interesar, la panameña, y completaría el panorama con una visión pormenorizada de la tercera generación, pero debe quedar fuera del grupo de los textos considerados directamente relevantes para la época fundacional. Sin embargo, los dos documentos mencionados servirán para mostrar que los cambios posteriores a las dos primeras décadas se realizaron a un ritmo más lento y que fueron menos profundos que los primeros.

---

[769] Cf. *De orbe novo* II, i-vii; III, i-iii, v-vi, ix-x; V, ix; VI, ii; VII, x; VIII, x.

[770] Sobre todo el volumen III de la edición de 1992.

4.2.1. Los habitantes de Castilla del Oro y sus lenguas

> A lo menos en la Tierra Firme, en veinte o treinta leguas, acaesce haber cuatro o cinco lenguas; y aun eso es una de las causas principales porque los pocos cristianos en aquellas partes se sostienen entre estas gentes bárbaras[771].

> Era la tierra toda de una sola lengua y de unas mismas palabras. En su marcha desde Oriente hallaron una llanura en la tierra de Senaar, y se establecieron allí. Dijéronse unos a otros: 'Vamos a hacer ladrillos y a cocerlos al fuego'. Y se sirvieron de los ladrillos como de piedra, y el betún les sirvió de cemento; y dijeron: 'vamos a edificarnos una ciudad y una torre, cuya cúspide toque a los cielos y nos haga famosos, por si tenemos que dividirnos por la haz de la tierra'. Bajó Yavé a ver la ciudad y la torre que estaban haciendo los hijos de los hombres, y se dijo: 'He aquí un pueblo uno, pues tienen una lengua sola. Se han propuesto esto, y nada les impedirá llevarlo a cabo. Bajemos, pues, y confundamos su lengua, de modo que no se entiendan unos a otros'. Y los dispersó de allí Yavé por toda la haz de la tierra, y así cesaron de edificar la ciudad. Por eso se llamó Babel, porque allí confundió Yavé la lengua de la tierra toda, y de allí los dispersó por la haz de toda la tierra (Génesis 11, 1-4).

Vayamos hacia atrás a los primeros momentos del descubrimiento y al surgimiento de las diferencias étnicas y lingüísticas de América. El antagonismo de los arahuacos y de los caribes se manifiesta a Cristóbal Colón en el mismo día del descubrimiento (el 12 de octubre de 1492), cuando describe a los lucayos:

> Yo vide algunos que tenían señales de feridas en sus cuerpos, y les hize señas qué era aquello, y ellos me amostraron commo allí venían gente de otras yslas que estaban açerca y los querían tomar y se defendían. Y yo crey, e creo, que aquí vienen de tierra firme a tomarlos por captivos[772].

El almirante se va aproximando a la identificación de esa gente. El 11 de diciembre ellos son "los de Caniba", pero al enterarse el 13 de enero de que *Caniba* se llama en La Española *Carib*, los transforma en "los de Carib" e introduce el etnónimo *caribes*.

Cristóbal Colón encontró a los caribes que vivían con mujeres arahuacas capturadas en las Antillas Mayores recién durante el segundo viaje en las Antillas

---

771 G. Fernández de Oviedo 1992: I, 241.

772 C. Colón 1995: 113.

Menores. Su belicosidad y su fama de antropófagos les convirtió en objeto de la mitología americana: los caribes que "comen carne humana" o los *canibáles* de Colón pasan a ser los *caníbales* míticos. Por eso hay que distinguir entre el etnónimo *caribe* y los llamados *caníbales* que capturados "de buena guerra" se pueden esclavizar. Se entiende, pues, que hay un motivo para confundir deliberadamente a caníbales y caribes.

En las costas norteñas de Sudamérica los caribes se mezclan con los arahuacos. En cuanto a su propagación sólo en el continente, sin las islas, las lenguas arahuacas son la segunda de las familias lingüísticas de la América del Sur, las lenguas caribes la tercera[773]. Las lenguas arahuacas y caribes se hablaban en torno al golfo de Venezuela y al lago de Maracaibo. Tribus de ambos grupos lingüísticos –los caribes más que los arahuacos– se habían extendido por las orillas del mar Caribe y el interior de Venezuela. Sin embargo, fueron los caribes los que como guerreros impidieron al principio el asentamiento de los españoles en el norte de América del Sur. Así, siguiendo los descubrimientos, vamos a prestar mayor atención a las lenguas habladas en las orillas del golfo de Urabá y en Castilla del Oro. El impacto de estas lenguas fue de importancia menor respecto al arahuaco antillano, razón suficiente para tratar más brevemente las lenguas indígenas de esta región.

Es tan poco fácil aquí como en el norte de Venezuela y Colombia identificar a las tribus mencionadas por los cronistas con las etnias actuales, debido a la extinción temprana de muchas lenguas. Los contactos entre españoles e indios panameños fueron reduciéndose pronto porque los indios se retiraron a regiones inaccesibles de Veragua, Chiriquí y Bocas del Toro, los cunas entre ellos a las selvas y las islas del Caribe, y los chocóes (o chocoes) a las selvas del Darién. Los indios que no habían huido se redujeron en pueblos alrededor de 1556 por una orden del gobernador Juan Ruiz de Montaraz y se asimilaron rápidamente a la lengua española[774].

En la región que une el norte del continente al sur predominó y predomina la familia lingüística chibcha. El chibcha propiamente dicho, también llamado muisca o mosca, era la lengua de las tribus asentadas en la sabana de Bogotá y en las regiones circunvecinas. A pesar de su reducida extensión, sirvió de lengua general a los misioneros en los primeros siglos de la colonización y se extinguió en el siglo XVIII. En cambio, los misioneros no aprendieron la lengua de los

---

[773] Para más datos sobre las lenguas de América del Sur, cf. A. Tovar/C. Larrucea de Tovar ²1984: 120-134 (lenguas arahuacas); 135-145 (lenguas caribes); 171-182 (lenguas del grupo chibcha); y sobre la historia del contacto de lenguas en Castilla del Oro y el Nuevo Reino de Granada, H. Triana y Antorveza 1987: 9-13, 35-89; sobre las lenguas de Centroamérica W. Lehmann 1920; y sobre las lenguas de Panamá M. M. Alba C. 1950 y R. D. Gunn 1980.

[774] S. Robe 1960: 24-25.

indios panameños ni mucho menos redactaron gramáticas y diccionarios de los idiomas más difundidos.

Se transfirió el nombre de chibcha a lenguas emparentadas con esta lengua general, pero no mutuamente comprensibles. Para Antonio Tovar y Consuelo Larrucea de Tovar este grupo de lenguas es "uno de los mosaicos más complejos de toda la América del Sur; este mosaico contiene zonas de cultura superior, representada de modo ostensible por la metalurgia del oro que dio prestigio legendario a ciertas tribus, ante todo los muiscas o chibchas"[775].

He aquí una impresión general de este mosaico: pertenecen a la familia chibcha en Colombia los muisca, de Cundinamarca y de Boyacá, los coconucos del Cauca, incluyendo a los guambianos, los paeces con los paniquitas de Tierradentro, el betoy, el andoque del Caquetá, el tunebo de Boyacá, de Santander y Casanare, el barbacoa o colima extinguido de Nariño con el colorado y el pasto y las lenguas no agrupadas, entre las que menciono sólo el cuiva, dialecto del guahibo –el cueva de los cronistas o darién– asociado con el cuna. Hay que decir que la clasificación varía enormemente entre los investigadores, como también los etnónimos y los nombres de las lenguas.

En el norte de Colombia fueron chibchas en sentido amplio las tribus del bajo Magdalena, las del golfo de Urabá y del istmo de Panamá, llegando en la actualidad hasta el talamanca, hablado en varios dialectos o lenguas en el sur de Costa Rica. El panorama de las lenguas indígenas durante la época de los primeros contactos y en la actualidad diverge considerablemente. La mayoría de ellas se extinguió en la época de la conquista. Por eso no es posible identificarlas por sus rasgos lingüísticos.

La agrupación de las lenguas habladas en la provincia colombiana de Chocó con las lenguas caribes no es segura. Pueden constituir un grupo aparte o estar relacionadas con el chibcha. Pertenecen a este grupo en la actualidad los aproximadamente 3 000 chocó establecidos en la pluviselva del Darién, dividiéndose en los emberá (o emperá) y los waunana. Los emberá son originarios del golfo de Urabá; hoy en día el emberá ocupa dos comarcas en la provincia panameña del Darién. En Colombia la familia lingüística del chocó se divide en los sambú (en Panamá y Colombia) y los catíos, los chamí, los emberá y los waunana, para citar las etnias actuales. Los chocóes perviven en la provincia homónima de Colombia con unos 55 000 hablantes[776].

La lengua que más pudo influir en el español de Tierra Firme es la de Cueva que se extendía por ambas vertientes del istmo desde Chame en el oeste de Pana-

---

[775] A. Tovar/C. Larrucea de Tovar [2]1984: 171.

[776] J. Caudmont 1968; A. Tovar/C. Larrucea de Tovar [2]1984: 149-151.

má hasta Chepo en el este, incluyendo a las islas de las Perlas en el golfo de Panamá. En la vertiente atlántica se citan expresamente las *provincias* de Comogre y Pocorosa como tierras de la lengua de Cueva[777]. La ubicación de las demás lenguas indígenas de Panamá, aparte del guaimí (o guaymí), no ha sido identificada en el momento de los primeros contactos.

Así, los españoles se encontraban otra vez en una zona lingüísticamente homogénea como en La Española en el dominio de una lengua que servía para delimitar los términos de las ciudades de Panamá, de Nombre de Dios y posteriormente de Porto Belo[778]. Contamos, pues, con las condiciones usuales que conducirían al préstamo lingüístico. Pero de hecho, documentamos en Pedro Mártir de Anglería[779], Fernández de Oviedo, Pascual de Andagoya y otros un léxico que presenta en la mayoría de los casos las mismas características que el léxico antillano.

Sobrevivieron las comunidades chibchas que tenían escaso contacto con los españoles durante la época colonial. El grupo que ha resistido mejor son los kuna (o cuna o tule, entre otras denominaciones) que lograron la semiautonomía en 1925, y ocupan la Comarca de San Blas en la vertiente atlántica de Panamá, que los propios kuna llaman Kuna Yala, careciente de vías de comunicación terrestres con el resto del país. Se tiene acceso por medios de transporte a esta población, calculada en 30 000 personas, sólo por vía aérea o marítima.

Con 52 000 personas, los guaimíes son más numerosos que los kuna, pero estuvieron más expuestos a las depredaciones de los primeros colonizadores y a la implantación de los españoles en la vertiente del Pacífico de Panamá. Se retrajeron a la Cordillera Central y hacia las costas del Caribe. Es probable que la etnia de los guaimíes se haya compuesto de tribus muy variadas a lo largo de su historia. Huyendo de los colonizadores y de los misioneros, y manteniendo una existencia seminómada, no pudieron organizarse en una comunidad estable. En 1997 el gobierno de Panamá declaró Comarca de los guaimíes unas costas en las provincias de Bocas del Toro y de Coclé y una región de la Cordillera Central, parte de la provincia de Chiriquí. La etnia guaimí de los bocotá (buglé, buglere) se ha reducido a cerca de 1 500 personas establecidas en la costa del golfo de los Mosquitos.

En el extremo noroeste de la provincia de Bocas del Toro sobreviven los teribes, colindantes con los talamanca de Costa Rica. En el siglo XVII la mayor parte de los teribes había sido reunida en la misión franciscana de San Francisco de Térraba en donde sucumbieron a la presión del ambiente.

---

[777] P. de Andagoya 1986: 88-89, 98, 100-101.

[778] Cf. Audiencia de Panamá 1908: 141.

[779] Cf. J. Lüdtke 1992, J. G. Moreno de Alba 1996.

En la época del implantamiento de los españoles en la región del istmo de Panamá los primeros colonizadores vieron en esta enorme variedad el resultado de la confusión babélica de las lenguas. Gonzalo Fernández de Oviedo sostiene tal opinión:

> En la lengua que llaman de Cueva, que es gran provincia, hay muchas diferencias de vocablos; y sin esa lengua, de las que yo he visto por la Tierra Firme, hay lengua de Coiba, lengua de Burica, lengua de Paris, lengua de Veragua, Chondales, Nicaragua, Chorotegas, Oroci, Orotiña, Guetares, Maribios, e otras muchas que por evitar prolijidad dejo de nombrar, las cuales todas pienso yo que son apartadas del número de 72 (puesto que creo que de alguna o algunas dellas hobieron principio)[780].

En la enumeración están incluidas algunas lenguas centroamericanas que no nos interesan en este momento, ya que la región de Nicaragua y Costa Rica se colonizó definitivamente desde la Nueva España. El cronista registra su apreciación en el capítulo siguiente mediante la comparación de algunas voces, comparación que está en la línea del origen babélico de la diversidad lingüística:

> Este nombre *iraca* es de la lengua de la Cueva, en Tierra Firme, en la gobernación de Castilla del Oro, y en estas islas y en la Tierra Firme hay muchas diferencias de lenguas de una gente a otra, e una cosa tiene muchos nombres, e también diversas cosas tienen un mismo nombre; y querer escudriñar este, sería nunca acabar. Y ved en cuánta manera es la diferencia: que allí donde a las hierbas llaman *iracas*, seyendo muchas, llaman a la mujer *ira*, y a la manceba *iracha*[781].

Esta diversidad lingüística dificultó la colonización como afirma el propio Oviedo con las palabras que hemos citado como lema de este apartado.

De esta multitud de lenguas muy pocas entran en contacto con el español. En cambio, se debe otorgar el peso a una consideración que le corresponde: en la población indígena del Panamá colonial no se suele distinguir entre los aborígenes y los indios traídos de otras partes. Abordemos primero la incidencia de los aborígenes en la lengua de los dominadores. Según las observaciones sobre las lenguas de Castilla del Oro, la mayoría de los habitantes eran de filiación lingüística chibcha. Entre ellos, la comunidad lingüística mejor identificada eran los hablantes de la lengua de Cueva. Los indios de Panamá entraron en un contacto permanente con los españoles en el Darién a partir de 1510 y en el istmo a partir de 1513, al principio en forma de *cabalgadas* o *entradas*. Al contrario de

---

[780] G. Fernández de Oviedo 1992: I, 203.

[781] G. Fernández de Oviedo 1992: I, 239.

lo que se supone[782], la encomienda, tan importante para crear un contacto lingüístico prolongado o duradero, no se inicia en Tierra Firme en 1519, sino en 1515 con el contrato que Gaspar de Morales concluyó ("asentó") con el cacique de la isla de las Flores:

> [El tesorero Alonso de la Puente] dize que ya se abra sabido por las cartas que han escripto el governador y oficiales como gaspar de morales paso en la ysla de las perlas como asento con el cacique e yndios que diesen en cada vn año de seruicio cien marcos de perlas y que agora ha començado a encomendar a algunas personas de bien algunos caciques de los [...] más cercanos[783].

De este modo, el *asiento* de Morales puede ser una etapa previa para la introducción de la encomienda en el momento en que se escribe este extracto de secretaría, es decir, en 1515, año en el que comienza la encomienda en Castilla del Oro. No obstante, el primer repartimiento mejor conocido de los indios de Tierra Firme tuvo lugar en 1519, encomendándoseles a los vecinos de la recién fundada ciudad de Panamá. Se realizó otro repartimiento en 1522 que manifiesta el mayor número de indios encomendados, 9 964 personas en total[784]. Hubo repartimientos de menor importancia numérica –cuya cifra desconocemos– en Natá, Acla y otras ciudades.

El declive demográfico fue rápido. Lo causaron las epidemias, las guerras, los trabajos en las minas de oro y la pesca de perlas, así como la expedición de Pedrarias Dávila a Nicaragua y la conquista del Perú, hacia donde los españoles llevaron a sus indios encomendados. Es posible evaluar aproximadamente las pérdidas demográficas: en 1533 los 32 o 33 encomenderos españoles de la ciudad de Panamá tenían más de 500 indios en total; una cifra que desciende a 120 en 1544. El último reducto de la institución de la encomienda en la región, Natá, disponía a mediados del siglo XVI de entre 1 500 y 1 600 indios de encomienda[785]. Así, la encomienda duró aproximadamente 30 años en Tierra Firme en general y poco más en Natá.

Ahora bien, retomando lo poco que se puede deducir de las fuentes sobre los indios foráneos, mientras los aborígenes se iban extinguiendo, Castilla del Oro se repoblaba en parte de indios procedentes de Nicaragua, Guatemala, Perú, México y las Antillas. El mayor conjunto documentado de indígenas eran los 600 esclavos traídos en 1549 de la costa venezolana, de Cubagua, Cabo de la

---

782 M.ª del C. Mena García 1984: 327.

783 Santa María la Antigua, 1515; P. Álvarez Rubiano 1944: 438.

784 M.ª del C. Mena García 1984: 334.

785 M.ª del C. Mena García 1984: 75-81.

Vela y Río Hacha[786]. Tras la abolición de la encomienda, en cuanto a lo que concierne a Panamá, se fundaron algunos pueblos de indios con los supervivientes y, sobre todo, con los asentados desde hacía pocos años: en la Isla de las Flores o Taboga con los naturales de la tierra, en la Isla de Otoque con indios de Cubagua, en el Cerro de Cabra con indios de Nicaragua en 1551; en Parita, Cubita y Olá con indios de las encomiendas natariegas en 1561[787].

Se entiende que en estas condiciones las lenguas de los indios traídos a Panamá se extinguieron pronto. En 1607, no se hablaba otra lengua más que el castellano en los pueblos de indios cercanos a Panamá. Se dice de Chepo: "Hablan la lengua castellana y an oluidado del todo la suya"[788]; del pueblo de la isla del Rey: "hablan castellano, olvidados de otra lengua"[789]; del pueblo de la isla de Taboga: "hablan como los de la isla del Rey"[790]. La situación de contacto lingüístico habrá durado dos décadas y algunos años más en Natá, muy poco como para borrar el carácter antillano del español en Panamá.

Las observaciones precedentes podrán dar una idea de la situación lingüística en la vertiente del Pacífico y en algunos lugares de la vertiente atlántica tales como las minas de Veragua, Nombre de Dios y Portobelo. Los grupos de indios que han sobrevivido hasta la actualidad huyeron del sur hacia el norte prácticamente sin dejar huellas lingüísticas en la lengua española, sobre todo los indios Cueva, que son los cuna actuales, los chocóes y los guaimíes.

Concluimos el esbozo de los habitantes no hispánicos con una nota sobre el tercer gran componente de la composición social del país. Panamá fue la primera ciudad donde predominó la población negra a partir del siglo XVI, ocupando el lugar de la casi extinta población indígena. Los negros, arrieros, acarrearon las mercancías por el camino interoceánico. Ellos fueron también artesanos: carpinteros, calafates, sastres y marineros. Ya fueran esclavos o libertos, la economía de la colonia dependía de su trabajo. Como cimarrones eran una constante amenaza para la ciudad y su intercambio comercial.

La documentación no alude a la lengua o las lenguas de los negros ni muestra eventuales huellas lingüísticas. Cuando los jueces de la Audiencia de Panamá comentan la lengua hablada en la región por primera vez en 1607, hacen constar tres tipos: "los españoles hablan la lengua castellana; los negros entre sí, los de cada tierra la suya; también hablan castellano, pero muy mal, si no son los que

786 M.ª del C. Mena García 1984: 78-79.

787 M.ª del C. Mena García 1984: 80-81, 355.

788 Audiencia de Panamá 1908: 216.

789 Audiencia de Panamá 1908: 218.

790 Audiencia de Panamá 1908: 218.

dellos son criollos"[791]. Sólo hay un indicio indirecto: las lenguas africanas se identifican mediante un padrón de los negros y mulatos libres redactado en 1575 en el que aparecen los apellidos *Jalofo*, *Conga*, *Bran*, *Biafara*, y en otros documentos *Bañul*, *Mandinga*, *Mozambique* y *Zape*[792], que se refieren todos a negros originarios del oeste y sur de África.

4.2.2. La conquista y colonización de Castilla del Oro

En el último decenio del siglo XV y el primero del siguiente las costas del norte de la América del Sur son de difícil acceso. En un primer momento continúan los descubrimientos. Los contornos del Mediterráneo español, el Caribe[793], van emergiendo en el segundo viaje de Colón (1493-1496) y en su tercero (1498-1500), en los viajes de Alonso de Ojeda, Juan de la Cosa y Américo Vespucio, así como en los de Pero Alonso Niño y los hermanos Guerra, en el de Vicente Yáñez Pinzón y el de Diego de Lepe, todos ellos en los años 1499 y 1500, y otros descubrimientos más entre los que destacan los viajes de Vicente Yáñez Pinzón a la región actual de Santa Marta en Colombia (1501), el cuarto viaje de Colón (1502-1504), el de Cristóbal Guerra a la costa de las Perlas, situada en el norte de Sudamérica (1503), y al golfo de Urabá, de Alonso de Ojeda a la misma región (1504), de Diego de Nicuesa y Alonso de Ojeda a Urabá y Veragua (1508), para mencionar sólo algunos de los primeros exploradores. Muchos de estos descubrimientos en Tierra Firme toman la forma de *cabalgadas* o *entradas* como en la guerra contra los moros.

El rey Fernando organizó las tierras del continente en gobernaciones. Este nuevo sistema, entendido *gobernación* como oficio de gobernador y territorio de su competencia, fruto de los pleitos colombinos, es una innovación que se aplica desde principios del siglo, limitando el dominio de los Colón a La Española y las otras Antillas Mayores.

Los primeros asentamientos se establecieron en condiciones difíciles. Las futuras gobernaciones se delimitan mediante las capitulaciones como, por ejemplo, las de Alonso de Ojeda y Diego de Nicuesa, otorgadas en 1508. En éstas el rey manda a Alonso de Ojeda construir dos fortalezas en la tierra de Urabá y a Diego de Nicuesa otras dos en Veragua, "labradas, los çimientos de piedra y lo otro de tapia, que sean de tal manera que se puedan bien defender de la gente de

---

[791] Audiencia de Panamá 1908: 162.

[792] M.ª del C. Mena García 1984: 380.

[793] C. O. Sauer 1984.

la tierra"[794]. El usurpador del poder de Nicuesa y su sucesor, Vasco Núñez de Balboa (c. 1475-1519), quien había ascendido y cobrado autoridad debido a su experiencia, su energía y su capacidad de dirigir los hombres, dejó pacificada la región de Santa María la Antigua del Darién. Después del paso del istmo y del descubrimiento del Mar del Sur el 25 de septiembre de 1513, los sondeos a tientas en el continente toman un rumbo fijo.

La nueva denominación *Mar del Sur* repercute en el nombre del *Mar Océano* o de la *Mar Océana* que a partir de entonces se subdivide en el *Mar del Sur* y el *Mar del Norte*, de modo que, al principio, el Océano no se divide en una parte oriental, el Atlántico, y una parte occidental, el Pacífico, sino en una parte septentrional y otra meridional. La motivación del nombre deriva de la situación del Pacífico respecto al istmo de Panamá, encontrándose el Pacífico al sur, ya que Castilla del Oro se extiende de este a oeste.

Bartolomé de las Casas introduce la nueva distinción al hablar del viaje de Hernández de Córdoba a Yucatán: "toda la mar que llamamos del Norte, que es la destas islas y tierra firme que se mira con la de España sin pasar por la tierra dentro de la tierra firme a la mar que nombramos del Sur por respecto de la ya dicha del Norte"[795]. Distingue, pues, el Atlántico o Mar del Norte del Pacífico o Mar del Sur como entidades geográficas. La capitulación otorgada a Magallanes en 1518 delimita "el mar del sur" dentro del "mar oçéano"[796]. También la capitulación que se tomó con Pedro de Mendoza en 1534 para conquistar el Río de la Plata ubicó explítamente esta región en las orillas de "la mar del Sur"[797].

Inmediatamente después de que en 1514 la noticia del descubrimento del Mar del Sur hubiera llegado a España, el rey Fernando nombró a Pedro Arias de Ávila o Pedrarias Dávila (1440-1530) gobernador de Castilla del Oro, una de las mayores decisiones erróneas de la Corona, anulada sólo cuando los sucesos habían tomado un rumbo que ya no se pudo corregir. Llegaron más de 2 000 españoles, entre ellos muchos que se distinguirían con posterioridad en la conquista del continente.

El antagonismo entre Vasco Núñez de Balboa y Pedrarias Dávila es una premonición de la rebelión comunera de Hernán Cortés, pero se resuelve en sentido contrario. Balboa y su gente representan las ideas democráticas de aquéllos que se aclimataron en su modo de vida y sus vínculos personales y familiares con el Nuevo Mundo, modelo parecido a Francisco Roldán en La Española. Pedrarias Dávila es el exponente intransigente de las tradiciones jurídicas, religiosas y misioneras de los intereses económicos de Castilla.

---

794 M.ª del Vas Mingo 1986: 157.

795 Las Casas 1994: III, 2170.

796 M.ª del Vas Mingo 1986: 173, 174.

797 M.ª del Vas Mingo 1986: 290.

Balboa fue víctima de la inactividad de la Corona, debida al fallecimiento del rey Fernando, regente de Castilla, y a la regencia del cardenal Cisneros durante la minoría del joven rey Carlos I, nacido en 1500. Pedrarias Dávila fundó Acla como base para pasar el istmo y, tras haber hecho ajusticiar a Vasco Núñez de Balboa, fundó el 15 de agosto de 1519 Nuestra Señora de la Asunción de Panamá. La sede episcopal de Santa María la Antigua, creada en 1514, pasó a Panamá en 1521[798]. Las conquistas que llevaron a Pedrarias Dávila hasta Nicaragua no serían duraderas. El porvenir de Panamá se encontraba en los países andinos. Centroamérica se pobló de españoles desde la Nueva España[799]. Por este motivo, nuestra consideración de Centroamérica se limita a Panamá.

Tenemos la suerte de conocer de forma aproximada la composición de los primeros pobladores de Panamá. La ciudad tuvo 400 vecinos en el momento de su fundación, entre ellos 174 hombres de armas de nombre conocido. En dos documentos de 1519 y 1522, 93 personas declararon tener repartimiento. Los datos proporcionados por los documentos nos permiten estudiar la procedencia regional y social de un poco menos de un cuarto de los vecinos, los conquistadores más destacados[800]. En cuanto al origen regional el historiador chileno Mario Góngora distingue con toda razón entre lugares señoriales y de realengo. Es significativo que los tres cuartos de los encomenderos provengan de tierras de realengo. Mario Góngora distribuye los vecinos por regiones de procedencia, expresando los porcentajes con relación a los respectivos totales[801]:

Andalucía	29	(34,7%)
Extremadura	18	(21,4%)
Castilla la Nueva	8	(9,5%)
Castilla la Vieja	7	(8,3%)
León	5	(5,9%)
Asturias	2	(2,3%)
Montaña	2	(2,3%)
Provincias vascas	7	(8,3%)
Corona de Aragón	1	(1,1%)

Se reproducen en Panamá los porcentajes de la composición regional que Boyd-Bowman (1956) ha comprobado en las Antillas durante el período 1493-1519.

798 Durante la mayor parte de la colonia, la diócesis de Panamá fue sufragánea de Lima primero y de Cartagena en los siglos XIX y XX. El arzobispado de Panamá data de 1926.

799 Cf. M. Á. Quesada Pacheco 2009: 43-69 sobre la inmigración a Costa Rica durante el siglo XVI.

800 Me apoyo en las investigaciones de M. Góngora 1962: 68-90, quien publica los documentos y los analiza, así como en M.ª del C. Mena García 1984.

801 Cf. M. Góngora 1962: 77.

Este documento permite estudiar la migración desde las Antillas hacia Tierra Firme, información que precisamos para dar cuenta de la formación de la lengua española en Panamá y para incluir esta tierra en las regiones del período de orígenes. En el documento de 1519, 88 personas declararon tener encomiendas. De éstas, tres no especifican los años de su permanencia en Castilla del Oro. El mayor grupo, 27 encomenderos, llegó con Pedrarias Dávila cinco años antes, en 1514. Uno de este grupo tenía indios en La Española, lo que nos permite concluir que Pedrarias Dávila puede haber llevado consigo a veteranos antillanos. Los demás encomenderos se reparten a lo largo de los años de la siguiente manera: uno estaba en Castilla del Oro desde hacía 14 años, dos vinieron con Alonso de Ojeda en 1508 (11 años), uno con Rodrigo de Colmenares (11 años), cuatro con Martín Fernández de Enciso (de 9 a 10 años), tres con Diego de Nicuesa (11 años). Uno vino "en un navio suyo" hacía 10 años. El resto de los declarantes sólo menciona los años de estancia por "estas partes" como algunas veces se dice: uno declara 10 años, hay dos con nueve años, dos con ocho años, 14 con siete años, seis con 12 años, uno con cuatro años, cuatro con tres años y ocho con dos años. Sumando los españoles reclutados por Ojeda, Colmenares, Enciso y Nicuesa, el encomendero de La Española que había llegado con la flota de Pedrarias y dejando a un lado a los encomenderos que no declararon sus años de permanencia en Castilla del Oro, llegamos a la cifra de 56 personas que muy probablemente habían pasado de La Española o, quizás, de otra isla de las Antillas Mayores a Castilla del Oro. Este predominio de los españoles establecidos anteriormente en las Antillas explica perfectamente la impronta antillana del léxico panameño. Más aún, estos encomenderos participaron en el descubrimiento, la conquista y la colonización del Perú, quedando en la ciudad de Panamá sólo 32 o 33 vecinos en 1533[802].

Sigue el mismo año la fundación de Santiago y de Natá. A raíz de estas fundaciones se despoblaran los lugares fundados antes del descubrimiento del istmo de Panamá, por ejemplo, el Darién. A este propósito escribe Oviedo a mediados del siglo XVI: "Desde a dos o tres meses adelante se despobló el Darién, por el mes de septiembre del año de mill e quinientos e veinte y cuatro"[803]. Y escribe en otro lugar:

> En la qual conquista [de la Tierra Firme], los que en aquella sazón pasamos con Pedrarias Dávila, lugarteniente e capitán general del Rey Católico, e después de Vuestras Majestades, seríamos hasta dos mil hombres, e hallamos en la tierra otros quinientos e más cristianos debajo de la capitanía de Núñez de Balboa en la cibdad del

---

[802] M.ª del C. Mena García 1984: 48.

[803] G. Fernández de Oviedo 1992: III, 303.

> Darien (que también se llamó antes la Guardia e después Santa María del Antigua); la cual cibdad fué cabeza del Obispado de Castilla del Oro, e agora está despoblada[804].

Concretando más dice acerca de los españoles que llegaron en la flota de Pedrarias Dávila: "Y destos dos mil y quinientos hombres que he dicho, no hay al presente en todas las Indias, ni fuera dellas cuarenta hombres"[805].

La nueva tierra no era nada más que la prolongación de las ciudades y villas antillanas, si bien era el puesto más avanzado de la colonia. Se aplicaba el modelo de Santo Domingo: valerse de la mano de obra indígena, repartiendo a los indígenas en encomiendas. La economía se basaba en la minería de oro mediante la explotación al descubierto como en las Antillas y en la pesca de perlas, teniendo como consecuencia el agotamiento tanto de las minas como de la población indígena. La fase inicial de la historia de Panamá terminó con el descubrimiento del Perú y la aplicación terminante de las Leyes Nuevas en 1551, inspiradas por Las Casas y ya promulgadas en 1542. El descubrimiento del Perú cambió completa y definitivamente el destino de Panamá. De último bastión del Caribe pasó a ser una zona de tránsito hacia los países andinos durante la colonia y una de las claves del tráfico mundial tras la construcción del canal. De ahí que consideremos el año 1532 como límite, por precaución, en la historia lingüística de la región. Hasta entonces Castilla del Oro fue una extensión del mundo antillano, posteriormente traspasó la lengua de las Antillas a los países andinos, recibiendo y transmitiendo las influencias lingüísticas en sentido inverso. Y hay que decir que la aplicación de las Leyes Nuevas tuvo como efecto que algunos grupos de indígenas sobrevivieran por la abolición de la encomienda y la fundación de reducciones.

Hasta 1539 Panamá fue gobernada desde Santo Domingo. La ciudad tuvo una audiencia entre 1539 y 1543, siendo gobernada posteriormente desde la Audiencia de Guatemala. Se volvió a establecer una audiencia en 1565 que se disolvió en 1718 cuando se transfirió al virreinato de Lima. Sin embargo, Panamá tuvo una audiencia otra vez entre 1722 y 1739. A partir de este último año esta tierra pasó al dominio del virreinato de Santa Fe de Bogotá.

Los años cuarenta marcan la decadencia de la colonia que fue recuperándose hasta 1570, año en que alcanzó el mismo número de vecinos que en el momento de su fundación en 1519, es decir, 400. En esta fase se establecieron los contactos frecuentes en el Atlántico por el cabotaje con Cartagena y Santo Domingo y en el Pacífico con Lima, Nicaragua y Acapulco.

---

804 G. Fernández de Oviedo 1992: I, 9-10.

805 G. Fernández de Oviedo 1992: I, 10.

4.2.3. La readaptación cultural, discursiva y léxica

La penetración de Panamá tiene fundamentalmente tres aspectos lingüísticos: la creación de contactos con las lenguas indígenas, la difusión de la norma antillana y el cambio lingüístico. Hemos tratado las lenguas indígenas de Panamá en el contexto de sus relaciones con la Sudamérica septentrional en 4.2.1. Nuestro estudio lingüístico se centrará en la transferencia del español de las Antillas a Castilla del Oro y el aspecto del cambio léxico, ya que los cambios fonológico y gramatical no sólo están documentados en menor medida hasta mediados del siglo XVI, sino que estos dominios de la lengua experimentan transformaciones relativamente escasas. Sólo se incluyen las lenguas indígenas cuando damos cuenta del cambio léxico.

Los españoles de la primera generación establecida en las Indias aún tenían conciencia del origen antillano del primer léxico americano, como testimonia Las Casas tras haber mencionado las voces *cotara*, *macana*, *bixa*, *maíz* y *magüey* aplicadas a cosas de Castilla del Oro: "Estos vocablos *cotaras*, *macanas*, *bixa* y *maíz* y *maguey*, fueron vocablos desta isla [La Española] y no de la tierra firme, porque por otros vocablos allá estas cosas llaman"[806]. Estos conocimientos lingüísticos se perdieron en la generación posterior. El hecho de que se trate de terminologías y nomenclaturas no significa que no haya variación en las soluciones designativas. Al contrario, la búsqueda de una clasificación adecuada –que coincide con los conocimientos acerca de las cosas– es la expresión unívoca de que el término o la palabra deben adaptarse a la cosa, no al revés.

Hay que contar con la reserva de que generalmente la selección no llegue a una generalización extensiva, es decir, que todos los españoles de todas las regiones, de todas las capas sociales y en todas las situaciones utilicen un signo lingüístico idéntico para designar a la misma cosa. La variación del español americano existe desde el descubrimiento, sólo que, tras tantas generalizaciones parciales, es diferente en la actualidad.

En esta ocasión en la cual se trata la propagación del léxico antillano y su transformación temprana en el continente, no podemos dejar de subrayar una diferencia importantísima. Hay un léxico que se difunde con las migraciones de los españoles y un léxico trasvasado independientemente de ellas en el avance de palabras y cosas por el continente. En el segundo caso, no es preciso que los agentes sean pobladores, sino que pueden ser todo género de personas que establecen contactos interregionales tales como comerciantes y contrabandistas, marineros, funcionarios o eclesiásticos. El proceso de la difusión de las palabras es muy diferente en ambos casos. En las oleadas migratorias los españoles apli-

[806] Las Casas 1992: II, 629.

caron un léxico ya aprendido a realidades idénticas o, supuestamente, similares a las conocidas en regiones habitadas anteriormente. Viajaron las personas, no se desplazaron las cosas.

En el segundo caso se desplaza la cosa y con la cosa la palabra, si la cosa no era conocida antes. Sabemos que los colonizadores transforman la geografía de las plantas y de los animales. Si el *aguacate* se cultiva en los trópicos de América, el *guajolote* o *pavo*, en cambio, fue llevado de la Nueva España al resto del continente, cosa que no ocurrió con el *guanajo*. La *papa* sudamericana tampoco conoce fronteras, y la *petaca* mexicana llegó a hacerse imprescindible como material de embalar. Sin embargo, lo que es cierto en abstracto, no lo es siempre en cada caso concreto. El fruto conocido como *maní* o como *cacahuate* en México y *cacahuete* en otros lugares puede difundirse con los pobladores, con la propagación de los productos agrarios o ser conocido desde la época prehispánica.

De todos modos, cuando apunta una innovación no motivada por la región en la cual aparece, como la *petaca* de origen novohispano que se documenta en Castilla del Oro, empieza a marcarse una influencia que justifica suponer la transición a otro período lingüístico. En este sentido se tomará la variación entre el *hava* antillano y el nahuatlismo *patata* [*sic*] en Oviedo como indicio de la introducción de otras influencias lingüísticas que las antillanas y las panameñas como en la mención de "unas cestas, con sus tapadores, ligeras, que acá se llaman *havas*, y en otras partes destas Indias se dicen *patacas*"[807]. No está claro si el cronista conoce el origen de ambas voces; basta con que sepa que se trata de un indigenismo procedente de lenguas diferentes, para que atribuyamos este fenómeno al período posterior al de orígenes.

Es una opción de método investigar la variación léxica en el presente y en el pasado. Pero mientras que en la actualidad nos apoyamos en la geografía lingüística, para el pasado hay que encargarse del trabajo filológico de la edición fidedigna o del aprovechamiento crítico de las ediciones disponibles. En cuanto a la variación de los textos del pasado, es imprescindible estudiar las voces en su contexto lingüístico y averiguar el motivo de la variación, los contactos lingüísticos y culturales sucesivos en las etapas de la colonización, y tomar en consideración todo tipo de información a nuestro alcance que nos aclare el uso lingüístico de un autor.

Analizaremos una muestra de documentos por orden cronológico para presentar varios tipos de fuentes, las tradiciones elocucionales y discursivas que manifiestan, así como el léxico antillano adoptado y el de creación o adopción reciente[808].

---

[807] G. Fernández de Oviedo 1992: I, 118.

[808] Por supuesto, se puede estudiar el léxico desde otros puntos de vista, por ejemplo como aplicación de nombres de referentes culturales en el estudio de N. Cartagena (2002) sobre el *Sumario* de Oviedo.

La *toma de posesión* de la Mar del Sur por parte de Vasco Núñez de Balboa es tan significativa como el mismo acto que realizó Cristóbal Colón en la isla Guanahaní. Este acto, sin embargo, tiene la ventaja adicional de que está mejor documentado que el de Colón en el informe que ofrece Gonzalo Fernández de Oviedo en su *Historia*, quien había tenido los documentos en su poder y cita literalmente algunos pasajes. En lo que sigue, el autor distingue entre su relato y las partes que cita de los documentos:

> Y un martes, veinte e cinco de septiembre de aquel año de mill e quinientos y trece, a las diez horas del día, yendo el capitán Vasco Núñez en la delantera de todos los que llevaba por un monte raso arriba, vido desde encima de la cumbre dél la mar del Sur, antes que ninguno de los cristianos compañeros que allí iban; y volvióse incontinente la cara hacia la gente, muy alegre, alzando las manos y los ojos al cielo, alabando a Jesucristo y a su gloriosa Madre la Virgen Nuestra Señora; y luego hincó ambas rodillas en tierra y dió muchas gracias a Dios por la merced que le había hecho, en le dejar descubrir aquella mar, y hacer en ello tan grand servicio a Dios y a los Católicos y Serenísimos Reyes de Castilla, nuestros señores, que entonces era el Católico Rey don Fernando, quinto de tal nombre, que ganó a Granada e gobernaba a Castilla por la Reina doña Joana, su hija, madre de la Cesárea Majestad del Emperador don Carlos, nuestro señor, e a todos los otros reyes sus subcesores. Y mandó a todos los que con él iban que asimesmo se hincasen de rodillas y diesen las mesmas gracias a Dios por ello, y le suplicasen con mucha devoción que les dejase descubrir y ver los grandes secretos e riquezas que en aquella mar y costas había y se esperaban para ensalce mayor e aumento de la fe cristiana, y de la conversión de los naturales indios de aquellas partes australes, e para mucha prosperidad e gloria de la silla Real de Castilla e de los príncipes della, presentes e por venir. Todos lo hicieron así muy de grado y gozosos, y encontinente hizo el capitán cortar un hermoso árbol, de que se hizo una cruz alta, que se hincó e fijó en aquel mesmo lugar y monte alto, desde donde se vido primero aquella mar Austral. Y porque lo primero que se vido fué un golfo o ancón que entra en la tierra, mandóle llamar Vasco Núñez golfo de Sanct Miguel, porque era la fiesta de aquel Arcángel desde a cuatro días; y mandó asimesmo que todas las personas que allí se hallaron con él, fuesen escriptos sus nombres, para que de él y de ellos quedase memoria, pues que fueron los primeros cristianos que vieron aquella mar; los cuales cantaron aquel canto de los gloriosos sanctos dotores de la Iglesia, Ambrosio y Augustín, así como un devoto clérigo, llamado Andrés de Vera, que en esto se halló, lo cantaba con ellos con lágrimas de muy alegre devoción, diciendo: *Te Deum laudamus: Te Deum confitemur*, etc.[809]

Se indica primero la fecha y se describe el lugar del descubrimiento que se celebra mediante una oración dirigida a Jesucristo y a la Virgen como representante

809 G. Fernández de Oviedo 1992: III, 212.

de la Iglesia, acto imprescindible para legitimar la posesión de este continente otorgada por las bulas papales a los reyes de Castilla que se nombran luego. Esta oración de gracias se reza de rodillas, pero no lo hacen todos a la vez, sino primero Vasco Núñez de Balboa, a quien tienen que unirse los compañeros, destacándose a sí mismo como a descubridor que puede esperar la merced del rey que corresponde a tan magno aumento de las posesiones de Castilla. Balboa no podía saber que entretanto el rey Fernando iba a nombrar a Pedrarias Dávila capitán general y gobernador de Castilla del Oro. Este nombramiento quitaría a Balboa los frutos de su actuación meritoria y causaría muchos daños a la tierra. Sigue el acto simbólico de la erección de la cruz que someterá esta parte del continente a la religión y al modo de vida occidental. Sobra decir que tampoco en este caso se pone en duda la legitimidad del asunto.

El bautizo del golfo de San Miguel tiene lugar el 29 de septiembre, en la fiesta del santo, de modo que los actos que acompañaban la celebración del descubrimiento habían durado cuatro días. Al final, se vuelve a celebrar una acción de gracias que se concluye mediante un documento probatorio que lista los testigos del suceso, seguido de la certificación del escribano.

No termina la toma de posesión con este documento. El mismo día, ésta continúa en el mar, situación que se describe a lo largo del documento en sus varias fases:

> Y a los veinte e nueve de aquel mes, día de Sanct Miguel, tomó Vasco Núñez veinte e seis hombres con sus armas, los que le paresció que estaban más dispuestos, e dejó allí en Chape los restantes, e fuése derecho a la costa del mar Austral, al golfo que él había nombrado de Sanct Miguel, que podía estar media legua de allí. Y en unos grandes ancones y llenos de arboledas, donde el agua de la mar crescía e menguaba en gran cantidad, llegó a la ribera a hora de vísperas, e el agua era menguante. Y sentáronse él y los que con él fueron, y estuvieron esperando que el agua cresciese, porque de bajamar había mucha lama e mala entrada; y estando así, cresció la mar, a vista de todos, mucho y con gran ímpetu. Y como el agua llegó, el capitán Vasco Núñez, en nombre del Serenísimo e muy Católico Rey don Fernando, quinto de tal nombre, e de la Reina Serenísima e Católica doña Joana, su hija, e por la corona e cetro real de Castilla, tomó en la mano una bandera y pendón real de Sus Altezas, en que estaba pintada una imagen de la Virgen Sancta María, Nuestra Señora, con su prescioso Hijo, Nuestro Redemptor Jesucristo, en brazos, y al pie de la imagen estaban las armas reales de Castilla e de León pintadas; y con una espada desnuda y una rodela en las manos, entró en el agua de la mar salada hasta que le dió a las rodillas, e comenzóse a pasear, diciendo: 'Vivan los muy altos e muy poderosos Reyes don Fernando e doña Joana, Reyes de Castilla e de León e de Aragón, etc., en cuyo nombre, e por la corona real de Castilla, *tomo e aprehendo* la posesión real a corporal, e actualmente, d*estas* mares e tierras e costas e puertos e islas australes, con todos sus anejos e reinos e provincias que les pertenescen o pertenescer pueden, en cualquier manera e

por cualquier razón e título sea o ser pueda, antiguo o moderno, e del tiempo pasado e presente o por venir, sin contradición alguna. E si alguno otro príncipe o capitán, cristiano o infiel, o de cualquier ley o secta o condición que sea, pretende algún derecho a *estas* tierras e mares, yo estoy presto e aparejado de se lo contradecir e defender en nombre de los Reyes de Castilla, presentes o por venir, cuyo es *aqueste* imperio e señorío de las Indias, islas e Tierra Firme septentrional e austral, con sus mares, así en el polo ártico como en el antártico, en la una y en la otra parte de la línia equinocial, dentro o fuera de los trópicos de Cáncer e Capricornio, segund que más cumplidamente a Sus Majestades e subcesores todo ello e cada parte dello compete e pertenesce, e como más largamente por escripto protesto que se dirá o se pueda decir e alegar e favor de su real patrimonio, e *agora* e en todo tiempo, en tanto que el mundo turare hasta el universal juicio de los mortales.' E así hizo sus autos de posesión, sin contradición alguna y en forma de derecho; y como no hobo ni paresció contradición alguna, lo pidió por testimonio, aceptando la posesión e señorío e jurisdición real e corporal e autoral, con su mero e mixto imperio e absoluto poderío real, en nombre de Sus Majestades, libremente, sin reconoscimiento alguno en lo temporal, de la mar Austral e golfo de Sanct Miguel, e en aquella parte, o por sí e por todo lo restante expresado o por expresar de las dichas Indias, islas e Tierra Firme e sus mares, así en lo descubierto como en lo por descubrir.

Y hechos los autos e protestaciones convinientes, obligándose a lo defender, en el dicho nombre, con la espada en la mano, así en la mar como en la tierra, contra todas e cualesquier personas, pidiólo por testimonio[810].

Mientras que en la parte citada anteriormente los sucesos se narran en una visión retrospectiva cuyos elementos tienen sus antecedentes en la Reconquista de la Península, ésta se enfoca a partir de la situación inmediata citada literalmente y expresada en los verbos de acto de habla *tomo* y *aprehendo* así como en los deícticos referentes a la misma situación. Se amplía la visión en la descripción discursiva del lugar y de las circunstancias, y se concreta la toma de posesión mediante actos simbólicos. No era suficiente un acto de habla o una serie de ellos, sino que éstos tenían que ir acompañados de actos tales como cortar un árbol, erigir una cruz y otros. La parte performativa se refiere a la apropiación en nombre de los reyes y ya no de la religión cristiana, pero alarga la vista hacia la perspectiva continental que se expresa en el léxico toponímico correspondiente (cf. 4.1.9.) y se concluye con probar el agua del Mar del Sur: "y con sus manos, todos ellos probaron el agua e la metieron en sus bocas, como cosa nueva, por ver si era salada como la destotra mar del Norte"[811]. Todo esto prueba que Balboa tenía la conciencia de actuar dentro de todo un continente y no sólo en

[810] G. Fernández de Oviedo 1992: III, 214.

[811] G. Fernández de Oviedo 1992: III, 215.

ambientes locales limitados como los agraciados de tierras en Tenerife, por ejemplo. El provecho personal y el castellano nacional son las dos caras de la misma moneda. Por este motivo, invita a sus compañeros a imitarle y reunirse con él en el simulacro de una defensa de la nueva tierra. Es de subrayar aquí la fe en la fuerza de las palabras que une a todos y no delata ni por asomo un distanciamiento de ninguno de los participantes ni del cronista. Antes bien, todo esto se documenta como es debido. Tras la ejecución de Balboa, Pedrarias Dávila repite la segunda parte de la toma de posesión en 1519, consistente en la entrada en el mar, que no voy a comentar por ser justamente una mera repetición, aunque disponemos del auto de posesión[812].

En 1515 se empieza a redactar un documento que aplica las leyes introducidas en 1512 y 1513 concernientes a los temas que deben tratarse en un documento indigenista y que van a formar tradiciones elocucionales así como a un nuevo tipo de texto, el *requerimiento*, que, sumándose a los ya existentes, constituye una tradición discursiva nueva: este documento, en cuanto a los contenidos, es la *carta relación* del licenciado Gaspar de Espinosa[813] –anteriormente juez de residencia en La Española y en Castilla del Oro juez de residencia de Vasco Núñez de Balboa– dirigida a Fernando el Católico y a su hija Juana, que describe la expedición de los españoles. El objetivo de la expedición era castigar a los indios que destruyeron la villa de Santa Cruz y mataron a sus habitantes, es decir, el de "pacificar e castigar los crimenes, escesos e muertes de Cristianos, que los dichos Caciques e indios de las dichas provincias de la mar del Sur habian hecho e perpetrado"[814], o bien, en términos más francos, "reformar e pacificar e quebrantar la soberbia con que los Caciques e indios de aquellas partes quedaron del desbarato e muerte de Cristianos"[815]. Como texto que rinde cuentas de este *viaje*, nombre fingido en lugar del cual se usa también *entrada*, *cabalgada* o aún más crudamente *rancheadura*[816] en el mismo documento, se trata de un *proceso* que es teóricamente una serie de documentos justificativos; sin embargo, éstos, "los *autos* e *escriptos* que sobre esta razon se hizieron"[817], faltan en el documento conservado en el Archivo General de Indias y es probable que nunca hayan existido, de modo que estos textos se mencionan por razones puramente formales

812 Reproducido en Á. de Altolaguirre y Duvale 1914: 179-183.

813 Reproducida en *CDI* 1864: II, 467-522 y Á. de Altolaguirre y Duvale 1914: 117-150. G. Fernández de Oviedo valora este *viaje* en su *Historia* (1992: III, 256-259) como también Las Casas (III: 1994: 2052-2060).

814 Á. de Altolaguirre y Duvale 1914: 118.

815 Á. de Altolaguirre y Duvale 1914: 122.

816 Á. de Altolaguirre y Duvale 1914: 130.

817 Á. de Altolaguirre y Duvale 1914: 147.

para satisfacer las exigencias legales estipuladas uno o dos años antes. Cuentan entre estas piezas justificativas varias *instrucciones* dadas a los capitanes que se separaban de la hueste y las muchas *informaciones* que se debían llevar a cabo en el camino y que concluyen los *capítulos* del documento, pero que no entran en la *carta relación* "ansi por el poco aparejo de papel e tinta como por el poco tiempo e lugar de escribir en forma"[818]. El esquema de la actuación muestra alguna variación que depende de si el *crimen* es obvio, seguido del *castigo* inmediato, caso en el cual los *cristianos llegaban* o *salteaban de noche, rancheaban* la tierra[819] y *hacían información* y *justicia*, las cuales se remataban con la entrega de algunas *habas* o cestas de oro y el *repartimiento* de los *indios de guerra* esclavizados que se vendían en La Española, siempre que el cacique o los indios no estaban *avisados* o *sobre aviso*. En el caso más benigno, *se llamaba y requería* al *cacique* de la *provincia* o *se enviaba a requerirle* para leerle el *requerimiento*, seguido del *buen tratamiento*, con la reserva de si era *posible*, la tradición elocucional nueva más recurrente, pero siempre tenían que entregar su oro. En la valoración de las actitudes de los indios era esencial saber si *salían* o *venían de paces*, cuando se *requerían de paces*, y si tras *hacer paces* se *dejaban de paces*, todavía *iban de paces* o *quedaban de paces* a la vuelta. Los indios que aceptaban el *requerimiento* eran *indios mansos*, los que no, *indios bravos*, *rebeldes*, *alzados* o *de guerra*, incluso *muy de guerra*. Una táctica de guerra muy común entre los indios, la *guaçábara*, escrita *guacabara* en el texto, aparece con bastante frecuencia.

El léxico específico, en parte tradicional, en parte enriquecido mediante aportaciones antillanas, ofrece pocas innovaciones, todas debidas al contacto lingüístico reciente. Se oponen regularmente los *cristianos* a los *indios*. Los primeros se llaman a veces *españoles*, los segundos se especifican en algunos casos como *abaris*[820], *indios chorigaras*[821] e *indios gandules*[822], calificativo que recuerda a los jóvenes moros belicosos. En cuanto al estatus social, destacan el *cacique*, el *principal* y el *gran principal*. Entre los esclavos y los demás indios se encuentran *las naborías*, hombres y mujeres, cuyo estatus describe Oviedo así:

---

818 Á. de Altolaguirre y Duvale 1914: 118.

819 Las Casas da el siguiente comentario sobre la voz *ranchear* que se refiere a la región del Darién: "Y porque no podían estar ociosos, y el exercicio suyo [de los españoles] no era ni suele ser en estas Indias sino ir a saltear y robar y captivar [*sic*] [a] los que están quietos en sus casas –que ellos le pusieron por nombre 'ranchear'– prendieron alguna gente que andaba por los montes huída" (1994: III, 1940).

820 Á. de Altolaguirre y Duvale 1914: 119.

821 Á. de Altolaguirre y Duvale 1914: 131.

822 Á. de Altolaguirre y Duvale 1914: 131.

> Había entre aquellos pobladores primeros, más de mill e quinientos indios e indias *naborías* que servían a los cristianos en sus haciendas e casas; pero porque delante se tocará algunas veces este nombre de *naborías*, es bien que aquí se declare. *Naboría* es el que ha de servir a un amo, aunque le pese; e él no lo puede vender ni trocar sin expresa licencia del gobernador; pero ha de servir hasta que *la naboría* o su amo se muera. Si *la naboría* se muere, acabado es su captiverio; y si muere su señor, es de proveer de tal *naboría* al gobernador; y dala a quien él quiere. E estos tales indios llaman *naborías* de por fuerza, e no esclavos; pero yo por esclavos los habría, cuanto a estar sin libertad[823].

Estas modalidades del servicio de una naboría podían ya ser diferentes de las que sufría en las Antillas. Los indios que eran *presas* se contaban como *piezas*. Algunos eran *ladinos*, entre ellos se encontraban dos bautizados cuyos nombres de pila aparecen en las usuales formas diminutivas como *Antonico* y *Martinico*. Por supuesto, eran indios ladinos los que servían de intérpretes, por ejemplo en la *provincia* de Natá, donde la hueste permaneció algunos meses durante el año 1516: "el padre Vicario les predicaba, por una *lengua interprete*, nuestra santa fee católica"[824]. Las lenguas eran imprescindibles para traducir el *requerimiento* como en la siguiente situación ambigua en la cual el capitán Bartolomé Hurtado lo hace explicar a los indios de la isla *Caubaco*, ubicada en el golfo de Panamá: "Despues de haber peleado con el dicho Capitan los dichos indios un poco, el dicho Capitan los hablo por las *lenguas* e les dixo como eran cristianos e como los enviaba el Rey Nuestro Señor, en aquellas tierras, que eran suyas a *requerirles* que fuesen sus subditos e naturales"[825]. En un episodio se aclara cómo los indios, quienes debían ser jóvenes, llegaban a ser intérpretes:

> [Un cacique] vino a verme [a Gaspar de Espinosa] a la dicha provincia de Chiman e alli estuvo dos dias con un hijo suyo holgando, era muchacho el cual traxe e entregue al padre Vicario para que lo tuviese en servicio San Francisco, que le enseñase nuestra Santa fe Catolica, certificando el dicho Cacique que se lo volveria dentro de veinte e cuatro lunas con el hijo del Cacique de las Perlas questaba ansi mismo en San Francisco, ques vezino del dicho Cazique[826].

Aparte de intérpretes, estos muchachos eran, de hecho, rehenes y ayudantes misionarios.

El territorio de Castilla del Oro se dividía en dos vertientes: la de *la otra mar del Sur*, vista desde el Darién, y la de *la mar del Norte*. Las unidades territoriales

---

823 G. Fernández de Oviedo 1992: III, 232.
824 Á. de Altolaguirre y Duvale 1914: 133.
825 Á. de Altolaguirre y Duvale 1914: 145.
826 Á. de Altolaguirre y Duvale 1914: 122.

eran las *provincias*, los núcleos poblacionales *asientos*, compuestos de *bohíos*; a veces tenían una *fortaleza*. La plantación que Gaspar de Espinosa mandaba hacer a un cacique se llamaba *hazienda* y no *estancia*, y consistía probablemente en *maizales*. Se mencionan la *sabana* y los *arcabucos* entre los tipos de terrenos. Aunque llevaban una *aguja* de marear para poder dibujar la *figura* de la *costa*, los expedicionarios se orientaban por los puntos cardinales tradicionales como *Poniente* o de forma más rudimentaria tomando como medida el cuerpo humano en, por ejemplo, *ir a la mano izquierda*.

Los *mantenimientos*, también llamados *bastimentos*, son con mayor frecuencia simplemente *comida*; la *comida* más común era el *maíz*, cuyo fruto se designa ya mediante *mazorca de maíz*. Sin embargo, llama mucho la atención que las palabras más comúnmente usadas son adaptaciones designativas de voces patrimoniales tales como "*venados*, e infinito *pescado* asado, e muchas *ansares* e *pavas* e jaulas e toda comida de indios en mucha gran abundancia"[827], "*cangrejos* e *pescado*"[828], "*pescado* e *caza* infinita de *cuervos* e *ansares* e *pavos* [...] *venados* en cecina [...]. *Tórtolas*"[829]. El hambre enseñaba a comer las repugnantes *iguanas*[830], el único animal cuyo nombre es de origen antillano en el documento.

Los indigenismos, con la excepción de aquéllos que vamos a comentar a continuación, son todos antillanos. Así, las *canoas*, incluso a veces las *flotas de canoas*, que trasladaban a los indios y a los españoles, se fabricaban de troncos de *mamey*. Se dormía en *hamacas* y los indios que aceptaban el requerimiento tenían que entregar el oro que guardaban en *havas*. De estas voces, *canoa*, *hamaca* y *hava* son frecuentes, mientras que los *areytos*[831] y "el juego de *bateyn* [*batey*] que se usa en Haiti"[832] aparecen una sola vez.

El motivo por el cual escogí este texto es la atestiguación de algunas voces que no arraigaron, exceptuando una o quizás dos. El uso de este léxico divergente nos permite ver las condiciones en las cuales éste deja de generalizarse. Su entorno es un ámbito muy específico: Gaspar de Espinosa envió algunos indios al cacique de Paris para *requerirle* y

> a decirle [...] que volviesen el oro e esclavos que habian tomado al Capitan Gonzalo de Badajoz e a los cristianos que con el fueron; e que fuese vasallo e servidor de SS.

---

827 Á. de Altolaguirre y Duvale 1914: 129.
828 Á. de Altolaguirre y Duvale 1914: 131.
829 Á. de Altolaguirre y Duvale 1914: 144.
830 Á. de Altolaguirre y Duvale 1914: 127.
831 Á. de Altolaguirre y Duvale 1914: 121.
832 Á. de Altolaguirre y Duvale 1914: 142.

AA. [Sus Altezas] e bueno amigo de los cristianos e que sirviese en lo que por el *tyba* de los cristianos le fuese mandado[833].

Evidentemente, el *tyba* es el mismo Gaspar de Espinosa, quien imita la lengua de los indios para que repitan sus mandatos en la lengua propia. Idéntica perspectiva se mantiene en otros casos. Así, en otra oportunidad se mencionan "las *espabes*, mujeres del dicho cacique", otra vez como la voz del otro, y también, invirtiendo la perspectiva al referir lo que, según los indios, los españoles harían: "los matariamos e destruiriamos a todos, porque veniamos muchos *cabras*, que llaman ellos Capitanes e todos muy esforzados, que no eramos como los cristianos que ellos habian desbaratado, e que traiamos *vihis* grandes que llaman ellos a las yeguas"[834]. De este modo, Gaspar de Espinosa imita la lengua de los indios mediante un cambio de código puntual no auténtico, sino contrahecho y, quien sabe, ridiculizado. En el mismo espíritu, el autor dice del cacique Chiracona "que tenia en esta tierra [mencionada antes] los *tuyraes*, que llaman ellos los diablos"[835]. La mención de estos indigenismos se distingue de los demás mediante los comentarios metalingüísticos poco usuales en un documento oficial. El uso discursivo que se manifiesta en este pasaje es una de las muchas posibilidades que hacen surgir un léxico cuya transmisión oral no tendría ningún sentido, pero que corresponde al tipo ocasionalmente retomado en las descripciones etnográficas de las crónicas, como en las *Décadas* de Pedro Mártir y la *Historia* de Oviedo, y que finalmente no entra en el uso común ni siquiera por vía escrita. Las únicas palabras corrientes son *cabra* y *chicha*; de éstas, *cabra* se mantiene en la época temprana del asentamiento y sólo *chicha*[836] entra plenamente en la lengua de los españoles[837].

---

[833] Á. de Altolaguirre y Duvale 1914: 132.

[834] Á. de Altolaguirre y Duvale 1914: 134.

[835] Á. de Altolaguirre y Duvale 1914: 139.

[836] Á. de Altolaguirre y Duvale 1914: 127.

[837] Oviedo ofrece en 1526 una descripción de esta bebida: "porque no se pase de la memoria qué cosa es aquella *chicha* o vino que beben, y cómo se hace, digo que toman el grano del maíz según en la cantidad que quieren hacer la *chicha*, y pónenlo en remojo, y está así hasta que comienza a brotar, y se hincha, y nacen unos cogollicos por aquella parte que el grano estuvo pegado en la mazorca que se crió, y desque está así sazonado, cuécenlo en agua, y después que ha dado ciertos hervores, sacan la caldera o la olla en que se cuece, del fuego, y repósase, y aquel día no está para beber, y el tercero está bueno, porque está de todo punto asentado, y el cuarto día muy mejor, y pasado el quinto día se comienza a acedar, y el sexto más, y el séptimo no está para beber" (1979: 133). El origen chibcha o cueva (kuna) de esta voz es una de las hipótesis justificadas según G. Friederici (^{2}1960: 171) y otros, aunque hay quienes la rechazan, entre ellos S. Valdés Bernal: "sería el único caso en que una voz de esa procedencia

Brindo una muestra de los documentos relativos a Pedrarias Dávila redactados en Tierra Firme[838]. El criterio para tomar en consideración una voz o expresión es, como siempre, su carácter relativamente innovador. Un tipo de voces en particular, los topónimos, son la aportación panameña al español general y a otras lenguas de los cuales explicamos algunos que ocurren en esta documentación. La ciudad de *Santa María del Antigua* proviene del voto que hizo Enciso de intitular la primera iglesia y el primer pueblo en el golfo de Urabá a esta imagen de la Virgen venerada en la catedral de Sevilla, si venciesen a un número muy superior de indios[839]. *Puerto Belo* o *Portobelo*, llamado anteriormente *puerto de Bastimentos* por Colón, es un topónimo descriptivo, porque es "un puerto muncho [*sic*] bueno", según Las Casas[840]. La motivación de *Nombre de Dios* deriva de una observación del fundador Diego de Nicuesa: "Paremos aquí en el nombre de Dios"[841]. Y el nombre *Nuestra Señora de la Asunción de Panamá* tiene su origen en la fundación de la ciudad por parte de Pedrarias Dávila que tuvo lugar en el día de la Asunción, el 15 de agosto de 1519. El nombre más común del Atlántico era *Mar del Norte* después del descubrimiento del *Mar del Sur*, no obstante, el tesorero Alonso de la Puente lo llama una vez *mar de españa* (en 1515)[842]. Aunque un latinismo, *templo*, se documenta fuera de Panamá, más exactamente en Nicaragua[843], lo aducimos aquí, porque empieza a generalizarse para designar una iglesia. Éste sigue siendo el caso de *provincia*, que está en variación con *reino* y *reinos*[844], voz muy difundida en Tierra Firme y que designa tanto a toda la tierra como a los cacicazgos particulares que la componen. Otro latinismo que se está generalizando es *refrigerio*[845]. No hay que decir que estos cambios de marca diasistemática son propios de las Indias en general.

La documentación referida a Pedrarias Dávila y aprovechada en este contexto muestra un solo préstamo de la lengua de Cueva, que ya conocemos, pero que es significativo. En el acto de posesión de la isla de Flores o Terarique, llamada también Taboga desde el siglo XVI, Pedrarias Dávila hace escribir lo siguiente:

---

haya pasado al español hablado en las Antillas" (1991: 187). Como siempre, esta controversia sólo se podría resolver mediante documentaciones fechadas con anterioridad a los contactos lingüísticos en Castilla del Oro.

838 Publicados por P. Álvarez Rubiano en 1944.

839 Las Casas comunica esta etimología, cf. 1994: II, 1554.

840 Las Casas 1994: II, 1387.

841 Las Casas 1994: II, 1570.

842 Á. de Altolaguirre y Duvale 1914: 437.

843 Á. de Altolaguirre y Duvale 1914: 556.

844 Á. de Altolaguirre y Duvale 1914: 479.

845 Á. de Altolaguirre y Duvale 1914: 480.

> E luego yncontinente vino el Cacique de la dicha ysla de flores que se solia llamar terarique que agora se llama pedro arias e con el muchos yndios *cabras* e principales que entre los dichos yndios llaman por capitanes y otros yndios de la dicha ysla al dicho puerto donde el dicho señor tenyente general estava el qual dicho cacique *cabras* e principales e yndios su señoria los Rescibio con mucho amor e buena voltuntad[846].

Aparece aquí el indigenismo *cabra* otra vez en un documento oficial, lo que parece estar en contradicción con las afirmaciones precedentes acerca de los motivos etnográficos que inducían a Andagoya y Oviedo a usar voces de la lengua de Cueva. A pesar de esto, no creo que se trate de un indigenismo muy corriente, ya que esta voz se comenta en el documento mediante la expresión "que entre los dichos yndios llaman por capitanes", aunque hay una confirmación suplementaria del uso de *cabra* en el topónimo *Cerro de Cabra*[847], si realmente *cabra* se refería a "capitán" o "principal" en este caso. Sea como fuere, la ruptura de la comunidad indígena no habrá permitido la pervivencia de su léxico específico.

Pasemos a los antillanismos. Éstos son de dos tipos: los indigenismos y las voces españolas adaptadas en las Indias. No voy a separar los indigenismos de las voces patrimoniales y voy a insistir más bien en el uso común de las islas y Tierra Firme. Las *cavalgadas*[848] o *entradas*[849] ya no se efectuaban desde hacía mucho tiempo a caballo, sino en barcos. Sin embargo, las *grangerias*[850] más importantes eran las minas, la pesca de perlas y las *labranças*[851]. Para servirse de los indios, se hizo un *Repartimiento*[852], institución que nace en América en cuanto a su forma específica. En un repartimiento se encomiendan[853] *indios de servicio*[854] a un español. Hay otra categoría de indios que se llaman *naborias*[855] y que son "indios domésticos". Al igual que siempre se contraponen los *indios* a los *cristianos*[856] como en la guerra de los moros, aun cuando los indios son cristianizados también. Entre los artefactos figuran las *canoas*[857] y las *hamacas*[858]. Final-

---

846 Isla de Flores, 1519; Á. de Altolaguirre y Duvale 1914: 466.
847 M.ª del C. Mena García 1984: 80.
848 1515; Á. de Altolaguirre y Duvale 1914: 426.
849 1515; Á. de Altolaguirre y Duvale 1914: 437.
850 Á. de Altolaguirre y Duvale 1914: 438.
851 Á. de Altolaguirre y Duvale 1914: 438.
852 Á. de Altolaguirre y Duvale 1914: 437.
853 Á. de Altolaguirre y Duvale 1914: 438; *encomendar*.
854 1515; Á. de Altolaguirre y Duvale 1914: 434.
855 1515; Á. de Altolaguirre y Duvale 1914: 437.
856 1516; Á. de Altolaguirre y Duvale 1914: 443.
857 1515; Á. de Altolaguirre y Duvale 1914: 435.
858 1516; Á. de Altolaguirre y Duvale 1914: 443.

mente, mencionemos los alimentos *caçaby* y *mayz*[859]. Podríamos presentar más cambios designativos, aunque no más indigenismos, sin que se modifique la conclusión: el uso del léxico coincide plenamente con el uso antillano de la misma época.

A pesar de no ser este autor testigo ocular, iniciamos la reseña de las fuentes cronísticas con Pedro Mártir de Anglería, quien ofrece la primera crónica impresa sobre Castilla del Oro y que además tenía un impacto europeo. Se toma conocimiento de cambios similares a los atestiguados en los documentos oficiales, pero aumenta el interés por la alteridad del Nuevo Mundo. Así, no faltan informaciones sobre procesos de selección entre voces antillanas y voces panameñas. Se establecen equivalencias entre los préstamos arahuacos y las palabras tomadas de las lenguas de regiones de colonización más tardía. Este hecho se documenta en *De orbe novo* de Pedro Mártir de Anglería, pero no sabemos con certeza si realmente este autor se refiere a las palabras indígenas o a los correspondientes préstamos en la lengua española, si bien las presenta claramente como palabras indígenas.

Parece que los españoles continuaron tomando palabras de los indios, por ejemplo *chebí* o *tibá* por *cacique*, *chico* o *culcha* por *canoa*[860] que no arraigaron. El cronista equipara los *urús*, con los que Vasco Núñez de Balboa atraviesa el golfo de Urabá, a las canoas de La Española: "Monoxilis prouincialibus quibusdam, quas diximus *Canóas* ab insularibus Hispaniolis appellari. Vrabensibus *Vrú*"[861]. Los *chici* que encuentra Vicente Yáñez Pinzón en el golfo de Paria se identifican asimismo con las *canoae*: "at*que* vna lintres vniligneas que monoxyla esse diximus in Decade, vti de *canois* Hispaniolæ parari iube*n*t armatas. Lintres isti *Chicos* appellant"[862]. Estas palabras figuran, con la excepción de *acales* y *culchae*, al final de la obra *De orbe novo* bajo el título "Vocabula Barbara", el primer vocabulario de americanismos, por así decirlo: "Canóa dicitur scapha", "Chicus dicitur scapha", "Vrú scapha siue cymba". Pedro Mártir lee en una relación de Núñez de Balboa que éste ha atravesado el istmo de Panamá y ha descubierto el Mar del Sur. Y arrebata a los *chiapes*, que viven en aquella región, sus

---

859 1516; Á. de Altolaguirre y Duvale 1914: 440.

860 Cf. P. M. de Anglería 1966: 115, 98, 107.

861 P. M. de Anglería 1966: 89; *De orbe novo*, II, iv; siguen en el cuarto y quinto capítulo otras cuatro menciones de *urú*, por ejemplo: "en varias embarcaciones de una sola pieza, que, según dijimos, llaman 'canoas' los isleños de la Española y 'urús' los de Urabá" (P. M. de Anglería 1964: 239).

862 P. M. de Anglería 1966: 98; *De orbe novo*, II, vii; "Mandaron al mismo tiempo preparar lanchas armadas de una sola pieza (que en la Década, al tratar de las canoas, denominamos monóxilas) a que ellos nombran 'chicos'" (P. M. de Anglería 1964: 262).

culchae: "Nouem capit e chiápæis monoxylis quæ ipsi *Culchas* vocant"[863]. Pedro Mártir es el único autor en citar estas variantes regionales de *canoa*. Gonzalo Fernández de Oviedo, nuestra mejor fuente para Castilla del Oro, llama *canoas* a los barcos de Núñez de Balboa que Pedro Mártir había designado como *urú*[864].

Es interesante el que en contactos posteriores se comprueben equivalencias de *cacique*, así como equivalencias de *canoa*. Pedro Mártir de Anglería señala las sustituciones de *rex/regulus* y *cacicus/cacichus*, respectivamente, en las diferentes regiones del Nuevo Mundo:

> Lingua*m* repperit ab Hispaniola & Carthagine*n*si lo*n*ge aliam. Diuersa etiam in his tractibus a suismet vicinis sunt idiomata. Regem na*mque* Hispaniola Cacícum vocat, Cóiba vero prouincia Chebi, alibi Tibá[865].

> Varia etiam in variis oris regum & primariorum nomina. Vocant regulum Cacichu*m* vt alias diximus, alibi Quebí, Tibá uero alicubi[866].

Con todo eso, Pedro Mártir no tomó en consideración los *chiacones/chiaconi* que llaman a sus barcos *chici*: "Regulos, qui Chiacones vt in Hispaniola Cacci-chi appella*n*tur"[867]. Sólo en la mención de los *chiacones/chiaconi* se indica una diferencia semántica respecto a *cacichus*: mientras que en las otras lenguas las equivalencias de *rex/regulus* se contrastan con las de *primarius/nobilis*, la función de *rex* y *primarius* coincide entre los *chiacones* con la de los *optimates*.

Con Gonzalo Fernández de Oviedo entramos en la visión pormenorizada de la vida de Tierra Firme que conoció antes de establecerse en La Española como cronista oficial de las Indias. Los temas que trata no coinciden del todo con los

---

863 P. M. de Anglería 1966: 107; *De orbe novo*, III, i; esta voz se menciona en el primero y el décimo capítulo cuatro veces más. Traducción: "Tomó consigo nueve monóxilas que los chiapenses llaman 'culchas'" (P. M. de Anglería 1964: 293).

864 G. Fernández de Oviedo 1992: III, 211.

865 P. M. de Angleria 1966: 79; *De orbe novo*, III, i; traducción: "Halló que su lengua era muy diferente de la hablada en la Española y Cartagena. También los idiomas son en estas regiones distintos de los de sus propios vecinos. En efecto: en la Española se llama 'cacique' al rey; en cambio en la provincia de Coiba se le denomina 'chebin' y 'tiba' en otros sitios" (P. M. de Anglería 1964: 213).

866 P. M. de Angleria 1966: 117; *De orbe novo*, III, iv; traducción: "También son diferentes según las regiones los nombres de sus reyes y primates: al reyezuelo lo llaman cacique, como ya hemos dicho, en otras partes 'queví' y en algunas 'tiba'" (P. M. de Anglería 1964: 320).

867 P. M. de Anglería 1966: 98; *De orbe novo*, II, vii; traducción: "los régulos de aquella región, a quienes llaman 'chiacones', como a los de la Española 'caciques'" (P. M. de Anglería 1964: 262).

de los documentos oficiales, aunque Oviedo comenta los entornos en los que se originan. Sin embargo, los descubrimientos, las entradas, las guerras y la explotación de las minas no dejan de implicar a los indios. De ahí que aparezca el léxico antillano particular en los capítulos que tratan de esos asuntos, mientras que es insignificante en los capítulos que relatan los sucesos de la vida interna de la colonia.

La mayor parte de los cambios léxicos son poco llamativos como vemos en el texto siguiente, que podría ser la materia de un cuento:

> Y envió el gobernador [de Veragua, Felipe Gutiérrez] a Pedro de Encinasola con gente hacia el Nombre de Dios, porque hacia aquella parte se habían tomado ciertos *indios* (1), para ver si hallaba algún pueblo y de comer; y topó con ciertos *maizales* (2) nuevos, y algunos dellos para se poder comer, aunque algo tiernos, y *rancheó* (3) cinco o seis *piezas* (4) de *indios* (1), y entre ellos uno que era muy gentil cavador y minero, e por señas dió buena razón de dónde se cogía el oro, y claramente lo llamaba él, oro. Y sospechóse que este *indio* (1) sabía de las minas a causa del *rescate* (5) de Natá, que es una villa de *cristianos* (6) en la gobernación de Castilla del Oro, en la otra costa de la mar, en las espaldas de Veragua. Y por causa deste *indio* (1) se movieron el gobernador e oficiales por el mismo camino, llevándole por guía para que les enseñase las minas. E llegaron a los *maizales* (2) que es dicho, donde hallaron algunos *buhíos* (7), y después que descansaron, allí un día, dijo el *indio* (1) que otro día llegarían a las minas; e caminaron tres hasta topar con una montaña tan alta, que les turó otro a subirla, en la cual y en otras vían *buhíos* (7) e aun *indios* (1), aunque luego huían. E aquejados ya de la hambre, mandó el gobernador que el Pedro de Encinasola con treinta *cristianos* (6) y el *indio* (1) fuesen a buscar las minas; y el gobernador y todos los demás dieron la vuelta al real. Y los treinta hombres llegaron a las minas, y probó el Pedro de Encinasola a hacer la experiencia y sacó cinco o seis puntas de oro; pero el *indio* (1), arrepentido de haber enseñado las minas, o desesperado, se echó de una peña abajo y se hizo pedazos[868].

Aparecen siete palabras que en su mayoría se repiten varias veces. En general, se trata de transferencias de otros usos a aplicaciones americanas. Se usa *pieça* (4) en primer lugar para piezas de ganado o caza y en segundo lugar para esclavos. Aquí se aplica a los indios que legalmente eran vasallos. Los cronistas explican lo que es el *rescate* (5), el comercio de trueque de las Indias. Covarrubias (1994: s. v.), por ejemplo, explica *rescatar* mediante la definición "recobrar por precio lo que el enemigo ha robado". Si los españoles se llaman *cristianos* (6), esta denominación presupone la comparación implícita de los indios con los moros ("moros y cristianos"). Comprobamos que *indios* (1) designa a los autóctonos en

---

[868] G. Fernández de Oviedo 1992: III, 199.

general, sin distinción entre etnias como en las Antillas donde se diferenciaban a los lucayos y los caribes; *indio* ya se ha generalizado en Oviedo. Capturar a los indios se llama en Castilla del Oro *ranchear*, significado que los cronistas comentan. En cuanto a los antillanismos propiamente dichos, *maizal* (2) es un derivado español de la palabra taína *maíz* tal y como *buhío* (7) que se ha generalizado para designar las casas de los indígenas. Todos estos elementos han entrado en el uso lingüístico de aquellos tiempos y no llaman la atención. Sin embargo, ellos son relativamente recientes y frecuentes. Estos cambios graduales explican mejor que una clasificación de las voces según el criterio de la procedencia (andalucismo, indigenismo) como el léxico se transforma desde las primeras décadas.

Sólo en muy contados casos este autor usa voces particulares de Tierra Firme: *capera*[869], el árbol que se llama también *panamá*, *perico-ligero*[870], nombre dado de forma irónica al perezoso, aparecen *tingla* "oro"[871], *chicha* "bebida de maíz fermentado"[872], *beori*[873], una "vaca de la tierra" que se glosa también mediante "danta", *báquira*[874] o "pécari", un mamífero semejante al jabalí, *paco* "esclavo"[875], *thyle*, "cierto carbón molido"[876], *pechry* "mar"[877], *nahes* "remos"[878], *camayoa* "homosexual paciente"[879], que se repiten de vez en cuando. En lugar de *cabra* o *queví* y *saco* recurre a la perífrasis "indio principal"[880]. Emplea los mismos topónimos que la documentación oficial, si bien procura elevar su estilo mediante la variación entre la expresión española y la latina en *Mar del Sur* y *mar Austral*[881], pero aun no conoce el helenismo *istmo*, ya que escribe "el paso o estrecho que hay de tierra de mar a mar"[882], una verdadera laguna léxica.

Se comprueba en Pedro Mártir que el elemento diferenciador más importante del léxico panameño temprano son los préstamos tomados de la lengua de Cueva. Esta información converge con los datos que ofrece Fernández de Oviedo en su

---

[869] G. Fernández de Oviedo 1992: III, 178.
[870] G. Fernández de Oviedo 1992: III, 188.
[871] G. Fernández de Oviedo 1992: III, 191.
[872] G. Fernández de Oviedo 1992: III, 192.
[873] G. Fernández de Oviedo 1992: III, 203.
[874] G. Fernández de Oviedo 1992: III, 203.
[875] G. Fernández de Oviedo 1992: III, 210
[876] G. Fernández de Oviedo 1992: III, 210.
[877] G. Fernández de Oviedo 1992: III, 212.
[878] G. Fernández de Oviedo 1992: III, 216.
[879] G. Fernández de Oviedo 1992: III, 219.
[880] G. Fernández de Oviedo 1992: III, 215.
[881] G. Fernández de Oviedo 1992: III, 235.
[882] G. Fernández de Oviedo 1992: III, 234.

Sumario y su *Historia*; aprovechamos esta última por contener materiales más abundantes. Podemos reunir las voces en campos conceptuales bien delimitados vinculados a la estructura social, la fauna y la flora esencialmente. Pongo los acentos, si Oviedo no los señala expresamente, que reviso en fuentes lexicográficas en los casos que se citan en las fuentes, sobre todo en Friederici. El señor que está a la cabeza de la sociedad se llama *tiba* "y en otras partes se dice *jura*"[883], o *jurá*, según Pedro Mártir. "El principal señor se llama *queví*, y en algunas partes *saco*", "si es subjecto a otro mayor"; "e aqueste *saco* tiene otros indios a él subjectos [...] e llámanlos *cabras*"[884]. Así, *tiba* y *jurá*, *queví* y *saco* son variantes diatópicas, si no provienen de lenguas diferentes, mientras que *tiba y jurá*, *queví* y *saco* juntos, así como *cabra*, designan diferencias jerárquicas. La "mujer principal, señora" se llama *espave*[885], el "médico o maestro" *tequina*[886], "su Dios" *tuira*[887], la "mujer" *ira*[888], la "amancebada" *iracha*[889], el "hombre" *chuy* u *ome*[890], el "homosexual paciente" *camayoa*[891] y el "esclavo" *paco*[892]. Encontramos algunos nombres de artefactos tales como *estórica* "cierta manera de *avientos*"[893], donde, según *Autoridades*, *aviento* significa "[i]nstrumento de Agricultúra, y lo mismo que Bieldo grande para echar la paja en los carros", que se usa también en la forma *estólica*, *cachira* "sartal"[894], una metátesis de *chaquira*, y la *toreba*, una "olla"[895]. Algunas voces se refieren a animales: el *ochí* es el "tigre de Tierra Firme"[896], la *haboga* un "pescado"[897], el *beorí*[898] es hoy mejor conocido como *tapir*. En cuanto a la flora, se atestigua al menos el topónimo *Panamá*, que designa un árbol que por otro nombre se llama también *capera*.

A pesar de no haber dado una lista exhaustiva[899], podemos extraer la conclusión de que este léxico no estaba muy vivo entre los españoles de Castilla del

---

883 G. Fernández de Oviedo 1992: III, 316.
884 G. Fernández de Oviedo 1992: III, 316.
885 G. Fernández de Oviedo 1992: III, 313.
886 G. Fernández de Oviedo 1992: III, 313.
887 G. Fernández de Oviedo 1992: III, 316.
888 G. Fernández de Oviedo 1992: III, 320.
889 G. Fernández de Oviedo 1992: III, 320.
890 G. Fernández de Oviedo 1992: III, 320.
891 G. Fernández de Oviedo 1992: III, 320.
892 G. Fernández de Oviedo 1992: III, 316.
893 G. Fernández de Oviedo 1992: III, 313.
894 G. Fernández de Oviedo 1992: III, 323.
895 G. Fernández de Oviedo 1992: III, 339.
896 G. Fernández de Oviedo 1992: II, 39-42.
897 G. Fernández de Oviedo 1992: III, 316.
898 G. Fernández de Oviedo 1992: III, 332.
899 Cf., al respecto, W. Lehmann 1920: I, 112-122, y J. M.ª Enguita Utrilla 2004: 63-75.

Oro. Oviedo, pese a estar orgulloso de ser testigo presencial de muchas novedades, no insiste en que se basa enteramente en sus experiencias, y Andagoya, que en parte cita las mismas voces que Oviedo, hace un interesante comentario acerca de su fuente: "Finalmente paresció, por información que yo hice con las brujas, esto y otras muchas cosas"[900]. Así pues, cuando su tema es la etnografía de los indígenas, los autores procuran describir la cultura mediante el léxico de la cultura indígena correspondiente. En los otros casos, al relatar los sucesos, usan o bien las voces corrientes en las Indias como Oviedo, o bien el léxico patrimonial como Andagoya, aunque vamos a ver una excepción más abajo. Manifiesta el escaso arraigo de este léxico etnográfico la pervivencia de solamente dos términos, *chicha* y *churcha* "zarigüeya"[901].

Ya que la mayor parte de este léxico no se conserva ni mucho menos se transmite a otras regiones, se impone la conclusión de que la impronta antillana era tan fuerte que la incipiente diferenciación léxica se amortigua y cesa, a más tardar, tras la conquista del Perú.

El número de las voces antillanas tanto indígenas como españolas en Oviedo es relativamente reducido, pero de alta frecuencia textual. Siguen oponiéndose los *indios* a los *cristianos* que los *ranchean* en sus *entradas*, y raras veces se usa otro etnónimo como en *caribes*[902] o *indio [...] de la provincia de Cueva*[903]. En cuanto a la estructura social, se destaca a los *caciques* y las *naborías*. Las viviendas son casi sin variar los *buhíos*. Los indios duermen en *hamacas*, se desplazan en *canoas*, se *embijan* las caras, cultivan el *maíz* en los *maizales* así como la *yuca* usando *havas*, que se producen de *bihaos*, y *macanas* que también les sirven de armas en sus *guazábaras* –voz que designa la escaramuza con gritos de guerra, documentada a partir de la fase panameña de la expansión española, lo cual no permite su atribución a un origen determinado–, comen *tortillas* y *bollos de maíz* y sus mujeres llevan *naguas*. Los españoles aprenden de los indios antillanos algunas palabras que designan configuraciones del terreno tales como *sabana* y *arcabuco*. Nuestro cronista cita algunos nombres de plantas que sirven de *mantenimientos* –por ejemplo, *batatas*, *ajes*, *ají*, *hobos* y *caimitos*–, nombres de árboles, de frutas y de animales del Nuevo Mundo[904]. No nota otra diferencia con respecto a las islas que aquéllas que se explican mejor por las diferencias entre la fauna y flora insulares y continentales que por el solo uso lingüístico.

---

900 P. de Andagoya 1986: 91.

901 J. M.ª Enguita Utrilla 2004: 74-75.

902 G. Fernández de Oviedo 1992: III, 209.

903 G. Fernández de Oviedo 1992: III, 220.

904 Cf. G. Fernández de Oviedo 1992: III, 327-329.

Tampoco faltan los marinerismos. Pese a la sangría demográfica, la escasa población española estable ha logrado imponer sus rasgos lingüísticos primitivos a la región.

El proceso de aclimatación y cambio lingüístico no fue lineal. La perspectiva que condiciona el hablar y el escribir conducía a que los autores optaran por una palabra superada en otras condiciones de uso. En el caso de la *Relación* escrita en 1539 y 1540 sobre Castilla del Oro y la Colombia actual, Pascual de Andagoya usaba el léxico español común, aunque escribió con posterioridad al descubrimiento de México y del Perú, como si estuviera al inicio del contacto lingüístico, por ejemplo: *señor*, *casa*, *puerco*, *venado*, *león*, *tigre*, *oveja*, etc. Incluso tomaba la perspectiva de los primeros contactos lingüísticos al llamar a los templos de Nicaragua *mezquitas*. La lengua española en Panamá es huidiza.

Sin embargo, enriquecía su visión del mundo indígena con la aportación mexicana: llamaba al sacerdote indígena *papa*, como a los sacerdotes en México, aunque el uso era algo ambiguo, ya que designaba mediante esta palabra a la máxima autoridad de los indígenas en una comunidad de Nicaragua y al inca por la vertiente religiosa de su poder. Así, estos *papas* no son tampoco idénticos a los *papas* o sacerdotes de la Nueva España.

Considerando la importancia histórica de Castilla del Oro sorprenden las escasas huellas lingüísticas que ha dejado el paso de los españoles por el istmo interoceánico. La sociedad panameña se fue transformando a raíz de la conquista del Perú. El ritmo acelerado de los intercambios comerciales dejó atrás a la Panamá rural. Ésta aprovisionó a la capital y proporcionó la mano de obra y las recuas del transporte interoceánico.

La consecuencia de la situación histórica de Panamá es que el país conserva el modelo lingüístico antillano en lo esencial. Hasta principios de los años treinta del siglo XVI Castilla del Oro es una extensión del mundo antillano y permanece dentro de la órbita del Caribe en épocas posteriores. La impronta de las islas se dio con los que se aclimataron en los largos años de su estancia en La Española y Castilla del Oro, aproximadamente unos veinte años. Posteriormente, los pasajeros ya no adoptaron la lengua del Caribe, o sólo superficialmente, readaptándose a la lengua de las tierras de llegada. Panamá recibió también las influencias lingüísticas en sentido inverso y las transmite a las Antillas. Desde entonces la lengua española se proyecta directamente, y desde donde sea, en las tierras de llegada: el Perú, Chile, el Tucumán. En 1544 llega el primer virrey del Perú, Blasco Núñez de la Vela. Por consiguiente, la lengua se reorienta. El predominio de los veteranos antillanos y panameños debe haber durado poco más de diez años en el Perú. Nunca más pasarían hombres tan experimentados al Perú y a Chile como los veteranos de Francisco Pizarro y Diego de Almagro.

4.2.4. Más allá del período de orígenes en Tierra Firme: Pedro Cieza de León y Juan de Castellanos

Continuemos en este lugar con la cita de Cuervo sobre "el caudal léxico acopiado, que después seguían aumentando o acomodando en los nuevos países conquistados" (4.0.1.):

> Ilustran y confirman notablemente este punto las relaciones que del descubrimiento de Antioquia, Ancerma y Quimbaya extendieron los escribanos que en él acompañaron al mariscal Jorge Robledo [...]. Ahí vemos que se va aplicando a los objetos naturales, a las armas y costumbres de los indios el nombre aprendido, o en la Española (*ají, arcabuco, batata, bejuco, bija, cabuya, ceiba, curí, guama, sabana, yuca; barbacoa, guazábara, hamaca, macana*), o en otros puntos de la Tierra Firme de antes conocidos (*auyama, pijavaes, aguacate, chaguala, chaquira, estolica*), o finalmente en el Perú, de donde acababan de llegar los descubridores (*anacona, choclo,* 'que es maíz tierno')[905].

El autor, muy consciente las vías de acceso de la lengua española en cada país hispanoamericano, toca este tema en varios lugares de sus *Apuntaciones* sin darle un amplio tratamiento, ya que su propósito es muy diferente.

Las fuentes

En el momento de los primeros contactos la transferencia del léxico antillano es aún más patente. Hay que separar cuidadosamente a los primeros autores que describen los *secretos* de la Tierra Firme con informaciones de primera mano de los posteriores, aunque sean testigos oculares también. La distancia cronológica revela mejores conocimientos de los autores más tardíos y una mayor diferenciación de su léxico. Si los autores que escriben de segunda mano proporcionan datos de interés, su contribución es significativa para la difusión del léxico. Sin embargo, es imposible tomar su léxico como saber generalizado, ya que las informaciones de los autores suelen ser más ricas y más amplias que las del resto de los españoles.

Las fuentes son tanto más relevantes cuando las fechas de la redacción y publicación se aproximen a la época de los acontecimientos. En este sentido, el desfase entre la cronología y la geografía de los sucesos y el momento de la documentación es mayor en la Tierra Firme que en las Antillas, porque los espa-

[905] R. J. Cuervo ^{7}1939: XIX.

ñoles se asientan antes en el golfo de Urabá y Castilla del Oro, y con algún retraso en la futura Gobernación de Venezuela, que va a formar parte de una misma unidad administrativa con las Antillas. Hay más, mientras que Castilla del Oro se convierte en foco de irradiación demográfica y lingüística hacia el Perú y los demás países andinos y que Cartagena de Indias va a ser la base de la penetración del futuro Nuevo Reino de Granada, la colonización de Venezuela es escasa, no alcanzando el interior del país hasta muy tarde. Las fuentes no reflejan este orden de las cosas. Se cruzan varias perspectivas en la percepción del descubrimiento y la conquista. Aún titubeante en Colón, se observan las costas del continente en las obras de Oviedo y Las Casas desde La Española o desde España. Otros como Pascual de Andagoya, Pedro Cieza de León o Juan de Castellanos abarcan conocimientos alcanzados en muy variados espacios geográficos, Andagoya en Castilla del Oro y lo que es hoy en día el oeste de Colombia, Cieza de León en los países andinos desde el oeste de la Colombia actual hasta Bolivia y Juan de Castellanos desde el norte de Sudamérica, incluyendo el Caribe. En cuanto a la cronología de las obras de los autores aducidos, éstas son casi todas posteriores a la conquista de la Nueva España y el Perú. La consecuencia lingüística es que comprobamos repercusiones de la aclimatación de la lengua española en las regiones recién conquistadas que en parte, aunque mínima, se transmiten a otras regiones. Es este desfase que nos induce a tomar las fechas de aquellas conquistas como posibles límites de períodos en la implantación del español. Los elementos lingüísticos directos que revelan la apropiación del espacio geográfico por parte de los españoles son insuficientes. Sin embargo, los indicios indirectos son bastante claros: la toponimia es generalmente diferenciadora, no repitiéndose nombres de las grandes unidades geográficas como *mar del Norte – mar del Sur*, *la Nueva España – la Nueva Castilla – el Nuevo Reino de Granada*, etc.; el léxico antillano común se difunde; el léxico de procedencia novohispana como *aguacate* o *petaca* se expande y conoce como tal; y lo mismo ocurre finalmente con el léxico de procedencia peruana como *guaca*, *chasque*, *palta*, etc.

Pedro Cieza de León (nacido entre 1518 y 1520 y fallecido en 1554) es el primer cronista que describe una parte importante de lo que es Colombia en la actualidad y que abarca la región entre Antioquia y Pasto. Había pasado a las Indias en 1535 con destino a Santo Domingo cuando La Española estaba ya muy despoblada y los indios exterminados, de modo que apenas había podido tomar contacto directo con la cultura indígena antillana, suponiendo que hubiera sido posible. Sin embargo, no parece que su aclimatación lingüística y cultural haya tenido lugar en La Española, ya que afirma en la *Primera parte de la crónica del Perú* que llegó al Perú "desde la provincia de Cartagena". Y en efecto, su lenguaje no delata una comparación ni siquiera implícita del español antillano con el español hablado en la región de Cartagena de Indias ni sabemos si es consciente de alguna diferencia lingüística. Para valorar su uso lingüístico hay que tener presente que publica su crónica en 1553, tres años después de haber vuelto a España.

Cieza de León es uno de los autores que emplea menos americanismos, a pesar de las numerosas informaciones etnográficas que proporciona sobre las comunidades indígenas ubicadas entre Cartagena de Indias y más allá del cerro de Potosí. Aunque su obra podría carecer de interés lingüístico por las características de su lenguaje, pasa todo lo contrario con su descripción, restringida a unos pocos campos léxicos. Cieza trata los temas siguiendo un modelo preestablecido, incluso cuando la realidad no corresponde a su criterio. En este caso se apunta la ausencia del elemento en cuestión, sobre todo cuando de religión se trata. Según nuestra tipología de autores y documentos Pedro Cieza de León es un caso particular: explica con abundancia los fenómenos de las culturas indígenas y la naturaleza, pero raras veces con un léxico específico. Concibe su descripción desde las cosas nuevas, no desde las palabras que se usan en las Indias. Si usa indigenismos, lo hace incidentalmente. Para permitir una comparación con la lengua de las Antillas, vamos a dar un resumen de los campos léxicos a la luz de los datos tomados de los documentos lingüísticos antillanos.

En 1536 nuestro cronista se hallaba ya en San Sebastián de Buena Vista, en el golfo de Urabá, y abría "camino del mar del Norte al mar del Sur" con la armada de Juan de Vadillo[906], a la edad de 18 o 20 años. Teniendo la intención de dar "razón de los pueblos de indios y las ciudades de españoles"[907], nunca deja de caracterizar a las *naciones* que encuentra en su camino. Éstas se llaman *indios*, al principio del texto sin variación alguna. Como mucho se oponen "los indios naturales"[908] a los "españoles", que a veces son "cristianos españoles"[909], marcando la diferencia entre paganos y cristianos. Los indios de las montañas de Abibe se llaman "indios montañeses"[910], y cerca de la ciudad de Cali se distinguen los "indios naturales" del valle del río Magdalena de "los indios serranos que estaban en lo alto del valle"[911], indicación geográfica que tiene una variante específica en "los indios de la Nueva España"[912] y una genérica en "los indios desta tierra"[913]. Así,

[906] P. Cieza de León 1984: 96.

[907] P. Cieza de León 1984: 73.

[908] P. Cieza de León 1984: 63,

[909] P. Cieza de León 1984: 79, 105, etc.

[910] P. Cieza de León 1984: 100.

[911] P. Cieza de León 1984: 143.

[912] P. Cieza de León 1984: 155.

[913] P. Cieza de León 1984: 162.

los indios propiamente dichos ya no son los indios antillanos. Sin embargo, no faltan etnónimos específicos: "Otra provincia está por encima deste valle [del Magdalena] hacia el norte, que confina con la provincia de Ancerma, que se llaman los naturales della los *chancos*"[914]; "los [indios] de las *Barbacoas*"[915]; "unos indios [...], que se llaman *Xamundi*, como el río"[916]; "alguna gente [...], que se llaman los *aguales*, que sirven y están subjetos a la ciudad de Cali"[917]; "unos indios a quien llaman los *coconucos*", que vivían a proximidad de Popayán[918]; y, finalmente, los "indios de los *Pastos*" que comarcan con "otros indios y naciones a quien llaman los *quillacingas*"[919]. A veces se explica el origen de un gentilicio:

> llaman a estos indios [que vivían cerca de la ciudad de Cali] *gorrones*, porque cuando poblaron en el valle la ciudad de Cali nombraban al pescado gorrón, y venían cargados dél diciendo: "Gorrón, gorrón"; por lo cual, no teniéndoles nombre propio, llamáronles, por su pescado, *gorrones*, como hicieron en Ancerma en llamarla de aquel nombre por la sal, que llaman los indios [...] *ancer*[920].

Lo que en la *Información de los Jerónimos* era la *manera de vivir*, son en la crónica de Cieza las *costumbres*. Es explícita la constante referencia a la "razón" que no es "mucha" en los indios de Urabá "para conocer las cosas de naturaleza"[921], aunque algunos indios "tienen más razón" que otros como los del Perú[922], o a la "obra política" que no tienen ciertos indios comarcanos a la villa de Ancerma[923]. En otra ocasión se caracterizan las mujeres que paren sin parteras y que "en pariendo, luego se van a lavar ellas mismas al río, haciendo lo mismo a las criaturas" como "*bestiales*"[924], si bien dejando una duda respecto a su humandidad o no, pero se tilda francamente más "de *bestialidad* que no de ánimo" el que unos indios maten a otros para comerles[925]. Al hablar de algunos indios serranos que vivían en proximidad a la ciudad de Cali el cronista se contenta con decir que "hay muchos pueblos de diferentes naciones y costumbres, muy *bárbaros* y

[914] P. Cieza de León 1984: 145.
[915] P. Cieza de León 1984: 146.
[916] P. Cieza de León 1984: 156.
[917] P. Cieza de León 1984: 157.
[918] P. Cieza de León 1984: 160.
[919] P. Cieza de León 1984: 166.
[920] P. Cieza de León 1984: 146.
[921] P. Cieza de León 1984: 95.
[922] P. Cieza de León 1984: 109.
[923] P. Cieza de León 1984: 118.
[924] P. Cieza de León 1984: 127.
[925] P. Cieza de León 1984: 128.

que todos los más comen carne humana"[926]. También son "gentes *bárbaras*" los indios asentados cerca del río de San Juan[927]. Una vez los indios del Darién se destacan, ya que "no tienen las *fealdades* que otras naciones"[928].

El canibalismo muy difundido en la Tierra Firme no deja de preocupar a Cieza de León, quien, sin embargo, procura entender "su *mala costumbre* y maldito *vicio*, que es comerse unos a otros"[929]. Su afán de comprender se expresa en la descripción de las formas muy variadas de la antropofagia y en alguna observación como ésta: "Hay cosas tan secretas entre estas naciones de las Indias que sólo Dios las alcanza"[930]. Quizás por el descriptivismo del autor se nos podría escapar una paráfrasis relativamente frecuente. Vamos afirmando en varios lugares de esta historia la importancia de este procedimiento para comprobar y fechar usos lingüísticos. Si Cieza de León emplea como estereotipo recurrente "carniceros de comer carne humana"[931], "carniceros y amigos de comer la humana carne"[932], "amigos de comer carne humana"[933], una expresión tan larga no puede ser corriente. Y efectivamente se le escapa una y única vez la palabra que es usual: "Son muy guerreros [los indios sujetos a la ciudad de Cali] y tan carniceros y *caribes* como los de la provincia de Arma y Pozo y Antiocha"[934]. Así, la palabra que elude en las demás expresiones es *caribe*. No usa *caníbal*, que es al principio sinónimo de *caribe* y que parece haberse perdido ya. Con este uso Cieza resuelve una duda: ¿significa *caribe* "antropófago" o es un etnónimo? Esta alternativa implica una cuestión de derecho, ya que era legal esclavizar a los "caribes que comen carne humana", fórmula que parece dudosa por equiparar a los caribes con los caníbales, pero que en realidad resuelve la ambigüedad entre el apelativo "caníbal" y el etnónimo.

Siempre en la sección de las *costumbres* encontramos las prácticas religiosas, "los *ritos* y *costumbres*"[935] o "sus *cerimonias* y *costumbres*"[936]. Sin embargo, "estos indios no tienen *creencia*, a lo que yo alcancé"[937], o bien, "no guardan *religión* alguna, a lo que entendemos"[938]. En ningún caso se usa un término para

---

926 P. Cieza de León 1984: 143.
927 P. Cieza de León 1984: 78.
928 P. Cieza de León 1984: 91.
929 P. Cieza de León 1984: 157.
930 P. Cieza de León 1984: 167.
931 P. Cieza de León 1984: 113, 131.
932 P. Cieza de León 1984: 116.
933 P. Cieza de León 1984: 126.
934 P. Cieza de León 1984: 162.
935 P. Cieza de León 1984: 63.
936 P. Cieza de León 1984: 95.
937 P. Cieza de León 1984: 126.
938 P. Cieza de León 1984: 152.

lo que es el chamanismo de estos pueblos, sino que sólo se alude a aquéllos que "hablan con el demonio":

> Hablan con el demonio los que para aquella religión están señalados, y son grandes agoreros y hechiceros, y miran en prodigios y señales y guardan supersticiones las que el demonio les manda: tanto es el poder que ha tenido sobre aquellos indios, permitiéndolo Dios nuestro Señor por sus pecados o por otra causa que El sabe[939].

Aquí aparece la religión que se les niega a los indios en otros lugares. Subrayemos, por si no ha sido evidente, que sigue el rechazo de lo indígena y con esto de los indigenismos como voces bárbaras.

La estructura social de los indígenas que captamos en Cieza es elemental. Las fórmulas más frecuentes son binomios tales como "*indios* y *caciques*" o "*señoretes* y *caciques*" en la región del golfo de Urabá[940], "*cacique* o *señor*"[941] o "un *señor* o *cacique*"[942], "los *señores* y *principales*"[943] y "*capitán* y *señor*"[944]. Estos sintagmas alternan con las correspondientes palabras sueltas o con combinaciones de palabras como "*señor principal*". A veces se indica la función del cacique mediante "el *señorío* o *cacicazgo*"[945]. La conjunción coordinadora *y* parece tener una interpretación aditiva, ya que muy menudo el autor distingue claramente esta función gramatical de la función disyuntiva de *o*, uso que no es general en absoluto en nuestra documentación en la que *y* introduce igualmente una explicación metalingüística. Deducimos de estos ejemplos la existencia de tres o cuatro estratos en las comunidades indígenas, los caciques, los principales, los capitanes y el resto de los indios, si los principales y los capitanes no son idénticos, reduciéndose en este caso la estructura a tres estratos. En este campo léxico queda delimitado con un término propio sólo la figura del cacique, mientras que Pedro Mártir de Anglería había distinguido también a los principales con un término propio. Cieza de León alude de paso a los "criados y amigos" de un señor en la región de Urabá[946], que pueden corresponder a las *naburías* de los indios antillanos, pero esta conclusión no es segura. Lo que son los *behites* o *bohites* de las Antillas, en cambio, tienen un equivalente en la Tierra Firme descrita por

939 P. Cieza de León 1984: 113.
940 P. Cieza de León 1984: 91.
941 P. Cieza de León 1984: 93.
942 P. Cieza de León 1984: 100.
943 P. Cieza de León 1984: 104.
944 P. Cieza de León 1984: 116.
945 P. Cieza de León 1984: 117.
946 P. Cieza de León 1984: 95.

nuestro autor, sólo que él les llama "grandes *agoreros* y *hechiceros*"[947], "grandes *hechiceros* algunos dellos, y *herbolarios*"[948], y "los *sacerdotes* y *ministros* suyos [del demonio]"[949], que son los chamanes que "hablan con el demonio". Pero por lo general el autor trata estos elementos etnográficos como los demás, porque emplea la técnica de la descripción también en las prácticas religiosas de los chamanes.

Obtenemos pocas informaciones sobre las profesiones y oficios, ya que Cieza describe las comunidades indígenas en el momento de la fundación de las ciudades españolas. Sin embargo, la mención de las "*indias de servicio*" en la región de la ciudad de Cartago implica la implantación del régimen colonial: "a los españoles se les murieron sus *indias de servicio*"[950]. Bien pueden ser estas "*indias de servicio*" las concubinas que habíamos encontrado en las Antillas con el eufemismo de "*criadas*". Sin embargo, una interpretación literal es posible, puesto que la misma expresión se aplica a la sociedad indígena: "Cuando se mueren [los quillancingas] hacen las sepulturas grandes y muy hondas [...]. Y si son señores principales les echan dentro con ellos algunas de sus mujeres y otras *indias de servicio*"[951]. Entre Antioquia y Ancerma "solía estar un pueblo junto de grandes casas, todas de *mineros*"[952] donde "*minero*" significa la "persona que trabaja en las minas" por tratarse de un pueblo indígena y no un "español que tiene a cargo los indios que trabajan en las minas". La palabra más importante de este campo es *encomendero* que sorprendentemente se cita una sola vez: "mas todo lo que ganan y les dan a los tristes [cargadores o peones indígenas, que no tienen nombre en Cieza] lo llevan los *encomenderos*"[953]. Las otras menciones son paráfrasis: "muchos [indios] han comido a los *señores* [españoles] *que sobre ellos tenían encomienda*"[954], "los indios y caciques que sirven a los *señores que los tienen por encomienda* están en las sierras"[955], "las *personas que los han tenido por encomienda*"[956], "los *señores que han tenido sobre ellos encomienda*"[957]. Resultan dos paráfrasis de estos ejemplos, "señor que tiene indios por

[947] P. Cieza de León 1984: 113.
[948] P. Cieza de León 1984: 118.
[949] P. Cieza de León 1984: 125.
[950] P. Cieza de León 1984: 139.
[951] P. Cieza de León 1984: 168.
[952] P. Cieza de León 1984: 111.
[953] P. Cieza de León 1984: 155.
[954] P. Cieza de León 1984: 125.
[955] P. Cieza de León 1984: 149.
[956] P. Cieza de León 1984: 157.
[957] P. Cieza de León 1984: 166.

encomienda" y "señor que tiene encomienda sobre indios". No obstante, es muy difícil que este rodeo haya sido usual en el lenguaje corriente.

Las *poblaciones* se llaman también *pueblos*, sin que podamos dar un criterio diferenciador para ambas palabras que se aplican tanto a la fundación de "nuevas *poblaciones*"[958] de los españoles o al "*pueblo* de los cristianos"[959] como a la "*población* de indios"[960] (1984: 104). La sinonimia de ambas voces se deduce de las siguientes oraciones:

> todo este valle, desde la ciudad de Cali hasta estas estructuras, fue primero muy poblado de muy grandes y hermosos *pueblos*, las casas juntas y muy grandes. Estas *poblaciones* y indios se han perdido y gastado con tiempo y con la guerra[961].

En términos específicos algunas poblaciones son *ciudades*, en un caso una "*villa* de españoles"[962], Cartago. Las *estancias* se pueden considerar al mismo tiempo como pueblos y como plantaciones: "hay algunas *estancias* que los españoles han hecho" cerca de unas minas de oro[963]; no se distinguen las estancias de los españoles de las estancias de los indios: "dábamos en algunas *estancias* de los indios y se tomaban algunas cosas"[964]. Dada la importancia de la estancia como explotación agrícola y como pueblo, citamos estos pasos que aclaran el significado: "Los españoles tienen en todo este valle [el valle de Atri, cerca de Pasto] sus *estancias* y *caserías*, donde tienen sus *granjerías*"[965].

> Pasado, pues, este río ['grande, de quien ya he contado'], todo el término que hay desde él a la ciudad de Popayán está lleno de muchas y hermosas *estancias*, que son a la manera de las que llamamos en nuestra España *alcarías* o *cortijos*; tienen los españoles en ellas sus ganados[966].

El campo de la vivienda o *casa* es más complejo en la Tierra Firme que en las Antillas por lo que hay que añadir otros edificios. *Casa* es el lexema más frecuente; la diferenciación de los tipos de casas se efectúa mediante abundantes descripciones. El uso de términos específicos permitiría comprobar semejanzas

---

958 P. Cieza de León 1984: 61.
959 P. Cieza de León 1984: 170.
960 P. Cieza de León 1984: 104.
961 P. Cieza de León 1984: 143.
962 P. Cieza de León 1984: 121.
963 P. Cieza de León 1984: 117, cf. 121.
964 P. Cieza de León 1984: 171.
965 P. Cieza de León 1984: 170.
966 P. Cieza de León 1984: 158.

entre las formas de las casas, pero éstos son escasos. Leemos que las "gentes bárbaras" que viven en la región del río de San Juan construyen sus caneyes sobre una especie de *barbacoa* o palafito:

> Salen a la costa muchos ríos grandes, y entre ellos el mayor y más poderoso es el río de San Juan, el cual es poblado de gentes bárbaras, y tienen las *casas* armadas en grandes horcones a manera de *barbacoas* o *tablados*, y allí viven muchos moradores, por ser los *canelles* o *casas* largas y muy anchas[967].

Llama la atención el yeísmo temprano en *canelles* que nos va a ocupar en un tratamiento futuro de la fonología del período de orígenes. Parece que básicamente las casas así descritas son *barbacoas* o *tablados* sobre los que se montan los *caneyes* que son un tipo de casa. Se da por conocido lo que es un caney como resulta igualmente de la mención de otras casas de los indios asentados en el valle del río de San Juan "que tienen las *casas* armadas sobre árboles". Y el autor concluye añadiendo: "Las *casas* o *caneyes* son muy grandes, porque en cada una viven a veinte y a treinta moradores"[968]. Vuelve a mencionar "las *casas*" que los indios comarcanos a la ciudad de Cali tienen "sobre los árboles muy grandes, hechos en ellos saltos a manera de sobrado"[969]. También se da por conocido el tipo de "*casa* o *bohío* deste pueblo de Buritica"[970], al que ni siquiera acompaña una descripción, de manera que no podemos afirmar que el caney sea redondo y el bohío cuadrado. Los españoles descubren "*jaulas* o *cárceles* en la provincia de Arma"[971] que Cieza describe así:

> Dentro de las casas de los señores tienen de las cañas gordas que de suso he dicho, las cuales, después de secas, en extremo son recias, y hacen un *cercado* como *jaula*, ancha y corta y no muy alta, tan reciamente atadas que por ninguna manera los que meten dentro se pueden salir; cuando van a la guerra, los que prenden pónenlos allí y mándanles dar muy bien de comer, y de que están gordos sácanlos a sus *plazas*, que están junto a las casas, y en los días que hacen fiesta los matan con gran crueldad y los comen[972].

Considerando la escasez de indigenismos es de suponer que las "*plazas*"[973] que aparecen de vez en cuando como en la cita anterior son los *bateyes* de los antilla-

---

967 P. Cieza de León 1984: 78.
968 P. Cieza de León 1984: 155.
969 P. Cieza de León 1984: 145.
970 P. Cieza de León 1984: 111.
971 P. Cieza de León 1984: 128.
972 P. Cieza de León 1984: 127-128.
973 P. Cieza de León 1984: 113, 123.

nos. Los otros edificios están relacionados con los ritos y ceremonias. La voz *tablado* se vuelve a aplicar a "un *tablado* alto y bien labrado de las mismas cañas [de las grandes fortalezas], con su escalera, para hacer sus sacrificios"[974], que Cieza de León había contemplado en la provincia de Arma. El cronista echa de ver alguna "*casa* ni *templo de adoración*"[975], aunque sí observó "una grande *casa* o *templo* dedicado al demonio; los horcones y madera vi yo por mis propios ojos"[976] en la provincia cuyo señor y rey era Nutibara[977], que se asemeja al *tablado* de los sacrificios antes mencionado. Estos templos o casas de adoración serán las *guacas* en la cultura de los incas. Las *sepulturas* son tanto edificios aparte como "aposentos" de una casa, nunca recibiendo otro nombre que éste en las numerosas y detalladas descripciones.

Subdividimos los artefactos en varios campos: las armas, el ajuar y las cosas de uso doméstico, la indumentaria o el *traje*, las joyas y las embarcaciones. El campo de las *armas* consiste casi con exclusividad en lexemas patrimoniales. Sólo de vez en cuando se mencionan palabras indígenas: "No tienen estos indios montañeses [de las montañas de Abibe] otras *armas* sino *lanzas* de palma y *dardos* y *macanas*"[978]. "Las *armas* que tienen estos indios [de la provincia de Arma] son *dardos*, *lanzas*, *hondas*, *tiraderas* con sus *estalocisa* [*sic*; recte: estólicas]"[979] y pelean con "*cuchillos de pedernal*"[980]. Los términos interesantes son *tiradera*, *estólica* y *macana*. La *tiradera*, elipsis de *flecha tiradera*, es una flecha muy larga, de bejuco y con punta de asta de ciervo, disparada por medio de correas. El significado de *estólica* o *estórica* se deduce mejor de la cita siguiente: "Las *armas* que tienen [los indios de la provincia de Quimbaya] son *lanzas*, *dardos* y unas *estolicas*, que arrojan de rodeo con ellas unas *tiraderas*, que es mala arma"[981]. La *estólica* es, pues, un arma para arrojar tiraderas, varas o dardos. La documentación en el *Sumario* de Oviedo nos remite a una región entre Castilla del Oro y el norte de Sudamérica. La *macana*, en cambio, no es un arma, sino un instrumento para el trabajo agrícola como la *batea*[982] y la *coa*, que se usaba tam-

---

974 P. Cieza de León 1984: 123.

975 P. Cieza de León 1984: 95, cf. 117.

976 P. Cieza de León 1984: 100.

977 P. Cieza de León 1984: 101.

978 P. Cieza de León 1984: 100, cf. 118.

979 P. Cieza de León 1984: 124.

980 P. Cieza de León 1984: 113, 126, 150-151.

981 P. Cieza de León 1984: 138.

982 La cantidad de tierra que cabe en una *batea* se llama *bateada*: "En otro río vi yo a un negro del capitán Jorge Robledo de una *bateada* de tierra sacar dos granos de oro bien crecidos" (P. Cieza de León 1984: 112).

bién para coger el oro: "las *macanas* o *coas* con que lo labraban [el oro]"[983]. "Estos indios [de Pozo] [...] son grandes labradores; cuando están sembrando o cavando la tierra, en la una mano tienen la *macana* para rozar y en la otra la lanza para pelear"[984]. Así se entiende que los indios convierten "los *bastones* o *macanas*"[985] fácilmente en armas, aunque es un uso secundario que se generaliza para denominar varios tipos de armas indígenas tales como porras de madera o espadas de madera o palmera.

Poco sabemos del ajuar de una casa. Los indios de Tierra Firme "duermen en *hamacas*; no tienen ni usan otras camas"[986]. Aunque la *estera* se utiliza para cubrir el suelo, puede servir de almohada –"las dos dellas [de tres mujeres de un cacique] se echaron a la larga encima de un *tapete* o *estera* y la otra atravesada, para servir de almohada"[987]– o para entoldar casas: "Dentro destas casas hay muchos apartados entoldados con *esteras*"[988]. Entre los indios los españoles "hallaban gran cantidad de oro en unos *canastillos* que ellos llaman *habas*"[989]. Entre las *ollas*[990] el cronista destaca alguna "*olla* grande"[991] y "*encensarios* de barro"[992], sin especificar más. Otro vaso es "una *totuma*, que es a manera de una albornía grande, llena de tierra"[993], hecha de una variedad de calabaza, voz de los dialectos caribes de Tierra Firme, según Manuel Alvar[994].

Traje es el archilexema de la indumentaria en Cieza de León[995]. Las mujeres visten *mantas*, por ejemplo en la región del golfo de Urabá: "Las mujeres andas [*sic*] vestidas con unas *mantas* que les cubren de las tetas hasta los pies, y de los pechos arriba tienen otra *manta* con que se cubren"[996]. En cuanto a la ropa de los señores, sólo se indica que "se cubren con una gran *manta* pintada, de algodón"[997]; y los hombres llevan invariablemente unos *maures* "con que cubren sus vergüenzas"[998] o

[983] P. Cieza de León 1984: 111.
[984] P. Cieza de León 1984: 130.
[985] P. Cieza de León 1984: 145.
[986] P. Cieza de León 1984: 92.
[987] P. Cieza de León 1984: 105.
[988] P. Cieza de León 1984: 122.
[989] P. Cieza de León 1984: 92.
[990] P. Cieza de León 1984: 103.
[991] P. Cieza de León 1984: 116.
[992] P. Cieza de León 1984: 124.
[993] P. Cieza de León 1984: 111.
[994] Cf. M. Alvar 1972: 292-294.
[995] P. Cieza de León 1984: 104, 120.
[996] P. Cieza de León 1984: 92.
[997] P. Cieza de León 1984: 105.
[998] P. Cieza de León 1984: 114.

"para cubrir sus vergüenzas se ponen delante dellas unos *maures* tan anchos como un palmo y tan largos como palmo y medio"[999]. El material de estos taparrabos puede ser otra cosa que algodón:

> [Los chancos] no traen más que *maures*, con que se cubren sus vergüenzas, y éstos no de algodón, sino de unas cortezas de árboles los sacan, y hacen delgados y muy blandos, tan largos como una vara y de anchor de dos palmos[1000].

Una vez los maures son "caracoles grandes de oro bien fino, con que se atapaban sus partes deshonestas"[1001]. G. Friederici opina, tras proponer un origen de una lengua del Pacífico mexicano o de los valles del Cauca y del Cuenca, que la palabra proviene de una lengua de la Colombia occidental[1002]. Los españoles introducen en el valle de la ciudad de Cali un cambio del modo de vestir de los indios: "Andan desnudos generalmente, aunque ya en este tiempo los más traen *camisetas* y *mantas* de algodón y sus mujeres también andan vestidas de la misma ropa"[1003] y "se han tornado cristianos, y andan vestidos con sus *camisetas*"[1004].

Algunas de las joyas tienen denominaciones indígenas que sólo aparecen en la Tierra Firme: "joyeles, y unos que llaman *caricurís*"[1005]:

> Traen ellos y ellas abiertas las narices, y puestos en ellas unos que llaman *caricuris*, que son a manera de clavos retorcidos, de oro, tan gruesos como un dedo, y otras más y algunos menos. A los cuellos se ponen también unas *gargantillas* ricas y bien hechas de oro fino y bajo, y en las orejas traen colgados unos *anillos* retorcidos y otras *joyas*[1006].

Cieza de León halló con un compañero en una sepultura de la provincia de Arma "más de doscientas piezas pequeñas de oro, que en aquella tierra llaman *chagualetas*, que se ponen en las mantas"[1007]. El origen de la *chaguala* "en aquella tierra" puede ser exacta. "Traen atados grandes ramales de cuentas de hueso menudas, blancas y coloradas, que llaman *chaquira*"[1008], palabra tomada del cuna, según el *Sumario* de Fernández de Oviedo.

---

999 P. Cieza de León 1984: 125.
1000 P. Cieza de León 1984: 146.
1001 P. Cieza de León 1984: 92.
1002 G. Friederici ²1960: 403, 742.
1003 P. Cieza de León 1984: 152.
1004 P. Cieza de León 1984: 153.
1005 P. Cieza de León 1984: 92.
1006 P. Cieza de León 1984: 152.
1007 P. Cieza de León 1984: 129-130.
1008 P. Cieza de León 1984: 152.

Las embarcaciones que encontramos en *La crónica del Perú* son las "*balsas* y *canoas*"[1009], expresión que alterna con "ni con *barcos* ni *balsas*"[1010] y "hay una *barca*" para pasar el río grande de Santa Marta[1011].

Los *mantenimientos* coinciden en gran parte con las plantas y en menor medida con los animales. Por eso vamos a tratar en este apartado las plantas que son alimentos, dejando las plantas que no lo son para el siguiente apartado, y terminaremos con los animales. La *hierba* que aparece con más frecuencia es el *maíz*, sembrado en *maizales*[1012] y base de un "vino hecho de su *maíz*"[1013] "o de otras raíces"[1014]. Este vino hecho de maíz se llama una sola vez *chicha* en "cántaros de su *chicha* o vino"[1015] que los indios de Urabá entierran con el cuerpo de un señor muerto.

Pasemos a algunas conclusiones. Generalmente la novedad indiana se representa en Cieza mediante palabras patrimoniales que contienen innovaciones designativas. Para diferenciar las cosas designadas por medio de la misma palabra el autor usa la técnica de la descripción. Los indigenismos antillanos vienen en segundo lugar, pero no se dejan de describir por eso las cosas nuevas. Esto quiere decir que el léxico antillano pasa íntegramente al oeste colombiano en la obra que analizamos, si la descripción de la tierra da motivo para ello. Raras veces la crónica refleja la experiencia panameña, como con *chicha* y *chucha*, y la aclimatación lingüística en Cartagena de Indias y los Andes colombianos en usos como *estólica*, *totuma*, *maure*, *caricurí*, *chagualeta*, *chaquira*, *pixivá*, y nos adelantamos a la etapa peruana con *inga*, *palta*, *guaca* y *oveja*, ya que Cieza de León remata su obra con posterioridad a la conquista del Perú. Comprobamos variación entre el léxico patrimonial e indígena, y sólo *pera – aguacate – palta* es un caso de alternancia entre una voz patrimonial, una mexicana y una peruana.

Nuestro mejor testigo del desarrollo léxico en las costas septentrionales de Sudamérica en toda su extensión es Juan de Castellanos (1522-1607). La *Primera parte de las Elegías de varones ilustres de Indias* se publicó en 1589, año muy tardío para la adaptación léxica que nos interesa, pero es posible identificar los estratos cronológicos del léxico que usa en esta primera parte y en las dos siguientes en manuscritos que se conocieron mucho más tarde[1016]. El estudio del

---

1009 P. Cieza de León 1984: 157, 142.

1010 P. Cieza de León 1984: 142-143.

1011 P. Cieza de León 1984: 119.

1012 P. Cieza de León 1984: 107, 148.

1013 P. Cieza de León 1984: 95, 129, 134, 168.

1014 P. Cieza de León 1984: 106.

1015 P. Cieza de León 1984: 95.

1016 Las tres partes forman la edición de la Biblioteca de Autores Españoles (1944). Pertenecen a las *Elegías* el *Discurso de el capitán Francisco Draque de nación ingles*, editado por

léxico de la historia versificada de Juan de Castellanos efectuado por Manuel Alvar (1972) no deja lugar a dudas acerca del carácter fidedigno de las *Elegías* como documento lingüístico. Este autor aplica el punto de vista etimológico, subordinando la clasificación onomasiológica de las voces a su origen. Voy a reproducir los resultados de la investigación de Alvar y a completarla con una visión general de los campos léxicos que se deducen del material acopiado.

Manuel Alvar identifica un primer estrato de voces como antillanismos españoles: *estancia* y *estanciero*, *hacienda* "finca agrícola", *ingenio* "fábrica de azúcar", *estero* "llanura pantanosa", *bergantín* "embarcación" y *rancho*, aparte de los indigenismos arahuacos. Sin embargo, disponemos en numerosos casos de documentaciones anteriores a las antillanas, sobre todo canarias. Manuel Alvar clasifica el léxico indígena antillano en campos terminológicos[1017], aunque sin nuestra distinción entre léxico estructurado y léxico terminológico. Sus divisiones son: la naturaleza (*arcabuco* "bosque muy espeso", *chapa* "pequeña llanura en una elevación", *huracán* "tempestad, viento muy fuerte", *jagüey* "pozo de agua dulce junto al mar, aguada", *zabana* "llanura, pradera" y *zabaneta*); la vivienda y el ajuar (*barbacoa* "especie de lecho; choza o colgadizo construidos en lo alto de un árbol; sustento de las chozas construidas en alto", *buhío* "casa indígena", *caney* "casa grande de los caciques", de forma circular, *conuco* "haza labrada en la que habitualmente se plantaba yuca y donde había una choza", *duho* "banquillo, silla baja", *hamaca* "red para dormir", *hico* "cada uno de los cordones que sirven de remate a las cabeceras de las hamacas", *barbacoa* para asar, *cibucán* "talega o manga larga y estrecha formada de tejido muy fino, donde se exprime la yuca para hacer el cazabe", *batey* "plaza donde se trilla"); la organización religiosa y social (*areíto* "canto y baile antillano", *bija* "árbol de familia de las bixáceas, cuyas semillas –maceradas– se usan como materia tintórea", *cemí* "ídolo, que era un espíritu benéfico", *jagua* "tinta negra extraída de la genipa americana", *cacique* con el diminutivo *caciquejo*, *cacica*, *naboría* "indio libre, pero de servicio perpétuo; vasallo"); la vegetación (*maíz*, *yuca* y el *pan cazabe*, *bejuco* "planta trepadora, correosa", *cabuya* "hilo o fibra de agave", *maguey* "una especie de agave", *manglar* "marismas llenas de mangles", *aje* "especie de batata o de ñame", *batata*, *boniato* "yuca dulce", *lerene* "tubérculo comestible", *ají* "pimienta de Indias" *maní* "avellana americana", *ceiba* "árbol de la familia de las bombáceas", *guama* "fruta de los árboles *Inga laurina Willd.* y *Lonchocarpus sericeus*", *copey* "árbol gutífero del que los indios sacaban pez

---

A. González Palencia en 1921, y la cuarta parte que había hecho imprimir Paz y Melia en 1886.

[1017] Cf. M. Alvar 1972: 72-79.

o resina", *yauruma* "árbol grande, parecido a la higuera loca", *anón* "corrosal o anona", *caimito* "árbol sapotáceo de fruta redonda y azucarada", *guanábana* "corrosal o anona", *guázuma* "moral de las Indias", *hobo* "especie de ciruela", *maco* "fruto de gusto parecido a la castaña", *mamey* "árbol de la familia de las gutíferas", *papaya* "papayo", *pitahaya* "planta cactácea", *tuna* "chumbera"); la fauna (*tiburón*, si es de origen arahuaco, *manatí* "vaca marina", también de etimología incierta, quizás caribe, *hicotea* "especie de tortuga de agua dulce", *hutía* "roedor antillano", *mohuiy* "roedor americano", *corí* "conejillo de Indias", *quemí* "roedor parecido a la liebre", *guaraquinaje* "puerco de agua", *aurí* "perro mudo de América", *cachicamo* "armadillo", *guacamaya* o *guacomayo* "especie de papagayo"); y el atuendo con *cacona* "abalorio", *chaquira* "abalorio o grano de aljójar u oro, sarta de huesos o conchas", *cay* "oro, cosa de valor" y *guaní* "tumbaga, oro bajo". Añade por último *canoa* y *canohuela*, *macana* y *macanazo*, *guazávara* "lucha, refriega, pelea, batalla". Más de un 47,4% del léxico indígena de Juan de Castellanos son voces arahuacas según las estimaciones de Manuel Alvar. Este alto porcentaje no disminuye mucho si restamos algunas palabras como *tiburón* o *guazávara* para las que otros investigadores proponen orígenes distintos. Esta divergencia de opiniones no es relevante para nuestro propósito, ya que sólo importa la aclimatación antillana de la lengua española, no la procedencia del léxico en términos absolutos. Finalmente, se suman a las voces arahuacas las caribes, entre ellas *piragua*.

Hay que añadir al léxico que se difunde aquella parte que se pierde: el *nitaíno*, el *bohite* o *behique* y otras palabras más que carecen de documentación.

El concepto de americanismo aplicado impide ver algunas innovaciones designativas. Sin embargo, podemos citar algunas plantas como la *borrachera* "Datura arborea", los *frisoles* o *frijoles* que son las "habas americanas", el *níspero*, una "pera nativa", la *piña* que pasa a designar la "chirimoya", la *turma* o "patata", el *uvero* o "parra silvestre" y no falta el *calabazo*, el *calabazuelo* o el *calabazón* para cubrir la "parte vergonzosa" de los indios cumanagotos. Los nombres de los animales confirman el testimonio de otros autores. La *danta* pasa a ser el "tapir", el *gallo de papada* corresponde al "pavo", mientras que Castellanos usa también el femenino *pava*, las *gallinazas* se parafrasean por "carniceros cuervos", la *hormiga* es el "termes", el *jabalí* y el *puerco* el "pécari", el *lagarto* el "caimán", el *león* el "puma", el *lince* y la *onza* son "tigrillos", el *oso* es un "gato silvestre", el *tigre* es el "jaguar" y el *venado* la variedad americana de cérvidos. Estas palabras no se adaptaron para designar plantas y animales en las Antillas, únicamente lo fueron en el continente.

Manuel Alvar no distingue tampoco de manera explícita la ambientación de la lengua española en otras regiones americanas. Así, es posible que la *pampanilla* con la que se cubren las mujeres y la *tiradera* o "disparador de dardos" se refieran a cosas conocidas entre los indígenas colombianos, mientras que *tortilla*, que significa "pan de maíz", puede ser una repercusión de la aclimatación de la lengua en la Nueva España. El *orejón* o "varón de la familia real de los incas, porque se dilataban las orejas encajándose grandes rodajas de madera" nos remite al contacto con el Perú y la difusión posterior de una parte del léxico de este origen. Son estos indicios los que interpretamos como resultados de las etapas cronológicas y geográficas de la lengua española. Una vez conquistado un país, el nuevo léxico podía difundirse con los nuevos conocimientos sin implicar contacto directo o limitarse al uso en la región recién conquistada.

Tras comprobar el origen variado de no pocas voces en las *Elegías de varones ilustres*, seguimos con la adopción del vocabulario indígena del norte de Sudamérica, el único que delata con toda seguridad una adaptación regional.

Proceden de la gran familia del caribe continental algunas voces que, sin necesidad de indicar el origen específico de cada una, demuestran el arraigo de algunos indigenismos en la lengua española de la Colombia y Venezuela de entonces. No se conoce el origen exacto de las siguientes voces cuyo carácter en parte histórico evoco con su pura sonoridad: *báquira* "pécari", *baroda* "conchas para hacer collares", *cachama* "especie de pez", *caracara* "especie de ñame", *chica* "planta sarmentosa", *mamón* "árbol", *manatí*, *mara* "árbol", *mayo* "perro mudo", *múcura* "cántaro", *piache* "hechicero, brujo, sacerdote", *pito* "insecto hematófago", *tococo* "alcatraz", *ture* "asiento"; *guaica* "asta, dardo", *coche* "venado", *guapo* "raíz comestible", *paracaguá* "joyel de oro", *cotuprís* "planta sapindácea", *cimiruco* "cereza silvestre", *curibijure* "planta bromeliácea", *yopa* "polvo vegetal que embriaga alucinando"; y del cumanagoto en particular: *auyama* "especie de calabaza", *caracuey* "planta de la América tropical", *caricurí* "sortijón de oro bajo", *guacharaca* "ave gallinácea", *guaricha* "mujer", *hayo* "variedad de la coca", *maçato* "bebida fermentada", *maco* "fruta de gusto parecido a la castaña", *mico* "mono", *moconí* "vasallo", *pericaguaro* "achira", *totuma* "calabaza; recipiente que de ella se hace"[1018]. Estas palabras designan plantas, animales y artefactos, y algunas son denominaciones de personas como *itoto*, *piache*, *guaricha* y *moconí*, entrando por completo en los campos de terminologías populares conocidos.

Manifiesta su limitada relevancia el chibcha con *abira* "dios", *aíra* "hijo de su seno", *mohán* "hechicero, brujo", *xeque* "hechicero", *saga* "días del ayuno", *moque* "resina usada para sahumerios", *cipa* "señor supremo", *uzaque* "título nobiliario", *maure* "zarcillo", *chaguala* "joya de oro redonda", *grupo* "joyel", *gacha* "vasija para elaborar la sal", *úquira* "ave como un faisán", *civís* "red para cazar",

[1018] Cf. M. Alvar 1972: 81-82.

chingamanal "indio, designación despectiva", *cay* "oro, cosa de valor", *guáduba* "bambú americano" que unidas a las palabras caribes ascienden a poco más del 35,4% de los indigenismos léxicos documentados en la obra de Castellanos.

Las voces quechuas son aquéllas que vamos a encontrar en momentos posteriores de nuestro paso por los caminos de la expansión. Esto quiere decir que la percepción del mundo quechua queda al margen de una visión etnolingüística interna y que el autor describe este mundo desde una perspectiva general. Los elementos quechuas son *tambo* "aposento, especie de posada", *guaca* "adoratorio, templo", *sachaluna* "salvaje", *yanacona* "criado perpetuo", *chasque* "mensajero, corredor de a pie", *topo* "gran alfiler", *queque* "joyel de oro", *fotuto* "trompeta hecha de valvas", *chaco* "caza, animales cazados", *paco* "alpaca", *vicuña*, *aïllo* "boleadora", *pauxí* "ave gallinácea", *coca* "hojas de un arbusto de la especie Erythroxylum", *poporo* "calabacito en el que llevan la cal que mezclan con la coca", quince en total, a los que agregamos el derivado *orejón*.

Manuel Alvar vincula los escasos quechuismos con el hecho de que el quechua no se haya llevado a la Nueva Granada como lengua general[1019] y que los indígenas hayan aprendido el español. Eso es cierto, pero también lo es que la corriente migratoria no pasó del Perú al Nuevo Reino de Granada, sino que al revés uno de los caminos de la expansión pasó de Cartagena de Indias hacia el interior y hasta los Andes. Y claro que la Capitanía de Venezuela dependía durante la colonia de la Audiencia de Santo Domingo. Manuel Alvar, gran conocedor de las variedades españolas en todo el dominio lingüístico, se sorprende del "pobre testimonio" de las siete palabras tomadas del náhuatl: *aguacate*, *ichcahuipiles* "armas colchadas para la guerra", *escolpis/escopies/escopil* "sayo acolchado", *petaca* "cesta forrada de cuero", *tameme* "cargador", *calpiste* "mayordomo de un señor" y *chontal* "indio bárbaro y rústico". Sin embargo, este número reducido de palabras novohispanas al que añadimos la *tortilla* era esperable debido a que el paso de la lengua española de Cuba a México era una corriente muy diferente de la expansión desde las Antillas Mayores hacia las islas fronteras de la Tierra Firme sudamericana y la misma Tierra Firme.

El porcentaje de los quechuismos cambia con el paso del tiempo y aumenta en Colombia hasta alcanzar el mayor número de indigenismos léxicos, sólo seguido de los préstamos muiscas, lengua chibcha de la zona central de Colombia[1020].

Volvemos a comprobar el desplazamiento del léxico nuevo en esta etapa de la expansión. Sería también importante conocer el léxico que no se trasplanta, pero

[1019] M. Alvar 1972: 94.

[1020] Cf. J. J. Montes Giraldo, *et al.* 1986.

el silencio de las fuentes no permite conclusiones acerca de las palabras que no llegan al resto del continente. Sin embargo, la presencia y la ausencia de determinadas cosas traen consigo una selección que depende de la realidad por designar y no de las preferencias de los hablantes.

5. UN BALANCE

Parangonando el período de orígenes con el camino de la historia que queda por recorrer, nos hemos detenido en el inicio y en la parte mejor documentable. Se aprecia el transcurso íntegro en los fundamentos que se esbozan en el primer capítulo e interrumpimos el curso de la historia en el momento en el que se preparan las conquistas consecutivas, la de la Nueva España a partir de Cuba y la de los países andinos desde Panamá. No es muy aventurado decir que el lapso de tiempo entre el poblamiento de las Islas Canarias mayores y las exploraciones del Mar del Sur es una de las etapas más innovadoras, pese a las afirmaciones en sentido contrario expresadas con alguna frecuencia, si no la más innovadora de la historia de la lengua española, al menos en lo que atañe a la posibilidad de documentar los cambios léxicos y culturales. Por este motivo me resulta evidente que no se trata de un área lingüística marginal, suponiendo que un período y regiones innovadores no pueden ser razonablemente marginales, si bien debido a la distancia respecto a la metrópoli se encuentran en la frontera del mundo entonces conocido entre los europeos. También se muestra una aceleración interna, si consideramos el ritmo del cambio de las condiciones: entre la transición del régimen señorial al régimen de realengo se miden 75 años en Canarias; en La Española, el virreinato de Cristóbal Colón duró sólo ocho años hasta el nombramiento de Francisco de Bobadilla como gobernador y la destitución del virrey en 1500.

Hemos hablado con tanta frecuencia de la importancia de los documentos y de la documentación a lo largo de las páginas precedentes que es tiempo de retroceder para estimar el camino recorrido. La base de mis consideraciones son los entornos y en primer lugar la situación inmediata en la medida en que se vuelca en documentos escritos o a su falta en los contextos discursivos que la representan. Los documentos de este tipo son rarísimos y se obtendrá beneficio de ellos para el estudio de la gramática y la fonología. Nos aproximamos en un grado mayor a la situación inmediata y los demás entornos relacionados con la situación en los contextos discursivos que la producen en los tipos de documentos probatorios ejemplificados en 1.5.3. que hasta cierto punto permiten la reconstrucción de la situación inmediata, que es también, desde otra perspectiva, el lugar que hace documentable el cambio lingüístico. Los textos constituidos de esta forma pueden aprovecharse para el estudio del léxico dentro de los entornos que los relacionan con el acto de habla. Sólo así nos enteramos de que el uso documentado corresponde al uso lingüístico vivo en un momento y lugar dados, incluyendo los distintos tipos de *región*. La variación enfocada desde aquellos entornos que son los universos de discurso, esencialmente dos, y que son la misma realidad cotidiana y la realidad o las realidades fingidas que corresponden a la visión legal y administrativa oficial de la sociedad colonial, por un lado, y a la obligación de proteger y evangelizar a los indios, por otro. Los entornos encubiertos no se descubren en lo que significan los signos lingüísticos, sino en lo que designan y evocan o connotan. Esto último se deja en penumbras a propósito. Las ambivalencias se patentizan, por ejemplo, por vía indirecta en un documento tan revelador como la *Residencia tomada a los jueces de apelación* de 1517.

La mayor accesibilidad de la documentación canaria y su aprovechamiento por parte de los historiadores y lingüistas canarios han condicionado la extensión del capítulo dedicado a la formación del español canario. A partir de los entornos se evalúan las obras que hemos atribuido al universo del discurso científico que se expresa con regularidad en español, pero adoptaba un léxico culto latinizante e incluso helenizante. Elaboradas a una mayor distancia temporal de los sucesos, que es más corta y de mayor envergadura en las Indias que en las Islas Canarias, las proporciones cuantitativas y cualitativas de los documentos oficiales y de estas obras ofrecen la posibilidad de estimar la relevancia regional de las Canarias, por un lado, y la planetaria de las Indias, por otro, si bien estas últimas estaban escasamente pobladas. Unas y otras permanecen vinculadas a partir de entonces hasta la actualidad.

La mayor generalidad y el carácter de síntesis de las obras científicas según los criterios de la época las aleja de la situación comunicativa, vertiendo los testimonios tanto orales como escritos de procedencia heterogénea en textos que no son el reflejo cabal del pasado, sino que se recuerda de forma fragmentaria e inconsciente o conscientemente sesgada. Según el momento y las circunstancias, los testigos desvelan con toda su ambigüedad o crudeza en deposiciones bajo juramento la connivencia entre los españoles, que implican tanto aquéllos que, encumbrados, se aprovechan del sistema con honestidad o corruptos como aquéllos que se ensucian las manos, sobre todo los mineros y estancieros.

El trabajo de la memoria se percibe en los documentos probatorios que toman acta de sucesos pasados hacía días, meses o años. Este trabajo que media en la distancia entre el momento narrado o descrito y el acto de escritura es mayor en la (re)construcción del pasado reciente en las obras abarcadoras de medio siglo como las de Las Casas y Oviedo. La formación del discurso de la memoria es un proceso que hemos tocado en varios lugares, pero que merece un estudio aparte con bases teóricas más profundas que las presentadas aquí. Sin embargo, intenté atenerme, muchas veces implícitamente, a la distinción entre discurso oral y escrito, y a la transmisión de los fenómenos a partir de un ambiente a otro en el marco de la arquitectura de la lengua. Esta transmisión es un proceso múltiple en el tiempo y el espacio, y se puede enfocar de forma prospectiva y retrospectiva. En esta alternativa he preferido la visión prospectiva de la formación de las tradiciones elocucionales y discursivas en las cuales se intercalan los fenómenos léxicos.

Es notable que el reconocimiento de la experiencia ganó terreno en las Indias contra la autoridad de los autores clásicos. Las Canarias y América se integran a la lengua española a través de la designación de las nuevas realidades mediante los significados tradicionales. Pero el aprendizaje de las diferencias americanas empieza ya desde el arribo a la primera isla hallada. En los términos de la divergencia que percibimos desde la actualidad, el orgullo de los autores de ser testigos presenciales tiene la función de afirmar que la máxima diferencia es la que ofrece el otro mundo o el Nuevo Mundo en sí. La expresión más elemental de esto último es la comunicación por señales[1] en una situación inmediata, ambigua y por lo tanto abierta a varias interpretaciones, pero sustituida tempranamente por la intervención de intérpretes, de modo que la naciente transmisión de este tipo de comunicación a través del aprendizaje de señales y costumbres desaparece pronto.

Hemos dado una gran importancia a la distinción de la terminología y el léxico estructurado. Los cambios terminológicos no dependen únicamente de lo nuevo. Hay también novedades importadas como la terminología administrativa y jurídica. Ésta cambia, pero lo hace en cada atribución de competencias otorgadas a un funcionario y no en relación con el cambio lingüístico[2]. Se plantea el problema de cómo enfocar su estudio histórico. Éste se puede analizar desde los significados o desde las cosas designadas mediante los signos lingüísticos o, planteamiento aún más radical, desde la conceptualización de las cosas convertidas en signos lingüísticos. Este segundo punto de vista es el enfoque de la semántica cognitiva. Tratándose de *cosas* nuevas los autores emplean el método de la descripción, de la definición y de la explicación. Más allá de estos tipos de significantes los españoles crean grupos de palabras nuevas. Palabras como *casa* se diferencian mediante *de la tierra* y *de España* o *de Castilla*. Al dedicarse los historiadores de la lengua a la investigación de las relaciones sintagmáticas se descubrirían más unidades sintagmáticas y cada vez más diferenciadas con el paso del tiempo y el avance de nuestros conocimientos. Como es bien sabido, el estudio de las unidades pluriverbales es un pariente pobre de la lingüística sincrónica, y lo es aún más en la historia de la lengua.

La diferenciación interna del castellano y del andaluz occidental como también la del portugués preceden a la del español en las Islas Canarias y continúan

---

1 Cf. E. Martinell Gifre 1988 y 1994.

2 J. Lüdtke 2002.

en las Antillas. Este principio que se formula en la investigación hispanística como búsqueda de la base lingüística del español de América a partir de Amado Alonso es aplicable igualmente a Canarias, pero tanto en estas islas como en América no se trata de la procedencia únicamente, sino más bien de cómo se prolonga la lengua fuera de la Península en relación o no con su origen regional y social así como de las condiciones de su formación en las nuevas tierras. Se van configurando nuevos dominios lingüísticos que se originan en la irradiación de los fenómenos a partir de determinados centros. El primer centro en sentido absoluto fue Lanzarote, seguido de Las Palmas de Gran Canaria y La Laguna de Tenerife.

En cuanto a la metodología, un gran impedimento para la investigación es la situación no equiparable de las fuentes de las variedades metropolitanas y expansivas. Considerando el uso de la lengua en sus elementos patrimoniales, no hay certeza acerca de si se originan dentro o fuera de España. Ante esta dificultad hemos privilegiado las innovaciones lingüísticas, del tipo que sean, y la variación lingüística que se perfila en torno a ellas. Es una ventaja para la investigación que la situación en que se produce la innovación está bien conocida, por lo menos muchísimo mejor de lo que resultan generalmente las situaciones de cambio del léxico común. Hemos procurado averiguar las diferencias diatópicas, diastráticas y diafásicas nacientes hasta donde se descubren indicios para valorar los fenómenos en este sentido.

El debate andalucista agudiza la conciencia de cuánto los resultados de este enfoque son diferentes en su aplicación a las Islas Canarias y al Caribe: las Islas Canarias son realmente una prolongación de la Andalucía atlántica, la occidental, lo cual incluye las importantes aportaciones de la Iberia atlántica, con la afluencia de los portugueses procedentes de las islas atlánticas y de las costas de Portugal. En cambio, nada semejante se averigua en las Antillas y Castilla del Oro. El perfil andalucista queda amortiguado como también y mucho más la presencia portuguesa, dando a ver la contribución de todos los reinos de Castilla, con el predominio de las tierras del sur orientadas hacia el Atlántico, pero pobladas de norte a sur con la participación de las tierras castellanas conquistadas con anterioridad. La comparación de ambas regiones deja bien claros los rasgos regionales andaluces y portugueses de Canarias y los contornos, por un lado, más generales, pero, por otro, también más innovadores del español en proceso de formación en el Nuevo Mundo que se dibujan ya en sus elementos culturales y léxicos.

En las Indias, la irradiación lingüística implica la proyección a partir de unos pocos centros iniciales hacia el resto del continente que se realiza siguiendo las vías de la penetración de los españoles, ya que los caminos de la difusión de las innovaciones no pueden ser diferentes de los desplazamientos migratorios ni tampoco de los estratos cronológicos de los contactos humanos que se escalonan en el tiempo. En esta línea hemos seguido el paso de la lengua a las Islas Canarias, a las Antillas y a Castilla del Oro, tomando en cuenta los enlaces de La Española con Cuba, la Nueva España y las subsiguientes proyecciones en esta dirección, de La Española con Tierra Firme, desatendiendo al norte de Sudamérica que corresponde al período posterior al período de orígenes común, y la proyección hacia los países andinos desde Panamá. Hemos presentado los testimonios de Pedro Cieza de León y Juan de Castellanos para marcar la distancia cronológica y regional manifiesta en el léxico del Nuevo Reino de Granada. Éstos muestran que, aparte de los contactos iniciales, los límites cronológicos posteriores no son tajantes.

Cada descubrimiento prometedor en Tierra Firme, Yucatán y la Nueva España en las costas septentrionales de Sudamérica, atrae a pobladores, dejando despobladas las islas una tras otra a lo largo de aproximadamente treinta años. Esta redistribución poblacional tiene dos consecuencias directas: por un lado, se implanta la lengua tal como se había formado en las islas por las tierras del continente, alargando de este modo la fase antillana fuera de su espacio geográfico originario; por otro lado, esta lengua así constituida manifiesta pocos cambios al principio de las expansiones continentales, según el testimonio tanto de los documentos oficiales como de las crónicas. Estas observaciones permiten extraer una conclusión importante respecto a la utilización de las fuentes. A falta de atestiguaciones anteriores, éstas se pueden aprovechar a condición de que continúen directamente rasgos antillanos en el léxico; los otros fenómenos que no sean léxicos no pueden dar fe de la configuración de la lengua de los orígenes en América. De cualquier modo que se aprecie este aporte documental, su localización cronológica se desume de la cita correspondiente que se puede revalorizar en otra forma si se considera oportuno.

Al comparar la esclavización de los indígenas canarios que tenía el objetivo de financiar la empresa de la conquista y el exterminio de los indios antillanos y panameños, ambos fenómenos son los resultados de intenciones idénticas, es decir, aprovecharse de los indígenas, con la diferencia de que los indios se podían emplear en la extracción del oro, lo cual causó su mortandad, mientras que los canarios no ofrecían ninguna ventaja económica aparte de ser mercancía. Por lo demás, existe la misma distinción entre canarios *de paces* y *de guerra* como entre estas categorías en las Indias, con el agravante de que los indios de guerra se consideraban con frecuencia *caribes*, o sea antropófagos. Ante estas actitudes de los soldados y colonos, el llamado *aindiamiento* de los españoles me parece, más allá de la adopción de nuevas costumbres alimenticias y la convivencia con mujeres indias, puro sentimentalismo.

La consecuencia del declive demográfico de las Antillas es el paulatino repoblamiento mediante esclavos negros y posteriormente con grupos de pobladores canarios, básicamente durante los dos últimos siglos de la época colonial. Este proceso, sin embargo, pertenece ya a la historia del español antillano como historia regional y no se ha considerado aquí. Debido a estos vericuetos demográficos, no podemos saber sin estudios históricos profundizados si el estado presente del español del Caribe delata una transmisión ininterrumpida o si está motivado por la reintroducción de otros lugares del mundo hispánico, sobre todo de Canarias.

Las Islas Canarias no fueron una tierra plenamente colonial. En más de un siglo se formó una sociedad que era una réplica de la sociedad española compuesta de elementos poblacionales no del todo idénticos a la peninsular, en la cual predominaban los andaluces y portugueses, mientras que los autóctonos se asimilaban pronto o se marginaban. La explotación de tipo colonial se manifestó en el cultivo de la caña de azúcar, realizado mediante un fuerte contingente de mano de obra esclava, y su comercialización internacional. Si hay una propagación del español canario, ésta parte de Gran Canaria y Tenerife y cobra mayor importancia desde el siglo XVII. Las huellas tempranas son difícilmente detectables en el español de América; se entiende que, por ejemplo, no se usen los prehispanismos canarios para designar la realidad americana tan diferente de la canaria ni que se impongan en las Antillas los pocos españoles emigrados a las Indias que con anterioridad se habían aclimatado en las Islas Canarias. Así, las islas son tierras de tránsito, sin que se haya logrado probar una notable impronta temprana del español canario en el período de orígenes americano.

El escenario cambió completamente en las Antillas y Tierra Firme. El español antillano primordial se formó en torno al eje que enlazaba Santo Domingo con Puerto Plata así como, hasta 1508, con otros asentamientos más en el interior y algunas villas costeras tras la llegada de Ovando, porque a partir de 1508 empieza la proyección de los españoles hacia las otras Antillas y Castilla del Oro. En realidad, la fase formativa efectiva duró sólo quince años, lo cual se deduce del hecho de que el español antillano haya llegado a Tierra Firme plenamente formado en su sustancia. Tras muchos tanteos y una vacilación inicial entre una explotación colonial de las minas de oro, sobre todo a partir del centro que fue Santo Domingo, del cual partían igualmente las *cabalgadas*, actividades que implican la estructura de una factoría, y el asentamiento duradero los pobladores de las Antillas, la implantación poblacional en las Indias se decantó por la segunda forma. El asentamiento estable fue la condición imprescindible para que se formaran nuevas formas de convivencia y, por lo tanto, una comunidad lingüística nueva. La toma de posesión de La Española y de las islas vecinas llevó a la constitución de un modelo plenamente colonial, en vísperas de la Europa moderna, por los pobladores que no regresaron a España, sino que optaron resueltamente por el nuevo continente y crearon una colonia sin precedente medieval, de la cual examinamos los aspectos lingüísticos y culturales documentables en las fuentes. En lo que concierne a la importancia lingüística de los asentamientos, conviene distinguir tres tipos de colonias, las de ocupación que, son fundamentales, como La Española y también Cuba, las de apoyo[3], por ejemplo Jamaica, Puerto Rico y Panamá y las de saqueo entre las cuales se cuentan las Bahamas, las Antillas Menores y, al principio, el norte de Sudamérica, con la inclusión de las islas en las cercanías de las costas.

Tras haber estudiado una serie de documentos, evidentemente no en el sentido de una serie de documentos del mismo tipo u homogéneos de "larga duración" como lo plantea la revista *Annales*, llego a la conclusión de que se siguen cambios rápidos en pocas décadas los cuales producen, al mismo tiempo, una enorme variación lingüística. Se impone estudiar los indicios fonológicos y gramaticales, incluyendo la variación de estos fenómenos, premoniciones de futuros cambios que pueden ser generalizaciones, sustituciones o innovaciones, y seguir la historia de la lengua etapa por etapa y región por región a través de los siglos por el continente, según vimos en 2.5. De ésta captamos sobre todo los cambios de la adaptación y adopción léxicas, mientras que se nos escapan los eventuales cambios fonológicos y gramaticales. Estos últimos fenómenos se pueden estudiar a nivel culto en las fuentes que nos sirven de base también para el estudio del nivel culto medio. He sido reacio a tomar en consideración el nivel culto latinizante o helenizante, si las obras se escribieron en los años cuarenta y cincuenta del siglo XVI como la *Historia de las Indias* y la *Apologética historia sumaria* de Las Casas. Sin embargo, la elaboración del nivel culto se realiza también a partir del descubrimiento y se considera aquí tan innovador como el resto del léxico[4].

En cuanto a la fonología, hay que prestar una atención particular a la adaptación fonológica de los indigenismos de origen canario y taíno a la lengua española, ya que estas voces se adaptan al sistema fonológico castellano sin mediación previa de una tradición ortográfica que pueda interferir en la representación de la fonología canaria y arahuaca mediante la fonología y en parte también de la gramática castellanas. No ha sido posible generalizar las conclusiones más allá de los resultados documentados. Esta limitación de la envergadura del ensayo histórico presente implica la necesidad de ajustes futuros en dependencia de nuevos materiales asequibles.

Se han discutido algunos testimonios idóneos para perfilar la lengua que empieza a asumir caracteres propios y la manera en la cual esta novedad se expresa. Ya que los textos no se dirigen sólo a los españoles asentados en las nuevas tierras, debemos estar atentos a una variación lingüística motivada por el

---

[3] Cf. E. Mira Caballos 1997: 76-77.

[4] J. Lüdtke 2007a.

origen indiano del texto y las innovaciones que implica, el nivel de los conocimientos del autor y los destinatarios peninsulares.

El ritmo del cambio en las diferentes áreas de la lengua fue altamente desigual. Si hubo cambio en la gramática, la fonología y la fonética, improbable en un lapso de tiempo tan corto, no se documenta con la claridad deseable como para delimitar los caracteres de la lengua española del período de orígenes. En cuanto al fundamento o la base gramatical y fonológica del español en las nuevas tierras, hay trasplante de la lengua, no cambio perfectamente perceptible. Esta lengua trasplantada era diferente en las Islas Canarias y el Caribe como eran diferentes los primeros cambios en ambas regiones. En una visión realista son únicamente estos cambios los que avalan la delimitación de un período de orígenes. Se podría argumentar que la parcela de la lengua que se estudia en estas páginas no justifica el reconocimiento de tal período. Mi conclusión, sin embargo, es muy otra: la extrañeza de los cambios culturales ocultados en las voces patrimoniales que designan una realidad inédita y manifestados en las nuevas creaciones españolas y los préstamos, unidos al cambio radical de las condiciones del desarrollo de la lengua –pues tras treinta años la mayoría de los españoles asentados en las Antillas y Panamá habían migrado hacia México y el Perú, formando los centros de irradiación lingüística más importantes del continente– acapara tanto la conciencia lingüística de los coetáneos, atestiguada con abundancia en las crónicas y otras obras, como nunca jamás en testimonios posteriores que suelen limitarse a fenómenos regionales, que debe servir de criterio delimitador. Se nota una enorme distancia entre lo que buscan muchos historiadores de la lengua, la koiné, y lo que se encuentra, el cambio cultural. En la presente obra se ha tomado la decisión de tomar como base los fenómenos cuya existencia está avalada por las fuentes.

APÉNDICE

Hermann Paul
La gramática histórica y el verdadero objeto del investigador de la lengua[1]

§ 11. Es de importancia fundamental que el investigador de la historia se dé cuenta exactamente de la extensión y de la naturaleza del objeto cuya evolución tiene el oficio de estudiar. Bien se puede tomar esto como algo evidente en lo que de ningún modo uno puede desorientarse. Y, con todo, es precisamente ahí que la lingüística ni siquiera ha empezado a remediar el descuido de decenios.

La *gramática histórica* proviene de la vieja gramática meramente *descriptiva* y aún conserva mucho de ella. Por lo menos en las obras de síntesis conservó enteramente la vieja forma. Se limitó a juntar paralelamente una serie de gramáticas descriptivas. Se considera en primer lugar como la verdadera característica de la nueva ciencia la comparación y no la exposición de la evolución. Incluso se opuso la *gramática comparada*, que se ocupa de las relaciones mutuas de familias de lenguas afines cuyo origen común se perdió, a la gramática histórica que investiga la evolución, basándose en un punto de partida que le es transmitido por la tradición. Y aún hay muchos investigadores de la lengua y filólogos que están lejos de pensar que ambas son la misma ciencia, con la misma tarea y los mismos métodos, y que sólo las relaciones entre aquello que nos es transmitido y la actividad combinatoria toman una forma diferente. Pero también en el dominio de la gramática histórica se usó en el sentido más estricto el mismo procedimiento comparativo: se alinearon gramáticas descriptivas de diferentes períodos. En parte fue una necesidad práctica que tal método exigió y que, hasta cierto punto, exigirá siempre para una exposición sistemática. Pero no podemos negar que toda la concepción de la evolución de la lengua estuvo –y en parte está todavía– bajo la influencia de este modo de exposición.

La gramática descriptiva registra las formas y las condiciones gramaticales usuales en una determinada época dentro de la misma comunidad lingüística, los modos de expresión que cada uno puede usar para ser entendido de todos sin producir una sensación de extrañeza. Su contenido no son hechos, sino sólo una abstracción que parte de los hechos observados. Si hiciéramos tales abstraccio-

---

[1] Hermann Paul ([5]1920): *Prinzipien der Sprachgeschichte*. Tübingen: Niemeyer: 23-24; traducción de Jens Lüdtke; revisión de Edgar Alberto Madrid Cervín; cf. Hermann Paul (1970): *Princípios fundamentais da história da língua*. Tradução de Maria Luisa Schemann. Lisboa: Fundação Calouste Gubelkian: 33-34.

nes dentro de la misma comunidad lingüística en diferentes épocas, veríamos que los resultados son diversos. Por la comparación adquirimos la certeza de que se realizaron transformaciones, tal vez podemos descubrir cierta regularidad en las relaciones mutuas, pero de esta manera no llegamos a estar informados sobre la verdadera naturaleza de las transformaciones realizadas. La relación causal permanece como un misterio, en tanto que tomemos en cuenta únicamente estas abstracciones como si resultaran las unas de las otras. *Porque entre abstracciones no existe el mínimo nexo causal –sólo entre objetos y hechos reales–*. En tanto que nos contentamos con una gramática descriptiva y con abstracciones, estamos todavía muy lejos de una comprensión científica de la vida de la lengua.

§12. *Antes bien, el verdadero objeto del investigador de la lengua son todas las manifestaciones de la actividad del hablar en todos los individuos en su acción recíproca.*

BIBLIOGRAFÍA

Abreviaciones y siglas

AA — *American Anthropologist*. Washington/etc.

AAIFLH — Ciocchini, Héctor E. (ed.) (1968): *Actas de la V Asamblea Interuniversitaria de Filología y Literatura Hispánicas*. Bahía Blanca: Universidad Nacional del Sur.

ACAIH XV — Mariscal Hay, Beatriz (ed.) (2007): *Actas del XV Congreso de la Asociación Internacional de Hispanistas "Las dos orillas"*. Monterrey, México, 19-24 de julio de 2004. 4 vols. México, D. F.: FCE.

ACIEA II — (1986): *Actas del II Congreso Internacional sobre "El español de América"*. México, D. F.: UNAM.

ACIEA III — Hernández, César, *et al.* (eds.) (1991): *El español de América. Actas del III Congreso Internacional de "El español de América"*. 3 vols. Salamanca: Junta de Castilla y León.

ACIEC — Academia Canaria de la Lengua (ed.) (2003): *Actas del I Congreso Internacional sobre el Español de Canarias*. 2 vols. Las Palmas de Gran Canaria: Academia Canaria de la Lengua.

ACIHLE I — Ariza, Manuel/Salvador, Antonio/Viudas, Antonio (eds.) (1988): *Actas del I Congreso Internacional de Historia de la Lengua Española*. 2 vols. Madrid: Arco/Libros.

ACIHLE II — Ariza, Manuel, *et al.* (eds.) (1992): *Actas del II Congreso Internacional de Historia de la Lengua Española*. 2 vols. Madrid: Pabellón de España.

ACIHLE IV — García Turza, Claudio/González Bachiller, Fabián/Mangado Martínez, Javier (eds.) (1998): *Actas del IV Congreso Internacional de Historia de la Lengua Española*. 2 vols. Logroño: Universidad de La Rioja.

ACIHLE V — Echenique Elizondo, María Teresa/Sánchez Méndez, Juan (coords.) (2002): *Actas del V Congreso Internacional de Historia de la Lengua Española*. 2 vols. Madrid: Gredos

ACIHLE VI — Bustos Tovar, José Jesús de/Girón Alconchel, José Luis (eds.) (2006): *Actas del VI Congreso Internacional de Historia de la Lengua Española*. 3 vols. Madrid: Arco/Libros.

ACIHLE VII — Company Company, Concepción/Moreno de Alba, José G. (eds.) (2008): *Actas del VII Congreso Internacional de Historia de la Lengua Española*. Mérida (Yucatán, 4-8 de septiembre de 2006). 2 vols. Madrid: Arco/Libros/Fundación Banco Santander/AHLE.

ACIHLE VIII — Montero Cartelle, Emilio (ed.) (2012): *Actas del VIII Congreso Internacional de Historia de la Lengua Española*. 2 vols. Santiago de Compostela: Meubook.

ACNIJA — *Anales de Ciencias Naturales* del Instituto José de Acosta.

AdL *Anuario de Letras*. Revista de la Facultad de Filosofía y Letras. México, D. F.: UNAM.

AEAm *Anuario de Estudios Americanos*. Sevilla.

AEAt *Anuario de Estudios Atlánticos*. Madrid, etc.: CSIC.

ALEICan Alvar, Manuel (ed.) (1975-1978): *Atlas lingüístico y etnográfico de las Islas Canarias (ALEICan)*. 3 vols. Las Palmas de Gran Canaria: Cabildo Insular de Gran Canaria.

Almogaren *Almogaren*. Hallein (Austria): Institutum Canarium.

AL *Archivum Linguisticum*. Glasgow.

ALH *Anuario de Lingüística Hispánica*. Valladolid: Universidad de Valladolid.

AN *América Negra*. Bogotá: Pontificia Universidad Javeriana.

ASILE I *Actas del I Simposio Internacional de Lengua Española*. Las Palmas de Gran Canaria: Cabildo Insular de Gran Canaria.

ASILE II Alvar, Manuel (coord.) (1984): *Actas del II Simposio Internacional de Lengua Española (1981)*. [Las Palmas de Gran Canaria]: Cabildo Insular de Gran Canaria.

ASNS *Archiv für das Studium der neueren Sprachen und Literaturen*.

ASPIL *Actas del VI Simposio del Programa Interuniversitario de Lingüística. El simposio de San Juan, Puerto Rico*. San Juan (Puerto Rico): Departamento de Instrucción Pública.

Autoridades Real Academia Española (1964): *Diccionario de Autoridades*. Edición facsímil. 3 vols. Madrid: Gredos ([1]1729-1739).

BAE Biblioteca de Autores Españoles.

BDHA *Biblioteca de Dialectología Hispano-Americana*. Buenos Aires: Instituto de Filología/Facultad de Filosofía y Letras de la Universidad de Buenos Aires.

BH *Bulletin Hispanique*. Université de Bordeaux III.

BMHD *Boletín del Museo del Hombre Dominicano*. Santo Domingo, República Dominicana.

BRAE *Boletín de la Real Academia Española*. Madrid.

BSAM *Bulletin de la Société des Amis de Montaigne*. Sixième série. Paris.

BSAP *Bulletins de la Société d'Anthropologie de Paris*. Paris.

CDI (1864-1884): *Colección de documentos inéditos relativos al descubrimiento, conquista y colonización de las posesiones españolas de América y Oceanía*. 42 vols. Madrid: Imprenta de Manuel de Quirós/Imprenta de Frías y Compañía/etc. (reimpresión 1964-1966: Kraus Reprint Ltd.).

CDU (1885-1932): *Colección de documentos inéditos relativos al descubrimiento, conquista y organización de las antiguas posesiones españolas en Ultramar*. 25 vols. Madrid: Est. Tipográfico "Sucesores de Rivadeneyra"/etc.

CH *Cuadernos Hispanoamericanos*. Madrid.

CHCA VI Morales Padrón, Francisco (coord. y pról.) (1987): *VI Coloquio de historia canario-americana*. Vol. I (1.ª parte). Las Palmas de Gran Canaria: Cabildo Insular de Gran Canaria/Consejería de Cultura y Deportes.

CIHA V — Diputación Provincial de Granada (ed.) (1994): *El Reino de Granada y el Nuevo Mundo.* V *Congreso Internacional de Historia de América*. Granada: Diputación de Granada.

Criticón — *Criticón*. Toulouse: Université de Toulouse-Le Mirail.

CSIC — Consejo Superior de Investigaciones Científicas.

DCECH — Corominas, Joan/Pascual, José A. (1980-1991): *Diccionario crítico etimológico castellano e hispánico*. 6 vols. Madrid: Gredos.

DCVB — Alcover, Antoni Maria/Moll, Francesc de B. Guarner (1968, 1985): *Diccionari català-valencià-balear*. 10 vols. Con la colaboración de Manuel Sanchis. Palma de Mallorca: Moll.

DDEC — Corrales Zumbado, Cristóbal/Corbella Díaz, Dolores/Álvarez Martínez, María Ángeles (1996): *Dicionario diferencial del español de Canarias*. Madrid: Arco/Libros.

DECLC — Coromines, Joan (1980-1991): *Diccionari etimològic i complementari de la llengua catalana*. 9 vols. Con la colaboración de Joseph Gulsoy y Max Cahner. Barcelona: Curial Edicions catalanes/Caixa de Pensions "La Caixa".

DEM — Lara, Luis Fernando (dir.) (2010): *Diccionario del español de México*. 2 vols. México, D. F.: El Colegio de México.

DEUM — Lara, Luis Fernando (dir.) (1996): *Diccionario del español usual en México*. México, D. F.: El Colegio de México.

DHECan — Corrales Zumbado, Cristóbal/Corbella Díaz, Dolores (2001): *Diccionario histórico del español de Canarias (DHECan)*. La Laguna (Tenerife): Instituto de Estudios Canarios.

DHEHC — Morera, Marcial (2001): *Diccionario histórico-etimológico del habla canaria, con documentación histórica y literaria*. Las Palmas de Gran Canaria: Gobierno de Canarias.

DLPC — Academia das Ciências de Lisboa/Fundação Calouste Gulbenkian (2001): *Dicionário da língua portuguesa contemporânea*. 2 vols. Lisboa: Academia das Ciências de Lisboa/Verbo.

DMILE — Real Academia Española ([3]1987): *Diccionario manual e ilustrado de la lengua española*. 6 vols. Madrid: Espasa-Calpe.

DRAE — Real Academia Española ([22]2001): *Diccionario de la lengua española*. 2 vols. Madrid: Espasa-Calpe.

DRAG — García, Constantino/González González, Manuel (dirs.) ([3]2000): *Diccionario de la Real Academia Galega*. A Coruña: Real Academia Galega.

EP — *Estudios Paraguayos*. Asunción: Universidad Católica Nuestra Señora de la Asunción.

FCE — Fondo de Cultura Económica. México, D. F.

FEW — Wartburg, Walther von (1922-[en vías de publicación]): *Französisches Etymologisches Wörterbuch: eine Darstellung des galloromanischen Sprachschatzes (FEW)*. Bonn/etc.: Klopp/etc.

GDLP — Silva, Antônio de Morais ([10]1949-1959): *Grande dicionário da língua portuguesa*. 12 vols. Lisboa: Confluência.

Grand Robert Rey, Alain (dir.) ([2]2001): *Le Grand Robert de la langue française*. 6 vols. Paris: Dictionnaires Le Robert.

Hespéris *Hespéris*. Bulletin de l'Institut des Hautes Études Marocaines. Rabat.

HL *Historiografía Lingüística*. Amsterdam/Philadelphia: John Benjamins.

HSK 23.1-3 Ernst, Gerhard/Gleßgen [Glessgen], Martin-Dietrich/Schmitt, Christian/Schweickard, Wolfgang (eds.) (2003, 2006, 2008): *Romanische Sprachgeschichte. Histoire linguistique de la Romania. Ein internationales Handbuch der Geschichte der romanischen Sprachen. Manuel international d'histoire linguistique de la Romania*. 3 vols. Berlin/New York: Walter de Gruyter (Handbücher zur Sprach- und Kommunikationswissenschaft. Handbooks of Linguistics and Communication Sciences. Manuels de linguistique et des sciences de communication. Herausgegeben von/Edited by/Édités par Herbert Ernst Wiegand. Band 23.1-3).

Iberoromania *Iberoromania*. München (1969-1976)/Tübingen (1976-).

IP *Investigación y Progreso*. Buenos Aires.

JSA *Journal de la Société des Américanistes de Paris*. Paris.

Khipu *Khipu*. Zweisprachige Zeitschrift für den Kulturaustausch. Münster.

LEA *Lingüistica Española Actual*. Madrid.

Lexis *Lexis*. Revista de Lingüística y Literatura. Lima.

Linguistica *Linguistica*. Ljubljana.

Lingüística *Lingüística*. Publicación de la Asociación de Lingüística y Filología de la América Latina.

LiS *Language in Society*. Cambridge/New York: Cambridge University Press.

LtA *Lletres Asturianes*. Oviedo: Academia de la Llingua Asturiana,

MC *El Museo Canario*. Las Palmas de Gran Canaria.

NR *Neue Romania*. Veröffentlichungen des Studienbereichs Neue Romania des Instituts für Romanische Philologie der Freien Universität Berlin.

NRFH *Nueva Revista de Filología Hispánica*. México, D. F.

NTS *Norsk Tidsskrift for Sprogvidenskap*. Oslo.

PMLA *Publications of the Modern Language Association of America*. New York.

RDTP *Revista de Dialectología y Tradiciones Populares*. Madrid: Instituto "Miguel de Cervantes"/CSIC.

RET *Revista Española de Teología*. Madrid.

RHC *Revista de Historia Canaria*. Dedicada a estudios de historia, lingüística y literatura relacionados con las Islas Canarias. La Laguna (Tenerife): Universidad de La Laguna.

RHL *Revista de Historia*. La Laguna (Tenerife).

RHLE *Revista de Historia de la Lengua Española*. Madrid: Arco/Libros.

RICP *Revista del Instituto de Cultura Puertorriqueña*. San Juan (Puerto Rico).

RJb *Romanistisches Jahrbuch*. Berlin: Walter de Gruyter.

RRL *Revue Roumaine de Linguistique*. Bucureşti.

RSEL	*Revista Española de Lingüística*. Órgano de la Sociedad Española de Lingüística. Madrid.
Sociolinguistica	*Sociolinguistica. Internationales Jahrbuch für Europäische Soziolinguistik*. Tübingen: Niemeyer.
TLEC	Corrales Zumbado, Cristóbal/Corbella Díaz, Dolores/Álvarez Martínez, María Ángeles ([2]1996): *Tesoro lexicográfico del español de Canarias*. 3 vols. Madrid: Real Academia Española/Gobierno de Canarias ([1]1992).
TLL	*Travaux de Linguistique et de Littérature*. Strasbourg.
UCMM	Universidad Católica Madre y Maestra.
UNAM	Universidad Nacional Autónoma de México.
UNT	Universidad Nacional de Tucumán, Argentina.
VOX	(1989): *El VOX mayor. Diccionario general ilustrado de la lengua española*. Barcelona: Bibliògraf.
Word	*Word. Journal of the International Linguistic Association*. New York.
ZDMG	*Zeitschrift der Deutschen Morgenländischen Gesellschaft*. Wiesbaden.
ZE	*Zeitschrift für Ethnologie*. Organ der deutschen Gesellschaft für Völkerkunde. Braunschweig.
ZRP	*Zeitschrift für romanische Philologie*. Berlin: Walter de Gruyter.

Obras citadas

ABREU GALINDO, Juan de ([2]1977): *Historia de la conquista de las siete islas de Gran Canaria*. Edición crítica con introducción, notas e índice por Alejandro Cioranescu. Santa Cruz de Tenerife: Goya ([1]1848).

ACOSTA, P. José de (1954): *Obras*. Estudio preliminar y edición del P. Francisco Mateos. Madrid: Atlas.

AGUIRRE BELTRÁN, Gonzalo ([2]1970): *La población negra de México. 1519-1810. Estudio etnohistórico*. México, D. F.: FCE.

ALATORRE, Antonio (1989): *Los 1001 años de la lengua española*. México, D. F.: FCE/El Colegio de México.

ALBA C., M. M. [Alba Carranza, Manuel María] (1950): *Introducción al estudio de las lenguas indígenas de Panamá*. Panamá: Imprenta Nacional.

ALBERRO, Solange (1992): *Del gachupín al criollo o de cómo los españoles de México dejaron de serlo*. México, D. F.: El Colegio de México [edición original en francés (1992): *Les Espagnols dans le Mexique colonial. Histoire d'une acculturation*. Paris: Armand Colin].

ALBRECHT, Jörn (1986): "'Substandard' und 'Subnorm'. Die nicht-exemplarischen Ausprägungen der 'Historischen Sprache' aus varietätenlinguistischer Sicht". En: Holtus, Günter/Radtke, Edgar (eds.): *Sprachlicher Substandard*. Tübingen: Niemeyer, 65-88.

ALBUQUERQUE, Luís de (1987): *Gil Eanes, o Cabo Bojador*. Lisboa: Academia de Marinha.

— ([4]1989): *Introdução à história dos descobrimentos portugueses*. Men Martins: Publicações Europa-América.

ALCALÁ, fray Jerónimo de (1988): *La relación de Michoacán*. Versión paleográfica, separación de textos, ordenación coloquial, estudio preliminar y notas de Francisco Miranda. México, D. F.: Secretaría de Educación Pública/Cien de México.

ALDRETE, Bernardo José de (1972, 1975): *Del origen y principio de la lengua castellana ò romance que oi se usa en España*. Edición facsimilar y estudio de Lidio Nieto Jiménez. 2 vols. Madrid: CSIC ([1]1606).

ALEGRÍA, Ricardo E. (1976): "Las relaciones entre los taínos de Puerto Rico y los de la Española". En: *BMHD* 6, 117-121.

— (1978): "El uso de la terminología etno-histórica para designar las culturas aborígenes de las Antillas". En: *RICP* 21, 22-32.

ALMEIDA, Manuel (1989): *El habla rural de Gran Canaria*. La Laguna (Tenerife): Universidad de La Laguna.

ALMEIDA, Manuel/DÍAZ ALAYON, Carmen (1988): *El español de Canarias*. Santa Cruz de Tenerife: Litografía A. Romero.

ALONSO, Amado (1953): "La base del español americano". En: íd.: *Estudios lingüísticos. Temas hispanoamericanos*. Madrid: Gredos, 102-150 ([3]1976).

ALONSO, Martín (1982): *Enciclopedia del idioma*. 3 vols. Madrid: Aguilar (segunda reimpresión de la primera edición de 1947).

ALTAMIRA Y CREVEA, Rafael (1951): *Diccionario castellano de palabras jurídicas y técnicas tomadas de la legislación indiana*. México, D. F.: Instituto Panamericano de Geografía e Historia.

ALTOLAGUIRRE Y DUVALE, Ángel de (1914): *Vasco Núñez de Balboa*. Madrid: Imprenta del Patronato de Húerfanos de Intendencia é Intervención Militares.

ALVAR, Manuel (1959): *El español hablado en Tenerife*. Madrid: CSIC.

— (1972): *Juan de Castellanos: tradición española y realidad americana*. Bogotá: Instituto Caro y Cuervo.

— (1972a): "Canarias en el camino de Indias". En: Álvarez Nazario, Manuel: 7-25.

— (ed.) (1975-1978): *Atlas lingüístico y etnográfico de las Islas Canarias (ALEICan)*. 3 vols. Las Palmas de Gran Canaria: Cabildo Insular de Gran Canaria.

— (1975): "Canarias en el camino de Indias". En: íd. *España y América cara a cara*. Valencia: Editiorial Bello: 9-48.

— (1987): *Léxico del mestizaje en Hispanoamérica*. Madrid: Cultura Hispánica/Instituto de Cooperación Iberoamericana.

— (1990): "Significación de las Islas Canarias". En: íd.: *Norma lingüística sevillana y español de América*. Madrid: Cultura Hispánica, 63-84.

— ([2]1990): *Americanismos en la "Historia" de Bernal Díaz del Castillo*. Madrid: Cultura Hispánica ([1]1970).

— (1993): "Adaptación, adopción y creación en el español de las Islas Canarias". En: íd.: *Estudios canarios II*. S. l.: Gobierno de Canarias, 153-176.

— (ed.) (1996): *Manual de dialectología hispánica. El español de España*. Barcelona: Ariel.

— (1998): *El dialecto canario en Luisiana*. Las Palmas de Gran Canaria: Universidad de Las Palmas.

ALVAR, Manuel/POTTIER, Bernard (1983): *Morfología histórica del español*. Madrid: Gredos.

ALVAR EZQUERRA, Manuel (coord.) (1997): *Vocabulario de indigenismos en las crónicas de Indias*. Madrid: CSIC.

ÁLVAREZ CHANCA, Diego (1984): "Carta del doctor Diego Álvarez Chanca al cabildo de Sevilla". En: Gil, Juan/Varela, Consuelo (eds.): 152-176.

ÁLVAREZ DELGADO, Juan (1941): *Miscelánea guanche*. Santa Cruz de Tenerife: Instituto de Estudios Canarios.

— (1941a): *Puesto de Canarias en la investigación lingüística*. La Laguna (Tenerife): Instituto de Estudios Canarios.

— (1954): "Toponimia hispánica de Canarias". En: *Estudios dedicados a Menéndez Pidal*. Vol 5. Madrid: CSIC, 3-38.

ÁLVAREZ LÓPEZ, Enrique (1940, 1941): "Plinio y Fernández de Oviedo". En: *ACNIJA* 1, 40-61; 2, 13-35.

ÁLVAREZ NAZARIO, Manuel (1972): *La herencia lingüística de Canarias en Puerto Rico. Estudio histórico-dialectal*. San Juan (Puerto Rico): Instituto de Cultura Puertorriqueña.

— (1977): *El influjo indígena en el español de Puerto Rico*. Río Piedras (Puerto Rico): Universitaria/Universidad de Puerto Rico.

— (1982): *Orígenes y desarrollo del español en Puerto Rico (siglos XVI y XVII)*. Río Piedras (Puerto Rico): Universidad de Puerto Rico.

— (1991): *Historia de la lengua española en Puerto Rico*. San Juan (Puerto Rico): Academia Puertorriqueña de la Lengua Española.

— (1996): *Arqueología lingüística. Estudios modernos dirigidos al rescate y reconstrucción del arahuaco taíno*. San Juan (Puerto Rico): Universidad de Puerto Rico.

ÁLVAREZ RUBIANO, Pedro (1944): *Pedrarias Dávila. Contribución al estudio de la figura del "Gran Justador", gobernador de Castilla del Oro y Nicaragua*. Madrid: CSIC/Instituto Gonzalo Fernández de Oviedo.

ANAYA HERNÁNDEZ, Luis Alberto (1996): *Judeoconversos e Inquisición en las Islas Canarias (1402-1605)*. Las Palmas de Gran Canaria: Cabildo Insular de Gran Canaria.

ANDAGOYA, Pascual de (1986): *Relación y documentos*. Edición de Adrián Blázquez. Madrid: Historia 16.

ANDERSON, James M. (1988): *Ancient Languages of the Hispanic Peninsula*. Lanham/New York/London: University Press of America.

ANGLERÍA, Pedro Mártir de (1964): *Décadas del Nuevo Mundo, por Pedro Mártir de Anglería, primer cronista de Indias*. Estudio y apéndices por el Dr. Edmundo O'Gorman. Traducción del latín del Dr. Agustín Millares Carlo. 2 vols. México, D. F.: Porrúa.

— (1966): *Opera. Legatio Babylonica. De novo orbe decades octo. Opus epistolarum*. Graz: Akademische Druck- und Verlagsanstalt ([1]1530).

— (1989): *Décadas del Nuevo Mundo*. Traducción de Joaquín Torres Asensio. Madrid: Polifemo.

Antonil, André João (1982): *Cultura e opulência do Brasil*. Belo Horizonte: Editora Itatiaia.

Arce, Joaquín (1971): "Significado lingüístico-cultural del diario de Colón". En: Arce, Joaquín/Gil Esteve, Manuel (eds.): *Diario de a bordo de Cristóbal Colón*. [Alpignano]: Imprenta de A. Tallone, 11-28.

Arias Álvarez, Beatriz (1997): *El español de México en el siglo xvi. Estudio filológico de quince documentos*. México, d. f.: unam.

Armistead, Samuel G. (2007): *La tradición hispano-canaria en Luisiana*. Las Palmas de Gran Canaria: Anroart Ediciones.

Arranz Márquez, Luis (1991): *Repartimientos y Encomiendas en la Isla Española (El Repartimiento de Alburquerque de 1514)*. Madrid: Fundación García Arévalo.

Asche, Susanne/Gall, Wolfgang M. (2006): *Neue Welt und altes Wissen. Wie Amerika zu seinem Namen kam. Eine Ausstellung mit Kostbarkeiten der Offenburger Bibliothek*. Offenburg: Fachbereich Kultur der Stadt Offenburg.

Aschenberg, Heidi (1999): *Kontexte in Texten. Umfeldtheorie und literarischer Situationsaufbau*. Tübingen: Niemeyer.

Aschenberg, Heidi/Wilhelm, Raymund (eds.) (2003): *Romanische Sprachgeschichte und Diskurstraditionen*. Tübingen: Niemeyer.

Audiencia de Panamá (1908): "Descripción de Panamá y su provincia sacada de la relación que por mandado del Consejo hizo y embió aquella Audiencia (Año 1607)". En: [Serrano y Sanz, Manuel (ed.)]: *Relaciones históricas y geográficas de América Central*. Madrid: Librería General de Victoriano Suárez, 137-218.

Ávila, Raúl (1999): "Sobre semántica social: conceptos y estratos en el español de México". En: íd.: *Estudios de semántica social*. México, d. f.: El Colegio de México, 59-104.

Aznar Vallejo, Eduardo (1983): *La integración de las Islas Canarias en la Corona de Castilla (1478-1520). Aspectos administrativos, sociales y económicos*. La Laguna (Tenerife): Secretariado de Publicaciones de la Universidad de La Laguna ([2]1992).

— (ed.) (1990): *La Pesquisa de Cabitos (1476/77)*. Las Palmas de Gran Canaria: Cabildo Insular de Gran Canaria.

— ([2]1992): *La integración de las Islas Canarias en la Corona de Castilla (1478-1526)*. Sevilla/La Laguna (Tenerife): Universidad de Sevilla/Universidad de La Laguna ([1]1983).

Ballesteros Gaibrois, Manuel (1987): *La novedad indiana. Noticias, informaciones y testimonios del Nuevo Mundo*. Madrid: Alhambra.

Bally, Charles ([4]1965): *Linguistique générale et linguistique française*. Berne: Francke.

Barberini, Santi Emanuele (1980): "Un particolare aspetto del contributo di Pietro Martire d'Anghiera, attraverso le sue opere, alla conoscenza del Nuovo Mondo'". En: *Pietro Martire d'Anghiera nella storia e nella cultura. Secondo Convegno Internazionale di Studi Americanistici*. Genova: Associazione Italiana Studi Americanistici, 195-218.

Barros, Joam de (1932): *Asia*. Coimbra: Imprensa da Universidade.

BATISTA, José Juan/MORERA, Marcial (eds.) (2007): *El silbo gomero. 125 años de estudios lingüísticos y etnográficos*. Las Palmas de Gran Canaria: Academia Canaria de la Lengua/ Dirección General de Cooperación y Patrimonio Cultural del Gobierno de Canarias.

BAYLE, Constantino (1952): *Los cabildos seculares en la América española*. Madrid: Sapientia.

BECERRO HIRALDO, José María/VARGAS LABELLA, Cándida (1986): *Aproximación al español hablado en Jaén*. Granada: Universidad de Granada.

BELLO, Andrés (1981): *Gramática de la lengua castellana destinada al uso de los americanos*. Edición crítica de Ramón Trujillo. La Laguna (Tenerife)/Santa Cruz de Tenerife: Instituto Universitario de Lingüística Andrés Bello/Cabildo Insular de Tenerife ([1]1847).

— ([2]1981a): *Estudios gramaticales*. Prólogo sobre las ideas lingüísticas de Bello por Ángel Rosenblat. Caracas: La Casa de Bello.

BENSO, Silvia (1989): *La conquista di un testo: "Il Requerimiento"*. Roma: Bulzoni.

BENTIVOGLIO, Paola/SEDANO, Mercedes (1992): "El español hablado en Venezuela". En: Hernández Alonso, César (ed.): 775-801.

BETHENCOURT ALFONSO, Juan (1972): "Das artikulierte Pfeifen auf La Gomera". En: *Almogaren* 3, 93-98.

— (1991): *Historia del pueblo guanche. Tomo I. Su origen, caracteres etnológicos y lingüísticos*. La Laguna (Tenerife): Lemus.

BIEDERMANN, Hans (1982-1983): "Wölfels Gliederung des epigraphischen Materials der Kanarischen Inseln. Alte und neue Probleme". En: *Almogaren* 13-14, 57-68.

— ([3]1984): *Die Spur der Altkanarier. Eine Einführung in die Völkerkunde der Kanarischen Inseln*. Hallein: Burgfried [edición traducida al español ([2]1984): *La huella de los antiguos canarios*. Hallein: Burgfried ([1]1983)].

BOHÓRQUEZ C., Jesús Gútemberg (1984): *Concepto de 'americanismo' en la historia del español. Punto de vista lexicológico y lexicográfico*. Bogotá: Instituto Caro y Cuervo.

BONNET Y REVERÓN, Buenaventura (1944): "Las Canarias y el primer libro de geografía medieval, escrito por un fraile español". En: *RHL* 10, 205-227.

BORCHMEYER, Florian (2009): *Die Ordnung des Unbekannten. Von der Erfindung der neuen Welt*. Berlin: Matthes & Seitz.

BOYD-BOWMAN, Peter (1956): "The regional origins of the earliest Spanish colonists of America". En: *PMLA* 71, 1152-1172.

— (1964): *Índice geobiográfico de cuarenta mil pobladores españoles de América en el siglo XVI*. Tomo I: *1493-1519*. Bogotá: Instituto Caro y Cuervo.

— (1972): *Léxico hispanoamericano del siglo XVI*. London: Tamesis.

— (1973): *Patterns of Spanish Emigration to the New World (1493-1580)*. Buffalo: State University of New York.

— (1982): *Léxico hispanoamericano del siglo XVIII*. Madison (WI): Hispanic Seminary of Medieval Studies.

— (1983): *Léxico hispanoamericano del siglo XVII*. Madison (WI): Hispanic Seminary of Medieval Studies.

— (1984): *Léxico hispanoamericano del siglo XIX*. Madison (WI): Hispanic Seminary of Medieval Studies.

— ([2]1985): *Índice geobiográfico de más de 56 mil pobladores de la América hispánica. I. 1493-1519*. México, D. F.: FCE ([1]1964).

Bramwell, David y Zoë I. (1987): *Historia natural de las Islas Canarias. Guía básica*. Alarcón (Madrid): Rueda.

Bréal, Michel ([3]1897): *Essai de sémantique. Science des significations*. Paris: Hachette.

Buesa Oliver, Tomás/Enguita Utrilla, José María (1992): *Léxico del español de América. Su elemento patrimonial e indígena*. Madrid: MAPFRE.

Bühler, Karl ([2]1961): *Teoría del lenguaje*. Traducción del alemán por Julián Marías. Madrid: Revista de Occidente ([1]1950) [edición original en alemán (1934): *Sprachtheorie*. Jena: Gustav Fischer].

Burckhardt, Jacob (1971): *Reflexiones sobre la historia universal*. Prólogo de Alfonso Reyes. Traducción de Wenceslao Roces. México, D. F.: FCE (título original: *Weltgeschichtliche Betrachtungen*. Stuttgart: Kröner: 1938; [1]1905).

Busnel, René-Guy/Classe, André (1976): *Whistled Languages*. Berlin: Springer.

Bustos Tovar, José Jesús de (2004): "La escisión latín-romance. El nacimiento de las lenguas romances". En: Cano Aguilar, Rafael (coord.): 257-290.

Bustos Tovar, José Jesús de/Cano Aguilar, Rafael (eds.) (2009): *La obra de Lapesa desde la filología actual*. Madrid: Sociedad Estatal de Conmemoraciones Culturales.

Cáceres Lorenzo, María Teresa (1998): "La incorporación de los lusismos en los orígenes del español de Canarias". En: *ACIHLE* IV, 2, 445-453.

Cáceres Lorenzo, María Teresa/Salas Pascual, Marcos (1995): *Los nombres de las plantas canarias*. Las Palmas de Gran Canaria: Cabildo Insular de Gran Canaria.

Caddeo, Rinaldo (ed.) (1929): *Le navigazioni atlantiche di Alvise da Ca'da Mosto, Antoniotto Usodimare e Niccoloso da Recco*. Milano: Alpes.

Camacho y Pérez Galdós, Guillermo (1961): "El cultivo de la caña de azúcar y la industria azucarera en Gran Canaria (1510-1535)". En: *AEAt* 7, 11-70.

Candau de Cevallos, María del C. (1985): *Historia de la lengua española*. Potomac (MD): Scripta Humanistica.

Cano Aguilar, Rafael (1988): *El español a través de los tiempos*. Madrid: Arco/Libros ([3]1997).

— (coord.) (2004): *Historia de la lengua española*. Barcelona: Ariel.

Caravedo, Rocío (1992): "Espacio y modalidades lingüísticas en el español del Perú". En: Hernández Alonso, César (ed.): 719-741.

Cárdenas Ruíz, Manuel (ed.) 1981): *Crónicas francesas de los indios caribes*. Recopilación, traducción y notas de Manuel Cárdenas Ruíz. Introducción de Ricardo E. Alegría. Río Piedras (Puerto Rico): Universidad de Puerto Rico, en colaboración con el Centro de Estudios Avanzados de Puerto Rico y el Caribe.

Carlos II (1681): *Recopilacion de leyes de los Reynos de Indias*. 4 tomos. Madrid: Julián de Paredes [reproducción en facsímil (1973). Prólogo de Ramón Menéndez Pidal. Estudio preliminar de Juan Manzano Manzano. 4 tomos. Madrid: Cultura Hispánica].

Carr, Edward Hallett ([2]1987): *What is history?* Harmondsworth/etc.: Penguin.

CARRERA DE LA RED, Micaela (2006): "La persuasión en el 'discurso diplomático' indiano". En: *ACIHLE* VI, 3, 2681-2696.

CARTAGENA, Nelson (2002): *Apuntes para la historia del español en Chile*. [Santiago de Chile]: Academia Chilena de la Lengua.

— (2002a): "Los nombres de referentes culturales específicos en el *Sumario de la natural historia de las Indias* de Gonzalo Fernández de Oviedo". En: Störl, Kerstin/Klare, Johannes (eds.): *Romanische Sprachen in Amerika. Festschrift für Hans-Dieter Paufler*. Frankfurt am Main/etc.: Peter Lang, 275-285.

— (2003): "Externe Sprachgeschichte des Spanischen in Chile". En: *HSK* 23.1, 1027-1035.

CASADO-FRESNILLO, Celia/QUILIS, Antonio (2003): "Historia externa del español en Asia". En: *HSK* 23.1, 1060-1069.

CASADO VELARDE, Manuel (1991): *Lenguaje y cultura. La etnolingüística*. Madrid: Síntesis.

CASSÁ, Roberto (1974): *Los taínos de La Española*. Santo Domingo: Universidad Autónoma de Santo Domingo.

— (1992): *Los indios de las Antillas*. Madrid: MAPFRE.

CASTELLNOU I GRAU, Josep M. (1989): *Cristòfor Colom, català (Com parlava Cristòfor Colom?)*. Barcelona: La Llar del Llibre.

CASTILLO MATHIEU, Nicolás del (1982): "Relaciones del taíno con el caribe insular: *cacique, canalete, cayuco, cazabe, colibrí, bucanero*". En: *Thesaurus* 37, 233-254.

CASTILLO MELÉNDEZ, Francisco (1987): "Participación de Canarias en la fundación de Matanzas". En: *CHCA* VI, 1, 47-74.

CASTRO ALFÍN, Demetrio (1983): *Historia de las Islas Canarias. De la prehistoria al descubrimiento*. Madrid: Editora Nacional.

CATALÁN, Diego (1958): "Génesis del español atlántico. Ondas varias a través del Océano". En: *RHC* 24, 233-242.

— (1989): "El fin del fonema /z/ [dz] ~ [z] en español". En: íd.: *El español. Orígenes de su diversidad*. Madrid: Paraninfo, 17-52.

CAUDMONT, Jean (1968): "La situation linguistique en Colombie". En: Martinet, André (ed.): *Le langage*. Paris: Gallimard, 1188-1202.

CHAUNU, Pierre (1969): *L'expansion européenne du XIIIe au XVe siècle*. Paris: Presses Universitaires de France.

— (1983): *Sevilla y América, siglos XVI y XVII*. Con la colaboración de Huguette Chaunu. Sevilla: Publicaciones de la Universidad.

— ([3]1987): *Conquête et exploitation des nouveaux mondes (XVIe siècle)*. Paris: Presses Universitaires de France.

CIEZA DE LEÓN, Pedro (1984): *La crónica del Perú*. Edición de Manuel Ballesteros. Madrid: Historia 16.

— (1986): *Descubrimiento y conquista del Perú*. Edición de Carmelo Sáenz de Santa María. Madrid: Historia 16.

CINTRA, Luís Lindley (2008): "Os dialectos da ilha da Madeira no quadro dos dialectos galego-portugueses". En: Franco, José Eduardo (coord.): *Cultura madeirense. Temas e problemas*. Porto: Campo das Letras, 95-104.

CIORANESCU, Alejandro (1963): *Thomas Nichols, mercader de azúcar, hispanista y hereje*. Con la edición y traducción de su "Descripción de las Islas Afortunadas". La Laguna (Tenerife): Instituto de Estudios Canarios.

— ([2]1982): *Juan de Béthencourt*. Santa Cruz de Tenerife: Aula de Cultura de Tenerife.

CLASS [*sic*], A. (1963): "Les langues sifflées, squelettes informatifs du langage". En: Moles, Abraham A./Vallancien, Bernard (eds.): *Communications et langages*. Paris: Gauthiers-Villars, 129-139.

CLASSE, André (1957): "Phonetics of the Silbo Gomero". En: *AL* 9, 44-61 [traducción española (1959): "La fonética del silbo gomero". En: *RHC* 25, 56-77].

CLAVIJO HERNÁNDEZ, Fernando (ed.) (1985): *VII Jornadas de Estudios Canarias-América: "Canarias y América antes del descubrimiento: la expansión europea"*. Santa Cruz de Tenerife: Confederación de Cajas de Ahorros.

CLYNE, Michael G. (1967): *Transference and Triggering. Observations on the Language Assimilation of Postwar German-Speaking Migrants in Australia*. The Hague: Nijhoff.

COLOMBO, Fernando (1930): *Le historie della vita e dei fatti di Cristoforo Colombo*. Edición de Rinaldo Caddeo. 2 vols. Milano: Alpes.

— (1990): *Le historie della vita e dei fatti dell'Ammiraglio Don Cristoforo Colombo*. Introducción, notas y fichas de Paolo Emilio Taviani y Ilaria Luzzani Caraci. 2 vols. Roma: Istituto Poligrafico e Zecca dello Stato.

COLÓN, Cristóbal (1976): *Diario del descubrimiento*. Estudios, ediciones y notas de Manuel Alvar. 2 vols. Las Palmas de Gran Canaria: Cabildo Insular de Gran Canaria.

— ([2]1984): *Textos y documentos completos. Relaciones de viajes, cartas y memoriales*. Edición, prólogo y notas de Consuelo Varela. Madrid: Alianza.

— (1995): *Diario del primer viaje de Colón*. Edición de Demetrio Ramos Pérez y Marta González Quintana. Granada: Diputación Provincial de Granada.

COLÓN, Hernando (1984): *Historia del Almirante*. Edición de Luis Arranz. Madrid: Historia 16.

COMA, Guillermo (1984): "Relación de Guillermo Coma, traducida por Nicolás Esquilache". En: Gil, Juan/Varela, Consuelo (eds.): 177-203.

COMISIÓN PERMANENTE DE LA ASOCIACIÓN DE ACADEMIAS DE LA LENGUA ESPAÑOLA (1956): *Memoria del Segundo Congreso de Academias de la Lengua Española*. Madrid: Real Academia Española.

COMPANY COMPANY, Concepción (1994): *Documentos lingüísticos de la Nueva España. Altiplano central*. México, D. F.: UNAM.

COMPANY COMPANY, Concepción/Melis, Chantal (2002): *Léxico histórico del español de México. Régimen, clases funcionales, usos sintácticos, frecuencias y variación gráfica*. México, D. F.: UNAM.

COOK, Sherburne F./BORAH, Woodrow ([2]1998): *Ensayos sobre historia de la población: México y el Caribe*. 2 vols. México, D. F.: Siglo XXI.

CORBELLA DÍAZ, Dolores (1993): "¿Influencia francesa en el léxico del español de Canarias?". En: Díaz Alayon, Carmen (ed.): 343-353.

— (1996): "Fuentes del vocabulario canario: los préstamos léxicos". En: Medina López, Javier/Corbella Díaz, Dolores (eds.): 105-141.

COROMINAS, Juan/PASCUAL, José A. (1980-1991): *Diccionario crítico etimológico castellano e hispánico*. 6 vols. Madrid: Gredos.

CORRALES ZUMBADO, Cristóbal (1996): "Lexicografía canaria". En: Medina López, Javier/Corbella Díaz, Dolores (eds.): 143-178.

CORRALES ZUMBADO, Cristóbal/CORBELLA DÍAZ, Dolores (1994): *Diccionario de las coincidencias léxicas entre el español de Canarias y el español de América*. Santa Cruz de Tenerife: Aula de Cultura de Tenerife.

— (2001): *Diccionario histórico del español de Canarias (DHECan)*. La Laguna (Tenerife): Instituto de Estudios Canarios.

CORREA RODRÍGUEZ, José Antonio (2004): "Elementos no indoeuropeos e indoeuropeos en la historia lingüística hispánica". En: Cano Aguilar, Rafael (coord.): 35-57.

CORTÉS, Hernán (1993): *Cartas de relación*. Edición, introducción y notas de Ángel Delgado Gómez. Madrid: Castalia.

CORTÉS, Vicenta (1955): "La conquista de las Islas Canarias a través de las ventas de esclavos en Valencia". En: *AEAt* 1: 479-547.

COSERIU, Eugenio (1955-1956): "Determinación y entorno. Dos problemas de una lingüística del hablar". En: *RJb* 7: 29-54.

— (1964): "Pour une sémantique diachronique structurale". En: *TLL* II, 1, 139-196.

— (1966): "Structure lexicale et enseignement du vocabulaire". En: *Actes du premier Colloque International de Linguistique appliquée*. Nancy: Faculté des Lettres et des Sciences Humaines de l'Université de Nancy, 175-252.

— (1967): "Structure lexicale et enseignement du vocabulaire". En: Conseil de la Coopération Culturelle du Conseil de l'Europe (ed.): *Les théories linguistiques et leurs applications*. Strasbourg: AIDELA: 9-51.

— ([2]1967): "Determinación y entorno. Dos problemas de una lingüística del hablar". En: íd.: *Teoría del lenguaje y lingüística general. Cinco estudios*. Madrid: Gredos, 282-323.

— (1978): *Gramática, semántica, universales. Estudios de lingüística funcional*. Madrid: Gredos.

— (1981): "Los conceptos de 'dialecto', 'nivel' y 'estilo de lengua' y el sentido propio de la dialectología". En: *LEA* 3, 1-32.

— (1981a): "La socio- y la etnolingüística: sus fundamentos y sus tareas". En: *AdL* 19, 5-30.

— ([2]1981b): "Introducción al estudio estructural del léxico". En: íd.: *Principios de semántica estructural*. Versión española de Marcos Martínez Hernández, revisada por el autor. Madrid: Gredos: 87-142 [versión original en francés (1967): "Structure lexicale et enseignement du vocabulaire". En: Conseil de la Coopération Culturelle du Conseil de l'Europe (ed.): *Les théories linguistiques et leurs applications*. Strasbourg: AIDELA, 9-51].

— (1988): *Sprachkompetenz*. Tübingen: UTB/Francke.

— (1988a): "Die Ebenen des sprachlichen Wissens. Der Ort des 'Korrekten' in der Bewertungsskala des Gesprochenen". En: Albrecht, Jörn (ed.): *Energeia und Ergon. Sprachliche Variation – Sprachgeschichte – Sprachtypologie. Bd I. Schriften von Eugenio Coseriu (1965-1987)*. Tübingen: Narr, 327-364.

— (1990): "El español de América y la unidad del idioma". En: *I Simposio de Filología Iberoamericana (Sevilla, 26 al 30 de marzo de 1990)*. Zaragoza: Libros Pórtico, 43-75.

— ([2]1991): "Introducción al estudio estructural del léxico". En: íd.: *Principios de semántica estructural*. Madrid: Gredos: 87-142 (versión española de Coseriu 1966).

— (1992): *Competencia lingüística. Elementos de la teoría del hablar*. Madrid: Gredos.

— (1999): "Nuevos rumbos en la toponomástica". En: Trapero, Maximiano: 15-24.

— (2006): "*Orationis fundamenta*. La plegaria como texto". En: íd./Loureda Lamas, Óscar: *Lenguaje y discurso*. Pamplona: Universidad de Navarra, 61-83.

— (2007): *Lingüística del texto. Introducción a la hermenéutica del sentido*. Edición, anotación y estudio previo de Óscar Loureda Lamas. Madrid: Arco/Libros.

Covarrubias Orozco, Sebastián de (1994): *Tesoro de la lengua castellana o española*. Edición de Felipe C. R. Maldonado, revisada por Manuel Camarero. Madrid: Castalia ([1]1611).

Criado de Val, Manuel ([2]1969): *Teoría de Castilla la Nueva. La dualidad castellana en la lengua, la literatura y la historia*. Madrid: Gredos.

Croce, Benedetto (1956): "La letteratura dialettale riflessa, la sua origine nel Seicento e il suo ufficio storico". En: íd.: *Uomini e cose della vecchia Italia*. Vol. I. Bari: Laterza, 225-234.

Cuervo, Rufino José (1901, 1903): "El castellano en América". En: *BH* 3, 35-62; 5, 58-77.

— (1947): *El castellano en América*. Precedido de un estudio sobre Rufino José Cuervo por Rodolfo M. Ragucci. Buenos Aires: El Ateneo.

— ([2]1987): *Obras*. Presentación de Félix Restrepo. Bogotá: Instituto Caro y Cuervo.

— (1987a): *Apuntaciones críticas sobre el lenguaje bogotano*. Bogotá: Instituto Caro y Cuervo (*Obras*, tomo II; [7]1939; [1]1867).

— (1987b): "Castellano popular y castellano literario". En: íd.: 415-753.

Cullén del Castillo, Pedro (ed.) ([2]1995): *Libro Rojo de Gran Canaria o Gran Libro de provisiones y reales cédulas*. Introducción de Pedro Cullén del Castillo. Presentación de Francisco Morales Padrón. Revisión, ordenación e índices de Manuel Lobo Cabrera. Las Palmas de Gran Canaria: Cabildo Insular de Gran Canaria ([1]1947).

Cuneo, Miguel de (1984): "Relación de Miguel de Cuneo". En: Gil, Juan/Varela, Consuelo (eds.): 235-260.

Chacón y Calvo, José María (ed.) (1929): *Cedulario cubano (Los orígenes de la colonización)*. 3 vols. Madrid: Compañía Iberoamericana de Publicaciones.

Chez Checo, José (ed.) (1978): *El aje. Un enigma descifrado*. Santo Domingo: Museo del Hombre Dominicano.

Chil y Naranjo, Gregorio (1876, 1880, 1899): *Estudios históricos, climatológicos y patológicos de las Islas Canarias*. Las Palmas de Gran Canaria: Imp. de La Atlántida.

Choy López, Luis Roberto (1999): *Periodización y orígenes en la historia del español de Cuba*: València: Tirant lo Blanch.

— (2002): "El radicalismo de la koiné antillana". En: *ACIHLE* V, 1137-1142.

Dacal Moure, Ramón/Rivero de la Calle, Manuel (1984): *Arqueología aborigen de Cuba*. La Habana: Gente Nueva.

DANTE ALIGHIERI (1968): *De vulgari eloquentia*. Edición de Pier Vincenzo Mengaldo. Vol. I: *Introduzione e testo*. Padova: Antenore.

DELBECQUE, Nicole (1998): "De la relación predicativa entre el nombre abstracto y la cláusula de la construcción 'GN *de que* + cláusula'". En: *Lingüística* 10, 69-103.

DÍAZ ALAYÓN, Carmen (1987): *La toponimia menor de La Palma*. La Laguna (Tenerife): Universidad de La Laguna.

— (1987a): *Materiales toponímicos de La Palma*. Santa Cruz de Tenerife: Cabildo Insular de La Palma.

— (1989): "Los estudios canarios de Dominik Josef Wölfel". En: *AEAt* 35, 363-393.

— (ed.) (1993): *Homenaje a José Pérez Vidal*. La Laguna (Tenerife): Exmos. Cabildos Insulares de Canarias/Gobierno de Canarias/Universidad de La Laguna/etc.

— (1993a): "Bethencourt Alfonso y la lengua de los aborígenes canarios". En: íd. (ed.): 361-387.

— (2003): "El léxico de La Palma: Estudios, materiales y aportaciones del período 1940-1970". En: *AIEC*: 543-568.

DÍAZ DEL CASTILLO, Bernal (1982): *Historia verdadera de la conquista de la Nueva España*. Edición crítica de Carmelo Sáenz de Santa María. Madrid: CSIC/Instituto "Gonzalo Fernández de Oviedo".

DÍAZ DE GUZMÁN, Ruy (1998): *La Argentina*. Buenos Aires: Emecé.

DIEGO CUSCOY, Luis (1968): *Los guanches. Vida y cultura del primitivo habitante de Tenerife*. Santa Cruz de Tenerife: Cabildo Insular de Tenerife.

DIETRICH, Wolf (2003): "Externe Sprachgeschichte des Spanischen in Paraguay". En: *HSK* 23.1, 1045-1052.

DIN, Gilbert C. (1988): *The Canary Islanders of Louisiana*. Baton Rouge (LA): Louisiana State University.

— (1996): *The Spanish Presence in Louisiana, 1763-1803*. Lafayette (LA): Center for Louisiana Studies, University of Southwestern Louisiana.

DOUGNAC RODRÍGUEZ, Antonio (1994): *Manual de historia del derecho indiano*. México, D. F.: UNAM.

DU CANGE, Charles du Fresne (1954): *Glossarium mediae et infimae Latinitatis*. 5 vols. Graz: Akademische Druck- u. Verlagsanstalt (reimpresión de la edición de 1883-1887).

DWORKIN, Steven N. (2004): "La transición léxica en el español bajomedieval". En: Cano Aguilar, Rafael (coord.): 643-656.

EBERENZ, Rolf (1991): "*Castellano antiguo* y *español moderno*. Reflexión sobre la periodización en la historia de la lengua". En: *RSEL* 71, 79-106.

— (2004): "En torno al léxico fundamental del siglo XV: sobre algunos campos verbales". En: Lüdtke, Jens/Schmitt, Christian (eds.): 111-136.

EBERENZ, Rolf/TORRE, Mariela de la (2003): *Conversaciones estrechamente vigiladas. Interacción coloquial y español oral en las actas inquisitoriales de los siglos XV a XVII*. Zaragoza: Libros Pórtico.

ECHENIQUE ELIZONDO, María Teresa/SÁNCHEZ MÉNDEZ, Juan (2005): *Las lenguas de un reino. Historia lingüística hispánica*. Madrid: Gredos.

ÉGINHARD ([3]1947): *Vie de Charlemagne*. Édición y traducción de Louis Halphen. Paris: Les Belles Lettres.

EIRAS ROEL, Antonio (ed.) (1991): *La emigración española a Ultramar, 1492-1914*. Madrid: Tabapress.

ELIZAINCÍN, Adolfo (1992): *Dialectos en contacto. Español y portugués en España y América*. Montevideo: Arca.

— (1992a): "Historia del español en el Uruguay". En: Hernández Alonso, César (ed.): 743-758.

— (2003): "Historia externa del español en Argentina y Uruguay". En: HSK 23.1, 1035-1045.

ELTON, Geoffrey Rudolph (1969): *The Practice of History*. London: Fontana Press.

ENGUITA UTRILLA, José María (1979): "El fondo léxico patrimonial y la nueva realidad americana". En: EP 7, 165-175.

— (2004): *Para la historia de los americanismos léxicos*. Frankfurt am Main/etc.: Peter Lang.

— (2004a): "Evolución lingüística en la Baja Edad Media: aragonés, navarro". En: Cano Aguilar, Rafael (coord.): 571-592.

ESCOBAR, Alberto (1978): *Variaciones sociolingüísticas del castellano en el Perú*. Lima: Instituto de Estudios Peruanos.

— (1989): "Observaciones sobre el interlecto". En: López, Luis Enrique/Pozzi-Escot, Inés/Zúñiga, Madeleine (eds.): *Temas de lingüística aplicada. Primer Congreso Nacional de Investigaciones Lingüístico-Filológicas*. Lima: CONCYTEC, 147-155.

ESPINOSA, Alonso de (1980): *Del origen y milagros de N. S. de Candelaria*. Santa Cruz de Tenerife: Isleña imp. ([1]1848).

ESPINOSA, Gaspar de (1864): "Relación hecha por Gaspar de Espinosa...". En: Pacheco, Joaquín F., *et al.* (eds.): CDI II. Madrid: Imprenta de J. M. Pérez, 467-522.

— (1914): "Relación hecha por Gaspar de Espinosa...". En: Altolaguirre y Duvale, Ángel de: 117-150.

ESTEVE BARBA, Francisco ([2]1992): *Historiografía indiana*. Madrid: Gredos ([1]1964).

ESTÉVEZ GONZÁLEZ, Fernando (1987): *Indigenismo, raza y evolución. El pensamiento antropológico canario (1750-1900)*. Santa Cruz de Tenerife: Cabildo Insular de Tenerife.

FABRELLAS, María Luisa (1952): "La producción de azúcar en Tenerife". En: RHL 18, 455-475.

FERGUSON, Charles A. (1959): "Diglossia". En: *Word* 15, 325-340.

FERNÁNDEZ ALCAIDE, Marta (2009): *Cartas de particulares en Indias del siglo XVI. Edición y estudio discursivo*. Madrid/Frankfurt am Main: Iberoamericana/Vervuert.

FERNÁNDEZ-ARMESTO, Felipe (1982): *The Canary Islands after the Conquest. The Making of a Colonial Society in the Early Sixteenth Century*. Oxford: Clarendon Press.

— (1993): *Antes de Colón. Exploración y colonización desde el Mediterráneo hacia el Atlántico, 1229-1491*. Madrid: Cátedra [edición original en inglés (1987): *Before Columbus. Exploration and Colonisation from the Mediterranean to the Atlantic, 1229-1492*. Houndmills/Basingstoke, Hamps./London: Macmillan Education].

FERNÁNDEZ DE ENCISCO, MARTÍN (1948): *Suma de geografía*. Madrid: Estades, Artes Gráficas.

FERNÁNDEZ DE ENCISO, Martín (1987): *Suma de geografía*. Edición y estudio de M. Cuesta Domingo. Madrid: Tip. Estados ([1]1519).

FERNÁNDEZ DE NAVARRETE, Martín (ed.) (1825-1829): *Colección de los viajes y descubrimientos que hicieron por mar los españoles*. 3 vols. Madrid: Imprenta Real [reimpresión (1954-1955): *Obras*. 3 vols. Madrid: Atlas/BAE).

FERNÁNDEZ DE OVIEDO, Gonzalo (1979): *Sumario de la natural historia de las Indias*. Edición, introducción y notas de José Miranda. México, D. F.: FCE (reimpresión de la edición de 1950; [1]1526).

— (1992): *Historia general y natural de las Indias*. 5 vols. Madrid: Atlas/BAE.

FERRER I GIRONÈS, Francesc (1986): *La persecució política de la llengua catalana. Història de les mesures contra el seu ús des de la Nova Planta fins avui*. Barcelona: Edicions 62.

FIGUEROA, Dimas (2005): "'Acatamos, pero no cumplimos': Una técnica jurídica y su relación con las Leyes de Burgos y las Leyes de Valencia". En: Folger, Robert/Oesterreicher, Wulf (eds.): *Talleres de la memoria – Reivindicaciones y autoridad en la historiografía indiana de los siglos XVI y XVII*. Hamburg: Lit: 23-44.

FLORIA, Carlos Alberto/GARCÍA BELSUNCE, César A. (1992): *Historia de los argentinos*. Vol. I. Buenos Aires: Larousse.

FLYDAL, Leiv (1951): "Remarques sur certains rapports entre le style et l'état de langue". En: *NTS* 16, 241-258.

FONTANELLA DE WEINBERG, María Beatriz (1987): *El español bonaerense. Cuatro siglos de evolución lingüística (1580-1980)*. Buenos Aires: Hachette.

— (1992): *El español de América*. Madrid: MAPFRE.

— (1992a): "Historia del español de la Argentina". En: Hernández Alonso, César (ed.): 357-381.

— (ed.) (1993): *Documentos para la historia lingüística de Hispanoamérica*. Madrid: Real Academia Española.

FOSTER, George (1962): *Cultura y conquista: la herencia española de América*. Xalapa: Universidad Veracruzana.

FRAGO GRACIA, Juan. Antonio (1987): "Una introducción filológica a la documentación del Archivo General de Indias". En: *ALH* 3, 67-97.

— (1990): "El andaluz en la formación del español americano". En: *I Simposio de Filología Iberoamericana (Sevilla, 26 al 30 de marzo de 1990)*. Zaragoza: Libros Pórtico, 77-96.

— (1993): *Historia de las hablas andaluzas*. Madrid: Arco/Libros.

— (1994): *Andaluz y español de América: historia de un parentesco lingüístico*. Sevilla: Consejería de Cultura y Medio Ambiente.

— (1994a): *Reconquista y creación de las modalidades regionales del español*. Burgos: Caja de Burgos.

— (1996): "Las hablas canarias: documentación e historia". En: Medina López, Javier/Corbella Díaz, Dolores (eds.): 231-253.

— (1999): *Historia del español de América. Textos y contextos*. Madrid: Gredos.

— (2002): *Textos y normas. Comentarios lingüísticos*. Madrid: Gredos.

FRAGO GRACIA, Juan Antonio/FRANCO FIGUEROA, Mariano (²2003): *El español de América*. Cádiz: Universidad de Cádiz.

FRANCO, José Eduardo (coord.) (2008): *Cultura madeirense. Temas e problemas*. Porto: Campo das Letras.

FRANK, Barbara/HAYE, Thomas/TOPHINKE, Doris (eds.) (1997): *Gattungen mittelalterlicher Schriftlichkeit*. Tübingen: Narr.

FRIEDERICI, Georg (²1960): *Amerikanistisches Wörterbuch und Hilfswörterbuch für den Amerikanisten. Deutsch-Spanisch-Englisch*. Hamburg: Cram, De Gruyter & Co.

FRUTUOSO, Gaspar (1964): *Las Islas Canarias: De "Saudades da Terra"*. Prólogo, traducción, glosario e índice de Elías Serra Ráfols. La Laguna (Tenerife): Instituto de Estudios Canarios (Fontes Rerum Canariarum, 12).

GABELENTZ, Georg von der (²1901): *Sprachwissenschaft. Ihre Aufgaben, Methoden und bisherigen Ergebnisse*. Leipzig (¹1891) [reimpresión (1969): Tübingen: Narr].

GADIFER DE LA SALLE (1976): "*Le Canarien* (Chronique de la conquête française des îles Canaries)". En: Rickard, Peter: *Chrestomathie de la langue française au quinzième siècle*. Cambridge: Aux Presses Universitaires, 62-66.

GALAND, Lionel (1989): "T(h) in Libyan and Canarian place-names". En: *Almogaren* 20, 1, 32-41.

GALEOTE, Manuel (1997): *Léxico indígena de flora y fauna en tratados sobre las Indias occidentales de autores andaluces*. Granada: Universidad de Granada.

GALLOWAY, J. H. (1989): *The Sugar Cane Industry. An Historical Geography from its Origins to 1914*. Cambridge/etc.: Cambridge University Press.

GALVÁN ALONSO, Delfina (ed.) (1990): *Protocolos de Bernardino Justiniano (1526-1527)*. 2 tomos. La Laguna (Tenerife): Instituto de Estudios Canarios.

GARATEA GRAU, Carlos (2005): *El problema del cambio lingüístico en Ramón Menéndez Pidal*. Tübingen: Narr.

GARCÍA-MACHO, María Lourdes (1996): *El Léxico castellano de los Vocabularios de Antonio de Nebrija (Concordancia lematizada)*. 3 vols. Hildesheim/Zürich/New York: Olms-Weidmann.

GARCILASO DE LA VEGA, Inca (1988): *La Florida*. Introducción y notas de Carmen Mora. Madrid: Alianza.

— (1991): *Comentarios reales de los Incas*. Edición, índice analítico y glosario de Carlos Araníbar. 2 vols. México, D. F.: FCE.

GARRIDO DOMÍNGUEZ, Antonio (1992): *Los orígenes del español de América*. Madrid: MAPFRE.

GAUGER, Hans-Martin (2009): "Sobre la concepción y la realización de la historia de una lengua. A propósito de la *Historia de la lengua española* de Rafael Lapesa". En: Bustos Tovar, José Jesús de/Cano Aguilar, Rafael (eds.): 525-535.

GECKELER, Horst (1993): "Strukturelle Wortforschung heute". En: Lutzeier, Peter Rolf (ed.): *Studien zur Wortfeldtheorie. Studies in Lexical Field Theory*. Tübingen: Niemeyer, 11-21.

GERBI, Antonello (1978): *La naturaleza de las Indias nuevas. De Cristóbal Colón a Gonzalo Fernández de Oviedo*. Traducción de Antonio Alatorre. México, D. F.: FCE [edición original en italiano (1975): *La natura delle Indie nuove, da Cristoforo Colombo a Gonzalo Fernández de Oviedo*. Milano: Ricciardi].

GIBSON, Charles (1967): *Los aztecas bajo el dominio español (1519-1810)*. Traducción de Julieta Campos. México, D. F.: Siglo XXI [edición original en inglés (1964): *The Aztecs under Spanish Rule. A History of the Indians of the Valley of Mexico, 1519-1810*. Stanford (CA): Stanford University Press].

GIESE, Wilhelm (1949): "Acerca del carácter de la lengua guanche". En: *RHC* 15, 188-203.

GIL, Juan (1992): *Mitos y utopías del descubrimiento. I. Colón y su tiempo*. Madrid: Alianza Universidad ([1]1989).

GIL, Juan/VARELA, Consuelo (eds.) (1984): *Cartas de particulares a Colón y Relaciones coetáneas*. Madrid: Alianza.

GIMÉNEZ FERNÁNDEZ, Manuel (1953): *Bartolomé de las Casas*. Vol. I. Sevilla: CSIC.

GLEßGEN, Martin-Dietrich (1997): "Prolegómenos para un *Diccionario Histórico de Americanismos* (1492-1836)". En: Holtus, Günter/Kramer, Johannes/Schweickard, Wolfgang (eds.): *Italica et Romanica. Festschrift für Max Pfister zum 65. Geburtstag*. Vol. I. Tübingen: Niemeyer: 403-434.

— (2003): "Historia externa del español en México". En: *HSK* 23.1, 979-995.

GOEBL, Hans (1976): "Die Skriptologie – ein linguistisches Aschenbrödel? Vermischtes zur Methologie einer *discipline-carrefour*". En: *RRL* 21, 65-84.

GOEJE, Claudius Henricus de (1939): "Nouvel examen des langues des Antilles avec notes sur les langues arawak-maipures et caribes et vocabulaires Shebayo et Guayana (Guyane)". En: *JSA* 31, 1-120.

GOMES, Diogo (1970): "Degli inizi della scoperta della Guinea". En: Rainero, Romain (ed.): 97-165.

GÓMEZ GÓMEZ, Margarita (2008): *El sello y registro de Indias. Imagen y representación*. Köln/Weimar/Wien: Böhlau.

GÓNGORA, Mario (1962): *Los grupos de conquistadores en Tierra Firme (1509-1530). Fisonomía histórico-social de un tipo de conquista*. Santiago de Chile: Universitaria.

GONZÁLEZ OLLÉ, Fernando (1962): *Los sufijos diminutivos en el castellano medieval*. Madrid: CSIC (Revista de Filología Española, Anejo LXXV).

— (1978): "El establecimiento del castellano como lengua oficial". En: *BRAE* 58, 229-280.

GRANDA, Germán de (1972): "Algunas notas sobre la población negra en las Islas Canarias (siglos XVI-XVIII) y su interés antropológico y lingüístico". En: *RDTP* 28, 213-228.

— (1978): *Estudios lingüísticos hispánicos, afrohispánicos y criollos*. Madrid: Gredos.

— (1978a): "Acerca de los portuguesismos en el español de América". En: íd.: *Estudios lingüísticos hispánicos, afrohispánicos y criollos*. Madrid: Gredos, 139-156.

— (1978b): "Estado actual y perspectivas de la investigación sobre hablas criollas en Hispanoamérica". En: íd.: 311-334.

— (1978c): "Un planteamiento sociohistórico del problema de la formación del criollo portugués del África occidental". En: íd.: 335-349.

— (1978d): "Léxico de origen náutico en el español del Paraguay". En: *RDTP* 34, 233-253.

— (1987): "Puntos sobre algunas *íes*. En torno al español atlántico". En: *ALH* 3, 35-54.

— (1988): "Historia social e historia lingüística en Hispanoamérica". En: íd.: *Lingüística e historia. Temas afro-hispánicos*. Valladolid: Universidad de Valladolid, 203-213.

— (1992): "Hacia una historia de la lengua española en el Paraguay. Un esquema interpretativo". En: Hernández Alonso, César (ed.): 649-674.

— (1994): *Español de América, español de África y hablas criollas hispánicas. Cambios, contactos y contextos*. Madrid: Gredos.

— (1994a): "Sobre la etapa inicial en la formación del español de América". En: íd.: 13-48.

— (1994b): "Formación y evolución del español de América. Época colonial". En: íd.: 49-92.

Gray Birch, Walter de (1903): *Catalogue of the Collection of Original Manuscripts, Formerly Belonging to the Holy Office of the Inquisition in the Canary Islands*. Vol. I: *A. D. 1499-1693*. Edinburgh/London: Blackwood and Sons.

Guaman Poma de Ayala, Felipe (1980): *El primer nueva corónica y buen gobierno*. Edición crítica de John V. Murra y Rolena Adorno. Traducciones y análisis textual del quechua por Jorge L. Urioste. 3 vols. México, D. F.: Siglo XXI.

Güida, Eva-Maria (2004): "*Indio* e *indiano* en el español anterior a 1400". En: Lüdtke, Jens/Schmitt, Christian (eds.): 73-87.

Guillén y Tato, Julio Fernando (1951): *La parla marinera en el Diario del primer viaje de Cristóbal Colón*. Madrid: Instituto Histórico de Marina.

Guitarte, Guillermo L. (1968): "Para una historia del español de América basada en documentos: el seseo en el Nuevo Reino de Granada (1550-1650)". En: *AAIFLH* V, 158-166.

— (1974): "Proyecto de estudio histórico del español de América". En: *ASPIL*, 169-172.

— (1980): "Perspectivas de la investigación diacrónica en Hispanoamérica". En: Lope Blanch, Juan M. (ed.): *Perspectivas de la investigación lingüística en Hispanoamérica. Memoria*. México, D. F.: UNAM, 119-137 [reproducido con el nuevo título "Para una periodización de la historia del español en América". En: íd. (1983): 167-182].

— (1981): "El origen del pensamiento de Rufino José Cuervo sobre la suerte del español de América". En: Trabant, Jürgen (ed.): *Logos Semantikos. Studia linguistica in honorem Eugenio Coseriu*. Vol. I: *Geschichte der Sprachphilosophie und der Sprachwissenschaft*. Berlin/New York/Madrid: Gredos, 435-446.

— (1983): *Siete estudios sobre el español de América*. México, D. F.: UNAM.

— (1984): "La dimensión imperial del español en la obra de Aldrete: sobre la aparición del español de América en la lingüística hispánica". En: *HL* 11, 129-187.

— (1988): "Los pasajes de Nebrija sobre los ceceosos". En: *NRFH* 36, 657-695.

— (1991): "Del español de España al español de veinte naciones: la integración de América al concepto de lengua española". En: *ACIEA* III, 1, 65-86.

— (1992): "La teoría de la ç como mezcla de siseo y ciceo". En: *Scripta philologica in honorem Juan M. Lope Blanch*. Vol. I. México, D. F.: UNAM, 285-328.

— (1995): "La unidad del idioma. Historia de un problema". En: Hernández Alonso, César (coord.): 51-64.

— (1998): "Un concepto de la filología hispanoamericana: la 'base' del español de América". En: *La Torre (TE)* 3, 417-434.

GUNN, Robert D. (1980): *Clasificación de los idiomas indígenas de Panamá*. Panamá: Instituto Nacional de Cultura/Instituto Lingüístico de Verano.

HAENSCH, Günther (1997): *Los diccionarios del español en el umbral del siglo XXI*. Salamanca: Universidad de Salamanca.

HALLIDAY, Michael A. K./MCINTOSH, Angus/STREVENS, Peter (1964): *The Linguistic Sciences and Language Teaching*. London: Longman.

HANKE, Lewis (1949): *La lucha por la justicia en la conquista de América*. Buenos Aires: Sudamericana [Madrid: Aguilar, [2]1965; versión inglesa ([2]1959): *The Spanish Struggle for Justice in the Conquest of America*. Philadelphia: University of Pennsylvania Press].

HARRINGTON, Mark R. (1921): *Cuba before Columbus. Part 1*. 2 vols. New York: Museum of the American Indian, Heye Foundation.

HARTNAGEL, Angelina (2007): *Die spanische Auswanderung während der Kolonialzeit. Eine sprachgeschichtliche Untersuchung*. Heidelberg. Tesis de maestría inédita.

HAUGEN, Einar (1972): "Dialect, language, nation". En: Pride, John Bernard/Holmes, Janet (eds.): *Sociolinguistics. Selected readings*. Harmondsworth: Penguin, 97-111 [reimpresión de AA 68 (1966), 922-935].

HEERS, Jacques H. (1961): *Gênes au XVe siècle. Activité économique et problèmes sociaux*. Paris: SEVPEN.

— (1971): *Gênes au XVe siècle*. Paris: Flammarion.

— (1996): *Cristóbal Colón*. México, D. F.: FCE [reimpresión de la edición de 1992; versión francesa (1981): *Christophe Colomb*. Paris: Hachette].

HENRÍQUEZ UREÑA, Pedro (1921): "Observaciones sobre el español de América". En: RSEL 8, 357-390.

— ([4]1982): *El español en Santo Domingo*. Santo Domingo: Taller.

HEREDIA HERRERA, Antonia (1977): "La carta como tipo diplomático indiano". En: AEAm 34, 65-95.

— (1994): "El factor de la distancia como elemento perfilador de la documentación indiana". En: CIHA V, 3, 599-610.

HERNÁNDEZ ALONSO, César (ed.) (1992): *Historia y presente del español de América*. Valladolid: Junta de Castilla y León/Pabecal.

— (coord.) (1995): *La lengua española y su expansión en la época del Tratado de Tordesillas. Actas de las jornadas celebradas en Soria, 9-11 mayo de 1994*. Valladolid: Sociedad V Centenario del Tratado de Tordesillas.

HERNÁNDEZ GONZÁLEZ, Manuel (1995): *Canarias: la emigración canaria a América a través de la historia*. La Laguna (Tenerife): Centro de la Cultura Popular Canaria.

— (1997): *La emigración canaria a América (1765-1824): entre el libre comercio y la emancipación*. La Laguna (Tenerife): Ayuntamiento de La Laguna/Centro de la Cultura Popular Canaria.

HERNÁNDEZ SÁNCHEZ-BARBA, Mario (1981): *Historia de América*. 3 vols. Madrid: Alhambra.

HOLTUS, Günter/METZELTIN, Michael/SCHMITT, Christian (eds.) (1995): *Lexikon der Romanistischen Linguistik (LRL)*. Vol. II, 2: *Die einzelnen romanischen Sprachen und Sprachgebiete vom Mittelalter zur Renaissance*. Tübingen: Niemeyer.

HOZ, Javier de (1998): "Die iberische Schrift". En: *Die Iberer*. Paris/Barcelona/Bonn: Association Française d'Action Artistique/Ministerio de Educación y Cultura/Fundació "La Caixa"/Kunst- und Ausstellungshalle der Bundesrepublik Deutschland, 207-219.

Información de los Jerónimos, Santo Domingo 1517, manuscrito conservado en el Archivo General de Indias, Sevilla.

IORDAN, Iorgu (1967): *Lingüística románica: evolución, corrientes, métodos*. Reelaboración parcial y notas de Manuel Alvar. Madrid: Alcalá.

JACOB, Daniel/KABATEK, Johannes (eds.) (2001): *Lengua medieval y tradiciones discursivas en la Península Ibérica. Descripción gramatical, pragmática histórica, metodología*. Madrid/Frankfurt am Main: Iberoamericana/Vervuert.

JANSEN, Silke (2011): *Indiana submersa. Antillenspanisch und indianisches Substrat: eine linguistische Archäologie*. Halle-Wittenberg (habilitación inédita).

JARA, René/SPADACINI, Nicolás (eds.) (1989): *1492-1992: Re/discovering Colonial Writing*. Ann Arbor: The Prisma Institute.

JAUME I/DESCLOT, Bernat/MUNTANER, Ramon/PERE III (1971): *Les cuatre grans cròniques*. Revisión del texto, prólogo y notas de Ferran Soldevila. Barcelona: Selecta.

JÁUREGUI, Carlos A. (2008): *Canibalia. Canibalismo, calibanismo, antropofagia cultural y consumo en América Latina*. Madrid/Frankfurt am Main: Iberoamericana/Vervuert.

JIMÉNEZ DE LA ESPADA, Marcos (^{2}1965): *Relaciones geográficas de Indias, Perú*. Madrid: BAE.

JIMÉNEZ GONZÁLEZ, José Juan (1999): *Gran Canaria prehistórica. Un modelo desde la arqueología antropológica*. Tenerife/Gran Canaria: Centro de la Cultura Popular Canaria.

JIMÉNEZ NÚÑEZ, Alfredo (1994): "Equipeya indiana o por qué, a veces, la ley se obedece pero no se cumple". En: CIHA V, 3, 265-277.

JIMÉNEZ PATÓN, Bartolomé (1980): "Eloquencia española en arte". En: Casas, Elena (ed.): *La retórica en España*. Madrid: Editora Nacional, 217-373.

JUDGE, JOSEPH/STANFIELD; JAMES L. (1986): "Where Columbus found the New World". En. NGM 170: 566-572, 578-599.

KABATEK, Johannes (2005): *Die Bolognesische Renaissance und der Ausbau romanischer Sprachen. Juristische Diskurstraditionen und Sprachentwicklung in Südfrankreich und Spanien im 12. und 13. Jahrhundert*. Tübingen: Niemeyer.

— (ed.) (2008): *Sintaxis histórica del español y cambio lingüístico: nuevas perspectivas desde las Tradiciones Discursivas*. Madrid/Frankfurt am Main: Iberoamericana/Vervuert.

KAILUWEIT, Rolf (1997): *Vom EIGENEN SPRECHEN. Eine Geschichte der spanisch-katalanischen Diglossie in Katalonien (1759-1859)*. Frankfurt am Main/etc.: Lang.

— (1999): "Los verbos ilocutivos en documentos de Tucumán: cuestiones pragmáticas, sintácticas y semánticas". En: Rojas Mayer, Elena M. (ed.): 127-143.

KANY, Charles E. (1962): *Semántica hispanoamericana*. Madrid: Aguilar [edición original en inglés (1960): *American-Spanish Semantics*. Berkeley (CA): University of California Press].

KENISTON, Hayward (1937): *The Syntax of Castilian Prose: The Sixteenth Century*. Chicago (IL): University of Chicago Press.

KINZEL, Günter Georg (1976): *Die rechtliche Begründung der frühen portugiesischen Landnahmen an der westafrikanischen Küste zur Zeit Heinrichs des Seefahrers*. Göppingen: Kümmerle.

KIRSTEIN, Corinna M. (1997): *Textlinguistische Analyse informationsbetonter Textsorten der spanischen Tageszeitung "El País". Textumfelder und Methoden der Bezugnahme auf das Lesevorwissen im Rahmen der Linguistik des Sinns*. Frankfurt am Main/etc.: Peter Lang.

KLOSS, Heinz ([2]1978): *Die Entwicklung neuer germanischer Kultursprachen seit 1800*. Düsseldorf: Schwann ([1]1952).

KOCH, Peter (1997): "Diskurstraditionen: zu ihrem sprachtheoretischen Status und ihrer Dynamik". En: Frank, Barbara, *et al.* (eds.): 43-79.

— (2008): "Tradiciones discursivas y cambio lingüístico: el ejemplo del tratamiento *vuestra merced* en español". En: Kabatek, Johannes (ed.): 53-87.

KOCH, Peter/OESTERREICHER, Wulf (1990): *Gesprochene Sprache in der Romania: Französisch, Italienisch, Spanisch*. Tübingen: Niemeyer.

— (2001): "Gesprochene Sprache und geschriebene Sprache/*Langage parlé et langage écrit*". En: Holtus, Günter/Metzeltin, Michael/Schmitt, Christian (eds.): *Lexikon der Romanistischen Linguistik (LRL)*. Vol. I, 2: *Methodologie (Sprache in der Gesellschaft/Sprache und Klassifikation/Datensammlung und –verarbeitung). Méthodologie (Langue et société/Langue et classification/Collection et traitement des données)*. Tübingen: Niemeyer, 584-627 (artículo en francés).

KONETZKE, Richard (1953, 1958, 1962): *Colección de documentos para la historia de la formación social de Hispanoamérica, 1493-1810*. Vol. I (1493-1592), 1953; vol. II, primer tomo (1593-1659), 1958; vol. II, segundo tomo (1660-1690), 1958; vol. III, primer tomo (1691-1779), 1962; vol. III, segundo tomo (1780-1807), 1962. Madrid: CSIC.

— (1971): *América Latina. II. La época colonial*. Madrid: Siglo XXI de España [edición original en alemán (1965): *Die Indianerkulturen Altamerikas und die spanisch-portugiesische Kolonialherrschaft*. Frankfurt/Main: Fischer-Bücherei].

KRÜGER, Fritz (1914): *Studien zur Lautgeschichte westspanischer Mundarten auf Grund von Untersuchungen an Ort und Stelle*. Hamburg: Seminar für romanische Sprachen und Kultur.

KUNKEL, Günther (1986): *Diccionario botánico canario. Manual etimológico*. Las Palmas de Gran Canaria: Edirca.

LAJARD, J. (1891): "Le langage sifflé des Canaries". En: *BSAP* 2, 469-483.

LAMB, Ursula (1956): *Fray Nicolás de Ovando, gobernador de las Indias (1501-1509)*. Madrid: CSIC/Instituto Gonzalo Fernández de Oviedo (Santo Domingo [2]1977).

— (1963): "La Inquisición en Canarias y un libro de magia del siglo XVI". En: *MCan* 24, 113-144.

LANG, Jürgen (1991): *Die französischen Präpositionen. Funktion und Bedeutung*. Heidelberg: Carl Winter.

LANGUE, Frédérique/SALAZAR-SOLER, Carmen (1993): *Dictionnaire des termes miniers en usage en Amérique espagnole (XVI*[e]*-XIX*[e] *siècle). Diccionario de términos mineros para la América española (siglos XVI-XIX)*. Paris: Éditions Recherche sur les Civilisations.

LAPESA, Rafael ([9]1981): *Historia de la lengua española*. Madrid: Gredos ([1]1942).

— (1988): "Historia de una 'Historia de la Lengua Española'". En: ACIHLE I, 2, 1771-1785.

— (1992): "El español llevado a América". En: Hernández Alonso, César (ed.): 11-24.

— (1996): *El español moderno y contemporáneo. Estudios lingüísticos*. Barcelona: Crítica.

LAS CASAS, Bartolomé de (1957, 1961): *Historias de las Indias*. 2 vols. Madrid: Atlas/BAE.

— (1958): *Apologética historia*. 2 vols. Madrid: Atlas/BAE.

— (1977): *Brevísima relación de la destrucción de las Indias*. Introducción y notas de Manuel Ballesteros Gaibrois. Madrid: Fundación Universitaria Española.

— ([2]1984): *Brevísima relación de la destrucción de las Indias*. Edición de André Saint-Lu. Madrid: Cátedra.

— (1992): *Apologética historia sumaria*. Edición de Vidal Abril Castelló, Jesús Ángel Barreda, Berta Ares Queija y Miguel J. Abril Stoffels. 3 vols. Madrid: Alianza (*Obras completas*, tomos 6, 7 y 8).

— (1994): *Historia de las Indias*. Primera edición crítica. Transcripción del texto autógrafo por el Dr. Miguel Ángel Medina. Fijación de las fuentes bibliográficas por el Dr. Jesús Ángel Barreda. Estudio preliminar y análisis crítico por el Dr. Isacio Pérez Fernández. 3 vols. Madrid: Alianza (*Obras completas*, tomos 3, 4 y 5).

LASTRA DE SUÁREZ, Yolanda (1992): *Sociolingüística para hispanoamericanos. Una introducción*. México, D. F.: El Colegio de México.

LEAL CRUZ, Pedro Nolasco (2003): "Léxico castellano y portugués en la modalidad canaria de La Palma: análisis contrastivo". En: ACIEC II, 661-674.

LEBSANFT, Franz (2003): "Geschichtswissenschaft, Soziologie und romanistische Sprachgeschichtsschreibung". En: HSK 23.1, 481-492.

— (2005): "Kommunikationsprinzipien, Texttraditionen, Geschichte". En: Schrott, Angela/Völker, Harald (eds.): 25-43.

— (2006): "Die spanische Überlieferung des Kolumbusbriefs". En: Dahmen, Wolfgang/Holtus, Günter/Kramer, Johannes/Metzeltin, Michael/Winkelmann, Otto (eds.): *Historische Pressesprache. Romanistisches Kolloquium XIX*. Tübingen: Narr, 175-195.

LEBSANFT, Franz/MIHATSCH, Wiltrud/POLZIN-HAUMANN, Claudia (eds.) (2012): *El español, ¿desde las variedades a la lengua pluricéntrica?* Madrid/Frankfurt am Main: Iberoamericana/Vervuert.

LEHMANN, Walter (1920): *Zentral-Amerika*. Teil I: *Die Sprachen Zentral-Amerikas in ihren Beziehungen zueinander sowie zu Süd-Amerika und Mexiko*. 2 vols. Berlin: D. Reimer.

LENZ, Rodolfo (1893): "Beiträge zur Kenntnis des Amerikaspanischen. I. Die Grundlagen der Entwicklung des Amerikaspanischen". En: *ZrP* 17, 188-214 [traducción española (1940): "Para el conocimiento del español de América". En: *BDHA* 6, 209-259).

LEOPARDI, Giacomo (1991): *Zibaldone di pensieri*. 3 vols. Milano: Garzanti.

LESTRINGANT, Frank (1984): "Le nom des 'cannibales', de Christophe Colomb à Michel de Montaigne". En: *BSAM* 17-18, 51-74.

LIPSKI, John M. (1990): *The Language of the "isleños": Vestigial Spanish in Louisiana*. Baton Rouge (LA): Louisiana State University Press.

— (1996): *El español de América*. Madrid: Cátedra [edición original en inglés (1994): *Latin American Spanish*. London: Longman].

LIZÁRRAGA, Reginaldo de (1987): *Descripción del Perú, Tucumán, Río de la Plata y Chile*. Edición de Ignacio Ballesteros. Madrid: Historia 16.

LIZONDO BORDA, Manuel (1936): *Documentos coloniales relativos a San Miguel de Tucumán y a la Gobernación de Tucumán. Siglo XVI*. Ser. I, vol. I. Tucumán: Archivo Histórico de Tucumán.

LLORENTE MALDONADO, Antonio (1981): "Comentarios de algunos aspectos del léxico del tomo II del *ALEICan*". En: *ASILE* I, 193-224.

— (1984): "Comentario de algunos aspectos del léxico del tomo I del *ALEICan*". En: *ASILE* II: 283-330.

— (1987): *El léxico del tomo I del "Atlas lingüístico y etnográfico de las Islas Canarias"*. Cáceres: Servicio de Publicaciones Universidad de Extremadura (Anejos del Anuario de Estudios Filológicos, 7).

LOBO CABRERA, Manuel (1982): *La esclavitud en las Canarias orientales en el siglo XVI*. Santa Cruz de Tenerife: Cabildo Insular de Gran Canaria.

— (1991): "Gran Canaria y la emigración a Indias en el siglo XVI (1500-565) a través de los protocolos notariales". En: Eiras Roel, Antonio (ed.): 317-323.

LOCKHART, James (1991): *Nahuas and Spaniards. Postconquest Central Mexican History and Philology*. Stanford (CA): Stanford University Press.

— (1999): *Los nahuas después de la conquista. Historia social y cultural de la población indígena de México central, siglos XVI-XVIII*. México, D. F.: FCE [edición original en inglés (1992): *The Nahuas after the Conquest. A Social and Cultural History of the Indians of Central Mexico, Sixteenth through Eigteenth Centuries*. Stanford (CA): Stanford University Press).

LODARES MARRODÁN, Juan R. (2003): "Historia externa del español en EEUU y en Puerto Rico". En: *HSK* 23.1, 995-1003.

LODGE, R. Anthony (1993): *French: From Dialect to Standard*. London: Routledge.

LOPE BLANCH, Juan M. (1981): "Antillanismos en la Nueva Espana". En: *AdL* 19, 75-88.

— (1986): "El concepto de prestigio y la norma lingüística del español". En: íd.: *Estudios de lingüística española*. México, D. F.: UNAM, 17-31.

— (1989): "Fisonomía del español en América: unidad y diversidad". En: íd.: *Estudios de lingüística hispanoamericana*. México, D. F.: UNAM, 11-31.

— (1992): "Esbozo histórico del español en México". En: Hernández Alonso, César (ed.): 607-626.

— (1993): *Ensayos sobre el español de América*. México, D. F.: UNAM.

— (1993a): "El estudio histórico del español de América". En: íd.: 95-107.

— (1993b): "Perspectivas de la investigación sobre el español de América". En: íd.: 137-147.

— (1994): *Nebrija cinco siglos después*. México, D. F.: UNAM.

LÓPEZ DE GÓMARA, Francisco (1979): *Historia general de las Indias y vida de Hernán Cortés*. Prólogo de Jorge Gurría Lacroix. Caracas: Biblioteca Ayacucho.

LÓPEZ MORALES, Humberto (1989): *Sociolingüística*. Madrid: Gredos.

— (1990): "Penetración de indigenismos antillanos en el español del siglo XVI. Introducción a su estudio". En: *I Simposio de Filología Iberoamericana (Sevilla, 26 al 30 de marzo de 1990)*. Zaragoza: Libros Pórtico, 137-150.

— (1992): "Los primeros contactos lingüísticos del español en América". En: Hernández Alonso, César (ed.): 281-293.

— (1995): "Situación lingüística de las Antillas en el siglo XVI". En: Hernández Alonso, César (coord.): 119-124.

— (1998): *La aventura del español de América*. Madrid: Espasa.

— (coord.) (2009): *Enciclopedia del español en los Estados Unidos*. Madrid: Instituto Cervantes/Santillana.

LOUREDA LAMAS, Óscar (2007): "Presentación del editor: la *Textlinguistik* de Eugenio Coseriu". En: Coseriu, Eugenio: *Lingüística del texto. Introducción a la hermenéutica del sentido*. Edición, anotación y estudio previo de Óscar Loureda Lamas. Madrid: Arco/Libros, 19-74.

LOVÉN, Sven (1935): *Origins of the Tainan Culture, West Indies*. Göteborg: Eleudeos Boktrykeri Aktiebolag.

LÜDTKE, Jens (1978): *Prädikative Nominalisierungen mit Suffixen im Französischen, Katalanischen und Spanischen*. Tübingen: Niemeyer.

— (1984): *Sprache und Interpretation. Semantik und Syntax reflexiver Strukturen im Französischen*. Tübingen: Narr.

— (1986): "Categorías verbales, categorías enunciativas y oraciones subordinadas". En: *RSEL* 18, 265-284.

— (1988): "Situations diglossiques, variétés et conscience linguistique". En: Kremer, Dieter (ed.): *Actes du XVIIe Congrès International de Linguistique et de Philologie Romanes*. Vol. V. Tübingen: Niemeyer, 121-128.

— (1988a): "Proyecto de una historia del español ultramarino". En: *ACIHLE* I, 2, 1511-1515.

— (1989): "Acerca del carácter imperial de la política lingüística de Carlos III". En: Holtus, Günter/Lüdi, Georges/Metzeltin, Michael (eds.): *La Corona de Aragón y las lenguas románicas. Miscelánea de homenaje para Germán Colón*. Tübingen: Narr, 267-274.

— (1991): "Katalanisch: Externe Sprachgeschichte" [El catalán: historia externa de la lengua]. En: Holtus, Günter/Metzeltin, Michael/Schmitt, Christian (eds.): *Lexikon der Romanistischen Linguistik (LRL)*. Vol. V, 2. *Okzitanisch, Katalanisch/L'occitan, le catalan*. Tübingen: Niemeyer, 232-242.

— (1991a): "Estudio lingüístico de la *Información de los Jerónimos* (1517)". En: *ACIEA* III, 1, 271-279.

— (1991b): "*Le Canarien* (1402-1404): Ein Beitrag zur spanischen Sprachgeschichte". En: *NR* 10, 21-44.

— (1991c): "Kastilisch, Portugiesisch und Leonesisch in einem kanarischen Zauberbuch von 1524/1525". En: *Iberoromania* 33, 1-15.

— (1992): "Fuentes de la historia de la lengua española: Pedro Mártir de Anglería". En: ACIHLE II, 2, 437-447.

— (comp.) (1994): *El español de América en el siglo XVI. Actas del Simposio del Instituto Ibero-Americano de Berlín, 23 y 24 de abril de 1992*. Madrid/Frankfurt am Main: Iberoamericana/Vervuert.

— (1994): "Estudio lingüístico de la *Información de los Jerónimos* (1517)". En: Lüdtke, Jens (comp.): 73-85.

— (1994a): "Notas léxicas sobre la transculturación de los taínos (la encomienda y la estructura social)". En: Lüdtke, Jens/Perl, Matthias (eds.): 27-37.

— (1994b): "Nebrija und die Schreiber: *ceceo/seseo* in der frühen Expansion des überseeischen Spanisch". En: Baum, Richard/Böckle, Klaus/Hausmann, Franz-Josef/Lebsanft, Franz (eds.): *Lingua et traditio. Geschichte der Sprachwissenschaft und der neueren Philologien. Festschrift für Hans Helmut Christmann zum 65. Geburtstag*. Tübingen: Narr, 29-41.

— (1994c): "Zu den sprachlichen Erfahrungen der Portugiesen an der westafrikanischen Küste im 15. Jahrhundert". En: Schönberger, Axel/Zimmermann, Klaus (eds.): *De orbis Hispani linguis litteris moribus. Festschrift für Dietrich Briesemeister*. Frankfurt am Main: Domus Editoria Europaea, 1-11.

— (1996): "La edición de fuentes para la historia del español colonial". En: Cisneros, Luis Jaime/Rivarola, José Luis (eds.): *Temas de filología hispánica. Centenario de Amado Alonso (1896-1996)*. Lima: Departamento de Humanidades, Pontificia Universidad Católica del Perú (*Lexis* XX, 1-2): 427-445.

— (1996a): "Das indianische Fremde als arabisches Fremdes". En: NR 17, 231-244.

— (1996b): "Para una lexemática histórica del español de América". En: ACI ALFAL XI, 1957-1966.

— (1998): "Español colonial y español peninsular. El problema de su historia común en los siglos XVI y XVII". En: Oesterreicher, Wulf/Stoll, Eva/Wesch, Andreas (eds.): 13-38.

— (1998a): "Los 'interpretadores'. Un problema de la semántica y de la sintaxis comparada del francés y del español". En: Delbecque, Nicole/Paepe, Christian de (eds.): *Estudios en honor del Profesor Josse De Kock*. Leuven: Leuven University Press, 323-358.

— (1998b): "Plurilingüismo canario a raíz de la conquista". En: ACIHLE IV, 2, 513-521.

— (1999): "Las variedades contactuales y el asturiano". En: LtA 72, 23-43.

— (1999a): "En torno a una selección argentina de documentos coloniales (1993) y su estudio idiomático, discursivo y textual". En: Rojas Mayer, Elena M. (ed.): 21-43.

— (1999b): "Zu den Aufgaben der spanischen Sprachgeschichtsschreibung". En: Ammon, Ulrich/Mattheier, Klaus J./Nelde, Peter (eds.): *Sociolinguistica* 13, 27-50.

— (1999c): "*Varietät*: Biologie und Sprachwissenschaft". En: Greiner, Norbert, *et al.* (eds.): *Texte und Kontexte in Sprachen und Kulturen. Festschrift für Jörn Albrecht*. Trier: Wissenschaftlicher Verlag Trier, 201-217.

— (2000): "The beginnings of a new period in the overseas expansion of Spanish: The *Pesquisa de Pérez de Cabitos* (Seville 1477)". En: Staib, Bruno (ed.): *Linguistica romanica et indiana. Festschrift für Wolf Dietrich zum 60. Geburtstag*. Tübingen: Narr, 291-301.

— (2002): "Ämter im Stadtrecht von Las Palmas de Gran Canaria (1494) und der Beginn einer hispanoamerikanischen Stadtrechtstradition. Eine Wortschatzskizze". En: Störl, Kerstin/Klare, Johannes (eds.): *Romanische Sprachen in Amerika. Festschrift für Hans-Dieter Paufler zum 65. Geburtstag*. Frankfurt am Main/etc.: Peter Lang, 287-300.

— (2003): "Los primeros contactos entre la lengua canaria y las lenguas europeas". En: ACIEC I, 153-193.

— (2007): "Las corrientes de la hispanización lingüística de Hispanoamérica". En: ACAIH XV, 1, 123-147.

— (2007a): "Lengua y discurso latinizantes en la *Apologética historia sumaria* de fray Bartolomé de las Casas". En: Lara, Luis Fernando/Yunuen Ortega, Reynaldo/Tenorio, Martha Lilia (eds.): *De amicitia et doctrina. Homenaje a Martha Elena Venier*. México, D. F.: El Colegio de México, 437-451.

— (2008): "Las vías de comunicación en la expansión ultramarina de la lengua española y su diferenciación léxica: el ejemplo de *estancia*". En: Albrecht, Jörn/Harslem, Frank (eds.): *Heidelberger Spätlese. Ausgewählte Tropfen aus verschiedenen Lagen der spanischen Sprach- und Übersetzungswissenschaft. Festschrift anlässlich des 70. Geburtstages von Prof. Dr. Nelson Cartagena*. Bonn: Romanistischer Verlag, 133-147.

— (2008a): "Panamá, el trampolín de la expansión hacia los países andinos en el siglo XVI". En: ACIHLE VII, 2, 1625-1638.

— (2009): "La deixis en los entornos de un documento colonial. La carta de Vasco Núñez de Balboa del 20 de enero de 1513 a Fernando el Católico". En: Haßler, Gerda/Volkmann, Gesina (eds.): *Deixis y modalidad en textos narrativos*. Münster: Nodus, 47-69.

— (2010): "Acerca de la constitución temprana de la norma culta del español en América". En: Iliescu, Maria/Siller-Runggaldier, Heidi/Danler, Paul (eds.): *XXVe Congrès International de Linguistique et de Philologie Romanes (Innsbruck, 3-8 septembre 2007)*. Berlin/New York: De Gruyter: 605-614.

— (2011): *La formación de palabras en las lenguas románicas. Su semántica en diacronía y sincronía*. Traducción de Elisabeth Beniers, aumentada y elaborada en parte por el autor y revisada por Carlos Gabriel Perna. México, D. F.: El Colegio de México [edición original en alemán (2005): *Romanische Wortbildung. Inhaltlich – diachronisch – synchronisch*. Tübingen: Stauffenburg].

— (2011a): "Hacia la separación gráfica de las preposiciones y de los determinantes nominales en el período de orígenes". En: Enghels, Renata/Meulleman, Machteld/Vanderschueren, Clara (eds.): *Peregrinatio in Romania. Artículos de homenaje a Eugeen Roegiest con motivo de su 65 cumpleaños*. Gent: Academia Press, 123-134.

— (2011b): "Los entornos en la historia de la lengua española en América". En: Vázquez Laslop, María Eugenia/Zimmermann, Klaus/Segovia, Francisco (eds.): *De la lengua por sólo la extrañeza: estudios de lexicología, historia y literatura en homenaje a Luis Fernando Lara*. Vol. II. México, D. F.: El Colegio de México, 867-887.

— (2012): "Historia 'externa' e historia 'interna' de la lengua. El caso del español".

LÜDTKE, Jens/PERL, Matthias (eds.) (1994): *Lengua y cultura en el Caribe hispánico*. Tübingen: Niemeyer.

LÜDTKE, Jens/SCHMITT, Christian (eds.) (2004): *Historia del léxico español. Enfoques y aplicaciones*. Madrid/Frankfurt: Iberoamericana/Vervuert.

LUNARDI, Ernesto (1976): "Pietro Martire d'Anghiera. Il primo americanista, nella storia e nella cultura del suo tempo". En: *Terra Ameriga* 12, 9-20.

LUZZANA CARACI, Ilaria (1989): *Colombo vero e falso. La costruzione delle Historie fernandine*. Genova: Sagep.

MACÍAS HERNÁNDEZ, Antonio M. (1991): "La emigración canaria a América (siglos XVI-XX)". En: Eiras Roel, Antonio (ed.): 283-298.

— (1992): *La emigración canaria, 1500-1980*. Barcelona: Júcar.

MALKIEL, Yakov (1972): *Linguistics and Philology in Spanish America*. The Hague: Mouton.

MALMBERG, Bertil (1974): *La América hispanohablante. Unidad y diferenciación del castellano*. 3.ª edición. Madrid: ISTMO [versión original en alemán (1966): *Det spanska Amerika i sprakets spegel*. Stockholm: Albert Bonniers-Fürlag AB].

MARCY, Georges (1962): "Nota sobre algunos topónimos y nombres antiguos de tribus beréberes en las Islas Canarias". En: *AEAt* 8, 239-289.

MARIÉJOL, Jean-H. (1887): *Un lettré italien à la cour d'Espagne (1488-1526): Pierre Martyr d'Anghera, sa vie et ses œuvres*. Paris: Hachette.

MARILUZ URQUIJO, José María (1952): *Ensayo sobre los juicios de residencia indianos*. Sevilla: Publicaciones de la Escuela de Estudios Hispano-Americanos.

MARQUES, António Henrique de Oliveira ([6]2006): *Breve história de Portugal*. Lisboa: Editorial Presença.

MARRERO RODRÍGUEZ, Manuela (ed.) (1974): *Extractos de protocolo de Juan Ruiz de Berlanga, 1507-1508*. La Laguna: CSIC/Instituto de Estudios Canarios.

MARTINELL GIFRE, Emma (1988): *Aspectos lingüísticos del descubrimiento y de la conquista*. Madrid: CSIC.

— (1988a): "Manifestación lingüística del asombro: el diario del primer viaje de Cristóbal Colón". En: *ACIHLE* I, 2, 1261-1271.

— (1992): *La comunicación entre españoles e indios. Palabras y gestos*. Madrid: MAPFRE.

— (1994): "Formación de una conciencia lingüística en América". En: Lüdtke, Jens (comp.): 121-141.

MARTÍNEZ, José Luis (ed.) (1990): *Documentos cortesianos. I. 1518-1528. Secciones I a III*. México, D. F.: UNAM/FCE.

MARTÍNEZ RUIZ, Juan (1962): "Léxico granadino del siglo XVI". *En*: *RDTP* 18, 136-192.

— (1964): "Notas sobre el refinado del azúcar de caña entre los moriscos granadinos. Estudio léxico". En: *RDTP* 20, 271-288.

MARTIUS, Carl Friedrich Philipp von ([2]1867): *Beiträge zur Ethnographie und Sprachenkunde Südamerikas, zumal Brasiliens*. II: *Zur Sprachenkunde*. Leipzig: Friedrich Fleischer ([1]1863, reimpresión 1969).

— (1969): *Wörtersammlung brasilianischer Sprachen. Glossaria linguarum Brasiliensium. Glossarios de diversas lingoas e dialectos, que fallao os Indios no imperio do Brazil*. Wiesbaden: Dr. Martin Sändig (= [2]1867).

MATUS, Alfredo/DARGHAM, Soledad/SAMANIEGO, José Luis (1992): "Notas para una historia del español en Chile". En: Hernández Alonso, César (ed.): 543-564.

MCALISTER, Lyle N. (1984): *Spain and Portugal in the New World, 1492-1700*. London/etc.: Oxford University Press.

MEDIN, Tzvi (2009): *Mito, pragmatismo e imperialismo. La conciencia social en la conquista del imperio azteca*. Madrid/Frankfurt am Main: Iberoamericana/Vervuert.

MEDINA LÓPEZ, Javier (1994): "El español de Canarias a través de las *Fuentes Rerum Canariarum*: aproximación histórico-lingüística". En: *ALH* 10, 217-237.

— (1995): *El español de América y Canarias desde una perspectiva histórica*. Madrid: Verbum.

— (1995): "Onomástica del español de Canarias: primeras fuentes". En: *Lexis* XIX, 1, 1-57.

— (1999): *El español de Canarias en su dimensión atlántica*. València: Universitat de València.

— (2003): "Historia externa del español en las Islas Canarias". En: *HSK* 23.1, 1052-1060.

MEDINA LÓPEZ, Javier/CORBELLA DÍAZ, Dolores (eds.) (1996): *El español de Canarias hoy: análisis y perspectivas*. Madrid/Frankfurt am Main: Iberoamericana/Vervuert.

MEILLET, Antoine/COHEN, Marcel (dirs.) (1952): *Les langues du monde*. Paris: H. Champion.

MENA GARCÍA, María del Carmen (1984): *La sociedad de Panamá en el siglo XVI*. Sevilla: Excma. Diputación Provincial de Sevilla.

MENDIETA, fray Gerónimo de (1973): *Historia eclesiástica indiana*. 2 vols. Madrid: Atlas/BAE.

MENDOZA QUIROGA, José G. (1992): "El castellano del siglo XVI en Bolivia". En: Hernández Alonso, César (ed.): 413-436.

MENÉNDEZ PIDAL, Ramón (1926): *Orígenes del español. Estado lingüístico de la Península Ibérica hasta el siglo XI*. Madrid: Espasa-Calpe ([3]1976).

— (1940): "La lengua de Cristóbal Colón". En: *BH* 42, 5-28 [reimpreso en: íd. (1942): *La lengua de Cristóbal Colón, el estilo de Santa Teresa y otros estudios sobre el siglo XVI*. Madrid: Espasa-Calpe, 11-47].

— (1950): "La lengua en tiempo de los Reyes Católicos (del retoricismo al humanismo)". En: *CH* 5, 9-24.

— (1962): "Sevilla frente a Madrid. Algunas precisiones sobre el español de América". En: Catalán, Diego (ed.): *Estructuralismo e historia. Miscelánea homenaje a André Martinet*. Vol. III. La Laguna (Tenerife): Universidad de La Laguna: 99-165.

— (2005): *Historia de la lengua española*. 2 vols. Madrid: Fundación Ramón Menéndez Pidal/Real Academia Española.

METZELTIN, Michael (1970): *Die Terminologie des Seekompasses in Italien und auf der Iberischen Halbinsel bis 1600*. Basel: Apollonia.

— (1994): "Los textos cronísticos americanos como fuentes del conocimiento de la variación lingüística". En: Lüdtke, Jens (comp.): 143-153.

MEYER-LÜBKE, Wilhelm (1966): *Historische Grammatik der französischen Sprache*. Vol. II: *Wortbildungslehre*. Zweite, durchgesehene und ergänzte Auflage von J. M. Piel. Heidelberg: Carl Winter.

MIGNOLO, Walter (1982): "Cartas, crónicas y relaciones del descubrimiento y la conquista". En: Íñigo Madrigal, Luis (coord.): *Historia de la literatura hispanoamericana*. Vol. I. *Época colonial*. Madrid: Cátedra, 57-116.

MILROY, James/MILROY, Lesley (1991): *Authority in Language. Investigating Language Prescription and Standardisation*. London: Routledge ([2]1995).

MIRA CABALLOS, Esteban (1997): *El indio antillano: repartimiento, encomienda y esclavitud (1492-1542)*. Sevilla/Bogotá: Muñoz Moya.

— (2000): *Las Antillas Mayores (1492-1550)*. Madrid/Frankfurt am Main: Iberoamericana/Vervuert.

MONTES GIRALDO, José Joaquín (1982): *Dialectología general e hispanoamericana*. Bogotá: Instituto Caro y Cuervo.

— (1992): "Historia del español hablado en Colombia". En: Hernández Alonso, César (ed.): 501-517.

— (2003): "Historia externa del español en Venezuela y Colombia". En: *HSK* 23.1, 1013-1020.

MONTES GIRALDO, José Joquín/FIGUEROA L., Jennie/MORA M., Siervo/LOZANO R., Mariano (1986): *Glosario lexicográfico del Atlas lingüístico-etnográfico de Colombia (ALEC)*. Bogotá: Instituto Caro y Cuervo.

MORALES PADRÓN, Francisco (ed.) (1970): *Cedulario de Canarias 1566-1704*. 3 vols. Sevilla: Escuela de Estudios Hispano-Americanos.

— (1974): *Ordenanzas del Concejo de Gran Canaria (1531)*. Transcripción y estudio de Francisco Morales Padrón. Las Palmas de Gran Canaria: Cabildo Insular de Gran Canaria.

— (ed.) (1978): *Canarias: crónicas de su conquista (transcripción, estudio y notas)*. Las Palmas de Gran Canaria: Excmo. Ayuntamiento de Las Palmas/El Museo Canario ([2]1993).

— (1986): *América hispana hasta la creación de las nuevas naciones*. Madrid: Gredos (Historia de España, 14).

— (1988): *Atlas histórico cultural de América*. Prólogo de Antonio Rumeu de Armas. Dibujos de Ignacio Tovar. 2 vols. Las Palmas de Gran Canaria: Comisión de Canarias para la Conmemoración del V Centenario del Descubrimiento de América/Gobierno de Canarias.

MORALES PADRÓN, Francisco/MURO OREJÓN, Antonio/PÉREZ-EMBID, Florentino (eds.) (1964): *Pleitos colombinos*. Vol. VIII: *Rollo del proceso sobre la Apelación de la Sentencia de Dueñas (1534-1536)*. Sevilla: Escuela de Estudios Hispanoamericanos.

MORENO DE ALBA, José G. (1992): *Diferencias léxicas entre España y América*. Madrid: MAPFRE.

— (1996): "Indigenismos en las *Décadas del Nuevo Mundo* de Pedro Mártir de Anglería". En: *NRFH* 44, 1-26.

— ([1]2001): *El español en América*. México, D. F.: FCE.

MORENO FUENTES, Francisca (ed.) (1988): *Las datas de Tenerife (Libro V de datas originales)*. San Cristóbal de La Laguna: Instituto de Estudios Canarios/CSIC.

— (ed.) (1992): *Las datas de Tenerife (Libro primero de datas por testimonio)*. Índice analítico por Concepción Medina y María Dolores Tavío. San Cristóbal de La Laguna: Instituto de Estudios Canarios.

MORERA, Marcial (1994): *El español tradicional de Fuerteventura: aspectos fónicos, gramaticales y léxicos*. S. l.: Centro de Cultura Popular Canaria.

— (1994a): *Español y portugués en Canarias. Problemas interlingüísticos*. Puerto del Rosario: Cabildo Insular de Fuerteventura.

— (1996): *Diccionario etimológico de los portuguesismos canarios*. Puerto del Rosario: Cabildo Insular de Fuerteventura.

— (2001): *Diccionario histórico-etimológico del habla canaria, con documentación histórica y literaria*. Islas Canarias: Gobierno de Canarias.

MORÍNIGO, Marcos Augusto (1953): "La formación léxica regional hispanoamericana". En: *NRFH* 7, 234-241 [reproducido en íd. (1959): 56-70].

— (1959): *Programa de filología hispánica*. Buenos Aires: Nova.

MOTOLINÍA, fray Toribio de (1985): *Historia de los indios de la Nueva España*. Edición, introducción y notas de Georges Baudet. Madrid: Castalia.

MOYA PONS, Frank (1977): "Datos para el estudio de la demografía aborigen de La Española". En: *Estudios sobre política indigenista española en América. Simposio conmemorativo del V centenario del Padre Las Casas. Terceras Jornadas Americanistas de la Universidad de Valladolid.* Vol. III. *Contacto, proteccionismo, reparto de mercaderías, propiedad indígena y resguardos, nativismo, asimilaciones técnicas, ejemplos asistenciales, sobre el nacimiento del P. Las Casas*. Valladolid: Seminario de Historia de América, Universidad de Valladolid: 9-18.

— ([3]1978): *La Española en el siglo XVI, 1493-1520. Trabajo, sociedad y política en la economía del oro*. Santiago de los Caballeros: UCMM [([1]1971): *Después de Colón*. Madrid: Alianza].

— ([8]1981): *Manual de historia dominicana*. Santo Domingo: UCMM.

— (1992): "Legitimación ideológica de la conquista; el caso de La Española". En: Gutiérrez Estévez, Manuel, *et al.* (eds.): *De palabra y obra en el Nuevo Mundo*. Vol. II. *Encuentros interétnicos. Interpretaciones contemporáneas*. Madrid: Siglo XXI de España, 63-78.

MULJAČIĆ, Žarko (1984): "Il fenomeno Überdachung 'tetto', 'copertura' nella sociolinguistica (con esempi romanzi)". En: *Linguistica* 24, 77-96 (*In memoriam Anton Grad Oblate*, 1).

— (1985): "Romània, Germania e Slavia: parallelismi e differenze nella formazione delle lingue standard". En: Quattordio Moreschini, Adriana (ed.): *La formazione delle lingue letterarie. Atti del Convegno della Società Italiana di Glottologia, Siena, 16-18 aprile 1984.* Pisa: Giardini, 39-55.

— (1989): "Hanno i singoli diasistemi romanzi 'emanato' le 'loro' lingue standard (come di solito si legge) o hanno invece le lingue standard romanze determinate in larga misura a posteriori i 'loro' dialetti?". En: Foresti, Fabio/Rizzi, Elena/Benedini, Paola (eds.): *L'italiano tra le lingue romanze. Atti del XX Congresso Internazionale di Studi, Bologna, 25-27 settembre 1986*. Roma: Bulzoni, 9-25.

MÜLLER, Bodo (2004): "Aspectos del léxico medieval desde la perspectiva del DEM". En: Lüdtke, Jens/Schmitt, Christian (eds.): 61-71.

MUYSKEN, Pieter C. (1979): "La mezcla de quechua y castellano. El caso de la 'media lengua' en el Ecuador". En: *Lexis* III, 1, 41-56.

NAVARRO ARTILES, Francisco (1981): *Teberite. Diccionario de la lengua aborigen canaria*. Las Palmas de Gran Canaria: Edirca.

NAVARRO TOMÁS, Tomás (1975): "La frontera del andaluz". En: íd.: *Capítulos de geografía lingüística de la Península Ibérica*. Bogotá: Instituto Caro y Cuervo, 21-80.

NEBRIJA, Antonio de (1981): *Gramática de la lengua castellana*. Estudio y edición de Antonio Quilis. Madrid: Editora Nacional ([1]1492).

NETO, Serafim da Silva (1952): *História da língua portuguesa*. Rio de Janeiro: Livros de Portugal.

NOWAK, Herbert (1972): "Silbo gomero. Die Pfeifsprache der Kanareninsel Gomera". En: *Almogaren* 3, 87-92.

NUNES, Adão de Abreu ([2]1974): *Peixes de Madeira*. Funchal: Junta Geral do Distrito Autónomo do Funchal.

OESTERREICHER, Wulf (1994): "El español en textos escritos por semicultos. Competencia escrita de impronta oral en la historiografía indiana". En: Lüdtke, Jens (comp.): 155-190.

— (1995): "Die Architektur romanischer Sprachen im Vergleich. Eine Programm-Skizze". En: Dahmen, Wolfgang, *et al.* (eds.): *Konvergenz und Divergenz in den romanischen Sprachen*. Romanistisches Kolloquium VIII. Tübingen: Narr, 3-21.

— (1997): "Zur Fundierung von Diskurstraditionen". En: Frank, Barbara, *et al.* (eds.): 19-41.

— (2001): "La 'recontextualizacion' de los géneros medievales como tarea hermenéutica". En: Jacob, Daniel/Kabatek, Johannes (eds.): 199-231.

— (2007): "Gramática histórica, tradiciones discursivas y variedades lingüísticas – Esbozo programático". En: RHLE 2, 109-128.

OESTERREICHER, Wulf/STOLL, Eva/WESCH, Andreas (eds.) (1998): *Competencia escrita, tradiciones discursivas y variedades lingüísticas. Aspectos del español europeo y americano en los siglos XVI y XVII*. Tübingen: Narr.

O'GORMAN, Edmundo (1977): *La invención de América. Investigación acerca de la estructura histórica del Nuevo Mundo y el sentido de su devenir*. México, D. F.: FCE ([1]1958).

OLMEDILLAS DE PEREIRAS, María de las Nieves (1974): *Pedro Mártir de Anglería y la mentalidad exoticista*. Madrid: Gredos.

ONTAÑÓN DE LOPE, Paciencia (1979): "Observaciones sobre la génesis de algunos indigenismos americanos". En: *AdL* 17. 273-284.

OPIELKA, Isolde (2008): *Residencia tomada a los jueces de apelación, por Alonso de Zuazo, Hispaniola, 1517. Partielle kommentierte Edition, diskurstraditionelle und grapho-phonologische Aspekte*. Frankfurt am Main/etc.: Peter Lang.

ORTEGA Y GASSET, José (1973): "Brindis en la Institución Cultural Española de Buenos Aires". En: *Obras completas*. Vol. IV. Madrid: Revista de Occidente, 234-244.

ORTIZ, Fernando (1983): *Contrapunteo cubano del tabaco y el azúcar*. La Habana: Editorial de Ciencias Sociales ([1]1940).

OSSORIO ACEVEDO, Francisco (1996) *Los nombres propios aborígenes de Canarias*. Tenerife/Arucas/Santa Lucía/Telde: Centro de Cultura Popular Canaria.

OTS CAPDEQUÍ, José María (1967): *Historia del derecho español en América y del derecho indiano*. Madrid: Aguilar.

OTTE, Enrique (1988): *Cartas privadas de emigrantes a Indias, 1510-1616*. México, D. F.: FCE ([2]1991).

PANÉ, fray Ramon (1957): "Scrittura di Fra Ramon delle antichità degl'Indiani, le quali egli con diligenza, come uomo che sa la lor lingua, ha raccolto per comandamento dello Ammiraglio". En: Colombo, Fernando: *Le historie della vita e dei fatti di Cristoforo Colombo*. Edición de Rinaldo Caddeo. Milano: Istituto Editoriale Italiano, 214-228.

— (1974): *"Relación acerca de las Antigüedades de los Indios": el primer tratado escrito en América*. Nueva versión, con notas, mapa y apéndices de José Juan Arrom. México, D. F.: Siglo XXI ([3]1978).

— (1988): *Relación acerca de las antigüedades de los indios*. Prólogo y notas de Mons. Hugo E. Polanco Brito. Santo Domingo: Fundación Corripio.

— (1992): *Relació sobre les Antiguitats dels Indis*. Nueva versión, con notas, mapa y apéndices de José Juan Arrom. Barcelona: Generalitat de Catalunya.

PASTOR, Beatriz (2008): *El segundo descubrimiento. La conquista de América narrada por sus coetáneos (1492-1589)*. Barcelona: Edhasa ([1]1983 y [2]1988 bajo otros títulos).

PAUL, Hermann ([5]1920): *Prinzipien der Sprachgeschichte*. Tübingen: Niemeyer [reimpresión ([6]1960): Darmstadt: Wissenschaftliche Buchgesellschaft].

— (1970): *Princípios fundamentais da história da língua*. Tradução de Maria Luisa Schemann. Lisboa: Fundação Calouste Gubelkian

PAYRATÓ, Lluís (1985): *La interferència lingüística. Comentaris i exemples català-castellà*. Barcelona: Curial Edicions Catalanes/Publicacions de l'Abadia de Montserrat.

PENNY, Ralph (1993): *Gramática histórica del español*. Barcelona: Ariel [edición original en inglés (1991): *A History of the Spanish Language*. Cambridge: Cambridge University Press; [2]2002].

— (2000): *Variation and Change in Spanish*. Cambridge: Cambridge University Press.

PÉREZ BUSTAMANTE, Rogelio (1997): *Historia del derecho español. Las fuentes del derecho*. Madrid: Dykinson.

PÉREZ-EMBID, Florentino (1948): *Los descubrimientos en el Atlántico y la rivalidad castellano-portuguesa hasta el tratado de Tordesillas*. Sevilla: Escuela de Estudios Hispano-Americanos.

PÉREZ GUERRA, Irene (1999): *Historia y lengua canaria en Santo Domingo. El caso de Sabana de la Mar*. Santo Domingo: Patronato de la Ciudad Colonial Santo Domingo.

— (2003): "Historia externa del español del Caribe". En: *HSK* 23.1, 972-978.

— (2003a): "Lengua e historia: la presencia canaria en Santo Domingo. Resumen de una investigación". En: *ACIEC* I, 2, 1061-1075.

PÉREZ PÉREZ, Buenaventura (1995): *La toponimia guanche (Tenerife). Nueva aportación a la lingüística aborigen de las Islas Canarias.* Santa Cruz de Tenerife: Cabildo de Tenerife/Centro de Cultura Popular Canaria

PÉREZ VIDAL, José (1991): *Los portugueses en Canarias. Portuguesismos.* Las Palmas de Gran Canaria: Cabildo Insular de Gran Canaria.

— (1991a): *Aportación de Canarias a la población de América. Su influencia en la lengua y en la poesía tradicional.* Las Palmas de Gran Canaria: Cabildo Insular de Gran Canaria.

PERL, Matthias/SCHWEGLER, Armin (eds.) (1998): *América negra: panorámica actual de los estudios lingüísticos sobre variedades hispanas, portuguesas y criollas.* Madrid/Frankfurt am Main: Iberoamericana/Vervuert.

PICO, Berta/AZNAR VALLEJO, Eduardo/CORBELLA DÍAZ, Dolores (eds.) (2003): *Le Canarien. Manuscrito, transcripción y traducción.* La Laguna (Tenerife): Instituto de Estudios Canarios.

PIGAFETTA, Antonio (1928): *Relazione del primo viaggio intorno al mondo.* Edición de Camillo Manfroni. Milano: Alpes.

POLO, Marco (1975): *Milione. Versione toscana del Trecento.* Edición crítica de Valeria Bertolucci Pizzorusso. Milano: Adelphi.

POLZIN-HAUMANN, Claudia (2006): *Sprachreflexion und Sprachbewusstsein. Beitrag zu einer integrativen Sprachgeschichte des Spanischen im 18. Jahrhundert.* Frankfurt am Main: Peter Lang.

PONTE, Giovanni (1980): "Pietro Martire scrittore". En: *Pietro Martire d'Anghiera nella storia e nella cultura. Secondo Convegno Internazionale di Studi Americanistici.* Genova: Associazione Italiana Studi Americanistici, 168-174.

POTTIER, Bernard (1962): *Systématique des éléments de relation. Étude de morphosyntaxe structurale romane.* Paris: Klincksieck.

QUEDENFELDT, M. (1887): "Pfeifsprache auf der Insel Gomera". En: ZE 19, 731-741 [traducción española de J. J. Batista en: Batista, José Juan/Morera, Marcial (eds.) (2007): 35-51].

QUESADA PACHECO, Miguel Ángel (1990): *El español colonial de Costa Rica.* San José (Costa Rica): Universidad de Costa Rica.

— (2009): *Historia de la lengua española en Costa Rica.* San José (Costa Rica): Universidad de Costa Rica.

RAFINESQUE, Cornelius S. (1836): *The American Nations; or, Outlines of their General History, Ancient and Modern.* 2 vols. en uno. Philadelphia: F. Turner.

RAINERO, Romain (1970): *La scoperta della costa occidentale d'Africa nelle relazioni di Gomes Eanes de Zurara, Diogo Gomes, Eustache de la Fosse, Valentim Fernandes e Duarte Pacheco Pereira.* Milano: Marzorati.

RAMOS PÉREZ, Demetrio (1981-1982): *Las variaciones ideológicas en torno al descubrimiento de América. Pedro Mártir de Anglería y su mentalidad.* Valladolid: Casa-Museo Colón.

RAMOS PÉREZ, Demetrio/GONZÁLEZ QUINTANA, Marta (1995): *Diario del primer viaje de Colón.* Granada: Diputación Provincial de Granada.

Real Academia Española (1964): *Diccionario de Autoridades*. Edición facsímil. 3 vols. Madrid: Gredos ([1]1726-1739).

— (1964, 1972): *Diccionario histórico de la lengua española*. Tomo I, 1 (1972), tomo II, 2 (1964). Madrid: Real Academia Española.

— ([21]1992): *Diccionario de la lengua española*. Madrid: Espasa-Calpe.

— Corpus diacrónico del español (CORDE): <http://corpus.rae.es/cordenet.html>.

Real Díaz, José Joaquín (1970): *Estudio diplomático del documento indiano*. Sevilla: Escuela de Estudios Hispanoamericanos ([2]1991).

Recco, Niccoloso da ([2]1929): "Della Canaria e dell'altre isole oltre Spagna nell'Oceano nuovamente ritrovate da Niccoloso da Recco, genovese, Angiolino del Tegghia de' Corbizzi, fiorentino, secondo la narrazione di Giovanni Boccaccio". En: Caddeo, Rinaldo (ed.): 139-149.

Ricard, Robert (1932): "À propos du langage sifflé des Canaries". En: *Hespéris* 15, 140-142 [traducción española de José Oliver y Clara Curell en: Batista, José Juan/Morera, Marcial (eds.): 97-99].

Rivarola, José Luis (1990): *La formación lingüística de Hispanoamérica. Diez estudios*. Lima: Pontificia Universidad Católica del Perú.

— (1990a): "Los baquianos de América. Sobre el origen de un americanismo primitivo". En: íd.: 79-89.

— (1991): "En torno a los orígenes del español de América". En: Luna Traill, Elizabeth (ed.): *Scripta philologica in honorem Juan M. Lope Blanch*. Vol. I. México, D. F.: UNAM, 445-468.

— (1992): "Aproximación histórica al español del Perú". En: Hernández Alonso, César (ed.): 697-717.

— (1993): "Aspectos de la historia y de la historiografía del español de América". En: *Lexis* XVII, 1, 75-91.

— (1995): "Procesos sociales y lingüísticos en los orígenes hispanoamericanos". En: Hernández Alonso, César (coord.): 39-49.

— (1996): "La base lingüística del español de América: ¿existió una *koiné* primitiva?". En: *Lexis* XX, 1-2, 577-595.

— (1998): "Modelos historiográficos sobre los orígenes del español de América". En: Narbona Jiménez, Antonio/Ropero Núñez, Miguel (eds.): *El habla andaluza. Actas del Congreso del Habla Andaluza. Sevilla, 4-7 marzo 1997*. Sevilla: Universidad de Sevilla, 349-370.

— (2003): "Historia externa del español en los Andes: Ecuador, Perú, Bolivia". En: *HSK* 23.1, 1020-1027.

— (2004): "La difusión del español en el Nuevo Mundo". En: Cano Aguilar, Rafael (coord.): 799-823.

Robe, Stanley L. (1953): "Algunos aspectos históricos del habla panameña". En: *NRFH* 7, 209-220.

— (1960): *The Spanish of rural Panama. Major dialectal features*. Berkeley (CA): University of California Press.

Rodríguez Demorizi, Emilio (1971): *Los dominicos y las encomiendas de indios de la Isla Española*. Santo Domingo: Editora del Caribe.

RODRÍGUEZ MOREL, Genaro (2004): "The sugar economy of Española in the sixteenth century". En: Schwartz, Stuart B. (ed.): 85-114.

ROHLFS, Gerhard (1954): "Contribución al estudio de los guanchismos en las Islas Canarias". En: *RSEL* 38, 83-99.

ROJAS MAYER, Elena M. (1985): *Evolución histórica del español en Tucumán entre los siglos XVI y XIX*. Tucumán: UNT.

— (ed.) (1998): *Estudios sobre la historia del español de América*. Tucumán: UNT.

— (1998a): "Los tipos textuales en los documentos coloniales de Hispanoamérica entre los siglos XVI y XIX". En: íd. (ed.): 9-28.

— (ed.) (1999): *Estudios sobre la historia del español de América*. Vol. II. Tucumán: UNT/INSIL/Facultad de Filosofía y Letras.

— (ed.) (1999a): *Documentos para la historia lingüística de Hispanoamérica. Siglos XVI a XVIII*. Madrid: Asociación de Lingüística y Filología de América Latina, Comisión de Estudio Histórico del Español de América, CD-ROM.

ROJAS MAYER, Elena M./MALDONADO, Silvia (1993): "Tucumán". En: Fontanella de Weinberg, María Beatriz (ed.): 261-355.

ROMERO CASTILLO, José (1989): "Rasgos kinésicos en el *Diario* de Cristóbal Colón". En: Criado de Val, Manuel (ed.): *Literatura hispánica. Reyes Católicos y descubrimiento*. Barcelona: PPU, 115-124.

ROMERO LEMA, Francisco (1969): *La lengua de Cristóbal Colón*. A Coruña: Moret.

RONQUILLO RUBIO, Manuela (1991): *Los orígenes de la Inquisición en Canarias, 1488-1526*. Las Palmas de Gran Canaria: Cabildo Insular de Gran Canaria.

RONSARD, PIERRE (1963): *Poésies choisies*. Paris: Garnier.

ROSA OLIVERA, Leopoldo de la/MARRERO RODRÍGUEZ, Manuela (eds.) (1986): *Acuerdos del Cabildo de Tenerife*. Vol. V: *1525-1533*. San Cristóbal de la Laguna: Instituto de Estudios Canarios.

ROSA OLIVERA, Leopoldo de la/SERRA RÁFOLS, Elías (1949): *El Adelantado D. Alonso de Lugo y su residencia por Lope de Sosa*. La Laguna (Tenerife): CSIC/Instituto de Estudios Canarios.

ROSENBLAT, Ángel (1954): *La población indígena y el mestizaje en América*. 2 vols. Buenos Aires: Nova.

— (1965): *La primera visión de América y otros estudios*. Caracas: Ministerio de Educación.

— (1977): *Los conquistadores y su lengua*. Caracas: Universidad Central de Venezuela.

ROTH, Wolfgang (1986): "La problemática de la historiografía de la lengua y el español de América". En: *ACIEA* II, 265-272.

ROUSE, Irving (1992): *The Tainos: Rise & Decline of the People Who Greeted Columbus*. New Haven/etc.: Yale University Press.

RUIZ PÉREZ, Pedro (1987): "Sobre el debate de la lengua vulgar en el renacimiento". En: *Criticón* 38, 15-44.

RUMEU DE ARMAS, Antonio (1947, 1950): *Piraterías y ataques navales contra las islas Canarias*. 2 vols. Madrid: CSIC.

— (1975): *La conquista de Tenerife (1494-1496)*. Tenerife/Madrid: Aula de Cultura de Tenerife/Gráficas Uguina [(²2006): La Laguna (Tenerife): Instituto de Estudios Canarios].

— (1986): *El obispado de Telde. Misioneros mallorquines y catalanes en el Atlántico*. Madrid/Telde: Ayuntamiento de Telde/Gobierno de Canarias/CIGC.

SALAS, Alberto M. (1986): *Tres cronistas de Indias*. México, D. F.: FCE.

SALVADOR, Gregorio (1988): "Dialectos y estructuras". En: Thun, Harald (ed.): *Energeia und Ergon*. II. Tübingen: Narr, 275-282.

— (1988a): "Lexemática histórica". En: *ACIHLE* I, 1, 635-646.

SAMPER PADILLA, José Antonio (coord.), *et al.*: (1996): "El estudio histórico del español de Canarias". En: Medina López, Javier/Corbella Díaz, Dolores (eds.): 285-303.

SAMPER PADILLA, José Antonio/HERNÁNDEZ, Clara Eugenia (2009): "La Luisiana". En: López Morales, Humberto (coord.): 75-79.

— (2009a): "El español isleño". En: López Morales, Humberto (coord.): 390-409.

SÁNCHEZ ALONSO, Benito (1941, 1944, 1950): *Historia de la historiografía española*. 3 vols. Madrid: Publicaciones de la Revista de Filología Española.

SÁNCHEZ-BARBA, Manuel (1981): *Historia de América*. 3 vols. Madrid: Alhambra.

SÁNCHEZ MÉNDEZ, Juan (1998): *Aproximación histórica al español de Venezuela y Ecuador durante los siglos XVII y XVIII*. València: Tirant lo Blanch.

— (2003): *Historia de la lengua española en América*. València: Tirant lo Blanch.

SANTAMARÍA, Francisco J. ([1]1942): *Diccionario general de americanismos*. 3 vols. México, D. F.: Pedro Robredo.

SANTANA HERNÁNDEZ, Lucía Milagrosa (2003): "Coincidencia de los portuguesismos léxicos del español de Canarias y Venezuela". En: *ACIEC* I, 2, 769-785.

SAUER, Carl Ortwin (1984): *Descubrimiento y dominación española del Caribe*. Traducción de Stella Mastrangelo. México, D. F.: FCE [edición original en inglés (1966): *The Early Spanish Main*. Berkeley (CA): University of California Press].

SAUSSURE, Ferdinand de (1972/1987): *Cours de linguistique générale*. Publié par Charles Bally et Albert Sechehaye avec la collaboration de Albert Riedlinger. Paris: Payot [traducción española (1987): *Curso de lingüística general*. Publicado por Charles Bally y Albert Sechehaye con la colaboración de Albert Riedlinger. Traducción, prólogo y notas de Amado Alonso. Madrid: Alianza (El Libro de Bolsillo)].

SCALFATI, Silio P. P. (1995): "Charta, breve, instrumentum. Documenti privati e notariato nell'Italia medioevale". En: Ostos Salcedo, Pilar/Pardo Rodríguez, María Luisa (eds.): *El notariado andaluz en el tránsito de la Edad Media a la Edad Moderna*. Sevilla: Ilustre Colegio Notarial de Sevilla, 33-46.

SCHLEICHER, August ([3]1873): *Die Darwinsche Theorie und die Sprachwissenschaft*. Weimar: Hermann Böhlau.

SCHLIEBEN-LANGE, Brigitte (1983): *Traditionen des Sprechens. Elemente einer pragmatischen Sprachgeschichtsschreibung*. Stuttgart/Berlin/Köln/Mainz: Kohlhammer.

— (1989): "Überlegungen zur Sprachgeschichtsschreibung". En: íd., *et al.* (eds.): 11-23.

SCHLIEBEN-LANGE, Brigitte, *et al.* (eds.) (1989): *Europäische Sprachwissenschaft um 1800. Methodologische und historiographische Beiträge zum Umkreis der 'idéologie'*. 4 vols. Münster: Nodus.

SCHLUPP, Daniel (2003): "Externe Sprachgeschichte des Spanischen in Mittelamerika". En: *HSK* 23.1, 1003-1013.

SCHMITT, Christian/CARTAGENA, Nelson (eds.) (2000): *La gramática de Andrés Bello (1847-1997). Actas del congreso-homenaje celebrado con motivo del ciento cincuenta aniversario de la "Gramática de la lengua castellana destinada al uso de los americanos"*. Bonn: Romanistischer Verlag.

SCHROTT, Angela/VÖLKER, Harald (eds.) (2005): *Historische Pragmatik und historische Varietätenlinguistik in den romanischen Sprachen*. Göttingen: Universitätsverlag Göttingen.

— (2005a): "Historische Pragmatik und historische Varietätenlinguistik. Traditionen, Methoden und Modelle in der Romanistik". En: íd. (eds.): 1-22.

SCHWARTZ, Stuart B. (2004): *Tropical Babylons. Sugar and the Making of the Atlantic World, 1450-1680*. Chapel Hill (NC): University of North Carolina Press.

SERRA, Elías/CIORANESCU, Alejandro (eds.) (1959, 1960, 1964): *Le Canarien. Crónicas francesas de la conquista de Canaria, publicadas a base de los manuscritos con traducción y notas históricas y críticas por Elías Serra y Alejandro Cioranescu*. 3 vols. La Laguna (Tenerife): CSIC/Instituto de Estudios Canarios (Fontes Rerum Canariarum 8, 9, 11).

SERRA, Elías/ROSA OLIVERA, Leopoldo de la (eds.) (1953): *Reformación del repartimiento de Tenerife en 1506 y colección de documentos sobre el Adelantado y su gobierno*. Santa Cruz de Tenerife: Goya.

SERRA RÁFOLS, Elías (ed.) (1949): *Acuerdos del Cabildo de Tenerife*. Vol. I: *1497-1507*. La Laguna (Tenerife): CSIC.

— (ed.) (1959): "Las Datas de Tenerife". En: *RHC* 25, 254-269.

SERRA RÀFOLS [*sic*], Elías (ed.) (1978): *Las datas de Tenerife (Libros I a IV de datas originales)*. Índices de Agustín Guimerá Ravina. La Laguna (Tenerife): CSIC/Instituto de Estudios Canarios.

SERRA RÁFOLS, Elías/ROSA OLIVERA, Leopoldo de la (eds.) (1965): *Acuerdos del Cabildo de Tenerife*. Vol. III: *1514-1518*. Con un apéndice de documentos sobre el gobierno de las Islas. San Cristóbal de La Laguna: Instituto de Estudios Canarios.

— (eds.) ([2]1996): *Acuerdos del Cabildo de Tenerife*. Vol. II: *1508-1513*. La Laguna (Tenerife): Excmo. Ayuntamiento de San Cristóbal de La Laguna/Cabildo Insular de Tenerife ([1]1952).

SIEGEL, Jeff (1985): "Koines and Koineization". En: *LiS* 14, 357-378.

SILVA, António de Morais ([3]1987): *Grande dicionário da língua portuguesa*. 5 vols. Lisboa: Confluência.

SILVA-CORVALÁN, Carmen (1989): *Sociolingüística. Teoría y análisis*. Madrid/México, D. F.: Alhambra.

SOLANO, Francisco de (ed.) (1991): *Documentos sobre política lingüística en Hispanoamérica (1492-1800)*. Madrid: CSIC.

— (ed.) (1996): *Normas y leyes de la ciudad hispanoamericana (1492-1600)*. Madrid: CSIC/Centro de Estudios Históricos.

STEFFEN, Max (1956): "Lexicología canaria, V". En: *RHL* 22, 53-85.

STEHL, Thomas (1994): "Français régional, italiano regionale, neue Dialekte des Standards: Minderheiten und ihre Identität im Zeitenwandel und im Sprachenwechsel".

En: Helfrich, Uta/Riehl, Claudia Maria (eds.): *Mehrsprachigkeit in Europa – Hindernis oder Chance?* Wilhelmsfeld: Gottfried Egert, 127-147.

STOLL, Eva (1997): *Konquistadoren als Historiographen. Diskurstraditionelle und textpragmatische Aspekte in Texten von Francisco de Jerez, Diego de Trujillo, Pedro Pizarro und Alonso Borregán.* Tübingen: Narr.

STUMFOHL, Helmut (1972): "Über mögliche Beziehungen zwischen dem Indogermanischen und dem Altkanarischen vom Standpunkt der Linguistik aus". En: *Almogaren* 3, 59-83.

— (1982-1983): "Alteuropäisch und Altkanarisch. Eine Abgrenzung". En: *Almogaren* 13-14, 7-6.

TAU ANZOÁTEGUI, Víctor (1992): *Casuismo y sistema. Indagación histórica sobre el espíritu del derecho indiano.* Buenos Aires: Instituto de Investigaciones de Historia del Derecho.

TAYLOR, Douglas MacRae (1977): *Languages of the West Indies.* Baltimore (MD): John Hopkins University Press.

TEJERA GASPAR, Antonio/GONZÁLEZ ANTÓN, Rafael (1987): *Las culturas aborígenes canarias.* Santa Cruz de Tenerife: Ediciones Canarias.

TOBLER, Adolf/LOMMATZSCH, Erhard (1925-2002): *Altfranzösisches Wörterbuch.* 11 vols. Wiesbaden/Stuttgart: Franz Steiner.

TODOROV, Tzvetan (1982): *La conquête de l'Amérique. La question de l'autre.* Paris: Seuil [version española (1987): *La conquista de América: el problema del otro.* México, D. F.: Siglo XXI].

TORQUEMADA, Antonio de (1970): *Manual de escribientes.* Edición de María Josefa C. de Zamora y A. Zamora Vicente. Madrid: Real Academia Española.

TORRES CAMPO, Rafael (1901): *Carácter de la conquista y colonización de las Islas Canarias. Discursos leídos ante la Real Academia de la Historia en la recepción pública de don Rafael Torres Campos.* Madrid: Imprenta y Litografía del Depósito de la Guerra.

TORRES STINGA, Manuel (1989): *El español hablado en Lanzarote.* Arrecife: Cabildo Insular de Lanzarote.

TORRIANI, Leonardo (1940): *Die Kanarischen Inseln und ihre Urbewohner. Eine unbekannte Bilderhandschrift vom Jahre 1590. Im italienischen Urtext und in deutscher Übersetzung sowie mit völkerkundlichen, historisch-geographischen, sprachlichen und archäologischen Beiträgen herausgegeben von Dr. Dominik Josef Wölfel.* Leipzig: K. F. Koehler [edición bajo licencia (1979): Hallein: Burgfried-Verlag].

— (1978): *Descripción e historia del Reino de las Islas Canarias, antes Afortunadas, con el parecer de sus fortificaciones.* Traducción del italiano, con introducción y notas de Alejandro Cioranescu. Santa Cruz de Tenerife: Goya.

TOSH, John (^{2}1991): *The Pursuit of History.* London/New York: Longman.

TOVAR, Antonio (1966): "Las lenguas arahuacas. Hacia una delimitación y clasificación más precisa de la familia arahuaca". En: *Thesaurus* 41, 1-22.

TOVAR, Antonio/LARRUCEA DE TOVAR, Consuelo (^{2}1984): *Catálogo de las lenguas de América del Sur con clasificaciones, indicaciones tipológicas, bibliografía y mapas.* Madrid: Gredos.

TRAPERO, Maximiano (1995): *Para una teoría lingüística de la toponimia (Estudios de toponimia canaria)*. Las Palmas de Gran Canaria: Universidad de Las Palmas de Gran Canaria.

— (1996): "Fuentes y estudios sobre la toponimia guanche". En: Medina López, Javier/Corbella Díaz, Dolores (eds.): 179-230.

— (1998): "Los nombres que ha recibido la Isla de El Hierro". En: *ACIHLE* IV, 2, 895-908.

— (1999): *Diccionario de toponimia canaria. Léxico de referencia oronímica*. Prólogo de Eugenio Coseriu. Las Palmas de Gran Canaria: Gobierno de Canarias/Fundación de Enseñanza Superior a Distancia de Las Palmas de Gran Canaria/Universidad Nacional de Educación a Distancia.

— (1999a): *Pervivencia de la lengua guanche en el habla común de El Hierro. Léxico común y pastoril, de la flora y de la fauna y de la toponimia*. S. l.: Gobierno de Canarias.

TRAPERO, Maximiano/LLAMAS POMBO, Elena (1998): "¿Es guanche la palabra *guanche*? Revisión histórica, filológica y antropológica de un tópico". En: *AEAt* 44, 99-196.

TRIANA Y ANTORVEZA, Humberto (1987): *Las lenguas indígenas en la historia social del Nuevo Reino de Granada*. Bogotá: Instituto Caro y Cuervo.

TRUDGILL, Peter (1986): *Dialects in Contact*. Oxford: Blackwell.

— (1988): "On the role of dialect contact and interdialect in linguistic change". En: Fisiak, Jacek (ed.): *Historical Dialectology. Regional and Social*. Berlin: Mouton de Gruyter, 547-563.

TRUJILLO, Ramón (1978): *El silbo gomero. Análisis lingüístico*. Santa Cruz de Tenerife: Editorial Interinsular Canaria.

— (2006): *El silbo gomero: nuevo estudio fonológico*. La Laguna (Tenerife): Academia Canaria de la Lengua.

TUTEN, Donald N. (2003): *Koineization in medieval Spanish*. Berlin: Mouton de Gruyter.

ULBRICH, Hans-Joachim (1989): "Die Entdeckung der Kanaren vom 9. bis zum 14. Jahrhundert: Araber, Genuesen, Portugiesen, Spanier". En: *Almogaren* XXII, 1, 60-99.

— (1989a): "Die Besiedlung der Kanarischen Inseln". En: *Almogaren* XX, 2, 33-99.

— (1990): *Felsbildforschung auf Lanzarote*. En: *Almogaren* XXI, 2, 1-139.

UNTERMANN, Jürgen (1990): *Monumenta linguarum Hispanicarum*. III. *Die iberischen Inschriften aus Spanien*. Wiesbaden: Dr. Ludwig Reichert.

VALDÉS, Juan de (1969): *Diálogo de la lengua*. Edición, introducción y notas de Juan M. Lope Blanch. Madrid: Castalia ([1]1535).

VALDÉS BERNAL, Sergio (1986): *La evolución de los indoamericanismos en el español hablado en Cuba*. La Habana: Editorial de Ciencias Sociales.

— (1991): *Las lenguas indígenas de América y el español de Cuba*. Vol. I. La Habana: Editorial Academia.

VAQUERO DE RAMÍREZ, María T. (1992): "Orígenes y formación del español de América. Período antillano". En: Hernández Alonso, César (ed.): 251-265.

— (2006): "La formación de las grandes zonas dialectales del español en América". En: *ACIHLE* VI, X, 185-215.

VAS MINGO, Milagros del (1986): *Las capitulaciones de Indias en el siglo XVI*. Madrid: Instituto de Cooperación Iberoamericana.

VELOZ MAGGIOLO, Marcio (1972): *Arqueología prehistórica de Santo Domingo*. Singapur (NY): McGraw-Hill Far Eastern Publishers.

VENDRYES, Joseph (1968): *Introduction à l'histoire*. Paris: Albin Michel ([1]1923).

VIANA, Antonio de (1968): *Obras*. Madrid: Aula de Cultura de Tenerife.

— (1996): *Antigüedades de las Islas Afortunadas. Año 1604*. Facsímil. San Cristóbal de La Laguna: Excmo. Ayuntamiento de San Cristóbal de La Laguna/Universidad de La Laguna/Cabildo Insular de Tenerife/Dirección General de Cultura, Gobierno de Canarias.

VIANNA, Hélio ([12]1975): *História do Brasil. Período colonial, monarquia e república*. São Paulo: Edições Melhoramentos/Editora da Universidade de São Paulo.

VIDOS, B. E. (1977): "Contributo a portoghesismi nel Diario di Cristoforo Colombo". En: *ASNS* 214, 49-60.

VIEIRA, Alberto (2004): "The sugar economy of Madeira and the Canaries, 1450-1650". En: Schwartz, Stuart B. (ed.): 42-84.

— (2008): "A civilização do açúcar e a Madeira". En: Franco, José Eduardo (coord.): 56-80.

VIERA Y CLAVIJO, Joseph de ([2]1982): *Noticias de la historia general de las Islas Canarias*. Enriquecida con las variantes y correcciones del autor. Introducción y notas del Dr. Alejandro Cioranescu. Índice onomástico y de materias por Marcos G. Martínez. 2 vols. Santa Cruz de Tenerife: Goya ([1]1772).

— ([2]1982a): *Diccionario de historia natural de las Islas Canarias*. Edición dirigida y prologada por Manuel Alvar. Las Palmas de Gran Canaria: Excma. Mancomunidad de Cabildos de las Palmas ([1]1868).

VIÑAZA, conde de la (1892): *Bibliografía española de lenguas indígenas de América*. Madrid: Tipogr. "Sucesores de Rivadeneyra" [reimpresión en facsímile (1977): Madrid: Atlas].

VOSSLER, Karl (1913): *Frankreichs Kultur im Spiegel seiner Sprachentwicklung*. Heidelberg: Carl Winter [con el nuevo título (1929): *Frankreichs Kultur und Sprache. Geschichte der französischen Schriftsprache von den Anfängen bis zur Gegenwart*; traducción española (1975): *Cultura y lengua de Francia. Historia de la lengua literaria francesa desde los comienzos hasta el presente*. Traducción de Elsa Tabernig y Raimundo Lida. Buenos Aires: Losada].

— (1923): *Gesammelte Aufsätze zur Sprachphilosophie*. München: Max Hueber.

WEBER, Friedrich (1911): *Beiträge zur Charakteristik der älteren Geschichtsschreiber über Spanisch-Amerika. Eine biographisch-bibliographische Skizze*. Leipzig: R. Voigtländers Verlag.

WECKMANN, Luis ([2]1994): *La herencia medieval de México*. México, D. F.: El Colegio de México/FCE ([1]1984).

WEINREICH, Uriel (1954): "Is a structural dialectology possible?". En: *Word* 10, 388-400.

— ([8]1974): *Languages in Contact: Findings and Problems*. The Hague/Paris: Mouton ([1]1953).

WESCH, Andreas (1993): *Kommentierte Edition und linguistische Untersuchung der "Información de los Jerónimos" (Santo Domingo, 1517)*. Tübingen: Narr.

— (1993a): "Das *documento indiano* des 16. Jahrhunderts und die Traditionen des Sprechens. Anmerkungen zur Textsorte *instrucción*". En: Foltys, Christian/Kotschi, Thomas (eds.): *Berliner romanistische Studien. Für Horst Ochse*. Berlin: Institut für Romanische Philologie der Freien Universität Berlin, 423-431 (*NR* 14).

— (1996): "Tradiciones discursivas en documentos indianos del siglo XVI. Sobre la 'estructuración del mandato' en ordenanzas e instrucciones". En: *ACIHLE* III, 955-967.

— (1998): "Hacia una tipología de los textos administrativos y jurídicos españoles (siglos XV-XVII)". En: Oesterreicher, Wulf/Stoll, Eva/Wesch, Andreas (eds.): 187-217.

— (1998a): *Zwei sprachliche Diasysteme im Vergleich: Französisch und Spanisch*. Manuscrito inédito.

WILGUS, A. Curtis (1975): *The Historiography of Latin America. A Guide to Historical Writing, 1500-1800*. Metuchen (NY): The Scarecrow Press.

WILHELM, Raymund (2003): "Von der Geschichte der Sprachen zur Geschichte der Diskurstraditionen. Für eine linguistisch fundierte Kommunikationsgeschichte". En: Aschenberg, Heidi/íd. (eds.): 221-236.

WILHELMY, Herbert (1981): *Welt und Umwelt der Maya. Aufstieg und Untergang einer Hochkultur*. München/Zürich: R. Piper & Co.

WÖLFEL, Dominik Josef (1931): "Quiénes fueron los primeros conquistadores y obispos de Canarias". En: *IP* 5, 130-136.

— (1965): *Monumenta linguae Canariae*. Graz: Akad. Druck- und Verlagsanstalt.

— (1979): *Leonardo Torriani – Die Kanarischen Inseln und ihre Urbewohner. Eine unbekannte Bilderhandschrift vom Jahre 1590*. Leipzig: K. F. Koehler [([1]1940): Hallein: Burgfried; traducción española (1978): *Descripción e historia del reino de las Islas Canarias*. Santa Cruz de Tenerife: Goya].

— (1996): *Monumenta Linguae Canariae. Monumentos de la lengua aborigen canaria*. Traducción al español de Marcos Sarmiento Pérez. Santa Cruz de Tenerife: Gobierno de Canarias, Dirección General de Patrimonio Histórico.

ZAMORA MUNNÉ, Juan Clemente (1976): *Indigenismos en la lengua de los conquistadores*. Río Piedras (Puerto Rico): Universitaria.

ZAMORA MUNNÉ, Juan Clemente/GUITART, Jorge ([2]1988): *Dialectología hispanoamericana*. Salamanca: Almar.

ZAMORA SALAMANCA, Francisco J. (1997): "Contactos lingüísticos entre españoles e indios en un temprano pleito de la isla Española (año 1509)". En: *Lingüística* 9, 195-175.

— (2006): "Mezcla de lenguas en La Española en los primeros tiempos de la conquista". En: *ACIHLE* VI, 3, 2993-2999.

ZÁRATE, Agustín de (1947): "Historia del descubrimiento y conquista de la provincia del Perú". En: Vedia, Enrique de (ed.): *Historiadores primitivos de Indias*. Vol. II. Madrid: Atlas, 459-574.

ZAVALA, Silvio (1973): *La encomienda indiana*. Segunda edición revisada y aumentada. México, D. F.: Porrúa.

— ([2]1984): *Estudios indianos*. México, D. F.: El Colegio Nacional ([1]1948).

ZUAZO, Alonso de (2000): *Cartas y memorias (1511-1539)*. Prólogo, edición y notas Rodrigo Martínez Baracs. México, D. F.: CONACULTA.

— (2000a): "Carta del licenciado Zuazo a monsieur de Chièvres". En: íd.: 81-104.

ZUNZUNEGUI, José (1941): "Los orígenes de las misiones en las Islas Canarias". En: *RET* 1, 361-408.

ZURARA, Gomes Eanes de (1978, 1981): *Crónica dos feitos notáveis que se passaram na conquista da Guiné por mandado do Infante D. Enrique*. 2 vols. Lisboa: Academia Portuguesa da História.

ZYHLARZ, Ernst (1950): "Das kanarische Berberisch in seinem sprachgeschichtlichen Milieu". En: *ZDMG* 100, 403-460.

ÍNDICE DE MATERIAS

ÍNDICE DE VOCES